DICCIONARIO MAYOR DE CUBANISMOS

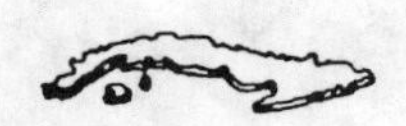

COLECCIÓN DICCIONARIOS

EDICIONES UNIVERSAL, Miami, Florida, 1999

JOSÉ SÁNCHEZ-BOUDY

DICCIONARIO MAYOR DE CUBANISMOS

Primera edición, 1999

EDICIONES UNIVERSAL
P.O. Box 450353 (Shenandoah Station)
Miami, FL 33245-0353. USA
Tel: (305) 642-3234 Fax: (305) 642-7978
e-mail: ediciones@kampung.net

Library of Congress Catalog Card No.: 98-84050
I.S.B.N.: 0-89729-710-5

Composición de textos: Clara Nogués
Paginación: María Salvat Olson
Diseño de la cubierta por Luis García-Fresquet
Caricatura del autor en la página por Roseñada
Caricaturas interiores por Menéndez

Edición y revisión del texto por Alberto Hernández-Chiroldes

Mi agradecimiento a Alberto Hernández-Chiroldes, profesor de Davidson College en North Carolina, por su valioso trabajo de corrección, revisión y preparación final de este diccionario. Su colaboración ha sido esencial en la edición de este libro.

Al poeta Armando Álvarez Bravo por la sugerencia del título de este libro.

Y a mi editor, Juan Manuel Salvat, presidente de Ediciones Universal, por las muchas madrugadas de trabajo en el cuidado de esta edición, que él considera mi libro más importante.

Y especialmente para la Cuba Eterna, razón de los desvelos de todos los que han colaborado en este libro.

José Sánchez-Boudy

Caricatura del autor por Roseñada.

PRÓLOGO

I

Varios han sido los trabajos realizados en el pasado para dejar constancia de la extensa cantidad de expresiones que han adornado el idioma español en Cuba.

Desde que Esteban Pichardo, pionero de los estudios folklóricos en la Perla de las Antillas, publicó en La Habana, un pequeño volumen titulado *Diccionario Provincial de las Voces Cubanas*, en 1836, una labor periódica se ha venido realizando. Una segunda edición de Pichardo vio la luz un año después de publicar J. Russell Barlett su *Dictionary of Americanism* en 1848. Años más tarde, en 1862 fue publicada la tercera edición; y la cuarta y última de Pichardo en 1875.

A estos trabajos iniciales siguió *Diccionario Cubano* de José Miguel Macías, publicado en Veracruz, México en 1886. Más tarde Alfredo Zayas, político, orador y escritor que fue presidente de Cuba del año 1921 a 1925, publica en 1914 y 1921, sus dos ediciones de *Lexicografía Antillana.*[1]

A esto siguió Fernando Ortiz, el destacado investigador del negro cubano con *Glosario de Afronegrismos* publicado en La Habana y un *Catauro de Cubanismos* publicado también en La Habana, pero en 1925.

Luego surge Juan Manuel Dihigo con *Léxico Cubano* publicado en La Habana, el primer volumen en 1928 y el segundo en 1946. Más tarde, en 1953, Esteban Rodríguez Herrera publica en La Habana *Pichardo Novísimo*; y en 1958, también en La Habana, este mismo autor publica *Léxico Mayor de Cuba.* No debe olvidarse en un recuento del folklorismo en Cuba la revista *Archivos de Folklore Cubano* que tanta ayuda prestara a los estudios lexicológicos cubanos.

En los Estados Unidos Antonio Carbajo publicó, en 1968, *Un Catauro de Folklore Cubano* y *Tesauro de Cubanismos.* Sin embargo, se hace difícil la búsqueda y localización en ellos por la falta de índices y de arreglo alfabético. Además, la presentación es muy somera sin un estudio concienzudo del material tratado. Está muy lejos de ser completo. No obstante el esfuerzo es plausible pues trata Carbajo de mostrar el lenguaje popular cubano a la colonia expatriada para que ésta no lo olvide.

Del mismo tenor es el libro de Luis Pérez López *Así hablaba Cuba.* (Sus dichos populares.)

Decía que el esfuerzo de Carbajo es plausible. Lo mismo el de Luis Pérez. Ambas obras, a pesar de lo exiguo que han recogido, se caracterizan, sin embargo, por su modernidad en el sentido de que han captado fielmente un segmento del habla del pueblo. Es decir el habla viva del cubano.

---

[1] En 1921, publicó Constantino Suárez su *Diccionario de Voces Cubanas*. En 1931 su *Vocabulario Cubano.* Con Suárez la cala en lo verdaderamente popular comienza.

El ingeniero agrónomo Darío Espina Pérez publicó en 1972 un *Diccionario de Cubanismos.* Existen además, dos o tres tesis de licenciatura sobre la materia en Estados Unidos.

En este trabajo he tratado de captar en toda su magnitud esa psiquis popular del cubano. Por eso he tratado de recolectar todos los cubanismos más usuales y sus variantes. Los cubanismos que usan cada día la mayoría de los cubanos. Un cubanismo que no ha salido de la cayería, es decir de un cayo, como, por ejemplo, «agua de casimba» no se incluye aquí. Ya más que cubanismo, aunque sea una voz formada en Cuba (uso ésta como ejemplo aunque tengo mis dudas, a pesar de que siempre se ha dicho que es un cubanismo, de su legitimidad cubana pues es voz que se oye, también, en Perú) es una palabra técnica que pertenece a un determinado nivel del habla: al de los pescadores de las cayerías cubanas. Sucede lo mismo con otras palabras que son propias del campo azucarero o tabacalero, o del campesino cubano. La voz se ha traído a este diccionario cuando, rebasando el campo técnico, ha pasado al nacional.

Un caso típico es «curujey». El «curujey» es una planta cubana que vive sobre la ceiba. La voz pertenece al campo de la botánica y es de procedencia campesina. Pues bien, una canción muy popular en Cuba rezaba: «Ese árbol tiene curujey» para indicar que una persona era muy vieja. La canción popularizó la frase que se convirtió en cubanismo. Está por lo tanto en este diccionario.

Con esta palabra los campesinos han creado un cubanismo: «curujeyes». Quiere decir, «años». También se ha extendido el mismo desde lo campesino a todos los sectores de la población cubana. Por lo tanto no hemos dejado de ponerlo en el lugar apropiado en esta obra.

Hemos dicho que nos proponemos en ella captar el alma nacional. El Dr. Rolando Álvarez de Villa, que escribía con el seudónimo de Álvaro de Villa, publicó en el «Diario de las Américas», de Miami, Florida, Estados Unidos, unos ensayos que él titulaba: *Los Siete Pecados Capitales del Cubano.* Si el título no era original las cosas que él decía sí hubo que tomarlas en cuenta. Una de ellas se refería a que el cubano, en el habla popular, expresaba su idiosincrasia anímica. Refería Álvaro de Villa, que ello se ve fácilmente en el cubanismo, «guardar el carro». El cubano en vez de decir que, «fulano se murió», dice «fulano guardó el carro». Ello es indicativo que la vida para el cubano es un paseo. Ello explica una de las facetas vitales del cubano: el concebir la vida como algo festivo; el no temer a la muerte.

Otros ejemplos de este tipo se podrían dar. Cuando alguien muere el cubano dice «fulano se puso el chaquetón de pino tea». El llamado «choteo criollo» entra en el cubanismo revelando que la muerte no nos sofoca como a otros pueblos.

Y ahora que hablamos del choteo criollo es conveniente detenernos aquí. Es una de las peculiaridades, ésta, más acuciadas del pueblo cubano. Jorge Mañach escribió un libro sobre el tema del choteo, tratando de definirlo. El esfuerzo escapó al intento. Posiblemente por tratarse de algo que se entiende, que se siente, pero que no se puede encajar en una definición. Pues bien, en este volumen hemos tratado, no sólo con los ejemplos que damos, en forma de oración, de cada cubanismo, sino con los sinónimos, además, del cubanismo en sí, de mostrar lo que es este choteo. En ello no hemos hecho más que seguir lo que se encuentra en otros libros nuestros: dos antinovelas: *Lilayando*, Miami, Florida, 1971 y en *Lilayando pal tu.* El mismo pensamiento hemos tenido pero en menor escala que en las antinovelas, en *Ritmo de solá (Aquí como allá), Barcelona, España*, 1967 y en *Alegrías de coco,* Barcelona, España, 1967, dos volúmenes de versos.

Otro segmento del arcano cubano aquí llevado es el de la chusmería. Es decir, ese comportamiento que desafiando normas del buen gusto se salva porque está matizado por la gracia. Esta frase, «mi hermano, no te lances conmigo porque te pongo como zapatería en el inán» o sea, «no me faltes el respeto porque te caigo a patadas por el trasero», dicho con gracia es un ejemplo típico de la chusmería criolla. Creo que cubanismos como: «le partieron la ventrecha» —lo mataron, «le partieron el carapacho»— lo mataron, «como quiera que te pongas tienes que llorar» y otros que incluyo expresan muy bien la chusmería cubana. (Véase mi libro de versos *Crocante de maní*, Zaragoza 1973, donde trato de mostrarla. Véase en ella el prólogo de Álvaro de Villa.)

En el libro se da, muchas veces, el origen del cubanismo. Se trata de ilustrar al que consulta la obra sobre el hecho de que el cubano extrae su habla popular de cualquier cantera. Por eso decimos: este cubanismo procede del campo de pelota, o del billar, o del automovilístico, o del chuchero.

Con respecto a este último, al chuchero, es necesario una explicación. El chuchero fue un personaje que proliferó en Cuba en los años cuarenta. El personaje pertenecía a la más baja estofa social. Era marihuanero, es decir, fumaba marihuana. Vestía un traje especial que consistía en un sombrero de alas anchísimas al que llamaban el «panza burro» o «el portavión»; zapatos que recibían el nombre de «encorios»,[2] casi siempre de dos colores o de colores brillantes o hechos con la piel de un chivo, porque el chuchero practicaba la santería, en otras palabras era adicto a una de las religiones africanas que llevadas a Cuba por los esclavos se asentaron en ella. Los pantalones eran de corte ancho que parecían un globo. Los usaba hasta el medio del pecho. Del pantalón colgaba un cadenón al que el chuchero, parado en las esquinas, daba vueltas continuamente. El saco tenía un corte cuadrado en los hombros. Las hombreras eran enormes, rellenadas para hacer unas espaldas de atletas. El saco llegaba casi a las rodillas. El pelado del chuchero era el llamado «arte y renovación», un corte recto en el cuello con mucho pelo al lado —la llamada mota— que el chuchero cuidaba como a la niña de sus ojos, pasando un peine sin parar por ella.

El personaje fue tan popular que un periódico humorístico de La Habana, «Zig Zag», creó un personaje: «El Chuchero Catalino».

El periódico hasta tuvo una sección gramatical a la que escribía el chuchero cubano mandando todas las partes gramaticales que componían su jerga. Éstas, para el profano, era indescifrable: «Mi socio la vieja no pilla barín porque tiene los socarios fu». «Nagüe lo que la lea porta por estribor es de ampanga». En el primer caso, «mi socio la vieja»... quería decir que su mamá —a la que llamaba también la pureta— no veía bien. En el segundo se refería que una mujer muy bonita tenía un trasero bello.

El despreciado personaje fue, sin embargo, dejando palabras en el argot; —las que el lector verá en esta obra— en el habla del pueblo. Los estudiantes, como signo de

---

[2] O «encoriocos».

rebelión social, imitaban sus actitudes —el pelado «arte y renovación» se hizo popular— y su lenguaje. De esa manera tomaron carta de naturaleza en nuestra habla cubana palabras como «pureto» —padre; «gao» —casa; «faisán» —mujer bonita: «avión» —galletazo.

Por otro lado en un programa popular, el de la pareja folklórica cubana del teatro vernáculo —el negrito y el gallego— el de Garrido y Piñeiro, se repetían, por el negrito, palabras chucheras que fueron asimiladas por el pueblo cubano.

Ello no quiere decir que en una conversación, en un ambiente social de altura, se usen. Allí no vamos a decir: «me voy para el gao». Pero sí se utiliza esa voz «gao», en una reunión informal entre amigos.

También, en los cubanismos, hemos señalado lo que entendemos una peculiaridad del aumentativo en el habla popular cubana: que en vez de usarse las terminaciones de la lengua culta se recurre a palabras del habla popular, por ejemplo: «niche» es «ser negro» pero «extracto de niche» es «ser negrísimo»; «comerse un cable» es «estar en una situación económica mala» pero «comerse un cable de alta tensión» ya es estar en una situación económica malísima. Y todavía es más crítica ésta si «nos comemos un cable de alta tensión con rueda y todo». No es tampoco lo mismo «comerse un chino por los pies» que «comérselo por los pies con tenis y todo». Ya aquí la palabra tenis da el aumentativo al decir que la situación económica nuestra rebasa lo de malísima. El aumentativo en este caso llegará a la cumbre si en vez de un chino « nos comemos un niño chiquito por los pies».

El diccionario permite, además ver que el cubano habla en imágenes: «romper el carapacho» —matar—, «ser Anita, la huérfanita» —ser alguien que se queja mucho— y miles de cubanismos son pruebas al canto de la capacidad expresiva y creativa que del lenguaje tiene el pueblo cubano.

Por últimos, no sólo se han incluido los cubanismos usados en Cuba sino los creados por los cubanos que hoy viven fuera de su tierra. Como debido a la situación política cubana, el lenguaje de ayer tiende a desaparecer, me parece, que este diccionario cumple un propósito no sólo útil sino histórico.

II

Nunca habrá un diccionario de cubanismos donde no se haya escapado una voz castiza. El lograr, en él, la pureza total es una labor de decantación que lleva años. Tal vez nunca se consiga. Y ello es debido a dos factores principales: uno, a que Cuba fue lugar de paradero, de fondeadero, de flotas españolas durante la colonia. Una marinería procedente de todos los lugares de España, un conglomerado abigarrado de baja estofa y nobleza, pararon en la ciudad por meses esperando vientos favorables para partir hacia la Madre Patria. Se confundían, pues, lingüísticamente, en la espera, palabras de todas las regiones españolas y el vocabulario de las clases más altas e intermedias. Integradas en el habla de Cuba, muchas de ellas, como cosa normal, de creación cubana fueron consideradas. Más, cuando se perdieron en España.

Un caso notorio es la palabra «pinga» que en Cuba significa, como en la Península, «pene». La similitud del palo largo, en el que los chinos llevan las canastas, un palo que carga dos, una a cada extremo, hizo también que éste recibiera el nombre de «pinga». Pero como la voz se esfumó en España, se le ha tenido, por mucho tiempo, como cubanismo. Sin embargo se trata de un giro castizo. En efecto, en el rarísimo libro *Las alcahuetas de Madrid*, del año 1872, publicado en Madrid, encontramos que el autor se llama: Don Casto Cascósela y Pingalisa. Es más, nos encontramos que la voz *cascársela* que hemos oído en otras naciones de América, siempre considerándola, como propia, en el sentido de masturbarse, es peninsular.

Otros casos hacen esto más patente. En Cuba se dice: «fulano es una gallina»; «fulanito no seas gallina». Al remontarnos al origen de la expresión se nos fue dicho, repetidas veces, que era un cubanismo de procedencia campesina. Pues bien, aparece en el *«Guzmán de Alfarache»*.

Es que el español de Cuba es tan rico y variado que subsisten en él todo tipo de expresiones, como por ejemplo: «Estar como las putas en Cuaresma», que son de origen que se remonta al siglo diecisiete o antes. Esta última se halla en Quevedo: *Estar como las Pastelerías en Cuaresma.* (En «El Buscón».)

Esta diferencia entre Quevedo y el español de hoy en Cuba, en una palabra, nos lleva a entrar en el criterio que hemos seguido para clasificar, lo que oímos, como cubanismo. Pero antes hablemos del otro factor que complica el saber si una palabra o expresión es cubanismo o no: la enorme emigración que gozó Cuba hasta 1936. Ésta, que hizo a la Perla de Las Antillas, la más hispánica de las colonias españolas del Nuevo Mundo, estaba compuesta por españoles de todas las regiones de España, como lo atestiguan las innumerables asociaciones españolas que existían en Cuba: «Cangas de Onís Parres y Amieva», «Beneficencia Catalana», «Beneficencia Andaluza», «Santa María de Ortigueira»... Esta emigración, que era casi toda campesina, injertó en el español de Cuba, modismos procedentes de su ambiente que subsisten hoy en él, en muchos casos, y que por ser del campo hacen difícil su rastreo.

Hay el cubanismo que constituye la pura creación cubana. Casi todos brotan de esa cantera: *Ser un complejo Bayer*: «estarse siempre quejando»; *Estar de niña Fifí*: «Estar de niña presumida»; *No ser un chorrito sino Albear*: «orinar mucho». Hay otros en que la palabra castiza adquiere otro significado: *Patriota*: Billete de a peso; *Pipa*: Barriga. Existen aquellos en que la lingüística es la misma que el castizo pero adaptada a la idiosincrasia del cubano: *Eramos pocos y parió tu abuela* (Castizo) (*Eramos poco y parió Catana* [Cubanismo] —en este terreno hemos adoptado como cubanismo aquellos en que el cambio puede hacer titubear al interlocutor, como en este caso, y no en los que no sucede tal cosa como en el ejemplo de Quevedo antes referido —*Me dijo que si esto, que si aquello, que si malanga amarilla*— malanga amarilla es lo que lo diferencia del castizo... En fin, el criterio seleccionador ha sido, repito, amplio. Es más, cuando nos asalta la duda, hemos puesto una nota al lado de la palabra indicando que muchos nos han dicho que es «calé», o «castiza», o que aparece en el habla de Madrid: verbigracia: En Manuel Seco, *Arniches y el habla de Madrid*, (1970.)

Vemos así las dificultades que conlleva hacer un diccionario. Cuando tiene uno por seguro cubanismo una expresión como *De eso nada, monada*, llena de gracia, lo que nos reafirma su origen, nos la dice una ancianita en Extremadura: «Ya aquí nadie habla así. Pero sí mi mamá». De todos modos creemos haber reunido un corpus de cubanismo que da bien el habla del cubano; el carácter del mismo; el choteo... la expresión del alma popular cubana.

En fin, sus características psíquicas y exclusivas. Hemos seguido, al darlo a la publicidad, las observaciones de Don Manuel Alvar, mi director de tesis —el diccionario de cubanismos ha sido tesis doctoral— filólogo de los grandes que ha producido España; de Julio Fernández Sevilla, catedrático cuyo dominio de su ciencia ha constituido una valiosísima experiencia; del Dr. Balbín, miembro del tribunal que juzgó la tesis; así como de los doctores Sánchez-Castañer y López Estrada.

Y no olvidemos a una estupenda cubana: Lydia Díaz Garrido, esposa del Dr. Pepín Díaz Garrido, cuya cubanía y criollismo tanto me han ayudado en la elección de los cubanismos. Antes de morir me envió una lista de los recopilados por ella que además de nuestras charlas periódicas ha servido de valiosísimo material para poder dejar esta obra al pueblo de Cuba; y al Dr. Mariano Díaz que es un apasionado de estas cuestiones.[3] [4]

---

[3] Las dificultades son enormes. Hasta una palabra que aparece en los autores españoles, o una frase, del siglo XVII puede haber nacido en América y llevada a España por los conquistadores. Por eso yo creo que es la comunicación la que hace que en Méjico se diga «bagazo» —«ser una persona, por ejemplo, un bagazo», en el sentido de no valer nada— es un mejicanismo, cuando en Cuba se tiene por cubanismo y se reivindica su propiedad lingüística con el argumento de que siendo de procedencia cañera es natural que se haya formado en Cuba y pasado después a Méjico. (Para verlo como mejicanismo consultar a Francisco J. Santamaría, *Diccionario de Mejicanismo*, Editorial Porrúa, Méjico, 1972, página 108.) Que las dificultades son enormes se ve en lo que le dijo, a Salvador Bueno, Eugenio D'Ors: de que en Cataluña hay habaneras que se cantan hoy en día y que fueron llevadas allí por los catalanes que emigraron a Cuba. (En «*Los recuerdos Cubanos de Eugenio D'Ors*», Carteles, La Habana, Cuba, año 35, pág. 29.) Y una palabra que usa el chuchero en Cuba (ver Chuchero,) «jeba», que se tiene como andalucismo o de procedencia gitana, el Lcdo. Julio de León de la Johnson C. Smith University, Charlotte, Carolina del Norte, Estados Unidos, nos la muestra en un canto de cabildo de los esclavos africanos en Cuba: «cuando me le aboco / a la jeba»... (Revista Américas, Volumen 29, No. 2, sept. 1977, pág. 29, «Afro-Cuban Poetry».) (Esta revista es el órgano de la Organización de Estados Americanos, O.E.A.) El Dr. Eduardo Le Riverend y Brussone, que revisó este diccionario e hizo sugerencias de gran peso, me indicaba cómo palabras francesas fueron llevadas por Guillermo el Conquistador a Inglaterra adquiriendo allí otro significado y siendo exportadas más tarde a Francia.

[4] Cualquier expresión de subido tono incluida en el diccionario, el autor la rechaza en lo personal. El rigor científico, sin embargo, nos impide prescindir de ella.

III

NIVELES DEL HABLA CUBANA

Para familiarizar más al lector con los cubanismos me perece muy práctico mostrar varios niveles del habla cubana. Si suponemos que Juan va a pedir a su novia Lola, Juan podría expresarse de diferentes maneras al hablar con un amigo:

«Mi querido amigo Pedro. ¡Qué alegría encontrarte! Hoy es un día muy feliz para mí porque voy a pedir a Lola. Me casaré con ella enseguida. Es el amor de mi vida».

De este lenguaje que llamaremos castizo pasamos a otro en que el castizo empieza a descomponerse lentamente. Juan, en efecto, podría decir:

«Mi querido amigo Pedro; Chico, ¡qué chévere encontrarte! Hoy estoy de farolero porque voy a pedir a Lola. ¡Con la velocidad del rayo me voy a casar con ella!»

La descomposición puede adquirir grados mayores:

«Mi hermano Pedro, estoy, mi hermano, de comparsero de los buenos. Hoy voy a pedir a Lola para caer de flai en el himeneo enseguida».

«Mi hermano Pedro, estoy que ya tú sabe, negro, de farolito chino. Figúrate que hoy voy a tallar con el padre de Lola para con el consentimiento del ocambo caer con ella en San José del Lago».

Un chuchero diría:

«Mi hermano, estoy, ya tú te puedes figurar: de Marte y Belona con la Orquesta de los Palau. Hoy le parlo barín al puro de Lola la jevita mía pa' que con la venia el socio la tire de flai en Varadero y le caiga arriba nagüe con la bendición de la minfa de ella».

Otro chuchero se expresaría así:

«Oye caballón, estoy de cohete chino, negro. Le voy a caer de Tarzán al pureto de Lola que es la jeva que me aboca y chamullarle como lo haría el Pureto del Chamullo, mi hermano para que me deje aterrizar en el promontorio de Lola, que es la lea que me llega a donde el cepillo no toca mulato. Estoy metido hasta donde dice: collín».

Se podrá apreciar que la palabra felicidad adquiere con la creatividad cubana un sinnúmero de sinónimos: «estar de farolero». La comparsa es símbolo de felicidad; desfila en los carnavales habaneros; el farolero es el que lleva la farola, uno de los elementos típicos de la misma; «comparsero» es igual que farolero; «farolito chino» lo mismo, es un farol de origen chino que se pone en los sitios donde se va a bailar en Cuba.

«Estar de Marte y Belona» —una sala de baile non santa—, «con los Hermanos Palau» —una orquesta popular— es sinónimo de lo anterior. Pero ya estamos en el caso del aumentativo como dije antes. Lo mismo es «estar de cohete chino». Es aumentativo también porque el cohete hace un gran ruido y está asociado a las fiestas ruidosas. Se llama cohete chino porque eran los chinos los que lo vendían. [así que, además de lo dicho anteriormente vemos un caso que el ruido, algo metagramatical, lo forma.]

La palabra «padre» es «puro», «pureto». «Pedir a Lola» puede ser, como se ve, «tallar con el padre de Lola», o «pararle barín», o «caerle de Tarzán al pureto de Lola». —Tarzán da un sentido de aumentativo— de que se le va a pedir a la muchacha, pero sin dejar que diga que no el padre al pedimento.

Al padre se le va hablar fino, es decir, como haría el «Pureto del Chamullo» o sea el «padre» —«pureto» de la lengua— «el Chamullo»: Don Miguel de Cervantes y Saavedra.

Casarse va desde «caerse de flai en el himeneo», hasta «caer con la mujer en San José del Lago» —sitio de recreo donde pasaban la luna de miel las parejas, sin olvidar las claras referencias carnales en «aterrizar en el promontorio», o sea en el trasero de Lola. Esto es, además, una buena muestra de la chusmería. La frase «caer en el promontorio de Lola» no es ofensiva para el cubano. Lo mueve a risa. Prueba al canto de que la gracia es la que salva a la chusmería. (Véase Álvaro de Villa, antes citado. Prólogo a *Crocante de maní.*)

«El amor de mi vida» también puede ser dicho de otra manera. Ya vimos sus variantes: «la jevita mía», «la jeva que me aboca».

«La bendición del 'minfa' de ella» quiere decir la familia de ella y «con la velocidad del rayo» —enseguida.

Compárense estos niveles del habla con los normales en lo popular, es decir, con los ejemplos que doy para cada cubanismo y se tendrá, a mi juicio, una buena muestra de los diferentes estamentos lingüísticos del habla popular cubana.

Y sin más el *DICCIONARIO MAYOR DE CUBANISMOS.*

A. Ver: *Pachanga.*

ABACORAR. Apretar. «Me abacoró y no me pude mover».

ABACÚA. Persona importante. «Pedro es abacúa. Puede resolverlo todo».

ABAIRIMO. Hasta luego. Es palabra de procedencia africana. *Abairimo chaquetón.* Adiós. «Bueno hermano, abairimo chaquetón».

ABAJO. *Abajo todo.* Se acabó. «Deje el tabaco y el café. Abajo todo». (Cubanismo del exilio.) *Estar abajo.* Estar caído. «Hace tiempo que estoy abajo». *Ir abajo.* Morir. En los países árabes al ladrón la primera vez le cortan la mano y la segunda «va abajo». (Es cubanismo del exilio.) *Para abajo.* Mátalo. «Ese, para abajo». *Venir abajo.* Perder la posición que tenía. «Ya nada puede hacer porque se vino abajo». También desmayarse. «Con esa enfermedad se vino abajo». *Voy abajo.* También «marcharse». «Hasta luego, muchachos, voy abajo, nos vemos mañana». Ver: *Arriba. Barranca. Combinación. Manco.*

ABANDONO. *Estar tirado al abandono.* No contar con alguien; olvidarlo. «En tu colegio me tiraste al abandono». Pero se usa, con preferencia, cuando se ve a alguien que no lo llama a uno, que no lo visita. «Pedro, ¿cómo estás? Me tienes tirado al abandono». (El cubanismo nace de una canción: «Ay,Aurora, me has tirado al abandono/yo que tanto, y que tanto te quería».) *Tirar al abandono.* No ocuparse de una persona; tenerla olvidada. «Me tienes, hace mucho rato, tirado al abandono». «No me has publicado el libro. Me has tirado al abandono». Sinónimo: *Aurora.*

ABANICAR. Fracasar. «En esa explicación abanicó». Se dice así mismo, *Abanicar* la brisa. *(El cubanismo procede del juego de pelota.)*

ABAROLÍ. Amigo íntimo. «¿Cómo estás abarolí?» (Lenguaje del chuchero. Ver: *Chuchero*.) Sinónimo: *Mi socio.*

ABASÍ. Dios. «Abasí que está en el cielo lo ve todo». «Yo creo mucho en Abasí». (Es palabra de origen africano.)

ABASO. Valiente. «Pedro es un abaso; no le tiene miedo a nada».

ABEJA. Ver *Miel.*

ABELARDIZAR. Cortarle el pene a alguien. «La mujer lo abelardizó. El la engañaba». («Abelardo» se llamaba uno que le cortaron el pene en un suceso sonado. De aquí el cubanismo.)

ABELARDO. *Abelardo Bilingüe.* Bisexual. «El hijo le salió Abelardo Bilingüe». (El cubanismo se origina en la colonia cubana en Miami con una canción.) *Abelardo es el de la leva corta y el pelo largo.* Los niños tienen entre ellos un juego al que le llaman «Pega». Un niño dice: Conocí a Abelardo». El otro pregunta: «¿A qué Abelardo?» Replica el primero: «Al de leva corta y el pelo largo. Te pegué». *Abelardo está encendido.* Se dice cuando se ve a dos enamorados muriéndose el uno por el otro o acariciándose con mucha ternura. Es cubanismo culto que viene de Abelardo y Eloísa. «En este parque Abelardo está encendido». *Ser Abelardo, el de la leva corta y el palo largo.* Se dice por gracia para indicar que se tiene un pene grande. «Estás equivocado. Yo soy Abelardo, el de la leva corta y el palo largo».

ABIERTO. *Ser alguien muy abierto.* 1. Franco. «Pepe es muy abierto. Créeme». 2. Pródigo. «Botó la fortuna. Es muy abierto».

ABOCAR. Gustar. «Esta bicicleta me aboca». *Abocado a carabina.* No quedar otro remedio que tomar una decisión. «No hay nada más defícil que estar abocado a carabina y no saber qué hacer». La frase tiene su origen en el juego de los dados. Para ganar hay que sacar varias veces cinco reyes, o sea carabina. *Abocado al cornetín.* Esto tiene el mismo significado que *abocado a carabina. Abocar al barín.* Gustar mucho. «Esta bicicleta no es que me aboque, es que me aboca de barín».

ABOCHORNADERA. Bochorno. «Aquello me produjo una abochornadera que aún recuerdo».

ABOLINA. Fracasar. «Esto se va a abolina. Ya tú verás». *Abolina el papalote.* Se acabó todo. «Pelearon con unos enemigos muy fuertes y el resultado fue, abolina el papalote».

ABONO. *¿Por qué no te vendes como abono?* Se pregunta al que defeca mucho. «Pedro, ¿por qué tú no te vendes como abono?»

ABORDAJE. *Lanzarse al abordaje.* Atacar violentamente. «Cuando la mujer me dio entrada me lanzé al abordaje».

ABORDE. *Meterle un aborde a cualquiera.* Pedirle dinero, que no se piensa pagar, a cualquiera. (O sea, «picar dinero».) «Ese le mete un aborde a cualquiera».

ABOYADO. Vigilante. En actitud vigilante. «Cuidado con ése que está aboyado». *Aboyado con carga eléctrica.* Estar en una actitud vigilante, pero dispuesto a reaccionar violentamente si fuere menester. «Es peligrosísimo; está aboyado con carga eléctrica».

ABRE. *Abre que voy.* No pongas resistencia que voy a actuar. «Te quiero dar unos besos así que abre que voy».

ÁBRETE. *Corre.* «Ábrete, que ahí viene el policía».

ABREVADERO. *Armar el abrevadero.* Empercudir. «En donde quiera que vive, arma el abrevadero».

ABRIR. *Abre que va.* Voy a hacerlo de cualquier manera. «Abre que va. No te opongas». Sinónimo: *Cuidado con los callos.* Huir. «Pedro, cuando vio mi actitud decidida, abrió». *Abrir el banderín.* Dar oportunidad a alguien. «En la fábrica abrieron el banderín». Se dice también *abrir el banderín de enganche.*

ABROCHAR. Establecer una relación con alguien. «Me abroché con el Presidente». *Estar abrochado.* Tener una relación firme con alguien. «Estoy abrochado con Pedro».

ABSTRACTO. *Hacer más que un abstracto: Un cocreto.* Hacer algo horrible. «Dicen que el vecino hizo más que un abstracto: Un concreto». (Es cubanismo culto.)

ABUELA. Ver: *Catarro.*

ABUELAZANDIA. El cuarto donde vive la abuela. «Está con las nietas en abuelazandia».

ABUNDANTOSA. Se le dice con admiración a una mujer de muchas y muy buenas carnes. Significa: ¡Qué bello cuerpo! «¡Abundandosa! ¡Qué linda!» «Esa mujer está abundantosa».

ABUTIR. Ver *Pillar.*

ACÁ. Ver: *Cubana.*

ACABAR. l. Hacer cosas mal hechas. Comportarse incorrectamente. «Ese acabó con el baile». 2. Tener gran éxito. «María, con su vestido nuevo, acabó». 3. Ganar rotundamente. «En las competencias de campo y pista, acabó». ¡Qué campeón! «En las competencias de matemáticas acabó». *Acabar con la quinta y con los mangos.* 1. Malversar en grande. «Lo nombraron ministro y acabó con la quinta y con los mangos. Se llevó diez millones de pesos». 2. Devastar. «Los ejércitos acabaron con la quinta y con los mangos». 3. Destruirlo todo. «Le entregaron el negocio y acabó con la quinta y con los mangos». «Le dieron la herencia y acabó con la quinta y con los mangos». (Lo liquidó.) *Acabarse la caña.* 1. Terminar una situación. «Al entrar el ejército se acabó la caña». 2. Sobrevenir una situación desastrosa. «La tropa se insubordinó y se acabó caña en el pueblo». 3. Producirse un escándalo. «Con el nuevo ministro se acabó caña y hubo que despedirlo». *Acabarse el merequetén.* Terminar algo en forma escandalosa. «En la fiesta anoche se acabó el merequetén». *Acabarse el pan de piquito.* Suceder algo grande. «En el examen de matemáticas se acabó el pan de piquito. Todo el mundo copió». *Acabarse el plei.* Ser muy bueno en algo. «Con ese músico se acabó el plei». (Plei es la forma en que el cubano pronuncia «play", la palabra inglesa que significa «juego".) *Acabarse el tumbao.* Terminársele a alguien la buena vida. «Se le acabó el tumbao. Tiene que trabajar muy duro ahora». *Acabarse la mezcla.* 1. Morirse. «A Juan se la acabó la mezcla y lo enterraron ayer». 2. No haber nada que hacer. «A Juan lo suspendieron en álgebra y se le acabó la mezcla. No tiene otra oportunidad». (Algunas veces se oye este cubanismo en esta forma: *Albañiles, al carajo que se acabó la mezcla. En este caso significa «vamos".)* *Acabarse la pachanga.* Acabarse la diversión; el ganar dinero; la felicidad; acabarse algo que implica ventaja. El significado depende del sentido de la conversación. «Lo botaron del trabajo y se le acabó la pachanga». 1. Hacer algo en exceso. Se aplica a diferentes situaciones dando, la conversación, el significado. «Juan acabó con las mujeres en Colombia». (Fornicó mucho.) *Acabarse lo que se daba.* Latiguillo lingüístico que se usa para decir que lo que uno estaba haciendo se acabó. En general, cuando se quiere decir que algo ha terminado. Por ejemplo, se termina de barrer y se dice: «Se acabó lo que se daba». También se aplica al caso de que algo se terminó, por ejemplo, al terminarse una película se dice: «Vámonos, se acabó lo que se daba». Acabarse algo. «Mañana tengo un examen y se acabó lo que se daba». Aquí no tienes más beneficios. «Ya tienes todos tus beneficios. Se acabó lo que se daba». Sinónimo: *Se acabó la mezcla.* Acabarse todo; no haber más nada que hacer. «Vámonos, no insistas. Se acabó lo que se daba». *Acabarse los palitos.* 1. Acabarse todo. «Aquí no hay nada que hacer. Se acabaron los palitos». 2. Comer. «Ve a casa de Juana y acaba que hoy no cocino». *Estar acabando.* Latiguillo lingüístico que el cubano aplica a múltiples ocasiones para indicar que alguien está haciendo algo en exceso, por ejemplo: Desorbitado en su conducta. «Anoche tuve relaciones sexuales con tres mujeres». «Estás acabando». El que tiene muchas queridas. «Te vi anoche con otra mujer. Estás acabando. (Indica exceso el cubanismo.) Extralimitándose alguien en los chistes. «¿Qué te pasa esta noche con los chistes? Estás acabando». Malversando en el gobierno. «Este gobierno está acabando. ¡Como hay millonarios de la noche a la mañana!» Triunfando plenamente. «Gané un millón de pesos». «Estás acabando». (A cualquier acción o triunfo se le puede aplicar: *estás acabando.*) *Llegó y acabó.* Puede aplicarse a triunfar en forma definitiva. «Llegó al certamen y acabó». También, *se lo comió todo.* «Tu primo llegó, vio los dulces y acabó». *Se acabó lo que se daba.* No hay más nada. (Es forma de despedida.) «Hasta mañana. Se acabó lo que se daba». (Por ejemplo, despidiendo a la gente en una fiesta.)

ACADEMIA. *Academia de baile.* Sitios de baile en Cuba de características non santa. «No vayas a las academias de baile que son sitios de corrupción». *Bailador de academia.* Se le llamaba a la persona que bailaba en las Academias de Baile. (Sitio de bailes donde iba las gentes «non santa". «Ese es un corrupto. Un bailador de Academias». Se dice, asimismo, del que baila marcando pasos variados. «Mira qué bien baila. Es una bailador de academia».

ACAMBUCO. *Acambuco ponte al pairo.* Date cuenta, comprende. «Chico, ¿qué te pasa? Acambuco ponte al pairo que vas por mal camino».

ACANA. 1. Fuerte. «Ese hombre es acana pura». «Ese mueble es acana». 2. Inmortal. «Es mi bandera de acana y bate a todo pendón». 3. Persona que no se doblega ante las vicisitudes. «Juan es acana. Cinco muertes en la familia y sigue batallando sin dejarse afectar». Ver *Puya.*

ACAPARADOR. Grito que se le da al que va con una mujer de muchas carnes. Se le grita también *acaparador de carnes.* «Acaparador, ¡qué mujer!» Sinónimo: *Agiotista. (También se grita.)*

ACARTONADO. Dícese de la persona que padece de tuberculosis y la enfermedad no está activa. «Estuvo tuberculoso en un tiempo pero ahora está acartonado».

ACCESORIA. 1. Adición a una casa, «por fuera», que se alquila. La palabra conlleva una carga psicológica de «vivienda mala», en la que «vive gente pobre o de medio pelo». «No debe ser muy bueno porque vive en una accesoria». 2. Habitación de gente pobre, en una casa de inquilinato, que da a la calle. «El vive en una accesoria». *La accesoria de Margot Chaleco.* El «home» en el juego de pelota. «El hombre que estaba en tercera robó la accesoria de Margot Chaleco». (El cubanismo fue creado por el periodista Víctor Muñoz.)

ACCIÓN. *Estar en acción y kilometraje.* Estar trabajando. «No para. Está siempre en acción y kilometraje». *Estar de nuevo en acción y sabotaje.* Estar de nuevo en la lucha. «Estuve enfermo pero ya estoy de nuevo en acción y sabotaje». *Gustarle a* *alguien la acción y el kilometraje.* Se aplica a muchas cosas, p.e. una mujer que le gusta tener relaciones sexuales con cualquier hombre: «Le gusta la acción y el kilometraje». «Enamórala y la llevas a la cama. Le gusta la acción y el kilometraje». Al individuo que le gusta «pelear» le gusta la acción y el kilometraje. «Ya está peleando con la mujer. ¡Cómo le gusta la acción y el kilometraje!» A un hombre muy activo le gusta la acción y el kilometraje. «¡Cómo trabaja! Es que le gusta la acción y el kilometraje». *No haber acción y kilometraje.* Estar algo vacío de contenido: «En este libro no hay acción y kilometraje». *Subírsele a alguien las acciones.* 1. Ganar estatura en la opinión de todos. «Con ese libro que has hecho te han subido las acciones». 2. Si se trata de una mujer ponerse más bella de lo que es. «Con ese peinado te han subido las acciones». Ver: *Cámara.*

ACCIONES. *Subírsele a alguien las acciones.* Si se trata de una mujer ponerse más bella de lo que es. «Con ese peinado se te subieron las acciones». Ganar estatura en la opinión de todos. «Con ese libro que has hecho se te han subido las acciones».

ACCIONISTA. *Accionista de la Bayer.* Se dice del que toma aspirinas continuamente. «Muchacho, para ya, que eres accionista de la Bayer». («Bayer» eran unos laboratorios farmacéuticos que había en Cuba.) *Ser accionista de la «Diuk Pauel».* Gastar mucha electricidad. «En esta casa somos accionistas de la «Diuk Pauel». (La Duke Power que el cubano pronunciaba Diuk Pauel es la compañía de electricidad de Estados Unidos.) Similar a este cubanismo hay muchos. Accionista del «Mac Donal». (McDonald es la compañía de «jamburguesas» en Estados Unidos. El cubano pronuncia «Mak Donal",) etc. «Oye Juan, yo no soy accionista de la Diuk Pauel». En frases imperativas negativas como ésta, quiere decir: «Apaga la luz». *Ser accionista de un banco.* Estar siempre sentado en el mismo banco en el parque. «Esos mendigos son accionistas de un banco». *Ser accionista de Vanidades.* Tener alguien con mucha vanidad. «Ese hombre es accionista de Vanidades». (Cubanismo nacido en el exilio; juega con la palabra «Vanidades», título de una revista del mismo nombre.) *Ser accionista de la «Eso», de la «Istern», etc.* Ser accionista de la Eso es comprar mucha gasolina de la compañía americana, ser un automovilista. Ser accionista de la Istern, (la compañía de aviación norteamericana «Eastern") es volar mucho con ella. «Cambia de avión, ¿hasta cuándo vas a ser acionista de la Istern?» (Son cubanismos del exilio.) «Cambia de gasolina y no sigas siendo accionista de la Eso». («Eso» es como el cubano pronuncia «EXXON».)

ACE. *Ace, ace de todo.* Ser alguien muy versado. « ¿Así que también eres orador? Es que ace, ace de todo». *Ace lavando y yo descansando.* 1. Que otro trabaje por uno. «¿Vas a dejar que tu hermano haga ese trabajo que en realidad te corresponde a ti? Ace lavando y yo descansando". 2. No importarle lo que le pase a los demás mientras uno esté bien. «Hablamos de que tu mejor amigo está enfermo. Ya lo sé. Ace lavando y yo descansando». *Ser como ace.* Trabajar en cualquier cosa. «Yo soy como ace. Trabajo en lo que se me presente». (Estos cubanismos tienen su origen en lemas del jabón ACE, que el pueblo llevó a situaciones de la vida real.)

ACEITAR. Sobornar, corromper. «Aceité al gobernador y me dio la contrata». *Aceitar la bisagra.* Echarse desodorante. «Oye, hueles mal. Acéitate la bisagra». (Bisagra es un cubanismo: significa *sobaco.*)

ACEITE. *Aceite fino.* Cerveza. «Cuando hace calor me gusta tomar aceite fino». *A ese no le echaron aceite ricino.* Se dice del que tiene una cara arrugada o fea. «A ése pobre hombre no le echaron aceite ricino». (El guante de la pelota se arruga cuando no le echan aceite de ricino. De ahí el cubanismo.) *Gustarle que le midan el aceite.* Ser homosexual. «Tan buen tipo y gustarle que le midan el aceite». Sinónimos: *Achorrongao. Arrancar de marcha atrás y con el baúl abierto. Bocacho. Bragueta. Cafiaspirínico. Cagar blandito (o pa' dentro.) Carácter. Champe. Cherna. Cherna, Pargo y Cubereta. De cerca parece y de lejos lo es. Estar mechado. Nalga o nalga pálida. Pailero. Pájaro. Pajarito. Pargo. Parguela. Partido. Rififí. Sayonara. Selastraga. Ser importador de carne para el interior. Volador.* Otros sinónimos: *Cundango, Champe. Dar salticos de charquito en charquito. Estar mechado como el dulce de guayaba. Más aceite da un ladrillo.* Ser una persona muy agarrada. «No le pidas un centavo que más aceite da un ladrillo». Sinónimos: *Aserrín. Bijirita. Medirle el aceite a alguien.* Conocerlo bien. «A mí Pedro no me puede engañar porque le mido bien el aceite». *Saber medirle el aceite a alguien.* Saber cómo conocer a alguien. «Déjame actuar y no tengas miedo que yo sé cómo medirle el aceite». (Los cubanismos *gustarle que le midan el aceite; medirle el aceite a alguien* y *saber medirle el aceite a alguien* provienen del campo automovilístico.) *Ser aceite de cabo de paraguas.* Ser muy agarrado. «Deja morir a un amigo antes de darle un centavo. Es aceite de cabo de paraguas». Sinónimos: *Cabo, codo.* Ver: *Grasa. Peste.*

ACEITUNA. Ver: *Gallego.*

ACELERACION. *¡Qué aceleración tiene!* ¡Qué nervioso está! «¡Qué aceleración tiene Elio!» Sinónimo: *¡Qué aceleramiento tiene!*

ACELERADO. Nervioso. «Ese problema tiene a Juan acelerado». «Pedro es un acelerao». (Es «acelerado» pero el cubano aspira la «d».) *Estar acelerado.* Estar muy nervioso. «Desde que recibió la noticia está acelerado». Sinónimo: *Estar acelerado. Pon segunda.* Estás muy nervioso. Cálmate. «Oye, Pedro, estás acelerado. Pon segunda». (El cubano usa el lenguaje automovilístico. Equivale el cubanismo a un motor acelerado con un nervioso.)

ACELERAMIENTO. Ver: *Aceleración.*

ACELERAR. *Acelera, Ñico, acelera.* Expresión jocosa tomada de una pieza musical en que se dice a alguien que se apure, que haga algo rápido. «Mañana lo hago Hortensia. —Acelera, Ñico, acelera». *Acelerar a alguien.* Ponerlo nervioso. «Con tantas cosas que me dice me tiene acelerado».

ACELERARSE. *Acelerarse alguien con una mujer.* Subírsele el libido. «Cuando la veo me acelero».

ACENTO. *Tener alguien acento, punto y coma.* Ser peligrosísimo. «No choques con él que tiene acento, punto y coma». *Tener algo, acento punto y coma.* Ser muy interesante. «Tu novela tiene acento, punto y coma».

ACERA. *No llegar ni a la acera de enfrente.* No tener la menor posibilidad de éxito. «Con ese proyecto no llegas ni a la acera de enfrente». Ver Calle. *Quererlo en la acera de enfrente.* No querer contacto con alguien. «A ese lo quiero en la acera de enfrente». *Tirarse por la acera de la derecha, (o de la izquierda.)* Volverse derechista (o izquierdista.) «Pedro se tiró por la acera de la derecha». «Pedro se tiró por la acera de la izquierda».

ACERE. Amigo. «Juan es mi acere». (Lenguaje de procedencia chuchera. Ver: *Chuchero.*) *Acere a todo.* Amigo a las verdes y a las maduras. «Tú sabes que yo soy tu acere a todo». *Ser una acere, boncó, monina.* Siempre indica excelencia. «En eso él es acere, boncó, monina». (Bueno en el oficio, en el saber, también valientísimo.) «El es acere, boncó, monina». (En todos los barrios había un «guapetón», uno que se le daba de «guapo». Este es el acere, boncó, monina».) «En este barrio él es el acere, boncó, monina. (Son palabras africanas llevados por los esclavos a Cuba.) Ver: *Sanga.*

ACERÍN. Canica de acero. «Jugó a las bolas con un acerín grande».

ACERO. Ver *Pulmón. Soplarse.*

ACHANTAO. *Estar achantao.* 1. Estar parado. «Llevo una hora achantao». «Míralo achantado en la esquina». 2. Ser persona poco activa. «Él es muy achantado». («Achantado», el cubano aspira la «d».)

ACHANTAR. Poner. «Achanta el pie en el acelerador que llegamos tarde».

ACHANTARSE. Ponerse. «Ella se achantó a mi lado». (Es lenguaje del chuchero. Ver *chuchero.*) *Achantarse a la vera.* Sentarse al lado de: «El se achantó a mi vera». (Es lenguaje del chuchero. Ver: *Chuchero.*)

ACHÉ. Suerte. «Ese joven tiene mucho aché». (Palabra de origen africano.)

ACHERO. El que sabe de todo. El que es un especialista en algo. «En matemáticas es achero». «Pregúntale que él es achero». Sinónimo: Ver: *Hacha y machete.*

ACHICHARRAR. Volver una mujer loco a un hombre. «Desde que la vi, me está achicharrando».

ACHÓN. 1. Banquero en el juego chino de la charada o siló. «¿Tú haces de achón hoy?» «Lo prendieron pues es el achón del juego». 2. Hombre de agallas. «Ese es un achón. No cree en nadie si se trata de obtener lo que desea». 3. Inteligente. «¡Qué bien piensas! Eres un achón». (El cubanismo viene del juego de la charada, un juego de azar chino, que se juega mucho en Cuba.) 4. Personas de armas a tomar. «Déjalo que es un achón». *Ser un achón.* Ser guapo. «Pedro es un achón». (Es palabra africana llevada por los esclavos africanos a Cuba.) Sinónimo: *Ser achonero.*

ACHORONGAO. Homosexual. «Ese niño es un achorongao al igual que su tío». Sinónimo: *Aceite.* (Es «achorongado» pero el cubano aspira la «d».)

ACHUSMEARSE. Adquirir modales de pueblo bajo. «Juan se achusmeó».

ÁCIDOS. 1. Malas palabras. «No sueltes esos ácidos delante de nadie, mal hablado». 2. Pasar por momentos desagradables. «Estoy en unos ácidos que no se los deseo a mi peor enemigo». *Disolverse algo en ácido úrico.* Disolverse algo completamente. «Tu ofensa se disolvió en ácido úrico». (Se disolvió por completo. Cubanismo culto.)

ACIDOSO. *Ser alguien un acidoso.* Ser un amargado. «Ella es una acidosa y no sé por qué».

ACOBE. Acero. «Ese hombre es acobe de verdad». (El cubanismo toma aquí el sentido de fuerte.) Como puro acero tenemos. «Este automóvil es de acobe».

ACOBIO. Zapato. «¡Qué buenos acobios usa ese señor!»

ACOGOTADO. *Estar acogotado.* Tener mucho trabajo. «Esta semana no te puedo ver porque estoy muy acogotado».

ACOMODAR. 1. Engañar a alguien; hacerle una jugarreta. «Acomodaron a Juan y perdió cien mil pesos». 2. Llevar a una persona a una situación propicia para que haga lo que uno quiera. «Acomodé a mi marido y me compró el reloj más caro».

ACOMODARSE. Adaptarse a una situación. «Se acomodó al trabajo que tiene a pesar de lo malo que es».

ACOMODO. 1. Encontrar lo que le conviene a uno. «¡Qué buen acomodo el tuyo!» 2. Trabajo suave. «En este acomodo apenas laboro». *Tener su acomodo.* Tener la vida resuelta por haber encontrado lo que a uno le conviene. «En ese trabajo tiene su acomodo y está muy feliz».

ACOY. (El.) El fulano. «El acoy me mira fijamente». (Es lenguaje del chuchero. Ver *chuchero.*)

ACRÓBATA. Forma de llamar el chuchero al hombre o a la mujer. «Ese acróbata no puede conmigo». «La acróbata esa no se casa conmigo». *Vivir de acróbata.* Vivir haciendo maromas; muy mal. «Yo vivo, hace años, de acróbata».

ACTO. *Ser algo un acto piadoso.* Succionar las partes pudendas de la mujer. «A mí me encanta el acto piadoso con una mujer». (Porque se hace de rodillas. En efecto, siendo el Cardenal Plá, Obispo Primado de Barcelona, miembro de la Real Academia de la Lengua, se le pidió, para tomarle el pelo, que describiera la palabra «mamancía». [Que significa mamar las partes pudendas de la mujer.} En la próxima reunión el cardenal dijo que ya tenía la definición y dijo: «**Mamamcía:** *Acto piadoso por el cual la lengua vuelve a su lugar de origen*». Los académicos le preguntaron: «Cardenal, ¿y por qué es un acto piadoso?» A lo que el cardenal contestó: «Porque me dicen que todos ustedes se ponen de rodillas.)

ACUADRILLADO. *Estar acuadrillado.* Estar unido. «El exilio está acuadrillado en todo». (Es lenguaje del campesino cubano.) «Ellos están siempre acuadrillados».

ACUÁTICO. Ver *Ruta.*

ACUMULADOR. *Ser como los acumuladores Lazo.* Hacer las cosas con rapidez; no dejar nada para mañana. «El es como los acumuladores Lazo. Dálo por seguro». (El cubanismo se basa en el lema comercial de los acumuladores Lazo, en Cuba: písalo y arranca.)

ACUPUNTURA. *Aplicar acupuntura con aguja gorda intranalgal.* Ejecutar el acto sexual contra natura. «A ese le aplicaron acupuntura con aguja gorda intranalgal». (El cubanismo nació en el exilio.)

ADAMS. *Ser alguien Adams.* Se dice del que vive de otro, sin trabajar. «Juan es Adams». ¿Cómo puede ser así? (Es un cubanismo basado en el nombre del Chicle Adams. El que es Adams, es como el chicle: se pega. Vive pegado. De ahí el cubanismo del exilio.) Ver también, para Adams, *Picúo.*

ADÁN. *Estar vestido de Adán.* 1. Estar desnudo. «Lo prendieron porque estaba vestido de Adán». 2. Enseñar mucho una mujer. «Esa mujer está vestida de Adán».

ADEJA. Ver *Nene.*

ADELA. *Me lo dijo Adela.* Contestación que se da cuando alguien le pregunta a uno: ¿quién te lo dijo? y no se quiere revelar la fuente. «Dime, ¿quién te lo dijo? —Me lo dijo Adela». (El cubanismo es la letra de una canción.)

ADENTRO. Ver salir. *Tener adentro Matusalén a bordo del ron Caney.* Estar muy borracho. «Míralo como va. Tiene adentro Matusalén a bordo del ron Caney». («Matusalén» y el «ron Caney» son dos rones cubanos.) Ver: *Cerca.*

ADMINISTRAR. Gobernar; mandar; controlar. «Su mujer lo administra en todo».

ADOQUÍN. Se dice del que no tiene inteligencia. «No pudo pasar de grado. Es un adoquín ese niño».

ADUANAS. Ver: *Contribución.*

ADVERSIDAD. Mala suerte. Es un latiguillo lingüístico del habla del cubano. «—No conseguí el dinero». «—Adversidá». (Es «adversidad», hay aspiración de la «d».) «No me saqué el premio gordo de la lotería. Adversidad». *Adversidad viene de tranca.* Frase que se le dice a alguien que hace lo que no debe y al sorprendérsele contesta: «Adversidad». «—Rompiste el jarrón por estar jugando». « Adversidad».

AÉREO. Ver: *Dirigible. Santovenia.*

AEROPLANO. *Ser aeroplano.* Se dice del que planea continuamente. «Ese no fracasa nunca; es un aeroplano». (Es un juego de palabras entre «planear», «hacer planes», y «el planear» del aeroplano.) Ver: *Mosquito.*

AFACANTTE. *Estar una mujer afacante.* Estar muy bella. «Luisa está afacante». (Es cubanismo del ambiente de la farándula en Cuba.)

AFACAR. Sacar las uñas. «Juan afacó las uñas». (Lenguaje de origen chuchero. Ver: *chuchero.*)

AFANADOR. Ver: *Diablo.*

AFANAR. Robar. «En este barrio afanan todas las noches».

AFANO. Robo. «El afano en la casa de al lado fue de joyas». «Anoche hice un afano». (Lenguaje de origen chuchero.) (Se afirma que no es cubanismo sino calé.)

AFEITADA. *Quedarle a alguien cuatro afeitadas.* 1. Estar muy mayor o viejo. «A Juan le quedan cuatro afeitadas. Tiene ochenta años». 2. Estar alguien en las últimas. «No se levanta más. El médico dice que le quedan cuatro afeitadas». 3. No quedarle a uno muchos años por vivir. «A él le quedan cuatro afeitadas».

AFEITAR. Matar. «Lo afeitaron ayer a las cinco».

AFILADO. *Andar afilado.* 1. Andar bien vestido. «El siempre anda afilado». (Es lenguaje del chuchero. Ver: *Chuchero.*) 2. Trabajar muy bien. «Nosotros ganamos dinero porque andamos afilados». *Andar afilado y con la lata brillosa.* Trabajar muy bien. «Aquí ganamos dinero porque andamos afilados y con la lata brillosa». (La «lata» es el automóvil. Lenguaje del «chuchero». Ver: *chuchero.*)

AFILAR. 1. Fijarse. «Afila lo que está haciendo aquella gente». 2. Ponerse. «Voy a afilarme un flu hoy despampanante». (Es lenguaje del chuchero. Ver: *Chuchero.*) *Afilar el lápiz.* Cobrar poco; hacer un descuento. «Afila el lápiz para que me alcance el dinero, dependiente». *Afilar el collín.* Hacer algo muy bien. «El afiló el collín en ese cuadro». *Afilar hasta el tiznao.* Hacer algo bien. «En el examen la afiló hasta el tiznao». *Afilar la piedra.* Hacer lo mismo. «—¿Qué estás haciendo? —Afilando la misma piedra».

AFLOJARSE. Defecarse. «Cuando el bandido le puso el revólver el pecho se aflojó». «Aflojó mucho cuando vio al ladrón, ¡cómo olía!» *Aflójame la mascá y suéltame la majúa. Tiene varios significados, ora «dame algo»,* ora «déjate de cuentos de caminos». (Es frase de origen campesino.) La conversación da el significado: «No espero más, aflójame la mascá y suéltame la majúa». (Dar.) «No te creo. Aflójame la mascá y suéltame la majúa». (Hacer cuentos.) *Aflójarsele a alguien las patas* (o las volantas.) Acobardarse. « A ese guapo cuando yo le hice frente se le aflojaron las patas». (Viene del boxeo.) *Aflojársele la arandela.* Volverse homosexual. Sinónimo: *Aceite.* «A su edad se le aflojó la arandela». *Aflojársele la caja del pan.* Ponerse mal del estómago. «Se le aflojó la caja del pan y se ensució en los pantalones».

AFRAGAÑARSE. *Bañarse.* «Tengo que afragañarme hoy». (Lenguaje del «chuchero». Ver: *chuchero.*)

ÁFRICA. Ver *Calor.*

AFRICANAS. *Asientos de madera y lona.* «Me voy a comprar para esta habitación unas africanas».

AFRIJOLAR. Matar de varios tiros. «Lo afrijolaron anoche a las cuatro».

AFUERA. *Lavar para afuera.* Se dice del que se gana la vida lavando ropas de otros en su casa. «Ella lava para afuera».

AGACHADO. Se dice del que se hace el muerto y después sorprende con una decisión rápida que gana. «Con él nunca puedes estar seguro porque es un agachado». (El cubanismo viene del juego de dominó. El que esconde una ficha para que los contrarios crean que no la tiene y después gana con ella es un agachado.)

AGACHARSE. Acobardarse. «Le gritaron y se agachó».

AGACHÓN. Tiene el mismo significado que agachado. (El cubanismo viene de la pelea de gallo. Hay un gallo que se hace el muerto y mata súbitamente con un espolazo. Ese gallo es un agachón.) «El es un agachón».

AGALLAS. *Tener agallas.* 1. Ser valiente. «No le teme a nada. Tiene agallas». 2. Ser un hombre de presa: «Tiene muchas agallas y se lleva por delante al que se ponga en su camino».

AGAPITO. 1. Agapé. «Me voy a un agapito». 2. Pequeña reunión familiar. «Ven al agapito esta noche». (Es diminutivo de «agapé». Al cubano le suena gracioso porque Agapito es el nombre de un personaje muy cómico en un programa radial: «Agapito y Timoteo, su maestro».) Ver: *San.*

AGARRADO. *Ser agarrado como la chinche.* Ser tacañísimo. «Es agarrado como la chinche». (La chinche se agarra duro a la piel, de ahí el cubanismo.)

AGARRAR. Comprender. «¿Agarraste lo que te dije?» *Agarrar el carbón.* Escribir. «Agarra el carbón y dime algo». *Agarrar la onda.* Enterarse. «Ayer agarré la onda».

AGARRE. Influencia. «Tiene un buen agarre en el gobierno».

AGARRÓN. *Tener un agarrón.* Tener una discusión sin importancia. «Ayer tuve un agarrón con mi hijo».

AGILAR. Se usa en el imperativo. Quiere decir, «vete». «Agila ahora mismo».

AGILES. *No me agilites.* No me apures. «Oye, no me agiles».

AGILUCHO. *Llegar de agilucho.* De entrada, en una fornicación, mamar las partes pudendas de la mujer. «Dicen que siempre llega de agilucho».

AGIOTISTA. Se le dice al que se casa con mujer gorda. (Pues acapara la manteca.) «Juan es un agiotista. ¿Qué le habrá encontrado a esa mujer?» *Agiotista de la conversación.* Que nada más habla él. «Ese es un agiotista de la conversación. ¿Cuándo se callará?» Ver: *Acaparador.*

AGITAR. Meter miedo a alguien. «Lo agité y me dio el dinero que le pedí». 2. Cogerla con alguien. «Es un abuso. Se pasa el día agitando a Juan». 3. Hacer trabajar duro a alguien. «En ese trabajo lo agitan a uno de mala manera». 4. Apurar a uno. «Se pasa la vida agitándome para que lo tenga todo al día». *No me agites que me fermento.* No me apures que me enojo. «Me le encaré al jefe y le dije: No me agites que me fermento». *No te agites que te fermentas.* No te enojes que vas a tener un percance. «Estaba enojadísimo conmigo y yo le dije «no te agites que te fermentas"». (Este cubanismo se usa casi siempre para evitar que alguien se enoje. Se le grita al que se va a enojar.) Sinónimo: *No te agites que el corazón no se opera.*

AGITATE. Muévete. «Agítate que tenemos que salir enseguida».

AGRARIA. Ver: *Reforma.*

AGREGADO. Anexo que se le hace a una casa. «Ese agregado me costó un millón de pesos».

AGRIA. Ver: *Mango.*

AGRICULTURA. *Ir a la agricultura.* Ir a trabajar al campo. (Los que salen de la Cuba marxista como requisito para abandonar el país tienen que ir a trabajar al campo.) «Antes de embarcar tengo que ir tres meses a la agricultura».

AGUA. Borrachera. «¡Qué clase de agua cogió en la fiesta!» *Acabarse el agua de Pompeya.* Acabarse la paz. «¡Cómo pelean! En esa casa se acabó el agua de Pompeya». (El «Agua de Pompeya» es usada en los ritos africanos existentes en Cuba para lograr la paz.) *Agua, alpiste y revolcadero.* Bien dicho. «Te voy a dar cien pesos. Agua, alpiste y revolcadero». *¡Agua e lluvia!* Se grita cuando alguien está haciendo algo muy sonado. Principalmente se oye cuando una orquesta toca muy bien. «¡Agua e lluvia! No dejen de tocar, muchachos». *Es agua de lluvia.* (El cubano aspira la «d».) (Es grito, también, como el anterior, que dan, en los carnavales, mayormente los integrantes de una conga.) *Agua bomba.* 1. Agua de tomar, que está tibia, casi caliente. «Tengo ganas de vomitar. Tomé agua bomba». «Esto es agua bomba. ¡Qué desagradable!» 2. Persona sin mucha vida, insípida. «Tu hermano es muy agua bomba». *Agua de chuchumeque.* 1. Brujería. «Ustedes están usando el agua de chuchumeque». 2. Preparado que se echa en el café o en las bebidas a un hombre para que se enamore. «Se enamoró, porque tomó agua de chuchumeque». (Se usa con preferencia en la provincia de Matanzas.) *Agua e culo.* 1. Caldo aguado. «La sopa era agua e culo». 2. Brujería. «A Pedro le dieron agua e culo. Por eso se enamoró de esa mujer. *Agua de jeringa.* Café malo. «Cantinero, retírame esa agua de jeringa». *Agua de Mayo.* Diarrea. «Está enfermo con agua de Mayo». *Agua fría aquí.* 1. Calma. Frase que se dice cuando hay una agitación en un tumulto, o una discusión, o está el ambiente caldeado, y se espera un problema. «Esto se pone malo; agua fría aquí». La mayoría de las veces se usa la expresión indicando sólo: «¡Qué malo está esto!» Así grita: «Agua fría aquí». (El cubanismo es el título de la guaracha de Cristóbal Dobal.) 2. Se grita cuando alguien huele mal. «Estaba al lado de un señor que parecía limpio pero él gritaba: «¡Agua fría aquí! No podía aguantar la transpiración». *Agua gorda.* Mucha agua. 1. «Ese río lleva agua gorda» 2. Estar borracho perdido. «Ese hombre tiene una agua gorda». 3. Llover mucho. «Está cayendo agua gorda del cielo». *Agua sola cría ranas; beba ginebra La Campana.* Se usa para decir a alguien que cambie de trabajo, lo que hace, etc. «Ahí no progresas. Agua sola cría ranas, beba ginebra La Campana». (El cubanismo nace con un anuncio de la ginebra La Campana.) *Bien, viva. «Agua, agua».* Exclamación eufórica que se usa mayormente cuando se oye música popular y la orquesta toca bien.[5] *Cómo le entra el agua al coco.* Solucionar. «Quitando este anillo al carburador es como le entra el agua al coco. Todo queda solucionado». En forma interrogativa se usa ¿Cuál es la solución? En forma afirmativa algunas veces indica algo imposible. «Eso que pretendes averiguar es como saber cómo le entra el agua al coco». El *agua coge su nivel.* Todo el que no tiene cualidades por alto que llegue se cae. «No importa que sea ministro; volverá a ser un simple empleado. El agua siempre coge su nivel». *Dar agua de culo.* Dar un filtro amoroso. «Ella le dio a ese pobre muchacho, agua de culo. Lo tiene embrujado». *Darle agua a algo.* Complicar algo. «Lo que estás haciendo no es resolviéndolo, sino dándole agua». También lo he oído como: disolver algo. Por ejemplo: «Al problema le dio agua». (En el dominó, antes de repartir la fichas, se les mueve con ambas manos. Eso es «darle aguas».) También, darle tiempo a algo. «Les diste mucha agua a esas relaciones». *Darle una mujer a un hombre agua de bollo.* Darle un filtro amoroso que lo hace enamorarse perdidamente. (Se le dice, principalmente, al que se ve muy enamorado.) «Ella le dio a Federico agua de bollo». *Echar agua amarilla.* Aplacar. «En ese incidente, hay que echar agua amarilla». *Echarle a alguien agua de chuchumeque en el café.* 1. Echarle un bebedizo. 2. Echarle brujerías. («Agua de chuchumeque», es muy matancero. O sea, de la provincia de Matanzas, en Cuba.) Sinónimo: *Echarle bicongo. Echarle agua oxigenada al mal humor.* Controlárselo. «Yo, cuando estoy de mal humor, le echo agua oxigenada». *Echarle agua amarilla a alguien.* Calmarlo. «Cuando lo vi así, le eché agua amarilla». *Estar bajo el agua.* Estar borracho. «Se pasa el día bajo el agua y la familia sufre». *Estar en agua.* Estar borracho. «Anoche cuando llegó estaba en agua». *Estar halando agua.* Estar trabajando sin provecho. «No levanta cabeza. Está halando agua». *Estar la cosa de agua con azúcar prieta.* Estar la situación muy difícil. «La cosa está de agua con azúcar prieta hace meses. ¡Qué clase de recesión!» *Fuera del agua se nada bien.* El que no está dentro de una situación cree que es muy fácil resolverla. «No me des consejo. Tú no sabes cuál es el problema. Fuera del agua se nada bien». *Jugar agua.* Bañarse. «Me voy, porque tengo que jugar agua». «Hueles tan mal porque nunca juegas agua». *Llegar el agua a la albarda.* Ser grande la dificultad. «El agua ya llega a la albarda. No sé cómo vamos a resolver el problema». *Llévatelo viento de agua.* Aléjalos. «Vienen los inspectores del dos setenta y cinco. ¡Llévatelos viento de agua!» *Mira por donde le entra el agua al coco.* Este es el problema. «En el carburador es donde le entra el agua al coco». *Navegar en agua turbia.* Vivir con una mujer de color. «El siempre ha navegado en agua turbia». *No dar ni una sed de agua.* No ayudar a nadie. «Ese señor no da ni una sed de agua». *No poder despegar a una pareja ni con agua caliente.* Quererse mucho. «A ese matrimonio no se le puede despegar ni con agua caliente». *No se tire que a lo mejor no hay agua en la piscina.* No se arriesgue. «Mire, no se tire que a lo mejor no tiene agua la piscina». (Forma del hablar del

---

[5] La he oído, asimismo, en Andalucía.

cubano que indica su genio lingüístico.) *Parecer un perro de agua maltratado.* Vestir mal. «Con ese abrigo parece un perro de agua maltratado». Sinónimo: *Parecer Pedro Harapos. Pegarse un agua.* Emborracharse. «El agua que se pegó anoche era de padre y señor mío». *Sacar agua del pozo.* Movimiento de arriba a abajo, que se hace con la mano derecha cuando se baila. «Vamos a sacar agua del pozo». *Sacar agua y carbón.* Conseguir lo indispensable para vivir. «Con este trabajo estoy sacando agua y carbón». *Salírsele a alguien el agua del coco.* Estar loco. «Al pobre Pedro se le sale el agua del coco». *Ser agua de cañanga.* Ser algo que no vale nada. «Este hombre es agua de cañanga». (El agua de cañanga es un preparado que hacen los espiritistas cubanos que no vale nada comercialmente. De ahí el cubanismo.) *Tener, alguien, agua.* Estar borracho. «Ese tiene agua. Bebe mucho». *Tener en la teja, agua de carabaña.* Ser inteligentísimo. «Lo que tengo en la teja es agua de carabaña». *Tener un agua.* Estar borracho. «Mira qué clase de agua tiene tu pariente». *Tomar agua del pompón.* Se dice del emigrante español que iba a Cuba y se quedaba. «No se va, tomó agua del Pompón». (Se oye frecuentemente en la provincia de Matanzas.) *Yo vivo en el agua como el camarón.* No hay problema. «Conmigo no hay problema, yo vivo en el agua como el camarón». (Es la letra de una canción, de ahí el cubanismo.) Ver: *Azúcar. Bairum. Caballo. Candela. Coco. Conga. Cuento. Demonios. Desierto. Güira. Huevos. Jugar a los bomberos. Lengua. Parecer Pedro Harapos. Pase. Perro. Remos. Súbela. Tipo. Tragante.*

AGUACATADAS. *Darse aguacatadas.* Creerse la gran cosa y adoptar un aire de autosuficiencia. «Conmigo no te des aguacatadas».

AGUACATAZOS. *Darse un aguacatazo.* Se llama así al hecho de tomarse una copa. «Hoy me he dado tres aguacatazos».

AGUACATE. *Aguacate aguachencho.* Aguacate que no sirve. «Vete al puesto de fruta y devuelve este aguacate que está aguachencho». *Estar alguien más apolismado que el aguacate del puesto de chino.* 1. Estar muy decaído. «Con la muerte de su esposa está más apolismado que el aguacate de un puesto de chino». 2. Tener una situación económica mala. «¿Cómo te atreves a pedir dinero a tu padre si estás más apolismado que un aguacate de un puesto de chino?» *No poder vivir sin el aguacate.* No poder vivir fuera de la patria. «Yo no puedo vivir sin aguacate. Por eso no viajo». *Explotar el aguacate.* Descubrirse un asunto ilícito. «Lo vi esposado. El aguacate se explotó». *Ser alguien como el aguacate.* Se dice de una persona que no se sabe lo que es, pues nunca se define: «Es difícil precisarlo, pues él es como el aguacate». (Es cubanismo campesino. El aguacate no es ni fruta ni vianda. De ahí el cubanismo.) Se dice también del arribista. «Ahora está con los cuenticos. La verdad que es como el aguacate».

AGUACHENCHA. *Mujer aguachencha.* Mujer achantada, sin vida. «Está casado con una mujer aguachencha». *Ser muy aguachencho.* Ser muy pasivo, muy apocado, muy achantado. Ver: *Papallón.*

AGUAJIRADO. 1. Tímido. «No le hagas caso. Es que es muy aguajirado». 2. Comportarse como un campesino. «No puedes pedirle más. Es un aguajirado». *Estar aguajirado.* 1. Estar lleno de timidez. «Me apena verlo tan aguajirado». 2. Ser tímido. «Siempre está aguajirado». (Viene de «guajiro», «campesino» en cubano. El campesino casi siempre se muestra tímido cuando ve gente de la ciudad. De ahí el cubanismo.)

AGUAJIRARSE. Entrarle timidez. «Cuando va a la casa de alguien importante se aguajira».

AGUAJOLA. Clase de refresco. «Esta aguajola también subió de precio».

AGUANTAR. *Aguántate que te caes.* Voy a acabar contigo. «Aguántate, que te caes. No te perdono». (Nace el cubanismo de una canción cubana que comienza así.)

AGUANTE. *Tener un aguante.* Tener mucha paciencia. «¡Qué aguante tienes con ese hijo tuyo!»

AGUANTÓN. 1. Consentidor. Se dice del que soporta todas la vejaciones sin quejarse. «Es un aguantón. Se le quedó callado al jefe a pesar de las vejaciones». 2. Cornudo. «Su mujer lo engaña y no se queja. Es un aguantón». *Ser una aguantón.* Ser un sumiso. (Se aplica a muchas cosas.) «Juan es un aguantón».

AGUAS. *Estar en aguas limítrofes.* Haber llegado al límite. «No te lo tolero más, con todos estás en aguas limítrofes». (Cubanismo culto del exilio.) Ver: *Tiburón.*

AGUIJONAZO. Acto de estar pidiendo dinero continuamente a alguien sin pensar devolverlo. «Le acabo de entregar cinco pesos. Es el segundo aguijonazo que me da hoy».

ÁGUILAS. Ver: *Club.*

AGUILUCHO. Ver: *Pepe.*

AGÜITA. Poco. «Le pedí cinco pesos y me dio una agüita». *Agüita chirrín.* Lluvia escasa que cae intermitentemente. «Cómo molesta esa agüita chirrín». Se aplica igualmente al que molesta mucho; está siempre arriba de alguien. «Mi hijo es un agüita chirrín» *Tener a alguien tomando agüita del naranjal.* Tener a alguien muy enamorado. «Tengo a Pedro tomando agüita del naranjal».

AGUJA. *Buscar como aguja.* Variante cubana del castizo «Buscar como aguja en un pajar». *La aguja sabe lo que cose el dedal.* Refrán que significa: «te conozco muy bien». «¿Cómo me vas a engañar, muchacho? La aguja sabe lo que cose el dedal». *La aguja sabe lo que cose, y el dedal lo que arrempuja.* Cada uno sabe su oficio. «Aquí la aguja sabe lo que cose y el dedal lo que arrempuja». *Sacarle la aguja al hilo.* Entender una cosa. «Ese sabe cómo sacarle la aguja al hilo». Ver: *Máquina. Refrescar.*

AGUJERO. *Hacer un agujero.* Afectar a alguien. «Con esa subida de precios me han hecho un agujero en mi negocio».

AHÍ. 1. Bien; bueno. «Mi libro está ahí». *Ahí el filo no entra.* Eso no se puede hacer. «No intentes cruzar el puente. Ahí el filo no entra». 2. No poder obtener resultado. «No trates de sobornarlo. Ahí no entra el filo». (El cubanismo viene del juego de billar.) *Ahí es donde está la malanga.* Ahí está el quid de la cosa. «Ella me confesó que está enamorada del novio y ahí es donde está la malanga. Por eso no quiere estudiar». *Ahí es donde la puerca tuerce el rabo.* Ahí está el quid de la cosa. «Ahí, cuando él hable, en la junta de accionistas, es donde la puerca tuerce el rabo». (Este cubanismo asimismo quiere decir: «ahí es donde está la solución».) Los significados dependen del tema de la conversación. *Ahí es donde se le tuerce a la puerca el rabo.* 1. Ese es el momento decisivo. «¡Deja que yo recoja las acciones! Ahí es donde se le tuerce a la puerca el rabo». 2. El momento de la solución. «Tengo la seguridad de que cuando recoja las acciones me entregan la presidencia. Ahí es cuando se le tuerce a la puerca el rabo, cuando recojo las acciones». Variante de *ahí es donde se le tuerce a la puerca el rabo;* es *ahí está el detalle.* Ahí está el quid de la cosa. (El cubanismo es el título de una película de Mario Moreno, Cantinflas, el actor mejicano, ya fallecido.) *Ahí está la parte de la minucia.* Ahí está todo. «Hazlo que ahí está la parte de la minucia». *Ahí fue cuando la mula tumbó a Génaro.* Ahí fue cuando la cosa se complica. «Cuando le pidió la palabra fue cuando la mula tumbó a Génaro». *Ahí hacen la sopa con huesos viejos.* Ahí dan las noticias atrasadas. «Sabes tú que ahí me dijeron que el astronauta llegó a la luna. No me extraña. Ahí hacen sopa con huesos viejos». *Ahí no vive tranquila ni la mona Chita.* Ahí no vive tranquilo nadie; ahí no hay paz. «¡Qué alboroto siempre en casa de los Pérez! Ahí no vive tranquila ni la mona Chita». *Ahí mamá.* Dar en la llaga; poner el dedo sobre la llaga. «Le dije las cosas como son, como tú querías. Ahí mamá». *Ahí* o *Ahí na'má.* 1. No cambies. 2. Esa expresión se oye mucho cuando una orquesta se detiene en ciertos pasajes que gustan mucho. 3. Se grita cuando una orquesta toca bien. «¡Cómo tocan! —Ahí, ahí na'ma'». («Na' ma'» es «nada más».) *Ahí si es verdad que le dan a la pelota.* Ahí sí saben hacer las cosas. «No los pudieron engañar que ahí sí es verdad que le dan a la pelota». *Ahí viene la bolita por la canalita.* Ahora van a dar la noticia. «Esté atento locutor que ahí viene la bolita por la canalita». (Nació el cubanismo en un sorteo de la lotería nacional de Cuba que radiaban los sábados. Cuando el número iba a salir el locutor decía: «ahí viene la bolita por la canalita».) La frase se adapta a muchas situaciones. En el sentido de «ahora va a ser Troya», tenemos: «Choqué el carro de mi padre, Juan. Ahora sí que viene la bolita por la canalita». «¿Cuándo viene la bolita por la canalita en el caso de Juana?» «—Cuando Juana da a luz». *Estar algo o alguien ahí.* Estar muy bueno. «Lolita está ahí».

AHORA. *Ahora me pica aquí y voy a rascarme allá.* Se aplica a que los cubanos en Cuba iban continuamente a Washington a resolver los problemas que era privativos de Cuba solamente. Hoy se dice lo mismo en el exilio. «Somos nosotros los que tenemos que resolver los problemas de los refugiados. Pero como siempre: ahora me pica aquí y voy a rascarme allá». (O sea, vamos a Washington para que nos resuelvan el problema. El cubanismo es la letra de una canción.)

AHORCARSE. 1. Aferrarse a una situación. «Fracasarás. Hay que tener criterio amplio y tú te ahorcas». (En este caso el cubanismo está basado en el juego de dominó. El que «se ahorca a una ficha», es que no la juega y después se la cogen a la hora de contar.) 2. Contraer matrimonio. «Me ahorco el viernes».

AHORITA. Pequeño período de tiempo. «Voy ahorita, mamá». Sinónimo: *Ahoritica.*

AHUEVADO. *Buscarle el ahuevado a la cosa.* Buscarle el quid a la cosa. «Yo, para entender la situación, le estoy buscando el ahuevado a la cosa». (Es lenguaje campesino llevado a lo urbano.)

AHUMARSE. Emborracharse. «Anoche me ahumé en la fiesta». Eufemismo. El que habla evita decir «ajumarse», emborracharse. *Ponerse violento.* «Cuando lo empujé; se ahumó». Sinónimo: *Ahumarse como el pescado.*

AINAR. *Decir.* «¿Qué estás ainando?» Lo he oído asi mismo como robar. «Me ainó cinco pesos». (Es lenguaje del chuchero. Ver: *chuchero.)*

AIRE. *Aspirar y no tener aire.* Aspirar y no tener condiciones. «Ese pobre tonto aspira y no tiene aire». *Cogerla en el aire.* Darse cuenta inmediatamente. «¿Oíste lo que dijo? La cogí en el aire». *Coger un segundo aire.* 1. Tener una segunda juventud. 2. Sacar fuerzas que ya estaban agotadas. La conversación da el significado; p.e. «Este viejito cogió un segundo aire y se casó». (El cubanismo nació en el boxeo. Hay veces que un pugilista que luce agotado saca fuerzas imprevistas y gana la pelea o presenta buena batalla: en ese caso se dice que «cogió un segundo aire».) *Comer tajadas de aire.* Estar en una situación económica desesperada. «Últimamente vivo comiendo tajadas de aire». Sinónimo: *Vivir del aire. Estar alguien en el aire y transmitiendo.* Estar muy cansado y seguir. «Yo no me rindo, estoy en el aire, y transmitiendo». *Estar en el aire.* 1. No tener nada seguro. «En ese empleo, aunque tú no lo crearas, estoy en el aire». 2. Hablar mucho. «Se pasa el día en el aire». (El cubanismo compara las personas con las estaciones de radio que «están siempre en el aire», es decir, transmitiendo.) *Inventarlas en el aire.* Decir mentiras. «Mi primo las inventa en el aire». *No tener algo aire.* No servir. «Este restaurante no tiene aire». (Es decir, estar desinflado. Estar desinflado un establecimiento, no tiene clientela.) *Si le da un aire se rompe.* Se dice para indicar que alguien es homosexual. «Si le das aire, a Pedro, se rompe». Ver: *Balleta. Bola. Comercial. Mierda. Tángana.*

«AISBER». *Botar un «aisber».* Tratar fríamente a alguien. «Conmigo, a pesar de ser de mi barrio, se botó un «aisber». (Cubanismo del exilio.) *Ser alguien un «aisber».* Ser alguien un hipócrita. «Tenga mucho cuidado que es un «aisber». (Me dicen que el «iceberg» —que el cubano pronuncia «aisber» — sólo muestra el saliente. Es cubanismo culto.)

«AISTEN». *Tener que inventar más que Aisten.* Tener que meter una mentira colosal. «Como llegues tarde vas a tener un problema conmigo. Para convencerme de lo que dices vas a tener que inventar más que Aisten». (Es cubanismo culto del exilio. «Aisten» es la forma que el cubano pronuncia el nombre del creador de la Teoría de la Relatividad: Albert Einstein.)

AJÁ. *Ajá la jardinera.* Y punto final; ya se acabó; no hay más que hablar. «Voy porque me da mi real gana y ajá la jardinera». (Algunas veces se dice «el coyote y ajá la jardinera».) *Mandar un ajá a la jardinera.* Echar un carajo indicando que no se tiene en cuenta nada ni nadie. «Yo reaccioné ante su crítica y le mandé un ajá a la jardinera».

AJAX. *Decirle a alguien ajax.* Ser muy limpio. «A mi hermano le dicen Ajax». («Ajax» es un detergente. De ahí el cubanismo.)

AJENA. Ver: *Pólvora.*

AJÍ. *Ají de la puta de su madre.* Ají picante. «Este es un ají de la puta de su madre». Es el castizo: «de la puta de su madre», tomando el sentido de «picante». *Comer ají guaguao.* Se dice de la persona que está siempre peleando. «Ese comió ají guaguao, peleó con todo el mundo». *Estar la cosa de ají.* Estar la cosa difícil. «La cosa, aquí en Cuba, está de ají». (Cubanismo de la Cuba de hoy.) *Estar la cosa de ají guaguao.* Es el superlativo. El ají guaguao pica mucho. De aquí el cubanismo.) *El que se pica es porque ají come.* El que se molesta es porque lo que se dice de él es verdad y no quiere oírle. «No te molestes, ya sé que el que se pica es porque ají come». *Sembrar ají guaguao.* (O yerba de Guinea.) Sembrar la discordia. «En esa casa sembraron ají guaguao». *Ser alguien un ajiguaguao.* Ser un hombre que pide dinero y no lo paga. «Ese hombre es ajiguaguao». (El ajiguaguao pica mucho como el hombre que «pica dinero». De ahí el cubanismo.) *Ser alguien ajiguaguao.* 1. Ser alguien muy nervioso. «Juan es ajiguaguao». 2. Ser muy malcriado un niño. «Pedrito a pesar de tener diez años es ajiguaguao». 3. Ser alguien mala persona. «No hables con él, es ajiguaguao». *Tener ají bobito o ají guaguao en el culo.* 1. Estar muy apurado. 2. Ser muy nervioso. 3. Ser muy activo. La conversación da el significado. «Ese muchacho tiene ají bobito (o ají guaguao) en el culo».

AJIACO. 1. Confusión. «¿Cómo vamos a triunfar en este negocio con el ajiaco que hay aquí en las cuentas?» 2. Lío. «El ajiaco entre los dos es peligroso. Puede haber hasta muerto». *Ajiaco conspirativo.* Conspiración destinada al fracaso porque nadie sabe lo que hace. «Tenía que fracasar, cómo no, ese ajiaco conspirativo». *Estar en el ajiaco.* 1. Estar en el quid de la cosa. «Tú siempre estás en el ajiaco». 2. Saber de lo que se trata algo. «No sé cómo se las arregla pero siempre está en el ajiaco». (El ajiaco es un plato cubano, de viandas.) *Hacerse un ajiaco.* Confundirse. «Me hice un ajiaco ante el problema y todo salió mal».

AJILAR. 1. En el imperativo «Apúrate». 2. Marcharse. «Ajiló hace un rato». *Ajilar caña.* Cargar caña. «Ese es el carretero que más caña ajila en una hora».

AJO. *Un ajo.* Una mala palabra. «Mira que dices ajos». «No sueltes un ajo más». *¿Cómo está el ajo?* ¿Cómo está la cosa? «Dime, ¿cómo está el ajo en tu casa?» *Echar (o disparar) ajos y cebollas.* Decir muchas mala palabras. «Se pasa el día echando ajos y cebollas». «El disparó una sarta de ajos y cebollas». *Ese es el ajo.* «Ese es el quid de la cosa». «No te dije que yéndolo a ver era resolver el problema. Ese era el ajo». Sinónimo: *Ahí es donde está la malanga. Ahí es donde la puerca tuerce el rabo. Ser alguien el inventor de la sopa de ajo.* Creerse que vale mucho. «Juan piensa que él es el inventor de la sopa de ajo». (Castizo.) *Soltar un ajo.* Decir una mala palabra. «Suelta muchos ajos cuando habla. Es muy mal educado».

AJONJOLÍ. *Más que ajonjolí dan por medio.* Mucho. «¿Qué si tiene dinero? —Más que ajonjolí dan por medio». (El ajonjolí es un dulce.) *Ser alguien, para el billete, más pegajoso que el ajonjolí.* Gustarle mucho el dinero. «Ese librero para el dinero es más pegajoso que el ajonjolí». (El ajonjolí es un dulce muy pegajoso. De ahí el cubanismo.) *Tener alguien ajonjolí.* 1. Pegársele todo. «Cogió sarampión. Tiene ajonjolí». 2. Se dice, asimismo, del que siempre está arrimado a otro para sacar ventaja. «Juan tiene ajonjolí. ¡Pobre de aquel a quien te cae!» *Tener ajonjolí en el pito.* Gustarle mucho las mujeres. «Ese hombre tiene ajonjolí en el pito». (El ajonjolí es muy pegajoso. De ahí el cubanismo.)

AJUMAO. Borracho. «Ajumao vete para tu casa». *Estar ajumao.* Estar borracho. «Se pasa el día ajumao». Sinónimo: *Pasarse el día alumbrado,* (escoriado, picado.)

AJUMARSE. Emborracharse. «Pedro se ajumó anoche de mala manera».[6]

AJUMERA. Borrachera. «Tiene una ajumera que le va a durar dos días».

---

[6] Pedro Lassaletta, *Aportaciones al estudio del lenguaje coloquial galdosiano*, Madrid, 1974, pág. 40, lo da como caló. Lo mismo dice de «ajumao». Sin embargo, Alfredo R. Neves, *Diccionario de americanismos*, Editorial Sopena, Buenos Aires, 1975, dice que es un americanismo. Ver nota 1.

AJUSTADOR. Sostén. «Siempre usa un ajustador de buena marca». El cubanismo se usa mayormente en plural.

AJUSTAR. Contratar a destajo. «Ajusté el trabajo por cinco pesos».

ALA. Sobaco. «Cómo le huele el ala». *Coger ala.* Engreírse. «Tú lo dejaste coger alas y ahora pagas las consecuencias». *Levantar el ala.* Levantar el brazo. «Cuando levanta el ala se siente el olor a sudor».

ALABANSIOSO. Que se alaba así mismo. «Es un engreído. Es un alabansioso».

ALABAO. *¡Alabao Trelles!* ¡Alabado! «Me saqué la lotería. ¡Alabao Trelles!» (Es cubanismo del exilio. Es un juego de palabras entre «alabao» [que es «alabado», pero que el cubano aspira la «d».] y el Magistrado Alabau Trelles, [E.P.D.].)

ALACRÁN. *El que le gane al alacrán se muere.* Conmigo nadie puede. «Volvió a ganarme en matemáticas. Viejo, es que el que le gane al alacrán se muere». (El cubanismo es el lema de un equipo de pelota en Cuba, el Almendares.) Sinónimos: *Estómago. Comparsa. Yagua. Pegarle a alguien alacranes.* Enojarse. «Le han pegado alacranes. Mira cómo lo rompe todo».

ALACRANERA. (La) El South West de Miami, o sea, el Suroeste de Miami. Le llaman así por la envidia que está rampante allí entre algunos cubanos, los que se atacan desesperadamente. «No vuelvo aquí. Es una alacranera».

ALAFIA. *Alafia, alafia.* Indica que uno se quita de arriba la mala suerte. Se usa en casos como este: « Qué mal me siento! De nuevo tengo dolores de cabeza. Alafabia, alafabia!» (Es un conjuro mágico procedente del idioma bantú.)

ALAFÚN. Aparato sexual de la mujer. «Ayer le ví el alafún a mi prima». Sinónimos: *Bollo, «Masterchar» y Reyerta.* («Masterchar» nació en el exilio donde se oye decir que una mujer tiene un «masterchar» entre las piernas en dos sentidos: «para hacer dinero», y referido al aparato sexual en sí. El «Master Charge» es una tarjeta de crédito. El cubano pronuncia «Masterchar».

ALAGUATAALAGUATA. Lesbiana en africano. «Esa mujer es una alaguataa-laguata». «Por ahí viene esa alaguataalaguatala». (Es una corrupción de «Alacuatá». [Lesbiana.] Se ve en *El Monte* de Lydia Cabrera, (2a. edición, Miami, Fl., 1968.)

ALAMBIQUE. *Ser un alambique.* Ser un alcohólico. «Mi hermano desde joven es un alambique. ¡Tan inteligente, sin embargo!»

ALAMBRE. *Alambre dulce.* Se grita cuando está tocando una orquesta y el público se entusiasma. «¡Viva, viva! ¡Alambre dulce!» *Comerse un alambre de púas.* Estar pasando una dificilísima situación. «No acabo de triunfar, me estoy comiendo un alambre de púas». *Enredarse alguien la pata en los alambres.* «A ese se le enredaron las patas en los alambres». (Es una variante de *enredarse en las patas de los caballos.*) *Enredarse en los alambres.* Meterse en un lío. «Desde que lo conozco se está enredando en los alambres». Sinónimos: *Gordo. Patas. Pez. Tolete. Ser alguien igual que el alambre dulce.* Ser falso. «Creí en sus promesas sin saber que él era igual que el alambre dulce». (El alambre dulce se joroba fácilmente, por lo que se creó el cubanismo.) *Ser algo alambre.* Ser muy malo. «Esta película es alambre». Ver: *Azúcar. Cable. Resistencia.*

ALAMBRITO. Ver: *Mamacusa. Maricusa.*

ALANTE. *Coger a uno de alante pa'tras.* Sorprenderlo con algún argumento o pregunta inesperada. «El se iba defendiendo en el interrogatorio pero la policía lo sorprendió de alante pa'tras». (Pa'tras es «para atrás".)

ALARDE. *Tirar un alarde.* Acción de alardear. «Me tiró un alarde pero no le hice caso». «Lo único que hizo en toda la exposición fue tirar alardes». Ser alarde na'más. No cumplir lo prometido. «No te dará el puesto; es alarde na'má». (Na'más es «nada más».)

ALARDEAR. Dársela alguien de lo que no es. «Hace alarde de policía y no lo es». También significa ostentación. «¡Cómo alardea de sus millones!»

ALARDOSO. Dícese del que hace alardes; jactancioso. «Es un alardoso».

ALAS. Brazos. «Mira como mueve las alas al hablar». *Planear como las alas de un avión.* Bien planeado. «Esto está planeado como las alas de un avión».

ALBAHACA. *Darse un pase de albahaca.* Alejar el mal de ojo; quitarse la mala suerte. «Me di un pase de albahaca y se me quitó la fiebre». (Es creencia de sectores incultos de la población en Cuba que flagelarse el cuerpo con albahaca y bañarse después, aleja el mal de ojo y quita la mala suerte.) Se dice, así mismo, «darse un pase con rompesaragüey». Ver: *Baño.*

ALBAÑIL. *Albañiles al carajo que se acabó la mezcla.* Vámonos que todo se terminó. «Les anuncio que el curso de la mecánica cierra por falta de alumnos. Albañiles, al carajo que se acabó la mezcla». Puede ser usado también el en sentido de váyanse. «Cerramos el negocio; así que ya saben: albañiles, al carajo que se acabó la mezcla». *Ser el albañil de alguien.* Hacer algo a mano. «Ese padre es el albañil de esos hijos». *Ser albañil sin mezcla.* Aparentar lo que no es. «Ese se dice poeta y es un albañil sin mezcla».

ALBARDA. Ver: *Agua. Llegar el agua a la albarda.*

ALBÓNDIGA. No vale alguien nada en ningún sentido. «Ese será jefe pero es albóndiga».

ALBOROTADO. Que se mueve mucho. «Juana tiene el culo alborotado».

ALBOROTARSE. Enojarse. No te alborotes que estamos en una casa decente. *Alborotársele la pasa.* Ponerse de mal humor; enojarse. «Cuando le dije que no le iba a dar dinero se la alborotó la pasa». Sinónimo: *Alborotársele la pasión.*

ALBOROTOSO. Dícese del que forma líos. «¡Qué alborotoso es ese muchacho! ¿Te enteraste del último lío?»

ÁLBUM. *Guardar en el álbum del recuerdo de Mercedes Pinto.* Ser algo una cosa antiquísima. «Muchacho, si eso lo guardo en el álbum del recuerdo de Mercedes Pinto». (Este cubanismo que se oye muy poco y entre gente mayor combina dos programas radiales de Cuba desde hace cincuenta años: «El álbum del Recuerdo»; y «Las Charlas de Mercedes Pinto».)

ALBUR. *Albur de arranque*. Se llama, en política, el período comprendido entre el día de las elecciones y el que toma posesión el nuevo presidente. La palabra se relaciona, preferentemente, con la malversación de caudales públicos, porque en ese período de tiempo los gobernantes entraban a sacos en el tesoro público. «El gobierno está en el albur de arranque. Se están llevando todo».

ALCALDE. Orinal en Pinar del Río. «Voy a usar el orinal».

ALCANCÍA. Ver *Raja y Boca.*

ALCANFOR. *Alcanfor y diente de perro,* (o ser *Alcanfor, Arniquilla y diente de perro.*) Ser mala persona; ser tremendo pillo. «Ahí tienes a Juan: alcanfor y diente perro». «Ser alguien, alcanfor y diente perro». Es la frase más usual. Ver: *Bolas.*

ALCANTARILLADO. Ver: *Tracto.*

ALCOHOL. *Ni te lo laves que no hay alcohol.* Ni la mínima posibilidad. «Me pidió dinero y le dije, ni te lo laves que no hay alcohol». Ver: *Mecha.*

ALCOLITE. *Ser alcolite.* Se dice de una bebida que tiene mucho alcohol. «Oye, esto es alcolite puro». (El alcolite es una marca de alcohol que se vendía en Cuba.

ALDABA. (La) Un puro grande. «Se está fumando una aldaba». «Voy a fumar una aldaba».

ALDABONAZO. *El último aldabonazo.* Nombre que recibe el último hijo de una persona ya muy mayor. «A Pedro le llaman el último aldabonazo». (El cubanismo nació con la frase que el político cubano Eduardo Chibás pronunció antes de suicidarse: «Voy a pegar el último aldabonazo en la consciencia ciudadana».)

ALEGRÍA. *Tener alegría de perro capado.* Ser muy feliz. «Tú tienes siempre alegría de perro capado». (Es lenguaje campesino avecinado en la ciudad. El perro capado engorda y se mueve lleno de alegría cuando los otros perros fornican.) Ver: *Onda. Huesito.*

ALEJANDRO. *Ser Alejandro en un puño*, fue popularizada por las novelas de Pérez Galdós, muy populares en Cuba, y quiere decir: «Ser un tacaño». Con esta expresión del habla popular española se formó: «Tener a alguien como Alejandro». O sea, en puño. «Tiene al marido, como Alejandro». *Tener a alguien como Alejandro.* Tenerlo dominado. «La Oración».

ALEJO. *Aléjalo San Alejo.* Que no venga. «Antonio, tu suegra viene hoy. Aléjala, San Alejo». Ver: *San.*

ALELÍ. Ver: Capullito.

ALELUYA. *Aleluya, aleluya, nada calma la cabuya.* 1. No alardees. «Tú sabes que puedo aprenderme la lección en cinco minutos. —Aleluya, aleluya, nada calma la cabuya». 2. No hay forma de que se quite la excitación sexual. «Que fuerte estoy a mi edad. Aleluya, aleluya, nada calma la cabuya». 3. También se dice cuando el pene se mantiene en erección. «Mira cómo estoy de fuerte sexualmente y a pesar de mi edad. ¡Aleluya, aleluya, nada calma la cabuya!» *Miembro de la religión protestante; secta de los pentecostales.* «Yo no sabía que era aleluya; siempre pensé que era católico». *¡Y aleluya!* Y ya terminó. «Doy el último examen y aleluya».

ALERTA. «*Estar siempre uno alerta y crisol*». Estar alertísimo. «Yo no me dejo sorprender. Estoy siempre «alerta» y «crisol». El «Alerta» y el «Crisol» eran dos periódicos de La Habana. El cubanismo hace un juego de palabras con «Alerta». El aumentativo lo da la palabra «Crisol».

ALETAS. *Perder alguien las aletas.* No poder respirar. «De tanto fumar, perdió las aletas».

ALEXANDER. *Estar Alexander alborotado.* Sonar mucho el teléfono. «Hoy Alexander está alborotado». (Es cubanismo del exilio. Se basa en el inventor del teléfono: Alexander Graham Bell.)

ALFILER.ES. *No hacer ni para alfileres.* No ganar nada. «Con ese oficio no gana ni para alfileres». Ver: *Calle.*

ALFOMBRA. *Disfrazado de alfombra para que me pisen las niñas.* Contestación que se da cuando se le pregunta a uno cómo está. Quiere decir: «aquí, esperando que me suceda lo mejor». *Eres alfombra roja.* ¡Qué bien me tratas! «Tú siempre Pedro, eres alfombra roja».

ALFORJA. *Ser alforja de caballo.* Ser una persona de la que todo el mundo abusa. «Pedro siempre ha sido alforja de caballo».

ALGARABÍA. 1. Alboroto. «En el juicio se formó la gran algarabía». 2. Culo en movimiento. «Mira la algarabía de esa muchacha. Es preciosa».

ALGO. *Estar en algo.* Estar bien vestido. «Hoy sí te digo que estás en algo». Sinónimo: *Tener pista. Estar en algo* se usa en inumerable ocasiones, p.e. «consiguió Pedro un buen trabajo, está en algo». «Volvió con la señora, está en algo, pues no la ama». Estar en algo es tener segundas intenciones (caso de la señora, o tener éxito como en la oración del trabajo.)

ALGODÓN. *Ser alguien de algodón y pinza.* Ser cogido con pinzas. «Juan es de algodón y pinza». Sinónimo: *Ser fisto.*

ALÍ. *Ser del Alí Bar.* Ser noctámbulo. «El es del Alí Bar. Va a enfermarse». (El Alí Bar era un bar famoso de La Habana.)

ALICATE. *Comerse un alicate.* Estar en una difícil situación económica. «Llevo meses comiéndome un alicate».

ALICIA. *Estar como Alicia Alonso.* Entrar en puntillas. «Ella entró como Alicia Alonso y sorprendió a todo el mundo».(Alicia Alonso es la mundialmente conocida *Prima Ballerina* cubana. De ahí el cubanismo de la Cuba de ayer, ya desaparecido.) Ver: *Ballet.*

ALIMENTO. Ver: *Compañía.*

ALIÑAR. Dar. «Alíñame cinco pesos». Sinónimo: Diñar. (Se dice que no es un cubanismo sino «calé». [Lenguaje del chuchero.])

ALIVIO. Ver: *feo.*

«ALKA». *«Alka Selser».* Persona que se irrita de pronto. «Háblale con cuidado que es «Alka Selser». También, *rápido.* «Esto hay que hacerlo con «Alka Selser». *El «Alka Selser» es el padre de los cubanos.* Como comen los cubanos. «¡Mira qué cantidad de carne y papas! El «Alka Selser» es el padre de los cubanos». *Fermentársele, a alguien, el «Alka Selser».* Parársele el pene. «De mayor no se le fermenta a uno el «Alka Selser». (Es cubanismo del exilio.) *Ser como el «Alka Selser».* Se dice del que se pone bravo de pronto y se calma de pronto. «Mi hermano Juan es como el «Alka-Selser». (El «Alka Selser» primero sube con el agua y enseguida se asienta. De ahí el cubanismo.)*Tener que leer algo con «Alka Selser».* Se dice del escrito que es muy malo. «Eso hay que leerlo con «Alka Selser». (Para digerirlo.) Ver: *Mezcla.* (El «Alka Seltzer» es un digestivo.

ALLÁ. Ver: *Jalar.*

ALMA. *Alma de vedette.* Gente que le gusta el brillar aunque el brillo es efímero y sin solidez. «Todos estos escritores tiene alma de vedette». *Así son las cosas cuando son del alma.* Así es la vida. «Tengo que despedirte, y lo siento. Así son las cosas cuando son del alma». *Con alma, vida y corazón.* 1. Con lo mejor de uno. «Estudió con alma, vida y corazón». (El cubanismo viene de una canción.) 2. Con todas las fuerzas del corazón. También: completo, hasta lo más íntimo. «Es homosexual con alma, vida y corazón». 3. Con toda el alma. «Te quiero con alma, vida y corazón». «Trabaja, con alma, vida, y corazón».Sinónimos: *Con fe y ardor. Con toda la tripa. Parece el alma máter.* Se dice del que coge lo que le dan aunque no lo necesite. «Parece el alma máter. Cogió unos zapatos que ya no se usan». (En la escalinata de la Universidad de La Habana hay una estatua del alma máter con las manos abiertas. De ahí el cubanismo.) Sinónimo: *Parecer «Bili Grajam».* (Billy Graham que el cubano pronuncia como lo he escrito, es un predicador americano que pide continuamente con su ministerio cristiano. Tiene las manos abiertas para la limosna. De ahí el cubanismo nacido en el exilio.) *Querer con alma de niño.* 1. Querer puramente, con lo mejor de uno, con pureza. 2. Querer con lo más sano de uno. «A Juan, por bueno, lo quiero, con alma de niño». «Te quiero con alma de niño». «Tú sabes que te quiero con alma de niño». «Yo quiero a esa mujer con alma de niño». (Se dice, especialmente, como despedida.) 3. Con lo mejor de mí. «No me digas que no, Alicia, yo te quiero con alma de niño». (El cubanismo es la letra de una canción.) *Tener alma de tibor.* Se dice del que siempre está sumiso al lado de otro porque no vale nada le dé realce o para medrar. «Ese hombre tiene alma de tibor». «Esta gente tiene alma de tibor». (Me dicen que es que tienen al tibor cogido por el aza... el que tiene alma de tibor siempre está agarrado a otro que vale más que él. De aquí este cubanismo. Este cubanismo del exilio se dice, preferentemente, del que ha dejado de ser cubano y está al lado de una potencia no cubana para medrar en el exilio al lado de ella, sirviéndola contra su patria de origen.)

ALMACÉN. Ver: *Rata. Ratón.*

ALMANAQUE. *Caerle a alguien el almanaque de piedra.* Envejecer dramáticamente de pronto. (El almanaque cae pesadamente. Es de piedra, como el acero. De aquí el cubanismo.) Ver: *Indigestión.*

ALMANAQUITIS. *Tener almanaquitis aguda.* Estar muy viejo. «Ese señor no tiene ninguna enfermedad sino almanaquitis aguda».

ALMENDARES. *Batear lo mismo en el Almendares que en el Habana.* 1. Hablar alguien lo mismo de una cosa que de otra. «Es ameno hablar con él porque de la actualidad nacional lo mismo batea en el Almendares que en el Habana». 2. Ser alguien muy docto en varias materias. «Mi cuñado, como sabe; lo mismo batea para el Almendares que para el Habana». 3. Se aplica a muchas situaciones, por ejemplo: «No le importa las razas para enamorarse. Lo mismo batea para el Almendares que para el Habana». (Lo mismo se casa con una blanca, que con una asiática, que con una persona de color... La conversación da el significado.) («El Almendares» y «El La Habana» son dos equipos de pelota.)

ALMENDRA. *Ser almendra.* Ser muy buena persona. «Mi marido es almendra. Me da todo lo que le pido». (Se dice, asimismo, *ser almendra garapiñada.)* Sinónimo: *Ser crema de managua.*

ALMIDÓN. *Perder el almidón y el palo de la hervidura.* Dejar de darse pisto. «Desde que se arruinó perdió el almidón y el palo de la hervidura». *Tener más almidón que ropa de chino.* 1. Ser muy presuntuoso. 2. Darse pisto. «No tiene dinero pero tiene más almidón que ropa de chino». Ver: *Ropa y caja.*

ALMOHADA. Ver: *Fábrica.*

ALMOHADILLA. La base en el juego de pelota, o base-ball. «El pelotero llegó a la almohadilla, enseguida. ¡Cómo corre!»

ALMOHADITA. *Ser como la almohadita.* Se dice del que es muy caprichoso. «Ella es como la almohadita». (Hay mujeres que duermen con una almohadita pequeña entre los brazos porque se acostumbraron de niña. No pueden dormir sin ella. De aquí el cubanismo.)

ALMUERZO. *Hacer una almuerzo más largo que una culebra.* Hacer una almuerzo muy largo. «Los españoles hace un almuerzo más largo que una culebra». (Es cubanismo culto.)

ALOE. Ver: *Mata.*

ALONSO. *Quedarse como Don Alonso cuando lo cogió*[7] *la vaca.* Morirse. «Se quedó, cuando le dieron la noticia del accidente, como Don Alonso cuando lo cogió la vaca». Ver: *Alicia. Don.*

ALPACINO. *Ser Alpacino.* Ser guapo. «Vas a terminar mal, tú no eres Alpacino». (Exilio.) (Se Basa en una película: *El Padrino II*, en que interviene el actor Alpacino.)

ALPARGATA. *Echar una alpargata.* 1. Correr mucho. «Se me fue la perra y he tenido que echar una alpargata. ¡Qué cansado estoy!» 2. Huir. «En cuanto sonó el tiro echó una alpargata». *Hay muertos que no hacen ruido porque andan en alpargatas.* Hay que cuidarse de las personas mansas. «No le tengas miedo; es manso». « Hay muertos que no hacen ruido porque andan en alpargatas». Ver: *Tobillo.*

ALPISTE. *Darle a una mujer alpiste y revolcadero.* Mantenerla. «¡Qué suerte tiene Lola! Pedro le ha dado alpiste y revolcadero». *El que nace para comer alpiste nace pájaro.* Nadie puede huir de su destino. «Tenía que ser homosexual. El que nace para comer alpiste nace pájaro». Sinónimo: *El que nace para real* moneda de diez centavos *no llega a peseta* moneda de veinte centavos. *Gustarle más que al pájaro el alpiste.* Ser homosexual. «Te digo que le gusta, a Juan, más que al pájaro el alpiste». «Yo te digo que a ese le gusta más que al pájaro el alpiste». Sinónimo: *Aceite. Trueno que está para uno no hay palma que se lo quite. El que tiene alpiste, agua y revolcadero, siempre tiene gente.* El que tiene dinero tiene amigos. «Cómo no va a recibir continuamente amistades. Si tiene alpiste, agua y revolcadero». También se oye con otra variante: *tener alpiste, jaula y revoleteo.* Se oyen ambos cubanismos significando, asimismo, «tener casa y comida», es decir, «no tener problemas». *No le cabe un alpiste.* Ser muy feliz. «Desde que me casé con ella no me cabe un alpiste».

ALQUILAR. *Alquilar a Unjermima.* Alquilar una cocinera. «Mi marido, si quiere seguir conmigo tiene que alquilar una Unjermima». (Es la negra cocinera que sale en la caja de los «pancakes": tortas norteamericanas. El cubano pronuncia «únjermima». Este cubanismo nació en el exilio.) *Ahora que bajaron los alquileres.* Ahora que la cosa se arregla. «¿Dejas tu empleo ahora que bajaron los alquileres?»

---

[7] Hemos oído, también «cagó».

ALQUITRÁN. *Ser alguien alquitrán de pino tea.* 1. El que no gasta un centavo en nada. 2. Ser muy agarrado con el dinero. «Juan es alquitrán de pino tea. No cuentes con él».

ALTA. Ver: *Resistencia.*

ALTARITO. *Caérsele el altarito.* Perder la reputación. «Después de la contesta que le dio a su madre conmigo se le cayó el altarito». Sinónimo: *Mojársele los papeles. Fundirse el altarito.* Perder la fe en alguien. «Conmigo se le fundió el altarito».

AL TILÍN. *Tener algo al tilín.* Tener un conocimiento muy presente. «Tiene ese conocimiento al tilín». Se aplica a otras cosas como: *Tener las respuesta al tilín.* Tener una respuesta pronta. «Para cualquier cosa que le preguntes tiene la respuesta al tilín».

ALTO. *Más alto que el Columbia.* Muy alto. «Los precios están más altos que el Columbia». («El Columbia» es el nombre de la nave espacial estadounidense.) *Si llega a estar muy alto, revienta.* «¡Qué mal informado está! Te digo que se lo conté y que si llega a estar muy alto, revienta».

ALTURA. Ver: *Queme. Son.*

ALUMBRADO. (Un) 1. Se dice, en lenguaje chuchero, de la persona que posee un don, o un conocimiento que se afirma recibido del cielo. «Cree lo que te habla porque está alumbrado». «Ese amigo tuyo te lo puede decir porque es un alumbrado». (También se dice: *porque él es un alumbrado.)* 2. Beodo. «Tomó tanto que está alumbrado».

ALUMBRARSE. Emborracharse. «Anoche se alumbró de mala manera». *Alumbrarse algo.* Darse. «Ese negocio parece que se va a alumbrar». *Alumbrársele el bombillo.* Darse cuenta. «Ya sé lo que él me dijo, ¡qué canalla! Ahora se me alumbró el bombillo».

ALUMINIO. Ver: *Estropajo.*

ÁLVAREZ. *Llevar a alguien Álvarez.* Ser muy severo con él. «En el trabajo a Paco lo llevan Álvarez». (Es cubanismo culto. Una personalidad cubana fue Álvarez Recio. Como Recio es duro, de aquí el cubanismo.) *Ser como Álvarez Guedes.* 1. No importarle nada. «Yo en todos los asuntos he sido como Álvarez Guedes». (El actor cubano —humorístico— Álvarez Guedes tiene una canción picaresca que dice: «*Me cago en el arbolito*». De aquí el cubanismo del exilio.) 2. Se dice del que presume de algo que no es. Por ejemplo que es buen tipo. «Ese se cree Álvarez Guedes». (Álvarez Guedes se llama a los Guillermo. A los Guillermo le llaman Guillo. Tener un guillo es presumir de algo que no se tiene. De ahí el cubanismo.) *Ser de apellido Álvarez Recio.* No ser simpático. «Nunca se ríe. Es de apellido Álvarez Recio». (Es un juego de palabras entre el apellido y la palabra recio que significa cargante e insoportable.)

AMACARA. *Amacara, chequendengue, burubutu.* ¡Qué bueno eres! Literalmente, traducido del lenguaje ñáñido significa: «Ese blanco tiene el corazón grande». «Mi amigo, te conseguí el empleo. —Amacara, chequendengue, burubutu». (Viene del lenguaje de la secta negra en Cuba: los ñáñigos. Es africano, conservado por ella.)

AMALIA. *Creerse, una mujer Amalia Batista.* Creerse que está muy bonita. «Tan fea como está y se cree que es Amalia Batista». (El cubanismo nace con una canción popular cubana, que dice: «Amalia Batista, Amalia Mayombe, qué tiene esa negra que mata a los hombres»...)

AMANECER. *Lo amanecieron.* 1.—Sorprender. «Con esa jugada lo amanecieron». 2.— Matar. «La policía lo amaneció con cinco balazos». *Amanecer con la lengua en trampolín.* Levantarse hablando mucho. «Amaneció tu hermano con la lengua en trampolín».

AMANECIDA. (La). La tacita de café negro. «Vamos por la amanecida que aún tengo sueño».

AMANEZCO. (El) El desayuno. «Qué va; ya no puedo llegar a las diez de la mañana sin el amanezco». «Voy a tomar el amanezco». (Es lenguaje del chuchero. Ver: *chuchero.*) *Chivarle a alguien el amanezco.* No pagarle el desayuno. «Pedro me chivó el amanezco».

AMANSAGUAPO. (El) El psicólogo. «Hoy fui a ver al amansaguapo». El amansaguapo es una hierba que se usa en los ritos africanos en Cuba para serenar a las personas. *Darle amansaguapo.* Darle a tomar cocimiento de una yerba llamada amansaguapo (que controla los nervios) para calmarlos. «A ese niño, dale amansaguapo». Se le dice en tono de burla, cuando alguien amenaza. «Dale amansaguapo Pedro». (Indica que el que amenaza no vale nada.)

AMANTEQUILLARSE. Caérsele a uno algo de las manos. «Te amantequillaste. Siempre te pasa». (viene del juego de pelota, base-ball. Cuando al alguien se le cae la pelota se le dice que se «amantequilló». Sinónimo: *Flumbear* (del inglés «to fumble».)

AMARGADO. Ver: *Azúcar.*

AMARGURA. Ver: *Calle.*

AMARILLA. *La amarilla.* La china. «Por ahí viene la amarilla». Ver: *Agua.*

AMARILLO. 1. Cobarde. «Eres un amarillo. ¿Cómo no le diste un tiro a ese que te ofendió?» 2. Chino. «Esto está lleno de amarillos». (Con soldados se usa más el artículo y se dice el amarillo en vez de amarillo.) 3. Los soldados. «Me tropecé con los amarillos y me registraron». *El amarillo.* El soldado. «Por ahí vienen los amarillos». (Al soldado se le llamaba así porque el uniforme del ejército cubano era amarillo.) *No creer (alguien) el misterio del cuarto amarillo.* No tenerle miedo a nada. «Yo voy a actuar. Yo no creo en el misterio del cuarto amarillo». Sinónimos: *No creer que porque los mosquitos vuelen, sean aeroplanos; que porque el calamar tenga tinta, escriba; que porque el grillo salte, sea maromero. Ser algo el misterio del cuarto amarillo.* Ser muy difícil. «Esto no tiene solución. Es el misterio del cuarto amarillo».

AMARRAR. 1. Hechizar. «Juana amarró a Pedro y él se casó en un mes». 2. Embrujar a alguien en el área amorosa, usando brujerías, o ritos religiosos, o brevajes, etc. «Con el filtro lo tiene amarrado». «María amarró a Pedro y éste se volvió loco». *Amarrar corto.* Controlar. «El hijo le salió tan decente porque él siempre lo tuvo amarrado corto». *Estar amarrado.* Estar trabajando duro; estar haciendo algo por muchas horas. «Hace seis meses que estoy amarrado con las matemáticas: a ver si las paso ahora». (Se dice también, *amarrarse a escribir, a estudiar,* etc.) *Casarse.* «Juana se amarró con un americano». *Amarrarse con alguien.* Ser muy leal con alguien. «El se amarró con él desde que lo conoció, y eso se aprecia mucho por todo el mundo». Ver: *Yarey.*

AMARRARSE. 1. Hablar largo y tendido por una hora. «Me amarré con él, ayer, en el cuarto cinco horas». 2. Ponerse a estudiar duro. «Me voy a amarrar para ser el primero en la clase». 3. Trabajar mucho. «Me amarré con la pintura cinco horas». *Amarrarse una pareja.* Tocarse libidinosamente. «Se amarraron en la esquina cuando nadie los vio».

AMARRE. *Amarre de palo.* Control de una persona total, mediante prácticas de brujería. «Le hicieron a él, tengo la seguridad, un amarre de palo». (Es creencia llevada a Cuba por los esclavos africanos.) *Hacer amarre.* Hacer conexiones. «Para salir Presidente tuvo que hacer varios amarres». *Hacer una amarre.* Por ejemplo: Enterrar el pañuelo, del hombre que se ama y se quiere que se enamore, junto a una palma. «Le hizo un amarre con el pañuelo». *¡Qué clase de amarre. Ni el brujo de Guanabacoa!* Qué clase de control. ¿Viste lo de la dictadura? «Que clase de amarre tiene. ¡Ni el brujo de Guanabacoa». (Lo del brujo de Guanabacoa está tomado de la letra de una can ción) !*Tener un amarre con alguien.* 1.— Tener influencia con. «El tiene amarre con el Ministro de Agricultura». «En ese ministerio el tiene un amarre y lo resuelve todo». 2.— Tener una querida. «Juan tiene tres hijos con un amarre». Ver: *Yarey.*

AMASAÍTO. *Dar un amasaíto.* Toquetear a una mujer. «Anoche aprovechando que estábamos solos le dí un amasaíto a Lola».

AMASCOTE. Burujón sin forma. «¡Mira qué amascote!» También: *trasero de una mujer, grande y sin forma.* «¡Qué amascote más feo el de esa mujer!» Asimismo: *desorden.* «El amascote en este cuarto es tremendo».

AMBERE. (El) El jefe de una galería (parte del penal en que viven presas) en una prisión. «Pedro es el ambere aquí». (Es palabra africana llevada por los esclavos a Cuba.) Sinónimo: *El mayor.*

AMBIDIESTRO. 1. El que sexualmente actúa como hombre o como mujer. «Dicen que él es ambidiestro. ¡Qué vergüenza!» 2. Homosexual. «Por ahí viene el ambidiestro ese». (Como femenino es lesbiana.) «Las dos hermanas son ambidiestras».

AMBIENTE. *Hay ambiente mi gente.* En afirmativo: qué bien se está aquí; cómo me divierto; qué fiesta más buena. En interrogativo, significa: ¿estás bien? «¿Qué tal Juan? ¿Hay ambiente mi gente?» (Nació el cubanismo con un lema comercial.) Ver: *Tibieza.*

AMBROSÍA. Ver: *Imperativo.*

AMBUILA. Pedazo de plátano que se machaca y se fríe. «Voy a comer ambuila». (Cubanismo de Pinar del Río.) Sinónimo. Tostón.

AMBULANCIA. Ver: *Sirena.*

AMÉN. Ver: *Talco.*

AMERICANADA. (Una) Una tontería. «Eso que haces es una americanada».

AMERICANO. *Ha llegado el americano.* Ha llegado el frío. «Me puse el abrigo porque ha llegado el americano y tengo mucho frío». *¿Parar un tren lleno de americanos para montar a un chino?* Hacer una tontería. «Tenía que pasarle lo que le pasó. ¿Tú sabes lo que es parar un tren lleno de americanos para montar a un chino?» (Cubanismo del exilio.)

AMETRALLADORA. Ver: *Cujeado.*

AMIGO. *Amigo con privilegio.* El novio. «Está esperando a su amigo con privilegio».(Es lenguaje de la Cuba de hoy, llegado al exilio por el puente marítimo Mariel-Cayo Hueso en 1980.) *La cosa no es de amigos.* Está mala. «En mi pueblo, con la interrupción de la zafra, la cosa no es de amigos». (O *estar de amigos.)*

AMIGOTERO. Que le gusta tener muchos amigos. «Mira que mi hijo es amigotero».

AMIGÜITO. En forma graciosa el cubano dice amigüito, «Ahí viene mi amigüito».

AMOLADOR. Ver: *Gallego.*

AMOLAR. Acción de lograr que otro pague el almuerzo o la cena. «Hoy para la cena amolamos a Juan». Sinónimo: *Inmolar. Amolando la piedra.* Haciendo lo mismo. «Para mí los días no cambian, siempre estoy amolando la piedra».

AMOR. *Amor de picaporte.* Se dice cuando no hay que enamorar a la mujer para hacerla de uno. «Con Juana tuve amor de picaporte». (Es decir, como con el picaporte: toco y entro, sin necesidad de romance.) *Consuélate como yo. Yo también tuve un amor y lo perdí.* Consuélate, no te quejes. «Ayer perdí miles de pesos. Consuélate como yo, yo también tuve un amor y lo perdí». (El cubanismo es la letra de una canción.) *El amor es como la leche: sube, se bota y después baja.* «Te digo que el amor es como la leche: sube, se bota y después baja». *Hasta aquí llegó mi amor.* Está bueno ya. «No le doy un centavo más. Hasta aquí llegó mi amor». «Le oí dos páginas y le dije: Hasta aquí llegó mi amor». (Es un latiguillo lingüístico que el cubano repite continuamente.) *Nada quedó de nuestro amor.* 1. Nada quedó de afecto, de relaciones comerciales entre dos personas. «Me separé de él en el negocio y nada quedó de nuestro amor». (Es un latiguillo lingüístico que se aplica a múltiples casos.) 2. Todo se acabó entre ambos. «Viejo, préstame cinco pesos. Lo siento, nada quedó de nuestro amor». (El cubanismo es la letra de una canción.) *No hay amor como el de madre ni maní como el de Acetolia.* Yo favorezco al que quiero. «Le diste dinero a Juana y no a Petra. Es que no hay amor como el de madre ni maní como el de Acetolia». (El cubanismo era un anuncio de un vendedor de maní de La Habana.) *Ser un amor de tipo de vaca cagalona.* Se dice de los que se enamoran con miradas y con visajes en los ojos. «Hasta ahora el amor de mis amigos es de vaca cagalona».

AMPANGA. *Estar de ampanga.* Estar gozando de la vida de lo lindo sin trabajar. «Este verano estoy de ampanga». *Estar la cosa de ampanga.* Estar la situación difícil. «Ayer se fueron a las manos. La cosa está de ampanga entre ellos». *Ser algo de ampanga.* Ser muy bueno. «La labor que tú realizas es de ampanga». *Venir de ampanga.* Estar alguien fuera de lugar. «Chico no le hagas caso a lo que dice. ¿No ves que viene de ampanga?»

«AMPAYER». En el juego de pelota el «Umpire», o sea, el juez del mismo en primera base, segunda y tercera y detrás del receptor. «El chino Tian ha sido uno de los mejores *ampayer* cubanos». (Es una corruptela de la pronunciación de la palabra en inglés.)

ANACÚE. Es juramento con el rito de los ñáñigos. En general, ñáñigo. Esta es la secta africana, nacida en la colonia, de tipo social y religioso. Era muy temida por sus acciones de violencia de sus miembros. «El es abanacúe». Sinónimos: *Abanacue. Obonucué.*

ANAGÜERIERO. *Anagüeriero, bongo, monina, subúa, lirecinima, hasta ñangue.* 1. Adiós. 2. Hasta que la muerte nos separe. (Es lenguaje africano llevado por las esclavas a Cuba.) «Y me dijo: Anagüeriero, bonco, monina, subún liercinima, hasta ñangue». *Anagüeriero bonco subuso.* Callarse. «Por ahí viene la policía, así que anagüeriero bonco subuso». (Viene del africano.) *Anagüeriero bonco, subuso, monina empagúa.* Habla con mucho cuidado que nos tratan de oír. «Dime y anagüeriero bonco, subuso, monina empagúa».(Es lengua africana que usan los ñáñigos, secta negra secreta de Cuba, de origen colonial. Lo que más se oye de este cubanismo es: «anagüeriero bonco subuso». Ver: *Barín.*

ANALFA. *Analfabeto.* «Dice que es filósofo, pero en el fondo es un analfa. Se le ve en la cara al zorrillo» Sinónimo: *Analfayuca.*

ANALFACEBOLLÓN. Ver: *Cebollón.*

ANALFAÑANGA. Se dice del que es una mezcla de comunista y analfabeto. «Juan es una analfañanga». («Comuñanga» es un cubanismo para «comunista». El cubanismo se compone de las dos palabras: «analfabeto» y «comuñanga».)

ANALFAYUCA. Analfabeto. «Juan es un analfayuca». Sinónimos: *Analfa, Analfabellón, Analfacebolleta.*

ÁNALISIS. *Hacer más análisis que Vieta Plasencia.* 1. Analizar mucho. 2. Filosofar. «Tú haces más análisis que Vieta Plasencia». (Es cubanismo culto. Vieta Plasencia fue un laboratorio muy famoso.)

ANASÍN. Ver: *Batido.*

ANCHO. *Estar ancho como guarandol.* (Algunas veces se oye: *guarandol de hilo.)* Se aplica a todo lo que da felicidad en general, pero indica mayormente vivir bien, sin preocupaciones: «Ella está ancha como guarandol. Su marido tiene dinero». («No tengo problemas. Me tratan bien».) La conversación da a lo que se refiere. «En este puesto está ancho como el guarandol. No trabaja».

ANCHOA. *Estar anchoa de Güines.* No tener problemas. «Me siento muy bien; si estoy anchoa de Güines». (El cubanismo, creado por el médico Enrique Huertas se popularizó enseguida. En un juego de palabras entre ancho y anchoa, pescado.)

ANDAMIO. *Tener mucho andamio encima.* Tener mucha ropa o mucho maquillaje puesto. «¡Qué andamio tiene encima! Hasta bufanda». (Ropa.) «El andamio que tiene esa mujer encima de la cara es tremendo». (Maquillaje.) *Tirarse del andamio.* Arriesgarse. «En esa operación había que tirarse del andamio y lo hice».

ANDANADA. *Sonarle una andanada.* Atacarlo. «Todos los meses, en el periódico, le sueno una andanada».

ANDANSIO. *Tener andansio.* 1. Doler el estómago. «Creo que tengo andansio». 2. Tener una indigestión. «Yo creo que tú tienes andansio». (Es andalucismo, el cubano piensa que es cubanismo.)

ANDAR. *Andar del timbo al tambo.* Tener descomposición de estómago. «He tomado manzanilla pues ando del timbo al tambo». Sinónimo: *Correveidile. ¿Cómo andas?* ¿Cómo estás? «¿Cómo andas, Pedro?»

ANDARÍN. *El andarín Carvajal.* Se dice de la persona que camina mucho. «Camina todos los días cien cuadras, es un andarín Carvajal». (El andarín Carvajal fue un personaje típico cubano que recorría corriendo La Habana.)[8]

ANDOBA. 1. Indica indistintamente hombre o mujer».La andoba Juana es muy bonita». «El andoba Pedro no sabe lo que dice». 2. Persona. «Yo no quiero la menor relación con ese andoba». *El andoba de la muletas.* San Lázaro. *Voy a regalarle al andoba de las muletas.* (Lenguaje del chuchero. Ver: *chuchero.*)

ANDUMBA. Mujer. «Esa andumba con la que saliste ayer es muy bella». «¡Cómo me gusta esa andumba!» (Voz africana llevada a Cuba por los esclavos.)

ANFIBIO. *Ser anfibio.* No se sabe lo que es. «Ese político es anfibio». (Se refiere a las ranas y a otras especies que viven lo mismo en el agua que en la tierra.) También ser homosexual. «Juan es un anfibio».

ÁNGEL. *Ángel de la Giribilla.* Persona inquieta. «Eres Ángel de la Giribilla, no te quedas quieto un minuto». *Se le alborotó el ángel.* Se dice del que está vestido de colorado. «Ahí viene. ¡Qué ridículo! Se le alborotó el ángel». *Tener por ángel de la guarda a King Kong.* Tener mucha suerte. «Ese no fracasa nunca en ningún negocio. Tiene por ángel de la guardia a King King». («King Kong» es el personaje de la película. Es un gorila de fuerza descomunal.) Ver: *Vago.*

ÁNGELA. *¡Ángela María!* Sí. «Me preguntó si quería ir a Roma en el año sabático y le dije, ¡Ángela María!»

ANGINA. *Tengo angina.* No acepto lo que me dices. «Tengo angina. Busca algo mejor que decirme. Esa historia es mentira». (La angina es una enfermedad que impide tragar. Ese cubanismo es sinónimo de *No trago* es decir, no acepto lo que me dices.)

ANGÓ. *Angó, angó, angó/la picúa come gente/ella pica y no se siente.* Desconfía de ese hombre. «¿Así que te fue a ver a la oficina? Angó, angó, angó/la picúa come gente/ella pica y no se siente». (Esta es la letra de una conga santiaguera. El cubanismo se oye solamente en Oriente.)

ANGORA. *Parece alguien un gato de Angora pisado.* Estar muy delicado. «Lo vi. Parece un gato de Angora pisado». *Tener a alguien como un gato de Angora.* Tenerlo dominado. «Tiene al marido como un gato de Angora». (Es decir, amansado. El gato de Angora es muy manso. De aquí el cubanismo.)

ANGUILA. 1. Astuto. «Es un anguila. Por eso todavía sigue con esos negocios ilícitos». 2. Persona en la que no se puede confiar. «No te confíes, es un anguila».

ANICULI. Ver: *Refrescar.*

ANILLO. *No tener ni el anillo del tabaco.* No tener nada. «El pobre Juan no tiene ni el anillo del tabaco».

ÁNIMA. *Anima sola.* Alma en pena. «Hay que rezarle al Anima sola».

ANIMAL. El pene. «¡Qué clase de animal tenía Pedro entre las piernas!» *El animal.* Pene grande. *Prenderse al animal.* Se dice de la mujer que succiona el pene de un hombre con fruición. «Ella, Pedro, se prendió enseguida al animal». *Un animal francés.* El pene. «¿Sabes tú el versito del animal francés?» (Es un versito que dice:

---

[8] Era un atleta campeón de distancias largas.

«Vomita y no come queso, se para y no tiene pies, tiene pelo en el pescuezo y una cicatriz en la cara». De aquí el cubanismo.)

ANIMALADA. 1. Metedura de pata. «Eso que hiciste anoche es una animalada». 2. Acción deleznable. «Eso que hizo de darle al hijo fue una animalada».

ANIMALERO. *Ser animalero.* Se dice del que le gustan los animales. «Juan es un animalero. ¡Como tiene perros y gatos!»

ANIMALITO. Ver *Blasito.*

ÁNIMO. *Levantarle el ánimo a alguien.* Levantarle el pene; ponérselo en erección. «Verla y levantársele el ánimo es una sola cosa».

ANITA. *Anita la huérfanita.* Se dice de la mujer que siempre se está quejando para que le cojan lástima. « A mí estas Anitas las huérfanitas no me gustan». Sinónimo: ver *Calamidad y su perro. Estar siempre vestido de Anita la huerfanita.* Hacerse siempre el infeliz. «Este siempre está vestido de Anita la huerfanita». *Escribir Anita la huerfanita.* Ser alguien que siempre está haciéndose el sufrido. «Ese escribe Anita la huerfanita». Ver: *mamá.* (Anita la huertanita, es un personaje de las tiras cómicas: muñequitos en Cuba.)

ANJÁ. De anjá. Grande, mucho. «Aquello fue un aguasero de anjá». *Ser alguien de anjá.* No ser confiable. «Juan es de anjá». Sí. «¿Vas a la escuela? Anjá».

ANOCHE. *Anoche me dejó como la canción.* Dejar a alguien plantado. «Yo no le acepto más citas. Anoche me dejó como la canción». (La canción dice que la dejaron vestida...)

ANÓNIMA. Ver: *Cultural.*

ANORMAL. *Comer como un anormal.* Comer mucho. «Juan come como un anormal». «Yo como un anormal». Sinónimo: *Comer como un mulo. Tonto.* «Deja de tirar piedras. No seas anormal».

ANOTA. *Anota Flora.* Toma nota. «Date cuenta de lo que te digo: Anota Flora, que esto es muy importante». *Anota Flora y pita camión.* Vámonos enseguida. «Va a empezar la trifulca. Anota Flora y pita camión».

ANTENA. *Tener alguien las antenas bien puestas.* Saber lo que habla «Mi maestro tiene las antenas bien puestas». *Tener antenas largas.* Tener buen oído. «Habla bajo que ese es espía y tiene antenas largas». *Tener la antena caída.* No estar bien informado. «Fracasas porque tienes la antena caída».

ANTEOJERAS. 1. Ser estúpido. «No le expliques que no entiende, tiene anteojeras». 2. Ser hombre de una sola dirección. «No variará de opinión. Tiene anteojeras». (Es decir, como los mulos que las llevan para que no se desvíen de la ruta cuando halan un carromato.)

ANTERO. Ver: *Mano.*

«ANTIFRIZER». *Medirle a alguien el antifrizer.* Fornicarlo. «Ese dicen que es el que le mide el «antifrizer» a Conrado». (El «antifrizer» es el descongelante que se le echa al automóvil. Es la palabra inglesa «antifreezer» que el cubano pronuncia como he indicado. Cubanismo del exilio.)

ANTIGUO. (Un) Una persona mayor. «Ese es un antiguo». (Es lenguaje del chuchero. Ver: *Chuchero.*)

ANTIK. *Pulirse como un antik.* Ponerse mucho maquillaje. «Ella siempre se pule como un antik». (Es cubanismo del exilio. «Antik» es la palabra inglesa «antique», que significa «algo antiguo». El cubano lo pronuncia como se ha escrito.)

ANTÓN. Ver: *Funeraria.*

ANTONIETA. Ver: *María.*

ANTONIO. *¡Antonio, mi hijo!* Se usa como una exclamación, en el sentido de «Oye». «—Se sacó la lotería. Es millonario». « ¡Antonio, mi hijo!» *Antonio mi hijo tiene un golondrino que no se lo cura ni el medico chino.* «Tiene un cáncer. De él hay que decir: Antonio mi hijo tiene un golondrino que no se lo cura ni el medico chino». (Es la letra de una canción.)

ANTORCHA. *Poner a alguien al lado de la antorcha de la libertad.* Quemarlo. «La mujer lo sorprendió con otra y lo puso al lado de la antorcha de la libertad. (Cubanismo nacido en el exilio. «La Antorcha de la Libertad» es un monumento que está en el parque de las palomas en el centro de Miami.)

ANUNCIARSE. *El que no se anuncia no se vende.* «Mira esa mujer con los senos fuera; pero no sé por qué me escandalizo, si el que no se anuncia no se vende».

ANUNCIO. *Parar como el anuncio de «eslaks» en televisión.* Ahora muy gritón, pero va a parar como el anuncio de «eslaks» de la televisión». (Cubanismo del exilio. El «EXLAX» que el cubano pronuncia como indico, es un producto para mover el vientre.) *Ser una mujer como anuncio polaco.* Ser una gran cosa. «Tu mujer está como anuncio polaco, ¡qué suerte tienes!» (Los judíos —llamados polacos en Cuba— cuando vendían corbatas gritaban: «buenas, bonitas, baratas». De ahí el cubanismo.) Ver: *Coca.*

ANZUELO. *Ser como el pescado.* Ser ingenuo (muerde el anzuelo.) «Como dos o tres días más que le hables, cae. El es como el pescado». Ver: *Palangre.*

AÑANGA. *Añanga cuñanga.* Tú que has muerto sola descansa. «Por mi mala cabeza perdí a mi novia. Añanga cuñanga». (El cubanismo es una frase de los negros esclavos de Cuba.)

AÑEJA. Madre. «Mi añeja es lo más lindo del mundo». (Este es uno de los casos en que el cubanismo cambia lo que significa el castizo.)

AÑEJO. Padre. «Mi añejo siempre me ha tratado muy bien». (Otro caso en que el cubanismo cambia la significació del castizo.)

AÑO. *Empezar el año con una supertiñosa.* Empezar el año con mala suerte. «¡Qué fatalidad! He empezado el año con una supertiñosa». *En el año de la nana.* Hace mucho pero mucho tiempo. «Ese cuento es del año de la nana». 2. Pasado de moda. «El vestido que llevó al baile es del año de la nana». *Más años pasa un sapo debajo de una piedra.* No te quejes. «Chico, tengo que esperar dos años para graduarme. —Más años pasa un sapo debajo de una piedra». *Meter a alguien veinte años de jamoneta.* Meterle veinte años de cárcel. «Al pobre hombre le metieron veinte años de jamoneta, por un crimen que todo el mundo sabe que él no cometió». *Pasarán más de mil años, pasaran.* 1. Eso nunca llegará. (Se usa preferiblemente suelto en conversaciones.) «Dice que se casa con ella. —Pasarán más de mil años, pasarán». 2. Olvídate de eso. «¿Crees que ella llegará a quererme? —Pasarán más de mil años, pasarán». (El cubanismo es la letra de una canción. Es un latiguillo lingüístico, o sea, que el cubano lo usa continuamente.) *Tener un «lonplein» de años.* Tener muchos años. «Ese hombre parece joven pero tiene un 'lonplein' de años». («Lonplein» es como el cubano pronuncia la palabra inglesa «LONGPLAYING», o sea, disco de larga duración. El cubanismo nació en la emigración cubana actual en Estados Unidos.) Ver: *Televisión.*

AÑOJOS. Años. «Ahí donde tú lo ves tiene cuarenta añojos». «Tengo cinco añojos». (Juego de palabras entre «años» y «añojos».)

APACENTAR. 1. Convencer a alguien totalmente. «Lo apacenté con mis argumentos». Sinónimo: *Comerle el cerebro.* «En un dos por tres le comí el cerebro». 2. Enamorar. «La tuve que apacentar un año». 3. Ponerse al lado de. «Me apacenté al lado del ministro y le expliqué todo».

APACENTARSE. Sentarse. «Se apacentó en aquel rincón toda la noche».

APAGA. *Apaga y vámonos.* No hay nada que hacer. «Se está muriendo. Apaga y vámonos». *Estar la situación de apaga y vámonos.* Estar muy mala. «Yo no voy a esa región porque con tantos bandoleros la cosa está de apaga y vámonos».[9]

APAGADO. Aburrido. «Tu marido es muy apagado, chica; ni baila, ni habla».

APAGAFUEGO. Se dice del que pone a las gentes de acuerdo. «Ya resolvió el problema entre Juan y Pedro. Es un apagafuego». (Viene de la pelota. El «lanzador apagafuego» es el que resuelve una situación difícil para su equipo.) Sinónimo: *Componedor de batea.*

APAPACHAR. Acariciar. «No apaches tanto al niño que no le gusta».

APAPIPIO. Delator. «Se le ve en la cara que es un apapipio». (Palabra que surgió durante la revolución contra el Presidente Gerardo Machado y Morales (1929). Esta cayendo en desuso aunque aún es muy normal entre las personas viejas.)

APARATERO. Agente de la **C.I.A.**, o sea, del Servicio Secreto de Inteligencia norteamericano. «Iván es una aparatero». Sinónimo: *Aparatichi ciaiero.*

APARATICHI. Agente de la **C.I.A.** Agencia de espionaje estadounidense. «El es aparatichi».

APARATO. *El aparato.* 1. La **C.I.A.** (Organismo de espionaje estadounidense.) «Oscar recibe cheques no del aparato sino de Cuba». 2. Pene. «Tremendo aparato el de mi hijo». 3. Revólver. «Sacó el aparato y le dio un tiro». *Aparato de fuiqui fuiqui.* El aparato sexual de la mujer. «Tiene el más bello fuiqui fuiqui del mundo». *Hacer fuiqui fuiqui.* Fornicar. «El hacer fuiqui fuiqui todos los días me mantiene joven». *Le zumba el aparato.* Expresión que se usa para denotar cualquier tipo de sorpresa. «—El astronauta llegó a la luna. ¡Le zumba el aparato!» «Mató al hermano. ¡Le zumba el aparato!» *Poner el aparato.* Fornicar. «Le puso el aparato y tuvo un hijo».

APARCAR. Trabajar. «¡Cómo he aparcado hoy!» «Ya están empezando a aparcar». (Lenguaje de la Cuba de hoy.)

APARETAJE. Ver: *Pantalla.*

APÉAME. Traje. «Ese traje es de apéame uno». *De apéame uno.* Malo. «Te pusiste un puente en la boca de apéame uno». *Ser de apéame uno.* Ser de mala calidad. «Ese reloj es de apéame uno». «Tu amigo es de apéame uno».

APEARSE. Comer con las manos. «Apéese sin pena». Sinónimo: *Ir a pie.*

---

[9] Lo he oído en Andalucía también.

APELLIDO. *Ser de apellido Selástraga.* Ser homosexual. «El vecino de al lado de mi casa creo que es de apellido Selástraga». (El cubanismo es un juego de palabras. «Selástraga» es «se las traga».) Sinónimo: *Aceite. Deber hasta el segundo apellido.* Deber mucho. «Es un manirroto. Ya debe hasta el segundo apellido».

APELOTONARSE. Enojarse. «Si me lo vuelves a decir me apelotono».

APEREKE. Caldero de guarapo. «Dame ese apereke». (Lenguaje campesino.)

APERGOYADO. Persona sin salida; entre la espada y la pared. «Tu marido está apergoyado por varios años en el negocio». Es también sinónimo de *endeudado.* El tono de la conversación da el significado.

APERGOYAR. Tener a alguien sin salida, contra la pared. «No apergoyes a Pedro que si se ve perdido es capaz de todo. Déjale una salida».

APERGOYARSE. Endeudarse. «Cogí tanto dinero sin ton ni son que me he apergoyado de mala manera». Se dice, asimismo, *argollarse.*

APERICOTÍZATE. Apúrate. «Oye, Pedro, apericotízate».

APESTOSA. (La). *Comida de la cárcel.* «Por ahí viene la apestosa». Sinónimo: La hedionda.

APICHINADO. Acobardado. «Estás apichinado. No tengas ese miedo, es el viento». «De esa enfermedad sí está apichinado».

APICHINARSE. Acobardarse. «Oyó el ruido y se apichinó».

APIERRILI. A pie. «Voy a pierrili para mi casa porque no tengo automóvil».

APIJOTA. Poco a poco. «Te pago apijotá». (Es voz guajira.)

APILONARSE. 1. Cogérselo todo; quererlo todo para sí. «No sean egoísta. No te apilones». 2. Atragantarse. «No te apilones con la comida».

APLACENTARSE. *Acercarse.* «Aquel que no se aplacenta es un azul». («Azul» es policía.) También lo he oído en esta oración: «Aplacentarse a la vera del jume», sentarse junto a mí. (Lenguaje del chuchero. Ver: *chuchero.*)

APLANADORA. Antipático. «Ese muchacho es una verdadera aplanadora. No puede ser más antipático». *Pasarle (o cogerlo) a alguien la aplanadora.* Derrotarlo aniquilándole. (En tiempos del Presidente Grau se puso de moda este cubanismo. A la candidatura gubernamental le llamaban «la aplanadora».) *Prío alante y la aplanadora atrás.* Frase que se dice cuando se tiene un éxito completo. «Gané. Prío alante y la planadora atrás». (Ese era un lema del candidato a la presidencia de Cuba, Doctor Carlos Prío Socarrás.) Ver: *Ojalá.*

APLATANADITO.A. Adaptado. «Mi mujer estuvo aplatanadita en el matrimonio».

APLATANADO. Adaptado; estar adaptado al medio en que se vive. «Cualquier extranjero se aplatana enseguida en España porque es un país muy acogedor».

APLAUSO. *Esos aplausos son para mí.* Triunfé. «Esos aplausos son para mí». (La frase es un lema comercial.) *Estos aplausos son para Magnesúrico. Felicidades.* «Canta usted muy bien. Estos aplausos son para Magnesúrico».

APOCHINCHARSE. *Llenarse de algo.* «Se apochinchó de carne». 2. Hacerse rico en un cargo político. «Estuvo unos días en el gobierno y se apochinchó».

APORCAR. Tirar. «Aporca eso ahí». (Viene del lenguaje de la caña. «Aporcar» es tirar la tierra sobre la caña.)

APORREADO. *Aporreado de tasajo.* Cubanismo admitido por la Real Academia de la Lengua. Dice su *Diccionario*: «Guiso de carne de vaca con mantecas, tomate, ají y especias». Existen otros tipo de aporreado, como el de ternera.

APOSENTO. *Pa' lo que queda en el aposento, el garage.* Ya no hay que preocuparse de nada pues no queda salida. «No te quejes más de cómo va el negocio. Pa' lo que queda en el aposento, al garage». («Pa'» es «para».)

APOTEOCHI. Ver: *Artista.*

APRETADITO. *Estar un automóvil apretadito.* Gastar poca gasolina. «Este automóvil que me compré está apretadito». (El cubano, por lo general, dice «carro» o «máquina» en vez de automóvil.)

APRETADO. Estar sin dinero. «Estoy apretado. Este mes no puedo comprar nada».

APRETAR. 1. Ahorrar. «Aprieta, no compres mucho que no podemos gastar». 2. Ejercitar juegos sexuales con el cuerpo de la mujer. «Anoche apreté mucho a mi novia». 3. Exagerar. «Rebaja algo de esa historia. No aprietes tanto». 4. Extralimitarse. «Apretó demasiado al hijo y este se le fue de la casa». 5. Forzar. «Lo apretaron los bandidos y les dio el dinero». 6. Insistir. «No aprietes, no quiero decirlo». 7. Ser duro con alguien. «Pedro apretó a Juan en el trabajo de mala manera». 8. Tocar y besar a una mujer. «Me apreté anoche hasta el amanecer con Juana». Sinónimo: *Matarse.* 4. *Apretar como el marañón.* 1. Apretar algo, mucho. «Este chocolate aprieta la boca como el marañón». 2. Hacer trabajar mucho a alguien. «Mi jefe me aprieta como el marañón. Ayer la jornada fue de ocho horas». (Nace el cubanismo con una canción cubana que dice: «El marañón aprieta la boca»...) 3. Ser muy estricto. «Ese hombre aprieta como el marañón». *Ser aprieta y traga.* Ser cosa fácil. «Esta lección es aprieta y traga».

APRETASÓN. *Haber una apretasón.* Estar la situación difícil. «En Cuba hay una gran apretasón económica».

APUCHUNGARSE. Malversar y hacerse rico. «Ese político se apuchungó en el ministerio».

APUNTACIONES. Apuestas. «¿Ya hiciste las apuntaciones del día?» «¿Cómo están las apuntaciones hoy?» *Sitio de apuntaciones.* Banco donde se hacen apuestas ilegales. «En esta casa está el banco de apuntaciones». Ver: *Lista.*

APUNTADOR. Persona que recoge apuestas para un juego de azar llamado terminales. Se dice, igualmente, «apuntador de terminales». El que recoge apuestas en las loterías clandestinas en Cuba. «Estoy esperando al apuntador para jugar un número». Ver: *Bolitero.*

APUNTAR. 1. Apostar. «Apúntame cinco pesos al cinco». 2. Jugar juegos de azar. «¿Apuntaste ya a los terminales de la lotería?» *Apuntar en el hielo.* No tener idea de pagar una deuda. «Esos cinco pesos que me prestaste, apúntamelos en el hielo». *Apuntar lo mismo que banquear.* Ser bisexual. «¡Qué desgracia para su familia! Lo mismo apunta que banquea». *Apuntar y banquear alguien.* Ser bisexual. «Ese hombre apunta y banquea al mismo tiempo. O sea, que Juan hace de hombre o de mujer».*Apúntame esa pata.* Dáme crédito. «Viste que salió lo que te dije. Apúntame esa pata». (En el juego del cubilete cada jugada ganada es una pata. Se van apuntando las patas. De aquí el cubanismo.) Jugar un número en las loterías clandestinas en Cuba. «Hoy apunto el número ocho porque soñé con él».

APUÑALEARSE. Robar. «En ese trabajo de ingeniería se apuñaleó como cien mil pesos». *Apuñalearse años.* Quitarse años. «Esa mujer se apuñaleó diez años cuando dijo su edad».

APURATIVO. *Ser un apurativo, o muy apurativo.* Se dice del que se apura mucho o está siempre apurado. «No seas tan apurativo que me pone nervioso». «Ese amigo tuyo es un apurativo. Se va a morir del corazón». Sinónimo: *No seas tan apurativo que tú no eres laxante.*

APURILLO. Apuro. «¡Qué apurillo, hombre! Quédate un poco más».

APURRUÑAR. 1. Apretar fuertemente. «Apurruñas ese cartucho y tiene huevos». 2. Besarse un hombre y una mujer y tocarse los cuerpos al mismo tiempo. «La pareja se apurruñaba en el cine».

AQUÍ. *Aquí, mirando y dejando.* Latiguillo lingüístico en que el cubano expresa que no quiere intervenir en nada. «—¿Qué haces? —Aquí, mirando y dejando».

AQUILE. *Aquile chinea.* 1. Bien. «El libro me quedó aquile chinea». 2. Sí. «¿Vas al cine? —Aquile chinea». Sinónimo: *Anjá.*

ÁRABE. *El árabe se está jugando la calavera.* Arriesgar la vida. Se usa en casos como éste: «¿Qué estás haciendo? El árabe se está jugando la calavera». *Caerle un árabe a alguien y tenerlo chupando petróleo con pajita.* Tener una situación difícil debido a que hay un enemigo que quiere acabar con uno. «A mí, últimamente, me ha caído un árabe y me tiene chupando petróleo con pajita». (Este cubanismo lo he oído varias veces debido al conflicto árabe-israelita.) *Si tú eres árabe tienes que tener el turbante.* No se pueden romper las reglas del juego. «Eso no se puede consentir. Si tú eres árabe, tienes que tener el turbante».

ARÁBICA. Ver: *Goma.*

ARADO. Persona poco inteligente. «Juan es un arado». Ver: *Bruto.*

ARAKALE. Ave de rapiña llamada en Cuba aura tiñosa. Es voz africana llevada por los esclavos a Cuba. «Aquí abundan las arakales».

ARANDELA. *Gustarle que le midan el aceite. Con la arandela no se juega.* No te dejes tocar el culo, (físicamente,) por nadie. «Yo le he explicado a mis hijas que con la arandela no se juega». *Tener floja la arandela.* Ser homosexual. «Estoy seguro que nuestro amigo tiene floja la arandela». Sinónimo: *Aceite. Cubano.*

ARANGO. *Estar las cosas de Arango y paracaídas.* Estar muy mala la situación. «La situación está de Arango y paracaídas».

ARAÑA. Ver: *Cueva.*

ARAÑAR. Ganarse la vida con mucho trabajo. «Estoy arañando la tierra para sobrevivir». «Aráñame por ahí tres o cuatro pesos, lo que puedas». *Arañar a alguien.* Cobrarle a alguien caro. «En la funeraria te arañan». *Arañar y subirse por una pared plana.* Con dificultad. «Llegó a ser millonario arañando y subiéndose por la pared plana».

ÁRBOL. Ver: *Mixtificación.*

ARBOLITO. *Cagarse en el arbolito.* 1. No creer en nadie. «Yo no tengo miedo. Cuando llegue la hora me cago en el arbolito». (Viene de una canción de Pascua chistosa de un disco del autor cubano Guillermo Alvares Guedes.) 2. No importarle a uno nada. «Ya sé la noticia pero me cago en el arbolito». *Vivir cagándose en el* *arbolito.* Vivir endemoniado. «Aquí hay que vivir todos los días cagándose en el arbolito».

ARCAÑO. *Ser «Arcaño y sus Maravillas» con «Chapotín y sus Estrellas»* Ser algo excepcionalísimo. «Juan como inteligencia es «Arcaño y sus Maravillas» con «Chapotín y sus Estrellas». Hay un cubanismo» Ser «Arcaño y sus Maravillas». «Con Chapotín y sus Estrellas», hace el aumentativo. Es otro de los casos en que en vez de terminaciones, el cubanismo recurre a palabras. («Arcaño y sus Maravillas» y «Chapotín y sus Estrellas» son dos orquestas famosas cubanas.) Ver: *Maravillas.*

ARDER. *Y vas que ardes.* Y vas bien. «Dame cinco centavos. Te doy dos y vas que ardes». «Te voy a dar de comer y vas que ardes».

ARDOR. *Comunícame tus ardores.* Enciéndeme el cigarro. «José, no tengo fósforos; comunícame tus ardores». Ver: *Fe.*

AREQUÍN. Ver: *Caballo.*

ARETE. *Ir* (o andar) *de arete.* Ser un aprovechado. «Este anda de arete con ese político todos los días». (El que va de arete está colgado. De ahí el cubanismo.) *Nacer de arete.* Estar siempre colgado, es decir, viviendo de alguien. «Ese nació de arete. ¿No le dará pena?» *Ser el arete de la familia.* Se dice del que vive colgado de la familia y ni trabaja. «¿No te da vergüenza? ¡Eres el arete de la familia!» Ver: *Piojo.*

ARGENTINO. *Disfrazarse de argentino.* Ponerse bufanda. «Ahí va disfrazado de argentino». (Los cantantes de tango se ponen bufanda. De ahí el cubanismo.)

ARGOLLA. *Ser algo, o alguien, de argolla y joroba.* Al castizo, «ser de argolla», el cubano le añade, «y joroba», haciendo el superlativo. En castizo, «ser de argolla» significa que es un hombre un tramposo, un calavera. «¡Cómo bebe! ¡Es de argolla y joroba!» (Es un calavera.) «No lo creas que te engaña. Es de argolla y joroba».

ARGOLLARSE. Ver: *Apergollarse.*

ARIQUE. Tira de yagua que se usa para amarrar. «Amarralo con arique». (La yagua es la hoja seca de la palma.) *Estar amarrado con ariques.* Ser persona rústica. «Está amarrado con ariques. No puedes exigir de él más de lo que da». *Estar en el arique.* Estar muy delgado. «Cuando llegó de la patria estaba en el arique». (Es cubanismo de origen campesino.) *No salir de los ariques.* No estar muy civilizado. Ser muy rústico. «Mi primo no a salido de los ariques».

ARMADA. *Llamarse una mujer, armada.* Estar bellísima. «Esa mujer se llama Armada». (Está conectado este cubanismo con otro: *Esta mujer es un peter o un pete de armada.* [Era una barrita de chocolate hecha por la compañía Armada. Era un dulce muy popular. Este cubanismo ya no se oye apenas.)

ARMAMENTO. Senos grandes. «¡Qué armamento tiene esa mujer!» (Lo he oído también como nalgas grandes, o culo grande. «¡Qué armamento tiene esa mujer por detrás».)

ARMAR. *Armado.* Dícese del que lleva dinero arriba. «Puedes pedirle lo que quieras que siempre está armado». *Armarse.* Llevar dinero encima para cualquier emergencia. «Déjame armarme no sea que me vaya a encontrar el libro que quiero comprar». *Armarse la cagazón.* Formarse un corre corre; cundir el pánico. «Cuando explotó el cohete se formó la cagazón en el pueblo». *Armarse un arroz con mango.* Formarse un lío, una confusión. «En la fiesta política se formó de pronto un arroz con mango y hubo varios muertos».

ARMI. *Tener a alguien como en el armi.* Tenerlo en la línea (Controlarlo.) «Ella lo tiene a él como en el armi». (El «Army» es el ejército de Estados Unidos. Cubanismo del exilio.) *Trabajar en el armi.* Se dice del que mira a todas las mujeres. «Ese no deja pasar una. Trabaja en el armi». (Es decir, que como en el «Army» o «ejército» en inglés, y que el cubano pronuncia como se ha escrito, pasa revista. De ahí el cubanismo.)

ARO. *Cambiarle hasta los aros al ojo del culo.* Ponerlo todo nuevo. «A esta oficina, como ves, le hemos cambiado hasta los aros al ojo del culo». *No tener una persona aro.* 1. El que no cuela la bola en el aro, se dice que «no tiene aro». De ahí el cubanismo.) 2. Estar fracasado. «Ese en nada tiene aro». (Es un fracaso total.) 3. Fallar mucho. «El no tiene aro, el pobrecito». (Viene del baloncesto.)

ARQUÍMIDES. Ver: *Palanca.*

ARRANCADO. No tener dinero. «Desde que me recuerdo estoy arrancado». (Se oye pronunciar con harta frecuencia hasta en gente educada «arrancao».)

ARRANCAR. Empezar. «Arranqué con este trabajo a las cinco de la mañana. Ya ves cómo trabajo». *Arrancar de marcha atrás y con el baúl abierto.* Ser homosexual «Por los gestos de ese dentista puedes ver que arranca de marcha atrás y con el baúl abierto». Sinónimos: *Aceite. Gustarle que le midan el aceite. Arrancar verde.* Llevárselo de la patria cuando era joven. «Habla tan mal el español porque lo arrancaron verde de España y lo llevaron a Francia». *Arrancarle las barbas al patilludo.* Gastar mucho dinero. «Tú no sabes lo que a mí me gusta arrancarle las barbas al patilludo». (El cubanismo nació porque el patriota que está en los billetes de cien pesos, Francisco Vicente Aguilera, tiene patillas.) *Arrancarle el brazo.* Aceptar. «Me ofreció un trabajo de cien dólares a la semana y le arranqué el brazo». *Arrancarle las tiras del pellejo.* Hablar mal de una persona. «Se pasa la vida arrancándome las tiras del pellejo». *Arrancársela.* 1. Suspenderlo en el examen. «Se la arrancaron en matemáticas y no se puede graduar hasta septiembre». 2. Matar. «Se la arrancaron anoche cuando estaba armado». *No dejársela arrancar por cien mil pesos.* Ser rico. «Mi tío no se la deja arrancar por cien mil pesos».

ARRASCARSE. Corruptela de rascarse. «Me arrasqué aquí y me hizo daño: tengo hongos».

ARRASTRADO. Adulador; que se rebaja para llegar a algo; que alaba para conseguir algo. Se dice del que no tiene honor. «Ese individuo es un arrastrado en todo sentido de la palabra. Por llegar a algo hace lo que haya que hacer por indigno que sea».

ARRATONARSE. Acobardarse. «En cuanto le contesté fuerte se arratonó y empezó a portarse de lo más amable».

ARREBATADO. 1. Loco. «Juan es un arrebatado». 2. Querer algo ardientemente. «Estoy arrebatado por tener un juego de plumas de oro».

ARREBATARSE. Volverse loco. «Se arrebató ayer de madrugada y tuvieron que ponerle una camisa de fuerza».

ARREBATIÑA. Acción de arrebatar; acción de arrebatar tumultuosamente varias personas. «Se formó, con el dinero, la arrebatiña». «Estaban liquidando la tienda y hubo arrebatiña».

ARREBATOS. *Arrebatos venusinos.* Pasión sexual. «El no ama a esa mujer. Tiene arrebatos venusinos».

ARRECHABALA. *Ser arrechabala.* Ser un borracho. «Ese individuo es Arrechabala». (La destilería «Arrechabala» era la más grande de Cuba. De ahí el cubanismo.)

ARREMPUJADO. A la brava. «Lo hice arrempujado. Yo no quería». (Es término de origen campesino que no se oye entre las personas educadas.)

ARREMPUJAR. Empujar. «Arrempujado lo consigue todo». «Caballeros no arrempujen». (El cubanismo parece haber surgido de un chiste de Cristóbal Colón. Se dice que lo primero que dijo al ver a Cuba en vez de «esta es la tierra más hermosa que ojos humanos vieron» fue «Caballeros, no arrempujen».

ARREPENTIMIENTO. *Arrepentimiento de chui-in-gón.* Arrepentimiento pegajoso. «Ese es un arrepentimiento de chi-in-gón». (Es «chewing gum» en inglés: «chicle». El chicle es pegajoso, de ahí el cubanismo.)

ARRIBA. *Estar rajado de arriba a abajo.* Ser maricón. «Cuando vi al hermano me di cuenta de que estaba rajado de arriba a abajo». *Tener arriba el nudo chino.* Tener un gran problema. «Con ese niño, lo que tengo arriba es el nudo chino». Ver: *Combinación. Filo.*

ARRIMADO. 1. Que vive en concubinato. «Ellos dos están arrimados; de ello estoy seguro». 2. Aprovechado. «En cada situación política es un arrimado».

ARRIMARSE. Ponerse a vivir una pareja en concubinato. «Se arrimaron hace varios años».

ARRIMO. Concubinato. «Te digo que eso no es un matrimonio sino un arrimo».

ARRIVEDERCHI. Ver: *Roma.*

ARROBA. *De arroba.* 1. Difícil. «Está la situación de arroba». 2. Calavera. «Ese muchacho es de arroba». 3. Persona en que no se puede confiar. «Si haces negocio con él pierdes porque el hombre es de arroba».

ARROLLAR. Bailar la conga. «Anoche en la fiesta arrollamos toda la noche». 2. Ganar. «Arrollaron en las elecciones de todas las provincias».

ARRORÓ. *Nana.* «Voy a cantar un arroró». (Es palabra africana llevada a Cuba por los esclavos.)

ARROZ. *Armarse un arroz con mango.* Armarse un lío. «En el barrio se armó un arroz con mango». (El arroz con el mango [fruta] no liga. De ahí el cubanismo.) *Arroz con grito.* Arroz con cerdo. «En la prisión sólo sirven arroz con grito». (Es lenguaje del actual presidio político cubano. Me dicen los ex-presos que el arroz, del cerdo, sólo tiene los gritos. De ahí el cubanismo.) *Arroz de la tierra.* Arroz descascarado por el campesino en la casa. «A mí me gusta mucho el arroz de la tierra». *Arroz de puta.* Arroz con salchicha. «En esta fonda se come el mejor arroz de putas de toda La Habana, con mucha agua». *Estar como el arroz blanco.* Estar en todos lados. «Ese está como el arroz blanco, se le ve en todos los lugares». (El arroz blanco se sirve con cada comida en Cuba. De ahí el cubanismo.) *Formarse un arroz con chorizo y tener que echarle garbanzos.* Frente a un problema tener que afrotar la situación. «Figúrate, Juan, que se ha formado un arroz con chorizoy tengo que echarle garbanzos». *Formarse o armarse un arroz con mango.* Formarse o armarse un lío. «En la reunión, se formó un arroz con mango». *Parecer algo un arroz con mango.* Estar desorganizado. «Este artículo parece un arroz con mango». *Ser arroz blanco* *con frijoles negros.* Ser algo sin importancia. No te preocupes de esa llamada telefónica. Eso va a ser arroz blanco con frijoles negros». *Ser como el arroz.* Abundante. «No sé cómo se las arregla. Es como el arroz». Se dice, asimismo, *Ser como el arroz Jonchí* marca de arroz que se vendía en Cuba. (El arroz se hincha. De ahí el cubanismo.) *Todos los pájaros comen arroz y el totí paga la culpa.* El que cría mala fama carga con la culpa aunque no la tenga. «Yo te digo que él no cometió el hecho pero ya tú sabes sus antecedentes. Y como todos los pájaros comen arroz y el totí paga la culpa, le tocó la de perder». *Tener el arroz mucho macho.* Estar muy celosa una persona. «No se le debe mirar la mujer. Ese arroz tiene mucho macho». (El macho es la parte amarilla del arroz.) *Tener alguien personalidad de arroz con leche.* No valer nada. «Ese individuo tiene personalidad de arroz con leche». (En general se aplica a las personalidades apagadas.) Ver: *Picadillo.*

ARRUCHAR. Ganar todas la bolas en un juego de canica llamado Chocolongo. «Arruché a Juanito. No le dejé una bola». En la vida diaria es dejar a alguien sin nada. «Lo arrucharon esos individuos con lo que tenía en la finca. Estar sin un centavo».

ARRUGAR. *No arrugues que no hay quien planche.* 1. No te metas en camisa de once varas. «Me dijo que iba a estudiar matemáticas superiores y yo le dije: No arrugues que no hay quien planche». 2. No hagas eso que no tienes valor de afrontar las consecuencias. «Me miró mal y le dije: No arrugues que no hay quien planche».

ARTE. *Arte y renovación.* Peinado masculino que consiste en tener mucho pelo en los lados de la cabeza y un corte recto en el cuello. Lo popularizó el chuchero en Cuba. Ver *Chuchero.*

ARTERIA. *Chuparle alguien las arterias a Drácula.* Ser valientísimo. «El saldrá bien de la amenaza porque le chupa las arterias a Drácula».

ARTILLADO. *Estar alguien artillado.* Tener alguien puesto todos los collares de los santos de la religión africana para protegerse. «No se los quita. Siempre está artillado». (O sea «está protegido».)

ARTISTA. Astuto; que sabe fingir. «Cuando yo era policía solté al presidiario que había detenido porque creí lo que me contaba. Era un artista». (El cubanismo cambia el significado del castizo.) *No hagas de artista que en cualquier momento te cobro la entrada.* No te equivoques conmigo tratando de engañarme. «se lo dije sin miedo: no hagas el artista que en cualquier momento te cobro la entrada». *Ser la artista de* apoteochi». (*Apoteochi* es apoteósis. El nombre viene de un chiste en que el cubano habla como si fuera italiano. El chiste se llama: «El drama de la Apoteochi».) *Ser un artista de la Golden Mayer sin contrato.* Se dice del que es un hipócrita de marca mayor. «Tú eres un artista de la Metro Golden Mayer sin Contrato». Ver: *Locutora. Paso.*

ARTISTAJE. Mentira; acción de fingir. «Todo eso que te dijo es puro artistaje. Ni el padre murió, ni él está endeudado». *Estar en el artistaje.* Vivir fingiendo. «Está siempre en el artistaje. ¡No tiene ni donde caerse muerto!» *Gustarle a alguien, el artistaje.* Gustarle a alguien, fingir. «A mi amigo Juan le gusta mucho el artistaje. No tiene nadie; no está enfermo». *Hacer un artistaje.* Vender una cosa robada. «Viene después que termine de hacer un artistaje». (Lenguaje del chuchero. Ver:

Chuchero.) «Le está haciendo un artistaje a Clarita». *¡Tremendo artistaje!* ¡Qué manera de fingir! «Eso de Juan es tremendo artistaje».

ARTRITIS. *Ser alguien judío con artritis.* Ser muy agarrado. «No le pidas ni un centavo. ¿No ves que es judío con artritis». Sinónimo: *Estreñido. Tener una orquesta, artritis.* Desafinar. «Esa orquesta tiene artritis».

ARTUR. Ver: *Mac.*

ASA. Ver: *Tibor.*

ASALTO. Fiesta sorpresiva. (Se presentan las parejas en una casa, y comienza la fiesta.) «Le vamos a dar un asalto de lo más bueno». *El segundo asalto a palacio.* Las clases vivas de Cuba, después del asalto, yendo a congratular al Presidente Batista por salir ileso del atentado. «Ahora se produce el segundo asalto a palacio».

ASCO. *Dar asco.* Ser algo intolerable. «Eso que has hecho da asco». (El cubanismo surgió en un programa popular, el de Garrido y Piñeiro, la pareja folklórica cubana, el negrito y el gallego. El negrito pronunciaba «d'aco» a «dar asco».) *Estar hecho un asco.* Presentar una facha astrosa. «Mira cómo te has puesto. Estás hecho un asco, por haber corrido a esta hora cuando hay sol. Vete a cambiar».

ASERRÍN. *Ser aserrín de casco de mula.* Ser agarrado. «Tu cuñado no suelta un centavo, es aserrín de casco de mula». Sinónimos: *Dar más aceite un ladrillo. Ser aceite de cabo de paraguas; Ser aserrín de pinotea; Ser baracutey; Ser duro como cabo de paraguay; Ser estreñido; Vivir Durete entre Duroña y Puerta Cerrada. Tener aserrín en la azotea.* Ser muy bruto. «No le preguntes nada que lo que tiene en la cabeza en aserrín». Ver: *Tizón.*

ASESINA. Ver: *Trueno.*

ASESINAR. *Asesinar una comida.* Hacerla mal. «Tu mujer asesinó la comida». *Asesinar una siesta.* «Me retiro que voy a asesinar una siesta».

ASÍ. Es palabra que se usa cuando alguien habla como gesto de aprobación. «El orador decía que todos en el gobierno eran incompetentes y el público gritaba: «así, así». *Así es como gira la bola.* Así es la cosa. «Así que ahora hay que pagar más por revelar las fotografías. Yo nada puedo hacer, así es como gira la bola». *La historia se escribe de noche y con vela.* Así suceden las cosas. «No hay forma de que me pueda oponer a mi destino. Así se escribe la historia de noche y con vela». *Así volaron al Maine y era de acero.* No des la espalda. (El cubanismo nace entre niños. Cuando alguno de ellos se agacha para recoger algo los otros, refiriéndose al trasero, dicen: «así volaron el Maine y era de acero». *El Maine* fue el acorazado que, se dice sin comprobarse, que volaron los americanos en la bahía de La Habana en 1898 y que dio lugar a la Guerra Hispanoamericana.) *Si no te pones así te ponen asao.* Se le contesta al que cuando uno se molesta le dice: «—El no quiere molestarte. No te pongas así. —Si no me pongo así, me ponen asao». (De «asar», o sea, que me destruyen; me aniquilan.) Es un juego de palabras entre «así» y «asao».

ASIENTO. *El asiento de la cocina.* Así llamaba el último asiento de los autobuses en Cuba porque era muy caliente. «Prefiero ir de pie antes de sentarme en el asiento de la cocina».

ASIMILAR. No doblegarse ante nada. «Le dije todo lo que se me ocurrió pero él lo asimiló». (El cubanismo viene del boxeo. Un buen boxeador es aquel que asimila todos los golpes que le dan sin caerse.) *Asimilar la situación.* Aceptar las cosas. «Cuando le dije que la hija se había fugado con el novio asimiló la situación».

ASISTENCIA. Vaso de agua que se le ofrece a un santo de una religión africana. «Con esta asistencia mi santo no me falla». (Se usa este ofrecimiento también en las prácticas espiritistas y recibe el mismo nombre que en las religiones negras que imperan en Cuba.) *Necesitar alguien una asistencia espiritista.* Necesitar ayuda de los santos por tener mala suerte; estar enfermo, etc. «Tú, lo que necesitas, es una asistencia espiritista». Cuando se habla solamente de una asistencia espiritista, se refiere al vaso de agua que los espiritistas ponen en cualquier lugar, para llamar a los espíritus, para protección. «¿Viste que tenía sobre la mesa una asistencia espiritista?»

ASPIAZO. *Aspiazo me dio la botella y yo voté por Varona: Aé, aé, la chambelona.* ¡Qué suerte tengo! Esto se dice en la conversación jocosamente para indicar que se tiene buena suerte pues se recibió un beneficio al que no hubo que corresponder. «Así que después que vivió tantos años con ella se casó con la otra. Qué bien eso que dice: Aspiazo me dio la botella y yo voté por Varona: Aé, aé, la chambelona». (En tiempos de la lucha electoral entre Varona y Aspiazo, por la Alcaldía de La Habana, Aspiazo repartía botellas y fue derrocado. El verso es alusivo a la contienda electoral. *La Chambelona* es una canción que cantaban los liberales. Sinónimo: *¡Qué suerte tiene el cubano, le coge el dinero a Antonio y vota por Castellanos!* (En la contienda electoral entre Antonio Prío y Castellanos, pasó lo mismo que con Azpiazo y Varona.)

ASPIRADORA. *Estar hecho una aspiradora.* Se dice del que quiere posesionarse de todo. «No se sacia nunca. Está hecho una aspiradora».

ASPIRAR. *Aspirar por ahí.* No me molestes más. «No quiero verte. Aspira por ahí».

ASPIRINA. 1. Autobús en la Cuba de hoy. «Por ahí viene mi aspirina». 2. Contestación al que se queja diciendo: «Oye, lo que tú me dices me duele». Se contesta: «Aspirina». Con eso también he oído el uso de otro analgésico: *Mejoral con él.* Así le dicen al autobús —guagua en cubano, como en el habla de las Islas Canarias— en Cuba, porque se toma cada cuatro horas. «¡Por fin viene mi aspirina! Hasta luego». *Ser alguien lo contrario de Prontico Apirina.* Dar dolores de cabeza. «El hijo de ese señor es lo contrario de Prontico Aspirina». («Prontico Aspirina» era un muñequito que anunciaba la aspirina.) Ver: *Guagua.*

ASTILLA. 1. Calavera. «Mi hermano salió un astilla; cómo da dolores de cabeza a la familia». 2. Peso. «Dame cinco astillas que no tengo dinero». 3. Poco dinero. «Me quedan unas astillas de los cien pesos». «Sólo tengo unas astillas en el bolsillo. No puedo ir al juego de pelota». «Tengo unas astillas en casa. No dan para terminar el mes». *Si eso no fuera jabón que no se gasta, ya a ti sólo te quedaban las astillas.* ¡Qué cantidad de veces fornicas! (Es forma de hablar del cubano. «*Eso no es jabón que se gasta*» es la contestación que una mujer da cuando le dicen que su marido la engaña. «No te preocupes que eso no es jabón que se gasta».)

ASTRONAUTA. Croqueta pequeña de mucha harina y poca masa que se pega al cielo de la boca. (El cubanismo nació en la Cuba de hoy. Como la croqueta se pega al cielo de la boca se le dice astronauta.) *Sobrevivir más que un astronauta.* Mantenerse mucho en una situación. «Has sobrevivido conmigo más que un astronauta. ¡Mira que me has hecho cosas, Mariano! No sé cómo no me he divorciado de ti».

(Cubanismo del exilio.) *Poner a alguien, volando como un astronauta y tomando agua en pajita.* Cantarle las cuarenta. «Cuando supo lo que hizo el hijo, lo puso volando como un astronauta y tomando agua en pajita».

ATABAL. *Tener el atabal detrás.* Ser un negro o un mulato. «Yo simpatizo con él porque ambos tenemos el atabal detrás».

ATABE. Dios taíno. «Encomiéndate a Atabe, muchacho».

ATACANTE. *Ser alguien atacante.* Ser un antipático. «Tu hermano, chica, es atacante».

ATAJA. *Estar de ataja.* Estar apurado. «Estamos hoy de ataja. ¡cómo queda por hacer!» *Ser alguien de ataja que voy.* No ser honesto. «Yo tengo la seguridad de que es de ataja que voy. Por eso no hago negocios con él».

ATAJAR. *Atajar un pollo.* Resolver dificultades. «En el asunto que tú sabes pude atajar al pollo».

ATAJO. *Dejar atajo por vereda.* Dejar el camino más seguro por otro más difícil. «Sigue por donde vas. No dejes atajo por vereda».

ATALAYA. 1.— De la religión protestante. «Me dicen que el es Atalaya». 2.— Chismosa. «Por ahí te encontrás a la atalaya de la cuadra». Sinónimo. *Ser una persona comentarios de Atalaya de la BBC de Londres.*

ATANASIO. Ver: *Pedo.*

ATAQUE. *De ataque.* Bueno. «Este café es de ataque». *Ser algo un ataque peor que el de los israelistas.* (Este cubanismo, de ocasión, ya desaparecido, surgió cuando Israel aniquiló a Egipto y las demás naciones árabes.) «Ese libro es ataque peor que el de los israelitas».

ATARAR. 1. Matar. «Lo atararon con la explosión». 2. Sujetar. «Lo ataré firmemente y no pudo moverse».

ATENAS. Ver *Negro.*

ATENCIÓN. Ver: *Bagazo. Mojón.*

ATERILLAO. *Estar aterillao.* Tener muchas cosas encima. «Estoy aterillao últimamente». (Es «aterrillado» pero el cubano aspira la «d».)

ATERRIZADO.A. *Ser alguien más aterrizado.* Ser más realista. «Juan es más aterrizado que Pedro».

ATERRIZAJE. Ver: *Tren.*

ATERRIZAR. *No andes por la rama. Ve al punto.* «Aterriza que me cansas con tanto hablar». Sinónimo: *Tira el cintillo. Poner los pies en la tierra.* «Antonio, aterriza. No se puede soñar».

ATLANTICIDIO. *Dar atlanticidio.* Mandar a la cárcel. «Le dieron atlanticidio». (Frase nacida en el exilio cubano con motivo de que muchos exiliados políticos por estar contra el régimen castrista son llevados a la prisión de Atlanta, Georgia, después de condenados.)

ATLAS. Ver: *Charles.*

ATMÓSFERA. *Formar una atmósfera.* Dar mala fama. «Me formó una atmósfera en el trabajo con sus chismes». *Tener buena atmósfera.* Disfrutar de buena fama. «Tú lograrás que te acepten; no ves que tienes buena atmósfera». *Formarle a alguien una atmósfera.* Formarle un lío. «Me formó una atmósfera en el trabajo».

ATOCHA. Ver: *Limpieza.*

ATOL. *Puré espeso.* «No me gusta ese atol». (Cubanismo aceptado por la Real Academia de la Lengua.)

ATÓMICO. *Estar atómico.* Estar muy nervioso. «Mi maestro está atómico últimamente. Estudia mucho y eso lo pone así». Ver: *Peo.*

ATRABANCADO. Ver: *Atrapiñado.*

ATRABANCAR. 1. Trabar. «Atrabanca esa persiana de la ventana». 2. Sorprender. «Lo atrabancó con las manos en la masa».

ATRABANCO. *Gustarle a alguien el atrabanco.* Gustarle el desorden. «Yo no sé cómo puedes vivir con él con lo que le gusta el atrabanco».

ATRABUCAR. Sujetar. «Lo atrabuqué fuerte hasta que llegó el médico. Se había vuelto loco».

ATRABUQUE. Algo que sujeta fuertemente. «Si sueltas ese atrabuque, se cae la casa».

ATRACA. Ridícula. «Juana es una atracá». (Es cubanismo de la Cuba actual.)

ATRACAR. *Atraca varón.* Estás aceptado. «Yo le dije que quería casarme con ella y me dijo: Atraca varón». *Atraque sume.* Acérquese. (Lenguaje del chuchero. Ver: *chuchero.*) *Atraca al puerto, barón.* Sí. «¿Me amas? —Atraca al puerto, barón».

ATRACARSE. 1. Decir tonterías. «No te atraques más que vas a coger mala fama». 2. Hacer algo que no debe hacer. «Se está atracando con eso que empredió». Sinónimo: *Atracarse de mojones. Atraca al puerto varón*. Sí. «Le pregunté si me quería y me dijo: Atraca al puerto varón». *Atrácate pollo que mañana te pelan.* «Haz lo que te dé la real gana que ya llegará el castigo». (Se le dice esta frase, con frecuencia, a los niños que son muy majaderos. Al oírlo paran de hacer lo que los padres reprueban.)

ATRACCIÓN. *Ser, una mujer, Atracción Sarrá.* Estar bellísima de cuerpo y cara. «Esa mujer es Atracción Sarrá». («Atracción Sarrá era la mayor droguería de Cuba.)

ATRANCAR. Asaltar. «La atrancaron en la esquina». (Es lenguaje campesino que ha pasado a la ciudad.)

ATRAPIÑADO. Sin espacio. «En mi casa vivo atrapiñado». Sinónimo: *Atrabancado.*

ATRAQUE. *¡Qué atraque!* Mira que dice tonterías. «Oye lo que dice el orador. ¡Qué atraque!» Sinónimo: *Atracarse de mojones. Ser algo una mojonera.*

ATRÁS. *Echarse para atrás.* No cumplir una promesa; no cumplir una palabra. «Cuando ponderó lo difícil del caso se echó para atrás». *Estar atrás.* Ni tener un centavo o tener dificultades económicas. «En estos días estoy atrás». «Juan estás atrás. Hace meses que no trabajas». Sinónimos: *Estar en carne. Estar en carne viva. Estar atrás con alguien.* 1. Estar endeudado. «No me digas nada. Ya sé que estoy atrás contigo». 2. Quedar mal. «Sé que estoy atrás contigo». También, que le han perdido a uno la confianza. «Sí, estoy atrás contigo, porque no entendiste los motivos. Volverás a creer en mí». *La de atrás viene vacía.* 1. Háblale a otro. 2. Pídele a otro. «¿Me prestas cinco pesos? —La de atrás viene vacía». (Pídele a otro.) «Oye, mira, la de atrás viene vacía». (Háblale a otro.) *Llámame para atrás.* Llámame más tarde. «Oyeme, llámame pa' trás». («Pa' trás» es «para atrás». Está el cubanismo nacido en el exilio basado en el inglés: «Call me back». O «llámame más tarde». Y no es un «spanglish».) *No echar pa'trás ni para coger impulso.* No desfallecer jamás. «Yo, en mi vida, me he echado pa'trás ni para coger impulso». («Pa'trás», es «para atrás».) Ver: *Debilidad. Mirar.*

ATRASADO. Ver: Atraso.

ATRASAR. *Esto atrasa.* Se dice cuando alguien está hablando sólo de desgracias o de enfermedades, indicando que la persona, así, no logra adelantar en la vida. «Eso que tú haces, hablando de tantas enfermedades, atrasa». (Es lenguaje popular tomado de los espiritistas cubanos.)

ATRASARSE. Tener mala suerte. «Como no le rezo a mis santos me estoy atrasando». (Esta frase se oye entre los creyentes de las religiones africanas que llevaron los esclavos a Cuba y que aún subsisten.)

ATRASO. *Tener un atraso.* Tener ganas de fornicar por no haberlo hecho por mucho rato o tiempo. «Necesito una mujer porque tengo un atraso». Sinónimo: *Estar atrasado.*

ATRAVESADO. Persona que se mete donde no le llaman. «Ayer me encontré con el atravesado de Pedro». *Caerle a uno atravesado.* Caerle alguien mal. «Juan me cae atravesado». *Estás atravesado, gallego.* Tú no sigues el ritmo. «Cállate, tú no sigues el ritmo. Estás atravesado, gallego». *Ser un atravesado.* 1. Estar interrumpiendo. «No me explico cómo te las arreglas para ser tan atravesado». También estar opuesto a todo. «No la puedo llevar a ningún lado. Mi mujer es una atravesada. Se opone a todo». Sinónimos: *Clavo de línea. Polín.*

ATRILE. Trasero. «Esa mujer tiene un atrile gordo». Sinónimo: ver *cajón. Estar atrile.* No tener dinero. «La república está atrile. Por eso no paga sus compromisos internacionales». *Ser por atrile, un ciclón.* Mover mucho el fondillo cuando se camina. «Dorotea es por atrile, un ciclón». («Atrile» es «culo».)

AUDÍFONO. *Tener un audífono de pelo.* Es un pelado de estilo que parece que se llevan audífonos. «Ese tiene un audífono de pelo». (Es cubanismo del exilio.)

AURA. *El aura tiñosa.* El juzgado. «Mañana me llevan al aura tiñosa». (Lenguaje del chuchero. Ver: *Chuchero.*) *Estar disfrazado de aura tiñosa.* Se dice del que es muy trágico. «Te amarga el día porque está disfrazado de aura tiñosa». *No seas aura tiñosa.* No seas ave de mal agüero. «Cállate, no seas aura tiñosa». *Parecer un aura tiñosa apaleada.* Ser muy feo; presentar una persona un estado muy deprimido; estar muy desaliñado; la conversación da el significado, p.e. «ser muy feo": «Esa muchacha tiene una cara horrible. Parece un aura tiñosa apaleada». Presentar un estado deprimido: «Desde que murió la autora de mis días parezco un aura tiñosa apaleada». *Por mucho que el aura vuele siempre la coge el pitirre.* Equivale al refrán español: «No van lejos los delante si los de atrás corren bien». *Ser un aura tiñosa.* Ser un ave de mal agüero. «Pedro es un aura tiñosa. Trae mala suerte». *Ser un aura tiñosa matada a escobazos.* Se dice de la persona desastrada o que tiene el pelo revuelto. «Míralo cómo se viste. Es un aura tiñosa matada a escobazos». (Desastrada.) «Mírale el pelo. Es un aura tiñosa matada a escobazos». *Ser carcañal de aura.* Ser mala persona. «Eres carcañal de aura». Sinónimo: *Ser carcañal de mau, mau. Estar en el pico del aura.* Estar a punto de perderse. «Tenemos todos los bienes en el pico del aura». Sinónimo: *Estar al borde de la piragua. Ser un aura.* 1. Ser capaz de cualquier cosa mala. «Ha triunfado en la vida porque es un aura». 2. Ser presagio de desgracias. «No quiero estar junto a ese hombre porque es un aura». En estos casos se escucha con el mismo significado, el *ser aura tiñosa. Tener un aura siempre en el hombro.* 1. Se dice del hombre o de la mujer que siempre están anunciando desgracias. «No quiero hablar con él/ella. Siempre tiene un aura en el hombro». 2.

Tener mala suerte. «Tengo un aura en el hombro. No levanto cabeza». Sinónimo: *Tener detrás un chino en puntillas. Ser alguien como el aura.* No estar definido nunca. «Ese político es como el aura». (El aura ni canta ni come fruta. De aquí el cubanismo.) *Ser alguien un aura.* Ser muy ambicioso. «¡Muchacho, con el dinero es un aura!» También se dice del individuo que siempre está hablando de tragedias. «No me gusta hablar con él porque es un aura». *Tener, alguien, un aura parqueada en un hombro.* Ser un individuo que todo lo ve negro. «Ni me hables de él. Tiene un aura parqueada en un hombro». (Algunas veces se dice el nombre completo del ave de rapiña cubana: «aura tiñosa».) Ver: *Cola. Combinación. Meao. Pitirre.*

AURERO. Sitio a donde hay muchas auras o muchas gentes. «Allí hay un aurero. Hay muchas auras volando». «En ese aurero hablan mucho». (Hay mucha gente.) *Encontrar a alguien por el aurero.* Estar muerto. «Pobre Pedro, lo encontraron por el aurero».

AURORA. *Ahora sí que Aurora te tiró al abandono.* Ahora sí que perdiste. «Ya en esto no hay más nada que hacer, Aurora te tiró al abandono». (Es la letra de una canción: «"Ay Aurora, me has echado al abandono/yo que tanto y que tanto te quería». De ahí el cubanismo.) *Ser igual que Aurora.* No valer nada. «Esto que me dices Aurora es igual que Aurora». (Es decir, lo que me dices no tiene valor para mí. «Aurora» es la marca de un papel sanitario.)

AUT. *Declarar a alguien «aut».* Proclamar que perdió, que no tiene derecho. «A ése en las elecciones, la Junta Electoral lo declaró aut». (Perdió.) «En el juicio lo declararon aut». (No sirvió el testamento. Se aplica a muchas situaciones: «La novia lo declaró aut». Se peleó con él.) (Viene del juego de pelota: «Baseball». Al que lo declaran aut, pierde.) *Ser aut.* Fracasar. «En ese negocio eres aut». «Si vuelves a hacer eso es aut». (Es un término del juego de pelota.) El que es «aut» no pudo llegar a la base, lo que es requisito del juego. *Sacar a alguien «aut».* Derrotarlo. «¡Qué va, lo sacaron aut en el torneo!» (La voz inglesa «Out» el cubano la pronuncia «aut».) Ver: *Cerca. Entrada.*

AUTÉNTICA. *Elementos de la colateral auténtica.* Los parientes. «Tú puedes creer que me llegaron a casa todos los elementos de la colateral auténtica». (El cubanismo viene del campo político. La colateral auténtica era una rama de un partido político cubano, «Los Auténticos».)

AUTOMÁTICO. *Esto no es el automático de Nueva York.* Contestación que se le da al que lo apura a uno. Se oye casi siempre entre las mujeres que lo usan cuando el marido o los hijos las apuran por la comida. «Mira, Pepe, tienes que esperar. Esto no es el automático de Nueva York». (El Automático» era un restaurante donde uno ponía dinero en las ranuras y sacaba la comida. Nació en el exilio el cubanismo entre la gente culta.) «El automático de Nueva York lo cerraron». O sea: «Yo hago las cosas a mí paso». *Tener a alguien disfrazado de automático.* Pedirle a alguien continuamente. «Mi marido me tiene disfrazada de automático. Se pasa el día: hazme esto, hazme lo otro».

AUTOMÓVIL. *Quedar un automóvil como un chicharrón de palanca.* Quedar en un choque retorcido. «Le dieron tan fuerte al automóvil de Pepe que quedó como un chicharrón de palanca». (El chicharrón de palanca, es un chicharrón grande, y tiene una forma retorcida.) Ver: *Apretadito. Financiamiento.*

AUTOPARLANTE. *Ser alguien un autoparlante.* No cesar de hablar. «El maestro no es un hombre es un autoparlante».

AUXILIO. Ver *Biquini.* Ver *Pito.*

AVANCE. Ver *Pies.* (Los) Así se llaman en Cuba a las vistas de una película futura que pasan en el cine para anunciarla. «Hoy pusieron los avances de *Romeo y Julieta.* La echan la semana que viene». *Te doy los avances, la película va por ti.* Ahora haz lo que quieras. «Lo enfrenté y después de decirle la verdad le añadí: 'Te doy los avances. La película va por ti'».

AVARAIME. *Avaraime en cufón.* Tener éxito. «Mi amigo, ¡qué contento estoy! Avaraime en cufón». (Esta frase es de origen africano quiere decir, en realidad, «ir a La Habana». Para un negro del interior de la República de Cuba ir a La Habana era la mayor ambición de su vida, su mayor éxito. De ahí el cubanismo.)

AVE. *Estar como ave tonta.* Estar una persona de arriba para abajo sin saber qué hacer. «Ese está como ave tonta todo el día. Le dicen Ave Tonta Pavoni». *Ser alguien el ave Fénix de los grandes imperios.* Ser un homosexual completo; que no lo puede ocultar. «Tu amigo es el ave Fénix de los grandes imperios». (Este cubanismo se oye, sólo, entre gente culta.)

AVELINO. *Avelino Prendelgás, Paco Jeringuilla y Perico Huele Huele, el Trío del Embullo.* Marihuana, Heroína y Cocaína. «Estoy persiguiendo a Avelino Prendelgás, a Paco Jeringuilla y a Perico Huele Huele, el Trío del Embullo, verdaderos enemigos de la sociedad».

AVENIDAS. *Tener tomadas todas las avenidas, inclusive las cortas.* Tenerlo todo previstísimo; no dejarle a nadie solución. «Yo tengo tomadas todas las avenidas, inclusive las cortas. Todo me debe salir perfecto en esta empresa». «Me tomo todas las avenidas, inclusive las cortas. De ahí tuve que matarlo». (No me dejó solución. Es cubanismo del exilio. Hay un tipo de calles en los Estados Unidos llamadas «Court», ["cort»,]: «Cortas». «Corta» da el superlativo.) (Court no quiere decir realmente «corta». Es una mala traducción de los cubanos en Miami, Estados Unidos.)

AVERAGE. *Liquidar el average.* 1. Matarse. «Juan liquidó el average ayer por la noche». 2. Morirse. «Con esa enfermedad liquidó el average en dos días». 3. Poner punto final a una situación. «Le hablé a mi hermano claramente y liquidé el average con él». *Me trató de bajar el average pero lo subí.* Trató de rebajarme pero no se lo permití. «Ese individuo trató de bajarme el average pero lo subí». (Averaje» es «AVERAGE» que significa «Promedio» en inglés. Es forma de hablar del cubano, que demuestra su genio lingüístico.)

AVIADOR. *Homosexual.* «¡Qué aviador va por ahí!» (Se dice que el homosexual vuela, porque es un «pájaro» o un «pajarito": cubanismos que significan *homosexual.* De ahí el cubanismo aviador.) Sinónimo: *Volador.*

AVIÓN. Galleta. «La mujer le lanzó un avión en el medio del salón». (Es palabra de origen chuchero. Ver *Chuchero.*) *Avión lechero.* Avión que hace muchas paradas. «Demoré tanto porque tomé un avión lechero.) *Estar como el avión de fumigar.* Estar echando humo. «Con esa noticia, hoy, estoy como el avión de fumigar». También se dice del marido que está en la casa en contadas ocasiones. «Mi marido está como los aviones de fumigar». (Me dicen que echan el humito en la tierra y vuelven a volar. De aquí este último cubanismo. Y como echan humo nos da el porqué del significado del primero: «Estar echando humo».) *Bajarle a alguien un avión.* Darle en la cara con la mano. «Me ofendí y le bajé un avión». (Lenguaje del chuchero. Ver: *Chuchero.*) También se dice: *Soplarle un avión.* Ver «avionazo».

AVIONAZO. *Soplar a alguien un avionazo.* Darle una galleta. «Cuando estaba distraído, me sopló un avionazo». Sinónimos: *Bajarle un avión. Darle un avión.*

AVISPERO. Ver *Berenjenal.*

AY. *Ay, Lolita de mi vida.* Se le dice a la mujer para anunciarle algo malo. «Ay, Lolita de mi vida, que mal te veo si no estudias». (Nació el cubanismo de una canción famosa del Trío Matamoros, famosos trío cubano, que repite varias veces: «*Ay, Lolita de mi vida*».) *Ay, Carajo, le dijo la mona al hijo.* «Ay, Carajo, se me rompió el carburador del automóvil. —Ay, Carajo, le dijo la mona al hijo».*Estar en el ay, ay, ay, de Fleta.* Estar siempre quejándose. «Tú siempre estás en el ay, ay, ay, de Fleta». (Cubanismo nacido en el 1927 cuando los discos de Fleta, el tenor, eran muy oídos en Cuba. Se oye sólo entre gentes de más de sesenta años.) Ver: *Salvar.*

AYAPICHA. *Ser ayapicha.* Se dice del que acaba con los demás. «Ese es un ayapicha como el Ayatola». (Lo forman «Aya», «Ayatola» y «picha» o «pene».)

AZOCADO. *Tener a alguien azocado.* Tenerlo hostigado. «Juan me tiene azocado con esos artículos».

AZOCAR. Apurar mucho. «En el trabajo me azocan de mala manera para que haga muchas piezas».

AZÚCAR. Se grita sobretodo cuando una orquesta toca muy bien. «¡Azúcar, azúcar, cómo toca esa orquesta!» Sinónimo: *Saoco, azúcar*. Que significa Alambre dulce. *Agua. Ahí.* (En Andalucía se oye cuando cantan las expresiones de Agua y Ahí. El cubanismo es Azúcar o Azuquita.) «¡Azúcar! ¡Cómo tocan esos muchachos!» *Azúcar para un amargao.* Se dice cuando alguien está de mal humor siempre. «Míralo allí. Azúcar para un amargao». («Amargao» es «amargado» pero se aspira la «d». Es la letra de una canción española popular en Cuba.) *Echale azúcar.* No seas trágico. «A eso que me dices échale azúcar». *Oye, menéate, que tienes el azúcar baja.* Trabaja. «Es tan vago que hay que estarle gritando continuamente: Oye, menéate, que tienes el azúcar baja». *Quedar algo corto de azúcar.* No terminarse bien el trabajo. «Aquello no se dio pues quedé corto de azúcar». *Sin azúcar no hay país.* Paga. «Lo siento Pedro, pero sin azúcar no hay país». Ver: *Candela. Bolsa. Gallego. Tipo.*

AZUL. Ver: *Aplacentarse.*

AZULEJOS. *La policía.* «Por ahí vienen los azulejos». Sinónimos: *Los Gatos y La Jara.* También «fiana».

AZUQUITA. ¡*Azuquita*! Se grita cuando una orquesta toca muy bien. «¡Ay! ¡Azuquita! ¡Qué música más rica!»

CON EL BACALAO A CUESTA.
NENÉNDEZ

BABA. *Caérsele la baba.* Estar muy enamorado. «El no lo quiere decir pero se le cae la baba por la vecina de enfrente». *Recoger latones de baba.* Se dice cuando se le tributan a alguien tributos inmerecidos. «Con el Presidente recoges latones de baba».

BABALAO. Sacerdote de las religiones africanas vigentes en Cuba. «Fui a ver al babalao para que me diera ciertas yerbas porque tengo mala suerte». *Tener que hacerse un despojo*. Tener que hacerse una limpieza. (Algunas veces en vez del verbo «Tener» se usa el verbo «Necesitar".) «El despojo» es una ceremonia de las religiones africanas a base de baños con hierbas. Se le llama también, «limpieza». *Tener que ir al babalao.* Se le dice a la persona que tiene mala suerte. «Perdió el anillo. Oye, tú tienes que ir al babalao». *Tener que ir al babalao de Guanabacoa.* l. Tener una persona que ir a ver al sacerdote de la religión africana; al brujo o al curandero para que le resuelva cierto problema o cualquier problema. «Fui a ver al babalao de Guanabacoa para que me diera un ungüento para la herida que no cicatriza». Sinónimos: *Guanabacoa. Ojos. Sonrisa.*

BABALÚ. Babalú. *Un brujo*. «!Cuidado! Te coge Babalú». (No confundirlo con Dios, Babalú Ayé, que se adora por el sincretismo existente en Cuba como San Lázaro. Babalú Ayé es dios de las religiones africanas vigentes en Cuba.)

BABE. Amor. «Hasta mañana, babe». (Lenguaje de los cubanos nacidos en los Estados Unidos o llegados muy jóvenes o de niños.)

BABEO. *Cortarle a alguien el babeo.* Cortarle las ilusiones. «Se le declaró a Juanita y ella le cortó el babeo».

BABILLA. *Tener babilla en la articulaciones.* Acobardarse. «En los momentos difíciles tiene babilla en las articulaciones». Sinónimo: *Coger frío. Enjabonársele las manos.*

BABILONIA. *Estar en Babilonia.* Estar entretenido. «Tú siempre en Babilonia. No ves lo que te están haciendo».

BABINEY. *Cosa complicada.* «Esto es un babiney. ¡Qué difícil es!»

BABOSA. *Volver como la babosa.* Humillado. (Es decir, «Arrastrándose».) «Cuando lo ataqué duro, volvió como la babosa». Ver: *Cochinilla. Besito. Especie.*

BABOSEADA. *Ser, una mujer, una baboseada.* Se dice de la mujer que comparte el lecho con cualquiera. «Yo no miro a esa mujer. Es una baboseada».

BABOSEO. *Besarse babeándose dos personas.* «¡Qué baboseo en esa pareja!» Intercambio de afecto exagerado. «¡El baboseo de esos amigos da asco!»

BABOSERÍA. Adulonería. «Déjate de tanta babosería conmigo. No me vas a convencer». Elogio exagerado dado en forma humillante para el que lo da. «Debía darte pena tanta babosería».

BABOSIAO. En, en la Cuba de hoy, el que adula a las autoridades. «Ese babosiao no tiene límites». (Es «babosiado». El cubano aspira la «d».)

BABOSO. *Estar baboso.* Se dice del que se le caen las cosas. «Rompiste el vaso al caérsete. ¿Estás baboso?»

BABÚN. *Negro.* «Hay muchos babunes en esta zona. ¿No me digas que tú no sabías que el padre de Juan es babún?»

BACALAO. *Andar con el bacalao a cuesta.* Se dice del hombre que está casado, o tiene una novia, o una hermana muy fea y anda con ella. En general se aplica al que anda perennemente con una mujer muy fea. «Juan anda siempre con el bacalao a cuesta». (El cubanismo es el lema de una medicina: la Emulsión de Scott: «El hombre con el bacalao a cuesta».) *Cortar el bacalao.* Tener poder. Juan es el que corta el bacalao con el presidente. *Darle a alguien el bacalao con cucharitas.* Ser un imbécil. «Mira como es que hay que darle el bacalao con cucharitas». (Como a los niños pequeños a quienes se les da el aceite de hígado de bacalao.) *Estar fuera del bacalao.* No disfrutar de los beneficios. «Tú siempre estás fuera del bacalao». Lo hemos oído mucho con el significado de «no entender"): «No sé cómo explicártelo, siempre estás fuera del bacalao. Pon más atención». *Mujer flaca y fea.* «No sé como ese bacalao tiene tantos amigos». *Oler a bacalao.* Oler mal. «Juan huele a bacalao». *Suspiritos de bacalao.* Frituras pequeñas de bacalao. Sinónimos: Casco. *Espátula. Estar para el tigre.*

BACÁN. Tamal hecho de plátano y envuelto en hojas del mismo. «Quiero comerme ese bacán». (Ver Beatriz Varela: *Argentinismos y Cubanismos. Separata de la Revista Romance. Notas.* Volumen 25, Número 2, 1984. Es cubanismo de la provincia de Oriente.)

BACANA. *La licencia de manejar.* «Hoy logré sacar la bacana». (Es cubanismo derivado del argentinismo: Bacán: Bueno. Es la licencia la bacán porque permite manejar, moverse, porque rinde utilidad. De ahí el cubanismo. Es lenguaje de los cubanos llegados a Estados Unidos por el puente marítimo Mariel-Cayo Hueso, en 1982. Es en realidad un argentinismo-lunfardo.)[10]

BACARDÍ. Ver: *Ron.*

BACHA. 1. Diversión. «Buena bacha la de anoche con los amigos». 2. Broma. «Es bacha chico, ¿por qué reaccionas así?» 3. *Entrar en bacha.* Entrar en confianza. «Yo con ella, quiero entrar en bacha».

---

[10] Es palabra tomada de un tango por los cubanos.

BACHATA. 1. Juerga. «¡Cómo le gusta a Juana la bachata!» 2. Broma. «Lo hago por bachata. Tienes que aprender a conocerme y darte cuenta de que me gusta bromear».

BACHATERO. 1. Amigo de las fiestas. «Tienes que ser más serio; deja de ser tan bachatero». 2. Bromista. «Yo no le hago caso porque es muy bachatero».

BACILADORA.[11] 1. Mujer que le gusta ir, en sus relaciones con un hombre, casi hasta el acto sexual, pero no llega a él nunca. 2. Mujer a quien le gusta las fiestas sexuales. «Te voy a llevar de pareja con Juana que es una baciladora». 3. Mujer que mira provocativamente a un hombre, sólo por provocarlo pero sin que llegue a entregarse. También se aplica al caso que la mujer hace ciertos actos consistentes de besos y toqueteos lascivos pero sin llegar a entregarse. «No te confundas. Ella es una baciladora. De ahí no pasa». La conversación define bien los matices de las definiciones que hemos dado.

BACILAR. *Música para bacilar.* Se dice de la música muy suave para bailar muy pegado a la mujer. «Esta es una música para bacilar». Ver: *Misterio. Música para matarse.*

BACILIQUIADO. Estar medio confuso. Molesto. «Con sus palabras me tiene medio baciliquiado. No sé qué hacer». *Tener baciliquiado.* Tener fastidiado. «Me tiene baciliquiado el profesor con todas las preguntas que me dio para contestar».

BACILÓN.[12] 1. Estado en que se pone el que fuma marihuana. «Ese fuma marihuana. Se le ve en el bacilón que tiene». 2. Broma en grande. «¡Que bacilón le corrieron a Pedro anoche!» 3. Fiesta no convencional. «El bacilón fue grande en casa de María, tocaron varias orquestas». 4. ¿Qué quieres? ¿Qué desea? ¿En que te puedo servir? (En esta frase solamente.) «¿Cuál es tu bacilón, Pedro?» *Coger un bacilón.* Emborracharse. «Ayer cogí un bacilón». *Estar alguien de bacilón en un sitio y en otro de directivo.* En un sitio muy liberal y en otro muy serio. «Con él no se sabe, pues está en un sitio de bacilón y en otro de directivo». «Estar de bacilón» es estar de fiesta; mostrar un carácter poco serio. «Te habla como si estuviera de bacilón». *Estar de fiesta y en grande.* «Anoche corrí un bacilón». *«¡Qué bacilón!»* Se grita cuando una orquesta toca música popular muy caliente. «¡Qué bacilón! ¡Cómo tocan estos muchachos!»

BACTERIA. *Meter bacteria.* Atacar duro. «Lo que metió, en el periódico, qué es bacteria». «A Juan lo derroté en las elecciones porque le metí bacteria. Saqué al aire su vida privada». *Meterle a alguien bacteria.* Darle un alimento que sabe mal, o que está viejo. «—Le di café viejo, Pedro. —Sí, le metiste bacteria».

BACURALATE. *Formar un bacuralate.* Formar una fiesta. «Mi marido forma aquí cada bacuralate. Se gasta mucho dinero».

BADAJO. *Quitar el badajo y dejar sin campana.* «Como te extralimites, me ataques, etc. vas a sufrir las consecuencias. Te lo digo, como me grite, te quito el badajo y te dejo sin campana». (Es cubanismo culto.)

---

[11] Hay dudas sobre la ortografía. Gente del pueblo afirman que se escribe con b. He visto, también: *vacilar.*

[12] Lo he visto escrito así: *vasilón.*

BADANA. *Estar con la badana en la mano.* Alabar. «Se pasa el día con la badana en la mano». (El cubanismo viene de la limpieza del calzado, al que se le saca brillo con una badana.)

BAGAZO. 1. No prestar atención a una persona que no vale nada. «¡Oye lo que le dije: A un bagazo, poco caso y a un mojón, poca atención». «A un bagazo, poco caso y a un mojón, poca atención». Equivale al refrán; «A palabras vanas oídos sordos». 2. Tontería. «Eso que hablas es bagazo». *Arder como un bagazo.* Fracasar en grande. «El gobierno va a arder como un bagazo». (El bagazo es lo que queda al ser triturada la caña.) *Hacer a alguien bagazo.* Destruirlo. «Era el abogado más brillante que puedas conocer, pero esa mujer lo hizo bagazo». *Largar como bagazo.* Destruir. «En esa fábrica te largan como bagazo en pocos años». *Soltar a alguien o algo, de bagazo o hecho bagazo.* Soltarlo liquidado, destruido, que no vale nada. «Esa mujer suelta a los maridos de bagazo, (o hecho bagazos.)» «Soltó ese negocio hecho bagazo». *Tirar a bagazo.* 1. No prestar atención. «Le hablé y me tiró a bagazo». 2. Desechar. «Tiró a bagazo el informe que le di». Ver: *Cáscara. Mojón. Palucha. Terapeútica.*

BAHÍA. Ver: *Cogerla.*

BAIKER. Ver: *Mamá.*

BAILAÍTO. Ver: *Don.*

BAILAR. Controlar. «No te diré por qué pero si lo deseo baila». «Esos bailan como yo quiero». *Bailar al ritmo del cha cha chá.* 1. Seguir las instrucciones. «Ese ha sobrevivido aquí porque baila al ritmo del cha cha chá que dicta la administración». 2. Trabajar mucho. «Yo aquí trabajo al ritmo del cha cha chá». *Bailar al ritmo que le toquen.* Adaptarse a la situación. «Yo vigilo al jefe y bailo al ritmo que me toquen. Por eso llevo aquí diez años». *Bailar como Zambia en el canto de un real, o como Zambia en la punta de un tabaco.* Ser superinteligente. «Ganó las oposiciones porque baila como Zambia en el canto de un real». *Bailar con la más fea.* Tener mala suerte. «En todo me toca bailar con la más fea». *Bailar en casa del trompo.* Ignorar sin saberlo, la experiencia del otro. «Vino a sorprenderme con esa estafa. Figúrate lo que pasó. ¡Venir a bailar en casa del trompo!» *Bailar en un ladrillo.* Bailar muy juntos. «Bailaron toda la noche en un ladrillo». *Bailar un guaguancó sobre un ladrillo.* «Con él no hay cuidado. Baila un guaguancó sobre un ladrillo». *No quedarse nadie sin bailar.* Participar todo el mundo del beneficio. «Yo gané cien mil dólares y de la familia no se quedó nadie sin bailar». *Otro que bien baila.* Es de la misma calaña. «Ese es un bandido. Ahí tienes a otro que bien baila». *Poner a alguien a bailar.* Ponerlo a trabajar. «A Juan su padre lo puso a bailar». Sinónimo: *Ballet. Que no se quede nadie sin bailar.* Que no se quede nadie sin hacer algo; que no se quede nadie sin disfrutar. «En esta fiesta que no se quede nadie sin bailar». No te pago. Aquí nadie se queda sin bailar. (La conversación da el significado.) *Ya me lo bailé.* Se aplica a multitud de cosas. P.E.: «Ya me lo fumé el puro». «El puro ya me lo bailé». «Ya la forniqué». «A ella ya me la bailé anoche». «Ya me lo camelé». «Me dio el dinero. Ya me la bailé». «Me dio el sí: Me la bailé». Sinónimos: *Escapársele a Tamakún por debajo del turbante.* (El cubanismo viene de un programa radial: «*Tamakún, el vengador errante*», del Dr. Armando Couto.) *Ser la* *cátedra. Ser el tigre de Malasia. Ser Sandokán.* (Vienen los dos últimos de la novela de Salgari.) *Tener tiza en el cerebro.*

BAILARINA. *Jurar por bailarina.* Jurar por una puta. (Este cubanismo se oye continuamente entre los niños.) «—Te juro por mi madre que te lo di. —No jures, Paquito, por bailarina».

BAILE. *Baile de nariz.* Oler mucho. «Fíjate qué baile de nariz tiene ese perro». *¿Hay baile en Palacio que estás limpiando los faroles?* Pregunta que se le hace al que se saca los mocos. (Se dice que es andalucismo.) *No hay quien se la baile.* 1. Aplicado a una mujer indica que es muy fea y no hay quien la fornique. «A Charito no hay quien se la baile». 2. No hay quien vea esa película, por ser muy mala. «Esa película no hay quien se la baile». *Ser baile de ladrillito.* Ser una pieza suave. «Ese es un baile de ladrillito». (Algunas piezas, como los danzones, se bailan sin salir de un ladrillo, o «loceta".) Ver: *Bailar.*

BAIRÚM. *Ser un viejo de bairúm y agua de lila.* Ser muy viejo. «Cuando lo vi me encontré que era un viejo de bairúm y agua de lila». (El «Bairúm» de Crusellas y el «Agua de lila» son dos productos de barbería antiquísimos.)

BAJA. *Funcionar en la baja.* Vencer las más difíciles condiciones. «Yo funciono en la baja». (El cubanismo viene del campo automovilístico.) *Estar en baja.* Estar mal. «Con Juan estoy en baja». «Hoy estoy en baja».

BAJAR. *Pagar.* «Pedro no baja. Voy a tener que demandarlo». «Bajó con el dinero». Bajar es usado mucho por el cubanismo en varios sentidos. *Dar, devolver.* «Bajó Juan con el libro que le tenía prestado». (Devolver.) «Por fin bajó con la libreta». (Dar.) *Bajar del caballo.* Derrotar. «Conmigo no se puede, lo bajé del caballo». *Bajar del caballo porque no hay viaje.* No. «Me pidió que le prestara el coche y le dije rotundamente: «bájate del caballo porque no hay viaje». *Bajarse con.* Decir; presentarse con. «Se bajó con una historia macabra». *Bajarse de la bicicleta.* Enfadarse. «Le dije tonto y ahí mismo se bajó de la bicicleta». *Bajarse de esa nube.* Volver a la realidad. (Se usa casi siempre en forma imperativa.) «Bájate muchacho que la cosa no es para tanto». *Cogerle la baja.* Controlarlo. «Yo no sé como le cogió la baja». Ver: *Subir y sube.*

BAJAREQUE. Casa o apartamento de mala calidad o destartalada. «Viven en un bajareque». «¡Qué horrible vivir en este bajareque!» «Yo vivo en un bajareque». «Esta casa es un bajareque. Necesita muchas reparaciones». (Originalmente fue una casa de madera de baja calidad y de techo de guano. Hoy en día se aplica a toda vivienda pobre o mal cuidada.)

BAJEADO. Estar controlado porque le conocen a uno la debilidad, «el pie de que cojea». «El, sin duda, está bajeado». *Tenerlo bajeado.* Tener controlado a alguien con astucias o por conocerle una debilidad. «El Ministro tiene bajeado al Presidente».

BAJEAR. Engañar sutilmente. «Lo bajeó poco a poco». Se dice igualmente: *Bajear como el majá.* Esto se debe a que el majá, serpiente cubana, mira fijamente a un pájaro hasta que lo hipnotiza y se lo come.

BAJITO. *Ponerse bajito.* 1. Acobardarse. «Cuando le hablé fuerte se puso bajito». Sinónimos: *Aflojárseles las volantas. Apichinarse.* 2. Hacerse el humilde. «Cree que me engaña. Se ha puesto bajito para ver si le doy el puesto». Ver: *Capú.*

BAJOS. Ver: *Guaguancó.*

BALA. 1. Una persona antipática. «Juan es una bala». 2. Calavera. «Tu hermano con sus calaveradas es de verdad una bala». *Caer de bala.* Caer mal. «Ese individuo me cae de bala». *Estar la cosa de bala.* Estar la situación mala en cualquier sentido. «Te digo Pedro que la cosa está de bala aunque tú no lo creas». *Estar una persona de bala.* Estar de mal humor. «Pedro está hoy de bala». Sinónimo de los dos últimos cubanismos: *Estar de balín cantore. La bala que está para uno ella sola se dispara.* Nadie puede huir de su destino. «Yo nunca me quejo de mi suerte. La bala que está para uno ella sola se dispara». Sinónimo: *Alpiste. Sacarse la balita premiada.* «Pedro se sacó la balita premiada». Sinónimo: *Sacarse la lotería sin billetes. Ser algo de bala mágica.* Ser un remedio eficaz. «Este linimento es la bala mágica». (Se le dice también a las inyecciones de Neosalvasán, un producto alemán que curaba la sífilis. La película se llama «*La Bala Mágica*».) *Tener la bala escondida.* No ser alguien de confiar. «Siempre tiene la bala escondida. Es la segunda vez que me sorprende». (El cubanismo viene del campo del juego de pelota. Alguien oyó mal y sustituyó «bola» por «bala» dando lugar al que aquí hemos incluido.) *Tener una bala en el directo.* Estar dispuesto a todo. «Me arriesgué. Te advierto que tengo una bala en el directo». (El cubanismo es una frase que pronunció el presidente de Cuba, General Fulgencio Batista y Zaldívar.)

BALANCE. *Sillón.* «Este balance es sabrosísimo. Me siento en él cada vez que puedo». Ver: *Balansuá. Poner a alguien fuera de balance.* Hacerle perder el control; sacarlo de quicio; ponerlo nervioso. «Cuando le conté las cosas lo puse fuera de balance». (Perdió el control.)

BALANCÍN. *Fumarse un balancín.* Fumar mucho. «Terminó con cáncer. Se fumó un balancín».

BALANSUÁ. *Sillón.* «Gracias por este comodísimo balansuá que me compraste». (Se usa el cubanismo con preferencia en la provincia de Oriente.) Sinónimo: *Balance.*

BALDE. Ver: *Mujer.*

BALDEARSE. *Bañarse.* «Voy a baldearme». *Tirarse un baldeo.* Bañarse. «Estoy muy sudado y voy a tirarme un baldeo». Sinónimo: *Tirarse un bombardeo.*

BALÉ. *Echar con un balé completo.* Atacar con todas las armas disponibles. «Ese periodista le echa a sus enemigos con un balé completo». (Es «ballet» que el cubano pronuncia «balé».) Sinónimo: *Echarle con todos los hierros.*

BALIJÚ. *Darse balijú.* Aparentar. «No te des tanto balijú que a fin de cuentas tú no vales nada».

BALÍN. Un mojón pequeño y duro. «Llené la taza del inodoro de balines». *Persona antipática.* «Pedro es un balín». *Estar la cosa de balín cantore.* Estar muy mala cualquier situación. «La situación económica está de balín cantore». Sinónimo: *Bala.*

BALLENA. *Es una ballena que nada y coge oxígeno.* Equivale a: *nadar y guardar la ropa.* «Ella es una ballena que nada y coge oxígeno».

BALLET. *Poner a alguien en el ballet de Alicia Alonso.* Ponerlo a trabajar. «A Juan su mamá lo puso en el ballet de Alicia Alonso». (Es decir: a bailar y «como poner a alguien a bailar» es «ponerlo a trabajar» surgió el cubanismo.)

BALÓN. *Gustarle a alguien el balón de oxígeno.* Gustarle a aspirar a todo. «A ese hombre cómo le gusta el balón de oxígeno. Ahora quiere ir de representante». *Hasta* *el balón aspira.* «Aquí en el exilio, hasta el balón aspira». (Cubanismo del exilio; como aspira tanta gente a la presidencia de la Cuba del futuro, se ha creado este cubanismo.) Ver: *Cubanos.*

BALONCELISTA. *Ser baloncelista que las cuela como nada.* Ser homosexual. «El vecino de enfrente es un baloncelista que las cuela como nada». Sinónimo: *Aceite.*

BAMBA. *Que te vaya en bamba.* Adiós. «Adiós, Pedro. Que te vaya en bamba».

BAMBALÚA. *Ancho-a.* «Pedro siempre usa una ropa bambalúa».

BAMBANOLA. *Mujer de carnes suaves.* «Esa es una bambanola». (Cubanismo de la Cuba de hoy.)

BAMBARAMBAY. *Hasta luego.* «Bambarambay, Jesús». «Bueno, muchachas. Bambarambay». «Tengo que irme. Bambarambay».

BAMBOLLA. *Alarde.* «Esos andan siempre en la bambolla». «Todo lo que dice es bambolla». *Tirar bambolla.* Alardear. «Se pasan la vida tirando bambolla y están muertos de hambre». Sinónimo: *Bambollaje.*

BAMBULEAR. *Portarse mal.* «Yo creo que mi hermano anda bambuleando».

BANANINA. Crema de plátano. «En la esquina venden bananina».

BANCARIA. Ver: *Guillotina.*

BANCO. *Banco de apuntaciones.* Cubanismo que indica el sitio donde se recogen las «apuntaciones» o apuestas ilícitas de los juegos de azar. «Llamé al banco de apuntaciones y di las apuestas». *Calienta banco.* Fracasado. Suplente. La conversación da el significado como por ejemplo con «suplente": «En el equipo es un calienta banco». Ver: *Calentar.* *¡Qué par de patas para un banco!* Tener dos personas afinidad. «Ahí vienen Juan y Pedro. ¡Qué par de patas para un banco! (Casi siempre esa afinidad indica afinidad en lo malo.) Se dice también, con el mismo sentido: ¡*qué par de bueyes para una yunta*! (La yunta es la pareja de bueyes que tira la carreta.) Aquí, además del sentido de hermandad en lo malo, como puede ser la identidad en los bajos instintos, en los vicios, etc., puede llevar igualmente, el significado de «persona poco inteligente». «No aprueban una asignatura. ¡Qué par de bueyes para una yunta!» *Ser alguien como los bancos.* Tener que pedirle audiencia a alguien para verlo. «Ese hombre es como los bancos». (Los bancos abren a una hora fija, de ahí el cubanismo.) *Tener alguien un banco de apuntaciones.* Tener dinero. «Juan tiene un banco de apuntaciones, pero no puede comprarse esos trajes». *Todos los bancos tienen patas.* No hay nadie diferente. «Todos cometemos errores. Todos los bancos tienen patas». Ver: *Trabajador.*

BANDA. *Dejar la bola pegada a la banda y cuadro.* Tener a alguien entre la espada y la pared. «No se puede mover. Le dejé la bola pegada a la banda y cuadro». (Viene del juego de billar.) *Hacer Banda y Bola.* Hacer una cosa muy difícil. «En esta elección hiciste banda y bola». (Es lenguaje del «billar», aplicado a lo común: o a lo general.) *No tener banda blanca en la toronja.* Ser muy poco inteligente. «Será maestro de inglés, pero no tiene banda blanca en la toronja». (El cubanismo siempre se usa en forma peroyativa. Fue creado por el Dr. Enrique Huertas, una de las personalidades cubanas más conocidas. Los automóviles de lujo tienen bandas blancas, de ahí el cubanismo.) *Quedarse sin banda.* Quedarse sin nada. «En la herencia de papá me engañaron. Me quedé en banda». (Cubanismo que proviene del juego de billar.) *Ser un tiro de banda y bola.* Ser algo un éxito. «Eso es un tiro de banda y bola». Sinónimos: *Ser un tiro. Ser un tiro en el callo.*

BANDEJA. *Tener algo en bandeja.* Mucho. «Tiene la maldad, tu hermano, en bandeja». *Tener la satería en bandeja.* Ser una mujer muy coqueta. «Mi amiga, que conociste anoche, tiene la satería en bandeja». Ver: *Satería.*

BANDERA. *Bajar la bandera.* 1. Aceptar lo que otro dice. Está bien. Bajo la bandera. Tienes razón». 2. Fornicar. «Anoche bajé la bandera con Ofelia». 3. Iniciar algo. «Bajé la bandera sin miedo y llegué a donde me ves en la vida». (El cubanismo viene del campo de las carreras de automóviles. Cuando se baja la bandera todos los carros echan a correr.) *Esperar que alguien baje la bandera.* Que se rinda. «Yo espero que con esto él baje la bandera. *Estar vestido de bandera.* Vestir de varios colores. «Es un ridículo. Siempre está vestido de bandera». *Quedarse solo como la bandera.* Quedarse de triunfador completo. «Se quedó, por fin, como la bandera». (La bandera se queda sola en el palo. De ahí el cubanismo.)

BANDERILLAS. Ver: *Singar.*

BANDIDOS. *Los Bandidos de Río Frío.* Los agiotistas en la Cuba de hoy. «Esos dos son los bandidos de Río Frío en este barrio». (Parece que en Cuba televisaron esa novela mejicana y de ahí surgió el cubanismo.)

BANDONEÓN. *Estar en el bandoneón.* Estar gozando de la vida. «Ahí están esos en el bandoneón». Sinónimo: *Estar en el bacilón. Meter al bandoneón.* Morirse. «Anoche Elio le metió al bandoneón». Otros sinónimos: *Colgar los guantes, colgar los tenis* (los zapatos de «tenis», —«tennis» en inglés,) *entregar el equipo, guardar el carro, ponerse el chaquetón de pino tea.* (El bandoneón es un instrumento triste que se toca, por ejemplo en el tango, cuyo argumento es casi siempre de tragedia. De ahí el cubanismo.)

BANDURRIA. *Dios da bandurria al que no sabe tocar.* Refrán campesino que equivale al que dice: *Dios le da barbas al que no tiene quijadas. Ser una bandurria con la cuerdas rotas.* Ser una mujer muy fea. «Esa prima tuya es una bandurria con las cuerdas rotas». (Este cubanismo se usa exclusivamente refiriéndose a las mujeres.) Antónimo: *Estar una mujer que corta. Ser filete que camina.*

BANGÁN. 1. Punto final. «Llegó la policía y bangán. Todos presos». 2. Doy mi consentimiento. «—¿Vamos a la fiesta? —Bangán». *Sentirse bangán.* Sentirse bien. «Yo no me examino con el médico porque me siento bangán».

BANQUEAR. Ver: *Apuntar.*

BANQUERO. *Banquero de terminales.* Se llama así al que recoge las apuestas de los terminales, juego de azar que existía en Cuba. *De enero a enero el dinero es del banquero.* Frase del que gana para indicar que es el mejor. «Volvió a derrotar a sus contrincantes; de enero a enero el dinero es del banquero». (Nace el cubanismo con los juegos de azar. El que tiene la banca siempre que gana dice: «de enero a enero el dinero es del banquero». O cuando pierde, para amedrentar a los jugadores.)

BANQUETA. *Lo que hace daño no es la banqueta sino el clavo.* 1. Hay que prestar atención a lo importante y no a lo secundario. «Yo creo que eliminando personal salvamos el colegio. —No digas tonterías. Lo que hay que tener es buenos profesores. Lo que hace daño no es la banqueta sino el clavo». 2. Cuídate de lo que no se ve. «Puso confianza en el hombre y le costó la vida; y eso que yo le dije: vigila que lo que hace daño no es la banqueta sino el clavo». *Ser un banqueta.* Ser una persona sin fundamento. «Tu amigo Pedro es un banqueta». Ver: *Clavo.*

BANQUETE. *Darse banquete.* Ver: *Banquetearse.* Estarla pasando bien; estar en el mejor de los mundos. Estar recibiendo muchos beneficios; estar destruyendo a un enemigo. Indica, la palabra, satisfacción por algo. (La conversación da el significado.) «Muchacho, últimamente, me estoy banqueteando». *Si no te meto un banquete por lo menos te meto un «lunch».* Si no puedo tocarte libidinosamente mucho, le dice un hombre a una mujer, por lo menos te toco algo. «No te resistas, que si no te meto un banquete, te meto un lunch». («Lunch» en inglés es «almuerzo». Es cubanismo de exilio.) Sinónimo: *Darse banquete.*

BANQUETETUMBO. Borceguí rústico de cuero y tela. «Ya tienes los banquetetumbo rotos». Sinónimo: *Revientaterrones.*

BAÑAR. Ver: *Pastillas.*

BAÑO. *Dáte un baño de albahaca.* (Se le dice al que tiene mala suerte, ya que la albahaca, según las religiones negras vigentes en Cuba y traídas por los esclavos africanos, quita, si se pasa por el cuerpo o se baña uno con ella, la mala suerte.) «De nuevo fracasaste, Dáte un baño de albahaca». *No me des el baño.* No me engañes. «Le dije que no me diera el baño». (Juega con «baño de oro». Por eso, también, lo he oído: *No me des el baño sin el oro.*) *¡Qué baño de rosas me estoy dando! ¡Ni Pompeya!* Disfrutar en grande. «Con eso tú no sabes qué baño de rosas me estoy dando». (Al castizo: «Darse un baño de rosas», el cubano ha añadido: «Ni Pompeya». Siendo ésta una loción muy refrescante que se usa en Cuba.) Ver: *Bota. Olor.*

BAQUETEAR. Zarandear en cualquier forma. «No baquetees a tu madre que está muy vieja».

BAQUETEO. 1. Acción de zarandear. 2. Llevar a una persona para arriba y para abajo. 3. Tener a alguien trabajando sin darle descanso. En fin, zarandear en cualquier forma. «El baqueteo tuyo mató a tu madre. Siempre la tenías para arriba y para abajo». (Tener a una persona para arriba y para abajo.) «Que pare de trabajar. Tu baqueteo con él es un abuso». (Tener trabajando sin descanso.)

BAQUETO. Se le llama al que es un aguantagolpes. «No seas baqueto. Rebélate». (Lenguaje de la pelota.)

BAR. Ver: *Bolero y olor.*

BARACOA. *Estar en Baracoa.* Estar una mujer encinta. «Ella está en Baracoa». Sinónimo: *Tener la langosta parada. Hacer algo como el Indio de Baracoa.* Con los ojos botados. «Me miró lleno de rabia; me miraba como el Indio de Baracoa». (Personaje popular cubano que fumaba y echaba el humo por los oídos. Tenía los ojos botados.) Sinónimos: *Culo, Ojos, Tabaco y Tabaro.*

BARACUTEY. 1. Viudo; sin familia; soltero. (La conversación da el significado.) «Ese es un baracutey. Se le murió la mujer». 2. Vivir muy bien. «Yo vivo como un baracutey». (Se dice asimismo, *vivir como Carmelina.) Ser un baracutey.* No tener fundamento. «Fracasa por ser un baracutey. No toma nada en serio». 3. Mercancía barata. «No compres esa mercancía que es baracutey». 4. No gustarle trabajar. «No le digas nada a ese vago. Siempre fue un baracutey». 5. Ser agarrado. «No paga nada. Es baracutey». Sinónimo: *Aserrín.*

BARAJA. *Cambiar la baraja.* 1. Cambiar de opinión. «Ese cambia la baraja todos los días». 2. Cambiar de técnica. «Cuídate que cuando menos lo piensas cambia la baraja y te derrota». «Es muy peligroso porque cambia la baraja si es necesario». 3. Dejar de trabajar. «En cuanto el jefe me cambió las condiciones de mi trabajo, le cambié la baraja». *Enredársele a alguien la baraja.* Tener complicaciones. «En el negocio se le enredó la baraja». *Ligar la baraja sin mono.* Quedarse con las manos vacías. «En este caso ligué la baraja sin mono». (Es lenguaje que viene del juego de «Poker». El mono es una de las barajas.) Ver: *Camello. Limpiar la baraja.* Quitarse de arriba los problemas. «Me llené de coraje y limpié la baraja». *Tener la baraja marcada.* Ser una mala persona. «La señora Ubérrima tiene la baraja marcada». *Venderle la baraja a alguien.* 1. Huir. 2. Irse. «Nos sorprendió la policía. Vamos a venderle la baraja». 3. Jugarse la vida. «No me quedó más remedio que venderle la baraja a Pedro, y me disparó». (También: «Dejar de trabajar».) *Virarle a alguien la baraja.* Sorprenderlo. «De pronto me viró la baraja. Es un tipo muy vivo».

BARAJITA. *Pasar la barajita.* Pasar la responsabilidad. «Ya es hora de que seas un hombre. Deja de pasar la barajita».

BARAJO. Eufemismo de Carajo. «¡Barajo! ¡Qué golpe me ha dado!»

BARATÍN. *Barato.* «Eso es un baratín de verdad». Sinónimos: *Baratera, baratez, baratija, baratinín.*

BARBACOA. Poner en los cuartos, entre el techo y el piso, otro piso de madera. «En Cuba no hay casas para vivir y hacen barbacoas». (Cubanismo de la Cuba de hoy.)

BÁRBARA. *Estar bárbara una mujer.* Estar una mujer muy bella. «La muchacha que conocí anoche está bárbara». *Estar hecho una Bárbara Walters de mierda.* Ser una mujer frívola y simpatizante del comunismo. «Ella está hecha una Bárbara «Uoters» de mierda». (Bárbara Walters, el cubano pronuncia «Uoters», es una famosa locutora que hace entrevistas por televisión.) *Estar una mujer como Santa Bárbara: santa por delante y bárbara por detrás.* Estar muy bella. «Tu hermana está como Santa Bárbara: santa por delante y bárbara por detrás». Ver: *Palabra.*

BÁRBARO. Persona muy inteligente. «Juan es un bárbaro en matemáticas». *Estar algo bárbaro.* 1. Estar muy bien. «El poema que hiciste está bárbaro». 2. Mucho. «Este es un buen sitio para cazar pues la paloma está bárbara». 3. Muy bueno. «Te voy a dar una conferencia en mi sección de literatura. —¡Bárbaro!» *Ser el Bárbaro del ritmo.* Ser muy inteligente. «Mi profesor es el Bárbaro del ritmo». (Este cubanismo nace con el músico cubano Benny Moré, a quien por cantar muy bien lo llamaban: «El Bárbaro del ritmo».)

BARBERÍA. Ver: *Discusión.*

BARBERO. *El barbero tiene hijos.* Estás peludo, y por lo tanto vete a pelar. «Oye tú date cuenta de que el barbero tiene hijos». *Darle vida al barbero.* Pelarse. «Voy a darle vida al barbero». *Meterse a barbero.* Matar gente. «Dicen que las malas compañías lo metieron a barbero». (Este cubanismo está relacionado con otro que significa así mismo, «matar:» *Pelar al moñito.* O sea, el barbero pela al moñito.) Ver: *Tipo.*

BARBIQUÍ. *Ser un barbiquí.* Ser muy insistente. «Le dije que sí porque es un barbiquí».

BARCO. 1. Calavera. «Juan es un barco». 2. *Mentira.* «¡Ayer, qué barco me metiste!» «Yo no acepto el barco ese». 3. *Sujeto de vida ilícita.* «Es un barco; casi un pistolero». 4. Cosa que no sirve. «Esta novela es un barco». 5. *Sujeto en quien no se puede confiar.* «Juan es un barco. No le puedes dar la espalda». *Barco a la deriva.* 1. Borracho. «El personaje de la novela es un barco a la deriva». 2. Persona desorientada. «El es un barco a la deriva. No sabe qué hacer». *Ese barco no va.* No acepto eso. «Ese barco no va conmigo. Paga lo que me debes». *Estar en el mismo barco.* 1. Tener la misma opinión que otras personas. 2. Tener la misma responsabilidad que otras personas. «Tú y yo estamos en el mismo barco». (El tono de la conversación da el significado.) *No querer ir en el barco ése.* No querer comprometerse. «Yo no voy en el barco ése; que van a pagar santos por pecadores». *¡Qué clase de barco!* ¡Qué clase de sinvergüenza! ¡Qué clase de mujeriego! (La conversación da el significado.) «Tiene cinco mujeres. ¡Qué clase de barco!» (*Calavera.*) «Le llevó la fortuna al suegro. ¡Qué clase de barco!» (*Sinvergüenza.*) Algunas veces se dice solamente al ver a la persona: *¡Qué clase de barco!* Los que hablan conocen la vida del aludido y por lo tanto saben si se refieren a que el individuo es un mal hombre; un calavera, etc. Algunas veces se dice con admiración, refiriéndose a que el hombre es muy habilidoso. Se oye, asimismo, a menudo: «¡Qué clase de barco. No hay calado para él!» Indicando con «no hay calado para él», que se reputa al aludido como una persona de la que no se debe confiar. Puede equivaler, igualmente, a: *¡Qué clase de hijo de puta! Ser alguien un barco.* Quedar mal siempre. «De nuevo la hiciste. Eres un barco». *Ser alguien un barco sin timón.* Ser un calavera. «Este sujeto es un barco sin timón. Pobre mujer que se case con él». Sinónimo: *Ser un papalote a bolina.* Ver: *Tipo. Eso fue lo que trajo el barco.* Eso es lo que pasó. «Te lo digo tal cual es, eso fue exactamente lo que trajo el barco». Ver: *Autobús. Ruta*».¿Cuándo llegará el barco?» (Así le dicen a los autobuses —llamadas guaguas en cubano siguiendo el lenguaje de Islas Canarias— porque nunca llegan. Siempre están superatrasadas. Es lenguaje de la Cuba de hoy. También se le llama «aspirinas», porque como éstas, se toman cada cuatro horas. «Por ahí viene mi aspirina». Lenguaje de la Cuba de hoy.) Ver: *Quilla.*

BARETA. Bueno. «Este libro es bareta». *No dejarse meter bareta.* No dejarse coger la delantera. «Jamás se deja coger bareta». *Pasar bareta.* Cogerle el turno a uno. «Llegué tarde mamá porque en el médico varios me pasaron bareta». Ver: *Barín.*

BARETOSO. Bueno. «Habla un inglés baretoso tu hermano». Ver: *Barín.*

BARILLA. *Peso.* «Dame cinco barillas ahora mismo». Sinónimos: *Bareta. Barín. Baro. Bastón. Bolo. Candela. Caña. Hoja de lechuga. Lyncon. Mantecoso. Patriota. Tolete.*

BARÍN. *Bueno.* «Ese libro es barín». (El cubanismo viene de una zarzuela representada en La Habana, uno de cuyos personajes es un «barín» —amo, señor— *ruso.*) Algunas veces se dice: *Barín Bareta. Ser algo de barín bareta y anagüeriero bonco.* Ser muy bueno. «Ese poema es de barín bareta y anagüeriero bonco». («Anagüeriero» y «bonco» son palabras africanas a la que el cubanismo usa sin su significado primitivo. Las usa en sentido enfático.) *Ser alguien, barín, bareta.* Ser muy bueno. «Ese hombre es barín bareta. Yo lo conozco muy bien. Nunca deja de ayudar al pobre».

BARNIZ. Ver: *Cepillo.*

BARO. *Peso.* «Dame cinco baros papá que quiero ir al cine». Sinónimo: *Barilla.*

BAROCUÁ. *No tener miedo.* «Eso es barocuá de verdad». (También, me la han dicho sin acento. Es lenguaje de la Cuba de hoy. Es palabra africana llevada por los esclavos a Cuba.)

BARÓN. *Amigo.* «¿Qué pasa barón?» (Se usa sólo en casos como este, p.e.: «¿Qué dice el barón?» «¿Cómo está el barón?")

BARQUILLA. *Cagarse alguien en la barquilla.* Cagarse en el día que nació. «Ahí donde lo ves se está cagando en la barquilla».

BARQUILLERO. *Andar uno como palito barquillero.* Andar de un lado a otro; andar de corre corre. «Ando como palito barquillero porque no doy abasto». *Creerse alguien que uno es palito barquillero.* Creerse que lo pueden dominar. «Mi marido se ha creído que soy palito barquillero; y estamos en tiempo de la liberación de las mujeres». *Ser un palito barquillero.* Ser una persona sin carácter. *Tenerlo a uno de palito barquillero.* Hacerlo trabajar mucho. «En el nuevo empleo me tienen de palito barquillero».

BARQUILLO. *Barquillo de mamey.* El pene. (El cubanismo se basa en el hecho de que el glande es rojo y de su semejanza con el mamey en el color.) *Tirarse la mujer al barquillo.* Succionar una mujer el pene. «¡Tú no saber cómo esa mujer se tira al barquillo!» Ver: *Chupar el barquillo. Mamada. Pene.*

BARRA. *Pene. Dar barra.* Fornicar. Sinónimo: *Dar serrucho.*

BARRANCA. *Barranca abajo y sin freno.* Se dice del que está en «picada», sufriendo derrota tras derrota. «Este está barranca abajo y sin freno».

BARRENILLO. *Preocupación.* «Tiene tal barrenillo con el infarto que no habla de otra cosa». *Coger un barrenillo.* Hablar de lo mismo. «Tiene un barrenillo con la literatura que me vuelve loca».

BARRERA. *Romper la barrera del sonido.* Tener éxito. «Juan en el examen rompió la barrera del sonido». «Mi clase de matemáticas rompió la barrara del sonido; todo el mundo sacó sobresaliente».

BARRETÍN. *Cabilla.* «Hay que poner dos barretines más». *Empezar con un barretín.* Con una idea fija. «Ya empezó con el barretín». *Tener un barretín.* Tener un barrenillo. «Tienes que quitarte de la cabeza ese barretín». Sinónimo: *Tener una majomía.*

BARRIDO. *Servir lo mismo para un barrido que para un fregado.* Equivale al refrán español: *Servir lo mismo para un roto que para un descocido.* Ser alguien o algo muy útil por servir para cualquier cosa. «El lo mismo sirve para un barrido que para un fregado».

BARRIGA. *Barriga e leche.* Se le dice al que tiene mucha barriga. «¿Cómo estás tú barriga e leche?» (Este cubanismo es, principalmente, de los niños.) *Dar algo dolor de barriga.* No gustar algo. «Ese viejo me da dolor de barriga. Así que ya sabes para la próxima vez». *Morírsele los lechones en la barriga.* No actuar a tiempo. «No te preocupes que a nuestro amigo no se le mueren los lechones en la barriga». *Tener un caimán en la barriga.* Tener mucha hambre. «Mi hijo tiene un caimán en la barriga». Sinónimos: *Tener una boa en la barriga. Tener un central en la barriga.* (Este último se basa en el hecho de que el central muele caña continuamente y la barriga del que come muchos alimentos también.) En el exilio ha tomado la forma siguiente: *Tener un Everglades en la barriga.* Debido a que cerca de la ciudad de Miami, Florida, Estados Unidos, hay un paraje llamado EVERGLADES poblado de cocodrilos. *Tirarse de barriga por alguien.* Apoyarlo en todo, dar la vida por alguien. «Nuestros padres son los únicos que se tiran de barriga por nosotros». «En este asunto se tiró de barriga por mí y eso nunca lo olvidaré». Ver: *Lechón.*

BARRIGÓN. *Al que nace barrigón aunque lo fajen.* 1. Equivale al refrán español: *La zorra pierde el rabo pero no pierde las costumbres.* También a la expresión: *Aunque se vista de seda, la mona, mona es y mona se queda.* Es decir, nada cambia. «Cómo no le iba a robar al tío en el negocio si es así desde niño. Al que nace barrigón aunque lo fajen». 2. No escarmentar. «Volvió a colocar al sobrino y éste le robó. Al que nace barrigón aunque lo fajen». 3. Tener mala suerte. «No pudo nunca adelantar en su trabajo. El que nace barrigón aunque lo fajen». Sinónimos: *El que nace pa' tamal del cielo le caen las hojas. El que nace pa nickel* —moneda de cinco centavos— *no llega a real* —moneda de diez centavos. Ver: *Barrigudo. Ser más barrigón que un caimán de paso.* Ser un vago. «El es más barrigón que un caimán de paso». (Lenguaje campesino avecinado en las áreas rurales.)

BARRIGUDO. *Barrigón.* «El es un barrigudo».

BARRIL. *Gordo.* «Estás hecho un barril. Ponte a dieta». *Si no come gofio sabe donde está el barril.* Si no lo es, está muy cerca de serlo. «Te digo que Juan es un homosexual. Si no come gofio sabe donde está el barril». Ver: *Mula y Negro.*

BARRILITO. Tipo de papalote. «Voy a empinar el barrilito».

BARRIO. *Dar instrucciones del barrio de Colón.* Instruir en las malas artes. «La única instrucción que ése puede dar es del barrio de Colón». (El barrio de Colón pertenecía a la zona de tolerancia de La Habana.) *El barrio de las cabezas peladas.* El cementerio. «Yo no sé cómo se les ocurrió mudarse frente al barrio de las cabezas peladas». (Lenguaje de procedencia chuchera.) Ver: *Chuchero. El bravo del barrio.* «Ese es el bravo del barrio, mi médico». Ver: *Comité, Guaguancó, Pichona, Política, Tartarie.*

BARRIOTADO. *Aplebeyado.* «Tan fino en sus años mozos y mira cómo se ha barriotado en la vejez».

BARRIOTERA. *Persona de baja calidad social.* «Esa se las da de educada y es una barriotera».

BARRIQUETE. Tipo de Papalote. «Voy a volar un barriquete».

BARTAVIA. *Automóvil viejo.* «Yo no pago ni diez pesos por esa bartavia». *Estar en la bartavia.* Estar en mala situación económica. «Así como lo oyes, era rico y está en la bartavia». Se dice también: *estar en la bartavia de la contrapelusa.*

BARTOLA. *Ser Bartola.* Entretenerse uno solo. «Yo no me aburro pues soy Bartola». (Resulta que hubo una artista mexicana muy conocida en Cuba, Vitola que tenía el lema: «Vitola, la que se defiende sola». De lo que surgió: «Soy Bartola, la que se entretiene sola».)

BARTOLO. Ver: *Platanal.*[13]

---

[13] El cubano dice «platanal» en vez de «platanar».

BARTOLOMÉ. *Ser Bartolomé de las Casas.* Ser protector de algo. «Encontraron trabajo; hay muchos Bartolomé de las Casas en este exilio». (Se creó este cubanismo entre la gente culta con motiva del arribo de los cubanos por el Mariel. El Padre Batolomé de las Casas fue defensor de los indios y escribió el famoso tratado: «*De la Destrucción de las Indias*».

BASE. *Coger a alguien fuera de base.* Sorprender a alguien. «Lo cogí fuera de base. Lo que me dijo fue una mentira. Ya está en la cárcel». (Ese término viene del juego de pelota, «base-ball», aplicado a la vida.) *No pisar la base.* No lograr algo. «En ese concurso no pisas la base». Lo he oído aplicado a muchos casos. Por ejemplo: A que nunca se fornicó con una mujer. «Con ella no pisó la base; ella se enamoro de otro». *Sacar fuera de base.* Hacerle perder el control a alguien. «Compré las acciones y los saqué fuera de base». Ver: *Primera. Sorprender a alguien fuera de base.* Engañando a la mujer. «Se divorció porque lo sorprendieron fuera de base con Dorotea».

BASEBALL. Ver: *Poco.*

BASKET. Ver: *Tines.*

BASTANTITA. *Bastante.* «Yo tengo una casa bastantita buena».

BASTIDOR. *Atizarse como el bastidor.* Estirarse la mujer la cara con una operación. «Juana parece diez años más joven desde que se atizó como el bastidor». También lo he oído de esta forma: «Atizarse el bastidor». *Estírame el bastidor.* Resuélveme el problema. «Estírame el bastidor, Juan. Dame cinco pesos». *Estirarse alguien como un bastidor.* Hacerse la cirugía plástica. «Lucía muy vieja pero se estiró el batidor». *Estirarse el bastidor.* Ponerse el pene en erección.

BASTÓN. 1. Pene. Hay un chiste que dice así: «—¿Has visto a Ramón? —¿A qué Ramón? —Al dueño de este bastón». *Tener complejo de bastón.* Tener complejo por tener poca estatura. «El psiquiatra no le pudo quitar el complejo de bastón».

BASTOS. *Brazos.* «Tiene los bastos más grandes del mundo».

BASURA. *Algo que no vale nada.* «—¿Oíste el discurso de Pedro? —Sí, es basura». *Para toda basura hay un latón.* No hacer a alguien el menor caso, por no valer su opinión, ya que es un don nadie. «Me dijo que yo era un mal escritor pero lo miré de arriba a abajo y le contesté: «para toda basura hay un latón». Ver: *Latón.* Significa también, deshacerse de lo que no sirve. «Boté el libro porque para toda basura hay un latón». *Si no te gusta la basura, suelta el latón.* Protestar cuando es necesario y dejar de trabajar. «A él, el jefe, le tiene pánico porque cuando no le gusta la basura suelta el latón». (Es forma de hablar del cubano que muestra su genio lingüístico.) *Tirar a basura.* Menospreciar. «Me vio en la fiesta y pasó por el lado sin saludarme. Me tiró a basura». Ver: *Basurianga.*

BASURERO. *Ser basurero.* Hablar alguien mucha tontería. «Elio es un basurero».

BASURIANGA. *Basura.* «No me leas esa basurianga».

BASURITA. *Comer basurita de trapo.* Hablar tonterías. «No hay un día que no coma basurita de trapo».

BATA. *Estar en bata de baño.* Estar en mala situación económica. «Estoy en bata de baño hace varios meses con la inflación». *Las batas blancas.* Los Testigos de Jehová. «¡Cómo venden libros los batas blancas!»

BATACLÁN. *Ser algo de bataclán.* Carecer de seriedad. «Lo que me dices es de bataclán».

BATAZO. *Golpe.* «Le dio un batazo y cayó al suelo». *Dar un batazo.* Tener un gran éxito. «Con el discurso diste un batazo». *Dar un batazo como los de Ted Williams en sus buenos tiempos.* «No sé que suerte tiene pero siempre da batazos como los de Ted Williams en sus buenos tiempos».

BATE. Amigo. «¿Cómo se encuentra hoy mi querido bate?» «¿Qué dice el bate?» *Estar al bate.* Ser la cabeza en algo. «En este gobierno, es él el que está al bate». «Aquí nadie me contradice porque yo estoy al bate». (Es término beisbolero. El que está al bate es el que tira a la pelota para darle, de ahí el cubanismo.) *¡Qué clase de bate!* ¡Qué clase de jodedor! «¡Qué clase de bate es Pepito!» *Ser el dueño del bate, el guante y la pelota.* Ser el jefe. «Yo soy el dueño del bate, el guante y la pelota». (Frase que dice el niño dueño de todo esto cuando no le dejan, los que juegan, hacer lo que él quiere.) *Ser un bate de fongueo.* Un bate grande. «Aquello es un bate de fongueo». También un trasero prominente. «Qué bate de fongueo tiene esa mujer!» (El bate de fongueo se usa en el juego de pelota para darle fuerte a la pelota. El trasero prominente, «va lejos», impresiona como cuando el bate de pelota le da a la pelota haciéndola caer lejos. De aquí el cubanismo.) *Ser un bate de Grandes Ligas aunque no llegue a «tus pik».* Fornicar bien aunque sea un pene pequeño. «Ella dice que es un bate de Grandes Ligas aunque no llegue a tus pik». («Tooth Pick», que el cubano pronuncia como lo he escrito, es «palillo de dientes», en inglés. Cubanismo del exilio.) *Ser un bate peligroso.* Ser una persona peligrosa. «Yo no tendría el menor tipo de relación con él pues es un bate peligroso». (El cubanismo viene del juego de pelota.) *Tener un bate de Grandes Ligas.* Tener un pene grande. «Tú tienes un bate de Grandes Ligas». (En las Grandes Ligas, juegan los mejores peloteros, en el juego de pelota, «baseball.) Un bate de Grandes Ligas, es asimismo, un gran jugador. «Lo contrataron porque es un bate de Grandes Ligas». 1. Ser muy inteligente. «Pedro, sin lugar a dudas, es un bate de Grandes Ligas». Sinónimos: *Batíviri, Candela (la), Cuarto, Monstruo, Palero, Ser el dueño de los caballitos, Ser el dueño de las papeletas, Tener el bate en la mano, Tigre y Timbero.*

BATEA. Trasero grande. «¡Qué clase de batea la de Juana, Fernando!» *Componedor de batea.* Amigable componedor del derecho civil. Persona que media para arreglar asuntos. «Te agradezco lo que has hecho por mí. Eres un buen componedor de batea». *Culo.* «¡Qué batea la de esa mujer!» *Dar batea.* 1. Lavar la ropa. «Esa mujer se pasó toda la semana dando batea en el traspatio de la casa». 2. Mover la cintura. «¡Cómo da batea esa mujer al caminar!» 3. Trabajar. «¡Cómo hay que dar batea para vivir!» Sinónimos: *Carrito, Culeco y Palangana.*

BATEADOR. *Bateador de largo metraje.* Se dice del que tiene muchos hijos. «El es un bateador de largo metraje». (El cubanismo viene del juego de pelota.)

BATEAR. *Batear de lo lindo.* Comer mucho. «Anoche batié de lo lindo».[14] *Batear de quinientos en la liga de los pesados.* Ser muy antipático. «Me cae muy mal porque batea de quinientos en la liga de los pesados». *Batear dos personas iguales.* Tener la misma capacidad. «La competencia va a ser muy reñida. Esas dos personas batean iguales». Ver: *Fildear. Batear en las dos novenas.* Ser bisexual. «No tengo la menor

---

[14] El pueblo dice «batié».

duda de que él batea en las dos novenas». Sinónimo: *Ser Abelardo Bilingüe. Batear sobre trescientos.* Comer mucho. «Siempre bateó sobre trescientos en la mesa». *Batear una y perder el juego.* Por una cosa que hace bien comete mil errores. «El no puede nunca triunfar en nada por una que batea pierde el juego». *Comer, o comer mucho.* «¡Cómo batea ese muchacho! Por eso está tan gordo». «¡Cómo batea el hijo de Lola!» «No batees tanto que vas a engordar mucho». (Viene del «baseball» o juego de pelota. *Batear* es darle a la pelota con un bate en el juego de pelota.) *Contestar.* «Bateó todas las preguntas». *Estar aún al bate.* (Este cubanismo que viene del juego de la pelota se aplica a diferentes situaciones: «Aún está al bate y son las diez». Aún está echando un discurso.) «Aún está al bate pero tiene a los directivos en contra». (Aún está de presidente.) «Aún está al bate en las competencias pero dentro de poco no puede más». (Aún está compitiendo. En el juego de pelota cuando se está al bate se está con el bate en la mano. Estar con el bate en la mano es estar en situación de dominio, o de mando, o de permanencia. De ahí el cubanismo.) *No batear en liga fu.* No ser mala persona. «Yo, como tú sabes, y te lo digo de corazón: no bateo en liga fu». *No saber por dónde batear.* No haber solución. «En este problema puedes tener la seguridad de que no sabe por donde batear». (Todos estos cubanismos vienen de la pelota.)

BATEO. *Dar bateo.* Mortificar. «Se pasa el día dándole bateo». Sinónimo: *Dar fuete. Estar en el bateo.* Estar en el mando. «Ustedes se callan. Yo estoy en el bateo». (El cubanismo procede del juego de pelota.)

BATEQUE. *Un bateque.* «Vamos al bateque».

BATERÍA. *Cargar la batería.* Coger nuevo impulso, aliento, etc. «La vi tan mal que salí del cuarto para cargar la batería». (Coger fortaleza.) *Estar cargando las baterías.* Descansando. «Desde que lo operaron está cargando las baterías». También *irse a dormir.* «Estoy muy cansado y me voy a cargar la batería». «Fueron tantas las decepciones que tuve que esperar dos meses y cargar la batería de nuevo». *¡Qué batería! ¡Qué culo!* «¡Qué batería tiene esta mujer!» *Tener alguien las baterías cargadas.* 1. Estar muy activo. «Va para arriba y para abajo; tiene la batería cargada». (El cubanismo procede del campo automovilístico.) 2. Estar a punto de enojarse. «No le digas nada más que tiene la batería cargada». *Tener alguien las baterías medio caídas.* 1. Sentirse enfermo. «Hoy tengo las baterías medio caídas. Debo tener destemplanza». (Enfermo.) 2. Sentirse desanimado. «Con las últimas noticias tengo las baterías medio caídas». (Desanimado.) (El cubanismo viene del campo beisbolero.) *Tener alguien todas las baterías funcionando.* Tener muy bien todas las facultades mentales. «A los ochenta, yo tengo todas las baterías funcionando». *Tener mala la batería.* 1. Estar loco. «Los exámenes comprobaron que tiene mala la batería». Sinónimo: *Tener los cables cruzados.* Ver, además: *Cable.* 2. Tener mala salud. «Desde hace unos años tengo mala la batería». (Procede el cubanismo del campo automovilístico.)

BATEY. Sitio donde están las oficinas y casas de viviendas en un ingenio de azúcar. *El batey sigue igual.* «En casa de tu hermano el batey sigue igual». Ver: *Negrito.*

BATÍBIRI. *Amigo.* «¿Cómo estás batíbiri?» «Mira batíbiri, yo no creo lo que tú dices». «¿Qué me dices batíbiri?» (También lo he visto escrito: «Batíviri».)

BATIDO. *Dar un batido de manos y un aplauso de espaldas.* Apoyar a alguien con entusiasmo. «Saldrás en las elecciones porque todo el mundo te da un batido de manos y un aplauso de espaldas». *Tener que darle a alguno batido de perejil.* Se dice del que habla mucho. «Que se calle. A ese hay que darle batido de perejil». (El perejil, como se sabe, mata a las cotorras.)

BATIDORA. *Culo en movimiento.* «Nunca he visto a una mujer que mueva más la batidora que esa». *Tener complejo de batidora.* Se dice de la persona activísima. «Tiene complejo de batidora. Fíjate cuántas cosas hace a la vez».

BATILONGO. *Ropa de dormir.* «¡Qué batilongo más largo!»

BATÍN. Amigo. «Mira, batín, vamos a comer». (Lenguaje de la Cuba de hoy.)

BATIRSE. *Luchar.* «Se está batiendo sin miedo con la vida. Siempre fue un valiente».

BATO. (Las) *Las bato.* Las manos. «Lo cogió por el cuello con las bato». (Lenguaje del chuchero. Ver: *Chuchero.*)

BATRACIO. Ver: *Sangre.*

BATUQUEAR. 1. Atacar. «Lo están batuqueando al hombre ése por todos lados». 2. Hacer trabajar a alguien mucho. «Estoy cansadísimo, tú no sabes cómo me batuquearon en el trabajo». «Lo batuqueó ayer en la factoría. Fue horrible. No dejó de darle trabajo». 3. Impresionar. «Esa mujer cuando la vi me batuqueó». 4. Menear algo o a alguien fuertemente. «No batuquees ese mueble que se mezclan las cosas que tiene dentro».

BATUQUEARSE. Menearse. «El avión se está batuqueando».

BATUTA. *Quitar la batuta.* No dejar a alguien oír música clásica. «En cuanto la oyó tocar discos sinfónicos le quitó la batuta».

BATUTERA. Se dice de la mujer que manda al marido. «Esa es una batutera. ¡Pobrecito Juan!»

BAÚL. *Entrar de marcha atrás y con el baúl abierto.* Ser homosexual. «Pedro entra de marcha atrás y con el baúl abierto». Sinónimos: *Aceite, Gustarle que le midan el aceite.*

BAÚN. *Al baún.* 1. En seguida. «Me lo hizo al baún». «Se dio cuenta al baún». («Baún» es la pronunciación que el cubano da a la palabra inglesa «bounce». El cubanismo viene de la pelota. «Coger al baún», en éste, es coger la pelota al saltar, fácilmente.) 2. Fácilmente. «Lo derrotó al baún». 3. Sin titubeo. «Lo que le dije lo entendió al baún». Se usa en muchas formas, por ejemplo una de ellas es «lo resolví al baún», es decir «enseguida». (Es término que viene de la pelota. Cuando la pelota da en el suelo el primer brinquito ese, se llama «bounce».) *Colar al baún.* Entrar enseguida. «En cuanto se vaya el portero, cuelas al baún». *Empezar al baún.* Empezar a tiempo. «Este cine empieza al baún». *Estar de baún.* Estar siempre preparado. «No importa cuándo sea el examen de francés. Estoy de baún».

BAUTIZADO. Ver: *café.*

BAUTIZAR. *Bautizar la leche.* Echarle agua a la leche. «Esa leche la bautizan y por eso no es buena».

BAUTIZARSE. *Tomar una copa.* «Vamos a bautizarnos que son las once de la mañana».

BAUTIZO. *Detrás del padrino está el bautizo.* Sobornar. «Le tuve que dar dinero. Tú sabes cómo son las cosas con ese funcionario. No hace nada si no es que detrás del padrino está el bautizo».

BAYER. *Ser Mr. Bayer.* Se le dice a la persona que se queja de dolores. «Es Mr. Bayer. ¡Cómo se queja!» (BAYER es la marca de la aspirina. El cubanismo nació en el exilio.) *Tener que vivir con Bayer en la mano.* Se dice de la persona a quien todo le causa dolor; un niño pálido; un perro flaco... «Sí, ya sé que estás pálido. Si sigues así, vas a tener que vivir con Bayer en la mano».

BAYOYA. *Estar una cosa bayoya.* Haber abundancia de una cosa. «Yo te digo que en esta región los cangrejos están bayoyos». Sinónimos: *Estar una cosa a tutiplén.* (Del francés «*tout y est plein*».) *Estar una cosa de a buti; estar una cosa telera.*

BAYÚ. Casa de prostitución. «Esa casa es un bayú». *Ser algo un bayú.* Ser poco serio. «Eso que me propones es un bayú». Ver: *Casa.*

BAYUCEO. 1. Irresponsabilidad llevada al máximo. «Yo no puedo vivir en el bayuceo cubano». 2. Falta de seriedad. «El bayuceo que hay en esa esquina es algo terrible». (Viene de «Bayú», que significa «Casa de prostitución» en cubano.) Sinónimo: *Relajo.* «Esto es un relajo».

BAYUTEAR. Trabajar. «En esa fábrica se bayutea duro». (Cubanismo nacido en el exilio.)

BEBÉ. *Tratar a alguien como un bebé, con biberón y todo.* Tratarlo muy bien. «Allí me tratan como un bebé, con biberón y todo».

BEBER. *Bebe de mi copa pequeña.* Sé mía. (Se origina el cubanismo de un brindis que hacía un actor cubano.) *Beberse Escocia y sus suburbios.* Beber mucho «Whisky». «Me he bebido Escocia y sus suburbios».

BEBITOS. *Estar como los bebitos.* Se dice de una mujer que se casa sin estar madura. «Yo no sé cómo se casa si está como los bebitos». (Los bebitos están con pañales y almohaditas. No están para cosas mayores. De aquí el cubanismo.)

BEIBEI. Ver: *Escaparate. Piano.*

BEIKERI. *Tener una mujer y un hombre un beikeri, o una panadería.* Que se tocan, o se amasan como en las panaderías. (Bakery Store, que el cubano pronuncia como lo he escrito, es «panadería» en inglés.)

BEISBOLERO. Fanático de la pelota, (del baseball.) «El es un gran beisbolero». (Viene de la palabra inglesa «baseball".) *Término beisbolero.* Referido al juego de pelota. «Ese es el término beisbolero».

BEJUCAZO. *Llamar por teléfono.* «Ese bejucazo de larga distancia me costó caro».

BEJUCO. (Él) 1. Un pene. «A Juan ésa le tumbó el bejuco». 2. Un pene largo y fino. «Es un bejuco pero funciona bien, Caridad». 3. Teléfono. «¿Dónde está el bejuco público? Cogí el bejuco y llamé a mi mamá». *Alar el bejuco.* Llamar por teléfono. «Alé el bejuco y dije cuatro verdades». *Encender el bejuco.* Poner el pene en erección. «La veo encendiendo el bejuco». *Estar con el bejuco en la mano.* Fustigar. «Siempre está con el bejuco en la mano». *Hablar por el bejuco.* Llamar por teléfono. «Hablé por el bejuco por tres horas».

BEJUQUERA. Lugar donde hay mucho bejuco. «Voy a quitar esa bejuquera». (Es cubanismo del campesino cubano.) *Sacar a alguien de la bejuquera.* Sacarlo del lío. «Yo, y solamente yo, lo saqué de la bejuquera».

BELASCOAÍN. Ver: *Salud.*

BELÉN. Ver: María.

BELIGERANCIA. *Darle beligerancia.* Conceder importancia. «No le des beligerancia a un tonto».

BELL. Ver: *Southern.*

BELLADONA. *Estar hecho una belladona.* Estar tranquilo. «Últimamente está hecho una belladona».

BEMBA. Labios. «Tengo un grano en la bemba». *Darle a la bemba.* Hablar. «Le dio a la bemba una hora sin parar». *Irse de bemba.* Delatar. «Que no te vea, porque se va de bemba». («Bemba» es «boca» en cubano. Es lenguaje de los negros cubanos.) *La bemba le pasitrotea.* Tiene hambre. «A mí la bemba me pasitrotea». *Ponerse bemba.* Gritar a alguien. «Con tu madre no te pongas bemba». *Ser un bemba de perro.* Se usa en forma despectiva para indicar que alguien no vale nada. «Tú eres un bemba de perro». «Desde niño, se veía que iba a ser un bemba e perro». «Se cree un doctor, pero es un bemba e perro». (Es «bemba de perro», pero el cubano aspira la «d».)

BEMBÉ. Ceremonia religiosa africana con música. «No vas hoy al Bembé en casa de Arturo». *Sin que te dé el Bembé.* Sin que te enojes. «Oyeme, sin que te dé el bembé». Sinónimo: *Sin que te dé el querequeté. Tener un hombre bembé.* Acostarse con una mujer de una raza de color. «Juan tuvo hoy bembé con Edelmira». (El «bembé» es un baile africano de mucho movimiento que se compara con el acto sexual.)

BEMBELENGUA. *Dar bembelengua.* Hablar mucho. «Se pasa el día dando bembelengua».

BEMBETEAR. *Contestar.* «No me bembetees, muchacho». Asimismo: *Hablar tonterías.* «Usted lo único que hace es bembetear».

BEMBÓN. *Quedar por bembón.* 1. Se dice también del que sufre las malas consecuencias por discutirlo todo. «Lo echaron del trabajo por bembón. ¡Cómo le gusta discutir!» 2. Sufre las malas consecuencias por no controlar lo que se dice. «Se metió en un lío. El siempre queda por bembón». («Quedar» es «meterse en un lío»; es una de las acepciones que tiene.) *Valiente.* «Las dictaduras parecen muy fuertes pero se caen en cuanto aparece un bembón». Ver: *Negro.*

BEMOLES. *Tener bemoles y cachetes.* Tener más que bemoles. «Eso que tú me dices tiene bemoles y cachetes». Ver: *Tres.*

BENDICIÓN. *Que la bendición de Olafi llegue a ti.* Que Dios te bendiga. «Hasta luego. Mucha suerte, y que la bendición de Olafi llegue a ti». (Olafi es el Dios de los esclavos africanos llevados a Cuba.)

BENDITA. *Ser algo agua bendita.* Ser muy bueno. «El descanso para ella ha sido agua bendita».

BENEDICTINO. Ver: *Monje.*

BENEFICENCIA. Ver: *Niño-(s).*

BENEFICIO. *Tirar un beneficio.* Fornicar a una mujer fea, acostarse con ella, pero sin ganas, sólo por hecho de hacerlo. «Está feísima pero así y todo le tiré un beneficio». «Le voy a tirar un beneficio a la vecina de enfrente». «Me dio pena con ella y le tiré un beneficio». (Se usa el cubanismo cuando la mujer es fea.)

BENGURIÓN. *Judío.* «En Miami Beach hay mucho bengurión». (Cubanismo nacido en el exilio.)

BENI. *Ser el Beni Moré de la casa.* El consentido. «El es, de mis hijos, el Beni Moré de la casa». (Beni Moré fue un cantante cubano al que quiso mucho el pueblo de Cuba. De aquí el cubanismo.)

BERENJENAL. Ver: *Mayal.*

BERMUDAS. Ver: *Frankestaín.*

BERNABÉU. *Ser Bernabéu.* Se dice de la persona que quiere que la mujer vista de acuerdo con su gusto. «Mi marido es insoportable; es Bernabéu». (Es cubanismo de la alta sociedad cubana. Bernabéu era un gran modisto cubano que vestía a la alta sociedad cubana. De ahí el cubanismo.)

BERNAZA. *Ser de Bernaza y Villegas.* Ser muy ahorrativo. «Tú eres de Bernaza y Villegas». (En esta calle de La Habana vivían muchos inmigrantes israelitas. Eran muy ahorrativos. De aquí el cubanismo.)

BEROCO. *Beroco de inkiko.* Huevo de gallina. «Me encontré, en la palma, un beroco de inkiko». («Beroco» e «Inkiko» son palabras africanas llevadas por los esclavos a Cuba: «Beroco» es «huevo» e «inkiko» es «pollo».) *Tener beroco.* Ser valiente. «Juan tiene beroco».

BEROQUEAR. Gritarle a alguien, amenazarlo, etc., en forma de matón. «Le beroqueó Pedro a Juan en la esquina». También, ser valiente. «Beroqueó cuando lo fueron a fusilar». (Viene esta palabra de la africana «Beroco», que significa «testículo»; «huevos de gallina». Me dicen se usa también «beroquear» como «guapear» en cubano; «luchar con la vida».) «Estoy beroqueando porque la casa está muy mala».

BERRACÁ. *Tontería.* «Toda esa berracá que se dice es intolerable».

BERRACO. *Tonto.* «Mira que eres berraco». (Se llama, asimismo, a un cerdo pequeño: «Voy a azar este berraco».)

BERRAQUERÍA. Tontería. «Eso que me dices es una berraquería».

BERREADO. *Enojado.* «He estado berreado desde ayer».

BERRERO. *Fumador de marihuana o ser marihuanero.* «La policía se llevó al berrero».

BERRINCHE. *El próximo berrinche que me orquestes te quedas con los instrumentos en la mano.* No te aguanto una pelea más. «Ella le dijo: El próximo berrinche que me orquestes te quedas con los instrumentos en la mano». (Es forma del hablar del cubano que indica su genio lingüístico. «Orquestar un berrinche» es un cubanismo que quiere decir, «darle un escándalo a alguien». De ahí el cubanismo.) *Orquestar un berrinche.* Dar un berrinche. «A donde quiera que va orquesta un berrinche». Ver: *Caja.*

BERRO. Enojo. «Tengo un berro arriba que no te lo puedes imaginar». *Coger berro.* Enojarse grandemente. «Con lo que hizo la hija cogió berro». «Cada vez que leo las noticias internacionales cojo un berro». *Dar un berro.* Dar un escándalo a alguien. «Le dio un berro en plena fiesta; lo sorprendió con la querida». Sinónimo: *Encender un carnaval.*

BESO. *Beso de Babosa.* Beso chupando los labios. «Ese es un beso de babosa. ¡Y en público!» *Eso, es peor que «Besos Salvajes» de Ñico Menbiela.* Es malísimo. «Eso que me dices, es peor que *Besos Salvajes*, de Ñico Membiela». («*Besos Salvajes*», es una canción del famoso cantante cubano Ñico Membiela. El cubanismo lo he oído cuando se habla de costumbres antisociales de clases bajas.) Ver: *Cartuchos. Cia. Drácula.*

BESTIALIZARSE. *Enojarse.* «No me pidas eso que me bestializo». (El cubanismo surge con un personaje de la televisión cubana que usaba la palabra con el significado que se expone.)

BESUQUEARSE. Besarse ávidamente. «Son unos cochinos. Se besuquean en presencia de cualquier persona».

BETI. *Empezar la vida una mujer de Beti y terminar de Natanfloringel.* Tener de joven un carácter fuerte y de vieja, muy suave. «Ella empezó la vida de Beti y terminó de Natanfloringel». (Es cubanismo del exilio. «Beti» es Betty» en inglés. «Natanfloringel» es como el cubano pronuncia el nombre de una enfermera.) Ver: *Ojos.*

BETIBÚ. *Enseñar como Betibú en televisión.* Enseñar una mujer sus encantos. «Juana enseña como Betibú en televisión». («Betibú», «Betty Boop», en inglés, era un personaje de ficción, de tiras cómicas, que era muy provocativa con su minifalda. De ahí el cubanismo.)

BETOVEN. *Se cree Betoven.* Se dice del que trata de dirigir. «Él con Elio es que se cree Betoven». («Betoven» es «Beethoven», el famoso compositor. Es cubanismo culto.)

BETÚN. *Dar betún.* Lisonjear. «Se pasa el día dando betún». *Darse betún hasta en los huevos.* Estar muy bien vestido. «El señor de enfrente hoy se dio betún hasta en los huevos. ¡Qué clase de ropas finas usaba!»

BIBIJAGUA. Especie de hormiga grande. *Saber más que la bibijagua.* Ser muy inteligente. «El sabe más que las bibijaguas. Por eso es tan difícil sorprenderlo». *Tener cabeza de bibijagua.* Ser muy cabezón. «Nació con esa cabeza de bibijagua». *Tener culo de bibijagua.* Se dice de la mujer que anda con muchos hombres. «Esa tiene culo de bibijagua». Sinónimo: *Tener culo de hormigas bravas.*

BIBIJAGÜERO. Se dice del dueño de ingenio que vendía azúcar clandestinamente. «Está rico porque es un bibijagüero».

BICHITO. *Picarle a uno el bichito.* Venirle la inspiración. «A mí me pica el bichito los días de lluvia». (Es cubanismo culto.)

BICHO. *Bicho de buey.* Látigo. «Esto es un bicho de buey». *Cuidado con el bicho que pica.* Se aplica a diferentes situaciones: por ejemplo: si alguien no es buena persona y uno se asocia con él le advierten: «Cuidado con el bicho que pica», o sea, «no confíes en esa persona», « o «esa persona desprestigia». O si uno se va a meter en un mal negocio alguien le advierte: «Cuidado con el bicho que pica». (El negocio es malo.) La conversación da el significado. *Dar bicho de buey.* Dar de latigazos. «Me dio bicho de buey porque le contesté». *Ser un bicho.* Ser muy inteligente, astuto. «Mi primo llegará a donde quiera porque es un bicho». Ver: *Bolita, pisajo y todas.*

BICICLETA. *Acabarse la bicicleta.* No. «Le dije: Dame una oportunidad más y mañana te pago, y qué tú crees que me contestó: 'se acabó la bicicleta'». *Aguantar la bicicleta.* Parar una cosa. «Para la bicicleta o se va el negocio a pique». *Bajarse de la bicicleta.* Concluir una exposición. «No digas más nada. Bájate de la bicicleta». *Joderse o romperse la bicicleta.* 1. Sufrir un percance. «Este mes con el presupuesto, se nos jodió la bicicleta. 2. Terminar algo. «Estábamos muy bien, pero se jodió la bicicleta». 3. Suceder algo grave. «En Francia se jodió la bicicleta». *Montarse de nuevo en la bicicleta.* Estar de nuevo en funciones. «Cuando creían que se retiraba se montó de nuevo en la bicicleta». *Ponchársele a alguien la bicicleta.* Fracasar. «Parecía que iba bien pero se le ponchó la bicicleta». *Ser algo de bicicleta.* Ser algo increíble. Ser difícil. Lo hemos oído varias veces en frases como: «El desarme que hay que hacer aquí es de bicicleta». (Este cubanismo se aplica a distintas situaciones: lo mismo se aplica para decir que algo es bueno o que es malo. «Este trabajo es la muerte en cueros cruzando el Niágara en bicicleta. ¡Cómo se suda!» (Algo malo.) «Lo que has hecho es la muerte en cueros cruzando el Niágara en bicicleta. Rompiste la marea mundial». (Algo bueno.) *Ser algo la muerte en bicicleta (o la muerte en bicicleta junta y descorchada) o Ser la muerte en cueros pasando el Niágara en bicicleta.* Ser algo muy difícil. «Esta pregunta es la muerte en cueros pasando el Niágara en bicicleta». *Si yo tuviera ruedas sería bicicleta.* Soñar con un imposible. Contestación que se da en casos como estos: «Si yo tuviera dinero iría a Roma». «Si yo supiera las matemáticas bien solicitaría el puesto». En todos estos casos se dice: «Si yo tuviera ruedas sería bicicleta». O sea, «no seas tonto, no sueñes con lo imposible». *Tener a alguien montando bicicleta en la calle veintitrés.* Darle a alguien un puesto muy peligroso; una responsabilidad muy peligrosa. «Me tiene a mí de contador, es decir, montando bicicleta en la calle veintitrés». (El cubanismo nace porque la calle veintitrés en el Vedado, barrio de La Habana, es una de las de mayor tráfico en Cuba. Montar bicicleta allí era un verdadero peligro.) *Tragarse la bicicleta y quedarse los manubrios fuera.* Tener un bigote muy grande. «La gente de antes se tragaba la bicicleta y se les quedaban los manubrios fuera». Ver: *Muerte y Paraguas.*

BICICLETERO. Que le gusta montar bicicleta. «Yo, de pequeño, fui un gran bicicletero».

BIEN. *De lo bien que estoy, me siento mal.* Estar extraordinariamente bien. «Bueno, te lo digo, fui al médico y de lo bien que estoy, me siento mal». *Estar bien con J.* Estar muy mal. «Te digo que estoy bien con J». «¿Cómo sigue tu padre? —Está bien con J». (Es el cubanismo un eufemismo para no decir: «Bien Jodido». O sea, «Estar mal».)

BIENES. *Estar alguien de recuperación de bienes.* Disfrutar mucho. «Están de plácemes. Están de recuperación de bienes». (El Ministerio de Recuperación de bienes malversados se instituyó en Cuba a principios de 1959 y confiscó lo humano y lo divino. Los marxistas estaban de plácemes. De ahí el cubanismo.)

BIENPAGADA. Autobús caro. «Voy a montarme en esa bienpagada».

BIENVENIDO. *Bienvenido Granda.* Bienvenido. «Viene mi hermano a visitarte. —Bienvenido Granda». «Bienvenido Granda, Pedro». (El cubanismo usa el nombre de un artista (cantante) cubano, «Bienvenido Granda».) *Bienvenido Julián Gutiérrez.* Sí, con reticencia, cuando alguien pregunta si es Bienvenido. «¿Soy bienvenido? —Sí, Bienvenido Julián Gutiérrez». (Es sí pero con reticencia.)

BIFTEK. *Tener biftek en los ojos.* Tener los ojos botados. «Tú tienes biftek en los ojos».

BIG LIGER. *Ser alguien «big liger».* Ser muy bueno en algo. «Juan es un big liger en matemáticas». (La palabra inglesa «Big Leaguer» que el cubano pronuncia «big liger». Este en el campo del juego de pelota es un pelotero excepcional.) *Ser una mujer un big liger.* («Leaguer» es la palabra inglesa que recoge al jugador de pelotas que juega en lo más alto; en las Grandes Ligas.) Ser alta. «Esa mujer es un big liger». (Así pronuncia el cubano.)

BIGOTAZO. Mucho. «Un bigotazo de afecto para ti, Juan».

BIGOTE. *Almidonarse el bigote.* Ponerse en pose. «Se pasa el día almidonándose el bigote y en la crónica social». *Bigote chaflán.* Bigote grande y caído en las puntas. «A mí no me gusta ese bigote chaflán». (Chaflán era un artista mejicano muy popular en Cuba que llevaba ese tipo de bigote.) *Bigote de gato.* 1. Bigotudo. «A ése, por los bigotes, le dicen: Bigote de gato». 2. Tener mucho bigote. «Pedro es un bigote de gato». («Bigote de gato» fue un personaje popular en Cuba. Usaba unos bigotes enormes.) *Caérsele a alguien hasta el bigote.* Estar muy viejo. «Ya a Juan, se le ha caído, hasta el bigote». *Caérsele las dos puntas del bigote.* Fracasar. «Conmigo se le cayeron a Federico las dos puntas del bigote». *Cobearse el bigote.* Arreglarse bien el bigote. «Yo cada semana me cobeo el bigote». *Hablar un hombre con los bigotes.* Ser buen tipo. «Ese hombre habla con los bigotes». *No ser escoba sino bigote.* Así dicen de las escobas viejas las amas de casa. «Ya yo no tengo escoba sino bigote». *Plantarse de bigotes.* No dar su brazo a torcer. «En las negociaciones los obreros están plantados de bigotes». *Tener un bigote que en cualquier momento le saca hasta manubrios.* Tener un bigote grande. «Tiene un bigote tu hermano, que en cualquier momento le saca hasta manubrios». *Tener un bigote que ni la mula de Manolón.* Tener un bigote grande. «Tú tienes un bigote que ni la mula de Manolón». (Se oye en Güines, villa de la Provincia de la Habana.) *Volverse bigote.* Estar viejísimo. «Se volvió bigote». (O sea, no le queda ni la lengua para cosas sexuales. Es un cubanismo asqueroso que sólo se salva porque el cubano lo dice en forma de broma o graciosa.) Ver: *Santa.*

BIGOTIL. *Caerle al bigotil.* Teñirse el bigote. «Hace muchos años que le cae al bigotil». «Urbano tiene que caerle al bigotil». (El bigotil es un tinte.)

BIJIRITA. 1. Homosexual. «Qué clase de bijirita eres». «Cállate, bijirita». 2. Persona pequeña y delgada. «Mi hermano es una bijirita. Pesa noventa libras». «Pesas cien libras, eres un bijirita». 3. Ser delgado y débil. «Tu hermano debe ver al médico. Es una bijirita». («La bijirita» es un pájaro o ave cubana muy pequeña.) *Comer como una bijirita.* Comer poco. «Hace días que come como una bijirita». *Matar la bijirita.* Cumplir un deseo. «Déjame matar la bijirita. Hace mucho tiempo que quiero ir a Europa». Ver: *Aceite. Gustarle que le midan el aceite.*

BIJOL. *Clase de condimento.* «A esto le hace falta bijol».

BIKINI. *Dejar a alguien en bikini y sin tabla de «eski».* Limpiarlo, despojarlo de todo. «Los ladrones dejaron a mi hermano en bikini y sin tabla de eski». (Es cubanismo del exilio. «Eski» es «ski» el aparato para esquiar. El cubano pronuncia así.) *Metérsele a una mujer por dentro del bikini.* Gozarla con la vista. «En la playa se le mete a Olguita por debajo del bikini». Ver: *Abuela.*

BILCRIM. Se le dice al que se echa mucha billantina en la cabeza. «Por ahí va bilcrim». (De «Brillcream», una crema con nombre norteamericano. El cubano pronuncia como escribo.)

BILINGÜE. *Bisexual.* «El hermano es bilingüe». (El cubanismo nació en el exilio cubano con un disco que habla de un Abelardo Bilingüe que se precia de ser bisexual.) *Tener alguien un problema bilingüe.* Ser homosexual al mismo tiempo. «Juan tiene un problema bilingüe».

BILLE. *Dinero.* «Tengo mucho bille».

BILLETAJE. *Billetaje gordo.* Mucho dinero. «Ahí hay billetaje gordo». *Estar en el billetaje.* Tener dinero. «Mi tío está en el billetaje».

BILLETAZOS. *Caer a billetazos.* 1. Darle mucho dinero. «Para resolver eso, le cayó a billetazos a ese ministro». 2. Sobornarlo. «Consiguió lo que quería porque al ministro le cayó a billetazos. « Sinónimo: *No dejar a alguien dormir a billetazos.*

BILLETE. *Dinero.* «Tengo un millón de billetes en el Banco». *Buscarse los billetes.* 1. Trabajar para vivir. «Tengo que buscarme los billetes donde sea». 2. Ganar mucho dinero. «Me estoy buscando un millón de billetes». *Jugar los últimos billetes de la lotería.* Estarse muriendo. «Juan se está jugando los últimos billetes de la lotería». *Sacarse la lotería sin billetes.* 1. Ser castigado. «Como te sigas molestando te vas a sacar la lotería sin billetes». (Es frase que las madres le dicen a los hijos cuando se portan mal.) 2. Meterse en un problema. «Se sacó, sin quererlo, la lotería sin billetes». ¡Qué lío! Ver: *Lista. Lotería. Ser para el billete es más pegajoso que el ajonjolí.* ¡Ser tacaño! «Ese hombre para el billete, es más pegajoso que el ajonjolí». Ver: *Papeles. Si el billete fuera dolor de cabeza no tendría alivio.* Se dice del que es muy tacaño. «Yo te digo que con todo su capital se da una vida de perro. Si el billete fuera dolor de cabeza no tendría alivio». *Subirle, alguien, el billete la chusmería.* Adoptar las formas de las clases sociales más bajas. «A Juan le subió el billete la chusmería».

BILLETERO. *Economista.* Esos billeteros no pueden con la inflación. (Es cubanismo de la Cuba del exilio. Me dicen que como el billetero, el que vende billetes, el economista está siempre entre números.) *Ser o hacer alguien como el billetero.* Ser un chismoso; contar su vida... La conversación da si es «contar la vida», pregonarla (el billetero pregona, de ahí el cubanismo.) O «ser un chismoso». En este último caso sería: «No dejes que se entere de nada tuyo que es —o hace— como el billetero». En el de «pregonar la vida:» «Con sus problemas hace como el billetero».

BILLETUDO. *Adinerado.* «Mi tío regresó de América billetudo».

BILLETURIOS. (Los) *Los billetes.* «Tengo muchos billeturios en el Banco».

BILLI. *Que si billi billó.* Que si esto, que si aquello. «Me contestó como siempre, que si billi, billó».

BILLIKEN. Cigarrillo malo. «Este Billiken está infumable». (El Billiken era un cigarrillo muy barato.) Sinónimo: *Rompe pecho.*

BILONGO. *Dar bilongo.* Hacerle brujería a alguien. «Se casó con él porque le dio bilongo en el café». Bebedizo. «Ese bilongo mata si se toma». Así mismo brujería. «Los brujeros usan mucho el bilongo; esa brujería tan fuerte». También alfiler de criandera. «Ponle al niño el bilongo».

BILONGUEAR. *Embrujar.* «Lo bilongueó con un talismán que usaba ella».

BILONGUERO. *Brujo.* «Voy a ver al bilonguero para que me diga cómo conquistar a mi novio».

BINGO. *Hacer bingo.* 1. Acertar. «Con este trabajo hice bingo». «Dije lo que se me ocurrió e hice bingo». 2. Puede ser tener mala suerte o buena suerte. «No quería encontrarme a mi acreedor e hice bingo; tropecé con él en el trabajo». (Tener mala suerte.) «Hice bingo cuando lo vi». (Buena suerte.) 3. Salvarse de milagro. «Así que no se murió. Hizo bingo». 4. Tener éxito. «Hiciste bingo con ese modelito». (El cubanismo nace con el juego llamado «Bingo». En este *hacer bingo* es ganar. De ahí el cubanismo.) Este cubanismo se aplica a muchas situaciones: «Apunté. Hice bingo». (Dio en el blanco.) «Jugué el número e hice bingo». (Me saqué la lotería.) «Con esa mujer, hice bingo. Me muero al lado de ella». (Tuve buena suerte.) *No me gusta ese bingo.* No me gusta eso. «Hay que dejarlo de ver. No me gusta ese bingo de tu primo». *Tener que hacer bingo para lonchar.* Trabajar mucho. «En este sitio hay que hacer bingo para lonchar». («Lonchar» viene del inglés «to lunch». Es cubanismo del exilio.) *Quedar algo como el bingo.* Quedar bien. «Eso te quedó como el bingo. Tú sabes que es así». *Ser la mujer bingo.* Que huele mal. «Esa mujer es bingo». (En el Bingo «se canta», y «cantar» en cubano quiere decir «oler mal». De aquí el cubanismo.) *Ya hicieron bingo.* Se dice cuando un hombre y una mujer se enamoraron a primera vista. «Tú y Elena ya hicieron bingo». Ver: *Ligar el parlé y Parlé.*

BIONDI. Ver: *Programa.*

BIONIC. *Ser la «bionic guman».* Hacer una mujer de todo. «Oye, tú eres la bionic guman». (La «Bionic Woman» —el cubano pronuncia como se escribe— es un personaje de un programa de televisión, que hace de todo y muy bien. Ella es invencible. De aquí el cubanismo.)

BIRAR. *Matar.* «Lo biró de un tiro».

BIRUTA. *Centavos.* Moneda de baja denominación. «Tengo en el bolsillo sólo unas birutas». *Comer birutas y cagar tablones.* Ser muy pendenciero. «Tiene un carácter muy malo. Come birutas y caga tablones». *Estar la cosa de biruta pa' arriba.* Estar mala la situación. «Con las nuevas medidas económicas la cosa está de biruta pa' arriba».

BISCONVERSA. Al revés. «Eso es a la bisconversa Juan».

BISNES. *No es mi bisnes.* No es un cubanismo, pero se ha hecho popular en el habla cubana, especialmente entre los cubanos en Miami. Es traducción del inglés: «It is not my business». Quiero decir: «Eso no es asunto que me incumba». «No me vengas con eso. No es mi bisnes».

BISOÑÉ. *Hacerle un bisoñé a un calvo.* Hacer algo increíble. «En el examen le hice un bisoñé a un calvo, saqué el máximo». Sinónimo: *Sacar chispas de la humedad.*

BISTÉ. Ver: *Hueso.* (Bisté es: Bistek.)

BISTEK. *Bistek con perejil.* Hombre de color vestido de verde. «Acabo de ver un bistek con perejil». *Poner a alguien como el «Bistek».* Ponerlo de vuelta y media. «Me lo encontré y lo puse como el bistek». (El cubano hace un juego de palabras con el bistek que le dan vuelta en la parrilla y el castizo: «Poner de vuelta y media».) Ver: *Cardumen.*

BIUMBIMBO. *Actividad.* «Hay un gran biumbimbo aquí».

BIZARONI. Ver: *Amuleto.*

BIZCOCHUELO. Ver: *Mujer.*

BLACAMÁN. *Estar muy peludo.* «Mandé al muchacho a pelarse. Es un blacamán». (Así se llamaba un artista que visitó La Habana y que tenía mucho pelo.)

BLAK. *Pelo del negro.* «Mira cómo se peina el blak».(«Blak» es la pronunciación de «black», palabra inglesa.) *Un blak aut.* Una Coca cola con helado de vainilla. «Dame un blak aut. Me gusta mucho». (El cubano pronuncia «block out», «black out».) Ver: *Pasión.* (Son cubanismos del exilio.)

BLAKAMÁN. *Tener un blakamán debajo del brazo.* Tener mucho pelo debajo del brazo. «Tú tienes un blakamán debajo del brazo». («Blakamán» era un personaje que iba a Cuba y tenía un espectáculo en el que se privaba de alimento por muchos días. Él tenía mucho pelo como si fuera un fakir.) Sinónimo: *Tener un bollo debajo del brazo.* («Bollo» es el aparato sexual de la mujer.)

BLANCA. *Blanca como ropa de tren de chino.* Blanquísimo. «Estás blanca como ropa de tren de chino». (Se llamaban «trenes de chinos» en Cuba a las lavanderías de los chinos, donde dejaban las ropas blanquísimas.) He oído asimismo, «Blanca como ropa de tren de chino lavandero». *Caerle a alguien, Blanca Nieves y los siete enanitos.* 1. Caerle de visita un familión. «El domingo le cayó a Pedro Blanca Nieves con los siete enanitos». 2. Caerle muchos problemas. «A mi pobre hijo le cayó Blanca Nieves y los siete enanitos». *Estar alguien como Blanca Nieves y los siete enanitos.* Estar muy dormida. «Tardé en despertarme porque estaba como Blanca Nieves y los siete enanitos». («Blanca Nieves» es en la clásica historia infantil, durmió por años hasta que la despertó el beso del príncipe. De aquí el cubanismo.) *Ser algo o alguien Blanca Nieves y los siete enanitos.* (Comparado con ser más inocente; pero aún malísimo (a): «La madre es Blanca Nieves y los siete enanitos comparada con la hija». (b) «Esa película es Blanca Nieves y los siete enanitos comparada con ésta». (Pero malísima.) «Aquella pornografía era Blanca Nieves y los siete enanitos comparada con ésta». Pero malísima. *Ser algo de Blanca Nieves y los siete enanitos.* Ser infantil. «Esta película es de Blanca Nieves y los siete enanitos». Ver: *Bata. Dar Pirey y fuerza blanca. Pirey o Ropa y Ubre.*

BLANCO. *Allá ellos que son blancos.* 1. Allá ellos. «¿Te enteraste que están metidos en una cosa muy peligrosa? —Allá ellos que son blancos». 2. Que sufran ellos las consecuencias. «Mira cómo juegan en esas alturas. ¡Se van a caer! —Allá ellos que son blancos». *Blanco trigueño.* Mulato(a). «Charito es blanca trigueña». *Estar como el arroz blanco.* Estar en todas partes. «¿Tú aquí? Estás como el arroz blanco». (El cubanismo viene del hecho de que en Cuba en todas las comidas se come arroz blanco.) *Estar disfrazado de blanco.* Hacerse pasar por lo que no es. «No le creas. Es un hipócrita. Anda siempre disfrazado de blanco». (En Cuba, proveniente de las regiones africanas, hay una ceremonia que se llama «hacerse el santo». El que se hace el santo tiene que estar algún tiempo vestido de blanco. Muchos consideran esto una superchería. De ahí el cubanismo.) *Estar en blanco.* No recordar. «En el examen me suspendieron porque estaba en blanco». (Tiene el cubanismo otro significado que el castizo.) *Hacer las cosas como los blancos.* Hacerlas bien. «Yo siempre hago las cosas como los blancos, capataz». *¡Mira que los blancos inventan!* Mira que se descubren cosas. «El astronauta acaba de hablar por teléfono con el presidente de los

Estados Unidos. ¡Mira que los blancos inventan!» (El cubanismo se utiliza para denotar sorpresa ante algo que es extraordinario.) *Pancho blanco montado sobre potro negro.* Un cortado. Una taza de café con un poco de leche. «Cantinero, ponme un Pancho blanco montado sobre un potro negro». *Pasar por blanco hasta que se me descubra.* Aquí, esperando, a ver qué pasa. Forma que se usa cuando le preguntas a uno cómo está. «¿Cómo estás? —Aquí pasando por blanco hasta que se me descubra». (El cubanismo viene del juego de dominó en el cual el jugador siempre guarda el doble blanco hasta que el contrario se da cuenta. No confundir este cubanismo con: *Estar disfrazado de blanco.) Quedarse en blanco.* No recordar. «En el examen me quedé en blanco». (Diferente significado del castizo.) *Tiro al blanco.* Negocio pequeño. «Tengo en la playa un tiro al blanco». Ver: *Dril. Puesto de frita. Timbiriche y Tizón.*

BLANCONAZO. *Mulato blanconazo.* Mulato casi blanco. «Es un mulato blanconazo. Pero es mulato, la nariz lo dice». Sinónimo: *Mulato pasado por la pared.*

BLANCOS. (Los) *Los marineros.* «Por ahí vienen los blancos». (Los marineros en Cuba vestían de blanco. De aquí el cubanismo.)

BLANQUEAR. 1. Ganar. «Lo blanquié en todas las partes del programa». 2. Destruir. «Lo blanquié porque me hacía mucha competencia. Había que acabar con él». *Tener ganas de blanquear a alguien.* 1. De destruirlo. Se oye así: «¡Qué ganas tengo de blanquear al blanquito ése!» «¡Qué ganas tengo de blanquear al tonto ese!» 2. De matarlo. «¡Qué ganas tengo de enviarlo para el cementerio. Vaya, de blanquearlo!»

BLANQUITO. *Blanquito cobarde.* Mulato muy claro. «Se ve a la legua que es un blanquito cobarde». *Blanquito de Santiago.* Mulato. «Ese amigo tuyo es un blanquito de Santiago». *Blanquito pasado por la pared.* Mulato muy claro. «Se ve que es un blanquito pasado por la pared». Ver: *Blanconazo. Blanquito de cuello duro.* Blanco de posición social. «La matanza liquidará a los blanquitos de cuello duro». («El cuello duro» es el cuello almidonado.) *Blanquito y limpito.* «¿Cómo estás? —Blanquito y limpito». (Se usa casi siempre en este caso.) Lo hemos oído, sin embargo, en el siguiente, el de no tener nada que ocultar: «¿Cómo saldrá en la investigación? —Blanquito y limpito». (El cubanismo es un lema comercial.)

BLANQUIZAR(-L). *Ser un pueblo Blanquizar-l de Jaruco.* Ser blanco todo. «Los argentinos son Blanquizar-l de Jaruco». (Es el lenguaje del dominó.) Así dice el que tiene casi todas las fichas blancas, el que no tiene tantos. «Gané, Blanquiazul de Jaruco». O simplemente, «Blanquizar-l». En la vida real significa «nada». «Le pregunté cuánto dinero tenía y me dijo que blanquizar-l».

BLASITO. *Blasito dame tu huesito.* Dame algo. «Me saqué la lotería. —Blasito dame tu huesito».

BLOF. *Tirar un blof.* Alardear. «Juan me tiró un blof con el dinero». («Blof» es la palabra norteamericana «bluff» que significa «alarde» y que el cubano importó.) Ver explicación en: *Blofista.*

BLOFISTA. Persona que hace alarde de lo que no tiene o no puede hacer. «Tú no tienes un centavo, no seas blofista». H. L. Menken en su obra clásica *The American Languaje*, (Nueva York, Alfred A. Wnopp, 1937, pág. 650,) lo deriva de la voz inglesa «bluff». («To bluff» del mismo significado que el cubano.)

BLOQUE. Ver: *Bolsa.*

BLUMAZO. *Dar un blumazo.* Permitir una mujer que el hombre goce de sus encantos y hechizarlos por ese motivo. «Le dio un blumazo y no la pudo dejar jamás».

BLUMES. *Bragas.* «Ella usa blumes rosados». (El cubanismo viene de una marca de bragas que se usaban en Cuba. Es una corruptela de la marca que es palabra inglesa.) *Tener una mujer blumes.* Ser muy valiente, o sea una mujer de carácter. «Esa mujer tiene blumes. Cuando vio al ladrón se le enfrentó». (Valiente.) La conversación da el significado. «Esa mujer tiene blumes no hubo forma de que se desmintiera». (Es una mujer de carácter.) *Tener blumes con encajitos.* Ser valientísima. Con «encajitos» es uno de esos casos que el cubanismo recurre a otras palabras para formar el aumentativo. «Mi hermana tiene blumes con encajitos». «Esa mujer tiene blumes con encajitos. Cuando vio al ladrón se le enfrentó». «Esa mujer tiene blumes con encajitos. No hubo forma de que se desmintiera». (Valientísima. Tiene muchísimo carácter. Es el aumentativo que repite de lo anterior. Es el caso especial del cubanismo en que una palabra hace el aumentativo. Así que la mujer es valientísima o tiene muchísimo carácter.) Sinónimos: *Ser una mujer una papayúa y Ser una timbalúa.* («Blumes» es derivado de la palabra inglesa «Bloomers» que significa «Braga» en español.)

BOA. *Tener una boa constrictor en el esófago.* Comer mucho. «Mi primo está tan gordo porque tiene una boa constrictor en el esófago».

BOBA. *Quedarse como la boba del bote.* En las nubes. «En la clase siempre se queda como la boba del bote». *Tú eres boba o te haces.* «Tú sabes de qué hablo. Oye, tú eres boba o te haces». Ver: *Nalga y Masa.*

BOBANCO. *Bobo.* «Juan es un bobanco desde pequeño».

BOBERA. *Caerle a alguien la bobera.* Sentirse soñoliento. «Me voy a la cama, me está cayendo la bobera». También, *decir tonterías.* «Cállate. Te está cayendo la bobera». *Seguir con la bobera.* Continuar con la tontería. «Tienes que reponerte. No puedes seguir con la bobera». *Ser un bobera.* Ser un tonto. «El es un bobera».

BOBITO. Pieza de ropa que se ponen las mujeres para dormir, muy corta y transparente. «A mí no me gusta usar bobitos. Me da vergüenza».

BOBO. *Arroz bobo.* Arroz al que se le hecha leche. «En mi casa yo comía mucho arroz bobo». *Como bobo.* Mucho. «Sabe literatura inglesa como bobo». *Bobo de Batabanó.* Tonto. «¿Crees que yo soy el bobo de Batabanó?» («*El Bobo de Batabanó*» fue un personaje de caricatura creado por el pintor cubano Eduardo Albela. Tuvo una gran popularidad en su tiempo.) Sinónimo: *El bobo de la yuca. Bobo de Mayo.* Diarrea de primavera. «Toma las pastillas no sea que te coja el bobo de Mayo». *Disfrazar a alguien de bobo.* 1. Darle a alguien una cantidad enorme de golpes y lesionarlo malamente. «A Juan los ladrones lo disfrazaron de bobo». 2. Engañar. «En el juego siempre lo disfrazan de bobo». 3. Ganar. «En las oposiciones lo disfracé de bobo». 4. Derrotar. «Compitió con él y lo disfrazó de bobo». Sinónimos: *Disfrazar de pelotero; de chino. Disfrazar un automóvil de bobo.* Desbaratarlo en un choque. «Esa muchacha se llevó la luz y me disfrazó el automóvil de bobo». *Estar como el bobo de la yuca.* Querer casarse. «Esa mujer está como el bobo de la yuca». «¿Cómo tú crees que me puedes engañar? Yo no estoy como el bobo de la yuca». (El cubanismo se basa en la canción que dice: «El bobo de la yuca se quiere casar con una chiquita de la capital»...) *Que te coja un bobo* *viudo.* (Frase que se le grita a un hombre para desearle mal. Se basa en la creencia de que los bobos tienen el pene muy grande. O sea, «que el bobo lesione tu masculinidad».) *¿Usted es bobo o va a la valla?* No sea ingenuo. «Por supuesto que vienen, ¿usted es bobo o va a la valla?»

BÓBOL. *Tener a alguien envuelto en Bóbol.* Tener engañado a alguien. «Lo tiene al marido, envuelto en bóbol». (Es cubanismo del exilio, «Bóbol» viene del inglés «Bubbles», que significa «espuma de jabón».)

BOCA. *Aparecer con la boca llena de hormigas.* Aparecer muerto. «El presidiario escapado apareció en el parque con la boca llena de hormigas». (Todo cadáver tirado a la intemperie tiene hormigas en la boca. De ahí el cubanismo.) *Cállate la boca, Perico.* Se le dice al que habla mucho. «Cállate la boca, Perico, no me dejas dormir». *Comerse el pastel sin mancharse la boca.* Saber hacer las cosas sin dejar huellas. «Tengo la seguridad de que él no tendrá problemas. Se come el pastel sin mancharse la boca». *El marañón aprieta la boca.* Guardar un secreto. «Dime lo que sabes de la familia de los Pérez. —¡Qué va, el marañón aprieta la boca!» (El cubanismo nace con una canción que empieza como él: «El marañón aprieta la boca». El marañón es una fruta astringente.) *Gato boca.* El número cuatro en el juego de azar llamado «charada». «Hoy cumple cuatro años. —Tú quieres decir boca gato». *No tener la boca virada.* Conmigo hay que compartir. «Un momento. No se cojan todo el botín. Ustedes creen que yo tengo la boca virada». Se usa mucho la frase *no tener la boca virada* cuando a la hora de comer sirven algo a todos los presentes con excepción de uno. Entonces se dice: «Señores, yo no tengo la boca virada». Sinónimo: *No tener el tragante tupido. ¡Qué tu boca sea santa!* ¡Qué se cumpla lo que dices! «Vas a ganar fácilmente el acta de representantes. —¡Qué tu boca sea santa!» *Por la boca muere el pez.* No se debe hablar sino cuando sea necesario y con mucho cuidado. «Mi madre, de niño, siempre me decía que por la boca muere el pez». (Es un refrán de origen campesino.) Sinónimo: *Para hablar y comer pescado hay que tener mucho cuidado. Tener boca de alcancía.* Tener boca con una línea o una raya. «Ella es muy bella, excepto que tiene boca de alcancía». *Tener boca de culo de pollo.* Tener la boca chiquita y con los labios hacia delante. «Ese tiene boca de culo de pollo». Sinónimo: *Tener boca de trompetista chino. Tener boca de renta de lotería.* Pedir mucho. «Ese caballero tiene boca de renta de lotería». (Como los que cantan la lotería en la Renta —organismo de la lotería de Cuba— el individuo también está cantando continuamente: pide mucho.) *Tener siempre el credo en la boca.* Estar siempre amenazando. «No puedo dormir tranquilo. Tiene siempre el credo en la boca». *Tener un boniato en la boca.* Hablar mal. «No puedes ser orador. Siempre tienes un boniato en la boca».

BOCABAJO. *Dar bocabajo.* Castigar. «Como te portes mal te voy a dar bocabajo». (El bocabajo era un castigo que sufrían los esclavos.) Sinónimo: *Dar cáscara. Dar con la cáscara de vaca.*

BOCACHO. *Homosexual.* «Ese es el bocacho». (El cubanismo viene de un chiste en que un testigo le preguntaba al juez: «¿A quién le echamos veinte años, al Dante (El Bujarrón) o al Bocacho (El Homosexual)?")

BOCADITO. Ver: *Jinete.*

BOCHINCHE. *Establecimiento de mala muerte.* «Yo no entro ahí. Es un bochinche». (He oído, igualmente, «Buchinche».)

BOCHINCHERO. *Apartamento bochinchero.* Apartamento en que hay mucho ruido. «Me voy a mudar de este apartamento porque es bochinchero».

BOCINA. *La bocina del cojo.* Los senos. *Ser el cojo de la bocina.* Ser un pedigüeño. «Mi hermano nació siendo el cojo de la bocina. No hace más que pedir dinero y dinero de su herencia». (*El cojo de la bocina* era un personaje popular de Cuba que pedía dinero a todo el mundo.) Ver: *Cojo.*

BOCINAZO. Información. «Dicen que fue él, el del bocinazo a la policía». *Dar el bocinazo.* 1. Anunciar o revelar algo. «Ese periodista dio el bocinazo». También, «cantar» un delincuente. «En las oficinas de la policía dio el bocinazo». 2. Pasar información. «El fue el que dio el bocinazo. No me queda la menor duda». Sinónimo: *Dar el petate.*

BOCÓN. *Hablador.* «No es más que un bocón».

BOCOY. *Mucho.* «Me dio un bocoy de pesos».

BODAS. *Celebrar las bodas de plata con campanas y todo.* Echar la casa por la ventana. «En la boda de la hija, celebró las bodas de plata con campanas y todo». Se usa también cuando se triunfa ruidosamente. «En el torneo de ayer celebró las bodas de plata con campanas y todo».

BODEGA. Establecimiento de venta de víveres al público. «Compré una bodega pequeña». (El significado es distinto que el castizo.) Ver: *Cartucho. Ron. Mandados.*

BODEGUERO. El que regenteaba, en Cuba, una bodega, o sea, el establecimiento de venta de comestibles al detalle. «Oye, bodeguero, dame cinco centavos de café». 2. El que tiene un vientre abultado. «Es un bodeguero, ¿por qué no se pondrá a dieta?» (Es que el bodeguero era, por lo general, un gallego de vientre abultado por el mucho comer y la falta de ejercicio. De aquí el cubanismo.) *Padre bodeguero, hijo pordiosero.* (Alude el refrán al hijo del emigrante español que muchas veces dilapidaba la fortuna almacenada por el padre después de mucho bregar tras el mostrador.) *Ser bodeguero, o estar de bodeguero.* Mandar mucho a los demás a que hagan algo. Se dice del que da continuamente órdenes. «Cállate, tú eres bodeguero». (El bodeguero manda continuamente los mandados a sus clientes. Es un juego de palabras del cubanismo entre «mandados» y «mandar».) «Desde que llegó a este trabajo es bodeguero». «Desde que mi marido llegó a mi vida está de bodeguero». *Una cosa piensa el borracho y otra el bodeguero.* La cosa no es como se cree. «Tengo la seguridad de que podré comprar los bonos. —No, una cosa piensa el borracho y otra el bodeguero».

BOFE. *Echar el bofe.* Trabajar mucho. «Estoy echando el bofe en este puesto». (Así mismo, «perder el aliento por el mucho correr».) «Después de cuatro cuadras, eché el bofe». *Ser un bofe.* Ser un antipático. «Una familia tan simpática y él es un bofe».

BOFIA. (La) *La policía.* «Por ahí viene la bofia. ¿No sientes la sirena?»

BOFITOS. Conjunto de gentes antipáticas. «No aguanto a esos bofitos». (En Cuba, un antipático es un «bofe».)

BOHÍO. *Darle un «trim» al bohío.* Cortarse el pelo. «Oye, ¡qué peludo estás! Dále un trim al bohío». («Trim» es una palabra inglesa que significa «recortar». Es cubanismo del exilio.)

BOI. *Al lado mío es un «boi escau».* Se dice de una persona a la cual se le considera inferior a uno. «Tú, al lado mío, eres un «boi escau». (Es «Boy Scout» que el cubano pronuncia «boi escau». Es que en Cuba se hacían muchas bromas sobre los «boys scouts» y se decía que era «un niño vestido de comemierda». (Tonto.) De aquí el cubanismo.)

BOLA. *Así es como gira la bola.* Así es como son las cosas. «Eso que me dices no se puede cambiar. Así es como gira la bola». 1. Culo. ¡Qué bola la de Carlota! Sinónimos: *Cuarto. Cuarto Fambá. Culeco. Ebo. Grupo.* «Esa es una bola de canallas». *Imán. Oribambo. Oricagua. Loma de la vigía. Promontorio de Popa. Volumen de Carlota.* 2. Mucho. «Tengo una bola de dinero. 3. Rumor. «El gobierno con una campaña psicológica está combatiendo muy bien las bolas». *Batear la bola mala.* No dejarse engañar. «Me tiró con la bola mala pero yo se la bailé. No me pudo engañar». *Bola roja.* Delatora. «Esa mujer es bola roja». *Cambiar la bola.* 1. Cambiar de opinión. «Ya cambió la bola. No se sabe lo que piensa» 2. Cambiar de técnica. «Me cambió la bola y me derrotó». (En la pelota, el lanzador que sabe cambiar el lanzamiento, el tipo de bola [de recta a curva, etc.] desconcierta al bateador.) 3. Maniobrar astutamente. «A las grandes potencias, las pequeñas, tienen para subsistir, que cambiarles la bola continuamente». *Cantar las bolas bien cantadas.* Decir las verdades. «Cansada de las irresponsabilidades de mi sobrino le canté las bolas bien cantadas». (El cubanismo viene del juego de pelota en que el «umpire» canta las bolas que lanza el lanzador.) *Cantar las bolas y los estrikes.* Mandar. «Ese es el que canta las bolas y los estrikes». («Strikes» en inglés. Es lenguaje tomado del mismo juego de pelota. El que canta las bolas y los strikes es el «umpire», o sea, el juez del llamado «home».) *Comer bola.* Perder el tiempo. «Estás comiendo bola. Ese negocio es bueno. Entra». *¡Cómo tengo la bola de humo de la poesía!* (Matemáticas, etc.) ¡Qué gran poeta soy! «Tú no sabes cómo tengo la bola de humo de la poesía!» *Conectarse con una bola.* Ganar dinero. «Voy a poner una fábrica de municiones a ver si me conecto con la bola». *Conmigo no camina la bola esa.* Conmigo eso no va. «Cuando me plantearon el problema se los dije: Conmigo no camina la bola esa». *¿Cuál es la bola?* ¿Qué es lo que hay? «Ayer fue la muerte del policía. ¿Cuál es la bola hoy?» *Cualquiera te pasa una bola mala.* Te engaña. «A él, cualquiera le pasa una bola mala. Es muy bueno». *Darle a la bola de lleno.* Tener un éxito total y absoluto. «En el concurso poético le dio a la bola de lleno». (El cubanismo viene del billar.) *Darle a la bola en la costura.* Hacer las cosas muy bien. «Yo creo que en literatura llegará a algo porque le da a la bola en la costura». (Cubanismo que viene del campo de la pelota.) Sinónimo: *Darle al perro en el hocico. Darle una bola, siempre da fao.* Equivale a «Eso no hay quien se lo trague». «¿Oíste lo que dijo Pedro?» «—Sí, pero esa bola siempre da fao». («Fao» es cuando el bateador al tirarle a la pelota la saca fuera del cuadro donde se juega la pelota.) *Dar un filo de bola.* Dar una oportunidad. «No me puedo quejar. Me dio filo de bola. Mucho se lo agradezco». (El cubanismo *Dejar la bola pegada a la banda y cuadre.* Tener a alguien entre la espada y la pared. «No se puede mover; le dejé la bola pegada a la banda y cuadre». *Envolverse en una bola de pelo.* Estar siempre complicado. «Tú estás envuelto en una bola de pelo. No hay forma de verte». *Es una bola muy difícil.* Es algo difícil. «Me tienes que dar varios días para resolverlo porque es una bola difícil». (Es un cubanismo que viene del billar.) *Estar arriba de la bola.* 1. Estar al punto de todo. «Ni te preocupes. Yo estoy arriba de la bola. Yo te lo hago cuando llegue el momento». 2. Estar sobre el asunto hasta resolverlo. «Yo estoy encima de la bola en eso». *Estar en la bola.* Estar haciendo lo que se debe hacer. «Tu hermano triunfará porque está en la bola». *Estar alguien en la bola de gallito fino.* Estar de guapetón. «Cualquier día lo matan. Está en la bola de gallito fino». *Haber cambio de bola.* Haber un cambio. «Ten cuidado en tu trabajo que puede haber un cambio de bola». *Hace unas bolas con los mocos que si no sirven para jugar a la pelota por lo menos sirve para jugar a los «yaquis».* (Los «yaquis» son un juego de niñas.) Se dice del que tiene la costumbre de sacarse los mocos. «Es un cochino. Hace unas bolas con los mocos que si no sirven para jugar a la pelota por lo menos sirven para jugar a los yaquis». *Irse con cualquier bola.* Ser persona poco inteligente, poco precavida. «Pedro se va con cualquier bola. Es que no sabe aquilatar las situaciones». (En este caso se trata de persona poco inteligente. El giro de la conversación nos dirá cuando es persona poco precavida como en este caso: «Se va con cualquier bola debido a su carácter tan abierto».) En general seguir algo equivocado, una opinión, una sugerencia, etc., que causa daño. «Me dijo que comprara los bonos y me fui con la bola, perdí millones». 1. Equivocarse. «En el trato con ella se fue con la bola mala y fracasó». *Irse con la bola mala.* Ser muy bruto. «Siempre se va con la bola mala». (El bateador que fracasa en el juego de pelota es el que le tira a la bola mala: se va con la bola mala. Sinónimos: *Tirarle a la bola mala. Irse sin bola.* Fracasar. «En el trabajo volvió a irse sin bola. Cualquier día lo despiden». (Cubanismo que viene del juego de billar.) *La bola pica y se extiende.* 1. Eso va a durar mucho. «En lo de la liberación de Cuba, la bola pica y se extiende». (Lenguaje procedente del «base-ball» o «pelota».) 2. La cosa se complica. «Creían que renunciando todo terminaba pero la bola pica y se extiende. Mira la nueva investigación». «Él no ha resuelto el problema. Por el contrario, a mi entender la bola pica y se extiende». 3. La cosa dura. «Él no se muere de cáncer de un día para otro. La bola pica y se extiende». (El cubanismo viene de la pelota.) *La bola va cantando la Doña Matrile.* Tener un gran éxito. «¿Cómo resolvió el problema tu primo? —Lo vi el otro día y me dijo que la bola va cantado la Doña Matrile». (El cubanismo fue creado por Víctor Muñoz, periodista cubano.) *Llegar alguien como bola de humo.* Llegar rápido. «Has llegado como bola de humo». *Meter el cambio de bola.* No sigas por ahí que te pierdes. «Mete el cambio de bolas». (Cubanismo que viene de la pelota.) *No poner una bola en el cartón del bingo.* No tener suerte. «Desde que llegué a Estados Unidos no he puesto una bola en el cartón del bingo». (Cubanismo nacido en el exilio.) *No poder tirarle a una bola.* No tener la oportunidad. «Eso que me cuentas pudiera haber sido muy bueno pero no le pude tirar a esa bola». (El cubanismo viene del campo de la pelota.) *No tener alguien nada en la bola.* No ser inteligente. «Pedro no tiene nada en la bola». *No tener nada en la bola.* 1. Carecer alguien de medios para triunfar en algo. «No le temas en ese negocio. No tiene nada en la bola. Hace mucho que se arruinó». 2. Hacer las cosas mal. «Eso te salió así porque no tienes tamaño de bola». (El cubanismo viene del juego de billar. El que no tiene tamaño de bolas juega mal.) 3. No tener influencia. «Con esa recomendación estás perdido. Él no tiene nada en la bola». (Cubanismo que viene del juego de pelota.) 4. Ser un mediocre. «Juan siempre sale mal. Es que no tiene nada en la bola». Sinónimo: *No tener filo de bola. Pasar la bola.* No aceptar la responsabilidad. «No pases más la bola. Afronta la vida». (Es cubanismo tomado del juego de baloncesto.) *Pasarle a alguien la bola.* Engañarlo. «Te digo que me pasó la bola». *Pasarle una bola de humo.* Sorprenderlo. «Yo no estaba vigilando en el asunto que tú sabes pero me pasó una bola de humo». (Cubanismo que viene de la pelota.) *Pasarse de la bola.* Pasarse del límite. «Se pasó de la bola conmigo y tuvo problemas». *Ponerle a alguien bolas de alcanfor.* Hacerle el feo. «Le puso las bolas de alcanfor y se marchó». (Las bolas de alcanfor se ponen en las ropas como protección contra la polilla; huelen fuerte. De ahí el cubanismo.) Sinónimo: *Ser filo de bola. Ser alguien una bola de...* Tener mucha... «Ese es una bola de sífilis». Ese tiene mucha sífilis. (De catarro.) «Tiene mucho catarro». *Ser bola de queso.* Calvo. «Juan es una bola de queso». *Ser bola y cañada.* Ser bueno. «Eso es bola y cañada». (El cubanismo viene del nombre de las piezas de la res.) *Ser el que toca la bola para que el corredor llegue a segunda.* Ser siempre el sacrificado. «En este trabajo yo soy siempre el que toca la bola para que el corredor llegue a segunda». (Al que toca la bola para que un corredor avance en las bases se dice que «se sacrifica».) *Ser una bola de humo.* 1. No ser de fiar. «Ése, a pesar de lo que pregona, es una bola de humo». 2. Ser muy inteligente. «¡Cómo no iba a ganar si es una bola de humo!» (Cubanismo que viene de la pelota.) *Ser una bola de mierda.* No valer nada. «Ese hombre es una bola de mierda. No vale nada. No le hace un favor a nadie». *Ser algo pendejo de bola.* Tener que tomar extraordinarias precauciones. «Ahí no puedes descuidarte. Es pendejo de bola». (El cubanismo viene del billar.) *Tener la bola escondida.* Ser peligroso. «Cuando menos lo esperas te sorprende porque tiene la bola escondida». (Cubanismo que viene del juego de pelota.) *Tener la lengua bola.* Hablar como si se estuviera borracho. «Le dieron mucha anestesia y tiene la lengua bola». *Tener mucho en la bola.* Ser muy inteligente. «Ese abogado tiene mucho en la bola». (Estos dos últimos cubanismos vienen del juego de pelota.) *Tener una bola que no la brinca un chivo.* Tener mucho dinero. «Esa familia tiene, desde hace mucho tiempo, una bola que no la brinca un chivo». (Se dice también: *Tener una paca que no la brinca un chivo.*) *Tener una mujer una bola detrás.* Tener un trasero grande. «Felicita tiene una bola detrás». *Tirar buenas bolas.* Hacer las cosas bien. «Como tira buenas bolas consiguió el trabajo». Sinónimo: *Tirar buenas pelotas.* (El cubanismo viene del campo de la pelota.) *Tirarle a alguien una bola de saliva.* Tratar de sorprenderlo. «Me hablaba y cuando estaba descuidado, le tiré una bola de saliva». (La bola de saliva se tira por el lanzador en el juego de pelota —baseball—. La pelota se ensaliva y cuando el bateador le da casi siempre, si no la coge en el medio, resbala en el bate. De aquí el cubanismo.) *Tirarle a alguien una bola mala.* Tratar de engañarlo. «Me tiró con la bola mala pero yo me di cuenta de su intención». Sinónimo: *Tirar con la bola de trapo. Tirarle a la bola mala.* Fracasar. «En el examen lo suspendieron. Le tiró a la bola mala». (El cubanismo viene del juego de pelota.) *Tirarle a una bola de humo.* Afrontar una situación difícil. «Tú sabes que yo nunca he rehuido la pelea. Así que le tiré a la bola de humo». (El cubanismo viene de la pelota.) *Tirar una buena bola.* «Metiste el cuatro. Tiraste una buena bola». (El cubanismo viene del campo del billar.) Sinónimo: *Tirar una buena bolada. Tocar la bola.* Sorprender. «Quién iba a pensar que ganaba. Pero tocó la bola». «Ten cuidado que te toca la bola y pierdes». (El cubanismo viene del juego de pelota.) *Tocar la bola y embasarse.* Sorprender y ganar. «Yo lo creía destruido pero tocó la bola y se embasó». (El cubanismo viene de la pelota.) *Una bola de Crusellas.* Reunión de gente que usa perfume barato. «Esto es una bola de Crusellas». (La Compañía Crusellas en Cuba fabricaba perfumes baratos. De aquí el cubanismo.) Ver: *Banda. Francés. Queso. Tamaño y Tiro.*

BOLADA. *Llevar a alguien en la bolada.* Compartir con. «No te pongas triste que te llevan en la bolada». Sinónimo: *Llevar en la jugada.* Ver, además: *Bola. Envolvencia.* (He visto escrito «volada» .)

BOLAO. *Estar algo bolao.* Ser algo muy bueno. «Esa casa está bolao».

BOLAZO. *Toma de café.* «Ese es el tercer bolazo del día. Te vas a desvelar con tanto café». Sinónimo: Bolito de café.

BOLERITO. *Cortarle a alguien el bolerito en la primera edición.* Derrotarlo de entrada. «Al pobre Juan le cortaron el bolerito en la primera edición». Sinónimo: *Derrotar de pata y salida.*

BOLERO. Actor que en un programa radial actúa esporádicamente porque no pertenece al cuadro artístico del programa. «El pobrecito no ha pasado de ser bolero». *Ser algo un bolero de bar.* Ser una tragedia. «Eso que me cuentas es un bolero de bar». (Los boleros que tocaban en los bares de Cuba son muy trágicos. De ahí el cubanismo.) *Le cantaron el bolero.* Lo convencieron. «Le cantaron bolero y se fue con ellos». (El bolero es suave, dulce, como las palabras para convencer.) *Tener que cantarle a alguien el bolero.* (Se le dice a alguien que lo aprieta mucho a uno en el estudio, en el trabajo. El bolero entonces de moda, decía: «*Suave que me estás matando*».) «Déjame que te voy a tener que cantar el bolero». (Estos cubanismo de canciones, como he dicho en otras partes de este diccionario, estaban relacionados con la canción de moda. Ida ésta, perdían el significado y, rápidamente, desaparecían.) Ver: *Rabel.*

BOLITA. Juego de azar ilícito. «Hoy voy a jugar a la bolita». «Todos los días juego a la bolita». «Voy a jugar a la bolita». *Ahí viene la bolita por la canalita.* La noticia está al producirse. «Chico, ¡cómo demora la cosa! —¡Cálmate, que ahí viene la bolita por la canalita!» (El cubanismo nace con la lotería nacional de Cuba. El locutor de radio decía: «Ahí viene la bolita por la canalita». Es decir, el número salía por la canalita que lo depositaba en la mano del que lo recogía y le decía al público cuál era.) *Comer bolitas de gofio.* Se dice del que es un tonto de capirote. «Ése come bolitas de gofio». *Estar alguien como los números de la bolita.* Estar mal en cualquier sentido: de salud, económicamente. «Últimamente está como los números de la bolita». (Como ya se ha mencionado anteriormente, «la bolita» es un juego de azar. En ella el número se puede jugar fijo —sólo al primer premio— o corrido —a los tres premios que se dan al mismo tiempo.— El que está corrido no está firme. Está mal. De aquí el cubanismo.) *Tirar la bolita.* Sacar el número premiado en una lotería clandestina de las que se jugaban en Cuba. «¿A qué hora tiran la bolita?» «Voy a tirar ahora la bolita». *Yo no juego la bolita esa.* «Yo eso no lo hago. ¡Qué va! ¿Dejar a mi marido? Yo no juego la bolita esa». Sinónimos: *Bolitero. Canalita. Colgar el bicho. Pase. Tirar la charada.*

BOLITERO. 1. El Apostador en el juego de azar llamado Bolita. «Detuvo hoy, la policía, a varios boliteros». Ver: *Bolita.* 2. Jugador de bolita. «Es un bolitero». *De bolitero se habría hecho millonario.* Se dice de alguien que apunta mucho. «En ese almacén, el contador, de bolitero, se habría hecho millonario». ¡Cómo apunta cosas! «Oígame, usted de bolitero, se hace millonario». («El bolitero» es el banquero que recoge las apuestas o apunta los números que se juegan clandestinamente en los juegos de azar llamados «bolita» o «charada». Apunta las apuestas en una hoja de papel. Como se ve es un juego de palabras con la palabra «apuntar». De ahí el cubanismo. Me lo han dicho cuando se me ve apuntando cubanismos.) *Estar como los boliteros.* Estar alguien siempre apuntando algo. «Usted está como los boliteros». *Ser bolitero: fijo y corrido con las mujeres.* Ser muy mujeriego. «Mi hermano es bolitero fijo y corrido con las mujeres». Ver: *Bolita.*

BOLITO. *Bolito de café.* Ver: *Bolazo.*

BOLLA. *Volar alguien con bolla.* Ser muy precavido. «Es difícil que lo sorprenda porque vuela con bolla».

BOLLERO. Que le gusta mamar las partes pudendas de la mujer. «Yo desde niño soy muy bollero». («Bollo» es el clítoris, en cubano.)

BOLLITO. *Bollito chino.* Bolita de harina enchumbada en manteca y frita, que hacían los chinos en Cuba. «Dame un bollito chino». *Bultico.* «Hizo un bollito con la toalla». *Dejar a alguien hecho un bollito.* Aniquilarlo. «Con esas palabras lo dejó hecho un bollito».

BOLLITOS. Ver: *Piernas.*

BOLLO. Aparato sexual de la mujer. *Dar un pespunteo de bollo.* Succionar el clítoris de la mujer. *No tener respeto por el bollo.* Acostarse con cualquiera. «Tú no tienes respeto por el bollo». *Queso de bollo.* Que tiene mal olor. «Ese queso es de bollo». *Ser un bollo jornalero.* Ser una puta. «Esa mujer es un bollo jornalero». *Si eres bollo loco no bailes un poco.* Si eres ligera de cascos, (bollo loco,) no des ocasión para caer. «Mira, si tú eres bollo loco, no bailes un poco». *Tener una mujer el bollo como un caimito.* Tener sus partes sexuales de color morado. «Esa prostituta tiene el bollo como un caimito». (Se le dice «bollo» por tener la forma de un «bollo» de pan. «Caimito es una fruta de color morado.) *Tener una mujer en el bollo la Montera de Manolete.* Tener el aparato sexual muy belludo. «Ella es bellísima, tiene en el bollo la Montera de Manolete». (Es cubanismo culto. «Manolete» es el torero español que fue muy popular en Cuba.) Ver: *Blackaman. Gallego. Pelo y Pica.*

BOLLOBÁN. *Prenderse al bollobán.* Succionar las partes pudenzas de la mujer, desesperadamente. «El se prende al bollobán, amiga, de mala manera». («Bollobán» es el aparato sexual de la mujer. «Prenderse», es por lo tanto, hacer algo con ahínco.)

BOLLOLOCO. 1. Mujer que tiene fuego uterino, es decir, que se acuesta con cualquier hombre. «La prima de Pedro es un bolloloco». 2. Persona sin responsabilidad. «Juan es un bolloloco. No se puede confiar en él».

BOLO. Funcionario ruso en Cuba. «Ese rubio, Federico, es un bolo». *Moneda de a peso.* «Me saqué cinco bolos en la feria». Sinónimo: *Barilla. Ruso.* «Por ahí va ese bolo». (Lenguaje de la Cuba de hoy.)

BOLÓN. *Buscarse un bolón.* Ganar mucho dinero. «Juan con ese trabajo se busca un bolón de dinero». Mucho. «Tengo un bolón de dinero. No sé qué hacer con él».

BOLOÑA. Tontería que se dice por estar distraído. «La última boloña de él fue confundir a mi esposa con mi mamá». *Estar boloña.* No entender bien las cosas. «Tú no te das cuenta de la situación. Tú estás boloña». *Yo soy Boloña en La Habana.* Yo hago lo que quiero. «Yo espero aquí el tranvía aunque no es el sitio de la parada porque yo soy Boloña en La Habana».

BOLOÑERÍA. *Tontería.* «No me vengas con esa boloñería».

BOLOÑISMO. Acción de no comprender una cosa. «Su boloñismo es proverbial».

BOLOÑÓN. Persona que no entiende nada de nada. «Es un boloñón total y absoluto».

BOLSA. *Fajarse con la bolsa de azúcar que está hecha un bloque.* Trabajar durísimo. «Yo siempre me he fajado con la bolsa de azúcar que está hecha un bloque». (El azúcar cuando se solidifica es durísima. Cuesta mucho trabajo romperla. En Cuba, por la humedad, se veía mucha bolsa de azúcar solidificada. De aquí el cubanismo.) *Media.* «Esas bolsas que usa esa mujer son de 'nylon'». *Ser un hombre o una mujer como la bolsa.* Ser muy calculador. «Mi hermano es como la bolsa». (Es decir, está al tanto de las cotizaciones. De ahí el cubanismo.)

BOLSILLO. *Andar con los bolsillos vueltos al revés.* No tener un centavo. «Siempre andan con los bolsillos vueltos al revés». *Dar una fiesta encueros y con la mano en los bolsillos.* Ver: *Fiesta y mano.*

BOLUDO. 1. Rico. «Es un boludo desde su mocedad». 2. Tipo de zapato con la puntera redonda. «No sé por qué usas esos boludos». 3. Valiente. «A boludo no hay quien le gane». (En este caso el cubanismo viene de «bolas» o sea «testículos». El que tiene «bolas», «testículos», «cojones» [las tres palabras son sinónimos] es un valiente. De ahí el cubanismo.)[15]

BOMBA. 1. Corazón. «El infarto le afectó la bomba». «Tiene la bomba enferma». 2. Mentira. «Eso que te dijo es una bomba». Sinónimo: *Guayaba.* 3. Moneda de veinte centavos. «Me dio una bomba». Sinónimo: *Pecuña.* 4. Peo. «¡Qué clase de bomba, Juan. Asqueroso!» *Agua bomba.* Agua medio caliente. «Esa es agua bomba». *Bomba de profundidad.* 1. Bebida fuerte. «Esa bebida es una bomba de profundidad». 2. Persona peligrosa. «Parece callado pero es una bomba de profundidad». *Caer algo o alguien como una bomba* (o bomba) *de profundidad.* Caer algo o alguien mal. «Esa comida me cayó como una bomba de profundidad». *Explotarle a alguien una bomba atómica en las manos.* Surgirle algo de sorpresa. «Le explotó una bomba atómica en las manos. La noticia lo desbarató». *Ser algo una bomba.* Ser un chiste malo. «Eso es una bomba». *Ser alguien una bomba atómica.* Ser antipático. «Es una bomba atómica, tu primo».

BOMBARDEAO. Loco. «Juan es un bombardeao». (Es «bombardeao». El cubano aspira la «d».

BOMBARDEARSE. *Ducharse.* «Está bombardeándose hace dos horas». También, «volverse loco» o «perder los estribos». «Se bombardeo y le pusieron una camisa de fuerza». (Se volvió loco.)

---

[15] Es una voz grosera «*bollo*» que se substituye con otro cubanismo: «*Timbales*». Lo es también «*cojones*».

BOMBARDEO. *Tirarse un bombardeo.* Ducharse. «Voy a tirarme un bombardeo porque estoy muy sudado».

BOMBAZO. 1. Bebida fuerte. «Esto es un bombazo. Se va a la cabeza». 2. Noticia grande; suceso de envergadura. «Renunció a la dirección de la clínica. ¡Qué bombazo!» *Darse un bombazo.* Tomarse una bebida fuerte. «Me di un bombazo y me hizo daño». *Tener un bombazo.* Tener un ataque al corazón. «Anoche Juan tuvo un bombazo. Se está muriendo».

BOMBEAR. Despedir abruptamente del trabajo. «Lo bombearon del trabajo ayer». (El agua que se bombea sale abruptamente. En la comparación con el agua se basa el cubanismo.) *Fornicar.* «El marido la bombea todos los días».

BOMBERO. *Entre bomberos no nos vamos a pisar la manguera.* 1. Aquí todos somos de la misma inteligencia; condición, clase social; etc. Todos somos iguales. «Caballero no debemos discutir más este asunto y tratar de perjudicarnos unos a otros. Entre bomberos no nos vamos a pisar la manguera». (Si se está discutiendo un proyecto que afecta a una clase social determinada, quiere decir: «Aquí todos somos de la misma clase y no nos podemos perjudicar.) 2. Entre nosotros no nos vamos a pelear. «Bueno, señores, entre bomberos no nos vamos a pisar la manguera». 3. No poder engañar una persona a otra. «Somos bandidos y a mí no me vengas con ese cuento de camino. Entre bomberos no podemos pisarnos la manguera. Veo dentro de ti». *Jugar a los bomberos.* Bañarse. «¿Me permiten que juegue un minuto a los bomberos? Espérenme, no se vayan». *Ser un bombero.* Ser un amigable componedor. «Juan es un bombero. Media en todos los problemas y los resuelve». Ver: *Agua.*

BOMBILLITO. Ver: *Coco.*

BOMBILLO. *Bombilla.* Persona de cuello flaco y cabeza grande. «El jugador es un bombillo». *Encendérsele o alumbrársele a uno el bombillo.* Darse cuenta. «Como a la hora que me lo dijiste, se me encendió el bombillo. Tu idea es maravillosa». *Que no se te apague el bombillo.* «Que sigas siendo tan inteligente, muchacho ¡qué conferencia! Ruégale a Dios que no se te apague el bombillo». *Tener el bombillo bien puesto.* Estar muy bien de las facultades mentales. «A los ochenta, tiene el bombillo bien puesto». *Tener unos bombillos de cien bujías.* Tener senos grandes. «Esa mujer tiene unos bombillos de cien bujías». (Si son de «quince bujías» son pequeños». «Esa mujer tiene unos bombillos de quince bujías».) Ver: *Luz y tres.*

BOMBÍN. Persona que aparenta valer mucho y no vale nada. «Ese ministro es un bombín». Se dice también: *Ese es bombín de Barreto.* (Se toma aquí, en lo de «bombín de Barreto» el título de un danzón popular cubano. El cubanismo se usa, casi siempre, con los políticos.) *Ponerle a alguien un bombín.* Darle un escándalo. «Que conmigo no se meta que yo a cualquiera le pongo un bombín». Sinónimo: *Encender un carnaval.*

BOMBITA. Gas que expulsa alguien y que explota. «Eso fue una bombita». *Embajada de bombitas.* Las niñas. «Allí viene una embajada de bombitas».

BOMBÓN. 1. Cosa fácil. «Eso que me preguntas es un bombón». 2. Mujer bella. «Esa mujer es un bombón». *Ser una mujer bombón cha.* Estar muy bella. «Tu amiga es bombón cha». Sinónimo: *Bomboncito.*

BONACHEA. Ver: *Marcos.*

BONCHANDO. *Estar bonchando.* Estar bromeando. «No me hagan caso que estoy bonchando».

BONCHE. 1. Cantidad. «Había un bonche de personas en la esquina». 2. Fiesta. «¡Qué buen bonche el de anoche!» 3. Grupo de pandilleros que asolaron por un tiempo la Universidad de La Habana a la caída del Presidente Gerardo Machado (1936.) «El bonche mató a muchos estudiantes en la Universidad antes de poder ser extirpado». 4. Grupo de personas que se divierten. «Forman un bonche alegre». *Formarse un bonche.* Perderse la seriedad totalmente. «En la reunión se formó un bonche». Sinónimo: *Formarse un relajo. Irse de bonche.* Irse de fiesta. «¡Cómo le gusta irse de bonche con sus amigos!» *Ser algo un bonche.* Ser poco serio. «Esa fiesta es un bonche».

BONCHEAR. 1. Divertirse. «No se pongan bravos que estamos boncheando». 2. Divertirse con alguien. «Tú me estás bonchando y eso no me gusta». 3. Hacer bromas. «No te pongas bravo. Te estoy boncheando. Tú parece que no entiendes de bromas». Se dice también *bonchar.*

BONCHERÍO. *Fiesta.* «¡Qué buen boncherío en ese solar!»

BONCHISTA. 1. Bromista. «¡Qué bonchista eres!» 2. Pandillero. «Es un bonchista desde que fue al reformatorio». 3. Persona que forma parte de un grupo que se divierte. «¡Cómo fiestean esos bonchistas!» 4. Perteneciente al bonche, es decir, al grupo que asoló la Universidad de La Habana a la caída del Presidente Machado (1936.) «Ese es un bonchista».

BONCO. 1. Amigo. «Ese es mi bonco». (Cubanismo de origen «chuchero».) 2. Guapetón. «Es el bonco del barrio». Ver: *Anagüeriero. Barín y Chuchero.*

BONCÚO. *Guapo.* «Juan es boncúo». (Lenguaje de la Cuba de hoy.)

BONÉ. *Ser Boné.* Fallar. «Chico, me has demostrado que eres Boné». (Es «Bonet» el apellido de una familia de nombre; cubana. Está unido este cubanismo a «Falla Gutiérrez, falla Boné [Bonet]», un juego de palabras entre «fallar» y «Falla», la familia. El cubanismo para disculparse decía: «Qué importa si fallo yo, si falla Gutiérrez y falla Boné».)

BONGÓ. (Un) 1. Especie de tambor. «Voy a tocar el bongó». 2. Mucho. «Mi padre tiene un bongó de dinero». *¡Cómo suena mi bongó!* Cómo tengo influencias con mi dinero. «Ya tú ves, con eso, cómo suena mi bongó». *Quiero sonar mi bongó.* Quiero hablar, quiero dirigir, etc. Se aplica a infinidad de situaciones. «Yo en esto, quiero sonar mi bongó». (Es la letra de una canción de un famoso trío: Matamoros.) *Romperse el bongó.* Bailar mucho. «Anoche en la fiesta se rompió el bongó». *Ser, algo, de bongó.* Ser un gran lío. «Esto es de bongó». «La situación es de bongó».

BONGOSERO. Tocador de tambor. «Es bongosero en mi orquesta». *El bongosero Mayor.* El jefe. «En el ayuntamiento, mi padre es el bongosero mayor».

BONIATILLO. 1. Dulce. «Me encanta el boniatillo». 2. Persona escurridiza. «Pepe es un boniatillo. No se le puede coger». Sinónimo: *Anguila.*

BONIATO. Bruto. «Eres un boniato muchacho, si la fórmula geométrica es facilísima». *Aprieta y traga boniato.* No te quejes. «Pedro, ya lo sé, pero aprieta y traga boniato». (Es un cubanismo casi desaparecido. Surgió cuando el gobierno del General Gerardo Machado y Morales —el llamado Machadato»,— en que la situación económica en Cuba era terrible.) *Boniato refugiado.* El boniato blanco que no existía en los

Estados Unidos antes de la llegada de los exiliados cubanos. «Voy a comer boniato refugiado». *Comerse un boniato.* 1. Cometer un error. «Me comí un boniato cuando me asocié contigo». 2. Tropezar en la calle. «¡Ay, qué golpe me di! —Te comiste un boniato». Se dice, asimismo, *Recoger un boniato. Ser alguien un boniato crudo.* Ser muy antipático. «Elio es un boniato crudo». *Ser un boniato crudo con cáscara y todo.* Ser antipatiquísimo. «Elio es un boniato crudo con cáscara y todo». (Es el aumentativo. El cubanismo, como se ha dicho, recurre a la palabra y no a la terminación del mismo para formarlo.) *Tener dedos como boniato diamantino.* Tener dedos largos. El boniato diamantino es una especie de boniato largo con cinco puntas largas, como dedos. *Tener el boniato seguro.* Tener la comida asegurada. «Yo en este puesto, tengo el boniato seguro».

BONITA. *Tírame con la bonita.* Trátame bien y con cariño. «Chico, no me maltrates. Tírame con la bonita».

BONITILLO. *Creerse bonitillo.* Creerse bello. «Juan se cree un bonitillo». Hombre bonito. «De joven era bonitillo». Jovencito que es buen tipo. «Juan es un bonitillo».

BONITO. *¡Qué bonito te quedó*! 1. Latiguillo lingüístico que usa el cubano para indicar que algo es cierto o falso. «Es enemigo de los Estados Unidos, pero cómo le gusta la buena vida. —¡Qué bonito te quedó!» (Cierto.) «Yo te pago mañana si me prestas el dinero. —¡Qué bonito te quedó!» (Falso.) 2. ¡Qué bien lo hiciste! (Se dice en tono de reproche.) «¡Por poco me matas. Qué bonito te quedó!». *Tener el bonito subido.* Estar una mujer más bonita que nunca. «Con ese vestido tienes el bonito subido». Se dice, igualmente, *encaramársele el bonito.* (Este cubanismo es muy popular.)

BONZO. Político viejo de experiencia y malas mañas. «Esos bonzos políticos son las ruinas de las naciones».

BOQUILLA. *De boquilla.* Decir algo que no se siente. «No le hagas caso que lo dice de boquilla».

BOQUITA. *Tener boquita de pucherito.* Tener boquita femenina. «Juan tiene boquita de pucherito».

BORDAR. Ver: *Hilar.*

BORRACHINA. *Volverse borrachina.* Volverse borracha. «Ella, la pobre, poco a poco, se volvió borrachina».

BORRACHO. *Una cosa piensa el borracho y otra el bodeguero.* Eso es lo que te crees tú. «Dice que le va a pagar la letra. Una cosa piensa el borracho y otra el bodeguero».

BORRAJA. Lío. «Con esa gente se me formó una borraja tremenda».

BORRAS. *Hervir las borras.* Resolver el pasado. «Eso que haces es hervir las borras».

BORUGA. Catarro con expectoración. «Tienes boruga». Sinónimo: *Borruguera.*

BOTA. Se le dice groseramente al que estornuda. «Bota sin miedo. ¡Qué catarro tienes!»

BOTADO. *Estar botado.* 1. Despedido. «Está botao de este negocio». 2. Vivir muy bien. «Con ese puesto estás botado». *Ser un botao.* Ser un parado. «¡Cómo hay gente sin trabajo! Fíjate en ese «botao"». (El cubano dice 'botao' porque aspira la 'd.')

BOTÁNICA. Ver: *Limpieza.*

BOTAR. *Botar a alguien como Chencha la Gambá.* Derrotar, destruir. (La conversación da el significado de uno u otro.) «Mi padre, en el examen, botó a Perico como

Chencha la Gambá». También se dice: *Lo botaron como Chencha la Gambá: en cuatro patas. Tumbarle a alguien las patas.* Derrotarlo. «Le tumbaron las patas a Juan en el juego de dominó».

BOTARSE. 1. Exagerar. «No te botes en esa carta». 2. Ofender. «Me boté y le recordé la familia». 3. Perder el control. «No pude más y me boté». 4. Ponerse una prenda de vestir. «Se botó un sombrero de castor que hizo época». 5. Realizar una acción con esplendidez. «Nicolás, bótate con la mantequilla». *Botarse de bailador.* Ponerse a bailar. «En medio de la fiesta se botó de bailador sin saber». *Botarse de chancleta en la punta del pie.* Enojarse y portarse como un mal educado. «Juan se botó de chancleta en la punta del pie». *Botarse de fantasmón.* 1. Hacerse el que sabe mucho. «Siempre que está con varias personas empieza a alardear y se bota de fantasmón». 2. Sorprender a alguien con una conducta sorpresiva. «Juanito, en la reunión de ayer, se botó de fantasmón». *Botarse de guaño.* Ser guapo. «Allí había que ser valiente o sucumbir. Por lo tanto me boté de guaño». *Botarse de peligroso.* Actuar siendo un peligro. «Cuando vi como estaba la situación me boté de peligroso para que me cogieran miedo». *Botarse de Rico.* Presumir, con la acción, de que se es rico. «En la fiesta de anoche siendo un pobrete se botó de rico». *Botarse de villano.* Actuar como tal. «Como su hermana se botó de villano». *Botarse la pelota.* Hacer algo excepcional. «Con ese discurso botó la pelota». (El cubanismo viene del juego de pelota.) *Botarse para el chapiao.* Ser valiente. «Cuando me retó, me boté para el chapiao». *Botarse para el fresco.* 1. Darles el frente a las cosas. «No se podía rehuir más aquella situación y me boté para el fresco». 2. Exhibirse. «Hasta que no te botes para el fresco la gente no sabrá de ti». *Botarse para el solar.* 1. Perder la compostura. «Lo maltrataron de palabras y se botó para el solar». 2. Usar malos modales. «En la reunión de ayer se botó para el solar». *Botarse por la calle del medio.* Vivir licenciosamente. «Esa muchacha se ha botado por la calle del medio». *Botarse tremendo frío.* Llegar de pronto mucho frío. «Hoy se ha botado tremendo frío». *Botarse un tremendo traje.* Ponerse un traje muy bueno. «Se botó, si lo ves, tremendo traje de hilo». *Estar botado.* Estar muy bien en cualquier sentido por cualquier causa. «Con este gobierno él está botado». *Ir a...* «Me boté a casa de Juan». *¡Qué frío se ha botado!* «¡Qué frío hace!»

BOTAS. Ver: *Gato.*

BOTE. 1. Acción de botar. «Le di un bote que se lo sintió en el alma». 2. El carro de la policía. «Se lo llevaron a la cárcel, en el bote». *Darle a alguien el bote afuera.* 1. Despedirlo de un negocio, etc. «A esa criada tan mala, dale el bote fuera». 2. Expulsar. «En la asociación le dieron el bote afuera». 3. Pelearse con él. «Me molestaba tanto que le di con el bote afuera». 4. Romper con alguien, como una novia con su novio. «A ese vicio de beber dale el bote fuera». (Deja de beber.) «A tu novio dale el bote fuera». (Rompe con él.) «La novia, le dio el bote afuera, después de cinco años de relaciones». Sinónimo: *Darle el betivé sin pomo. Darle fuera. La tonta del bote.* «Siempre ha sido la tonta del bote». *Se llenó el bote.* Esto se llenó a capacidad. «Juan, se llenó el bote, no cabe más gentes». (Todos estos cubanismo provienen del lenguaje chuchero. Ver: *chuchero.*) Sinónimos: *Boba. Botín. Botón. Cabeza.*

BOTECITO. *Bailar el botecito.* Forma de bailar en que las parejas se balancean hacia los lados. «Vamos a bailar el botecito». *Bailar tanto el botecito que se hizo una flota.* Bailar en la forma que se ha dicho pero con movimientos exagerados. «Bailaron anoche tanto el botecito que se hizo una flota. Por eso están cansados».

BOTELLA. 1. Se le llama así al puesto público que se cobra y no se trabaja. «Juan tiene una botella». 2. Trabajo donde se labora poco. «Ese trabajo tuyo en publicidad es una botella». *Botella con salpullido.* Una botella con goticas de agua por el frío. «Mira, esto es una botella con salpullido». *Coger botella.* Lograr que alguien lo monte a uno en su automóvil y lo lleve gratis. «Estaba en las afueras esperando un autobús, pero pasó Juan y cogí botella». *Ganarse la botella de mondongo.* Hacer algo muy mal. «Con ese discurso te ganaste la botella de mondongo». *No ser una botella sino un garrafón.* Tener un puesto en el gobierno en el que se cobra mucho dinero sin trabajar. «Lo que tiene no es una botella sino un garrafón». Sinecura en el gobierno que se cobra sin trabajar. «Tengo dos botellas en el Ministerio de Educación». (Se dice que el término se debe a que en el antiguo Frontón, los que vendían refrescos, los botelleros, entraban sin tener que pagar.) *Ser algo parecido a una botella.* Ser algo en que se labora poco. «Esas traducciones que te pagan es algo parecido a una botella». *Tener cuerpo de botellón de la cotorra.* Se dice de la mujer que tiene el cuerpo pequeño de la cintura para arriba asentado sobre los muslos muy gordos y un trasero prominente. Ver: *Aspiazo. Cuello. Sopa. Sopita y medalla.*

BOTELLERO. El que tiene una botella en cualquier sentido, es decir, el que cobra en el gobierno sin trabajar. «El ha sido un botellero toda su vida». «Es botellero del gobierno». (Tiene un puesto público, lo cobra pero no lo trabaja.) «Es un botellero en la Universidad. Pero apenas trabaja». (En el puesto no hay mucho que hacer.) «Ha sido botellero toda la vida». *Vendedor de refrescos.* «¡Qué sed tengo! ¿Cuándo llegará el botellero?»

BOTERO. Chofer de alquiler o de taxi que sin tener licencia espera a los pasajeros a las salidas de las terminales de trenes, ómnibus, aviones, etc., o recoge pasaje en la calle a menor precio que el fijado oficialmente. «Mi padre se gana la vida como botero».

BOTICA. Ver: *Cordelito.*

BOTICARIO. Ver: *Farmacéutico.*

BOTIJA. *Decirle botija verde.* Decirle todo tipo de improperios. «El maestro se encolerizó porque el alumno no estudiaba y le dijo hasta botija verde». (Equivale al castizo: *Poner verde.)*

BOTÓN. 1. Acción de botar. «Le di un botón que se lo sintió en el alma». 2. Rechazo. «Angélica le dio un botón al novio». Sinónimo: *Bote.*

BOTONES. *Tener algo o alguien más botones que la Nasa.* Tener muchos botones. «Ese traje tiene más botones que la Nasa». (Es un cubanismo que se originó en el exilio cubano y que se refiere a los botones que tienen las computadoras de la agencia del gobierno norteamericano N.A.S.A. [Nasa dice el cubano] Lo he oído también aplicado a medallas.) *Tener más medallas que la Nasa.* Estar muy condecorado. «Juan tiene más medallas que la N.A.S.A».

BOTUVA.[16] *Comida.* «Voy a entrarle a la botuva». (Es lenguaje de procedencia chuchera. Ver: *chuchero.*) Sinónimos: *Grasa, Víveres.*

BOZALÓN. 1. El que habla con acento fuerte y voz gruesa. «Él es un bozalón». 2. Que habla con la z. «Ese locutor es un bozalón». 3. Se dice del que alza la voz en forma amenazadora, pero que no hace nada. «Muchacho, no seas bozalón».

BRAGUETA. *Los muchachos de la bragueta alegre.* Los homosexuales. «Ellos son los muchachos de la bragueta alegre». Ver: *Aceite.*

BRAVA. Coacción. «Eso es una brava». *Dar la brava.* Coaccionar. «Firmó, porque le dieron la brava».(Se usa principalmente refiriéndose a contiendas electorales.) «Ganaron las elecciones porque dieron la brava». Se dice, asimismo, *dar una brava. Ser alguien la brava de la Flor de Gervasio.* Ser una mujer que no le tiene miedo a nada. «Esa mujer no cree en nada. Es capaz de hacer cualquier cosa. Es la brava de la Flor de Gervasio». («La Flor de Gervasio», era una bodega —establecimiento de víveres al detalle— en Cuba, donde se reunía la gente del pueblo. De ahí surgió el cubanismo.)

BRAVETA. Coacción. «No acepto esa braveta tuya».

BRAVÍSIMA.O. 1. Algo que es muy bueno. «Bravísima esa película». 2. Forma de saludar. «¿Cómo estás bravísimo?» Sinónimo: *¿Cómo estás bravo?*

BRAVO. 1. Buenos. «Estos frijoles quedaron bravos». «Entre los abogados yo soy de los bravos». 2. Héroe. El mejor. La conversación da el significado. «Me encantó el trabajo del bravo de la película». *El bravo de la saguesera.* El guapo del barrio. «Se creyó que era el bravo de la saguesera». (La «Saguesera» es como los cubanos llaman al área del Southwest, o Suroeste de Miami.) *Gustarle los bravos del Milguoki.* Gustarle la gente valiente. «El es un cobarde y a mí me gustan los Bravos del Milguoki». (Los Bravos del Milwaukee, es un equipo de pelota norteamericano. El cubano pronuncia «Milguoki». De ahí el cubanismo.) *Si se pone bravo que se muerda el rabo.* Qué le vamos a hacer. «Se enojó cuando supo que no ibas. Si se pone bravo que se muerda el rabo». *Si se puso bravo tiene dos trabajos.* Contestación que se da cuando le dicen a una persona que alguien se enojó con ella. *Ser el bravo de la película.* 1. Decidido. «No titubeó, él es el guapo de la película». 2. Valiente. «Se le enfrentó al ladrón. Juan es el bravo de la película». Como se ve se aplica a múltiples situaciones, por ejemplo: «No cejará, él es el bravo de la película». (Esforzado. Se basa en el héroe de la película.) Sinónimos: *Empingue. Bravísimo y picúo.*

BRAZO. *Arrancarle o partirle a alguien el brazo.* Aceptar inmediatamente lo que dice alguien. «Me dijo que me comprara el reloj y le arranqué el brazo». «Me hizo una proposición y le arranqué el brazo». Tiene inclusive, usado con cosas, el sentido de aceptación repentina. «Al negocio le arranqué el brazo. No esperé ni un segundo». (Lo hice en seguida.) Se oye «partir», también. *Estar empezando a calentar el brazo.* Siempre que se aprieta en una situación se usa este cubanismo. «En el trabajo están empezando a calentar el brazo». (Hay que trabajar más.) «Está empezando a calentar el brazo. ¡Qué chistes!» (Está empezando a contar chistes verdes.) («Calentar el

---

[16] «Butuva» es usado en vez de «Botuva» por grandes sectores del pueblo.

brazo», viene del juego de pelota, el lanzador, antes de jugar, para no herirse el músculo, tira muchas pelotas. De aquí el cubanismo pasó a lo popular.) *Tener reuma en el brazo.* Ser agarrado. «A la hora de pagar tiene reuma en el brazo». Ver: *Aserrín. Blackamán y muñeca.*

BREIK. *Darle un breik a Edison.* Apagar la luz. «Oye, estamos gastando mucha electricidad. Dale un breik a Edison». (Cubanismo nacido en el exilio. «Edison» es el descubridor de la luz eléctrica. «Breik» es la pronunciación cubana de la voz inglesa: «Break» que significa «respiro».)

BRETE. *No querer brete.* No querer fornicar. «Mi mujer me repite todas las noches: 'Viejo, no quiero brete' y se queda dormida».

BRETERO. Que forma lío. «Tú no puedes ser más bretero muchacho».

BRILLANTINA. *Ser alguien brillantina extrafina.* Empalagar alguien con sus modales extrafinos. «No lo resiste. Es brillantina extrafina». (La brillantina extrafina empegota el pelo. De ahí el cubanismo.) *Ser alguien como la brillantina.* Ser homosexual. «Dicen que él es brillantina». (La brillantina es «superfina» y el «super fino» es homosexual. Es un juego de palabras.) Ver: *Etiqueta.*

BRILLO. (El) El anillo. «El brillo me costó varios cientos de dólares». (Lenguaje del chuchero) Ver: *Calvo y Chuchero.*

BRINCADERA. Ver: *Pop.*

BRINCADORA. Se dice de la mujer que anda con un hombre hoy y otro mañana. «Nació brincadora y morirá brincadora. Es su naturaleza». Sinónimo: *Venada.*

BRINCAR. *Brincar la cerca una mujer.* Cometer adulterio. «Brincó la cerca la mujer de Pedro. Siempre tuvo mala cabeza». *Te brinco.* Te dejo. «Oye te llamo para decirte... Mira Juan, te brinco porque tengo mucho trabajo. Te llamo más tarde». *Brincar el charco.* Exiliarse. «En este siglo miles de personas se han exiliado».

BRINCO. *Conmigo el brinco es más corto.* Conmigo hay que andarse con cuidado, pues no le aguanto nada a nadie. «Dice el alumno que si no saca buenas notas va a tomar la Escuela de Derecho. —Dile que no se atreva, que conmigo el brinco es más corto». Ver: *Espanto.*

BRINQUITO. *Darse un brinquito.* Hacer una visita corta. «Voy a darme un brinquito a casa de Juan». Ver: *Pichón.*

BRISA. *Pasar una brisa.* Tener mucha hambre. «Perdí el trabajo y estoy pasando una brisa tremenda». *Pasar una brisa marina.* «Ese pasa tremenda brisa marina». (Sinónimo es el aumentativo.)

BRISITA. *Pasar una brisita.* Pasar una difícil situación económica. «No te puedes imaginar la brisita que estamos pasando». *Tener una brisita.* 1. Tener apetito. «Ya tengo una brisita. Así que me voy para casa a comer». 2. Tener hambre. «Tengo una brisita, hace horas que no como». Ver: *Imperativo.*

BROCHA. 1. Bigote copioso. «Qué bigote más copioso. Eso no es un bigote, es una brocha». 2. Lengua. «Me mordí la brocha y no le contesté». *¡Agárrate de la brocha y préstame la escalera!* Cáete para atrás. «¡Agárrate de la brocha y préstame la escalera! Oye lo que te voy a decir». *Dar brocha.* 1. Dar coba. «No des brocha a nadie. Eso es indigno». 2. Tocar a una mujer con fines libidinosos. «Anoche hasta las once le di brocha a Dora». Sinónimo: *Estar en el clinche. Sujetarse de la brocha.*

Estar en la últimas. «No sé qué hacer. Vivo sujetándome de la brocha». Ver: *Escalera.*

BROCHAZOS. *Ganar a brochazos.* Ganar fácilmente. «Esta guerra la ganan ellos a brochazos».

BRODS. Ver: *Uarren.*

BRON. *«El Bron está aquí».* Aquí hay mucha gente de color. «El Bronx» es un barrio de Nueva York donde vive mucha gente de color. De ahí el cubanismo nacido en el exilio cubano. El cubano pronuncia «Bron».)

BRONCA. Riña. «En la esquina hay una bronca». *Echarle bronca maniguá,aé.* Muévete rápido. Darle movimiento a algo. «Vamos, estamos atrasados. Échale bronca maniguá,aé». (Camina rápido.) «A esa canción échale bronca maniguá,aé». (Dále movimiento.) (Son las palabras africanas llevadas por los esclavos a Cuba, que popularizó una canción.)

BRUCA. *Echarle bruca manigua.* Dale actividad. Es una oración que se grita a una orquesta o a un grupo de bailadores cuando el ritmo está al máximo para que lo aumenten. «¡Qué orquesta! ¡Cómo tocan! ¡Échale bruca manigua!» Se usa en otras ocasiones: «Vamos a ver a las muchachas. —Échale bruca manigua». (Sí, vamos...)

BRUJA. *Estar bruja.* No tener un centavo. «Desde que me cesantearon estoy bruja».[17] *Estar de bruja de «jalogüín».* Ser muy feo. «Ese hombre está disfrazado de bruja de «jalogüín». (El cubanismo nació en el exilio con motivo de la fiesta norteamericana de «Halloween». El cubano pronuncia «jalogüín».) *Estar de bruja sopera.* No tener un centavo. «Hoy estoy de bruja sopera». («Estar bruja», en Cuba, se tiene como cubanismo, pero también, lo he oído en Puerto Rico.) *Parecerse una mujer a la bruja de Blanca Nieves.* Ser feísima. «Esa mujer se parece a la bruja de Blanca Nieves».

BRUJERA (O). *Ser brujera (o).* Se dice de la persona que conoce el nombre y que sabe de las propiedades de todas las yerbas. «Pregúntale sobre esa yerba a Juanita que es brujera». «¡Así que eso es yerbabuena! ¡Chica, tú eres brujera!» (Los brujos trabajan con yerbas para hacer hechizos, etc. De aquí el cubanismo.)

BRUJITA. (Una) Así llamaban a los soldados bisoños, sin conocimiento militar en el gobierno de Batista. «En la acción murieron varias brujitas». Sinónimo: *Casquito.*

BRUTA. *Estar bruta.* Se dice de la mujer de buenas carnes. «Fefa está bruta».

BRUTAL. 1. Bien. «¿Cómo estás? —Brutal». 2. Bueno. «Ese cuadro es brutal».

BRUTO. *Ser más bruto que un arado.* Ser brutísimo o muy bruto. «No puedes negar que eres más bruto que un arado». «Él es más bruto que un arado». (En superlativo psicológico. El arado es de hierro o de madera durísimos.) Ver: *Gallego.*

BUCEAR. Volver la lengua a su lugar de origen. También besar a una mujer locamente en los senos. «Es un cochino: bucea».

BUCETA. Especie de embarcación de Isla de Pinos para pescar. «Vamos a coger la buceta de Tomás».

BUCHADAS. *Hacer buchadas.* Hacer gárgaras. «El médico me mandó a hacer buchadas».(Se origina de la palabra: «buches». «Hacer buches».)

---

[17] Se oye mucho en Puerto Rico. Se oye en España, pero muy poco.

BUCHE. Tonto. «Ese hombre de que me hablas es un buche». *Ir a echarse varios buches y solo coger un tin a la maraña.* Ir por lana y salir trasquilado. «Me fui con varios amigos a echarme varios tragos y sólo cogí un tin a la maraña». (Es lenguaje de los llegados a Estados Unidos desde Mariel en 1979.) Muchas veces en vez de decir: «Un tin a la maraña», se dice un «etiquití». «Etiquití» es voz chuchera que quiere decir «pequeño». Ver: *Chuchero. (Chuchero*: personaje de Germanía en Cuba que usaba un vocabulario especial.) *Llenarle a alguien el buche de gusanos.* Matar a alguien. «A Juan le llenaron el buche de gusanos». Sinónimo: *Zanaco.*

BUCHINCHE.[18] Negocio de mala muerte. «Con esa buchinche no llegará a nada». Se dice igual de una taberna miserable. *Abrir un buchinche.* Poner un negocio pequeño. «Abrió un buchinche para poder vivir». Sinónimo: *Chinchal. Timbiriche y Tiro al blanco.*

BUCHIPLUMA. 1. Persona que no vale nada. «Es un completo buchipluma. ¿Ves lo que hizo?» 2. Se dice del que carece de personalidad. «El padre con tanta personalidad y el hijo un buchipluma». (Muchas personas lo pronuncian «buche y pluma": «Juan es un buche y pluma».) (Lo oí, también, a Puerto Rico.)

BUCHITEO. *Falta de respeto.* «Esto que tú me dices es un buchiteo».(Es spanglish; es decir, palabra usada por los puertorriqueños y formada por las voces «bull shit": «mierda de toro». La he oído entre cubanos de muy baja categoría social con este significado que no tiene en el «spanglish».)

BUCHITO. Ver: *Hechura.*

BUCHUCHITO. *Buchito muy pequeño.* «Dame un buchuchito de café».

BUEN. *Buen carro.* Mujer hermosa. «Ella es un buen carro». *Buen tipo.* 1. Buen mozo. «Tu marido es un buen tipo». 2. Buena persona. «Puedes confiar en él que es un buen tipo».

BUENA. *Estar buena una mujer.* Estar bella. «¡Qué buena está Lola!»

BUENAS. *Buenas y de colores.* Saludos. «Buenas y de colores para todos». Ver: *Colores.*

BUENAVISTA. *Buenavista y Juanelo.* Hasta luego. «Bueno, me despido familia: Buenavista y Juanelo». («Buenavista» y «Juanelo» son dos barrios de La Habana.) *Ser alguien de Buenavista.* Ser un ladrón con habilidad. «Le condenaron a cinco años por ser de Buena Vista». (El cubanismo se basa en que el ladrón tiene buena vista para las cosas, para robar.)

BUENO. Sí. «¿Vamos al cine? —Bueno». *El bueno de la película.* El héroe. «Es el bueno de la película». *Es tan bueno que no sirve.* Lo que pasa de un límite dañino. «Le ha hecho daño al hijo. El es tan bueno que no sirve». *Ser bueno a todo.* Ser algo o alguien muy bueno. «Contrata a ese abogado. Es bueno a todo». Sinónimo: *Es bueno y más.* (Cubanismo creado por el actor cómico cubano: Rosendo Rosell.) «Ese mecánico es bueno a todo». *Ser bueno para la quema.* Ese no sirve para nada. Se usa la oración cuando alguien dice: «Fulano es bueno». Se les contesta: «Bueno para la quema».

---

[18] Se usa, asimismo, «bochinche» por grandes sectores del pueblo cubano.

BUENOTA. *Estar una mujer buenota.* Estar muy bella de cuerpo y cara. «Ella está buenota». Se dice de la mujer que tiene un gran cuerpo. «Esa mujer me gusta porque está buenota». Sinónimo: *Buenotota.*

BUENOTOTA. Ver: *Buenota.*

BUEY. *El buey se ahoga por el culo.* Lo he oído en el campo cubano en el sentido de: «No hay que dar la espalda a nadie. Hay que desconfiar». Ej.: «Cuídate de ella que el buey se ahoga por el culo». (O sea, si no desconfías, vas a salir mal.) «Nadie me sorprende porque yo sé que el buey se ahoga por el culo». *Ser como el buey.* Se dice del que no se aparta de una meta, pues como el buey sigue siempre el mismo camino. «Juan es como el buey. Llegará». Se aplica igualmente al que manejando sigue la misma ruta. «Demoras más porque eres como el buey». *Ser un buey cansado.* No tener fuerzas. «No lo uses es un buey cansado». *Ser un buey de guía.* Ir a la cabeza de algo. «En su ramo, él es el buey de guía». (el buey de guía, en la industria azucarera, es el que guía la carreta cargada de caña hacia el ingenio.) Sinónimos: *Cansado. Pisajo y yunta. Con esos bueyes hay que arar.* No hay alternativa posible. «¿Tú crees que si cambiáramos los empleados podríamos... —¡Qué va, con esos bueyes hay que arar!» *Dejar enyugados los bueyes.* Dejarlo todo preparado. «Antes de irme de viaje dejo enyugados los bueyes». *Estar como los bueyes.* En pareja. «Esos siempre está como los bueyes». *¡Qué par de bueyes para una yunta!* Se dice de dos vagos. «Mira quienes están allí. ¡Qué par de bueyes para una yunta!» Sinónimo: *¡Qué par de patas para un banco! Que serios son los bueyes y que vergajo tienen.* Las apariencias engañan. «Cuídate, mira que serios son los bueyes, y que vergajo tienen». («Vergajo» es «pene». Forma de hablar del cubano que muestra su genio lingüístico.) *Ser como los bueyes.* Se dice del que tiene un sólo propósito en la vida. «El triunfará porque es como los bueyes». Se dice, asimismo, de una persona que al ir al trabajo o a otro lado sigue la misma ruta. «Lo veo siempre igual. Es como los bueyes». *Si los dos bueyes no levantan parejo no hay quien hale la carreta.* Hay que cooperar. «Un fracaso. Cuándo aprenderás que si los dos bueyes no levantan parejo no hay quien hale la carreta». (Cubanismo de origen campesino.)

BÚFALO. Moneda americana de cinco centavos que circulaba en Cuba. «Tengo dos búfalos en el bolsillo».(Se le decía así por tener dos búfalos acuñados.) *Tragarse el búfalo.* No pagar el tranvía. «Fui de gratis. Me tragué el búfalo». (Se decía cuando habían tranvías en La Habana. Hoy todavía muchas personas mayores lo usan al referirse al pasado.)

BUFANDA. *Yo no me meto eso ni con la bufanda de Gardel ni en una tarde gris.* Chico, no me vengas con más tragedias que no las aguanto. Es la contestación que se le da al que viene a uno con tragedias. «Pedro, yo no me meto eso ni con la bufanda de Gardel ni en una tarde gris». (Es cubanismo que se refiere al cantante de tangos, argentino, llamado Carlos Gardel, y en un tango que habla de una tarde gris. Los tangos siempre son muy trágicos.)

BUGA. Ver: *Estibador.*

BUGALÚ. *Poner a alguien a bailar el bugalú.* Ponerlo a gozar sexualmente, a que sea feliz. «A esa amiga tuya, yo la puse a bailar el bugalú». (Es «Bugaloo», un tipo de baile. Cubanismo del exilio.)

BUGANVIL. (o Buganvilia.) Bugarrón. «El buganvil ese debería estar en la cárcel». (El cubanismo se basa en el hecho de que *bugarrón* en cubano es *buga*. Se hace pues un juego de palabra con *bugan-vil.)*

BUGARRICHE. *Bugarrón.* El agente en el acto homosexual. «Aquel es homosexual y éste el bugarriche». (Don Francisco de Quevedo y Villegas, el poeta español del Siglo de Oro, escribió una poesía: «Al Bujarrón». Véase sus Obras Completas publicadas por la Editorial Aguilar.)

BUGATI. *Ser alguien Venancio Bugati y Pingarelli naturale de Caporeto.* Ser bugarrón. «Cuidado con ese degenerado que es Venancio Bugati Y Pingarelli naturale de Caporeto». (El cubanismo, por gracia, adopta la pronunciación italiana parodiando. En Cuba existían muchos chistes en que se parodiaba al italiano, como éste: *El drama de la Potiochi.* «Etumi terrible drama ecrito en la lingua del venerato otor Micaelo Duangi, *Personages,* Jose Picalomi, il bohemio, Dinora Loma, la putana. *Acto Primo,* Jose Picalomi le entoya tuta tuta la matraca a Dinora Loma... O sea: He aquí el terrible drama escrito en la lengua del venerado doctor Miguel Duangi... Ver: *Estibador.*

BUJÍAS. Ver: *Bombillo y coco.*

BULE. Asunto, negocio. «Estoy en un bule que me va a dar mucho dinero». *Andar en un bule.* Estar en diligencias de tipo amoroso, principalmente. «Ando en un bule con Josefina». (de tipo amoroso.) «Ando en un bule que si se me da me hará rico». (de otro tipo las diligencias.) *Estar en algún bule.* Estar haciendo algo que se oculta. «A ése vigílalo que está en algún bule». Sinónimo: *Estar en algo.* «Actúa con tanto cuidado porque está en algún bule». (Algunos dicen que es un andalucismo.)

BULLA. *Ser alguien bulla como las piedras en el río.* Ser mediocre. «A mí no me engañas. Tú eres solamente bulla como las piedras en el río». (Es lenguaje campesino avecinado a los pueblos en Cuba.) Ver: *Años.*

BULLDOSEO. *Eliminación de lo malo.* «El gobierno cubano sigue con su bulldoseo económico». Se pronuncia «buldoseo». (Está eliminando lo malo de lo económico. Es cubanismo de la Cuba de hoy, viene de «Bulldozer». Se pronuncia «buldoser».) *Ser un bulldoser.* Llevarse alguien todo lo que encuentra en el camino. «Lo pusieron en este trabajo y es un bulldoser, como querían».

BULLERO. El que anda buscando líos. «Muchacho, a bullero no hay quien te gane».

BULLOSO. 1. De bulla, que es ruidoso. «¡Qué sitio más bulloso!» 2. Estar alegre. Estar brusco. «Hoy está bulloso porque ganó dinero». (Es cubanismo de la Cuba de hoy.)

BUQUENQUE. 1. Chismoso. «Ese es un buquenque: a cualquiera mete en un lío». 2. Persona que no vale nada. «Para mí, a pesar de lo que tú creas en contrario, es un perfecto buquenque».

BURAGA. *Dulce de leche.* «Me comí una buraga de leche. Es deliciosa».

BURAO. *Estar burao.* Estar lleno. «No como más, estoy burao». (Es lenguaje campesino.)

BURDA. Muchos. «Tengo una burda de pesos».

BURDAINS. Ver: *Espíritu.*

BURDAJADA. Cantidad. «¡Qué burdajada de pescado!» (Es término de pescadores.)

BURLESCO. *Pegar una mujer en el burlesco.* Ser muy bella de cara y de cuerpo». Ella, todavía en el burlesco, pega».

BURRAGONEAR. *Burragonear a alguien.* Cobrarle el barato. «Te digo que Pedro está burragoneando a Juan». («Burragonear» es un verbo que el cubano ha formado con la palabra «burro».)

BURRO. *Burro cargado busca camino.* El que tiene un problema ya se las diligenciará para salir de él. «No sé qué hará mi hermano con tantos problemas familiares. —Ni te preocupes que el burro cargado busca camino». *Estar como el burro del isleño.* En mortal peligro. «Sigue con esa dieta. Tú estás como el burro del isleño». (El campo cubano era canario, y por lo tanto, en él es muy popular el cuento del isleño. (Habitante de las Islas Canarias.) No le daba de comer al burro hasta que se murió y decía: «*Cuando se estaba acostumbrando se murió*».) *Ponerse burro.* Ponerse doblado para que le pasen por encima los demás muchachos en un juego llamado la viola. «Tú te tienes que poner de burro, hoy». *Ser como el burro de Bainoa.* Ser muy bruto. «Juan es como el burro de Bainoa». *Tenerla como el burro de Bainoa.* Tener un pene muy grande. «Yo la tengo como el burro de Bainoa desde niño». (El «burro de Bainoa» es un burrito folklórico cubano.)

BURUJÓN. 1. Bulto. «Qué burujón de papeles». 2. Cantidad. «Juan llevaba un burujón de billetes al Banco». 3. Culo. «Qué bello es el burujón de esa mujer». *A burujón puñado.* Mucho. «Estaban las mujeres en la fiesta a burujón puñado». *Ir de burujón.* Atacar con todas las armas. «Le fui de burujón y me dio el negocio». Sinónimo: *Caerle a alguien con todos los hierros. Querer montón pila burujón paquete.* Querer a alguien mucho. «A mi prima la quiero el montón pila burujón paquete». Sinónimos: *Bola. Llevar de contén a contén* y *Llevar de rama en rama como Tarzán lleva a Juana.*

BURUNDANGA. (La) 1. Cosa que carece de valor. «No compres eso que es burundanga». 2. Estarse divirtiendo, disfrutando de algo, gozando de la vida. «Mira cómo baila. Está en la burundanga». (Divertirse.) La conversación perfila, nítidamente, de qué se trata; si de disfrute; si de gozo de la vida; si de divertirse. «Está en la burundanga con ese puesto público». (Estar disfrutándolo.) En este caso también indica que está en buena situación económica, debido al puesto. (La conversación, asimismo, diferencia.) 3. Lío. «Se formó tremenda burundanga en la fiesta». 4. Los senos. «Anoche, Juana, tenía la burundanga que se le salía por fuera». 5. Quiere decir en general, abundancia. «¡Qué burundanga de cosas había en la tienda!» *Estar en la burundanga.* 1. Conocer el quid de una cosa. «Juan está en la burundanga. Puedes preguntarle».

BURURÚ. Impacto. «Voy a escribir una novela que va a hacer bururú en todos los círculos intelectuales». *Armarse el bururú barará.* El lío. «Cuando se encontraron se armó el bururú barará». (Hay una canción del Trío Matamoros que dice: «Bururú barará, ¿dónde está Miguel?» El cubano convirtió el «bururú barará», una estructura rítmica, en «lío».)

BURURUBARARÁ. *Estar en el bururubarará.* Estar divirtiéndose. «Míralos cómo están en el bururubarará». *Se acabó.* «Le dejé coger algo y le dije: bururubarará». «Le dije horrores pero lo vi tan apesadumbrado que bururubarará». *Todo terminó.* «Si este avión se estrella, bururú barará». *Y no hay que tratar de entenderlo.* «La vida es así y bururú barará». (Es un término amplio que se aplica a cualquier situación, como por ejemplo: 1. A algo que hay que aceptar. «Lo que te he dicho es así y bururú barará». 2. O sea, lo que Dios quiera. «Bueno, me voy del trabajo y bururú barará». Se origina el cubanismo con una canción del famoso trío cubano el «Trío Matamoros», que dice: *«Bururubarará, ¿dónde está Miguel?»)*

BUSCA. Medio de vida. «El ya tiene una busca en el Ministerio de Defensa. Le permitieron vender café allí». Sinónimo: *Búsqueda.*

BUSCABULLA. Se dice del que busca líos. «¡Qué buscabulla eres!» Sinónimo: *Buscalíos y refresco.*

BUSCALÍOS. El que busca problemas. «Juan es un buscalíos tremendo». (Con la palabra «busca» el cubano forma muchos cubanismos.) Sinónimos del anterior es: *Buscabronca y buscapleitos.*

BUSCAR. Trabajar. «Como he buscado hoy». *Buscar como aguja.* Buscar mucho. «La policía nos busca como aguja». *Buscarse un bolón.* Ganar mucho dinero. «En estos últimos tiempos me he buscado un bolón». *Buscarse un carnaval.* Buscarse un lío. «Por causa tuya me busqué un carnaval». *Buscarse otra chambita.* Buscar otra cosa. «Con esto no puedo vivir así que me voy a buscar otra chambita». *Buscarse los féferes.* Ganarse la vida. «Vendiendo pollos me estoy buscando los féferes». Sinónimo: *Buscarse los frijoles.* «Con ese negocio me busco los frijoles sin mucho trabajo». *Buscarse la guantanamera.* Buscarse un lío. «Por causa de mi novia me busqué una guantanamera». *Buscarle la lengua a alguien.* Hacer que alguien cuente algo que uno desea saber. «Le busqué la lengua a Pedro y me lo contó todo». *Buscarse el pollo.* Ganar para vivir fácilmente. «Con este oficio me estoy buscando el pollo». *Buscarse un vivío.* Buscarse un género de vida en el que se gana dinero y no se trabaja, o se labora muy poco. «Con el trabajo en el ministerio me busqué un vivío. No se trabaja nada».

BUSTÚA. Mujer que tiene mucho busto. «La niña nos salió bustúa».

BUTANO. *Tener alguien un butano en la boca.* Ser muy irónico. «Se metieron con él y salieron mal. Ese periodista tiene un butano en la boca». *Tener cohete pero no ser butano.* Se dice del impotente. «Él tiene cohete pero no tiene butano». («Cohete» es «pene» y «Butano» es «gas». (Lo he oído como: Ser alguien poca cosa aunque parece ser peligroso. «No te descuides, tiene cohete pero no tiene butano».

BUTE. Ver: *Kile.*

BUTI. (El.) 1. El pene. «Tiene un buti muy grande». 2. Grande. «Tienes unos brazos buti de verdad». *Dar con el buti.* «Ayer fui a la casa de prostitución a dar con el buti». *Dar a buti.* Gratis. «Eso me salió de a buti». *De abuti.* Abundante. «Esto está de abuti». Ver: *bayoya.* (Cubanismos de origen chuchero. Ver: *Chuchero.)*

BUTIFARRA. *No ser butifarra para que no lo embutan a uno.* No me engañes. «Oye, yo no soy butifarra para que me embutas».

BUTIK. *Ser una mujer butik.* Se dice de la mujer cogida con pinzas, o sea, muy sofisticada. «Hoy en día, hay muchas mujeres que son butik». *Vestirse de butik.* Vestirse con modelos exclusivos. «Se ha vestido siempre de butik». (Ambos cubanismos han nacido en el exilio y provienen de la palabras francesa «boutique», y que el cubano pronuncia como lo he escrito, o sea, sitio de ventas de ropas diseñadas con modelos exclusivos.)

BUTILLANGA. Buena. «Esta es una camisa butillanga». (Es lenguaje del chuchero. Ver: *chuchero.)*

BUTÍN. Ver: *Pira.*

BUTIÑÁN. *Abundante.* «Esto es una comida butiñán». (Cubanismo de origen chuchero. Ver: Chuchero.)

BUTUBA. Ver: *Botuva. Caerse la butuba.* Perder el trabajo. «No sé de qué voy a vivir pues se me cayó la butuba». (Lo he visto con «v» también.)

BUZÓN. *Ser buzón.* Que come mucho. «Juan es un buzón».

CABALLA. 1. Estar muy bella de cuerpo una mujer. «¡Qué caballa es esa mujer! ¡Cómo me gusta!» (El cubanismo tuvo, al parecer, un origen jocoso, formando el femenino caballa en vez de usar yegua, para hacer reír.) 2. Estúpida. «Juana es una caballa».

CABALLERÍA. Amigos; gente buena. Se usa en saludos solamente. «¿Qué pasa caballería?» «¿Cómo están ustedes caballería?»

CABALLERO. *Caballero cubierto.* 1. Se dice del que nunca ha fornicado. «Tú eres, Juan, caballero cubierto». 2. Se dice del que tiene el glande cubierto por pellejo. «Tienes que operarte, eres caballero cubierto». *Necesitar una mujer un caballero que le haga obra de varón.* Estar muy bella. «Esa mujer necesita un caballero que le haga obra de varón». *Tener alguien olor a caballero.* Estar en el umbral de la muerte: «Vi a Pedro, tiene olor a Caballero». («Caballero» es una funeraria cubana.) *Terminar como el Caballero de París.* Terminar loco. «Si sigues estudiando tanto vas a terminar como el Caballero de París». («El Caballero de París» era un loco inofensivo de La Habana. Un personaje típico.) Ver: *Nombre.*

CABALLESCAMENTE. Mucho. «Se enamoró caballescamente de Pedro». Sinónimo: *Como un caballo.*

CABALLETE. Posición en el acto sexual. *Ladearse en el caballete.* Hacer las cosas mal. «Yo con ése no planeo nada porque siempre se ladea en el caballete». (El cubanismo viene de lo sexual y se usa entre amigos.)

CABALLITOS. 1. Billete de a peso, hoy, más pequeño que el tipo que siempre circuló en Cuba. «No me gustan los caballitos». Sinónimo: *Transferencia.* (Por parecer al papel de transferencia para cambiar de vehículos que se usaban en Cuba.) Sinónimo: *Enano.* 2. Mujer pequeña y bonita. «¡Qué caballito más lindo eres, Felicia!» *Caballito de San Vicente, que tiene la carga arriba y no la siente.* (De juego de niños se convirtió en cubanismo popular. Tiene la misma estructura lingüística que el juego castizo: *Burrito Caliente.* Significa persona que no se da cuenta de las cosas. Algunas veces, despectivamente del marido que sostiene los lujos de la mujer y que no ejerce autoridad en la casa. También se ha extendido a la persona que paga los gastos de una querida que le es infiel con otros hombres. Sinónimo en este caso: *Paganini.* Que es un juego de palabras con el músico italiano. La conversación da el significado.) «Ese es un caballito de San Vicente, que tiene la carga arriba y no la siente». (No darse cuenta.) «Parecía un hombre de personalidad, pero es un caballito de San Vicente, tiene la carga arriba y no la siente. Y debe ser lo mismo con otras mujeres, no sólo con la esposa». (Hombre dominado por la esposa.) «Ahí tienes a ese caballito de San Vicente; pagando y engañado». *Caballito del diablo.* Soldado de la división de tránsito, que andaba en motocicletas vigilando las carreteras de Cuba». «Aminora la velocidad que el caballito del diablo puede estar detrás del puente». (Toma el nombre el cubanismo de un insecto llamado: «Caballito del diablo».) *Echar a andar los caballitos.* Iniciar algo. «En esa empresa cultural yo eché a andar los caballitos».(El cubanismo se basa en los caballitos del circo.) *Ser el dueño de los caballitos.* Ser el jefe. «Él aquí es el dueño de los caballitos». Sinónimos: *Ser el dueño del bate, el guante y la pelota. Ser el dueño de las papeletas. Ser el que más mea. Subir como los caballitos.* Triunfar en algo, pero tener altas y bajas en ese triunfo. «Subió como los caballitos y mira ahora a dónde está: sin un centavo». (Los caballitos en el parque de diversiones suben y bajan. De ahí el cubanismo.) Sinónimo: *La vida es un columpio.* (Muchas veces el cubano para referirse a la desgracia de alguien que tuvo mucho éxito pero que cayó de pronto, exclama en tono filosófico: «La vida es un columpio».) Ver: *Caballos. Dueña. Palero. Timbero.*

CABALLO. 1. Billete de a peso. «Tengo cinco caballos en la billetera». 2. Billete de tamaño grande de a peso. «Dame dos caballos». 3. Mujer alta y corpulenta. «Tu mujer es un caballo. Tiene cinco pies diez pulgadas por lo menos». 4. Persona poco inteligente. «Ese muchacho salió bruto como un caballo». 5. Persona muy fuerte. «En la competencia levantó cien libras con una sola mano. Es un caballo». 6. Persona muy inteligente. «Kant fue un caballo». (Compare con tres. La conversación y la calidad de la persona es la que indica si significa «muy inteligente» o «muy bruto».) *Al caballo no se les ven las mataduras hasta que no se le quita el aparejo.* 1. Escudriñar. «Por poco me engaña pero por fin lo tuve todo muy bien en claro porque medité sobre ello. Es verdad que al caballo no se le ven las mataduras hasta que se le quita el aparejo». 2. Manifestarse una persona como es. «Con esa acción se descubrió. Al caballo no se le ven las mataduras hasta que no se le quita el aparejo». *Andar a caballo los patriotas.* 1. Andar escaso el dinero. «No te puedo dar ni un peso que conmigo andan a caballo los patriotas». (Me dice Leonardo Gabriel, gran conocedor de estas cosas, que el cubanismo es igual al idioma de los gauchos en la pampa: «Andan matreros los cobres». 2. Ser muy difícil ganar dinero. «En estos días andan a caballo los patriotas. No hay dónde trabajar». *Bajar a alguien del caballo.* 1. Derrotar; ganar. «Se creía muy listo y que podía conmigo en la competencia, pero lo bajé del caballo». 2. Destruir a alguien. «Lo hizo tan mal que lo bajé del caballo».) *Caballo agujibajo.* Es el caballo que es alto de atrás y bajito en su parte delantera. Por anatomía se aplica al hombre que es encorvado de espalda. «Si no le pones un aparato ortopédico a tu hijo va a ser un caballo agujibajo». (Es de origen campesino el cubanismo.) *Caballo arrenquimador.* Se dice del caballo al que se le ponen cerones (Cestas.) «Ese es un caballo arrenquimador. Me es muy útil». *Caballo y caballitos nunca están en el corral.* Se contesta cuando alguien pregunta por qué no se está en la casa. Sobre todo si lo pregunta la señora al marido. «Nunca estás en la casa. Tengo derecho a quejarme». «—Caballos y caballitos nunca están en el corral». (Es un cubanismo de origen campesino.) *Caballo, al que le llega el agua al oído no cruza dos veces el río.* Es un refrán campesino que lo he oído varias veces aplicado al que se mete en un lío, en el sentido de que «*tanto va el cántaro a la fuente, hasta que se rompe*». «De nuevo en lo mismo. Ya aprenderá que caballo, al que le llega el agua al oído no cruza el río dos veces». *Caballo de altura.* 1. Persona buena. «Puedes abrirte con él porque es un caballo de altura». 2. Persona inteligente. «Cómo no iba a inventar esa fórmula química si es un caballo de altura». Sinónimo: *Ser caballo de condición. Caballo de lata.* Automóvil. «¡Qué caballo de lata te has comprado!» *Caballo diestro.* Se le llama a un seguidor incondicional de otro. «Es un caballo diestro». (El caballo diestro va amarrado al que se monta. Cubanismo de origen campesino.) *Caballo que corcovea no sirve para carretón.* El que no es firme no triunfa. «Tienes que mantenerte firme: Caballo que corcovea no sirve para carretón». (El otro significado que he oído: *Caballo.* (El) El hierro del medio de la bicicleta. «Al bajar de esta bicicleta me molesta el caballo». *Come como un caballo.* En demasía. «Comes como un caballo». *¿Cómo estás, caballo?* En esta expresión y en otras análogas significa amigo. Pero, lleva además una carga admirativa, para que la persona que se saluda se sienta bien. «¿Qué dice el caballo?» «Hace tiempo que no te veo caballo».) Sinónimo: *¿Cómo estás tigre, monstruo? Como un caballo.* Mucho. «Niño, estás comiendo como un caballo». «Yo leo como una caballo». Ver: *Dos. Echarle a alguien los caballos arriba.* Perseguir. «Desde que llegué me ha echado los caballos arriba. No me deja progresar». *Ese caballo hace tiempo venía caminando.* Eso hace tiempo que se estaba formando. «El cáncer no se le formó ayer. Ese caballo hace tiempo venía caminando». *Estar alguien montado a caballo.* Estar muy enojado. «Juan está montado a caballo». *Hacerse el caballo para quedarse con la montura.* Hacerse el inocente para obtener ventajas. «Hay que tener cuidado con el pues se hace el caballo para quedarse con la montura». *Meterse en las patas de los caballos.* Buscarse dificultades. «Con eso que estás haciendo te estás metiendo en las patas de los caballos». *No echarle manoja al caballo.* No tener relaciones con alguien. «Al director de ese periódico yo nunca le eché maloja». *No hay caballo que aguante esa posta.* No hay quien aguante eso. «Dejó ese trabajo. No hay caballo que aguante esa posta». *No poder bajarse uno del caballo.* Tener que seguir trabajando. «Hasta que me retire no puedo bajarme del caballo». *Parecer alguien un caballo «espiao».* Caminar raro, como si tuviera una dolencia en los pies. «Viejo, ¿qué te pasa? Pareces un caballo espiao». (Es cubanismo de procedencia campesina. Un caballo cuando se dice que se «espía» es que tiene alguna dolencia.) *Pelado a caballo.* Se decía del pelado ralo que hacía el barbero mientras discutía vivamente con otros en la barbería. «Éste es un pelado a caballo. No sé cómo sobreviví». Ver: *Caballerescamente. Patriotas. Tolete. Ser alguien Afuito Fabelo que monta caballo a apelo.* Ser muy valiente. «No te metas con él que es Afuito Fabelo que monta a caballo a pelo». Sinónimo: *Tenerlos más grandes que el caballo de Maceo. Ser alguien el caballo de Cinderella.* Ser el más prominente. «Me demostró que es el caballo de Cinderella». *Ser caballo blanco muerto en la carretera.* No haber solución para un problema. «Juan no puede pasar ese examen. No sabe nada. Es caballo blanco muerto en la carretera». *Ser extracto de caballo.* Ser antipático. «Ése es extracto de caballo». Sinónimo: *Ser un chorro de plomo.* (En Madrid: *Ser un plomo. Ser una potala.*) *Ser como el caballo.* Ser un hombre que no tiene paciencia, que hace las cosas precipitadamente. «Le saldrá eso mal. No ves que es un caballo». (El caballo no puede ver maloja sin que sin pensarlo corra a comerla.) *Ser una mujer un caballo americano.* Ser alta. «Mi prima salió un caballo americano». *Ser un caballo alazán.* Ser alguien figura nada más, pero en el fondo no valer nada. «Te hizo una canallada. Debimos haberlo pensado, es un caballo alazán». (Es lenguaje campesino avecinado en las villas y ciudades de las zonas urbanas de Cuba.) *Ser un caballo Arenquinador.* Ser una que sigue la rutina. «Míralo en lo mismo, es un caballo arenquinador». (El Arenquín es el caballo que va de la finca a al pueblo y del pueblo a la finca. Es lenguaje campesino que pasó a las ciudades y villas de Cuba.) *Ser un caballo con montura y todo.* Ser muy bueno. «Ese libro es un caballo con montura y todo». (Es lenguaje campesino avecinado a la ciudad.) *Ser un caballo de hipódromo.* Ser muy nervioso. «Tú eres un caballo de hipódromo». *Ser un caballo trinitario.* Ser persona de baja estatura. «¡Qué pequeño es! Es un caballo trinitario». *Tener a alguien como el caballo de la bomba.* 1. Hacerlo trabajar mucho. 2. Tenerlo a uno para arriba y para abajo. «Mi marido me tiene como el caballo de la bomba». (Tener a alguien para arriba y para abajo.) «¡Cómo sudo! Es que mi jefe me tiene como el caballo de la bomba». (Hacer a alguien trabajar mucho.) Sinónimo: *Batuquear. Llevar a alguien a la marcheré. A toque de corneta. Tener un caballo blanco.* Tener un socio capitalista. «Creo que construiré los apartamentos de propiedad horizontal porque tengo un caballo blanco». *Tenerlos más grandes que el caballo de Maceo.* Ser muy valiente. «Los tiene más grandes que el caballo de Maceo. Le fue para arriba al bandido que estaba armado». (El caballo de Maceo está en un monumento a este General de la Guerra de Independencia en La Habana. Tiene unos testículos muy grandes. De ahí el cubanismo.) *Tomar caballo blanco, al paso, al trote o al galope.* Tomar el licor escocés «whisky» despacio, con bastante rapidez o muy rápido. «Tomé el caballo blanco al trote». («Caballo blanco» es la marca de un «whisky» escocés.) Ver: *Alforja. Yo no soy caballo para comer parado.* Hay que tratarme bien. «Yo no soy caballo para comer parado. Me han ofendido y ya verán».

CABALLÓN. 1. Al saludar equivale a «gente grande». «¿Cómo estás, caballón?» 2. Persona que vale mucho «Eres un caballón». 3. Superdotado. «En geografía eres un caballón, muchacho».

CABALLONA. *Ser una caballona.* 1. Mujer grande. «Se casó con una caballona». 2. Ser muy alta y corpulenta. «No me gusta, es una caballona». 3. También mujer de carácter. «Se quedó viuda y crió cinco hijos. Es una caballona». Sinónimos: *Caballa. Ser nena caballonga.* (Es un personaje de una novela de Armando Couto que decía: *«Yo soy Nena Caballonga y estoy buena como quiera que me ponga».*

CABAÑA. Ver: *Policía.*

CABARET. *Ser el cabaret regalía.* Ser algo bueno. «Esa novela es el cabaret regalía». (El Cabaret Regalía era un programa de televisión de mucha calidad en Cuba.)

Trabajar en el cabaret «dei an nai». Trabajar las veinticuatro horas del día. «Últimamente estoy trabajando como el cabaret «Dai an Nai». (Las palabras inglesas «Day» and «Night» son pronunciadas por el cubano «dei an nai». Este cabaret estaba abierto en Cuba las veinticuatro horas del día.)

CABECEAR. 1. Estar indeciso. «No cabecees y lánzate a esa aventura». 2. Estar la mujer a punto de ser infiel. «Cuidado con tu mujer, está cabeceando».

CABEZA. *Cabeza de bote.* Tonto. «No le hagas caso. Es una cabeza de bote. Siempre fue el último en la clase». *Cabeza de cayuco.* 1. Se dice del que tiene la cabeza puntiaguda; también de una persona que no es inteligente. «Es un cabeza de cayuco. Fíjate la forma». (Puntiaguda.) «Es un cayuco, lo suspendieron de nuevo». 2. Imbécil. Tonto. «Ese muchacho es un cabeza de cayuco». «¡Qué cabeza de cayuco eres!» Sinónimo: *Ser un cayuco. Cabeza de yuca.* Bruto. «Eres como cabeza de yuca; no sabes nada». *Cabeza de Zepelín.* Cabeza grande. «Mi hermano nació con una cabeza de Zepelín». (El cubanismo es usado preferentemente por los niños cubanos.) Sinónimo: *Tener cabeza de papaya.* (La papaya es una fruta grande.) *Comprar cabeza y tenerle miedo a los ojos.* Meterse en algo y después cogerle miedo a los resultados. «Ahora tienes que seguir adelante. Que compraste cabeza y le cogiste miedo a los ojos». *Con la cabeza de la pinga.* Fácilmente. «Ese problema lo resuelve con la cabeza de la pinga». («Pinga» en castizo es «pene».) *Cortarle la cabeza al grano.* Aniquilar. «Yo cuando vi la indisciplina en clase le corté de raíz la cabeza al grano». *El barrio de las cabezas peladas.* El cementerio. «No me gusta pasar por el barrio de las cabezas peladas». (El cubanismo es de origen chuchero. Ver: *Chuchero.*) *Hacer algo con la cabeza de la pinga.* Hacerlo fácilmente. «Yo hago esa casa con la cabeza de la pinga». *Irse de cabeza.* Fracasar. «Ahí, tu hermano, se fue de cabeza». *Lavo la cabeza y resulto tiñosa.* También he oído: *Levantó la cabeza y resultó tiñosa.* Se dice del que es mala persona pero que engaña con modales finos y con su conducta que parece decente. «Yo nunca las tuve todas conmigo. Por eso no me sorprendí cuando lavó —o levantó— la cabeza y resultó tiñosa». *Meter sólo la cabeza.* Lograr una pequeña ventaja. «Hasta ahora sólo he logrado meter la cabeza». *Nada más que llueve para la cabeza del río.* Todo es para un sólo lado. «Con Pedro no vas a progresar porque con él nada más que llueve para la cabeza del río». (El cubanismo es de origen campesino.) *Ni la cabeza de un guanajo.* 1. Nada. «Dame cinco pesos». «—Ni la cabeza de una guanajo». 2. No. —«¿Vas a botar por él?» «—Ni la cabeza de un guanajo». *No hay cabeza para ese sombrero.* Tratar de hacer algo para lo que no se tienen facultades. «Ya le dije que dejara ese escrito. No hay cabeza para ese sombrero». *No seas cayuco.* No seas tan escaso. «No seas cayuco». *Rogar la cabeza o rogarle la cabeza al Santo.* Pedir o rogar al Santo en las religiones africanas. «Hay que rogarle la cabeza al Santo». «Voy a rogar la cabeza ahora». *Ser un cabeza de boniato.* Ser un tonto. «Tú eres sólo un cabeza de boniato». Sinónimo: *Ser un ñame con corbata. Tener cabeza de novio.* No tener fundamento. «Con este muchacho no se puede contar. Tienes cabeza de novio». *Tener cabeza de guayo.* Ser muy testarudo. «No le hables que es un cabeza de guayo». *Tener la cabeza como un globo.* Tener la cabeza muy cargada por haber trabajado mucho intelectualmente o por estar enfermo. «He estudiado tanto que tengo la cabeza como un globo». Sinónimos: *Tener la cabeza como güiro; un* *volador de güin. Tener en la cabeza «fertilaizer».* Crecerle a alguien mucho el pelo. «Muchacho, tú tienes en la cabeza fertilaizer». (Es cubanismo del exilio. «Fertilaizer» es como el cubano pronuncia: «Fertilizer» palabra inglesa que significa: «Fertilizante».) *Tener en la cabeza un panqué de Noriega.* Tener un glande muy grande. «Ese hombre lo que tiene en la cabeza es un panqué de Noriega». (El «panqué de Noriega» era un panqué de tamaño grande que vendían en Cuba.) *Tener en la cabeza una pista de aterrizaje.* Ser calvo. «Lo que tiene en la cabeza es una pista de aterrizaje». *Tener un diamante en la cabeza del pene.* Fornicar mucho por gustarle mucho a las mujeres. «El tiene un diamante en la cabeza del pinga». («Pinga» en castizo es «Pene».) Ver: *«Fly». Guardarraya. Ruego. Solitaria. Tiñosa.*

CABEZADA. *Dar cabezadas.* Hesitar. «No des cabezadas que el que tal hace no triunfa».

CABEZAZO. Tropiezo. «Mira que hay cabezazos en tu vida». *Dar un cabezazo.* Salir una mujer embarazada sin estar casada. «La pobrecita dio un cabezazo».

CABEZÓN. Hijo. «Mi cabezón es lindísimo». *Fuera el cabezón.* Quítate de ahí. (Grito que se da en el cine cuando alguien interrumpe al pararse o entrar y tapar o cubrir lo que está en la pantalla.) Ver: *Feíto.*

CABIA. (La) El pene. *Cabia negra.* Pene grande. (El cubanismo se basa en la creencia que los negros tienen un pene grande.) «Tiene tremenda cabia». (O cabia negra.)

CABILDO. Club social comenzado por los libertos africanos en Cuba. «Ése pertenece al cabildo Arará». («Arará» es una tribu africana.)

CABILLA. El pene. *Dar cabilla.* Rebajar los gastos. «Al presupuesto ése hay que darle cabilla». (Se usa, sin embargo, mayormente, en el sentido de fornicar. «Un primo mío, hace tiempo le da cabilla a esa mujer».

CABILLAZO. *Darle un cabillazo a una mujer.* Fornicarla. «A esa mujer, sé que le han dado, los muchachos, varios cabillazos».

CABIO. *Cabio sile.* Dios no lo permita. (Este cubanismo de origen africano se usa en esta frase mayormente: «Cabio sile Changó». Changó es una deidad africana llevada por los esclavos a Cuba.)

CABITO. *Tocarle el cabito a alguien.* Compartir una parte mínima de algo. «En esa herencia me tocó el cabito». *Dar el cabito.* Ayudar ligeramente. «Dame el cabito y te lo agradezco». (El cabito es lo que queda del cigarro después de ser fumado. De ahí el cubanismo.) Ver: *Mujer. Prueba.*

CABLE. *Comerse recio cable.* Pasar las de Caín. «Hace tiempo que me estoy comiendo recio cable». *Comerse un cable.* 1. Estar en muy mala situación económica. «Hace meses que me estoy comiendo un cable». Sinónimo: *Pasar un cable.* 2. Meter la pata. «Al dar esa opinión me comí un cable». 3. Aburrirse. «Con esa película me comí un cable». *Comerse un cable con rollo y todo.* Estar en malísima situación económica. «Mi familia se está comiendo un cable con rollo y todo. Voy a girarle cinco pesos». Algunas veces se dice: *Comerse un cable de alta tensión con rollo todo.* Sinónimos: *Comerse un caimán en marcha atrás. Comerse un chino. Comerse un chino empanizado. Comerse un niño. Comerse un niño por los pies con tenis y todo.* (Por regla general para lograr el aumentativo el cubano recurre a añadir palabras al cubanismo original. Por lo tanto, *comerse un chino,* es estar en mala situación económica, pero *comerse un chino empanizado*, ya sería estar en una malísima situación económica. Lo mismo con *comerse un niño.* Se aumenta la dificultad económica si se *come un niño por los pies.* Ésta llega al máximo si el niño es *comido por los pies con tenis y todo.* Otros sinónimos: *Estar comiendo tierra. Estar en carne. Estar en la fuácata. Estar en la prángana. Estar hecho tierra o estar tan hecho tierra que si le echan agua se convierte en fango. Estar prendido al cable. Comerse el cable con una mujer.* Hacer el tonto con ella. «No debes estar con María. Con esa mujer te estás comiendo un cable». *Soltar un cable.* Volverse loco. «Con tanto estudio soltó un cable». *Faltarle a alguien un cable.* Estar medio loco. «Como puedes ver, le falta un cable». Sinónimo: *Soltar un cable.* Volverse loca. «De tanto estudiar soltó un cable». *Tener alguien un cable a tierra.* Estar loco. «Juan tiene un cable a tierra». *Tener un cable que no hace tierra. Tener los cables cruzados.* Estar loco. «Mi hermano tiene los cables cruzados». Sinónimo: *Tener un corto circuito en la cabeza, o en el güiro, o en el «pen-jaus».* («Güiro» y «Pent-house» son cubanismo que significan «cabeza». «Pen-jaus» es la forma en que el cubano pronuncia la palabra inglesa «Pent-house».) Ver: *Cocodrilo. Gavilán. Resistencia. Tigre.*

CABO. *Cabo de la guardia, siento un tiro. ¡Ay! ¡Ay! Que estoy herido.* Me cagué. «Cuidado, mierda». «—Cabo de la guardia siento un tiro. ¡Ay! ¡Ay! Que estoy herido». (Es la letra de una canción muy popular en Cuba.) *Dar con el cabo del hacha.* Fornicar. *Dar menos aceite que un cabo de paraguas.* Ser muy agarrado. «Cuando te digo que mi primo da menos aceite que un cabo de paraguas. Ahí tienes la prueba». Sinónimo: *Aserrín. Déjame el cabo.* Déjame disfrutar de algún beneficio. «No te lo cojas todo para ti. Déjame el cabo». (El cabo es lo que queda del tabaco después de fumado.) *Fumarse hasta el cabo del tabaco.* Arrasar. «En el ministerio se fumó hasta el cabo del tabaco». (Malversar.) Sinónimo: *Acabar con la quinta y con los mangos. Tener cosas de cabo interino.* Decir o hacer tonterías. «Muchacho, tu primer día aquí y preguntas cuándo te dan las vacaciones al jefe. Tú tienes cosas de cabo interino». («El cabo interino», en un cuartel comete muchos errores por no saber cómo manejarlo. De ahí el cubanismo.) Ver: *Hacha.*

CABRIAO. *Estar cabriao.* Estar enojado. «Mi padre está cabriao conmigo». (Es «cabriado» el cubano aspira la «d».)

CABRISAS. Ver: *Hilarión.*

CABRÓN. Astuto. Inteligente. Persona mañosa. Vivo. «Ha ganado muchos millones en donde todo el mundo ha fracasado. No se le puede negar que es un cabrón». «Ese cabrón se las sabe todas». «Ese hombre no se deja sorprender. Es un cabrón». *Estar cabrón.* 1. Estar en la luna de Valencia. «Pepe está cabrón siempre. No entiende lo que uno le dice». 2. Estar enojado. «Por todo se pone cabrón». *No es lo mismo tener una imagen de la Cabrini que ser la imagen del Cabroni.* No es lo mismo ni se escribe igual. «Mira, no me vengas con cuentos. Tú sabes muy bien que no es lo mismo tener una imagen de la Cabrini que ser la imagen del Cabroni». (Imitando torpemente pero con humor la lengua italiana, en Cuba había muchos chistes italianos.)

CABÚ. *Estar siempre en el cabú.* Ser siempre el último. «No sé por qué tengo tan mala suerte. Estoy siempre en el cabú». (El «caboose» [que el cubano dice «cabú"] es el último carro del tren.)

CABUJAL. Soga. Se usa el cubanismo en esta frase. «A Juan no hay quién le coja el cabujal». Es decir, no hay quién lo domine.

CABULLA. Cuerda muy fina. «Para jugar al trompo usamos la cabulla». Ver: *Pita. Dar cabilla.* Fornicar. «El le dio cabulla a Juanita. Estoy seguro».

CABUYA. Ver: *Aleluya.*

CACA. *Tachar con caca de gato.* Pelearse con alguien definitivamente. «No me hables más de él. Lo taché con caca de gato». Sinónimo: *Echar a alguien meao de jicotea.*

CACAFUACA. *Ser cacafuaca.* No valer nada. «Ese es un cacafuaca. No le pido más nunca un favor».

CACAO. *Ser alguien más viejo que el cacao.* Ser muy viejo. «Juan es más viejo que el cacao». (Es cubanismo de una zona donde por primera vez se sembró cacao en Cuba, de Baracoa.)

CACATÚA. Mujer fea. «Esa mujer es una cacatúa». Sinónimos: *Estar una mujer para el tigre. Ser un casco. Ser un fleje.*

CACHA. La Caridad del Cobre, patrona de Cuba. «El es un gran devoto de Cacha». Frases como: *amar a Cacha; esperar mucho de Cacha; tenerle respeto a Cacha,* se refieren casi siempre a la Caridad del Cobre. *Cacha, no te caigas.* Virgen de la Caridad del Cobre, no me abandones. «Cacha, no te caigas. Concédeme lo que te pido». (A la Virgen de la Caridad del Cobre le llaman en Cuba: *Cacha o Cachita.*) *Caérsele, Cacha.* No protegerlo la Caridad del Cobre. («Caérsele a alguien», es «fallarle». El cubanismo *Cacha, no te caigas*, se usa en forma chistosa siempre.)

CACHACAMBA. Se dice del que cambia continuamente de opinión, de trabajo. «Juan es un cachacamba».

CACHACO. Se dice del que se mete en todo. «No seas cachaco. No me preguntes lo que estamos hablando». *Ser, un hombre, un cachaco.* Meterse un hombre en cosas de la casa que no debe meterse. «Mi marido es un cachaco. No lo soporto, chica».

CACHANCHA. Paciencia. «Tienes una cachancha que Dios te la bendiga». *Estar de cachancha detrás de alguien.* Estar alabándolo servilmente. «Está de cachancha detrás del jefe el día entero».

CACHANCHÁN. Persona que sin decoro sirve a otro haciendo todo lo que le mandan por inmoral que sea. «Pedro ha sido siempre un cachanchán».

CACHANCHANA. Barragana, querida. «Esa es la cachanchana de Luis. ¡Qué bonita es!» «Juan se echó una cachanchana».

CACHANCHARA. *Dar cachanchara.* Dar la tabarra. «No le soporta a nadie que le den cachanchara». Sinónimo: *Dar lata.*

CACHAREO. Conversación animosa. «En qué cachareo andan esas mujeres».

CACHARRO. 1. Alarde. «Eso que me dices es un cacharro». 2. Auto viejo o en malas condiciones. «Este carro es un cacharro». 3. Joyas. «Fue a la fiesta llena de cacharros». 4. Mentira. «No me vengas con ese cacharro». 5. Persona enferma. «Tu familia siempre tiene algo. Son unos cacharros». *No me tires con ese cacharro.* 1. No me vengas con esa cosa falsa. «Yo no soy idiota. No me tires con ese cacharro». 2. No me vengas con eso. «Se lo dije bien claro cuando me dijo que se casaba conmigo: No me vengas con ese cacharro». *Ser un cacharro con bigote y almidón.* Aparentar lo que no es. «No me vengas con esas cosas que yo te conozco desde niño. Tú eres un cacharrón con bigote y almidón». (El cubanismo compara con los viejos que van de lo más pintiparados, almidonados los trajes y los bigotes con cera, con los cacharros, o automóviles destartalados.) *Tirar un cacharro.* Alardear. «No me tires ese cacharro que yo sé que eres un muerto de hambre». «Se cree que no la conozco y me tiró un cacharro».

CACHAZA. Flema. «Tiene una cachaza que Dios lo guarde».

CACHÉ. *Tener caché.* Ser distinguido. «Ese amigo tuyo tiene caché». De todo lo que parece tener calidad, se dice: «tener caché». Equivale a lo que en castizo es: «dar la hora». Por ejemplo: «Ese reloj da la hora», ejemplo del cubanismo: «Ese automóvil tiene caché». «Ese regalo tiene caché». *Tener más caché que Cachirulo.* 1. Tener mucha presencia, clase. «Tu hermano tiene más caché que Cachirulo». 2. Tener muchísima distinción. «Mi prima no tiene dinero pero tiene más caché que Cachirulo».

CACHET. *Darse mucho cachet.* Hacerse mucho de rogar. «Mira que ese hombre se da cachet conmigo». Asimismo, *darse pisto.* «Tan mediocre que es y mira el cachet que se da».

CACHETE. *Pagar cachete.* Pagar al contado. «Yo no cojo nada fiado. Yo todo lo pago cachete». (El cubanismo se deriva de la palabra inglesa *cash.*) Sinónimo: *Pagar Cashimir Buquet.* («Cashmere Bouquet» que el cubano pronuncia como lo he escrito, eran polvos y jabones para damas.) Ver: *Bemoles.*

CACHICAMBIADO. 1. Cambiado. «Eso está cachicambiado». «Yo no compré éste; está cachicambiado». 2. Se dice de algo que está o sale al revés. «Esta imagen en el televisor está cachicambiada». «Esta página en el libro está cachicambiada». 3. Torcido. «Esto que me das está cachicambiado. Ve a devolverlo a la tienda. ¿Cómo venden una cosa torcida?»

CACHIMBA. *Llenársele a uno la cachimba de tierra.* 1. Enojarse. «Lo molestaron tanto que se le llenó la cachimba de tierra y repartió varios golpes». 2. No aguantar más una situación. «Con las calaveradas de mi hijo, ya se me llenó la cachimba de tierra».

CACHIMBO. (El) 1. Ingenio pequeño de hacer azúcar. «Con ese cachimbo no puedes ganar dinero, Pedro». 2. Persona poco inteligente. «Ese es un cachimbo. No ves que chiquita tiene la cabeza». (El cubanismo se basa en un juego de palabras: «El que es un cachimbo no llega a ingenio».) 3. Revólver pequeño. «Aun los cachimbos están prohibidos por la ley». 4. Un habano grande. «¡Qué cachimbo te estás fumando!» *Tener el cachimbo echando humo.* Tener el pene en erección. «La vi y tengo el cachimbo echando humo». También, hablar mucho. «No se calla. Tiene el cachimbo echando humo». Asimismo, pensar mucho. «Está quieto, porque tiene el cachimbo echando humo».

CACHÍN. *Cachín, Cachán, Cachumba, a la sabrona le zumba.* Se dice cuando se ve a una mujer bella. «¡Qué bella es! «Cachín, Cachán, Cachumba, a la sabrona le zumba». (Surge con una canción titulada: «*Sabrona*».)

CACHINEGRETE. Ver: *Pardiñas.*

CACHIPORRÓN. *Cachiporrón de avance.* Guapo. «Ese es un cachiporrón de avance». (Lenguaje del chuchero. Ver: *Chuchero.*)

CACHIPORRONA. *Mulata cachiporrona.* Mulata de piel clara. «Es una cachiporrona».

CACHIRULO. Amigo. Forma cariñosa que se usa al saludar. «Oye Cachirulo, te veo luego». *¡Ay Cachirulo! Tú quieres comer galleta y lo que te dan es pan duro.* ¡Pobrecito! Qué mala suerte la tuya! «Siempre cuando espero algo, fracaso. ¡Ay, Cachirulo, tú quieres comer galleta y lo que te dan es pan duro!» (Viene de la canción. El cubano casi siempre dice solo: ¡Ay Cachirulo!, por su tendencia a la economía lingüística.) *Ser cachirulo.* Ser muy poco inteligente. «Es un cachirulo». (Viene de una canción cubana que fue muy popular que decía: «*Ay, Cachirulo, ay, Cachirulo, mientras más grande y viejo más bruto*»...)

CACHITA. Virgen de la Caridad del Cobre, patrona de Cuba. «Hoy le recé a Cachita». *Anda Cachita pa' la escuela.* ¡Oye! «Juan inventó un avión». «—Anda Cachita pa' la escuela».(«Pa'» es «para».) *Ciégalo Cachita.* Que no gane. (Esta expresión se usa en el juego del cubilete cuando alguien va a lanzar o a tirar los dados.) *¿Tú estás oyendo Cachita?* ¿Tú me oyes, Virgen del Cobre? «Vamos a matarlos a todos. Tú estás loco. ¿Tú estás oyendo Cachita?» (A la Virgen del Cobre le dicen: «Cacha» o «Cachita».)

CACHITO. *Cachito, cachito mío.* Amor, pedacito mío. «¿Cómo estás, cachito, cachito mío?» *Emular a Cachito.* (Cubanismo nacido en el exilio referido a la forma que quedan a los que les han hecho algún atentado con bombas puestas en los carros. Como quedan echos cachitos. De ahí el cubanismo.) «Viejo, volaron a Fernández. Emuló a Cachito». (Los cubanismos se basan asimismo en la letra de la canción mexicana: «*Cachito, Cachito, Cachito mío*»...)

CACHO. *Vive el cacho.* 1. Expresión que se usa cuando pasa una mujer bonita con sentido de deleitarse. «¡Qué mujer viene por ahí! Vive el cacho». 2. Goza lo que te diga; lo que ves; lo que oyes. «Oye el vive el cacho. La mujer engaña al marido». 3. Óyeme atentamente. «Vive el cacho. Esa mujer engaña al marido».

CACHÓN. Pedazo grande. «Dame un cachón de carne».

CACHÚ. *Estar vestido de cachú.* Estar vestido de rojo. «Le gusta siempre estar vestido de cachú». («Cachú» es la forma en que el cubano pronuncia «Ketchup», o «Salsa de tomate» en inglés.)

CACHUMBA. Ver: *Cachín.*

CACHUMBAMBÉ. Nombre que se le da indistintamente al aparato en que jugaban los niños o al juego en sí. Consiste en ponerse los niños en los extremos de una tabla en cuyo centro hay una base. Un niño pone los pies en el suelo, se impulsa y sube al otro. Cuando éste baja, sube al que lo elevó a él primero. «Vamos a jugar cachumbambé en el parque». (Juego.) «Este cachumbambé está roto». (Aparato.) *Estar en el cachumbambé.* Estar en una situación incierta. «Estoy en el cachumbambé». (Es decir: «Hoy arriba y mañana abajo».) Ver: *Lado.*

CACUJA. Dulce de leche. «La cacuja engorda mucho».

CADÁVER. *Ser alguien cadáver.* Estar perdido. «Se descubrió todo. Eres cadáver».

CADENA. *Hala la cadena.* Cállate. «Ni una palabra más. Hala la cadena». *Jala la cadena y sigue a la basura que habla.* Ni le prestes atención. «Jala la cadena y sigue. Ese candidato se para en todas las esquinas y habla». (Jalar» es «halar».) *Tener la cadena en la mano.* Ser un chuchero. «No seas amigo de él que tiene la cadena en la mano». (El «chuchero» era un tipo de los bajos fondos en cuanto a costumbres, de germanía, intensamente despreciado por el pueblo cubano. Tenía, entre su indumentaria, una cadena enorme que le colgaba del pantalón, y a las que daba vueltas continuamente. Para más información sobre este personaje ver: *Chuchero.*)

CADERAS. *Caderas como lanchas.* Caderas anchas. «Esa mulata tiene caderas como lanchas». *Caderas de flan.* Que se mueven mucho. «Esa mujer tiene caderas de flan». Sinónimos: *Tener cadera batidora. Tener caderas con complejo de batidoras. Tener caderas montadas en cajas de bola. Tener caderas que parecen lanchas.* Caderas muy anchas. «Mi novia tiene caderas que parecen lanchas».

CAER. *Caer como un hígado.* No caer simpático, sino antipático. «Ese individuo me cae como un hígado». (El cubanismo se basa en el hecho de que el hígado es pesado de digerir y por lo tanto no cae bien al estómago.) Sinónimos: *Caer como un plomo.* (*Ser un plomo* es madrileñismo.) *Caer como una bala. Caer como una bomba. Caer como una patada en el estómago o en los cojones.*[19] *Caer como una patada en los riñones. Caer como un veinte de mayo.* «El gobierno ha caído como un veinte de mayo a los comerciantes». *Estar a la que se te cayó.* Estar a la expectativa para actuar inmediatamente. «Siempre está a la que se te cayó. No pierde ocasión para avanzar». *Estar caído.* Tener una mala situación en cualquier sentido. «Sabes que estoy caído». *Si se cae, come yerba.* Se dice de la persona que es muy poco inteligente. «Basta verle la cara. Ese si se cae come yerba». Ver: *Aguantar.*

CAERLE. Verbo que significa llegar a un lugar o visitar a alguien. «Anoche le caí a Pedro en su casa». Igualmente significa «comer». Vi el flan y le caí.

CAERSE. 1. No ayudar. «Cuando le pedí el dinero se me cayó». 2. No cumplir la palabra o lo prometido. «Te dice una cosa ahora y después se te cae». *Caerse de la mata.* Darse cuenta. «¿Así que ahora es que te caes de la mata? ¿Tú no sabías que era un asesino?» *Caérsele a alguien.* Fallarle. «No te me caigas y consígueme el dinero». «¡Eres mala persona! Con lo que me interesaba y te me caíste». *No cumplir alguien con*»...¿No te le vas a caer ahora a los amigos?» *No tener a dónde caerse muerto.* Tener una muy mala situación económica. «Mi familia no tiene a dónde caerse muerta. Por eso no puedo proponerle casamiento o matrimonio a Dora». Ver: *Desteñirse.*

CAFATANA. (La) La élite que bajo el comunismo detenta el poder en Cuba. «Ese es de la cafatana». (Lenguaje de la Cuba de hoy.)

CAFÉ. *Café bautizado.* Lo que se llama café cortado, es decir, el café al que le han echado un poco de leche. «Dame un café bautizado». Ver: *Inodoro. Café con leche.* Mestizo. «Ese país tiene que aceptar a larga a los café con leche». *Darle a alguien matica de café.* Matarlo. «A Juan le dieron matica de café». Sinónimos: *Dar guiso. Dar guiso espeso. Guisársela a alguien. Llenarle a alguien la boca de hormigas. Partirle la ventrecha o el carapacho.* («El cubanismo» darle a alguien matica de café, lo he oído sólo en el exilio.) *Café cerrero.* Café fuerte hecho en el campo cubano. «Vamos a tomar café cerrero». Sinónimo. *Café carretero.* (Lleva un pedazo de carbón caliente dentro del jarro.) *Café matón.* Café amargo. «Dáme café matón». *Café picado.* Café cortado con leche. «Dame un café picado». Ver: *Picado. Estar alguien como el café con leche.* Estar cambiando siempre de opinión. «Ahora con

---

[19] O *en los timbales*, cubanismo más usado para evitar la grosería.

esa. Tú estás siempre como el café con leche».(Al café con leche le dicen «sube y baja» y el que cambia de opinión está en un «sube y baja». De ahí el cubanismo.) *Estar como el café aguao.* Ser un individuo sin personalidad. «Está como el café aguao». («Aguao» es «Aguado» pero el cubano aspira la «d».) *Estar el café.* 1. Formarse un lío. «Ya está el café. No pueden hablar con las personas sino pelear». 2. Ya está todo resuelto. «Puedes ir que ya está el café». *Hacer café con leche.* Fornicar con una negra. «Anoche no te vi porque estuve todo el tiempo haciendo café con leche». (El café con leche tiene le color de la piel del mulato. De aquí el cubanismo.) Ver: *Guisaso. Nacer alguien después que colaron el café.* Ser muy feo. «Esa mujer nació después que colaron el café». Ver: *Dulce. Ser alguien un café con leche parejo.* Ser un mulato sin lugar a dudas. «Juan aunque lo niegue es un café con leche parejo». Ver: *Hechura. Ser estratega de café con leche.* 1. Que no vale nada. «Tú eres un estratega de café con leche». 2. Se dice de la persona que de todo opina. «No le hagas caso que no es más que un estratega de café con leche». (Con café con leche se forman muchos cubanismo.) Ver: *Chulo. Vivir de un modesto café de a tres kilos.* Vivir modestamente. «El vive de un modesto café de a tres kilos».

CAFETALES. Ver: *Vegas.*

CAFETAZO. Tomar café. «Este es el cuarto cafetazo del día». Sinónimo: *Darse un cafetazo.*

CAFETEO. Acción de tomar café. «Cómo le gusta a Juan el cafeteo».

CAFETERA. Automóvil destartalado. «Eso que manejas es una cafetera». Sinónimo: *Cafetería.*

CAFETERÍA. *Opinión de cafetería.* Que no sirve. «Eso que me dices es una opinión de cafetería».

CAFIASPIRÍNICO. Homosexual. Sinónimos: *Champe. Cherna. De lejos parece y de cerca lo es. Loca. Locona. Pailero. Pájaro. Pargo. Parguela. Rififí. Sayonara.*

CAFIROLETA. Dulce a base de boniato y coco. «Mamá está haciendo cafiroleta». *Hacerse la cafiroleta.* Masturbarse. Ver: *Manuela.*

CAFÚ. *Morir como cafú.* Ser derrotado. «Vas a morir como cafú si sigues cometiendo los mismos errores».

CAGÁ. *Ser alguien una cagá.* No valer nada. «No te juntes con él, es una cagá». (Me informó, en carta, el Lcdo. Julio León, e.p.d., gran conocedor de estas cuestiones que en Swahili se le dice cagá a una persona que no tiene títulos, propiedades o familia y que de ahí viene el cubanismo.)

CAGACAMISA. Persona sin importancia. «Ese no es más que un cagacamisa. Por eso me tiene sin cuidado lo que piense».

CAGADA. *Para cualquier cagada, siempre hay papel.* Se le dice despectivamente al que habla cosas sin sustancia. (Basura.) «Viejo, cállate. Y no te olvides que para cualquier cagada siempre hay papel». Para indicarle que no impresiona con lo que dice, que «uno se limpia» con lo que dice, o sea, limpiarse el culo con lo que se oye. *Por la cagada se conoce al pájaro.* Por las acciones se conocen a los hombres. «Nunca pudo engañarme. No te dije que por la cagada se conoce al pájaro». Ver: *Cagaíto. Ser algo o alguien una cagada.* No valer nada. «Este trabajo es una cagada». Ver: *Cigarro.*

CAGADITO. *Ser cagadito.* Parecerse mucho. «Juan es cagadito a su madre». Sinónimo: *Ser una postura de gallina.*

CAGADO. *Ser un cagado.* 1. Joven. «No le hagas caso que es un cagado. Tiene diez años». 2. Ser una persona de baja condición social. «¡Cómo lo vamos a invitar a casa si es un cagado!»

CAGAFUEGO. *Ser un cagafuego.* Ser activísimo. «Juan es un cagafuego». Sinónimo: *Ser un culillo.*

CAGAÍTO. Igual. «Pedro es cagaíto a su padre». Sinónimo: *Ser una cagada.*

CAGAJÓN. *Arder alguien como el cagajón.* Ser hipócrita. «No confíes en él que arde como el cagajón». (El «cagajón» arde por dentro. Por eso cuando una casa está ardiendo lentamente por dentro, se dice: «Esa casa arde como el cagajón».)

CAGALERA. Mucho. «Había una cagalera de niños en la fiesta». *Entrarle la cagalera.* Acobardarse. «No sirves. En las situaciones difíciles te entra cagalera». *Si no tiene cagalera debe de tener pujos por lo menos.* Estar al borde del miedo. «Con la carta que el mandé, si no tiene cagalera debe de tener pujos por lo menos». *Tener alguien cagalera.* Tener miedo. «¡Qué cagalera tienes! Si no te va a pasar nada».

CAGALITROSO. *Poner algo cagalitroso.* Se dice, de algo como el café, que afloja el vientre. «Esa marca de café es cagalitrosa». Viejito cagalitroso. Persona muy anciana. «Es un viejo cagalitroso». (El cubanismo fue creado por el actor cubano, Guillermo Álvarez Guedes.)

CAGAPUESTO. Individuo que cambia con frecuencia de trabajo. «Pedro es un cagapuesto. Por eso no progresa».

CAGAR. Morirse de miedo. «Te estás cagando. ¡Qué cobarde eres! Si hay que morir, hay que morir». *Cagar pa' dentro.* Ser homosexual. «Te digo que ese muchachito caga pa' dentro». («Pa'» es «para».) Sinónimo: *Aceite. Cagarla completa.* Cometer un error garrafal. Hacer la cosa completamente mal. «Ése cuando la hace la caga completa». *Cagarse en pergañeta.* (Eufemismo que se usa para no decir una persona una blasfemia.) Sinónimos: *Cagarse en la madre de los tomates. Cagarse en sebastropol. Cuando el mal es de cagar, no valen guayabas verdes.* No haber solución. «No importa lo que haga el médico. Cuando el mal es de cagar, no valen guayabas verdes». (Refrán campesino.) *Estar algo de cagarse.* Estar muy mala la situación. «Te digo que esta situación económica está de cagarse». *Estar cagando flojo.* Tener miedo. «En estos momentos, con los tiros, todo el mundo está cagando flojo». *Hasta para cagar.* Para todo. «Habla de su mujer hasta para cagar». *¡La cagaste!* Lo echaste a perder todo. «Con esa declaración, la cagaste». Ver: *Timbero. Volverla a cagar.* Repetir un error. «Volvió a cagar y lo botaron del trabajo».

CAGARRUTA. *Cagar cagarruta de ratón.* Estar estreñido. «Últimamente estoy cagando cagarrutas de ratón». *Ser cagarruta.* No valer nada. «Tú eres cagarruta, mi amigo» Algunas veces se dice: «Cagarruta de ratón».

CAGAZÓN. Suciedad. «¡Qué cagazón hay aquí!» «Yo no aguanto la cagazón de tu cuarto». *Formarse la cagazón.* 1. Cundir el miedo. «Cuando vieron que la cosa iba en serio, se formó la cagazón». 2. Formarse el corre, corre. «Al sonar el primer tiro, se formó la cagazón». *Formarse la cagazón de madre.* Formarse un corre, corre grande. «Cuando llegó la policía se formó la cagazón de madre».

CAGUAIRÁN. *Ser alguien caguairán.* Ser muy fuerte. «Pedro es caguairán». (Es cubanismo de origen campesino. «El caguairán» es una madera muy dura. De ahí el cubanismo.)

CAGUAMA. Mujer gorda. «Yo jamás me casaría con una caguama así». Ver: *Presidente.*

CAGUAY. Sombrero. «El caguay que estás usando es fenomenal». (Lenguaje del chuchero. Ver: *Chuchero.*)

CAGUAZO. Persona que no vale nada. «Jamás he tenido relaciones con un caguazo como tú». Sinónimo: *Ser un cagarruta de ratón.*

CAGÜEIRO. Persona que tiene la facultad de hacerse invisible según la leyenda de la provincia de Oriente en Cuba en la que aún cree mucha jente. «Cuando lo veo me persigno porque es un cagüeiro».

CAGUITA. (El) Sombrero pequeño. «¡Qué bello caguita, Pedro!»

CAGUITAS. *Limpiar las caguitas.* Limpiar los zapatos. «Voy a limpiarme las caguitas». (Lenguaje del chuchero. Ver: *chuchero.*)

CAÍDA. *No haber caída.* Tener seguridad en la persona o en la empresa. «Con mi hermano no hay caída. Aportará el dinero».

CAÍDO. Ver Caer.

CAIGNET. Ver: *Collar.*

CAIMÁN. Persona que lo quiere todo para sí y no comparte nada con nadie. «No hay dudas de que es un caimán. Ya puedes ver cómo actúa». *Comerse un caimán en marcha atrás.* 1. Pasar una dificilísima situación económica. «Juan se está comiendo un caimán en marcha atrás». («En marcha atrás», es el aumentativo, ya que «comerse un caimán» es el cubanismo sin aumentativo.) 2. Tener una situación difícil. Sinónimos: *Cable. Comerse un cable. Comerse un clavo. Comerse un niño.* (El aumentativo es *comerse un niño por los pies con tenis y todo.* «Con tenis y todo» hace el aumentativo. Son los casos en que el cubanismo recurre a palabras y no a la terminación del aumentativo. Hacer el aumentativo con palabras es una característica de los cubanismos.) Ver: *Barrigón.*

CAIMITO. *Ser alguien como la hoja del caimito.* 1. Hipócrita. «Cómo me engañó fingiendo cariño. Es como la hoja del caimito». 2. Voluble. «Nunca se sabe cómo reacciona es como la hoja del caimito». (La hoja del caimito tiene un color por un lado y otro diferente en el revés. De ahí el cubanismo.) *Ser como el caimito.* 1. Persona que parece tener gran fortaleza pero que basta atacarla para que se derrumbe. «Ése es un caimito. No le tengas miedo a ese aire de perdonavidas que asume». (El caimito se seca en la mata y para que se caiga hay que tocarlo.) Sinónimo: *Ser un «blof».* (La palabra inglesa es «bluff».) 2. Ser hipócrita. «Mi hermano siempre a pesar de ser mi hermano fue como el caimito».

CAÍN. *Ser un Caín.* Ser un calavera. «El hijo es un Caín». Lo he oído preferentemente aplicado al hombre que tiene mucho éxito con las mujeres y después de conquistarlas, las abandona. «Me encanta, pues es un Caín. Ha tenido cien mujeres».

CAINOA. Persona viva e inteligente pero que se desenvuelve en una zona que ronda lo ilícito. «Tu hermano es un periodista agresivo. ¡Qué cainoa!» Sinónimos: *Punto Furile. Punto Rongola.* (*Punto* sólo es palabra de España.) (*Punto filipino* es castizo.)

CAIRO. Ver: *Rumbo.*

CAIROA. *Ser un Cairoa.* Lo que en castizo se llama una lerna, uno que es muy pícaro e inteligente en su conducta. «Pedro es un Cairoa».

CAJA. *Caja de muerto.* El doble nueve en el dominó. *Coger caja de muerto.* Coger cualquier cosa. «Ése, por coger, coge hasta caja de muerto». *Cuadrar la caja.* Resolver un problema. «Por fin pude cuadrar la caja. Ya soy libre». *Cuadrarle la caja a alguien.* Enfrentarlo decisivamente. «Lo miré de arriba a abajo y le cuadré la caja». *Dentro de poco hay que comprarle una caja de pamper.* Se dice en el exilio del que se quita la edad. «Ya sólo tiene cincuenta años. Dentro de poco hay que comprarle una caja de pamper». (Los pampers son culeros.) *Estar cerrada la caja de Pandora.* No fornicar una mujer. «Te lo digo Pedro: Conmigo está cerrada la caja de Pandora». (Es cubanismo culto.) *La caja del pan.* El estómago. «Tengo hambre. Vamos a llenar la caja del pan». (Cubanismo de origen chuchero. Ver: *chuchero.*) Sinónimos: *Caldera. Furnia. Llevar. Llevar por la caja del pan. La caja de los fusibles.* 1. La cabeza. «Tiene un tumor en la caja de los fusibles». 2. Volverse loco. «Se trastornó. Se le fundió la caja de los fusibles». *La pelota es redonda y viene en caja cuadrada.* Así es la vida. «Pero, ¿cómo se atrevió a tal cosa? Bueno, para qué preguntas si la pelota es redonda y viene en caja cuadrada». *No llevar alguien nada en la caja del pan.* Se dice sobre todo de los pugilistas (boxeadores) que si les dan por el estómago pierden enseguida la pelea. «Pierde seguro la pelea. No lleva nada por la caja del pan». Se aplica a las personas débiles de carácter. «No contestará el infundio. No lleva nada por la caja del pan». *Ponerse la caja de muerto estando vivo.* 1. Estarse lamentando continuamente de una difícil situación económica. «A mi marido le gusta ponerse la caja de muerto estando vivo». 2. Fingir siempre que se está en mala situación económica. «De esa manera engaña: poniéndose la caja de muerto estando vivo. Tiene, sin embargo, más de cien mil pesos». *Saber lo que son cajas, (o cajitas o cajetas) de dulce de guayaba.* Ahora vas a ver lo que es bueno. «Así que lo hiciste. Ahora vas a saber lo que son cajas de dulce de guayaba». (Es frase que se le dice a los niños cuando se portan mal. El dulce de guayaba venía en una caja alargada cuya tapa se usaba para darles a los niños malcriados por las nalgas.) *Ser duro como cajeta de boniato.* Ser muy agarrado. «Hizo una fortuna porque es duro como cajeta de boniato». Sinónimos: *Aceite. Cubierta. Pelota. Tomates. Tener la caja de música encendida.* Protestar con vehemencia. «Hoy tiene la caja de música encendida». (Cubanismo culto y viejo, de cuando había cajas de música.) Sinónimo: *Meter un berrinche. Tenerle alguien que cuadrar la caja con alguien.* Tener que someterse, entrar por el aro. «El no puede seguir así. El tiene que cuadrar la caja conmigo». (Lenguaje de la Cuba de hoy.) Tragarse una caja de almidón al nacer. Se dice de la persona que es muy estirada, que tiene muchos humos. «Esa tonta de Pita se tragó una caja de almidón al nacer, y no vale nada».

CAJETILLA. *Enseñar la cajetilla.* Enseñar los dientes. «Cuando se ríe, enseña la cajetilla». *Ponerse la cajetilla.* 1. Dentadura. «Tengo la cajetilla picada». 2. Los dientes. «Tiene una cajetilla bonita». 3. Ponerse una dentadura postiza. «Ayer me puse la cajetilla. Me quedó algo suelta». *Tener mala la cajetilla.* Tener los dientes picados. «Tuvo que ir al dentista por tener mala la cajetilla».

CAJETÍN. *Soltar el cajetín.* Dejar de hacer algo. «Si no me aumentan el pago de la hora suelto el cajetín». *Venderle a alguien el cajetín.* Irse apresuradamente. «Como nos vigilaba le vendimos el cajetín al policía». Ver: *Partagás.*

CAJITA. *Darle a alguien cajita.* No invitarlo. «En esa fiesta, Juan me dio cajita». (Ya sólo se oye este cubanismo entre la gente mayor. Está casi desapareciendo.) *La cajita muerta.* El doble seis en el dominó. «Se quedó con cajita muerta». *Ser alguien una cajita de papel de china.* Ser muy frágil. «Esa mujer es una cajita de papel de china». Se dice, también: *Ser papel de china.*

CAJÓN. Culo. «¡Qué clase de cajón tiene esa mujer!» Sinónimos: *Atrile. Cuarto Famba. Culeco. El promontorio de Popa. El volumen de Carlota. Fuigo. Goma de repuesto. Hongolosongo. Inán. La loma de la vigía. Hacerle a uno algo de cajón.* De oficio. «Fui a la audiencia y me hicieron el papel de cajón». *Tener el cajón entero.* Tener la mujer el culo grande. «Esa mulata tiene el cajón entero».

CAKE. *Comerse un cake.* Equivocarse. «Contigo me comí un cake». (El cubano pronuncia la palabra inglesa «cake» correctamente «keik». Pero muchos por broma, dicen «kake», como se escribe en inglés.)

CALABAZA. Seno grande. «¡Ésa tiene unas calabazas! Y desde jovencita». *Calabaza, calabaza, cada uno para su casa.* Llegó la hora de retirarse. (Se dice en tono jocoso en una reunión para que la gente se marche y no se sienta echado. Me afirman que es castizo.) *Faltarle sólo la calabaza.* Se dice de una mujer que es mala persona. La que en español castizo llamamos *bruja.* O, *esa mujer es una bruja.* «A Juana le falta sólo la calabaza. No te vayas a enamorar de ella». *No hacerle falta calabaza para nadar.* No necesitar ayuda. «No gracias, a mí no me hace falta calabaza para nadar». (Es lenguaje campesino avecinado en las ciudades y villas rurales cubanas.) *Ser una mujer mejor que la calabaza de Villaclara.* Ser muy dulce. «Tu novia es mejor que la calabaza de Villaclara». (La calabaza de Villaclara es muy dulce.) Ver: *Güiro.*

CALAMAR. *¿Tú crees que porque el calamar tenga tinta escriba?* ¿Cómo ves la cosa? (Se usa la frase en tono jocoso.) Ver: *Chez.*

CALAMBUCO. Santurrón. «No es más que un calambuco».

CALAMIDAD. *Ser calamidad y su perro.* 1. Se dice de la persona que está siempre quejándose. «Es Calamidad y su perro». (El cubanismo está tomado de las tiras cómicas —muñequitos, en cubano— muy populares en Cuba.) Sinónimo: *Ser Anita, la huerfanita.* 2. Tener muy mala suerte. «Volvió a fracasar. Es Calamidad y su perro». También se dice del que siempre se enferma de todo, del que le caen todos los problemas. «Ahora tiene sarampión. Es Calamidad y su perro». «La hija mayor se le enfermó y a la menor se le partió una rodilla. Es Calamidad y su perro».

CALANDRACA. *Ser un calandraca.* 1. Ser una persona muy poco confiable. «Mira lo que ese calandraca me hizo». Algunas veces la palabra significa «astuto». «Oye, calandraca, no dejes de venir a verme». Otras veces es mujer fea. «Juanita es una calandraca». 2. Ser un vivo. «Tu hermano es un calandraca». Lo he oído como en forma de saludar, halagando. «¿Cómo estás, calandraca?»

CALANDRIA. *Cantar como una calandria.* Cantar muy bello. «Ese señor canta como una calandria». *Cantar más que la Calandria.* Confesarlo todo. «Cállate, que estás cantando más que la Calandria». («La Calandria» es una cantante cubana muy popular que cantaba «décimas guajiras». «Cantar» es «confesar» en cubano.)

CALAS. *Poner a cantar a alguien y volverse Calas.* Molestar a alguien y esta persona reaccionar violentamente diciendo mil improperios. «Ese estúpido de Pedro me puso a cantar y me volví Calas». (Este cubanismo se oye entre la gente culta del exilio. Alude a María Calas, la famosísima diva. Es decir, «cantarle las cuarentas» al ofensor.)

CALAVERA. *El tipo está encarnado en la calavera de nosotros.* Nos está mirando fijamente. (Es lenguaje del chuchero. Ver: *chuchero.* «Estar encarnado» significa «mirar fijamente». «Calavera» es «cuerpo».) *Mover la calavera.* Bailar. «Voy a mover la calavera con la jeva». («Jeva» es «mujer».) *Zafarle a alguien la calavera.* Matarlo. «De un tiro le zafó la calavera».

CALCAÑAL. *Ser calcañal de aura.* 1. Ser avaro. «Hizo dinero porque es calcañal de indígena». Sinónimo: *Caminar con los codos.* 2. Ser muy agarrado. «Ese amigo tuyo es calcañal de aura». (El cubanismo se basa en que el «Carcañal» y «el aura», ambos tiene la piel muy dura. En Cuba el que es agarrado es también «duro», —castizo—. Por eso se compara con la piel del calcañal y del aura en el cubanismo.) Sinónimos: *Aura. Estreñido. Ser calcañal de indígenas.* Ser mala persona. «Eres un carcañal de indígena». *Ser calcañal de indígena y diente de perro puro.* Ser malísima persona. «Tú eres calcañal de indígena y diente de perro puro». (El cubanismo, forma aquí, el aumentativo añadiendo: diente de perro puro.) *Ser calcañal de Mau Mau.* (El cubanismo lo creó el novelista cubano Miguel de Marcos.[20] Los «Mau Mau» eran los enemigos de los británicos en Kenya y para lograr la independencia apelaban a todo.) Sinónimo: *Ser carne de lepra. Tener los ariques pegados al calcañal.* Se dice de la persona que a pesar de vivir en la ciudad no ha podido eliminar sus hábitos y costumbres campesinas. «Mi tío lleva veinte años en La Habana pero tiene los ariques pegados al calcañal». (Viene, el cubanismo, del campo cubano.)

CALDERA. (La) El estómago. «Hoy me duele la caldera. Comí mucho anoche». Sinónimos: *Caja del pan. Furnia. Parecer algo una caldera de ingenio.* Sonar mucho. «Ese automóvil parece una caldera de ingenio». (La caldera de un ingenio si es vieja hace mucho ruido.)

CALDERAZO. *Te van a dar un calderazo.* Vas a ir a los infiernos. (Es frase que las madres dicen a los niños desobedientes.)

CALDERILLA. *Tirar a calderilla.* Menospreciar. «Lo odio porque me tira siempre a calderilla». (Cubanismo poco usado. Se usa, corrientemente: *Tirar a mierda o tirar a basura.*)

CALDITO. Ver: *Cucharada.*

CALDO. *Echar el caldo a los perros.* Quedarse en un evento hasta el final. «Estuvo echando el caldo a los perros hasta las dos en el Baile de Etiqueta». (Se usa el cubanismo, casi siempre, en relación al baile.) *Revolver el caldo.* Poner algo en movimiento mediante un liderazgo personal. «El, con sus transmisiones radiales, ha revuelto el caldo. El exilio tiene fe». (Es cubanismo del exilio cubano.)

---

[20] Varias personas me lo han dicho así pero es posible que lo hayan creado otro. Por ejemplo, se cree que él creó la frase «domingo espeso y municipal», y la hemos encontrado en Rubén Darío que escribió antes que Miguel de Marcos. Él, Miguel de Marcos, fue un fabuloso humorista y creador de mucho lenguaje popular.

CALENDARIO. *Está tan atrasado que tiene que quemar el calendario.* Hace muchísimo que no fornica. «Me dijo que en la prisión estaba tan atrasado que tuvo que quemar el calendario». *Estar fajado con el calendario.* Tener muchos años y no notarse. «Tiene cara de niño a pesar de su edad. Está fajado con el calendario». («Fajarse» en cubano es «pelear».)

CALENTAMIENTO. Tener los testículos congestionados por falta de coito. Sinónimo: *Huevos.*

CALENTAR. Enardecer con fines libidinosos a una mujer. «En el baile estuve calentando a Lola a ver si me decía que sí». *Calentar los motores.* Prepararse para hacer algo. «Estoy calentando los motores. Dentro de dos días me examino». (El cubanismo viene del campo de la aviación.) Sinónimo: *Calentar el brazo.* (En este caso el cubanismo viene del campo de la pelota. El lanzador para estar en forma se calienta el brazo tirando pelotas antes del juego.) *Calienta banco.* Suplente. «Ese catedrático es calienta banco». (El cubanismo viene del campo de la pelota. Así se le llaman a los jugadores suplentes.) *Se calentó gusanera.* Dícese la frase cuando se apasiona al discutir.

CALENTURA. *Coger calenturas ajenas.* Sufrir por otro. «No cojas calenturas ajenas».

CALIBRE. *Comer calibre.* Aguantar una desgracia firmemente. «No importa lo que venga; yo como calibre». Ver: *Cáscara.*

CALIDAD. *Sin buena calidad no hay levadura.* El que no tiene buenas cualidades no puede triunfar. «Fracasó porque sin buena calidad no hay levadura». Sinónimo: *Para hornear la harina es muy importante la levadura.*

CALIFORNIA. *Estar siempre en California.* Tener muchas joyas. «Esa mujer está siempre en California». También tener alguien una mujer bonita. «Juan está siempre en California». (Es cubanismo del exilio, se lo he oído a cubanos residentes en California. Allí está la ciudad La Joya, con una universidad de renombre. De aquí el cubanismo.)

CALILLA. Supositorio. «Le puse una calilla al niño porque tenía fiebre». (La calilla es el palito de la hoja del tabaco.)

CALIMBAR. 1. Pegar fuerte. «Lo calimbó duro y le puso la cara amoratada». 2. Ponerle una multa a alguien. «Iba a exceso de velocidad y la policía lo calimbó». 3. Sentenciar. «Calimbe al delincuente, Señor Juez».

CALIXTO. *Llamarse Calixto García.* 1. Quejarse continuamente de que le duele a uno algo. «Ni le hagas caso a lo que te dice si se llama Calixto García». (El Calixto García era un hospital universitario en Cuba.) 2. Ser muy listo. Muy inteligente. «Juan es un Calixto». 3. Tener muchos achaques. «Tú te llamas Calixto García. No hay enfermedad que no tengas». *Llevar a Calixto Kiloguat en el dedo.* Usar una anillo que brilla mucho. «Los muchachos de esa sociedad llevan a Calixto Kiloguat en el dedo». (Es un juego de palabras entre «Calixto» y el muñequito K. Listo Kilowatts que era un logotipo de la compañía cubana de electricidad. El cubano pronuncia como se ha escrito. La electricidad brilla, chisporrotea como el anillo. De aquí el cubanismo.) *Ser Calixto.* Ser inteligentísimo. «¿Resolviste el problema? Tú eres Calixto». Sinónimo. En cubano, «ser un bombillo» es también «ser muy inteligente».)

CALLADO. *Aguanta callado.* No te quejes. «Sé que es duro pero aguanta callado». *Hay quien luce mejor callao.* Cállate. «Pedro, hay quien luce mejor callao». (Es «callado» pero el cubano aspira la «d». «Lucir» es «parecer».)

CALLE. *Estar dura la calle.* Ser muy difícil buscar trabajo. «Está dura la calle y tengo que conseguir empleo». *Estar en la calle muy dura.* Ser muy difícil ganarse la vida. «Te lo digo Pedro, la calle está muy dura». Cuando uno dice esto se le contesta: «Si la calle está muy dura coge la acera». O sea, «pues no te quejes y haz algo». El cubanismo se aplica a muchas situaciones: Si hay represión policíaca se dice: «No hables que la policía está por todos los lados. Está la calle muy dura». Si la competencia en una profesión es muy difícil se dice: «En esta profesión qué dura está la calle». Etc. *Estar en calle y cruceta.* Estar en una encrucijada. «En estos momentos me hallo en calle y cruceta». (Se origina el cubanismo en el juego de damas.) *Poner a alguien en la calle como a un gato.* Sacarlo de un lugar a caja destemplada. «Me gritó y lo puse en la calle como a un gato». (A los gatos se les coge por el cuello y se les tira. De ahí el cubanismo.) «*Ponerse la calle de estone*». («Stone», que significa «piedra» en inglés.) Ser difícil conseguir trabajo. «A principios del exilio la calle estaba de estone». (Es cubanismo del exilio. Base del mismo es: «Ponerse la calle dura». En el exilio substituyeron «dura» por «estone». La piedra es dura. De aquí esta variante.) *Si la calle está dura coge la acera.* Haz otra cosa. «No te lamentes. Si la calle está dura coge la acera». *Tener detrás la calle Zanja.* Tener sangre fría. «Charito tiene detrás la calle Zanja». Sinónimo: *Tener detrás un tren de lavar chino.* (Sitio para lavar regenteado por los chinos. La calle Zanja, es la arteria principal del Barrio Chino [en la Habana].)

CALLEJERO. Ver: *Matunguero.*

CALLO. *Cuidado con los callos.* Cuídate. «Cuidado con los callos que te quieren matar». *El que tiene callo es al que le duele.* El que no es el doliente no comprende lo que a éste le pasa. «Claro, tú no eres el que tiene que dejar de fumar. El que tiene callo es al que le duele». Sinónimo: *El que tiene alfileres es al que le pincha. No doler ni los callos.* Tener buena salud. «No me duelen ni los callos». *Pisarle a alguien el callo.* Hacerle un daño a alguien en cualquier forma: confiscarle los bienes; echarlo del trabajo. En Cuba se usa, mayormente, en el primer sentido. «A Pedro el gobierno le pisó el callo». Sinónimos: *Partirle la siquitrilla. Siquitrillar. Ser carne de callo.* Ser mala persona. «Me has convencido de que es carne de callo». (*Ser carne de callo* se dice también *ser carne de callo deshidratado.*) Sinónimos: *Cambiado por globos se pierde el aire. Cambiado por pomos se pierde el envase. Carne. Ser alcanfor y diente de perro. Ser carcañal de aura. Ser carcañal de mau mau. Ser carne de lepra. Ser carne de cogote. Ser un tiro en un callo.* Ser muy bueno. «Esta novela es un tiro en un callo». *Pisacallos.* Se le dice al que pone impuestos en el exilio. «Ese es un pisacallos». «Ese Alcalde es un pisacallos». Ver: *Abre. Salirle a alguien callos en las manos.* Masturbarse. «A ese muchachito le gusta mucho las muchachitas y tiene callos en las manos por pensar tanto en ellas».

CALMA. *Cógelo con calma.* Latiguillo lingüístico que el cubano usa continuamente. «Ya llegará, cógelo con calma».

CALMIRÉN. *Darle, a alguien, calmirén.* Calmarlo. «A ése hay que darle calmirén». (El «Calmirén» es un calmante cubano.)

CALOBARES. *Los Calobares.* Se le llamaba así a los parabrisas de los ómnibus Santiago-Habana, por ser del color de los espejuelos calobares, espejuelos de vidrios verdosos. «Mira, ¡qué raro! hay una mosca en los calobares».

CALOR. *Aguantar alguien calor como una negra de África.* Aguantar mucho calor. «Mi hija aguanta calor como una negra de África».

CALUNGA. Ser de la raza negra. «Ese es de Calunga». (En Cuba se oye decir: «¡Qué Calunga!» cuando toca una orquesta. Expresa: «¡Qué bien toca!") «¡Calunga! Otra pieza».

CALVA. *Tener una calva que comienza en la frente y termina en la espalda.* Estar completamente calvo. «Mi primo tiene una calva que le comienza en la frente y le termina en la espalda».

CALVIÑO. *Estar calviño.* Estar calvo. «Juan está calviño».

CALVO. *Ser Calvo Sotelo.* Ser calvo. «Tú eres Calvo Sotelo desde niño que yo me acuerdo muy bien». (Es un cubanismo gracioso nacido en el exilio que hace juego con el Premier español: Calvo Sotelo.) Ver: *Bisoñé.* 2. *Ser un calvo sin brillo.* Ser muy antipático. «Ese tío tuyo es un calvo sin brillo».

CALZONCILLOS. *Quitarle hasta los calzoncillos usados.* Arruinar. «Le quitó hasta los calzoncillos usados. No tuvo piedad».

CAMA. *Creerse que la cama es el Trust Company.* Poner cosas debajo del colchón. «Mi marido se cree que la cama es el Trust Company». (Es cubanismo de gente culta. «El Trust Company» era un banco americano en Cuba.) *El Tarzán de la cama.* Se dice de un hombre muy varonil. «Yo siempre he tenido el Tarzán de la cama». *Estar alguien caído de la cama.* Ser un idiota. «Juan está caído de la cama. Por eso tiene esos descalabros». *Sacar a alguien de debajo de la cama.* Localizarlo después de buscarlo afanosamente. «No te preocupes que si es necesario yo lo saco de debajo de la cama». Sinónimo: *Buscar como aguja.* Ver: *Caído y Leona.*

CAMAJÁN. 1. Persona con experiencia. «Es un camaján viejo y eso lo hace ganar siempre». Sinónimo: *Ser un cucarachón viejo.* 2. Político desvergonzado. «Todos sus proyectos de ley son para lucrar. Es un camaján». 3. Truquero. «Ese hombre es un camaján».

CAMALEÓN. *Camaleón viejo con pintadilla.* Persona vieja. «Ese es un camaleón viejo con pintadilla». (Las personas viejas, por lo general, tienen manchas en la piel: *pintadilla.*)

CÁMARA. *Cámara, acción y kilometraje.* Arriba. «¿Vamos a la fiesta, muchachos?» «—Cámara, acción y kilometraje». *Estar algo como la cámara del chino.* No servir. «Eso tienes que repetirlo. Está como la cámara del chino». *Estar alguien en cámara de oxígeno.* Ser muy viejo. «Mi padre está en cámara de oxígeno. Llega al siglo». *Formarse una cámara húngara.* Formarse un lío. «En la reunión se formó una cámara húngara». Sinónimo: *Terminar algo como la fiesta del guatao.*

CAMARIOCA. Ver: *Fogón.*

CAMARÓN. *Camarón que se duerme se lo lleva la corriente.* El que se descuida pierde. El que no actúa rápido fracasa. «Siempre ha sido el primero. Figúrate que él conoce muy bien y pone en práctica el lema: Camarón que se duerme se lo lleva la corriente». *Tener camarón por la baraja.* Tener treinta y tres años. «Parece más joven pero tiene camarón por la baraja». (El cubanismo nace en un juego de azar cubano: «La Charada». Cada número corresponde a una figura. El camarón es el treinta y tres.) Ver: *Agua. Camarones acaramelados.* Camarones grandes. «Voy a comprar camarones caramelados». *Repite y pon camarones.* 1. Habla de nuevo. «Pedro, repite y pon camarones». (Siempre que hay que repetir algo se usa este cubanismo que proviene de la reunión en el «bar» o «barras» cuando se le dice al cantinero que repita lo que se toma acompañado de una ración de camarones. 2. Sigue hablando. «Que se calle». «—No le hagas caso. Repite y pon camarones». 3. También, «los españoles». Hay una canción que dice: «*Camarones, ¿dónde están los mamoncillos?» «Mamoncillos, ¿dónde están los camarones*?» Los «camarones» son los «cubanos». Los «mamoncillos» son los «españoles».)

CAMAY. *Gastar alguien una caja de Camay.* Estar siempre hablando bien de sí mismo. «Todos los días gasta una caja de Camay». (Camay es un jabón, es decir «se da coba» —«se enjabona»— que en cubano es, entre otras cosas, «acicalarse mucho». De ahí el cubanismo.) *Ser una mujer la negación de Camay.* Ser muy fea. «Esa mujer es la negación de Camay». (El cubanismo se basa en el lema del jabón Camay: «*Camay embellece desde la primera pastilla*».)

CAMBIACASACA. Se dice del que cambia de partido político continuamente. «Ese individuo es un cambiacasaca. Nunca ha sido hombre de criterio».

CAMBIAR. *Cambiar el papalote.* Ver: *Culebrilla. Edén.*

CAMBIO. *A ver si hay un cambio en el «bul pen».* A ver si la situación cambia. «Vamos a esperar a ver si hay algún cambio en el «bul pen». *Cambio de bolas.* Instrucciones diferentes. «Fíjate en los contrarios y en el cambio de bola que tienen». (El cubanismo viene del juego de pelota.) Sinónimo: *Cambio de señas. Haber cambio en el «Bul Pen».* Cambiar de opinión o cualquier tipo de cambio. «En mi viaje hay cambio en el «bul pen. Ahora voy a Alemania». (Viene del «base-ball» o «juego de pelota». «Haber cambio en el bul pen» en el juego de pelota, es cuando se sustituye al lanzador o hay otro tipo de sustitución. De aquí el cubanismo. La voz inglesa es «bull pen».) *Meter un cambio de velocidad.* Cambiar súbitamente de opinión. «El metió ayer un cambio de velocidad». «Estaba hablando en contra del gobierno, pero cuando vio al policía metió un cambio de velocidad».

CAMBRERA. *Partirle la cambrera.* Aniquilar. «Al partido contrario le partieron la cambrera». (El cubanismo viene del campo del negocio de zapatos.) Sinónimo: *Partirle el carapacho.* En el reflexivo indica fracaso. «Se le partió la cambrera y tuvo que vender las acciones».

CAMELLAR. Trabajar. «Estoy camellando en una fabrica que queda muy lejos de mi casa». Ver: *Carretilla.*

CAMELLO. Ver: *Joroba.* El trabajo. «No me gusta este camello». (Lenguaje del chuchero. Ver: *chuchero.) Tener un camello que me lleva a la una mi mula.* Tener un trabajo fuerte. «Yo tengo en esa fábrica un camello que me lleva a la una mi mula». (Esto es un juego de niños agitado. De aquí el cubanismo. Un muchacho se pone encorvado para que los otros le pasen por encima. Los que le pasan gritan: «A la una mi mula, y a las dos mi reloj, etc».) *Vender baraja al camello.* Dejar el trabajo. «No me aguanté más y le vendí baraja al camello». (Este cubanismo es también del lenguaje del chuchero.) Ver: *Desierto.*

CAMERA(O). *Cama camera.* Una cama grande. «Quiero comprar una cama camera». El adjetivo «camera (o)» lo usa el cubano, como se ve, en el sentido de grande. «Dame un bisteque camero». *Ser una mujer camera.* Ser muy grande. (Como una cama camera.) «Esa mujer, con la que te casas, es camera».

CAMINAR. *Eso no camina aquí.* Aquí no se admite eso. «Oiga, cuidado con lo que dice. Eso no camina aquí». *Si cocina como camina, me como hasta la raspita.* ¡Qué mujer más bonita! «Bueno para describírtela te diré que si cocina como camina, me como hasta la raspita». (Se usa, también, como piropo.) *Yo no camino más.* No hago más nada. (El cubanismo viene de una canción.)

CAMINO. *Coger camino marañón.* Morirse. «Tu pobre hermano cogió camino marañón». Sinónimos: *Colgar los guantes. Dar el último jipío. Guardar el carro. Ponerse el chaquetón de pino tea. Enseñar a alguien el camino de Corralillo.* Insinuarle a alguien que se vaya. «Yo lo visité y me enseñó el camino a Corralillo a la media hora». También, *hacer insinuaciones.* «Se pasó todo el tiempo enseñando el camino a Corralillo». («Corralillo» es un pueblo de la provincia de Matanzas.) *Ir algo camino al jamelgo flaco.* Irse poniendo mala la cosa. «Yo te decía que esto iba camino de jamelgo y tú no me creías. Ahora tienes el resultado y ya nada se puede hacer. Es la ruina». *Estar por el camino verde que va a la ermita.* 1. Estar en el camino del triunfo. «Ese abogado sueña mucho, está en el camino verde que va a la ermita». 2. Estar viajando. «Por fin tomé el avión y estoy en el camino verde que va a la ermita». *Irse la comida por el camino viejo.* (Me afirman que es castizo.) Atragantarse. «La comida se me fue por el camino viejo». *Llegar por el camino del bobo.* Triunfar haciéndose el tonto; no enseñando las cualidades nunca; con mucha precaución. Creían que era tonto pero llegó por el camino del bobo». Sinónimo: *Llegar haciéndole el chivo loco. No dejar camino por vereda.* Hacer lo importante y no lo superfluo. «Para llegar a ser alguien en la vida no hay que dejar camino por vereda». *No pierdan el camino o el caminito.* Vuelvan. «Ya sé que tienen que irse; pero no pierdan el camino (o el caminito.)» (Se oye más en el diminutivo: *caminito.* Es forma de cortesía que se usa cuando una visita se despide.) *Sigue tu camino y que te coja un tren.* Que tengas una desgracia en tu camino. «Le dije sin miedo: Sigue tu camino y que te coja un tren». («*Que te vaya bien*», que es como usualmente se dice, es sustituido por «*que te coja un tren*».)

CAMIÓN. *Pita camión.* Véte. «No me vengas con esas cosas. Pita camión». *Pita camión y anota Flora.* Vete. Anota y que no se te olvide. «Ya te di las instrucciones. Pita camión y anota Flora». (El cubanismo fue creado por el periódico humorístico «*Zig Zag*» de La Habana en uno de sus cintillos.) *Tener algo o alguien un camión de años.* Tener muchos años. «Juan tiene un camión de años». Ver: *Feo. Flora.*

CAMISA. *Camisa Guajira.* De colores chillones. «Eso es una camisa guajira. Yo no me la pongo». (El adjetivo «guajiro» significa una «cosa chillona». «El guajiro» es el «campesino» cubano.) *Me regaló esta camisa.* Frase que se usa cuando alguien dice que alguien es bueno y se le quiere indicar lo contrario. «Juan, como tú sabes, es muy bueno. «—Buenísimo, me regaló esta camisa». *Ser un caga camisa.* Ser un mierda. «Tú no eres más que un caga camisa».

CAMISÓN. Ver: *Pulguita.*

CAMPAMENTO. *Levantar el campamento.* Irse. «Bueno, ya es hora de levantar el campamento». Ver: *Juana.*

CAMPANA. Bien. «¿Cómo van las cosas?» «—Campana». *Dar más campana que en el boxeo.* Tocar duro el timbre. «Cuando llega a mi casa da más campana que en el boxeo. Hay que abrirle enseguida». *De campana a campana.* De sol a sol. «Juan trabaja y por eso gana dinero, de campana a campana». *Estar campana.* Estar muy bien. «No te preocupes de él; está campana». «El libro está campana». *Fajarse de campana a campana.* Pelear hasta el último momento. «Con él puedes contar siempre pues se faja de campana a campana». (El cubanismo viene del boxeo. Los «rounds» comienzan con una campana y terminan con una campana.) *Quedarse sin campana y sin badajo.* Quedarse en la inopia. «Hizo un mal negocio y se quedó sin campana y sin badajo». También quedar destruido. «Con esa enfermedad se quedó sin campana y sin badajo». (Destruido físicamente. Es cubanismo culto.) *Salvarlo la campana.* Salir de un peligro debido a un hecho que se presenta de pronto. «Tuviste suerte. Si sigues así pierdes, pero te salvó la campana, o sea el decreto del gobierno». (El cubanismo viene del boxeo. Cuando el pugilista cae al suelo el árbitro empieza el conteo. Este debe durar hasta diez. Ahora bien, si el «round» termina durante el conteo, suena la campana y el pugilista puede seguir peleando.) *Sentirse de campana.* Sentirse bien de salud. «Mi hijo, a pesar de mi edad, me siento campana». *Sonar la campana en el batey.* Dejar de trabajar. «Hoy a las seis de la tarde suena la campana en el batey». *Tocarle la campana.* Fracasar. «Cuando más contento estaba en la posición el tribunal le tocó la campana». (El cubanismo nació en un programa radial llamado: «*La Corte Suprema del Arte*», donde iban aficionados a cantar. El que lo hacía muy mal le tocaban la campana.)

CAMPANARIO. 1. Alguien que regenteaba un juego ilegal en Cuba. «¡Qué buen negocio tiene Campanario!» 2. Nombre de una lotería. «¿Cuál fue el Primer Premio en Campanario?» 3. Tipo de juego ilegal en Cuba que tomaba el apellido del dueño «Campanario». «Premiaron el mismo número que ayer en Campanario». *Dejar sin campanario.* Capar. «Por violador, el pueblo lo dejó sin campanario».

CAMPANAZO. *Sonarle a alguien un campanazo.* Callarlo. «No me quedó más remedio que sonarle un campanazo». (Viene de un programa llamado «La Corte Suprema». Al concursante que hacía las cosas mal, le sonaban una campana, lo que dio lugar al cubanismo, «le sonaron la campana», para indicar que lo descalificaron, en cualquier forma.) *Sonarle un campanazo a Changó.* Encomendarse a Changó. «Le sonó un campanazo a Changó y se sanó». (En la ceremonia africana que se practica en Cuba a Changó, dios africano, se le toca una campana para que oiga y acuda en ayuda del que reza.)

CAMPANEAR. Mirar. «La campanié en la esquina». «Se ha pasado ese hombre campaneándote durante toda la fiesta». (Cubanismo de origen chuchero. Ver: *chuchero.*)

CAMPANILLA. *Perder la campanilla.* Gritar mucho. «En la reunión perdí la campanilla». *Tragarse la campanilla.* No hablar. «Cuando sacó el arma me tragué la campanilla».

CAMPANITAS. Testículos. «Le encontraron un cáncer en las campanitas». *Arrancarle a alguien las campanitas.* Derrotarlo. «En las competencias le arrancaron las campanitas». *Campanitas de cristal.* Los testículos. «No me grites. No me obligues a arrancarte las campanitas de cristal». Ser mama campanitas. Ser una mujer buenísima. «Es mamá campanitas». (Viene de una novela del Exilio.)

CAMPEÓN. Forma de saludar del cubano. «Oye campeón, ¿cómo estás tú hoy?»

CAMPEONA. *Ser una mujer una campeona de natación.* No tener ni culos ni senos. «Mi familia pretendía que yo me casara con mi prima que es una campeona de natación». (El cubanismo se basa en un juego de palabras. La campeona de natación «nada por delante y nada por detrás». El juego de palabras está entre «nadar» y «nada», que es un adverbio de cantidad.) *Tener una memoria campeona.* Tener una buena memoria. «Yo tengo una memoria campeona».

CAMPINCHAR. Fastidiar. «Aquí, chico campinchando». Equivale a la expresión castiza: «jodiendo». «¿Qué haces?» «—Aquí, campinchando».

CAMPO. (El) 1. Interior de la República de Cuba. «Ese hombre vive en el campo». 2. Lo rural. «En Cuba hay mucho campo». Sinónimo: *El verde. Ir al campo.* Ir a visitar lo rural. «Hoy quiero ir al campo». *Irse al campo a fildear.* 1. Retirarse. «En cuanto llegue a los cuarenta y cinco vendo y me voy al campo a fildear». 2. Terminar. «Bueno, no les escribo más. Me voy al campo a fildear». *Quedar al campo.* 1. Fracasar. «En todas las empresas que se mete queda al campo». «En todo lo que investiga queda al campo». (El cubanismo viene del juego de pelota. Hay veces que un equipo no tiene más oportunidades al bate. Entonces se dice que «queda al campo».) Se aplica a muchas situaciones, p.e.: si alguien se le declara a una mujer y ésta le dice que no, se dice del rechazo: «Juan se le declaró a Pedro y quedó al campo. Está desolado». Peor si Juan es un tarambana «la que queda al campo» es ella porque ha escogido a un hombre que le dará problemas. «Juana aceptó a ese mequetrefe. Ella quedó al campo». Etc. 2. Quedar fuera de algo. «En este negocio quedaste al campo. No hay hueco para ti». Ver: *Nicanor. Sol.*

CAN. *Can Caneíto can.* 1. Se le dice a un cojo cuando camina, siguiéndole el ritmo de los pasos. «Mira a ese jorobado: can caneíto can». (Está tomado de la expresión, el cubanismo, usada por un personaje de la televisión cubana: *Cancaneíto can.*) 2. Titubeo. «Ese hombre tiene en ese asunto un cancaneíto can sospechoso». (Tomado el cubanismo de una frase que pronunciaba en la televisión un personaje que hacía de viejito. Decía continuamente: «*cancaneíto can*».)

CANADÁ. Ver: *Policía.*

CANAL. *El canal de la mancha.* El recto. «Lo operaron del canal de la mancha». (Es cubanismo de gente culta. Es un juego de palabras con «mancha». [mierda]) *¿En qué canal vas a debutar?* Se le dice al que finge tan bien que parece un artista. «¿En qué canal vas a debutar Pedro?» (El cubanismo se refiere al «canal» o estación de radio o de televisión.) *No haber sido socio ni del «Canal Yat Club».* No haber pertenecido a ningún club social de la Cuba de ayer. «Que no me venga con cuentos. Ésa no ha sido socia ni del canal yat club». (En el exilio, debido a la inseguridad, muchos cubanos afirman haber sido del Habana Yatch Club. El cubano pronuncia «Yat Club». Como broma, cuando tal dicen, se contesta: «Tú no eres socia o socio ni del «Canal Yat Club». Cubanismo nacido en el exilio.) Ver: *Novelista.*

CANALES. *Tener los canales cambiados.* Ser homosexual. «Ese tiene los canales cambiados». (Es cubanismo del exilio. «Canales» es palabra que viene de la televisión.)

CANALITA. Ver: *Bolita.*

CANALLA. 1. Amigos de parranda. «Ahí llega la canalla». 2. Bueno. «Este libro está canalla». *Canalla espesa.* 1. Gente muy parrandera. «Me voy con la canalla espesa». 2. Se le da este nombre a un grupo de amigos bohemios. «Avísale a la canalla espesa que nos reunimos en el café de la esquina de tu casa». 3. Se le da el mismo nombre a un grupo de amigos muy queridos. «¡Qué dice la canalla espesa!»

CANALLÓN. Tipo que nunca trabaja y vive muy bien de sus argucias. Su uso se ha extendido a todo el que es muy vivo en algo. Por ejemplo: «Juan es un canallón con las mujeres». Es decir, las conquista fácilmente. Viene de una canción de un músico cubano: *Chapotín*, que dice así: «*Canallón, componte, canallón*». Y lo describe. En acepción de «vivir bien con sus argucias y sin trabajar», se oye así: «¡Qué clase de canallón. Cómo vive sin trabajar!»

CANAS. Ver: *Negro.*

CANASTA. *Tirar a la canasta y no colar.* No acertar. «Con esa opinión tiraste a la canasta y no colaste». (Viene, el cubanismo, *baloncesto.*) Ver: *Sol.*

CANASTILLA. Ver: *Hombre.*

CANAVECO. (El) El automóvil. «Me gusta ese canaveco». (Lenguaje del chuchero. Ver: *chuchero.*)

CÁNCAMO. Viejo. «Eres un cáncamo». *Estar hecho un cáncamo.* Estar viejo. «Mi pobre padre está hecho un cáncamo».

CANCANEAR. 1. Empezar a fallar en algo: la salud, los estudios. (La conversación da el significado.) «Últimamente estoy cancaneando. Voy a ir al médico». 2. No sentirse bien. «Estoy cancaneando. Es que tengo setenta años». También: titubear. «Primero me dijo que sí, pero ahora está cancaneando». (Estos cubanismos vienen del campo automovilístico. Cuando un motor tiene «fallos» se dice que «cancanea».) Ver: *Fallar.*

CANCANEO. Fallo. «Ya estás teniendo tus cancaneos en la salud». «Tuve mis cancaneos en el estudio y me suspendieron».(Cubanismo tomado del campo automovilístico. Al «fallo» de un motor se le llama «cancaneo».)

CANCANES. Pesos. «Dame doscientos cancanes». (Siempre lo he oído en plural.)

CANCANOSA. Que está fallando. «Esa vieja está cancanosa». (Está fallando ya en algo; en su actividad; en las facultades mentales. Es un adjetivo que viene de *cancanear*: Fallar.)

CANCHA. Mostrador de un bar o de un restaurante en la Cuba de hoy. «Ponme dos tragos en la cancha». *Deja que llegue cancha.* Deja que llegue la revancha. «Me tiró un golpe y le dije: Deja que llegue cancha». (El cubanismo está basado en un lema de una casa comercial habanera: «*La revancha, la de cancha*».) *Entrar en cancha una mujer con un hombre.* Ponerse a vivir con él. «Lucía entró en cancha con Pedro». *Estar alguien como el anuncio de Cancha.* Ya te cogeré. «Ya te agarraré». En el sentido de «ya me la pagarás». «Sigue burlándote, bobo, tú no ves que yo estoy como el anuncio de Cancha». («*Cancha*» era una casa comercial de La Habana con el lema: «*La revancha da Cancha*». De ahí el cubanismo.) *Estar alguien entrando* *en cancha.* 1. Empezar a dominar un oficio, materia, etc. «Pronto seré carpintero. Estoy entrando en cancha». 2. Estar recobrando la salud. «He estado muy malo pero voy entrando en cancha». *Estar en cancha.* 1. Estar bien preparado. «Tengo una nueva mujer, joven, y tengo que estar en cancha». (Tengo que estar bien preparado para el amor carnal.) Se aplica a infinidad de situaciones. «Me compré un traje». «Estoy haciendo ejercicios, tengo un trabajo nuevo y tengo que estar en cancha». (Tengo que estar fuerte para hacer el trabajo.) Ver: *Rebote.* 2. Estar en condiciones de realizar algo. «Mañana podemos empezar con ese trabajo pues estoy en cancha». *Estar jugando cancha.* Estar haciendo muy bien las cosas. «No te preocupes que él puede ganar la competencia pues está jugando cancha». (Cubanismo tomado del juego de jai alai. El que juega bien está jugando cancha o tiene cancha.) Sinónimo: *Tener cancha.* Saber cómo manejar una situación. «El sabe lo que hace en el motín. El tiene cancha». *Tener alguien cancha.* Actuar duramente cuando es atacado. «No lo ataques que tiene cancha». (Se oye mucho la oración: «Deja que yo tenga cancha. Ya verán rebotar las pelotas». (Es decir, él va a hacer rebotar las pelotas al lanzarlas contra el contrincante. De aquí el cubanismo.) *Tener en cancha a algo a alguien.* 1. Saber como conllevarlo. 2. Saber como hacerlo. Con acepción de conllevarlo. «No le hacen daño las cosas del hijo. El lo tiene en cancha a él». (Como hacerlo.) «Saldrá adelante con el proyecto. El le tiene cancha a eso».

CANCHANCHÁN.[21] Auxiliar o ayudante. La palabra se usa en todo despreciativo. Se aplica al auxiliar que es un bajuno, que hace todo lo que le mandan para alabar. «Ése es un canchanchán de mi padre. La familia no lo puede ver». Sinónimo: *Alabardero. Alabardero menor.* (El cubanismo como se ve, toma una significación que no tiene lo castizo.)

CANCIÓN. *Canción sin ritmo de factoría.* Que no sirve. «Es canción sin ritmo de factoría». (En la factoría se pega —se trabaja— la canción no pega. De aquí este cubanismo, que como se ve es un juego de palabras.) *Cantarle a alguien la canción: «Te estaba esperando».* Cobrársela. «El creyó que me la hizo, pero yo le canté la canción: «Te estaba esperando». (El cubanismo es una canción popular en Cuba.) *Estar como la canción.* Recibir una remuneración. «En este trabajo yo estoy como la canción». (La canción es «*La Bien Pagá*».) Sinónimo: *Estar como la Bien Pagá.* (Este cubanismo juega con la época de la canción, por eso el cubano, no se confunde. Otras veces como en ésta, la frase indica qué canción es.) *Estar alguien como la canción.* Estar muy viejo. «La mujer de ese tonto está como la canción». (La canción dice: «*Nada quedó de nuestro amor*»... De ahí el cubanismo.) Ver: *Chévere. Hablar como la canción.* Hablar poquísimo tiempo. «Yo voy a hablar, por larga distancia, como la canción». (Se refiere a la letra de una canción que dice: «*Tres palabras nada más*».) Ver: *Mujer.*

CANDADO. Sí. «¿Vamos a jugar a la pelota? — Candado». *Ser una mujer, Panchita Jabón Candado.* Persona pequeñita, gorda y culona. «Muchacha, no comas más que te vas a convertir en Panchita Jabón Candado». Ver: *Nananina. Panchita. Pase.*

---

[21] Hemos oído Cachanchán.

CANDANGA. *Dar una candanga.* Dar una lata tremenda. «De seis a ocho me dio tremenda candanga». Sinónimo: *Dar tremenda descarga.* Ver: *Huesitos.*

CANDELA. 1. Gente grande; pero en el sentido de llamar a alguien así aunque no lo sea, pero en testimonio de cariño. Se usa, mayormente, en preguntas de este tipo: «Candela, ¿cómo hacemos esto?» 2. Peso. «Tengo diez candelas en el bolsillo». *Caminar alguien a través de la candela.* Ser muy valiente. «Ese camina a través de la candela». *Comer candela en algo.* 1. Ser inteligente, ser guapo, avispado, algo grande. Por ejemplo: «Sacó cien en matemáticas. Come candela». «Engañó a la policía. Es la, candela». «—Yo te voy a derrotar porque yo como candela». 2. Ser un portento en algo. «En matemáticas tú comes candela». 3. Ser valiente. «No te metas con ése que come candela». (El cubanismo nació con una canción del trío cubano *Matamoros* y se basa en el juego que con la candela, metiéndosela en la boca, hacen algunos miembros de las comparsas en el carnaval.) Sinónimo: *Tenerlos más grande que el caballo de Maceo. Comer alguien candela y cagar ceniza.* 1. Ser guapetón. «Ese tipo come candela y caga ceniza». 2. Ser valiente. «En la guerra comió candela y cagó ceniza». Sinónimos: *Ser jorocón. Comerse el azúcar cruda y el agua sin masticar. Fogón. Dar candela.* 1. Acosar. 2. Atacar. «A ese voy a darle candela. Yo no me rindo. Marcho sobre él». (La conversación dice si se trata de acosar o de atacar. En este caso es atacar.) 3. Mortificar. «Menos mal que te llevaste al muchacho, porque en el tiempo que estuvo aquí dio candela». 4. Tener relaciones sexuales con una mujer. «Pedro le dio candela a Lola». 5. Encender a alguien el cigarro. «Le di candela a Juan. Tenía el puro apagado». *Darle candela al jarro hasta que suelte el fondo.* Tener una determinación firme de hacer algo hasta el final no importando las consecuencias. «Me quedo aquí. No hay quien me bote de esta casa. Voy a darle candela al jarro hasta que suelte el fondo». (El cubanismo lo creó el jefe del ejército, Tabernilla, en tiempos del presidente cubano, Fulgencio Batista y Zaldívar.) Sinónimo: *Darle vuelta a la rueda hasta que suelte la manigueta. Darle candela a una mujer.* Gozarla mucho sexualmente. «Anoche a ella, le di candela». *Echar por la boca candela.* Ser orador. «Mi profesor echa por la boca candela». Lo he oído aplicado al que dice malas palabras. «¡Qué lenguaje más feo! ¡Echa por la boca candela!» *El que no quiera quemarse que no juegue con candela.* (Refrán de origen campesino. Corresponde a: «El que no evita el peligro en él perece».) *Esa candela no tiene vela.* Eso que dices no es verdad. Este cubanismo se oye cuando alguien usa otro y dice: «Yo soy la candela. —No te olvides que esa candela no tiene vela». *Hay que pegarle candela como a la jicotea.* Hay que atacarlo fuerte. «A ése, para que se calle, hay que darle candela como a la jicotea». Sinónimo: *Hay que darle candela como al macao. (El macao*, cuando muerde, no suelta si no es con candela. Ambos cubanismos son lenguaje campesino avecinado en las villas y ciudades de las zonas rurales de Cuba. «*Darle candela como al macao*», en sus diversas opciones, se oye, sin embargo, mucho en La Habana.) *Huye candela que juma gato.* Huye que la cosa está malísima. «El negro viejo me dijo: Huye candela que juma gato». (Son palabras de los viejos esclavos.) *Mira si soy la candela que quemo.* Ser inteligente. (Es el superlativo de «ser la candela» o sea, «muy inteligente.) «¿Sacaste cien en el examen?» «—Claro, si soy la candela. Mira si soy la candela que quemo». *Sacar candela debajo del agua.* Ver: *Chispa: Sacar candela de la humedad. Ser candela* *compartida.* Estar a veinte iguales. «Esto es, contigo, candela compartida». Ver: *Cortaplumas. Ser candelita pura.* Ser muy travieso. «Ese niño es candelita pura». Ser la candela. Ser astuto, inteligente. «¿Viste cómo hizo tres años en uno? Es la candela». Sinónimos: *Ser de la fenómena. Ser hacha y machete. Ser nitrón. Tener nitrón en la azotea* (cabeza.) *Tener tiza en el coco* (cabeza.) *Tener que darle candela como al macao.* Tener que usar medidas fuertes contra una persona. «El se resistirá. Tienes que darle candela como al macao». (*El macao* es un molusco cubano que si se prende a la piel no suelta hasta que le den candela.)

CANDELAS. Pesos. «Mándame diez mil candelas». *Echar candelas una mujer.* Estar muy bella. «Esa mujer echa candelas por todos lados».

CANDELAZO. *Tirar un candelazo.* Fornicar.

CANDELITA. *Estar como la candelita.* Allí fumé. Es decir, eludir algo. «Siempre me dice lo mismo. Está como la candelita». (La Candelita es un juego infantil.)

CANDELÓN. Ver: *Guamá.*

CÁNDIDO. *Ser más cándido que Cándido el billetero del treinta y tres.* Ser muy cándido. «Tu marido es más cándido que Cándido el billetero del treinta y tres». (El cubanismo es un juego de palabras con «*Cándido*» un vendedor de billetes que había en Cuba al que le llamaban «*El billetero del 33*" por una canción que le sacaron.)

CANDITO. *Llamarle a alguien Candito.* Ser muy cándido. «A Pedro le llaman Candito». *Ser Candito.* Ser cándido. «Me creyó todo lo que le dije. Es Candito». (Ambos cubanismos son un juego de palabras entre «Cándido» y «Candito».)

CANELA. (La) La mulata. «A mí me encanta la canela todos los días». *Canela camagüeyana (Oriental, etc.)* Mulata de Camagüey (Provincia de Cuba.) «¡Qué bella esa canela camagüeyana!» *Estar la canela sata.* Haber muchas mulatas. «En Cuba está la canela sata». *Gustarle a alguien la canela.* Gustarle las mulatas. «A mí me gusta mucho la canela».

CANELO. *Jugársela al canelo.* Estar seguro. «Me la juego al canelo que él es elegido presidente del curso». *Juégatela al canelo.* Ten la seguridad. «De que Pedro ganó; juégatela al canelo». (Ambos cubanismo vienen de las peleas de gallos. «El canelo» es una variedad de gallos.)

CANEY. Ver: *Adentro.*

CANGANAZO. *Darse un canganazo.* Tomar una copa. «Se dio un canganazo de jerez».

CANGRE. *Cangre de yuca.* Tallo de la yuca. «¿Cuándo se saca el cangre de yuca?»

CANGREJITO. Lo que los franceses llaman «croissant» que es una especie de pan dulce con la forma de la muela del cangrejo. «No hay nada más rico que un cangrejito y una coca-cola».

CANGREJO. Se dice de una persona vieja. «¡Ahí va el cangrejo! Tiene por lo menos ochenta años». *Caminar como el cangrejo.* Fracasar. «Ese camina como el cangrejo». (El cangrejo camina para atrás según el pueblo. De ahí el cubanismo.) *Cogerlo a alguien el cangrejo.* Tener cáncer. «A Pedrito lo cogió el cangrejo». *Disfrazado de cangrejo.* Se dice del que no trabaja sino lentamente aunque puede rendir el máximo en su actividad. «Aquí estoy, disfrazado de cangrejo, Genaro, porque este patrón no es considerado». *Pensar en la inmortalidad del cangrejo.* 1. Estar distraído. (El cubanismo se usa casi siempre preguntando así al que está distraído.) «¿Qué, estás pensando en la inmortalidad del cangrejo?» 2. Estar en la luna de Valencia. «No sé cómo te las arreglas pero siempre estás pensando en la inmortalidad del cangrejo». *Ser un cangrejo.* 1. Se dice del que agarra enseguida lo que le dan. «Ese hombre es un cangrejo. ¡Qué manera de coger!» 2. Se dice de la persona que una vez que agarra algo no lo suelta más nunca. «Si tú crees que te va a devolver el dinero, estás equivocado. El es un cangrejo». *Ser un cangrejo moro.* Ser un individuo peligrosísimo. «Ese hombre es un cangrejo moro». (El cangrejo moro tiene tenazas. De ahí el cubanismo. Es superlativo. La palabra «moro» lo da, porque este tipo de cangrejo tiene enormes tenazas.) *Ser una mujer como el cangrejo.* Envejecer. «Esa mujer es joven, pero es como el cangrejo». (El cangrejo camina para atrás. De ahí el cubanismo.)

CANGREJÚO. *Ser alguien cangrejúo.* Que tiene mala suerte. «En todo es cangrejúo. Lo volvieron a suspender en matemáticas». (Es decir que como el cangrejo «camina para atrás».)

CANGURO. *Llevar el alimento en la barriga como el canguro.* Estar muy gordo. «El lleva el alimento en la barriga como el canguro». Ver: *Cheque.*

CANÍBALES. Hijos. «¿Cómo están tus caníbales?» (Es lenguaje del chuchero. Ver: *chuchero*.)

CANIBALISMO. Acto de quitar las piezas a una máquina para ponérsela a otra. «En ese país el canibalismo en los ingenios es anormal».

CANILLA. *Arroz canilla.* Arroz de grano muy delgado, como una canilla. «A mí, el que me gusta es el arroz canilla». Ver: *Flaco.*

CANIQUE. *Tirar un canique.* Tirar una bola durísima en la pelota el lanzador. «Ganó porque tiraba un canique».

CANOAS. Zapatos anchos. «Mira que canoas usa ese hombre que vive enfrente».

CANSADO. *Estar cansado como un buey viejo.* Estar muy cansado. «He trabajado tanto que estoy más cansado que un buey viejo». (Es lenguaje campesino avecinado a la ciudad.)

CANTADOR. *Botar una mujer a un hombre de cantador.* Echarlo a cajas destempladas. «Juana botó a Pepe de cantador». *Lanzar de cantador.* Liquidar. «Le quitó el último centavo. Lo lanzó de cantador». (El cantador va de cantina en cantina ganándose la vida con propinas.)

CANTALETEAR. Cantar. «La artista cantaleteó toda la noche». Ver: *Medio.*

CANTANDO. Ver: *Dímelo.*

CANTANTE. (El) El bacalao. «Dame un cantante». (El cubanismo se basa en que el bacalao «canta» y «cantar» es «oler mal» para el cubano.) *Si hubiera sido cantante nada más que hubiera podido cantar el «ay», «ay», «ay».* Se dice de la persona que se queja mucho. «Si tu hermano fuera cantante nada más que hubiera podido cantar el «ay», «ay», «ay». *Volverse cantante en un minuto.* Hablar cuando la policía lo detiene. «Los prendieron a todos. El se volvió cantante en un minuto». Ver: *Facultad.*

CANTAR. Oler mal. «Báñate que cantas». *Cantar el manisero.* Morirse. «El cantó el manisero de madrugada». (El cubanismo se basa en una canción famosa, cubana, de Moisés Simmons titulada: «*El Manisero*».) Sinónimos: *Guardar. Guardar el carro. Ponerse el chaquetón de pino tea. Quedar al campo. Irse cantando bajito.*

Despedirse a la francesa. «Es un mal educado. Siempre se va cantando bajito». *Ni canta ni come frutas.* Se dice de la persona que no vale nada. «Ese individuo ni canta ni come frutas. No lo contrates». Ver: *Teñir.*

CANTARRANA. Ver: *Curva.*

CANTARREA. Conversación que no interesa. «No te puedo aguantar la cantarrea».

CANTIDAD. *Cuidarse cantidad.* Cuidarse mucho. «En estos tiempos hay que cuidarse cantidad».

CANTINA. *Nanay de la cantina.* ¡Ay de ti! «Si no comes, nanay de la cantina». (Es lenguaje del chuchero. Ver: *chuchero.*)

CANTINFLADA. Hablar en forma que no se entiende. «Eso que me acabas de decir es otra de tus cantinfladas». (El cubanismo viene de la forma de hablar del artista mejicano: Mario Moreno, *Cantinflas*, ya fallecido.)

CANTINFLAS. *El Cantinflas de las direcciones.* Se aplica a aquel que siempre tiene las direcciones de las personas confundidas. «Mi hermano es el Cantinflas de las direcciones. Por eso no llegó a tu casa anoche». (Con la palabras *Cantinflas* se han formado muchos cubanismos: «El Cantinflas de esto, el Cantinflas de lo otro»...) *Ser un Cantinflas.* Hablar en forma que no se entiende, como el actor mejicano de cine, Mario Moreno, *Cantinflas*, ya fallecido. «No sé lo que me dijo. Es un Cantinflas».

CANTINFLEAR. 1. Hablar alguien en forma que no se entiende. «Deja de cantinflear». (El cubanismo tiene el mismo origen que *cantinflada.* Ver: *Cantinflada.*) 2. No ir al grano al hablar. «Toca el punto. Deja de cantinflear».

CANTÍO. *Al cantío de un gallo.* Muy cerca. «Esa dirección queda al cantío de un gallo». (Es cubanismo de origen campesino.)

CANTO. *Darse con un canto en el pecho.* Darse por satisfecho. «Te puedes dar con un canto en el pecho. Yo creí que no pasabas la operación». *Ser cantos de Siboneyes.* Ser cosas sin valor. «Eso que me dices son cantos de Siboneyes». (Este cubanismo es de principios de la República. Está casi desaparecido.) *¡Qué canto de mujer!* ¡Qué mujer más bella! «Cristina, ¡que canto de mujer!» *Jugárselas como Zámbila en el canto de un real.* Jugarse la vida en las más arduas condiciones. «Saldré adelante aunque tenga que jugármelas como Zámbila en el canto de un real». (Algunas veces se dice: *Jugárselas como Zámbila en el canto de un tabaco. «El real»* es una moneda de diez centavos que tiene un canto mínimo. El cubanismo alude al hecho de lo imposible que es pararse en el canto de un tabaco o de un real.) *Mucho canto y poco de ópera.* Ser una persona superficial. «Es un general diletante. Mucho canto y poco de ópera». *¡Qué canto da ese tabaco!* ¡Cómo huele ese tabaco! «¡Qué canto da ese tabaco! ¡Qué bueno es!»

CANTÓN. Ver: *Chino.*

CANTOYA. Ver: *Globo.*

CANUCA. *Pasarla canuca.* Pasarla mal. «Ese matrimonio no tiene suerte y la están pasando canuca».

CANUTO. *Ser como canuto.* Ser muy bruto. «Tú eres como Canuto». (El cubanismo viene de una canción que dice: *«¡Ay, Canuto! Mientras más viejo, más bruto».*)

CAÑA. (Una) 1. Años. «El juez le echó diez cañas». 2. Dinero. «Tengo diez cañas en el bolsillo». Sinónimo: *Barilla.* 3. Fuerza. «Mira la caña que tengo». 4. Un peso. «Dame una caña». *Caña brava.* Dulce de coco de color negro. «Dame una caña brava». Sinónimo: *Mojón de negro. Acabarse la caña.* 1. Ser algo increíble. «Lo pusieron en libertad. Se acabó caña». (En este caso la entonación de la voz da la alegría.) 2. Ser algo muy divertido. «En la fiesta de ayer se acabó caña». 3. Sobrevenir el desastre. «Allí en ese país se acabó caña». *Bajar unas cañas de la carrera.* 1. Quitar un obstáculo del camino. «Aligérame la vida. Bájame unas cañas de la carretera». 2. Rebaja algo de esa mentira. «¿Así que tienes cien mil pesos? Bájame unas cañas de esa carretera». *Comer cascarita de caña.* Hacer el tonto. «Te morirás comiendo cascarita de caña». *Dar alguien una caña todos los días.* Dar la lata a alguien todos los días. «Tú no sabes bien la caña que me da todos los días». Sinónimo: *Dar mecha. Escupir fibra de caña una mujer.* Liquidar a los hombres con los que tiene relaciones amorosas. «Es peligrosísima esa mujer. Escupe fibra de caña». Ver: *Lagartija. Estar la caña a tres trozos.* Estar mala la situación. «Yo no voy a ese país porque la caña está a tres trozos». Sinónimo: *Ponerse mala la caña. Se acabó caña.* Se acabó el mundo». «Con él se acabó caña». «Cuando subió al poder se acabó caña». *Ser algo caña quemada.* Ser agua pasada que no mueve molino. «Eso que tú me dices es caña quemada». También lo he oído como «*caña quemada no mueve bagazo*», (es cubanismo de origen campesino.) *Ser una caña brava.* Estar delgado. «Juan es una caña brava». *Yo no tumbo caña que la tumbe el viento.* Yo no hago eso. (El cubanismo es la letra de una canción que dice: *«Yo no tumbo caña / que la tumbe el viento / que la tumbe Lola / con su movimiento».)* Ver: *Cáscara. Gofio. Palucha.*

CAÑADA. Un corte en la carne de la res. «Dame una libra de cañada». *No había cañada con ella.* Nada la paraba. «¡Qué mujer! ¡Llegó alto! ¡No había cañada con ella!» También, «siempre le metía el pecho a un asunto, se enfrentaba a él». «No había cañada con ella, por eso llegó tan alto. Derrotó al banco». (Nada la derrotaba.) *No haber cañada dura.* No tener miedo. «Conmigo no hay cañada dura. Siempre le meto el pecho a la vida».

CÁÑAMO. *Ser algo o alguien cáñamo mojado.* Ser muy fuerte. «Ha hecho tanto ejercicio que es un cáñamo mojado». («*El cáñamo*», cuando se moja, se endurece.)

CAÑANDONGA. 1. Aguardiente de pésima calidad. «La cañandonga se sube fácilmente a la cabeza». 2. Brujería. «Yo creo que a mí me han echado cañandonga». 3. También un árbol con vaina que contiene una fruta dulce. «Vamos a comer el fruto de la cañandonga». *Le ronca la cañandonga.* Esto no tiene nombre. «Lo que has hecho le ronca la cañandonga». Tiene un millón de sinónimos, pues es un latiguillo lingüístico del cubano: «le ronca la pandereta», «le ronca el tubo», «le zumba el merequetén», «le zumba o ronca el cigüeñal».

CAÑANGAZO. 1. Copa de licor fuerte. «Me dio frío y me metí un cañangazo». 2. Tomar una copa. «Se dio un cañangazo conmigo antes de cenar». *Darse un cañangazo.* Tomarse una copa de licor. «Vamos a darnos un cañangazo». «Voy a darme un cañangazo de anís».

CAÑAS. Pesos. «Dame sesenta cañas». Ver caña.

CAÑENGO. 1. Achacoso. «Es un viejo cañengo». 2. Viejo. «El maestro apenas puede caminar, está cañengo».

CAÑERÍA. *Llorar por cañería.* Llorar mucho. «A la hora que le conviene llora por cañería».

CAÑITA. 1. Delgado. «Es una cañita tu pobre amigo». 2. Se dice al que bebe mucho bebidas alcohólicas. «Por ahí va cañita. Hoy está sobrio». 3. Se le dice al que le gusta el trago. «Oye cañita, dinero para que vaya a emborracharte». 4. Se le grita también en tono de mofa al borracho. «Cañita, feo. ¡Cañita!»

CAÑO. *Limpiar el caño.* Fornicar. «Hoy pienso limpiar el caño con la cita que tengo».

CAÑÓN. Sí. «¿Vas a bailar con ella? —Cañón». *Hacer algo cañón.* Hacer algo muy sonado. «Lo que has hecho es cañón». *Ser de cañón corto.* Se dice del que tiene el pene pequeño. «Ese niño nació con cañón corto». Antónimo: *Ser de cañón largo. Estar bien despachado. Tener un niño entre las piernas. Tener el cañón corto.* Tener el pene pequeño.[22] Antónimo: Tener el cañón largo o ser cañón largo.

CAÑONA. A la fuerza. «Lo hice a la cañona. No era mi voluntad. Fue que ellos me obligaron». *Cañonear.* 1. Al manejar un automóvil no dejar pasar a otro, o quitarle el derecho de paso. «Ese automovilista me dio la cañona». 2. Obligar a hacer algo a una persona en contra de su voluntad. «Me dio la cañona y tuve que firmar». Sinónimo: *Dar la cañona.*

CAÑONAZO. *Ser el cañonazo de las nueve.* Ser muy bueno. «Ese libro es el cañonazo de las nueve». También se le llama a un peo muy sonoro. (En La Habana, desde la fortaleza de La Cabaña, a las nueve de la noche, se tiraba un cañonazo. Era llamado: «El cañonazo de las nueve». Ese ruido recorría toda la ciudad. De aquí el cubanismo.) *Ser un cañonazo.* Ser muy bueno en algo. «La novela es un cañonazo». Sinónimos: *Ser nitrón. Ser un piñazo. Ser un tiro en un callo.*

CAÑONERO. 1. Persona insistente. 2. Persona que quiere obligar a alguien a hacer lo que él quiera. A mí no me gusta él porque es un cañonero». (Es decir: «*Que mete cañona*».) 3. Que da o mete cañona. Ver: *Cañona.*

CAÑONES. *Enfilar los cañones.* Cogerla con alguien. «Desde que me lo presentaron me enfila los cañones. No sé por qué». *Tener más cañones que el Maine.* Necesitar afeitarse. «Viejo, así no puedes ir a la fiesta, pues tienes más cañones que el Maine». (El cubanismo es un juego de palabras entre los cañones de la barba y los cañones del acorazado Maine, barco que explotó en la bahía de La Habana, dando lugar a la guerra Hispanoamericana.) *Vérsele a alguien no los cañones sino los plumones.* Ser un homosexual de lo que no cabe duda. «Vieja, a Elio no sólo se le ven los cañones sino los plumones». Ver: *Plumas.*

CAÑOTOLA. *Ser un cañotola.* Se dice del que hace las cosas a la fuerza, de a por que sí. (La voz está formada por las palabras «Cañona», y «Ayatola». Y se refiere a lo que significan ambas palabras: «cañona», y «fuerza». Se dice: «Lo hizo a la cañona» o «a la fuerza». «Ayatola» es al «Ayatola Jomeni», quien de por que sí mantiene a los americanos en la embajada americana en Teherán, de rehenes.) «Juan es un cañatola. Siempre es así». (Cubanismo surgido en el exilio.)

CAO. *Gritar alguien como un cao.* Gritar como un loco. «Juan grita cuando se pone nervioso como un cao». *Gritar como el cao en la manigua.* Gritar mucho. «Cuando se enteraron del precio gritaron como el cao en la manigua». («El cao» es un ave o pájaro que parece que grita y pía continuamente. «Manigua» es «bosque».) *Gritar*

---

[22] He oído: «Ser cañón corto».

más que el cao. Gritar mucho. «Ese muchacho grita más que el cao». *Hablar más que un cao.* Hablar mucho. «Desde joven, habla más que un cao».

CAOBA. Pene. «¡Qué caoba tiene ese niño para seis años!» *Ponerle a una mujer la caoba.* Fornicar. «A mi prima le pusieron la caoba. Está embarazada». *Ponerle la caoba a un hombre.* Ser homosexual este y fornicarlo. «Todo el barrio le ha puesto la caoba a Pedro».

CAOBOY. *Estar alguien como el caoboy.* Estar armado hasta los dientes. «En Miami hay que estar como el caoboy». (El «cowboy», que el cubano pronuncia «Caoboy», es el vaquero de las películas de vaqueros norteamericanas que siempre llevan dos revólveres, muchas balas y un rifle.)

CAPA. *Botarle la capa a supermán.* Derrotar a alguien. «Él se creía muy vivo pero yo le boté la capa a Supermán». («Supermán» es un superhombre de las tiras cómicas, o muñequitos, que usa una capa. De ahí el cubanismo nacido en el exilio.) *Cada uno hace de su capa un sayo y de su culo un pandero.* Así contestan los homosexuales para decir que son así porque les da su real gana. «A mí no me importa lo que me digan. Cada uno hace de su capa un sayo y de su culo un pandero». *Ser algo de capa y tripa.* No valer algo o alguien nada. «Este libro es sólo capa y tripa». (El cubanismo viene del giro de la tabaquería. El puro malo tiene sólo capa y no tripa.) *Tener alguien capa de vuelta abajo.* Ser buena persona. «Juan es capa de vuelta abajo, por eso lo aprecio». (Es un cubanismo que viene del campo tabacalero. El tabaco en capa de la región de Vuelta Abajo es muy bueno.) Ver: *Supermán.*

CAPABLANCA. *Estar como Capablanca.* Ir de un lado a otro. «Tú estás como Capablanca». (Es cubanismo culto. «Capablanca», el famoso ajedrecista cubano, iba de tablero a tablero, o sea, de un lado a otro.)

CAPAR. *Cortando cojones se aprende a capar.* Con la práctica, todo se consigue. «Cuando yo empecé la carrera de derecho no sabía ni hacer un papel. Mi tío me dijo: «Cortando cojones se aprende a capar». (Refrán campesino.) *Ni aunque me capen.* De ninguna manera. «Eso no lo hago ni aunque me capen». Sinónimo: *Ni por los huevos del cura.*

CAPICÚA. *Jugar a la capicúa.* Jugar al seguro. «Nunca pierde en nada. Siempre juega a la capicúa». (El cubanismo viene del juego del dominó. La jugada es «capicúa» cuando se puede poner la ficha y dominar —ganar— en los dos extremos del dominó. Sinónimo: *Jugar al segurete.*

CAPIRREO. Mezcla de sangre o de cultura con la raza negra. «Ese resultó de un capirreo».

CAPIRRO. Mulato. «Esa es una familia de capirros». «Juan es un capirro». Ver: *Escapirrarse. Tener de capirro.* Tener de negro. Te digo lo que sé de buena tinta. Tienen de capirro».

CAPITALISTA. Ver: *Mierda.*

CAPITÁN. Chino. «¿Cómo estás capitán? ¿Qué vendes hoy?» Sinónimos: *Amarillo. Narra. Bailar como «vamos a ver al capitán».* Bailar con el fondillo muy cerrado y los pies abiertos. Hacia la derecha, el derecho, y hacia la izquierda, el izquierdo. «Esos bailan como vamos a ver al capitán». (Se basa en el chiste del marinero que se le iba a caer al jabón en el baño del barco y al agacharse sentían que le pasaban un pene por detrás. Se puso en acecho y cuando se lo hicieron, cerrando las nalgas no dejó salir al pene, y caminando con este adentro dijo: «Vamos a ver al capitán». Caminando como se ha especificado arriba.)

CAPITOLIO. *Pedir el capitolio.* Pedir mucho. «Siempre que lo veo me pide el capitolio». Ver: *Nena.*

CAPORAL. *Estar siempre en el caporal.* Estar siempre rodeado de mujeres hermosas. «Siempre veo a tu primo en el Caporal». Antónimo: *Estar entre cascos.* Ver: *Equilibrio. Rondar el caporal.* Andar buscando muchachas jóvenes, un hombre mayor. «Siempre sin respetarse, rondando el caporal». *Ser caporal.* Tomar muchas pastillas. «A Juan le llaman caporal». (Los pollos comen maíz. De ahí el cubanismo.) *Ser un pollo del caporal.* Ser una mujer muy bonita. «Tu novia es un pollo del caporal». («El Caporal» era un establecimiento de ventas de muy buen pollo frito en Cuba. «Pollo» en cubano es «mujer bella». De aquí todos estos cubanismos.)

CAPOTE. *Perder el capote.* Perder la habilidad. «No lo puedo torear más, ya perdí el capote en quince años».

CAPRICHITOS. Tipo de dulce cubano hecho de ajonjolí. «Por ahí viene el chino a comprar caprichitos de ajonjolí».

CAPRINO. Negro. «Tenía el rostro caprino».

CAPTIVIDAD. *Estar en captividad.* Estar captándolo todo. «Ese hombre está en la captividad». (Es cubanismo de la Cuba de hoy.)

CAPUCHINO. Ver: *Marcos.*

CAPULLITO. *Ser un capullito de Alelí.* Ser homosexual. «Pablo es un capullito de Alelí». (Hay una canción muy famosa, de Rafael Hernández, titulada «*Capullito de Alelí*». De aquí el cubanismo.)

CARA. *Dejarle alguien la cara como nalga de niño chiquito.* Dejarla rasurada sin un pelito. «Mi barbero me ha dejado la cara sin un cañón. Como nalga de niño chiquito». *Eso les explota en la cara.* En eso fracasa. «Al Congreso de los Estados Unidos esa investigación les explota en la cara». (Es cubanismo del exilio.) *Llenarle la cara de dedos.* Pegarle a alguien en la cara. «A mi tío en la pelea le llenaron la cara de dedos». Sinónimo: *Aplaudirle la cara. Mirar a alguien como cara de mango.* Mirarlo atravesado. «El jefe me miró con cara de mango». *No me mires con cara de chinche que yo no soy columbina.* No me mires con mala cara que yo no aguanto amenazas. «Me le encaré al policía y le dije: «No me mires con cara de chinche que yo no soy columbina». *Partir la cara.* Derrotar. «En todo le partí la cara». *Partirle la cara.* Demostrar algo que no se cree. «El creía que yo era bruto, pero le partí la cara: me dieron la beca». *Poner cara de vaca cagalona.* Poner cara triste. «No me pongas cara de vaca cagalona que no me voy a enternecer». *Quedar de cara al campo.* «En esta contienda quedamos de cara al campo». (Es cubanismo de la Cuba de hoy.) *Tener alguien cara de chivo atravesado.* Ser antipatiquísimo. «Tu amigo tiene cara de chivo atravesado». (El chivo es muy indigesto. Un chivo atravesado es indigestísimo. La cara de chivo que pone el que tiene indigestión es feísima. De ahí el cubanismo.) *Tener alguien cara de papaya boca abajo.* Ser muy feo. «Tu primo tiene cara de papaya boca abajo». Sinónimo: *Tener cara de mango chupado. Tener cara de billete de a cinco pesos.* Tener cara alegre. «Gane o no gane dinero siempre tiene cara de billete de a cinco pesos». *Tener cara de buzón.* Tener cara hosca. «Siempre tiene cara de buzón. No puede uno acercársele». *Tener cara de carnaval.*

Estar alegre. «Tiene cara de carnaval siempre». *Tener cara de circunstancias.* Tener cara anodina. «Tiene desde que lo conozco, esa cara de circunstancias». *Tener cara de concreto.* Ser un descarado. «Ese tipo tiene cara de concreto». Sinónimos: *Tener cara de cemento. Tener cara de cemento el Morro.* (El Cemento el Morro era un cemento que se hacía en Cuba.) *Tener cara de cemento Portland.* (El Cemento Portland era un cemento que se hacía en Cuba.) *Tener cara de concreto y acero.* Ser descaradísimo. «Ese tiene cara de concreto y acero». (La palabra acero añadida a *tener cara de concreto y acero* da el aumentativo.) *Tener cara difícil.* Tener una cara fea. «El cuerpo es bonito pero la cara es difícil». *Tener cara de teléfono ocupado.* Tener cara de pocos amigos. «Ese tiene cara de teléfono ocupado». *Tener cara de mango macho.* Tener cara de campesino. «¡Cómo no va a tener cara de mango macho si nació en el campo!» *Tener cara de manteca Cochinito.* Tener cara de puerco. «Tiene cara de manteca cochinito». (Era una manteca muy conocida.) *Tener cara de paraguas abierto.* Ser un aguafiesta. «Mi hermano tiene cara de paraguas abierto». *Tener cara de parampampín.* Tener cara común. «Ese tipo tiene cara de parampampín que se la envidio». (El cubanismo es la letra de una canción: «*Con tu cara de parampampín, pin pon pa, que yo te he visto con María, en la puerta del solar*».) *Tener cara de pujo.* Tener ganas de ir al baño. «Tiene cara de pujo. Algo le cayó mal». *Tener cara de vacagalona.* Tener los ojos alados y la cara demacrada. «Mi prima, después de la enfermedad, tiene cara de vacagalona». *Tener cara de velorio.* Estar triste. «Chico, ¿por qué no te quitas esa cara de velorio?» *Tener cara de yo no fui.* Tener cara de tonto. «Con esa cara de yo no fui hizo millones». *Tener la cara como nalga de niño chiquito.* Tener una cara e piel muy suave. «Mi padre tiene la cara como nalga de niño chiquito». *Tener una cara igual que Agapito Mayor.* Tener una cara fea. «Pedro tiene cara igual que Agapito Mayor». (Agapito Mayor, lanzador del «Almendares», un equipo cubano de pelota, era muy feo. De ahí el cubanismo.) *Tener una cara que no se usa.* Ser alguien muy feo. «Pedro tiene cara que no se usa». *Tener una mujer cara de gozadora.* 1. Gustarle el acto sexual. «Esa tiene cara de gozadora». 2. Ser muy sexual. «Cuquita tiene cara de gozadora. ¡Cómo debe de ser en la cama!» Ver: *Loco.*

CARABALÍ. Negro. «Por ahí anda ese carabalí hoy, vendiendo aguacates».

CARABELA. *Estar alguien girado por la carabela de otro.* Quererlo bien. «Aquel que tú ves allí está girado por tu carabela». (Lenguaje de la cárcel.)

CARABINA. *Estar abocado a carabina.* Tener una mala solución. «En el asunto de tu hermano estoy abocado a carabina. Tengo que intervenirlo quirúrgicamente». (El cubanismo nace en el juego de dados. Hay veces que para derrotar al contrario hay que sacar cinco reyes o cinco ases. Se dice que se está «abocado a carabina».) *Quedarse con la carabina al hombro.* No poder actuar. «No tuvo tiempo de hacer nada. Se quedó con la carabina al hombro». (El cubanismo viene del juego de pelota. El bateador que no le tira a tres lanzamientos y no les da o deja pasar tres llamados «strikes» tiene que retirarse al banco. No puede seguir. De él se dice que «quedó con la carabina al hombro».)

CARACOLES. *Fallar los caracoles.* Tener mala suerte. «Últimamente me están fallando los caracoles». (Para el origen del cubanismo ver: *Tirar o tirarse los caracoles.*) *Ser tiempos de caracol.* Ser tiempos en que el mundo está malo. «Estos son tiempos de caracol». (Es decir tiempos de no mezclarse en nada por ser peligroso. Ser tiempos de meterse como el caracol, en la concha.) Ver: *Filo. Tirar los caracoles.* Adivinar el futuro de una persona, tirando caracoles al suelo, por la posición en que caigan. Es propio de las religiones africanas vigentes en Cuba. «Voy a tirarme los caracoles a ver cómo estoy». *Tirarse los caracoles.* Averiguar el futuro. «Voy a ver al brujo para que me tire los caracoles». (En Cuba existe un arte adivinatorio de origen africano que consiste en tirar al suelo pedazos de caracoles y en adivinar el futuro de acuerdo a como caigan.) Ver: *Santo.*

CARÁCTER. *Ser de poco carácter.* Ser homosexual. «El no es malo, es que tiene poco carácter». Ver: *Aceite.*

CARAIRA. *Ser un caraira.* 1. No tener escrúpulos. «Ese es un caraira y hay que tenerle miedo». 2. Ser muy feo. «Ese es un caraira». (La caraira come cualquier cosa. De ahí el primer cubanismo. Ambos son cubanismos campesinos que fueron llevados a las ciudades de las áreas rurales.)

CARAJABO. Amuleto. «Siempre llevo en el bolsillo para protegerme del mal de ojo el carajabo».

CARAJAL. Mucho. «Eso cuesta un carajal». Sinónimo: *Costar un huevo.*

CARAJAZO. *Darse un carajazo.* Tomar una copa. «Me di un carajazo de ron». Sinónimo: *Darse un palo.*

CARAJERA. 1. Bronca. «En cuanto me vio me formó una carajera». 2. Líos. «Vamos a no andar en carajeras».

CARAJO. *Al carajo y la vela.* Eso me importa un bledo. «Dice que si te ve te va a apostrofar». «—Al carajo y la vela». «No fumes, te vas a morir». «—Al carajo y la vela». *Botar a alguien pa' el carajo.* Deshacerse de él sin cortapisas. «La mujer, cuando se cansó de él, lo botó pa' el carajo». *Conocer (a alguien) de hola y hola y pa' el carajo.* Apenas conocerlo. «Yo conozco a Juan de hola y hola y pa' el carajo». («Pal'» es «para el».) Ver: *Puta. No hizo un carajo.* Nada. «En la casa no hizo un carajo. Está como la dějamos». *Regarse pal' carajo.* Perder la fe en la revolución comunista cubana. «Perico Antonio se regó pal carajo». (Es cubanismo de la Cuba de hoy.)

CARAMBOLA. *Tirarle a una mujer una carambola.* Enamorarse cualquiera de ella a pesar de estar madura. «Me he decidido y voy a tirarle a mi vecina una carambola». (Es lenguaje procedente del billar.)

CARAMELO. 1. Cosa fácil. «El problema de que me hablas es un caramelo». 2. Mujer bonita. «Esa mujer es un caramelo. Está para chuparla». Sinónimo: *Ser algo un bombón. Convidar a alguien con caramelo vital.* Convidarlo en grande. «Nos convidó en el mejor lugar. Con caramelo vital». *Estar una mujer como el caramelo.* Estar divina. «Esa mujer me tiene loco. Está como el caramelo». (Es un juego de palabras con un producto cubano: *El caramelo vital.* Así que la mujer está vital: divina.) *Menos mal que yo no soy caramelo porque si no me gustaba.* Se dice del que lo hace trabajar mucho a uno. «Con ese capataz, menos mal que no soy caramelo porque si no le gustaba». (Equivale a: *Me hace trabajar la gota gorda.*) *Mirar el caramelo por el otro lado de la vitrina.* No tocar a una mujer hermosa. «Con ella yo miré el caramelo por el otro lado de la vitrina». *Ser algo o alguien (como una mujer) caramelo vital.* 1. Estar lindísima. «Esa mujer es caramelo vital». 2. Ser esencial.

«Atiéndeme lo que te digo que es caramelo vital». *Ser algo como el caramelo.* Ser vital. «Ese estudio no lo olvides, es como el caramelo». (Es el mismo juego de palabras anterior. Se aplica a muchas situaciones como por ejemplo: «Ese atleta está como el caramelo». O sea, está fuerte.) *Tirar un caramelo de miel.* Piropear. «Ahí están los hombres tirando caramelos de miel». Ver: *Fiesta.*

CARAMÉS. *Estar de Caramés.* Ejercer la autoridad. «Tú, mi marido, estás siempre de Caramés». (El cubanismo que se origina con Caramés, jefe de la policía de La Habana, quien ejerció legalmente su autoridad sin menoscabos. Se oye preferentemente entre matrimonios.) *No parar ni con Caramés y su pelotón.* No cesar en lo que hace. «Es tan terco que no para ni con Caramés y su pelotón». *Llegar o venir Caramés con su pelotón.* Venir la autoridad. «Cállate, que ahí viene Caramés con su pelotón. No quiere ruido en el aula». Algunas veces se indica con una persona determinada: un maestro, el marido. «Te dejo porque mi marido llega. —Sí, llega Caramés con su pelotón». (El cubanismo siempre indica una persona que está ejerciendo su autoridad y que impone siempre esa autoridad.)

CARAPACHO. *Partir el carapacho.* 1. Derrotar. «Le partieron el carapacho en la competencia». 2. Matar. «Le partieron el carapacho a Pedro en la manifestación». (Como se ve la conversación indica si es matar o derrotar. Al cangrejo, cuando le parten el carapacho muere. De ahí el cubanismo.) Sinónimo: *Partirle la ventrecha. Tener muy duro el carapacho.* No hacerle mella nada. «No importa lo que le digas. Tiene muy duro el carapacho». Ver: *Jicotea.*

CARAQUITA. (La) Juego de azar clandestino en la Cuba castrista. «Hoy voy a jugar la caraquita». (Como juegan de acuerdo con los números de la lotería de Caracas, Venezuela, el juego tiene el nombre de Caraquitas.)

CARAS. *Las caras pálidas.* Las nalgas. «Me arden las caras pálidas. Cogí sol en ellas hoy en la playa». *Los caras pálidas.* Los homosexuales.

CARBÓN. *Acabarse el carbón.* No haber nada más que hacer. «En este negocio se acabó el carbón». Sinónimo: *De aquí en adelante no hay más pueblo. Agarrar el carbón.* Escribir. «Agarra el carbón que hay mucho tiempo que no sé de ti». «Oye, agarra el carbón en cuanto llegues». (Es lenguaje del chuchero. Ver: *Chuchero.*) *Peinar el carbón.* Recogerlo. «Vamos a peinar el carbón mañana por la mañana». (Este cubanismo se oye entre los carboneros, además en los pueblos aledaños a zonas carboneras.) *Sacar agua y carbón.* Ganar para apenas vivir. «En este oficio estoy sacando agua y carbón».

CARBONEL. *Ser Carbonel.* Codearse con gente de todo tipo: pobre o rica. «Yo siempre he sido Carbonel». («Carbonel» es un recitador cubano. He oído, también, como la poesía de Carbonel. Ésta es una poesía que habla de ricos y pobres. Es cubanismo culto.)

CARBURADOR. *Tener el carburador adaptado.* Acostarse lo mismo con una negra que con una blanca. «Ahí va esa negra. Es que tiene el carburador adaptado». (Quemar petróleo, es un cubanismo que significa acostarse con una mujer de color. El carburador adaptado en un automóvil lo mismo quema petroleo, que gasolina, que es blanca. De ahí el cubanismo.)

CARBURANTE. 1. Bebida de baja calidad. «Eso es carburante. ¡Qué malo está!» Sinónimo: *Mofuco.* (El cubanismo nace por el tipo de gasolina usada en Cuba durante la Segunda Guerra Mundial.) 2. Tipo de gasolina de baja calidad en Cuba durante la Segunda Guerra Mundial. «Lléname el tanque de carburante». Sinónimo: *Mofuco*.

CARCAJADA. Ver: *Permitir*.

CARCAJEARSE. *Permite que me carajee.* No haré lo que me dices». ¿Así que tengo que pagarte ese dinero yo? Permite que me carajee».

CARCAMAL. 1. Nombre que se aplica en Cuba a los políticos, generalizándose, indebidamente, para indicar que son inmorales. «Ése es un carcamal». 2. Persona de experiencia. «Ése es un viejo carcamal. Sabe un horror». Ver: *Cola*.

CÁRCEL. *Caer de «flai» en la cárcel.* Ser enviado a la cárcel. « Ese cayó de flai en la cárcel». (Viene del juego de pelota. «Flai» es la pronunciación cubana de la palabra inglesa: «Fly».)

CARCOMA. Avispa de la tierra. «Eso está lleno de carcomas». *Caerle a uno carcoma.* Tener mala suerte. «Ahí viene Juan. Me cayó carcoma. Yo no quería verlo». (Éste último cubanismo se basa en la carcoma que le cae a las embarcaciones y las destruye.)

CARDUMÉN. *No le gusta el cardumén sino el bistek.* Equivale más o menos a que «ningún perro lamiendo engorda». Le gusta lo sustancioso, el cardumén es sopa... «A nadie le gusta el cardumén sino el bistek». Sinónimo: *Posta*. «Esta posta está riquísima; es de fideos». (Se trata de significados diferentes que los que tienen en el castizo. «Posta» es así mismo, en las fondas, una bolita de arroz y un poco de frijoles negros. «Dame una posta, con más arroz que frijoles».)

CARECER. *No me carezcas de nada.* Ésta es tu casa, esto es tuyo. «Pedro, vuelvo en seguida, no me carezcas de nada».

CARETA. (La) La cara. «Tiene una careta feísima esa mujer». *Dar careta.* Alardear. «Ahí lo tienes dándole careta a Pedro». *No necesitar ponerse la careta de «jalogüin».* Ser muy feo. «No me lo tienes que decir. Ya veo que no necesita ponerse la careta de jalogüin». (La voz inglesa es «Halloween» que el cubano pronuncia como lo he escrito.) *Ponerse la careta de oso.* Succionar el clítoris de la mujer. «A mí me dan asco los que se ponen la careta de oso». Sinónimos: *Bajar al pozo. Bucear. Disfrazarse de Carnaval. Ponerse la careta de pelo. Ponerse la careta de «quecher"*. Estar preso. «Se puso la careta de quecher por veinte años». («Catcher», que el cubano pronuncia como lo he escrito, en el juego de pelota es el que recibe los lanzamientos del lanzador. La careta tiene como unos barrotes. De aquí el cubanismo.) He oído, también, *«ponerle a alguien la careta de quecher».) Ser algo al duro y sin careta.* 1. Ser algo difícil. «Este problemas de matemáticas es al duro y sin careta». 2. Ser un caso al que hay que darle el pecho. «Tú dirás lo que tú quieras pero esto no es cosa de juegos. Es al duro y sin careta».

CARGA. (La) La policía. «Por ahí viene la carga». (Lenguaje de procedencia chuchera. Ver: *Chuchero.*) *Darle a alguien la Carga de los Seiscientos.* Aburrirlo soberanamente con algo. «No me dejes que me da la Carga de los Seiscientos». (El cubanismo toma su nombre de la película: *«La Carga de los Seiscientos».* (Este es otro ejemplo de cómo la acumulación de palabras o una frase dan el aumentativo en el cubanismo.) *Estar hecho una carga de leña.* Estar muy fastidiado económicamente. «Mi vecino está hecho una carga de leña». (Es cubanismo del campo cubano avecinado en la ciudad.) *Ser alguien de la Carga de los Seiscientos.* Ser homosexual. «Aunque no lo parece, él es de la Carga de los Seiscientos». *Ser alguien la Carga de los Seiscientos.* Ser de esos que piden algo sin cesar. «Es muy bueno, pero tiene un defecto: es la Carga de los Seiscientos». (*La Carga de los Seiscientos* es una película famosa sobre la carga de la caballería ligera británica en la guerra de Crimea.) *Tener arriba la Carga de los Seiscientos con sueldo.* Tener muchos problemas. Tener mucha gente que mantener. «¡Cinco hijos en esta época! Tiene arriba la Carga de los Seiscientos con sueldo». (Mucha gente que mantener.) «Con la llegada del calavera del cuñado tiene arriba la Carga de los Seiscientos con sueldo. No hay día que no tenga que ir al juzgado». (Tener muchos problemas.) Se aplica a muchas situaciones dando la conversación el resultado. Por ejemplo: «Aceptó el puesto y le cayó la Carga de los Seiscientos con sueldo, no duerme». (Tiene mucho trabajo.)

CARGABATES. *Cogerlo a uno de cargabates.* Utilizarlo en todo tipo de trabajo. «Me tiene de arriba para abajo. Me ha cogido de cargabates». *Ser un cargabates.* 1. No valer nada. «Ése es un cargabates, por eso nunca llegará a nada». 2. Ser un segundón. «En este negocio es un cargabates». (Viene del juego de base-ball o pelota. El «cargabates» es el que recoge los bates.)

CARGADO. Ver: *Coco.*

CARGANTE. *No ser cargante sino cagante.* Se dice del antipatiquísimo. «Esos poetastros ya no son cargantes, sino cagantes».

CARGAR. *Cargue con su pesado.* No venga con gente poco simpática aquí. «No puedo llevar a Paco a la fiesta porque el lema es «cargue con su pesado».

CARIBE. Ver: *India.o.*

CARICATURA. *No querer ver a alguien ni en caricatura.* No querer verlo nunca. «A ese hombre no quiero verlo ni en caricatura». (También he oído: *No querer ver a alguien ni en pintura.*)

CARIDAD. *Casarse como Caridad.* Ponerse a vivir con un hombre sin casarse. «Ésa, te lo digo, se casó como Caridad». (Está basado en un poema negro, de tipo cómico, de Francisco Vergara: «*Se lo dije a Caridad*», en el que el protagonista vive en concubinato.) Ver: *Picúo.*

CARIJO. Carajo. (Es un eufemismo usado por los campesinos para no decir carajo.) «Carijo, ¿quién lo iba a creer?» (Se dice que no es cubanismo sino canario.) Sinónimo: *¡Ay carimbaba! ¡Ay! ¡Carijo!* «¡Cómo me duele!» *¡Ay, Carijo, le dijo la mona al hijo!* Coño. Respuesta que se da ante una situación. «Se murió». «—¡Ay, carijo, le dijo la mona al hijo!» «Te sacaste la lotería. —¡Ay, Carijo, le dijo la mona al hijo! El hombre es homosexual». («Carijo» es «carajo».)

CARIÑO. *Dar cariño gallego.* Dar golpes. «Me da cariño gallego». (Los gallegos dicen: «Porque te quiero te aporro». De aquí el cubanismo que el cubano tomó con la unión con la colonia gallega en Cuba.) *Hay cariños que matan.* Demasiado cariño es perjudicial. «Lo quiere tanto que lo ha desgraciado. ¡Hay cariños que matan!» *Ser el rey del cariño y la melodía.* Ser con las mujeres muy cariñoso. «Muchachitas, acérquense, que yo soy el rey del cariño y la melodía». (El cubanismo se usa mucho en forma de autopiropo: «Yo soy, niñas, el rey del cariño y la melodía. Déjense querer».)

CARIÑOSA.O. El virus de la gripe. «Me cogió el cariñoso». «Estoy enfermo con la cariñosa». (Le dicen así porque tarda días en irse. Cubanismo del exilio.) *La cariñosa con marcha atrás*. Se dice de un catarro que parece que se va a quitar y vuelve. «Te cogió la cariñosa con marcha atrás».

CARIOCA. Caramelos. «Despáchame dos cariocas que tengo ganas de chuparla». *Tener la carioca arriba.* Ser mestizo. «El problema con Charito es que tiene la carioca arriba». (Como en el Brasil hay mucha mezcla racial se creó este cubanismo culto. Al residente de Río Janeiro le llaman «Carioca».)

CARLOTA. *El volumen de Carlota.* El culo. «El volumen de Carlota es cosa seria». (El cubanismo es la letra de una canción.) Sinónimo: *Atrile. Cajón. Imán. El promontorio de Popa.*

CARMELITA. 1. Color pardo. «Me encanta el color carmelita». (El cubanismo viene del color del hábito que usa la congregación de Los Carmelitas Descalzos.) 2. Mulato. «Por ahí viene un carmelita». (El cubanismo se usa más como apodo, es decir, llamándole como apodo «carmelita» a un mulato.) «Oye carmelita, ¿cuándo nos vemos?»

CARNADA. *Ser alguien carnada mala para comer*. Ser un enemigo peligroso. «Esos, tan mansitos, son carnada mala para comer».

CARNAVAL. *El carnaval es así.* La cosa es así. «No te quejes, el carnaval, aquí en este trabajo es así y hay que aceptarlo». *Encender un carnaval.* Dar un escándalo. «Como me siga molestando le voy a encender un carnaval». *Encenderle a alguien un carnaval con serpentina y todo.* Darle un escándalo de marca mayor. «Se puso bravo y le encendió un carnaval con serpentina y todo». *Encenderle a alguien un carnaval en la Loma de la Vigía.* Volverse loco por el trasero de una mujer. «Cuando la vi, no me pude contener y le encendí un carnaval en la Loma de la Vigía». (La Loma de la Vigía es el trasero.) *Encenderle a cualquiera un carnaval.* Darle un escándalo. «Dejó al marido porque le encendió un carnaval». *Estar duro el carnaval.* Estar difícil la vida. «No hay forma de salir adelante. Qué difícil está el carnaval». Se aplica a muchas situaciones. «En este trabajo qué difícil está el carnaval». (Qué malas las condiciones en el trabajo.) «Qué difícil está el carnaval para Pedrito con su padre». (Qué difícil la situación para Pedrito con su padre.) *Estar encendido el carnaval.* La cosa está muy mal. «Ahí, en ese país está encendido el carnaval». Se usa en muchos otros casos. Un ejemplo es el siguiente: «Llegué a la fiesta, estaba encendido el carnaval». (La gente se había pasado de rosca.) «Llegué a la casa de Alberto y Juana y estaba encendido el carnaval». (Estaban peleando.) *Para que sepas lo que es el carnaval.* Para que sepas cómo es la cosa conmigo. «Ponte ahí muchacho y no te levantes, para que sepas lo que es el carnaval». *Querer los carnavales de Oriente en Navidad.* 1. Estar a punto de buscarse una reprimenda. «Niño, no molestes más, que te vas a buscar los carnavales de Oriente en Navidad». 2. Querer las cosas fuera de tiempo. «Chico, tú siempre igual. Tú quieres los carnavales de Oriente en Navidad». *Ser así el carnaval.* Ser así la vida. «Así es el carnaval. ¡Horrible!» *Tener cara de carnaval.* Estar alegre. «Siempre tiene cara de carnaval». Ver: *Serpentina. Querer alguien los carnavales de Oriente.* Querer tener un lío. «Tú quieres tener conmigo los carnavales de Oriente».

CARNE. *Carne cubana.* Mujer cubana. «A los españoles les gustaba la carne cubana». *Comer carne por la rendija.* Ser homosexual. «Creo que él come carne por la rendija». *Criar carne para que se la coman los pillos.* (Frase que se dice por los padres cuando alguien le pondera la belleza de la hija.) «¡Qué linda tu hija! Pues ya ves, criando las carnes para que se la coman los pillos». *Después de gozar de la carne ahora vienes a eructarla.* Repugnancia con el dulce después que te lo comiste. «Dejó a Eva y hablaba mal de ella. No me aguanté y le dije: «Después de gozar la carne ahora vienes a eructarla». *Estar en carne viva.* No tener ni un centavo. «Yo estoy, desde hace meses, en carne viva». *Gustarle a alguien la carne de puerco.* Ser homosexual. Sinónimo: *Aceite. Morir de una intoxicación de carne de puerco.* Ser homosexual. «Juan va a morir de una intoxicación de carne de puerco». *No ser carne.* No es de amigos. «Lo que está lloviendo no es carne». *No ser alguien carne ni pescado.* No ser ni una cosa ni la otra. «Ése no tiene opinión: no es ni carne ni pescado». *Pinki, lo que la carne hereda.* Se dice esta frase, refiriéndose a alguien para indicar que es mulato. Por ejemplo se señala para alguien que se aproxima y se dice a los acompañantes de uno: «Pinki, lo que la carne hereda, viene por ahí». (El cubanismo es el título de una película donde el protagonista era mulato.) Ver: *Gancho. ¡Qué carne!* (Frase administrativa que se dice cuando se ve a una mujer muy buena.) *Ser alguien carne de abajo del rabo.* (Eufemismo para no decir «culo» que en cubano es una mala palabra.) No valer nada. «No confíes en él que es un culo». Ver: *Días. Ser alguien carne molida.* No servir para nada. «Oscar es carne molida». *Ser alguien, carne de culo, de donde corta el mojón.* No valer absolutamente nada. «Con lo que hizo me doy cuenta de que es carne de culo, de donde corta el mojón». *Ser alguien, carne de callo, deshidratada.* No valer nada. «Ese candidato es carne de callo deshidratada». *Ser carne de cogote.* Ser muy mala persona. «Pedro es carne de cogote». («El cogote» de la res es muy duro. De ahí el cubanismo.) Sinónimos: *Ser carne de abajo del rabo. Ser carne de callo. Ser carne de callo deshidratada. Ser carne de lepra. Ser, una mujer, carne de primera.* Ser muy bella. «Sofía es carne de primera». Sinónimo: *Estar como me la recomendó el médico. Estar criada con rollón balanceado. Estar que de un peo mata un corojo. Estar que no le cabe un pellizquito. Estar que si se tira un peo saca polvos de una cajita. Estar «supermarket».* (El cubanismo nació en el exilio. —Almacén de ventas al público— hay de todo como en una mujer.) *Ser el filete que camina. Ser importador de carne de puerco.* Ser homosexual. «Todo el mundo dice que es importador de carne de puerco». (Se dice también: *Ser importador de carne de puerco para el interior.* Ver: *Aceite.*)

CARNICERÍA. *Haber en una carnicería piltrafa y filete.* En frases admirativas como «¡En esa carnicería hay piltrafa y filete!", quiere decir: ¡qué mujer más bella! (Es decir que tiene de todo como en la carnicería). Sinónimo: *Aceite.*

CARPA. *Levantar la carpa.* Tener una erección en el pene. «Con esa mujer sí que levantó la carpa». Sinónimo: *Levantar la carpa del circo.* «Cuando la vi, levanté la carpa del circo».

CARPETEAR. Registrar. «Mira cómo se carpetea los bolsillos». Es palabra de origen chuchero ya que registrarse en el bolsillo interior del saco, en chuchero es carpetearse la lechuga.

CARPINTERO. *Ser un carpintero huasuso.* Es un carpintero que no vale nada. «Juan es un carpintero huasuso». La palabra huasuso es de origen campesino. Se avecinó en las villas de Cuba, donde se oye: «Juan es un huasuso», es decir, que no vale nada.

CARREÑO. *Llevar (a alguien) a Carreño.* Educarlo. «A ese niño hay que llevarlo a Carreño». (*El Manual de Carreño* era un manual de cortesía de principio del siglo. De ahí el cubanismo.)

CARRETA. *Dejar pasar carretas y carretones.* Soportar todo estoicamente. «Ustedes no se pueden quejar de mí porque he dejado pasar carretas y carretones». *Pasarle a alguien carretas y carretones.* Engañar. «A ese infeliz para desheredarlo la familia le ha pasado carretas y carretones». Ver: *Caña. Tener la carreta encima.* Estar apremiado por los problemas. «Juan tiene la carreta encima. Por eso está tan preocupado».

CARRETERA. *Tener malas las luces altas de carretera.* No ver bien de lejos. «Mi abuelita, debido a su edad, tiene malas las luces de carretera». *Tener malas las luces altas y bajas de carretera.* Estar ciego. «Mi abuelita tiene malas las luces altas y bajas de carretera». (Añadiendo lo de «luces bajas» se hace el aumentativo). Sinónimo: *No pillar barín. Tener mil millas de carretera.* Tener mucha experiencia. «Yo tengo mil millas de carretera. Tú no me puedes hacer esos cuentos». Sinónimo: *Tener cien mil horas de vuelo. Tener muchos años de carretera. Tener un corto circuito en las luces de carretera.* No ver bien. «Tiene un corto circuito en las luces de carreteras».

CARRETILLA. *Empujar carretilla.* Trabajar. «No tengo un minuto de descanso. Me paso el día empujando la carretilla». Sinónimo: *Camellar.*

CARRETÓN. *Ser mula de carretón.* Trabajar mucho. «No me digas nada. Yo lo que soy es una mula de carretón». Ver: *Carreta. Empujar el carretón.* Contestan así las personas mayores cuando se les pregunta cómo están. «¿Cómo estás abuelita?» «—Empujando el carretón». (O sea, «empujando el carretón de años».) *Estar algo como el carretón de madera.* Estar difícil unas cosa. «Eso está como el carretón de madera. Es imposible hacerlo». (El carretón de madera está duro.) Ver: *Caballo.*

CARRETONERO. *Hablar como un carretonero.* Hablar malas palabras. «Tu hijo habla como un carretonero».

CARRILERA. Carril. «El automóvil se salió de la carrilera». *Salirse de la carrilera.* Desorientarse en la vida. «No sé qué será de él pues se salió de la carrilera». También tratar de ser lo que no es. «Fracasará en su nueva empresa. ¿No ves que se salió de la carrilera?» Sinónimo de todo lo anterior: *Salirse del trillo.*

CARRITO. *Echar palante como un carrito de helado.* Delatar. «Cuando lo cogieron, me echó palante como un carrito de helado». («Palante» es «para adelante».) *Llevar a alguien, como el carrito de helados (o del heladero: empujándolo y a campanillazos.* Hacerlo trabajar mucho, empujándolo para que nunca pare. «Ofelita lleva al novio como el carrito del heladero». (El Heladero lleva el carrito rápido y empujándolo.)

CARRO. Mujer bella. «¡Qué buen carro es Juana!» *Carrito de batea.* Automóvil pequeño. «Me compré un carrito de batea». (Es interesante notar que con una palabra: «batea» o sea «tinaja» se logra el diminutivo). *Carro de pesos.* Mucho dinero. «Pedrito tiene un carro de pesos». *Guardar el carro*. Morirse. «Papá guardó el carro». (Algunas veces se dice simplemente: guardó. Sinónimos: *Cantar el manisero. Partirse. Ponerse el chaquetón de pino tea. Romperse. Chillar más que la sirena que un carro de policía.* «No le tengas lástima por lo del trabajo. Chilla más que una sirena de un carro de policía». (Es un cubanismo nacido en el exilio cubano en Miami.) *Ser mucho carro una mujer para alguien.* Ser tan bella que no se puede aspirar a ella. «Esa mujer es mucho carro para ti Pedro». *Ser carro de batería china.* Ser un automóvil de baja calidad. «Te has comprado un carro de batería china». (El cubanismo se debe a que muchos artículos chinos son de mala calidad). Ver: *Apretadito. Tener un carro que es jaula y trampa*. Tener un automóvil muy bello que conquista mujeres. «Tiene un carro que es jaula y trampa». (Carro, en cubano, es automóvil). Sinónimo: *Tener un cazapollo. Galleta. Viajar en el carro de la lechuza.* (El carro de la lechuza es un coche funerario en el que el municipio entierra a la gente pobre. «Mi tío hoy viajó en el carro de la lechuza».)

CARRUSEL. *Ser una mujer un carrusel.* Ser una que se le entrega a cualquiera. «Yo la conozco y te digo que es un carrusel». (Como el carrusel cualquiera lo monta de ahí viene el cubanismo.)

CARTA. *Echar una carta*. Defecar. «Me duele el estómago y me voy a echar una carta». *Llevar carta*. Oír. «Ten cuidado, me parece que ése está llevando carta». (Es lenguaje del chuchero. Ver: *Chuchero.*) *Ser la última carta de la baraja*. Ser una persona a la que nadie tiene en consideración. «En esta casa yo soy la última carta de la baraja». *Para que llenes cartas*. Para que te enteres. «Te digo esto para que lleves cartas».

CARTABÓN. *Aplicar el cartabón.* Juzgar. «No debes aplicar el cartabón a nadie, con la misma vara que midáis seréis medidos».

CARTAPASIO. *Un cartapasio de camarones.* Muchísimos camarones. «Nos comimos un cartapasio de camarones». (Cubanismo culto.)

CARTEL. *Quitarle a alguien el cartel.* Descaracterizarlo. «Le quitó el cartel enfrente de los amigos. Eso no se hace. Es una crueldad».

CARTELERA. *No estar en la cartelera del cine*. No tener fama. «Tú no estás en la cartelera». Sinónimo: *No estar en nada*. (Esta frase tiene, además, otras significaciones).

CARTELITO. *Caérsele a alguien el cartelito.* Desprestigiarse. «Con el último escándalo se le cayó definitivamente el cartelito». 2. Fracasar. «Se le cayó con el fracaso el cartelito en esa empresa». Sinónimo. Caerse del altarito. Mojárse los papeles. Perder la reputación. «Le grité y se le cayó el cartelito». *Quitarle a alguien el cartelito*. Ver: *Quitarle a alguien el cartel*.

CARTER. *Comer Carter*. Comer maní. «Mira que ese come Carter». (Cubanismo nacido en el exilio durante la campaña presidencial Carter-Reagan. El Presidente de Estados Unidos, Jimmy Carter, tenía una finca de maní.) *Comer ni un maní más*. No queremos al Presidente Carter ni un minuto más en la presidencia. «Yo no como ni un maní más». Ver: *Píldora. Peor.*

CARTERA. Bolso de mujer. «Juanita te compre una cartera». *Cartera dactilar*. La licencia de manejar. «Ya saqué la cartera dactilar». *Cartera y guante.* Se dice como fórmula de despedida.) «Bueno, señores, me levanto y cartera y guante».

CARTERO. *Ser alguien cartero.* Se dice del hombre que siempre le lleva pasado, fuertemente, el brazo a la mujer, por la cintura. «Ese hombre es un cartero. Mira como va y no le da pena». (Me indican que el cubanismo es debido a que el hombre se pega a la mujer más que el sello de correo.) *Ser un cartero.* Se dice del que molesta mucho por estar siempre pegado a alguien. «Ese es un cartero». (Me dicen que se pega más que un sello del correo. De ahí el cubanismo.)

CARTÓN. *Acabarse el cartón.* No haber nada que hacer. «Ya aquí se acabó el cartón. No discutas más». Sinónimo: *No haber más pueblo. Tirar con un cartón.* Irle a alguien con mentiras o alardes. «No me tires más con ese cartón». *No me vendas ese cartón.* No me vengas con ese cuento. «No voy contigo. No me vendas ese cartón». *Tirar un cartón.* Alardear. «Me tiró el cartón de que era millonario».

CARTUCHO. Bolsa. «Dame ese cartucho para poner el dinero». *Cartuchito de besos.* Muchos besos. «Te mando un cartuchito de besos». Sinónimo: *Champú de cariño. Explotar el cartucho.* Ponerse algo al descubierto. «Puedes creer que en esa empresa explotó el cartucho». *Explotar como un cartucho.* Fracasar. «Yo en los exámenes exploté como un cartucho». *Tirar cartuchos.* Alardear. «No me tires más cartuchos». Sinónimo: *Tirar cacharros. Volar el cartucho.* Desflorar. «A esa muchacha hace mucho que le volaron el cartucho». *Ser el cartucho de la vida de alguien.* Ser un mandadero. «Tú eres el cartucho de la vida de tu esposa». (Es decir, que con él mandan mandados. En los cartuchos, en Cuba, se mandan víveres, mandados. De aquí el cubanismo.) *Tener alguien una fábrica de cartuchos.* Mandar mucho. «No me des más órdenes. Tienes una fábrica de cartuchos». (Es que en Cuba en los establecimientos que vendían mercancías de primera necesidad al menudeo, *las bodegas*, los mandados se metían en cartuchos. Así que el cubanismo es un juego de palabras de cartucho, mandado y mandar. De aquí el cubanismo.) *Tú no eres cartucho para darme a mí mandados.* No me mandes. «Calla Pedro, tú no eres cartucho para darme a mí mandados». *Volarle, a alguien, el cartucho.* Derrotarlo. «En la competencia, le volaron el cartucho a Pedro». Yo no soy cartucho para que me mandes. No me des más órdenes. «Te lo dije cien veces. Yo no soy cartucho para que me mandes».(El que regentea un establecimiento de víveres manda éstos, continuamente, en cartuchos. Aquí se originó el cubanismo. El establecimiento de víveres es «Bodega» en Cuba.) Ver: *Desfondar. Guante.*

CARTÚN. *Estar en cartún algo.* Ser fantasía. «Eso que me dices está en cartún». (Es cubanismo del exilio. El cubano usa la forma en que él pronuncia «Cartoon» voz inglesa, o sea, «muñequitos» [en cubano,] «las tiras cómicas» en castizo.)

CARVAJAL. *Estar de Carvajal.* Se dice del que camina mucho. «Estoy de Carvajal y me va muy bien para el corazón». (He oído también: «*Estoy de Andarín Carvajal*». «El Andarín Carvajal» era un popular corredor cubano, corría por toda La Habana.)

CASA. *Casa de fonda de chino.* Hogar donde los que viven no se sientan a la mesa al mismo tiempo y hay que, por lo tanto, servir varias veces. «Esta casa es una casa de fonda de chino». *Casa de Socorros.* Puesto donde expenden pan con bistek, tortillas, etc. «Voy a la casa de socorros a comerme un tente en pie». (Lenguaje de chuchero. Ver: *chuchero.*) *Casa maliciada.* Casa embrujada. «Esa casa me han dicho que está maliciada». *En casa de yuca.* Muy lejos. «No voy. Eso queda en casa de yuca». Sinónimos: *Donde el diablo dio las tres voces. En las quimbambas. Ni casa del* *guanajo*. No hombre, no. «Vamos a Beirut. Ni casa del guanajo». *Niño de casa particular*. Niño fino. «Ese es un niño de casa particular». Sinónimo: *Niño fisto. Niño fistote* (procede en este caso del chuchero. Ver: *chuchero.*) *Niño gótico. Ser muy conocido en su casa*. Ser desconocido. «Esa poetisa es muy conocida en su casa». Ver: *Calabaza. Ropa. Conmigo ella tiene casa, comida, alpiste y revolcadero.* ¡Cómo me gusta esa mujer! «¡Qué bella es Juana! Conmigo ella tiene casa, comida, alpiste y revolcadero». (El «revolcadero» es la cama.) *En casa del trompo todo el mundo baila.* Eso es natural. (Entre las veces en que lo he oído está aquella en que pasó una cubana muy fondillúa y como el bello trasero es una cualidad de la mujer cubana, alguien exclamó: «En casa del trompo todo el mundo baila». Ver: *Trompo. Esto no es la Casa Marina.* Esto es un lugar serio. «Compórtate, esto no es la Casa Marina». («La Casa Marina» era un prostíbulo de la Cuba de ayer.) Sinónimo: *Esto no es un bayú. Gustarle a alguien más la casa de los tres kilos que el Encanto.* Ser una persona de muy malos modales. «A Juana le gusta más la casa de los tres kilos que el Encanto». («El Encanto» era la tienda más lujosa de La Habana y de fama universal. «La Casa de los Tres Kilos» era una tienda popular y de mercancías muy baratas. De ahí el cubanismo.) *Parecer alguien una casa de guano.* Tener el pelo revuelto. «Peínate, muchacho. Tu pelo parece una casa de guano». *Tener una casa de guano en la cabeza.* Estar calvo. «Yo ya tengo una casa de guano en la cabeza». *Vivir en casa de yuca.* Vivir muy lejos. «Tú vives en casa de yuca». Equivale al castizo: «Vivir donde el diablo dio las tres voces». Sinónimo: *Vivir en casa de las Quimbambas.* Ver: *Guayaberas.*

CASABE. Pan de yuca. *A falta de pan, casabe*. Si no es una cosa es la otra. «No me pudo conseguir la plaza de chofer sino de mayordomo. A falta de pan, casabe».

CASABLANCA. *No ser el Casablanca*. No ser dispendio de café. «Deja de pedir. Esto no es el Casablanca». (El cubanismo nació en el exilio. «El Casablanca» es un restaurante famoso donde todo el mundo toma café. Lo sirven sin parar. Se le dice, el cubanismo, al esposo que siempre está pidiendo café en la casa.)

CASADO. *Estar casado y guatrapeado*. Llevar muchos años de casado. «Yo estoy casado y guatrapeado. Tengo treinta años con ella de matrimonio».

CASASOLA. Persona que prefiere mantenerse aislada. «Ella es muy casasola».

CASCABEL.ES. *Faltar sólo los cascabeles para montar a caballo.* Se dice del que en una ceremonia yoruba, entre los creyentes cubanos, en Cuba, está a punto de que el santo tome posesión de él, lo que se llama «que lo monte el santo». «A Pedro sólo le faltan los cascabeles para montar a caballo». (Es decir, que caiga en trance.) Ver: *Mujer. Sonar.*

CASCAJO. *Está bien, Cascajo*. Está bueno de hacer de héroe. «Yo me he sacrificado por ti y los demás. —Está bien, Cascajo». (Hay un cubanismo que dice: *Fulano se cree (o es) el héroe del Cascajo*. Se refiere a que es o se cree muy patriota. En fin, al que toma posiciones heroicas o se cree tomarlas. «Cascajo» es una batalla cubana en la Guerra de Independencia. De ahí el cubanismo.) *Ser cascajo.* 1. No vale nada. «Oscar es cascajo». 2. Querer ser héroe.

CÁSCARA. *Comer cáscara de piña*. Hacer el tonto «.Estás en eso, comiendo cáscara de piña». Sinónimos: *Comer bagazo. Comer cáscara de caña. Ser una cáscara de vaca* significa: no valer nada una persona. «Antonio es una cáscara de vaca».

También, dinero. «No tengo cáscara». Si no hay cáscara no hay tumbao. No hay dinero, no hay negocio. «Mi amigo se lo dijo claro: si no hay cáscara, no hay tumbao». («Tumbao». El cubano aspira la «d»). («Cascara y tumbao» vienen de la música cubana.) *Hablar cáscara.* Hablar cosa que no vale nada. «Yo le oigo como quien oye llover, pues siempre habla cáscara». *Quedar alguien como cáscara de piña.* Quedar muy mal. «En ese discurso Elio quedó como cáscara de piña. Si no es orador». *Ponerle a alguien una cáscara de calibre setenta.* Ponerle un gran obstáculo en su camino para que fracase. «Él no se dio cuenta, pero le pusieron una cáscara de calibre setenta». *Sacarle la cáscara al plátano.* Equivale a «Sacarle el aceite a la aceituna». Lograr el máximo de algo. «Como te dura el dinero. Le sacaste la cáscara al plátano». Ver: *Palucha. Ser algo cáscara.* No valer nada. «Eso que me dices es cáscara». *Ser cáscara de vaca alguien.* Ser un látigo en su forma de ser. No darle cuartel por lo tanto a nadie. «Esa policía es cáscara de vaca». («La cáscara de vaca» se la llama a un cinturón o a un látigo, indistintamente.)

CASCARILLA. *Ponerse cascarilla.* 1. Ponerse dentro del zapato cáscara de huevo para evitar la mala suerte de acuerdo con la práctica de las religiones africanas vigentes en Cuba. «Hoy creo que no tendré contratiempos porque me puse cascarilla». 2. Tratar de evitar la mala suerte. «Hoy me puse cascarilla y todo va bien».

CASCARITA. Ver: *Gofio. Palucha.*

CASCO. 1. Las uñas. «Voy a arreglarme los cascos». 2. Mujer fea de cuerpo y de cara. «Esa mujer es un casco». *Caerle a alguien un casco sin queso crema.* Tocarle una mujer feísima y sin ninguna gracia. «En el baile me cayó un casco sin queso crema». (*Casco* en cubano, es mujer fea.) *Comer cascos de guayaba africanos.* Estar pasando por un momento algo desagradable. «Estoy comiendo cascos de guayaba africanos. Pero espero salir pronto de esto». (El casco de guayaba africano es medio amargo. El cubanismo nació en el exilio.) Sinónimo: *Aserrín. Cómprate un casco de futbolista.* Se le dice al que se casa con una mujer ligera de cascos, indicando que lo va a engañar, a «coronar» lo que en cubano se dice «pegar los tarros". «Al saber la noticia le dije: Pedro, cómprate un casco de futbolista». (Es cubanismo del exilio). *Estar como la mermelada.* Estar con mujeres feas. «Ése siempre está con la mermelada». *Estar entre cascos.* Estar entre mujeres feas. «Juan esta siempre entre cascos». *Estar una mujer como los cascos de guayaba.* Estar conservada. «Esa mujer está como los cascos de guayaba». (Los cascos de guayaba están conservados en lata. De aquí el cubanismo). *Estar una mujer para poner una compañía de cascos.* Ser feísima de cara y de cuerpo. «La vi. Está para poner una compañía de cascos». (A la mujer fea de cuerpo se le dice que es un *casco*. El cubanismo afirma que es tan fea que puede poner una compañía de cascos. En Cuba habían compañías de Cascos de Guayaba, de naranja, etc. El cubanismo es un juego de palabras con ellas.) *No dispararse el casco ni con queso Gruyere.* No acostarse con una mujer fea bajo ningún concepto. «Yo no me disparo ese casco ni con queso Gruyere». (Dispararse es «acostarse con» en este caso). También, tajada en dulce. «Éste es un casco de naranja. ¡cómo me gusta!» *Ponerle guayaba al casco.* Enamorarse un hombre de una mujer muy fea y verla muy bonita. «Sí, pero él le puso guayaba al casco». Preferir alguien los cascos al flan. Gustarle, a un hombre, las mujeres sin belleza alguna. «Mi marido siempre ha preferido los cascos al flan». («Casco» en

Cuba es mujer sin ninguna belleza.) *Quedar solo el casco y la mala idea.* Estar muy delgado. «Cualquier día muere. Sólo le queda el casco y la mala idea». *Ser duro como aserrín de casco de mulo.* Ser muy agarrado. «Él no gasta un centavo. Es duro como aserrín de casco de mulo».

CASERA. Ama de casa. «Cómprame algo casera». Sinónimos: *Caserita*. *Tony*.

CASERITA. Nombre que dan los vendedores ambulantes a la ama de casa en Cuba. «Como la voy a engañar, caserita. Usted sabe que no». *Estar como Caserita.* Estar muy bien. «Esto está como Caserita». Aplicado a una mujer indica que está muy apetitosa, bella. «Ella está como Caserita». *Estar una mujer como Caserita.* Estar muy sabrosa. «Esa mujer que vive enfrente de ti está como caserita». Ver: *Casera.*

CASET. *Quedar en caset.* «Este baile quedó en caset». (Viene de la palabra inglesa «cassette». Es cubanismo del exilio. El cassette es una cinta fotográfica en forma de caja donde hoy se vende todo lo del pasado; la llamada por los norteamericanos: «nostalgia».)

CASI. *Casi casirón.* Casi. «Ya tengo casi casirón cuarenta años».

CASINO. Jugada clásica en el dominó. «Triunfó con casino». (El jugador de dominó cuando hace una jugada clásica grita al poner la ficha «Casino».)

CASO. *Hacerle el caso del perro.* No hacerle caso. «Juan me hace el caso del perro. Es muy mal educado».

CASQUERO. Hombre al que le gustan las mujeres feas, que en cubano son llamadas cascos. «Se casó con Juana. No hay dudas de que es un casquero».

CASQUILLO. *Ir con el casquillo engrasado.* Estar siempre listo para pelear. «Siempre está con el casquillo engrasado». Ver: *Lápiz.*

CASQUITO. Soldado. «Mataron a muchos casquitos en combate». (El cubanismo surgió en los tiempos del General Batista, cuando éste luchaba contra Fidel Castro en la Sierra Maestra. A los nuevos reclutas, sin entrenamiento, que mandaban a pelear se les llamaba «casquitos» porque como a los casquitos de guayaba, de naranja, etc., los de Fidel se los «comían", es decir los derrotaban). *Casquitos de buscabulla.* Casquitos de fruta bomba. «Cómo le gustan a mi hijo los casquitos de buscabulla». Ver: *Brujitas.*

CASTAÑUELA. Ver: *Loca.*

CASTEL. Ver: *Morro.*

CASTELLANOS. Ver: *Aspiazo.*

CASTIGADOR. Ver: *Lindoro.*

CASTILLA. *Ser una mujer la leona de Castilla.* Ser una mujer extraordinaria. «¡Cómo ayuda al marido! ¡Es la leona de Castilla!» (Este cubanismo, que apenas se oye, se basa en el título de una película por Aurora Bautista: «*La Leona de castilla*», en que protagonizó a una figura histórica de tal temple.)

CASTILLO. Lotería. «Hoy en vez de la charadachina juego a Castillo». Castillito. Tipo de juego ilegal en Cuba que toma el nombre del banquero que le regenteaba. «¿Qué número salió en Castillo?» Ver: *Crespo.*

CASTOR. *Ser un Castor Vispo.* Ser muy chistoso. «Juan es un Castor Vispo». (Castor Vispo fue uno de los grandes humoristas de la Cuba contemporánea. Es un cubanismo de gente culta.)

CATALINA. *Dile a Catalina que se compre un guayo.* Dile que haga otra cosa. «Volvió a ser reprobada en el examen de julio. —Pues dile a Catalina que se compre un guayo». (El cubanismo viene de una canción muy famosa que cantaba el cubanísimo Trío Matamoros: «Dile a Catalina que se compre un guayo, que la yuca se me está secando"). También: no: «Dice que le mandes el dinero. —Dile a Catalina que se compre un guayo». (No). *No se le puede dar vueltas a la catalina.* Todo terminó. «Hay que darse por vencido en esto. No se le puede dar vuelta a la catalina». (Se refiere a la catalina de la bicicleta.) Ver: *Paraguas. Parársele a alguien la catalina.* No decir nada más. «Estaba en el medio del discurso y se le paró la catalina». *Trabársele a alguien la catalina.* 1. Avanzar hasta cierto punto alguien y no poder seguir adelante. «Yo la toqué toda a Angélica, pero cuando quise llegar a cosas mayores, se me paró la catalina. Me despidió a cajas destempladas». 2. Ir alguien por lana y salir trasquilado. «Trató de ganarme para el negocio, pero como yo lo conocía, se le trabó la catalina». 3. No echar a andar algo. «Al negocio, desde el principio, se le trabó la catalina». 4. No entender algo. «Yo, cuando llego a ese punto conflictivo de esa religión se me traba la catalina». (Se aplica a múltiples situaciones. La conversación da el significado.)

CATALINO. *Ser alguien un Catalino cualquiera.* Ser un chuchero. «Juan es un catalino cualquiera». (Viene de una sección del semanario humorístico *Zig Zag* que se llamaba «*El Chuchero Catalino*» a la que escribían los chucheros ya hablaban de sus costumbres y de sus «jergas». Ver: *Chuchero.*)

CATANA. 1. Carro viejo. «No compres esa catana que te va a dar muchos dolores de cabeza». 2. Mujer anciana. «Esa catana no quiere cortar la yerba ahora. Me dijo que volviera luego». 3. Tipo de papalote. «Hoy compré uno de esos papalotes llamados catana». *Eramos poco y parió Catana.* Ya teníamos bastantes calamidades y vino una más. «Hoy viene tu pariente Pedro. —Ya lo sé. Eramos pocos y parió catana». (Tiene la misma base estructural que el castizo que dice: *Y parió mi abuela*).

CATANGA. *Ser de catanga.* Ser muy bruto. «Tú eres de catanga. De eso no hay duda». (El cubanismo se refiere a «Katanga» y supone que el África está muy atrasada culturalmente.)

CATAPLUM. *Y Cataplum con candela.* Y terminó mal. «Aquello empezó mal y cataplum con candela».

CATARRO. *Convertir un catarro en neumonía.* Darle importancia a una cosa que no la tiene. « Tú has convertido con eso, un catarro en neumonía». *Fuera catarro.* 1. Asunto concluido. «Mandé a mi mujer para casa de sus padres. ¡Fuera catarro!» 2. Liquidar una situación. «Vamos a cargar sobre el enemigo. Fuera catarro». *Tener catarro.* Tener gonorrea. «Ése tiene catarro». (Como la gonorrea chorrea igual que el catarro ha nacido el cubanismo.) Ver: *Malo.*

CATCHER. *Vestirse de «quecher».* Lamer la lengua su lugar de origen. El cubano pronuncia «quecher» la palabra inglesa «catcher».

CÁTEDRA. *Ser alguien la cátedra.* Ser muy inteligente, muy listo. «Juan es la cátedra en todo. Vamos a verlo para que te arregle el coche».

CATEDRÁTICO. Ser un catedrático bikini. Que no enseña nada. «Humberto es un catedrático bikini». (La trusa bikini es muy pequeña. De ahí el cubanismo del exilio.)

CATEGORÍA. *Estar en la categoría de «se llamaba».* Haber muerto. «Esos están en la categoría de «se llamaba».

CATEGÓRICO. Ver: *Imperativo.*

CATEY. Tonto. «Ese hombre es un catey».

CATIVÍA. Yuca. *Comer cativía.* 1. Comer basura. «No sigas comiendo cativía». 2. Decir tonterías. «Ese siempre está comiendo cativía». 3. Tonterías. «Mira que habla cativía». Sinónimos: *Atracarse. Atracase de mojones. Comer cáscara o cascarita de piña. Comer de lo que pica el pollo. Comer gofio. Gofio.*

CATÓLICO. *No estar muy católico.* 1. Estar muy indefinido, dudoso. «En esa situación no se puede confiar en él. A lo mejor es un enemigo. No está muy católico». (Nuevo significado añadido a lo castizo por el cubanismo.)

CATORCE. *Poner catorce peloteros.* Poner las cosas de tal manera que es imposible ganar. «Yo no tenía chance con él. Me puso catorce peloteros». (En el juego de la pelota hay nueve peloteros. Al que le poner catorce no puede nunca batear. Siempre lo sacan «out», o sea, pierde. De ahí el cubanismo.) Ver: *Ganga. Millón.*

CATRE. *Conocer a alguien más que a un catre.* Conocerlo mucho. «Catre» es «cama». «No me vengas con cuentos que te conozco más que al catre». *Estar más viejo que un forro de catre.* Estar muy viejo. «Juan está más viejo que un forro de catre». *Hacerlo hasta el catre.* Hacerlo hasta el final. «No paró en el libro y lo hizo hasta el catre». (El cubanismo está inspirado en «perseguir hasta el catre a una mujer», que quiere decir: «Caerle a algo o a alguien, continuamente». El nuevo cubanismo, toma «hasta el catre» como cosa final.) *Pasar más trabajo que un forro de catre.* Pasar mucho trabajo. «Con este diccionario he pasado más trabajo que un forro de catre». *Perseguir hasta el catre.* 1. Enamorar a una mujer hasta que la conquista. «Es mía porque la perseguí hasta el catre». 2. Hacer el máximo esfuerzo. «Lo perseguí hasta el catre pero nunca llegué a encontrar lo que era necesario hacer». «Lo perseguí hasta el catre pero fracasé. No pude lograr el invento». 3. Perseguir a alguien hasta el final. «La policía cogió al bandido porque lo persiguió hasta el catre». 4. Perseguir sin darle cuartel. «Alejandro persiguió a Dario hasta el catre». 5. Trabajar arduamente por una cosa. «Lo logré porque lo perseguí hasta el catre». *Ser alguien catre y medio.* Ser muy alto de estatura. «Mi hijo es catre y medio». Ver: *Chinche. Quitarle la colchonera al catre.* Destruir a alguien, derrotarlo. «Ése se cree muy vivo pero le voy a quitar la colchoneta al catre».

CATUCA. *Estar peor que Catuca y Don Jaime.* Estar sordo. «Ese pobre está peor que Catuca y Don Jaime». *Ser Catuca y Don Jaime.* Ser sordo. «No oyes nada. Eres Catuca y Don Jaime». (Los cubanismos se originaron en un programa de radio. Los personajes se llamaban Catuca y Don Jaime. Ambos eran sordos.)

CAYO. *Cayo manteca.* Sitio donde se fuma marihuana. «Están allí fumando, en Cayo Manteca, sin importarles la policía». «Ése es el famoso Cayo Manteca. Ahí la policía hace grandes redadas». Ver: *Marihuaneros.* («Manteca» es «marihuana».)

CAYUCO. Ver: *Cabeza.* 1. Bruto. «Muchacho, no seas cayuco». 2. Cosa que está jorobada. «Esto está cayuco». 3. Malo. «Ése es un negocio cayuco». 4. Persona sin inteligencia. «Haz las cosas bien. Eres un cayuco». *No seas cayuco.* No seas tonto, fíjate lo que haces. «Haz las cosas bien. No seas cayuco».

CAZAPOLLO. Automóvil lujoso o automóvil convertible. «Se compró un cazapollo. Las mujeres no se resisten». (Automóvil lujoso.) «Se compró un cazapollo. La capota es verde». (Convertible.) *Ponerle a alguien un cazapollo en el pierrilis.* Regalarle unos zapatos bonitos. «La verdad es que tu novio te puso un cazapollo en el pierrilis». («Pierrilis» es pies. «Cazapollos» aquí tiene el significado de una cosa muy bella. De la que se enamora todo el mundo. Es lenguaje del chuchero. Ver: *Chuchero.*) Ver: *Carro.*

CAZAR. Vigilar. «Estoy cazando a Pedro a ver si llega tarde».

CAZUELA. *Por cazuela virada.* Por casualidad. «Lo hizo por cazuela virada». *Revuelve la cazuela que vas a coger raspa.* Métete conmigo y ya verás. «Yo se lo advertí para que no se llamara regaño y le dije: revuelve la cazuela que vas a coger raspa». «Se amedrentó cuando le dije: Vas a coger raspa». («La raspa» es la comida que queda pegada a la cazuela.) Ver: *Palo.*

CAZUELERO. Se dice del hombre que se mete en las cosas de la casa, como por ejemplo, ver cómo cocina la mujer. «No destapes la cazuela, cazuelero».

CEBAR. Halagar. «Ese hombre es muy peligroso. Hay que tenerlo siempre cebado».

CEBOLLA. Ver: *Operación.*

CEBOLLAZO. Golpe. «Me dio un cebollazo y me hizo un chichón». *Darse cebollazos en la vesícula biliar.* Darse pisto. «No lo soporto. Siempre está dándose cebollazos en la vesícula biliar».

CEBOLLÍN. Persona muy poco inteligente. «Yo que lo conozco bien te digo que es un cebollín». Sinónimos: *Catuco. Cebollón. Oler a cebollín.* Oler a sudor. «Báñate que hueles a cebollín». Sinónimos: *Oler a berrenchín. Oler a cojón de oso.*

CEBOLLÓN. 1. Bruto. «Es un cebollón». 2. Estúpido. «Eres el cebollón del pueblo». Sinónimo: *Cebollín.* 3. Persona que no es inteligente. «Juan es un cebollón». «Pedro es un cebollón. Volvió a sacar cero en matemáticas». Sinónimo: *Ser un ñame.* También ser persona gorda. «Ese niño es un cebollón. Pesa cien libras y tiene cinco años». *Comerse un cebollón.* Equivocarse. «Juan se comió un cebollón».

CEBONOCO. Bruto. «¡Qué cebonoco eres! No hay forma que pases el cálculo diferencial». Sinónimos: *Ser un seboruco. Ser un semiñoco.*

CEBORUCO. Anillo grandísimo. «Mira qué ceboruco usa ese hombre». (En Cuba gustaban mucho entre cierto tipo de la población baja usar unos anillos enormes.)

CEDAZO. 1. Córrete. «Dame un cedazo que quiero sentarme». 2. Parte de una pieza. «Dame un cedazo». (Éste es el caso de que se interrumpe a alguien para que lo deje bailar con la mujer con quién se está bailando.) 3. Participación. «Dame un cedazo en ese negocio». *Dar un cedazo.* 1. Dar un chance. «Dame un cedazo. No he hablado en toda la noche». 2. Dejar espacio para sentarse alguien. «Dame un cedazo. Córrete».

CÉFIRO. *Zéfiro sutil.* Un gas. «Se ha tirado un zéfiro sutil». (Viene del chiste cubano: «Un individuo se tiró un peo y la mujer le dijo: ¡Qué zéfiro sutil!» Un campesino que viajaba con ellos le contestó: «¡Qué zéfiro, ni zéfiro! ¡Un peo que le ronca los cojones!»)

CEGATO. (El) Ano. «Tenía un cáncer en el cegato». Ver: *Kile.*

CEGUERA. Ver: *Liga.*

CEIBA. *Ceiba del agua.* El número seis en el dominó. «Dominó con Ceiba del Agua».

CELESTE. *Acercarse a Celeste Mendoza.* Ser feliz. «Traten de acercarse a Celeste Mendoza si no quieren morirse». («Celeste Mendoza» era una cantante cubana.)

CELIA. *Hacerle como a Celia Margarita.* Trucidar algo o a alguien y repartirlo en pedazos. «A este dulce hay que hacerle como a Celia Margarita». (René Hidalgo, sin quererlo, mató a su amante, Celia Margarita Mena. La trucido y repartió en paquetes. Fue un sonado crimen pasional. Este cubanismo está desaparecido casi). *Trucidado por la vida como a Margarita Mena.* Acabado por la vida. «Mi hermano está trucidado por la vida como a Margarita Mena». (A Celia Margarita Mena la trucidó el amante y la repartió en paquetes. De aquí el cubanismo culto.)

CEMENTERIO. *El cementerio de los elefantes.* Sitio donde hay muchas personas mayores retiradas como Miami o Miami Beach, en la Florida, Estados Unidos, por la mucha cantidad de viejitos retirados que viven en esas ciudades. «Estamos viviendo en el cementerio de los elefantes». (Miami.) «Voy a bañarme en el cementerio de los elefantes». (Miami Beach.) (Los elefantes, cuando se sienten viejos y saben que van a morir, van a lugar común a morir. Todos van allí. Toda la generación vieja cubana —los elefantes, en cubano— está muriendo en Miami. De aquí el cubanismo.) *El cementerio de las pingas.* En mil novecientos sesenta y uno, a principios del éxodo cubano, así llamaban los hombres cubanos a Miami, por las pocas oportunidades sexuales que había. «Te digo que aquí es el cementerio de las pingas». (En general, se aplica a cualquier sitio sin oportunidades sexuales. «Aquello en donde trabajé era el cementerio de las pingas». *Eso es jugar cementerio en la Charada.* Eso es un fracaso sin lugar a dudas. «No voy a invertir en los bonos en la ciudad de Nueva York porque eso es jugar cementerio en la charada». *Ser un cementerio de elefantes.* Ser un fracaso. «Eso que piensas es un cementerio de elefantes».

CEMENTO. Ver: *Cara. Jabón.*

CENIZA. *La ceniza, senador.* Lo que usted quiera. (Es una forma de halagar. El cubanismo nace con un personaje de televisión que hacía el papel de un adulador vergonzoso. Es la actitud de lo que en Cuba se llama guataca o hala leva.) *Ser peor que la ceniza del senador.* Ser muy denigrante. «Lo que haces es peor que la ceniza del senador». Ver: *Polvo. Tabaco.*

CENTRAL. Ingenio de azúcar. «Este central es uno de los más grandes de Cuba». *Moler más que el central Cunagua.* Tiene varias interpretaciones. 1. Se dice de una prostituta que tiene muchos clientes. «Esa mujer muele más que el central Cunagua». 2. Vender mucho una tienda. «Esa tienda muele más que el central Cunagua». (La conversación da el significado.) Ver: *Mujer. Ser un central sin tiempo muerto.* Ser un gran trabajador. «Mi hermano es un central sin tiempo muerto». (El «Central» es un ingenio grande. El tiempo muerto, en Cuba, es el tiempo que no muele. Se aplica también a la prostituta que no para: «Esa prostituta es un central sin tiempo muerto».)

CENTRÍFUGA. *Tener una centrífuga.* Manipular el dinero en forma tal que siempre se tiene en la calle una enorme deuda de tal manera que el efectivo rinda el doble de lo que es. «Esa compañía no tiene mucho capital pero tiene una gran centrífuga». (El cubanismo nació en el campo azucarero.)

CENTRO. *Meterle en el mismo centro.* Ser muy versado. «Ése le mete a la aritmética en el mismo centro». Sinónimos: *Darle a algo en la yema. Meterle al perro en el mismo hocico. ¿Vas al Centro Asturiano?* Se pregunta cuando alguien se limpia las narices. «Se lo pregunté sin pena: ¿Vas al Centro Asturiano?» («Limpiar los salones» es en cubano, «limpiarse la nariz». Y es que en el Centro Asturiano habían grandes salones de baile y cuando alguien se limpia la nariz se pregunta: ¿Limpiando los salones? De todo esto nació el cubanismo.)

CEPILLAR. Matar. «Lo cepillaron al amanecer». Sinónimo; *Arráncarsela. Convertir en fufú de plátano.* (El fufú de plátano es el plátano majado). *Dar guiso*. (Cuando se mata a mucha gente se dice dar guiso espeso, siendo espeso la palabra que da el aumentativo). Sinónimos: *Dar pirey o pirey y fuerza blanca. Llenar la boca de hormigas. Partirle el carapacho. Partirle la ventrecha. Rellenar de plomo. Zafarle el coco (o guiro, el penthouse* — el cubano dice «penjaus» —, *la toronja*, todos son cabeza en cubano) o simplemente *Zafársela. Matica. Cepillarse. Quitarse los hábitos rústicos*. «Es un campesino de las montañas que en un año se ha cepillado».

CEPILLO. La muerte. «El cepillo, en Beirut, ha sido espantoso». *Cepillo de diente.* Bigote grande y espeso. «Todavía hay campesinos que usan cepillo de diente". *Darle a alguien cepillo y en cualquier momento barniz.* Haber tomado una medida contra alguien y prepararse a tomarla de una forma drástica; definitiva. «Yo no sé cómo se atreve si ayer le di cepillo y en cualquier momento le doy barniz». Sinónimo: *Amedrentarle a alguien la parada.* (Implica también: No te quejes por qué te regaño porque te voy a regañar más. «Cállate, muchacho, acepta el castigo. Mira que te di cepillo y en cualquier momento te doy barniz».) *Hasta donde el cepillo no toca.* Saber mucho. «Lo de él en matemáticas es hasta donde el cepillo no toca». (El cubanismo es el lema de una pasta de dientes en Cuba). Ver: *Pinga.* 2. Recoger lo que dan los fieles en la iglesia. «En las iglesias norteamericanas pasan dos veces el cepillo». *Llegar hasta donde el cepillo no toca*. Llegar hasta lo imposible. «En el descubrimiento de este crimen llegaré hasta donde el cepillo no toca». (El cubanismo viene del anuncio de la pasta dentífrica Colgate. Decía el anuncio que llegaba hasta donde el cepillo no tocaba). *Pasar el cepillo*. Matar. «La autopsia da que le pasaron el cepillo». *Ser alguien cepillo Fuler.* Ser muy arisco. «Ese muchacho ya es un cepillo Fuler». («El Cepillo Fuller» —el cubano pronuncia Fuler— tiene unas cerdas muy duras. De aquí este cubanismo nacido en el exilio.) Ver: *Mota. Usar cepillos de dientes rusos.* Limpiarse los dientes con el dedo índice. «Ellos se limpian los dientes con cepillos de dientes rusos». (El cubanismo nació de un chiste.)

CEPOTE. *Irse para el cepote.* Irse para el carajo. «Cuando se puso la cosa dura se fue para el cepote».

CERCA. *Al primero que vuele la cerca lo declaro out*. El primero que se propase lo paga. «Vamos con esas muchachas y oigan bien: al primero que vuele la cerca lo declaro out». (El lenguaje viene del juego de pelota. La mayor jugada es «volar la cerca» —sacar la bola por encima de la cerca al pegarle con el bate—. Al que declaran «out» —out es inglés— no juega más.) Ver: *Pelota. De cerca nadie me tose.* No hay quien se meta conmigo. «Ya te lo dije. Yo no tengo miedo. De cerca adentro nadie me tose». (Refrán camagüeyano. Ver: Víctor Vega Ceballos. *«La tierra, base* *de la cultura camagüeyana*». *Diario Las Américas*, 19 de junio de 1977. Pág. 5B.) *Llevarse la cerca.* Hacer algo o tener un éxito muy sonado. «Con ese discurso te llevaste la cerca». «En matemáticas sacaste el máximo. Te llevaste la cerca». «Con ese libro se llevó la cerca». Lo mismo indica un triunfo como en lo anterior que una derrota. «Te suspendieron de nuevo. Te llevaste la cerca». (Viene del juego de pelota. Para el bateador, lo más grande es darle a la pelota y llevarse las cercas del parque.) *Poner una cerca.* Defecar en el campo. «Cada vez que salimos al campo mi padre pone una cerca». Ver: *Lejos. Novena.*

CERDO. Persona sucia. «Mira como babea comiendo. Es un cerdo». *Estar hecho un cerdo.* Estar muy gordo. «No sigas engordando que estás hecho un cerdo».

CEREBRAL. Hombre o mujer a quien le gusta posiciones raras en el sexo. «El marido le salió muy cerebral, casi un pervertido». También, que le gustan mucho las mujeres. «Ésa es su tragedia. Se divorció por Ana. Desde niño es muy cerebral». Sinónimo del primer cubanismo: *Un enfermito.* Persona que cuando ve a una mujer imagina escenas sexuales con ella. «Deja de mirar a esa mujer. Eres un enfermo. Un cerebral». Ver: *Cerebrín. Prostitución.*

CEREBRINA. Medicina para el cerebro. «Tienes que tomar, para la memoria, cerebrina».

CEREBRO. Persona muy inteligente. «Ése es un cerebro». *Cerebro de mico.* Ser muy poco inteligente. «Tú eres cerebro de mico. Eso lo entiende cualquiera». Sinónimos: *Cerebral. Cerebro de mosquito. Cerebro podrido. Cerebro recapado.* De segunda categoría o sea mediocre. «Juan es un cerebro recapado». (La goma recapada es de segunda clase. De ahí el cubanismo.) *Explotarle algo o a alguien una mujer en el cerebro.* Gustarle mucho. «Esa mujer me explotó el cerebro». *Hacer cerebro.* Pensar. «No me apresures que el asunto es difícil y estoy haciendo cerebro». *Jugar cerebro.* 1. Imaginar cosas sexuales con una mujer. 2. Representarse en la imaginación algo muy bueno. «Estoy jugando cerebro con esa mujer». (Por ejemplo que la posee.) Sinónimo: *Jugar cráneo. Mi cerebro es lo último.* Soy lo más inteligente del mundo. «¿Cómo tú pensabas que yo no iba a hacer la ecuación si mi cerebro es lo último?» *No filtrarle a alguien el cerebro.* Estar loco. «Ya está en las etapas finales de la enfermedad. El cerebro no le filtra». *Por el medio del cerebro.* En plena cabeza. «Me dio el golpe en el medio del cerebro». *Tener el cerebro calvo.* Ser muy bruto. «Oscar tiene el cerebro calvo». *Tener el cerebro hecho melcocha.* Tenerlo destruido por las drogas. «Pedro tiene el cerebro hecho melcocha». Ver: *Maraca. Muela. Tener el cerebro hecho picadillo.* Gustarle a uno mucho una mujer. «Esa mujer me tiene el cerebro hecho picadillo». *Tener el cerebro ponchado.* Estar loco. «Tú tienes el cerebro ponchado». Sinónimos: *Estar tostado. Faltarle una tuerca. Tener los cables cruzados. Tener los cables quemados. Tener un corto circuito en el pent-house.* (El cubano pronuncia «penjaus».) *Tener un tueste. Tener fufú de plátano en el cerebro. Tener alguien un cerebro almibarado.* Ser muy inteligente. «Sacó cien en matemáticas. No se puede negar que tiene un cerebro almibarado». Ver: *Patada. Tener una croqueta en el cerebro.* No ser muy inteligente. Antónimos: *Tener nitrón en el cerebro. Tener tiza en el cerebro. Tener un cerebro trimotor. Tener una croqueta quemada en el cerebro.* Ser muy poco inteligente. (La palabra quemada, como se ve, forma el diminutivo. Muchas veces el cubanismo usa esas técnicas.)

CEREMILLÓN. Mucho. «Mi abuelo tiene un ceremillón de años».

CERITO. No. «Dame el dinero. —Cerito». Ver: *Cero.*

CERNÍCALO. Amigo. «Oye, cernícalo, vamos a la playa». Ver: *Hermano. Ojo.*

CERNÍCOLO. *Ser un cernícolo.* Es el que se lleva todo a su encuentro para lograr sus fines. «Lo trato con cuidado porque es fin cernícolo». (El cernícolo lagartijero es una ave que se come a las demás. De aquí este cubanismo campesino avecinado en la ciudad.)

CERO. *De eso nada, de eso cero.* No. «Dame el dinero. —De eso nada, de eso cero». *Estar alguien bajo cero.* No pensar o coordinar bien sus pensamientos una persona. «No sé lo que me pasa. Hacer días estoy bajo cero». Ver: *Monito.*

CERQUISTA. Que está en la cerca; que no se define. «Juan es un cerquista. Es un cobarde».

CERRADURA. Ver: *Hueco.*

CERRAR. *Impedir que alguien logre algo.* «Me cerraron en el trabajo. Los voy a demandar». *Cerrarse.* Perjudicarse uno mismo. «Se cerró con su conducta». *Cierra el piano que está desafinado.* No sigas hablando tonterías. (Se usa el cubanismo en el imperativo.)

CERUMEN. *Cerumen en la casa de Mamá Cuntaya.* Dinero. «Voy a ver si consigo un poco de cerumen de la casa de Mamá Cuntaya».

CESANTE. (El) Se dice de la persona que tiene cara de sufrimiento. «A ése le dicen, por su cara, el cesante». (El cubanismo nació con una caricatura que se publicaba en el periódico.) *Quedarse cesante.* Morirse. «Ese pobre viejo está a punto de quedar cesante».

CHA. *Estar incorporado al cha cha chá.* Pertenecer a un ambiente poco digno. «Yo tú no me casaría con ella. Está incorporada al cha cha chá». Se dice así mismo del que es muy alegre: «El siempre está incorporado al cha cha chá». Ver: *Bombón.*

CHABELA. *Ser una cantante Chabela Vargas cantando La Macorina.* Ser muy mala. «Me levanté y me fui. Era Chabela Vargas cantando La Macorina». (Chabela Vargas era una cantante mejicana que tenía un estilo que no encajaba con la canción «*La Macorina*». De aquí el cubanismo.)

CHACA. *Estar alguien en la chaca.* Estar económicamente mal de situación. «Hace tiempo que estoy en la chaca, que ya me he acostumbrado».

CHACABANA. Tipo de prenda de vestir. «La chacabana es la última moda». «Me compré una chacabana». Sinónimo: *Guayabera.*

CHACARRACA. Cosa que no vale nada. «No me vengas con esa chacarraca que no es así».

CHACHÁ. Instrumento musical del tipo de una sonaja, de procedencia africana. Se oye, principalmente, en Oriente. «Me encanta como toca el Chachá».

CHACHACHÁ. Tipo de canción. *¡Cómo me gusta el Chachachá!* ¡Cómo le gusta! (Algo.) (Correr, jugar, patinar, etc.) «El niño no suelta los patines. ¡Cómo le gusta el chachachá!» *Dar un pase de chachachá.* Se dice cuando una mujer se deja tocar ligeramente por un hombre, como quien no quiere la cosa, para conquistarlo. «Si le da a Juan dos pases de chachachá éste se enamora perdidamente». *Gustarle a alguien* *el chachachá de los cariñosos.* Gustarle a una mujer que la toquen libidinosamente. «A Petronila le gusta, dicen las malas lenguas, el chachachá de los cariñosos». (Ésta es la acepción más general. Se aplica, sin embargo, a otras situaciones; p.e. «Mira cómo se ríe porque lo halagan. —Claro, a todo el mundo le gusta el chachachá de los cariñosos».) Ver: *Ritmo.*

CHACHALEO. Conversación interminable. «¡Cuándo acabarán ese chachaleo por teléfono. Tengo que hacer una llamada».

CHACHÚ. Ver: *Cintura.*

CHACÓN. Ver: *Agarrarse. María.*

CHACUMBELE. *Pasarle a uno como a Chacumbele que él mismito se mató.* Ser uno culpable de la propia desgracia. «No lo compadezco. Le pasó como a Chacumbele que él mismito se mató». (El cubanismo viene de una canción muy popular en Cuba.) Ver: *Testamento.*

CHÁGARA. Pene. «En cuanto pueda le doy con la chágara». *Estar en la misma chágara.* Estar siempre en lo mismo. «La verdad es que estoy aburrido. Estoy siempre en la misma chágara». (El cubanismo es más usual cuando se le pregunta a alguien cómo está y responde: «En la misma chágara».) Sinónimo: *Estar amolando la misma piedra.*

CHALECO. Adiós. «Bueno, chaleco Pedro». (Es un juego de palabras entre «Chaleco» y «Chao», o sea, «adiós». *Mira chaleco, que te conocí sin mangas.* Te conozco bien; conozco bien tus antecedentes. «Juan, no me vengas con esas historias. No te olvides chaleco que te conocí sin mangas». (Hay otra variante en esta frase: *Mira saco, que te conocí chaleco.*)

CHAMA. Hijo. «Tuvieron un chama muy bello». También muchacho. «Cuando yo era chama hacía muchas locuras».

CHAMBELONA. (La) 1. Canción popular cubana que el Partido Liberal Cubano convirtió en su canción política. Su ritmo es muy conocido y su estribillo reza: «*Yo no tengo la culpita, ni tampoco la culpona. Ahí, ahí, ahí, la chambelona*». «Oye a los liberales tocando la chambelona». 2. Especie de caramelo muy apetecido por los niños. «Me voy a comprar una chambelona porque es muy rica». *Gustarle la chambelona.* Se dice de la mujer que le gusta fornicar con cualquiera. «A esa mujer le gusta la chambelona». *Después que prueban la chambelona no quieren soltar la miel de abeja.* Después que fornica una mujer quiere seguir. «¡Cómo no va a andar con todo el mundo! Después que prueban la chambelona, no quieren soltar la miel de abeja». Ver: *Aspiazo. Sacar para la chambelona.* Ganar dinero para vivir modestamente. «En este oficio saco para la chambelona».

CHAMBELONERO. Afiliado al Partido Liberal de Cuba. Ver: *Chambelona.*

CHAMBITA. 1. Especie de camisa corta. «¡Qué linda te queda esa chambita! ¿Dónde la compraste?» 2. Tipo de guayabera pequeña. «A mí me gusta usar estas chambitas».

CHAMINO. Ver: *Pene.*

CHAMPÉ. Homosexual. «El es un champé». «Te digo que es champé de todas». Sinónimos: *Aceite. Cafiaspirínico. De lejos parece y de cerca lo es. Estar mechado como el dulce de guayaba. Loco, locona. Pargo. Pargo, parguela y cubereta. Parguela. Sayonara. Sin.*

CHAMPOLA. Refresco hecho de una fruta llamada guanábana con leche. «Vamos a tomarnos una champola».

CHAMPÚ. *Champú de cariño.* Mucho cariño. «Le das a tu mamá champú de cariño». (La palabra inglesa es «shampoo», que el cubano pronuncia «champú».) *Ser champú o ser champú de cariño.* Ser muy cariñoso. «Hay que quererlo, pues es champú». (De cariño.)

CHAMULLAR. *Chamullar cuadradito.* Hablar muy bien. Certero. «El sacerdote nos chamulló cuadradito».

CHAMULLO. El habla. «Nuestro chamullo es internacional». «Tengo un chamullo perfecto». (Se afirma que este lenguaje del chuchero es «calé». Ver: *chuchero.*) *Tener endiablinado el chamullo.* Hablar bien con arte de oratoria. «Hoy tengo endiablinado el chamullo. Convenzo a cualquiera».

CHAN. *Decir como Chan Li Po. Contarlo todo.* «No tengas miedo. Dímelo como Chan Li Po». («*Chan Li Po*» es el famoso detective chino. Sus aventuras las transmitían en Cuba. Su frase usual era: «*Cuéntamelo todo; absolutamente todo*». De aquí surgió el cubanismo.)

CHANCE. *El último chance de la noche.* La última oportunidad. «Para ti esto que te ofrezco es el último chance de la noche». (El cubanismo viene de la frase que decía el locutor cuando se jugaba por radio un juego de azar en Cuba; y se iba a proceder a sacar el último número del mismo: «El último chance de la noche».) *No tener chance ni de llegar a primera base.* No tener ni el mínimo chance. «No tuve chance ni de llegar a primera base». (Es lenguaje de la pelota —baseball— que se ha llevado a lo popular.) (Chance es un anglicismo muy usado en Cuba.)

CHANCLETA. Niña. «Le nació una chancleta». *Haber chancleta.* Haber lío. «En esa casa hay chancleta». *Meter chancleta.* Correr. «Cuando Juana vio a la policía metió una chancleta». Sinónimos: *Chaquetear. Echar un chancletazo. Echar un entomillón.*[23] *Echar un patín. Echar un pie. Echar una alpargata. Echar una llanta. Ponerse una chancleta una mujer.* Actuar como una mujer sin educación, de la más baja estrofa social. «Cuando se enoja se pone la chancleta». (El cubanismo obedece al mismo motivo que el siguiente.) *Sonar una chancleta de palo.* Formar un lío. «Sonó la chancleta de palo y ardió Troya». (El cubanismo viene del hecho de que mujeres que viven en las llamadas casas de vecindad, en Cuba, usan chancleta. Cuando se oye mucho ruido de ellas es que hay un lío andando.) Ver: *Pase.*

CHANCLETAZO. Ver: *Chancleta. Echar un chancletazo.*

CHANCLETEAR. Trabajar de lo lindo. «Estoy chancleteando lo que tú no sabes. ¡Qué difícil es cubrir los gastos de una casa!»

CHANCLETERA. (Una) 1. Gentuza. «Esa es una chancletera. 2. Mujer de bajos modales. «¡Qué tonto! Casarse con una chancletera». 3. Una cualquiera. «Esa no es más que una chancletera, ¡húyele!» (En Cuba, en los solares o sea, en antiguas casas coloniales convertidas en cuartos de alquiler, donde vivían en mísera condiciones las mujeres, usaban chancletas y al caminar hacían sonar los tacones contra el pavimento. De aquí el cubanismo.) *Mulata chancletera.* Mulata que vive en solares,

---

[23] He oído *entomiñón.*

o sea, en casa de vecindad y que es de pueblo bajo. «Esa es la mulata chancletera del solar». Por antonomasia la mulata de bajos modales. «Se mudó en este barrio bueno una mulata chancletera que es amiga de la blanquita chancletera de al lado». (Las mulatas en los solares, o casas de vecindad, usaban chancletas de palo, debido, a que el patio de la casa de vecindad estaba lleno de agua que caía de las tinajas en que se lavaba la ropa de los que vivían allí. Chancletas, a las que les sacaban al caminar un ritmo peculiar. De ahí el cubanismo.)

CHANFLARRETA. Bronca. «La chanflarreta que se formó fue grande».

CHANG. Ver: *Espantoso.*

CHANGA. Fiesta, jolgorio. «¡Qué buena está la changa!» También broma. «No me gusta esa changa».

CHANGAI. *Tú, para el changai, no tienes precio.* Se dice de una persona poco seria y de poca moral. «Tú, para Changai, no tienes precio». (En Cuba, el teatro Shangai, era un teatro burlesco. El cubano pronuncia Changai. De ahí el cubanismo.) Sinónimo: *Ser un tipo de relajo.*

CHANGÓ. Dios del Panteón Lucumí llevados por los esclavos a Cuba. Es Santa Bárbara en la simbiosis con el catolicismo. «Voy a ponerle una ofrenda a Changó». Ver: *Campanazo.*

CHANGUEAR. Censura jocosa. «Se cree que yo no me doy cuenta de sus intenciones y me ha estado changueando el libro». (Tiene diferentes significados, en Cuba, que en los otros países hispanoamericanos.)

CHANGÜI. *Dar changüi*. Dar ventaja. «En el billar siempre le doy changüi y le gano». También, *dar un chance*. «Está bien, te voy a dar un changüi en este trabajo».

CHAN LI PO. *Tener mucha paciencia como Chan Li Po.* Tener mucha paciencia. «¿Tú crees que puedas terminar ese crucigrama? —Sí, yo tengo mucha paciencia como Chan Li Po». (El cubanismo nace con un programa radial. *Chan Li Po*, el personaje principal, era un detective chino que cuando le preguntaban quién era el asesino, respondía: «*Hay que tener mucha paciencia*».)

CHANTAJE. *Pulir un chantaje.* Prepararlo muy bien. «Ahí lo ves cavilando. Está puliendo el chantaje».

CHAPA. Ver: *Policía.*

CHAPAPOTE. Persona de la raza negra. «Es un chapapote puro tu amigo. Nunca había visto un negro así». Sinónimos: *Charolito Espirituano. Un totí. Amar el chapapote.* Gustar sexualmente de la mujer de color. «Ellos aman el chapapote».

CHAPIAO. *Caminar una mujer para el chapiao.* («Chapiado», pero el cubano aspira la «d».) Entregarse para fornicar cuando se le requiere. Sin dificultad. «Vi a la vecina de enfrente caminando para el chapiao». También, no te reveles. «Has lo que te digo, camina para el chapiao». Ver: *Botarse para el chapiao. Estar alguien chapiao.* Estar mal. «Desde que nací estoy chapiao». (Es lenguaje de la Cuba de hoy.)

CHAPIAR. 1. Cortar la yerba. «Tengo que chapiar porque la yerba está muy alta». 2. Eliminar. «Chapié todo el personaje de la oficina para reducir gastos». *Chapiar bajito.* Matar. «Le dijo a los amigos: Cuando lleguen allí, chapeen bajito». *Chapiar bajito que es pa' tabaco.* Hablen bajito. «Chapeen bajito que es para tabaco y aquí las paredes tienen oídos». («Pa'» es «para».) *Chapiar un poco antes.* Hacer la cosa antes. «En la Universidad tú chapiaste un poco antes». («Tú te graduaste antes».) (He oído «chapear».)

CHAPICHALAPE. *Gente de Chapichalape.* Gente de muy baja escala social. «Los que se mudaron enfrente son gente de Chapichalape».

CHAPISTEAR. 1. Hacer cirugía plástica a una mujer. «El médico chapisteó a mi abuelita hace dos días. La nariz se la hizo casi nueva». 2. Hacer una cura para remediarle algo a alguien. «Lo chapisté con estas medicinas. No sé cuánto durará». 3. Maquillar. «La chapistearon en la peluquería por eso está tan bonita». (Lo he oído más como reflexivo.)

CHAPISTEARSE. 1. Embellecerse maquillándose. «No me apures que me estoy chapisteando». 2. Ir al médico para ver si le quitan los achaques. «Voy al doctor para chapistearme. Buena falta me hace».

CHAPITA. *Chapita de Coca-cola.* Los pezones de la mujer. *Dejar a alguien como chapita de coca-cola.* Derrotar en forma abrumadora. «En la contienda lo dejó como chapita de coca-cola». *Dejar a alguien como una chapita de coca-cola pisada.* Aniquilarlo en cualquier sentido. «En las competencias de campo y pista lo dejaron como una chapita de coca-cola pisada». «La mujer lo dejó como una chapita de coca-cola pisada. Pasando hambre»... (Como se ve, se aplica a innumerables situaciones.) Ver: *Romance. Jugar a la chapita.* (Juego de niños que consiste en tirar chapitas de botellas en contra de la pared. El que la pegue más gana.) Sinónimo: *Jugar al pegado. No gustarle perder ni la a chapita.* No gustarle perder. «A mí no me gusta perder ni a la chapita». (Viene el cubanismo del juego de la chapita que se explica en *Jugar a la chapita.*) *No perder ni a la chapita.* No gustarle a alguien perder nunca. «A mí no me gusta perder ni a la chapita».

CHAPITAL. Pagar con chapital. Pagar con chapitas; es no pagar nada. «Por este trabajo pagaron con chapital». (A principio de la República Cubana en los centrales azucareros, pagaban con vales o chapitas, hasta que la Ley Arteaga suprimió tal cosa. El cubanismo ha surgido de nuevo en Cuba.)

CHAPÓ. Sombrero. «¡Qué chapó más lindo te compraste!» (Palabra de origen chuchero. Ver: *chuchero.* (El cubanismo es la pronunciación de la palabra francesa, «chapeau».)

CHAPOTÍN. Ver: *Arcano.*

CHAQUETA. Lío. «Anoche tuve chaqueta con papá». *Sacar una chaqueta.* Tener un lío con una persona. «Con mi padre, tan anticuado, siempre saco chaqueta». Sinónimo: *Tener chaqueta. Tener uno salación con alguien.*

CHAQUETEAR. Huir. «Nos sorprendió la patrulla y hubo que chaquetear». Ver: *Chancleta. Chaquetear entomillón.* Huir muy rápido. «Ver la policía y chaquetear entomillón fue todo». («Entomillón» es «pie». Es lenguaje del chuchero. Ver: *Chuchero.*)

CHAQUETILLA. *Sacar chaquetilla.* Tener un problema. «Saqué chaquetilla en el trabajo». (Es cubanismo de la Cuba de hoy llegado al exilio por el puente marítimo Mariel-Cayo Hueso en 1980. Antes se decía: «*Sacar chaqueta*».)

CHAQUETÓN. *Aveiramo chaquetón.* Hasta luego. «Bueno, es tarde, y les digo aveiramo chaquetón». (Voz de procedencia africana.) *Ponerse el chaquetón de pino tea.* Morirse. «A las nueve se puso el chaquetón de pino tea». (Como las cajas de muertos son muchas veces de pino tea, de ello surge el cubanismo.) *Tener parqueado un chaquetón de pino tea al lado de la cama.* Estar alguien a punto de morir. «No dura dos horas. Tiene parqueado el chaquetón de pino tea al lado de la cama».

CHARA. (La) La muerte. «No hay que tenerle miedo a la chara». *Retratar pa' la chara.* Matar. «En cualquier momento lo retrata pa' la chara». («Pa'» es «para».)

CHARADA. Juego de azar popular en Cuba y de origen chino. «Voy a jugar a la charada». Ver: *Cementerio. Ligar la charada.* Sacarse un número de la lotería clandestina cubana llamada La Charada. «Hoy ligué la charada». *Tirar la charada.* Se llama así al sacar los premios en un juego de azar ilícito llamado Charada. «¿A qué hora tiran la charada?» Sinónimos: *Colgar el bicho. Tirar la bolita.*

CHÁRAGA. *Pasar a alguien por la Cháraga.* (Equivale al castizo: *Pasar a alguien por la piedra.* 1. Despedir a alguien del trabajo. «En el trabajo lo pasaron por la cháraga». 2. Suspender. «Pasaron a Juan, en el examen por la cháraga». (Siempre que alguien sufre algún perjuicio se puede aplicar al cubanismo.) *Tirarle a alguien una cháraga.* Tratar de sorprenderlo. «Ese tipo es mandado por ellos. ¿Puedes creer que me tiró una cháraga?»

CHARANGA. 1. Conjunto musical. «Vamos a ver si fundamos una charanga». 2. Fiesta típica del pueblo de Bejucal en la provincia de La Habana. «Me voy a la charanga de Bejucal». (Se usa el plural: «Las Charangas de Bejucal».) 3. Pieza musical de ritmo rapidísimo. «Esa charanga tiene mucho ritmo». *Estar bueno ya de charanga.* Se dice al que habla tonterías. «Cállate. Está bueno ya de charanga». Lo mismo al que lleva una conducta irresponsable. «Silencio. Está bueno ya de charanga. Hieres a mucha gente». *Pepito Charanga.* Se dice del que da «descargas», o sea, que lo abruma a uno dándole lata con algo. «Huye, que por ahí viene Pepito Charanga». (Las Charangas tocan, charanga, o sea, piezas de ritmo rápido y estrepitoso. De ahí el cubanismo.) Ver: *Descarga. Ser en la comparsa, charanga.* Ser un segundón en cualquier cosa. «Dile que no te haga cuentos. Ése en la comparsa es charanga». (Comparsa: Cubanismo que define a un grupo de bailadores que bailan en conjunto y que pertenecen a una cofradía o club social. Desfilan con sus trajes típicos, precedidos por un objeto típico: la farola, en los Carnavales Habaneros, representando barrios o clubes sociales. Tiene nombres típicos: «Las Boyeras»; «Los Dandy de Belén». ["Belén» es un barrio de La Habana.]) *Tener charanga.* Tener ganas de hacer caca. «Yo tengo charanga». («La charanga» me dicen significa «descarga», que es un tipo de música y el que va al baño apurado, «descarga».)

CHARLESTON. Bailar el Charleston. 1. Hacer las cosas por sí mismo sin ayuda de nadie. «Yo nunca le pido a nadie que me dé una mano. Yo bailo el Charleston solo». 2. No darle participación a nadie. «En este negocio el único que baila el Charleston soy yo».

CHAROL. Persona muy negra. «Ese negro es un charol».

CHAROLITO. Charolito Espirituano. Persona de la raza negra. «¿Pero qué se habrá creído el Charolito Espirituano este?» (El cubanismo es el nombre de un boxeador cubano de la raza negra.)

CHARRITAS. Tipo de papitas hechas de plátano. «¡Cómo me gustan las charritas fritas!» Sinónimos: *Chicharritas. Mariquitas.*

CHARUTO. 1. Puro de baja calidad. «Me estoy fumando un charuto». 2. Tabaco de la peor calidad. «Ése fuma un charuto». Sinónimos: *Billiken. Mabinga. Rompe pecho.*

CHATINO. 1. Lasca de plátano que se aplasta con la mano y se fríe en manteca. 2. Un plátano frito, aunque bastante grande y de regular grosor. «Me encanta comer chatinos». Sinónimo: *Ambuiles. Chapines. Mariquitas. Plátanos a puñetazo. Tostones. Dejar a alguien, o algo, chatino.* Aplastado. «El tren dejó al automóvil, chatino». *Disfrazar a alguien de chatino.* Destruirlo; aniquilarlo. «Te voy a disfrazar de chatino si te vuelves a meter conmigo». Sinónimos: *Hacer fufú de plátano. Hacer machuquillo. Hacer salcocho. Tener a alguien como un chatino.* Dominado. «Esa mujer tiene al marido como un chatino». («*El chatino*» es una ruedita de plátano que se aplasta y después se cocina. Se le dice también: *Platanitos aplastados a puñetazo.* De ahí el cubanismo.) *Poner a alguien como un chatino.* Aniquilarlo. Destruirlo. «Puso a Pedro como un chatino». También, humillarlo. «Delante de todo el mundo lo puso como un chatino».

CHAVEO. Amigo. «¿Qué pasa chaveo?» (Lenguaje del chuchero. Ver: *chuchero.*) Sinónimo: Acere. Acoy. Cumbila. Mi padre. Mi sangre. Mi socio. Mulato. Negrito.

CHAYOTE. *Estar chayote.* Estar borracho. «Siempre está chayote». (El chayote, una fruta cubana que esta como hinchada. El que está borracho está hinchado de bebida. De aquí el cubanismo.) *Tener alguien un chayote en la cabeza o en el cerebro.* Ser muy bruto o ser un estúpido. «Ella tiene un chayote en el cerebro». «Ese tiene un chayote en la cabeza». *Tenerla como un chayote.* Con la cabeza —el glande— como inflamada en la erección. «Con esa mujer la tenía como un chayote». *Tenerla en la punta como un chayote.* Parecer el final del pene como las estrías de un chayote. «La tenía, en la punta, como un chayote». («El chayote» tiene unas estrías que se parece mucho al pene sin circundar.)

CHE. *Che Garufa.* Se le dice al que lleva bufanda o le gusta el tango. «Oye, Che Garufa, te va a dar salpullidos. Usas una bufanda a pesar del calor de Cuba». «Canta de nuevo ése Che Garufa». (Canta de nuevo ése a quien le gusta tanto el tango.)

CHECHE. Perdona vida. «Se cree que es un cheche y cualquier día le voy a demostrar que es todo lo contrario». *Cambia de paso Cheche.* Habla de otra cosa. «No me gustan esos temas de muerte. Cambia de paso Cheche». (Se aplica a otras situaciones como: No seas desagradable, molesto, etc.) *Dársela de cheche.* Hacer ver una persona que es un perdona vida. «Se las da de cheche pero nadie la teme. Sinónimo: *Hacerse el cheche. Ser alguien el Cheche de algo.* El mejor. «Yo soy el cheche de las ventas». (El que más vendo.) «Yo soy el cheche del equipo». (El mejor del equipo.)

CHECHO. Chuchero. «Es un checho ese muchacho. ¡Mira cómo habla!»

CHECHÓN. Persona que por lo regular no trabaja, vive de los demás y se divierte todo lo que puede. «Ése es un chechón». *Vivir de chechón.* Vivir sin trabajar. «Ese vive de chechón hace tiempo».

CHEGUANCHÉN. Peso. «Dame un cheguanchén». (El cubanismo es una corruptela de la forma en que los chinos pronuncian la palabra peso.) Sinónimos: *Baro. Cohete. Mantecoso. Patriota.*

CHEKETÉ. *Tomar cheketé.* Estar muy fuerte. «A mí no me da la gripe porque yo tomo cheketé». («*Cheketé*» es una especie de jugos que se toma en algunos ritos de las religiones africanas que se practican en Cuba.)

CHELITO. *Ser algo o alguien de los tiempos de la Chelito.* Ser muy anticuado. «Esos valores tuyos son de los tiempos de la Chelito». «Tú eres, Juanito, de los tiempos de la Chelito. No puedes encajar en esta sociedad». Sinónimos: De los tiempos de la Meyendia. De los tiempos de Ñaña Seré. (*La Meyendia* y *La Chelito* fueron dos artistas.)

CHENCHA. *Ser Chencha la Gambá.* Ser una cualquiera. «Esa mujer que tanto te gusta es Chencha la Gambá». También una mujer que camina abriendo mucho las piernas. «¡Qué feo camina! Es Chenca la Gambá». («Gambá» es «Gambada», que significa «persona con las piernas en arco». Se basan estos cubanismos en una canción de Mirta Silva: «Chencha» era una mujer de baja clase que cantaba: «*Por aquí ha pasado un tranvía, por aquí ha pasado un camión*», y señalaba las piernas.) Ver: *Botar.*

CHENCHE. *Chenche con chenche.* Bailar una pareja con las caras juntas. «Están bailando chenche con chenche». *Ser un Chenche.* Ser un vive bien. «No es más que un Chenche».

CHENE. *Estar chene.* Ser buen tipo. «Está él chene».

CHENENE. (Un) Un vive bien. «Juan siempre ha sido, toda su vida, chenene. Sinónimo: Chévere. Se usa mucho para saludar. «¿Cómo estás, chenene?» *Ser alguien un chenene.* Ser un vago. «Tu hermano no para en ningún trabajo. Si es un chenene».

CHEO. *Ser Cheo Cadenón.* Ser un tipo de pueblo sin cultura. «Se ve a la legua que es Cheo Chadenón». *Ser un Cheo Matraca.* Ser un cubano de pueblo, sin modales. «Mira la sortija que lleva ese Cheo Matraca». *Un Cheo de Jaialia.* Se dice del cubano de pueblo que ha obtenido posición económica, pero que se sigue comportando socialmente de acuerdo con su origen y crianza. «Viaja por todo el mundo pero es un Cheo de «Jaialia». («Hialeah» es la ciudad pegada a Miami, en la Florida, Estados Unidos. El cubano pronuncia «Jaialia».) Sinónimo: *Un Cheo Matraca de «Jaialia».* Se le aplica también a las mujeres: «Las Cheas de Jaialia». Ver: *Dinero. Lord.*

CHEPA. De gratis. «Lo conseguí de chepa». Sinónimos: *De Floripondia. De ñapa.*

CHEQUE. *Cheque canguro.* Cheque sin fondo. «No le aceptes un cheque. Los de él son cheques canguros». (El cubanismo se basa en que el cheque sin fondo, como el canguro, rebota.) Sinónimo: *Cheque chor baun.* («Chor baun» es la pronunciación cubana de las palabras inglesas «short baunce».) *El cheque de color de oro.* El cheque del Servicio Social de los Estados Unidos «¿Cuándo llegará el cheque color de oro?» *Ser el cheque.* Ser el primero en algo. «Se volvió loco en los últimos años y se volvió envidioso. Quiso ser el cheque».

CHEQUENDEQUE. 1. Bueno. «Ese es un negro chequendeque». 2. Corazón. «Tiene un chequendeque que no le cabe en el pecho». *Chequendeque longorise.* Hay que hacerle frente a las cosas. «Así que ese es el problema. Vamos a resolverlo. ¡Chequendeque longorise!» (Es cubanismo de origen africano.)

CHEQUENDERA. (La) Acción de dar muchos cheques. «La chequendera tuya indica que eres rico». También lío. «¡Qué chequendera han formado esa gente!»

CHEQUENDONGO. Un cheque de muchas cifras. «Me llegó el chequendongo».

CHEQUERO. Cubano del exilio que por un cheque que le da la **CIA**, la agencia norteamericana de espionaje y contraespionaje, se hace el liberal y sigue las pautas que la **CIA** le dicta aunque sean en contra de su patria. «Ése es un chequero».

CHERLONE. Diván. «Retrátame en este cherlone». (De «Chaise Lounge», es palabra inglesa.)

CHERNA. Homosexual. «Ese tipo es un cherna». «Mi vecino es cherna». Ver: *Aceite. Piedra. Primatex. Ración.*

CHERNONA. Homosexual. Sinónimo: *Aceite.*

CHÉVERE. Excelente, muy bueno. «Antolín el chévere». (Muchas veces el cubanismo lleva el sentido de persona que no dice que no, en la que se puede confiar; o de persona servicial. Por ejemplo, en el sentido de persona servicial tenemos: «Claro que me sustituyó; si él es chévere». Sinónimos: *Cheverendongo. Chévere mancunchévere.* Sí. «¿Vamos a bailar esta noche? —Chévere mancunchévere». (El cubanismo es la letra de una canción.) *Chévere mancunchévere, camina como chévere, mató a su padre.* ¡Qué bueno! «—¿Me lo das?» «—Chévere, mancunchéve—re, camina como chévere, mató a su padre». *Dárselas de muy chévere.* Creer que se vale mucho. «Se las da de muy chévere y no sabe nada de nada». *El chévere de la canción.* En que mejor vive. «Él es el chévere de la canción». Se oye mayormente en sentido negativo. «Ahí va el que fue el chévere de la canción». O sea, el que perdió el dinero, la fama, la juventud y belleza que tuvo. La conversación da el significado. «Mírale las arrugas. Ahí va el que fue el chévere de la canción». (Perdió la juventud física que tuvo, que fue hermosa.) «Fíjate, nadie lo mira. Ahí el que fue el chévere de la canción». (Fue famoso en algo.) *Estás chévere, mancunchévere, camina como chévere, mató a su padre.* 1. Estar feliz. «Cuando la vi triste le pregunté: ¿Por qué no estás chévere, mancunchévere, camina como chévere, mató a su padre». (Es el cubanismo la letra de una canción cubana.) 2. Gente buena. Se usa en esta forma en el saludo. «¿Cómo estás, chévere?»

CHEVERENDONGO. Muy bueno. «Eso que has escrito es cheverendongo». Ver: *Chévere.*

CHEVI. (Un) Un taxi. «¿Dónde están los chevis?» «Voy a montar el chevi». («Chevi» es «Chevy» diminutivo del carro de la Chevrolet, marca del automóvil norteamericano, debido a que muchos taxis son Chevrolet en la Cuba de hoy. Cubanismo de la Cuba de hoy.)

CHEZ. *Chez Guao le mete al arroz con marisco en el mismo calamar.* Ser un gran cocinero. «Te digo que Chez Guao le mete al arroz con marisco en el mismo calamar». Pero se utiliza en cualquier ocasión para decir que alguien es inteligente. «¡Qué bien canta! Chez Guao le mete al arroz con marisco en el mismo calamar». (*Guao* es una planta cubana que al que le toca le irrita la piel, levantándole ronchas. *Ser guao* es ser muy inteligente. De aquí el cubanismo.)

CHICA. Ver: *Cubana. Valla.*

CHICAGO. Tipo de juego de billar. «Vamos a jugar chicago».

CHICHA. 1. Cigarro de marihuana. Sinónimos: *Emiliano Zapata. Manteca. Joe Luis. Pichón. Plutarco Elías Calle. Prajo.* (El cubano pronuncia la palabra inglesa «Joe", «Yoe».) *Fumar chicha.* Fumar un cigarro malísimo. «En Cuba, hoy, sólo se fuma chicha». (Es cubanismo de la Cuba de hoy.) *Ni Chicha ni limonada.* Nada. (Lo he oído también en Puerto Rico.) «No me dio ni chicha ni limonada». *Pasarse la chicha.* Fumar el cigarro en grupo. «Los sorprendí pasándose la chicha».

CHICHARITO. *Como dice Chicharito.* ¡Qué cosa más grande! Admiración que se usa para calificar un hecho, un suceso, una opinión. (Chicharito decía: «¡La muerte, Gallego!") «Vi a ese millonario vendiendo unos libros de su abuelo por diez centavos. Como dijo Chicharito». *Quedar como Chicharito.* Quedar destruido. «Después que ella lo abandonó quedó como Chicharito». («*Chicharito*» era el negrito del programa «*Chicharito y Sopeira*», quien decía: «*No somos nada*». De ahí el cubanismo.) Ver: *Filósofo. Paja. Ser alguien como Chicharito.* No valer nada. «No confíes en él, que es Chicharito». («*Chicharito*» era un personaje de un programa folclórico de la televisión hecho por Alberto Garrido. Pintaba a un negrito que vivía del cuento. Al otro personaje le llamaban «*El Gallego*». De aquí el cubanismo.)

CHICHARRA. Cigarrito de marihuana. «Lo sorprendió, la policía, con una chicharra». Sinónimo: *Chicharrita.* Ser alguien una Chicharra. Hablar con una voz desagradable. «Ése orador es una chicharra». *Dar chicharra.* Hablar mucho. «¡Qué chicharra dio ese hombre anoche!» Sinónimo: *Dar cotorra. Le requetraquetea la chicharra.* ¡Qué cosa! «Le requetraquetea la chicharra. ¡Mira lo que ha hecho!»

CHICHARRITA. Especie de galleta de plátano. «Me gustan mucho las chicharritas». *Poner a alguien como una chicharrita.* Llenarlo de improperios. «Puso al amigo, en frente de todos, como una chicharrita». (En Cuba, llaman chicharrita o mariquitas a unas radajas de plátano muy finas.)

CHICHARRÓN. 1. Adulón. «Juan es un chicharrón». Se dice del que adula asquerosamente. «Es un chicharrón. ¿No le dará pena?» Ningún hombre que se respeta es un chicharrón». «¡Qué mal me cae. Es un chicharrón!» Sinónimo: *Chicharrita.* 2. Ser un delator. «Oscar es un chicharrón». (Cubanismo del exilio.) *Caer como un chicharrón de palanca.* Morirse de pronto. «Hablaba conmigo y cayó como chicharrón de palanca». (El chicharrón de palanca está todo jorobado. En la caída el cubanismo alude a que el hombre se *jorobó*, o se *fastidió*.) *Comer chicharrón infiltrado.* Se aplica a diferentes situaciones, por ejemplo, a un chicharrón que aparece en el arroz y que no debía estar allá. «Mira, esto, un chicharrón infiltrado». *Cogerle un chicharrón infiltrado.* Un individuo al que el médico le ha prohibido comer chicharrones y lo hace a escondidas de su familia y es sorprendido. «A Roberto le cogieron chicharrones infiltrados». *Darle a alguien chicharrón.* Matarlo en la silla eléctrica. «A Pedro, por el crimen, le dieron chicharrón». (cubanismo nacido en el exilio.) *Que le den chicharrón de palanca en el infierno.* Que lo aniquilen. «Que le den a Humberto chicharrón de palanca en el infierno. No sirve para nada». *Ser una mujer un chicharrón de palanca.* 1. Ser ancha de cuerpo y feísima. «Esa mujer es chicharrón de palanca». 2. Ser muy fea. «Esa mujer es un chicharrón de palanca». (El chicharrón de palanca es grande, retorcido y muy feo, está arrugadísimo, con muchas vueltas que asemejan arrugas. También cuando tiene la piel prieta se dice que es chicharrón de palanca porque éste es de color prieto. «Mírale la piel, es chicharrón de palanca». De aquí el cubanismo.) *Un chicharrón infiltrado.* Un delator. «Para mí que es un chicharrón infiltrado». Ver: *Cantón.*

CHICHARRONEAR. Alabar servilmente. «Míralo cómo chicharronea». (Es cubanismo del exilio.)

CHICHARRONERÍA. La hemos visto en dos sentidos: 1. Adulación o adulonería barata o servil. «No soporto tanta chicharronería». «No soporto su chicharronería». «¡Qué chicharronería más barata!» 2. Astucia. «Es campesino y tiene mucha chicharronería».

CHICHARRONES. Ser algo de chicharrones y café con leche. No valer nada. «Eso es de chicharrones y café con leche».

CHICHÍ. (El) El aparato sexual de la mujer. Sinónimos: *Bollo. Chocho. Papaya Tití. Estar hecho un viejo chichí.* Actuar como un anciano. «Tan joven y está hecho un viejo chichí». (El Viejo Chichí era un personaje del teatro y dio un programa radial.) Sinónimo: *Viejito guach an guear.* (Es un cubanismo surgido en el exilio. Las palabras inglesas son: «Wash and Wear», quiere decir que no necesita plancha, no se arruga, de ahí que un viejito «guash an guear» es un viejito arrugado o sea muy viejito.) *Pegarse como chichí.* Estar al lado de alguien continuamente. No separársele ni un momento. «Desde que la conoció se le ha pegado como un chichí». (El chichí es un animalito que se pega en la piel y no se va.) *Ser un chichí.* Se dice del que no deja tranquilo a una persona. «Le dije que sí porque es un chichí». *Viejo chichí.* 1. Persona muy vieja. «Es un viejo chichí». 2. Viejo decrépito. «No le hagas caso. Es un viejo chichí».

CHICHIPÓ. 1. Ciruela. «El chino me dio tres chichipós». Ver: *Metralla.* 2. Refresco. «Me encanta tomar chichipó a esta hora de la mañana». *Hacer chichipó.* Fornicar. «Dicen que hizo chichipó con Laura».

CHICHÍS. *Como dos chichís.* Siempre juntos. «Ellos están como dos chichís».

CHICHITO. (El) El aparato sexual de la mujer.

CHICHO. Tonto. «Estoy cansado de estos chichos». *Ser un Chicho Pan de Gloria.* Ser una persona que no vale nada. Lo que se dice en castizo: «No valer un carajo». «Elio es un Chicho Pan de Gloria cualquiera». («Chicho Pan de Gloria» es un personaje cubano que adoptaba actitudes de persona mal educada. De aquí el cubanismo.) Sinónimo: *Ser desperdicio de hojalatero. Ser meao de cochinilla viuda.*

CHICHÓN. *Caerse y hacerse un chichón.* Quedar una mujer embarazada. «Ella se cayó y se hizo un chichón».

CHICHONERA. Sitio cochino. «Esta casa es una chichonera».

CHICLANO. Se le llama así al que sólo tiene un testículo. «Mi hermano nació chiclano».

CHICLE. *Contigo, como los chicles, con anillo y todo.* Contigo hasta la eternidad. «Mi amor, contigo, como los chicles, con anillo y todo». («Los chicles» venían antes con regalos: pistolitas, anillos, etc. De aquí el cubanismo.) *Convertir a alguien en chicle.* Dominarlo. «Tiene a Juan convertido en chicle». *Estar pegadito como un chicle.* Se dice de la gente que se quiere mucho. «Están siempre el marido y la mujer pegaditos como el chicle». *Estirarse como un chicle.* Ser la de nunca acabar. «Esa novela radial se estira como un chicle». *No buscarse ni pa' el chicle.* No ganar ni para comer.

«En estos días, vendiendo, no me busco ni pa' el chicle». («Pa'» es «para».) *Pasarse la vida dos personas como el chicle.* Pasárla juntos. «Ese matrimonio se pasa la vida como el chicle». («El chicle», o «goma de mascar», se pega. De ahí el cubanismo.) *Ser alguien un chicle.* Estar siempre pegado a una persona que no se lo puede quitar de arriba. «Ese hombre es un chicle. Ya te dije que no lo quiero». *Salpícame de chicle que quiero morir pegado.* Dime sí mi vida. «No me digas más que no. Salpícame de chicle que quiero morir pegado». *Ser algo como un chicle.* Ser muy largo. «Este trabajo es un chicle».

CHICO. *Ser un chico delicado.* Ser un homosexual. «No tengo dudas de que es un chico delicado». (El cubanismo viene de una canción que dice: «*Soy un chico delicado que nació para el amor, pare ese coche*»...) Sinónimo: *Champe.*

CHIFLADO. *Estar chiflado.* Estar enamorado. «Juan está chiflado por Maricusa».

CHIFLAR. 1. Acertar por casualidad. «En ese examen chiflé». 2. Derrotar. «En este asunto el abogado de la otra parte te chifla de cualquier modo». *Chiflar el mono.* Hacer frío. «En cuanto chifla un poco el mono sacan las capas de pieles». *Él chifla pero no toca.* El puede cohabitar con la mujer, pero no tener hijos. «Me han dicho que él chifla pero no sopla». *No se puede chiflar y sacar la lengua al mismo tiempo.* 1. El que mucho abarca, poco aprieta. «Así se fracasa. No se puede chiflar y sacar la lengua al mismo tiempo». 2. No se pueden hacer dos cosas a la vez. «Se te cayó la taza, claro, escribiendo y atento a todo. No se puede chiflar y sacar la lengua al mismo tiempo». *Y va que chifla.* Y que vaya contento. «Le di cinco pesos y va que chifla».

CHIFLIDO. Diarrea intermitente. «Ese chiflido se deba a que hay una ameba en el agua que lo produce».

CHILENA. Ver: *Tarzana.*

CHILINDRÓN. Comida a base de chivo. «Me encanta este chilindrón». Ver: *Chivo.*

CHIMBA. Farol. «Que mal ilumina esa chimba».

CHINA. (La) 1. Mi amor. «Cómo te quiero mi china». (El cubano ha descompuesto la palabra michina (mi amor) castiza, en dos: «mi china».) 2. Tipo de juego de azar en Cuba. «A las seis de la tarde se saben los números que salieron a la china». Ver: *Lamparita. Papel. Venganza. Cogérsela a alguien con papel de china.* Ser muy fino. «¡Cuidado! Háblale poco a poco que se la coge con papel de china». *Estar envuelto en papel de china.* Individuo muy fino. «Ése está envuelto en papel de china. ¡Qué antipático es!» *Irse para China con Mao Se Tun y todo.* Irse a donde no lo puedan encontrar». «Si viene mi suegra a vivir a la ciudad, me voy para la China con Mao Se Tun y todo». *La china.* Juego de azar. «Hoy aposté a la china. Debo ganar». *Meter la china con trenza y todo.* Montar una lotería clandestina en grande. «En Miami vamos a meter la china con trenza y todo». («La China» era una lotería clandestina en Cuba.) *Perderse una mujer en el Bosque de la China.* Encontrarse con un hombre cuando está sola, desorientada y tener relaciones íntimas con él. «Esa mujer se perdió en el Bosque de la China». (Está basado en una canción que decía: «*En un Bosque de la China una china se perdió*».) *Ponérsela a alguien en china.* Ponerlo en una situación difícil. «Con la pregunta que hice se la puse en china». *Ser algo cosa china.* Ser lenta, con paciencia. «Hay que tenerle cuidado porque lo de él es cosa china». *Ser alguien papel de china.* Estar o ser alguien muy delicado. «Se murió. ¡Si era papel de china!» *Yo no soy china para caminar detrás de ti.* Se contesta cuando alguien dice: «Sígueme». «Ese político es un descarado. Me dijo que lo siguiera». «—¿Y qué tú le contestaste?» «—Yo no soy china para andar detrás de ti». (Las chinas tenían en La Habana la vieja costumbre de caminar detrás de los maridos. De aquí el cubanismo.) Ver: *Boca. Cajita. Mano. Misterios.*

CHINARSE. *Chinarse el frío.* Aguantar el frío. «Me voy a chinar este frío».

CHINAS. Piedrecitas muy pequeñas y lavadas del río. (Se llaman también: chinas pelonas.) «¡Qué lindas chinas!»

CHINATA. Canica. «Me gusta esa chinata». *Juego de chinata.* Juego de canicas. «Es un juego de chinatas». (Aceptado por la Real Academia.)

CHINATE. Chino. «En Cuba hay muchos chinates. Vinieron cuando la colonia». (Cubanismo de origen chuchero. Ver: *Chuchero.*)

CHINCHAL. Negocio de mala muerte. «Con ese chinchal no puedes vivir». *Recoge tu chinchalito.* 1. Limpia la casa. (En general se aplica a muchas situaciones.) 2. Vámonos. «Oye, estoy apurado; recoge el chinchal».

CHINCHALERO. Persona que maneja un chinchal. (Ver: *Chinchal.*) «Ése siempre ha sido chinchalero». Como adjetivo la palabra indica basta, mala, de baja calidad. «Ese es un reloj chinchalero».

CHINCHE. Jipi. («Hippie» en inglés.) «Ya las chinches están en la esquina. Se ve que es verano». (El cubanismo nació en el exilio. Como el jipi está siempre sucio y lleno de pringe, se le aplicó el nombre de chinche, un insecto propio de la suciedad.) *Aparecer la primera chinche.* Descubrirse la primera huella. «Cuando llegaron a su buró apareció la primera chinche. Después confesó el crimen». *Caer como chinches.* Caer en bandadas. «Hay que tener cuidado que caen como chinches». Sinónimo: *Caer como D.D.T.* (El **D.D.T.** es un insecticida.) *No me mires con cara de chinche que yo no soy columbina.* Ver: *Mirar. Perder hasta la chinche del catre.* Fracasar ruidosamente. «En la competencia perdí hasta la chinche del catre». También perderlo todo en un negocio. «Perdí hasta la chinche del catre en ese negocio». Ver: *Sangre. Ser alguien una chinche adherida.* Sacarle todo lo que puede a alguien como una chinche. «Ese hijo es una chinche adherida al padre». *Ser agarrado como la chinche.* Ser muy agarrado. «Juan es agarrado como la chinche». (Cuando le echan a la chinche agua caliente explota como si estuviera muy agarrada al bastidor. De ahí el cubanismo.) Sinónimo: *Estreñido. Revisar hasta las chiches.* Revisar concienzudamente. «Este asunto lo he revisado hasta las chinches». *Ser un chinche de monte.* Ser muy antipático. «Ese hombre es chinche de monte». También *tener mal olor.* «Elio es un chinche de monte». Sinónimo: *Ser un chinchoso. Tener sangre de chinche.* Ser muy apocado. «Todos en mi familia tienen sangre de chinche».

CHINCHÍN. Llovizna persistente. «Ese chinchín no ha dejado que el campo de juego se seque. Hoy no se podrá jugar».

CHINCHOSO. Persona insistente. «¡Qué chinchoso eres!»

CHINITA. Mi amorcito. «¿Cómo estás, mi chinita, hoy?» *Para ver dónde cae la chinita.* Para tantear. «Ella me dijo que yo era muy simpático pero me di cuenta que era para ver dónde cae la chinita». *Tirar chinitas.* Tirar indirectas. «No me gusta que me tiren chinitas».

CHINO. Mi amor. «Te adoro chino mío». *Callado como los chinos.* Muy callado. «Tu hijo es callado como los chinos». *Chino manila, pa' Cantón. Dame la cuenta del chicharrón.* Se le gritaba, para mortificar a los chinos en Cuba. «El chino me cayó atrás cuando le grité: «Chino, manila, pa' cantón. Dame la cuenta del chicharrón». *Chino sedero.* Que vendía ropa y cortes de vestidos. «Hoy viene el chino sedero». (En Cuba había muchos chinos que se dedicaban a muchos menesteres, entre ellos los nombrados.) Ver: *Sopa. Comerse un chino empanizado.* Tener una malísima situación económica. «Me estoy comiendo un chino empanizado. Ya no soporto más esta situación». *Como los chinos.* Pasito a pasito, o sea, paciencia. «Yo todo lo hago como los chinos». (En Cuba hay un dicho que dice: «*Como los chinos, pasito a pasito y cuando vienes a ver estás comiendo arroz con palito*».) *Engañar como a un chino.* Engañar fácilmente. «Te han engañado como a un chino. Te han vendido un reloj sin cuerda». Se dice también: *Engañar como a un Chino Manila.*[24] *El chino de la ropa.* El chino que era lavandero. «Hoy viene el chino de la ropa». *Estar como la del chino.* El cubanismo viene de un chiste que se hace sobre el pene. Se dice que cuando la Señora del Presidente Nixon fue a China, un chino le pegó, mientras bailaban, el pene en erección, y ella gritó: «Escolta» para que la escolta la protegiera, a lo que el chino replicó: «Es-colta» pero hace daño. Así que se trata de un pene pequeño pero bien fuerte. «La mía está como la del chino». (Cubanismo del exilio.) Ver: *Pero. Tabaco. Estar hablando en chino.* Tener dificultades de cualquier tipo. «Hoy estoy hablando en chino». *Hacer lo que hacen los chinos.* Callarse. No hablar. (Al chino cuando se le pregunta algo que lo puede comprometer, responde: «Capitán, no sé».) «Yo siempre hago lo que hacen los chinos». *Hacerle a alguien un cuento chino.* Engañarlo. «Me hizo un cuento chino y le di el dinero». *Llevar a pata por culo y buchito de café. Llevar a alguien como el chino a la canasta.* La frase se usa entre niños, de broma. El palo en que los chinos llevan la canasta se denomina «pinga»; o sea, «pene». Así que «llevar a alguien como el chino a la canasta», es «tenerlo en la punta del pene». En lenguaje diario se aplica a lo que se llama «llevar recio». Es decir, ser muy exigente, muy autoritario con alguien o ponerle dificultades. Ver: *Arriba. Bollito. Gavilán. Recio.* Sinónimos: Llevar a la marcheré. *Llevar recio.* Antónimos. *Llevar de contén a contén. Llevar de rama en rama como Tarzán lleva a Juana. Querer montón, pila, burujón, paquete. Querer montón, pila, burujón, puñado. Matar a un chino y arrastrarlo en dirección contraria por la calle Obispo.* Estar dispuesto a todo. «Por hacer ese negocio estoy dispuesto a matar a un chino y a arrastrarlo en dirección contraria por la calle Obispo». *Mear a alguien un chino.* Tener mala suerte. «En este asunto me volvió a mear el chino». (En Cuba, los chinos fueron, cuando llegaron de culíes, y después cuando recobraron la libertad, víctimas de personas sin escrúpulos que los robaban. Por ejemplo: Venderles un par de zapatos y darles la caja vacía. Por eso *ser un chino* es ser un tonto. Lo más tonto del mundo. Al que lo mea lo más tonto del mundo tiene muy mala suerte.) *Necesitar alguien un chino que le ponga un cuarto.* Necesitar que

---

[24] Lo he oído en la ópera de F. Lehar, *La Viuda Alegre.* Puede haber sido llevado de Cuba a España.

la mantengan. «Lo que Nena necesita es buscarse un chino que le ponga un cuarto». *Ni un chino muerto.* Nada. «¡Qué me va a venir con ese cuento! Ni eso ni un chino muerto». *No salvarlo ni el médico chino.* No tener salvación. «A Juan no lo salvan ni el médico chino. Le quedan horas de vida». (El cubanismo viene de un médico chino que visitó La Habana e hizo curas que las gentes consideraron casi milagrosas.) *No ser chino.* No tener paciencia. «Conmigo no, que yo no soy chino». *No te pongas a jugar con el chino de la plaza, que quedas.* El más débil te vence, no confíes. «Mira, te advierto, no te pongas a jugar con el chino de la plaza, que quedas». (El chino parecía siempre un infeliz. De ahí el cubanismo.) «Quedar» es «perder, morir, ser derrotado». *No tirarle ni un gallego a un chino.* No hacer lo más insignificante. «Ahora aspira a todo y durante los días difíciles no le tiró ni un gallego a un chino». *Salir un chino.* Ser algo malo, de baja calidad. «Yo me compré un radio y me salió un chino». *Ser como los chinos.* Estar siempre unidos. «Esa familia es como los chinos». *Ser la mujer del chino.* Ser una mujer de baja clase social. «Esa es la mujer del chino; pero es buena mujer». (En Cuba los chinos vivían con mujeres de baja clase social. De ahí el cubanismo.) *Ser un cuento chino.* Ser mentira. «A mí no me vengas con ese cuento chino». *Ser un chino.* 1. Se dice del que anda con papeles. «No le caen arriba de milagro. Es un chino». (Me dicen que los chinos siempre andan con papel: farolitos de papel, sombrillitas de papel, etc.) 2. Ser un tonto. «El cree que yo soy un chino y me vino con la proposición que te dije». *Ser un chino de un tren de lavado.* Tener una posición social baja. «Yo sabía que ése no era más que un chino de un tren de lavado». *Soltar un chino.* Soltar la mala suerte. «Por fin solté a un chino y estoy feliz y contento. Todo me sale bien». «Ya, a Dios gracias, solté el chino». Ver: *Cámara. Pasito. Oler a chino.* Oler mal. «Esto huele a chino». (Los chinos son muy limpios, pero trabajan en las hortalizas en Cuba y olían mal, por el sol sobre el sudor. De aquí el cubanismo.) Ver: *Colorado. Día. Mujer. Ropa. Tener a alguien hablando en chino.* Tener a alguien en una situación muy difícil. «Con las últimas medidas en contra de los extranjeros, me tienen hablando en chino». *Tener un chino atrás.* Tener muy mala suerte. «Nada me sale bien. Tengo un chino atrás». (Algunas veces se dice: *Tener un chino atrás y en puntillas.*) Además ver: *Aguacate. Almidón. Casa. Tener un chino detrás y delante en el «espidguey».* Tener malísima suerte. «Yo siempre tengo un chino delante y detrás en el «espidguey». (Es «speedway» palabra inglesa que significa «supervía». El famoso «autobahn» alemán. Es cubanismo del exilio pero de vieja prosapia: Con el «chino» hay muchos cubanismos como «Tener un chino en puntillas». «Tener un chino parqueado», etc.) *Tener que hacer como el chino de la plaza.* Tener que matar a alguien. «No te metas más conmigo que voy a tener que hacerte como el chino de la plaza». («El chino de la plaza», rezaba un cuento en Cuba, todo el mundo lo atropellaba hasta que un día mató al que lo maltrataba.) Sinónimo: *Hacer a alguien venganza china. Terminar como la fiesta de los chinos.* Terminal mal. «Esto va a terminar como la fiesta de los chinos. Tú lo verás». (Viene del hecho de que en las fiestas de los chinos, al final tiran cohetes y la gente se disgrega corriendo asustada.) Sinónimo: *Terminar como la fiesta del Guatao.* Ver: *Curapié.*

CHINOHINGUACO. Persona de color. «Es un chinohinguaco». (El cubanismo es el nombre de unos pájaros negros muy abundantes en Cuba.) Sinónimos: *Chapapote. Charolito Espirituano. Totí.*

CHIPOJEAR. Bromear. «No ves que estoy chipojeando».

CHIPOJO. Lagartija. «Qué miedo le tengo a los chipojos».

CHIQUEAR. Mimar. «No chiquees tanto a ese muchacho que lo vas a echar a perder». (Aceptado por la Real Academia.)

CHIQUEO. Halago, mimo. «Se trae siempre un chiqueo con la hija». (Aceptado por la Real Academia.)

CHIQUITAS. *Sembrar chiquitas entiquiti.* Fornicar a mujeres pequeñas. «Está sembrando mucho chiquitas entiquities. Son las que me gustan». (Habla del chuchero. Ver: *chuchero.*)

CHIQUITICO. *Cuando yo era chiquitico y del mamey, y del mango me chupaba la semilla.* Esos eran otros tiempos. «Ya no se quitan el sombrero los hombres cuando están con las damas. Eso lo hacían cuando yo era chiquitico y del mamey, y del mango me chupaba la semilla». (El cubanismo es la letra de una canción.) *De chiquitico no se vale.* Cuando uno era pequeño no era responsable. «Eso lo hizo a los cinco años y de chiquitico no se vale». *Ser chiquitico y del mamey.* Ser de poca edad. «En el Machadato, yo era chiquitico y del mamey». (Es cubanismo que viene de la letra de una canción.) Ver: *Jeta.*

CHIQUITO. (El) El ojo del culo. *De chiquito no se vale.* Las cosas han cambiado. «Pero si ayer me dijiste que me ibas a regalar un carro. —Sí, pero de chiquito no se vale». *La esencia buena viene en pomo chiquito.* (Contestación que se da cuando alguien dice que uno es pequeño de estatura.) Ver: *Muchachos.*

CHIRIMOYA. (La) La cabeza. «La chirimoya me duele». (La chirimoya es una fruta.) *Estar arrugada una chirimoya.* Ser una persona brutísima. «Esa chirimoya de tu marido está arrugada». (Es el aumentativo dado no por una terminación propia del mismo sino por otra palabra, cosa que sucede regularmente en los cubanismos. La chirimoya arrugada está encogida. De aquí el cubanismo.) *Ser alguien una chirimoya.* No tener inteligencia. «Como no iban a suspenderlo en el examen si es una chirimoya». (La chirimoya es una fruta cubana de exterior muy duro.)

CHIRINGA. Especie de cometa hecho por los niños. «¡Cómo le gusta a los niños hacer chiringas!» *Empinar chiringa.* Hacer tonterías. «Tan grande y se pasa el día empinando chiringa». *Faltar una chiringa de tiempo.* Faltar muy poco tiempo. «Falta una chiringa de tiempo para las Navidades». *Formar o montar la chiringa.* Formar una conspiración para medrar. «Esa gente con ese muerto han formado (o montado) una chiringa». *Mandar a uno a empinar chiringa.* Mandarlo al diablo. «Lo mandé, hoy, sin miedo, a empinar chiringa». Sinónimo: *Vete a empinar chiringa. Ser alguien el Dr. Chiringa.* No vales nada en su profesión. «A mí ni me ausculta. Ese médico es el Dr. Chiringa». *Ser algo una chiringa comatosa.* No valer nada. «Esa poesía es una chiringa comatosa». (Cubanismo culto.) Ver: *Doctor. Vete a empinar chiringa.* Vete para el carajo. «Mira, vete a empinar chiringa. No me vengas con esos cuentos de camino».

CHIRINGUITO. Tipo de bebida cubana. «Sírveme un chiringuito».

CHIRRÍN. Avión pequeño y destartalado. «Eso es un chirrín». *Chirrín chirrán.* 1. Se acabó. «Chirrín, chirrán. No me discutas más». 2. Ya. «Chirrín, chirrán, no me hables más».

CHIRRINERO. Piloto de un chirrín. Ver: *chirrín.*

CHIRRINGUITA. Cosa pequeña. «Ese niño es una chirringuita».

CHIRRIQUITÍN. Niño pequeño. «No le des. Es un chirriquitín».

CHISME. *No le gusta el chisme pero le divierte (o le entretiene.)* Es un chismoso. «A mi prima no le gusta el chisme pero le divierte». (Forma irónica de decir que es una chismosa.) *¡Si el chisme pagara impuestos!* «¡Cómo se chismea!» «Óyela. Te digo que si el chisme pagara impuestos el gobierno sería millonario».

CHISMOSA. Lámpara de luz brillante. «Esas chismosas dan buena luz».

CHISMOTEO. Acción de chismear. «Se pasan la mañana en el chismoteo».

CHISPA. *Rayar hasta sacar chispa.* Insistir. «Dale lo que pide porque raya hasta que saca chispa». (Cubanismo de procedencia campesina. Se oye casi siempre en el campo cubano.) *Sacar chispas de la humedad.* Lograr lo imposible. «A pesar de que es un paralítico, saca, en todo, chispas de la humedad». *Sacar una mulata chispas.* Taconear fuertemente sobre el pavimento. Dar con la suela de las chancletas, fuertemente sobre el pavimento. «Esa muleta saca chispas». (Muchas mujeres mulatas bellas, taconeaban fuertemente sobre el pavimento.) Así mismo ser una bellísima mujer. «¡Esa mujer saca chispas! ¡Cómo me gusta!» *Tener la chispa atrasada.* Reaccionar con lentitud. «Tarda mucho en entender las reacciones. Tiene la chispa atrasada». (El cubanismo proviene del campo automovilístico.) Antónimo: *Tener la chispa adelantá.* (Es «adelantada» pero el cubano aspira la «d».)

CHISPARSE. Ponerse bravo. «Se chispeó cuando se enteró de lo que le habían hecho a la hermana en la herencia».

CHISPEO. Enojo. «Tú no sabes el chispeo que tengo contigo».

CHISTE. *Chiste alemán.* Chiste sin gracia. «Me hizo un chiste alemán y pretendía que me riera». Sinónimos: *Chiste bomba. Chiste potalón. Chiste números cuatrocientos de la serie de los hay peores.* (Cuando alguien va a hacer un chiste sin gracia dice: «Bueno, voy a hacer el chiste número cuatrocientos de la serie de los hay peores».)

CHITA. *No llegar una mujer ni a la hija de Chita.* Ser superfea. «¿Cómo se casó con ella? Si no llega ni a la hija de Chita». («*Chita*», es la mona de Tarzán, el personaje de las novelas de la selva.) Ver: *Tarzán. Meterle mano, alguien, a la mona Chita.* Acostarse con cualquiera. «Ése le mete mano a la mona Chita». (La mona Chita es la mona de Tarzán. Es feísima.)

CHITEAR. Hablar con la lengua pegada. «El chitear, creo yo, es una enfermedad».

CHITO. Hombre que habla con la lengua pegada. «Pedrito, chico, es chito».

CHITONA. Mujer a la que se le pega la lengua al hablar. «Mira, como habla, es una chitona».

CHIVA. Delator. «Quién me iba a decir que era una chiva». «Tengo la seguridad de que el vecino de enfrente es chiva». Ver: *Oído. Cambiar la vaca por la chiva.* Hacer un negocio malo; un cambio malo. «El cambió la vaca por la chiva cuando dejó a su mujer y se casó con esa muchachita». *Gritar como una chiva.* Gritar mucho. «Se pasa el día gritando como una chiva». Se dice también: *Gritar como un mulo. No quedar ni donde amarrar la chiva.* 1. Aniquilamiento total. «Después del bombardeo no quedó ni donde amarrar la chiva». 2. Arrasó. «Los políticos en Cuba no dejaban ni donde amarrar la chiva». 3. Haberse agotado todas las posibilidades. «Después de esta vigilancia policíaca no nos queda ni donde amarrar la chiva». 4. Malversar. «A su paso por el ministerio que quedó ni donde amarrar la chiva». Ver: *Mono.*

CHIVADOR. Persona que molesta mucho. «Tengo un hermano que es muy chivador».

CHIVATEARSE. Enojarse. «Se chivatea con facilidad. Tiene mal genio».

CHIVATEO. Enojo. «Tiene un chivateo que no hay quien le hable».

CHIVERO. *Laboratorio chivero.* Clandestino. «El tiene un laboratorio chivero».

CHIVETA. Contrariedad. «El que no venga hoy es una chiveta».

CHIVICHANA. *Caer una moneda de chivichana.* Irse por una ranura. «No la vas a encontrar la moneda porque cayó de chivichana». 1. Juego de azar. «Me encanta jugar a la chivichana». 2. Negocio sucio. «Yo no intervine en esa chivichana». *Tener algo chivichana.* Tener una complicación. «En este negocio tengo una chivichana». Tirar una chivichana. Hacer una rifa. «Estoy tirando una chivichana, ¿quién me compra un boleto?»

CHIVIRICO. Tipo de empanada cortada en tiras. «Me gusta el chivirico».

CHIVITA. Soplón. «Oscar es un chivita castrista».

CHIVIYÍ. *Chiviyí, chiviyó. Tener chiviyí, chiviyó.* Estar indeciso. «Tiene arriba un chiviyí, chiviyó que yo no entiendo si la cosa está clara».

CHIVO. 1. Negocio deshonesto o sucio. «En el hospital hay muchos chivos». «Están haciendo tremendo chivo». «Yo no entro en chivo, mi amigo». 2. Papel para copiar en los exámenes. «¿Trajiste el chivo?» (Cubanismo de los universitarios en la Cuba de hoy.) *Chivo que rompe tambor con su pellejo lo paga.* El que la hace la paga. «Le dieron garrote vil. Es que chivo que rompe tambor con su pellejo lo paga». *Estar como el chivo de la Miranda.* Estar físicamente muy mal. «Ese pobre hombre está como el chivo de la Miranda». (Al chivo de la Miranda sólo le quedaba el pelo.) *Hacerse el chivo loco.* 1. Hacerse el bobo como quien no sabe de lo que se habla. «Cuando le pedí mi dinero se hizo el chivo loco». 2. Hacerse el que no oye o no se da cuenta de una situación para no comprometerse. «¡Cómo no iba a escapar! Si sabe mucho. Se hizo el chivo loco». Ver: *Hasca. No ser algo chivo para chilindrón.* No servir. «Eso no es chivo para chilindrón». *Mi vergüenza era verde y se la comió un chivo.* A mí no me da pena. «Es tan descarado que cuando le reprendí me contestó que su vergüenza era verde y se la había comido un chivo». *No te hagas el chivo muerto que te voy a hacer chilindrón.* No te hagas el tonto que de todas maneras te voy a castigar duro. «El lo había hecho pero cuando llegué a casa se hacía el infeliz. Entonces se lo dije bien claro: no te hagas el chivo muerto que te voy a hacer chilindrón». (El chilindrón es un plato que se prepara con las masas del chivo.) *Ser alguien un chivo en un jardín.* Ser un desastre. «Ese señor es como un chivo en un jardín». (Si se pone un chivo en un jardín acaba con el mismo.) Ver: *Cara. Complejo. Guillermina. Mona. Tingo. Ser alguien un chivo malojero.* Ser una persona sin educación; de muy baja extracción social. «¡Cómo va a decir que estudió! Es un chivo malojero». *Ser como el chivo de la Miranda.* Ser un negocio deshonesto en grande. «Lo que van a hacer es como el chivo de la Miranda». (El Chivo de la Miranda fue un negocio ilícito en Cuba que tuvo mucha publicidad. De ahí el cubanismo.) *Tener una bola que no la brinca un chivo.* Tener mucho dinero.

«Siempre a pesar de lo que dice, tiene una bola que no la brinca un chivo». (Se dice, asimismo, *tener una paca que no la brinca un chivo.*)

CHIVÓN. Persona que molesta mucho. «Muchacho, déjame tranquilo, ¡qué chivón eres!»

CHOCHA. 1. Aparato sexual de la mujer. Sinónimos. *Bollo. Bollován cachucha. Papaya. Tener el chocho erizado.* Tener una mujer ganas de fornicar. «Esa mujer siempre tiene el chocho erizado». («Chocho» es el aparato sexual de la mujer. Se usa también el femenino. Parece venir de la forma de la chocha, un dulce salmantino. Se usa más el masculino «chocho». *Tener a alguien chocho.* Tenerlo deslumbrado. «El niño tiene al abuelo chocho». En el femenino: «El niño tiene a la abuela chocha».

CHOCOLATE. *Las cosas claras y el chocolate a la española.* Me gustan las cosas bien claras. «No me andes con rodeos. Las cosas claras y el chocolate a la española». (La fábrica de «Chocolate, la Española», en Cuba tenía ese lema comercial. De ahí el cubanismo.) *Saber cómo se bate el chocolate.* Saber cómo es la cosa; estar en el quid de la cosa. «No le digas nada que él sabe cómo se bate el chocolate». Sinónimo: *Estar en el «insaid».* (Pronunciación del cubano de la palabra inglesa: «inside», o sea, «adentro».) *Toma chocolate, paga lo que debes.* 1. Frase que se dice a alguien que le debe a uno dinero. (Es la letra de una canción.) «No, no digas que no tienes dinero. Toma chocolate, paga lo que debes». 2. Haz lo que debes hacer. «No me contestes más. Toma chocolate y paga lo que debes». Ver: *Tortonis. Tomar chocolatico habanero.* Tomar chocolate. «Vamos a tomar chocolatico habanero». (Chocolatico Habanero era un pugilista cubano.) Ver: *Kid.*

CHOCOLATICO. *Ser un chocolatico Habanero.* Ser de la raza negra. «En mi familia todos somos mulatos. No hay ningún chocolatico habanero». (El chocolatico habanero era un boxeador de la raza de color. Con él surge el cubanismo.) Sinónimo: *chocolate.*

CHOCOLONGO. 1. Hueco en la tierra. «Mira cuántos chocolongos hay aquí». 2. Juego de muchachos que consiste en hacer un hueco en la tierra y tirar a colar bolas (o canicas) en él. «Hoy vamos a jugar al chocolongo». «Vamos a jugar al chocolongo».

CHOFER. *Chofer de piquera.* Chofer de taxi. «El es un chofer de piquera». (En Cuba a los aparcamientos de taxi les llaman piqueras.)

CHOFLAZO. *Tirar un choflazo.* Tantear la situación. «El tiró un choflazo pero como lo conocíamos no caímos en la trampa».

CHOLD. *Acabársele a alguien el Dr. Chold.* Dejar de poder mantenerse él mismo por perder al que lo apoyaba. «Era muy orgulloso cuando tenía ese gran puesto, pero se le acabó el Dr. Chold». (Es cubanismo del exilio. El Dr. Scholl's, una compañía ortopédica famosa, vende zapatos ortopédicos con soportes. Del juego de estas palabras nació el cubanismo. El cubano pronuncia la palabra Scholl's como se a escrito.) *Tú eres el Dr. Chold de mi vida.* Tú eres mi soporte; el que me das fuerzas o me mantienes económicamente. «¡Pedro, cómo te quiero! ¡Qué consejos! Eres el Dr. Chold de mi vida». (Es un soporte espiritual.) «Recibí tu cheque. Eres el Dr. Chold de mi vida». (Lo mantiene económicamente.)

CHOLITO. *¿Qué te parece Cholito?* ¿Qué te parece mi amigo? «¿Qué te parece Cholito? Llega Juan». «¿Qué te parece Cholito? Ganó la lotería». (Viene de un programa de Televisión en el que se usaba.)

CHONCHO. *Estar hecho un choncho.* Estar gordo. «¡Qué choncho estás! Ponte a dieta». («Choncho» es «cerdo». Los cerdos son gordos. De ahí el cubanismo.)

CHOPA. Ver: *Boquita. Mano.*

CHOPO. Persona poco inteligente. «Juan es un chopo». (El chopo es la semilla de un tubérculo: La malanga.)

CHORICERA. 1. Conjunto de cosas sin orden. «¡Qué choricera es tu carro!» 2. Lío. «En casa de mi tío por una discusión, hubo una choricera». 3. Mercancía o trabajo de mala calidad. «Lo que usted ha hecho en el armario, maestro, es una choricera». (Trabajo de mala calidad.) «Este traje es una choricera». (Mercancía de mala calidad.) 4. Cantidad. En la casa había una choricera de niño. *Acabarse la choricera.* Poner término a una discusión, un lío, etc. «A callarse todos. Aquí se acabó la choricera». *Armarse o formarse la choricera.* Formarse un lío. «¿Viste la choricera que se formó anoche en la pelota?»

CHORIPAN. Pan con chorizo. (Inventado por Gaspar Pumarejo, hombre de empresa cubano y locutor de uno de sus programas radiales.)

CHORIZO. Pene. «Yo tengo un chorizo largo». *Caérsele a alguien el chorizo.* Estar impotente. «A esa edad tiene que habérsele caído el chorizo». También, actuar fuera de tono. «Con esa actuación se te cayó el chorizo». *Con los chorizo el Miño no hay judías, señorita.* Sin mí, nada se puede hacer. «Ustedes hagan lo que quieran, pero no se olviden que con los chorizos el Miño no hay judías, señorita». (Los chorizos El Miño, era una marca de chorizos españoles que había en Cuba.) *Estar disfrazado de chorizo.* Querer estar en todo. «Esa gorda está disfrazada de chorizo». (El chorizo está en todos los potajes. De aquí el cubanismo.) Sinónimos: *Estar en todos los potajes. Vivir con un chorizo el Miño.* Vivir con un español humilde, de modales humildes y toscos. «Esa mulata vive con un chorizo el Miño». («El chorizo el Miño» era una marca de chorizos españoles que había en Cuba.)

CHORRITO. *No ser alguien chorrito sino Albear.* Se dice de la persona que orina mucho. «Ese hombre no es chorrito sino Albear». (El acueducto de La Habana es el Acueducto de Albear.)

CHOU. *Gustarle a alguien el «chou».* Gustarle la exhibición. «Dice que está separado de nuevo de la mujer. Es que le gusta el chou». *Meter un «chou» a lo Jesús María.* Dar un escándalo en grande. «Cuando menos se lo esperen, doy un «chou» a lo Jesús María». (Dar un «show» es la palabra inglesa, que significa «espectáculo», es dar un escándalo. El cubano la pronuncia como la escribo. «Jesús María» era un barrio de La Habana, muy típico —colonial— donde vivían gentes muy buena pero sin modales muchas veces. Es el aumentativo aquí.)

CHUCHAZO. Latigazo. «Me dio un chuchazo en el medio de la espalda».

CHUCHE. Abreviatura de chuchero, personaje cubano de germanía. «Eres un chuche. ¡Qué lenguaje!» Ver: *Chuchero. El chuche.* El chuchero. Ver: *Chuchero.*

CHÚCHERE. Chuchero. «Ahí viene el chúchere». Ver: *chuchero.*

CHUCHERÍAS. *Comer más chucherías que los enanos de Blanca Nieves.* Comer muchos dulces. «Estos niños comen más chucherías que los enanos de Blanca Nieves». (Se refiere a «Blanca Nieves y los Siete Enanitos».)

CHUCHERISMO. Referente a chuchero. «Ese traje es chucherismo puro». Ver: *chuchero.*

CHUCHERO. Personaje típico cubano que usaba un pantalón anchísimo arriba y muy apretado en los tobillos llamado: «Pantalón de tubo»; una cadena enorme que casi llegaba al suelo; un sombrero de piel de chivo y alas bien anchas llamado, «el panza de burro»; y un saco cuadrado en los hombros, con enormes hombreras y que alcanzaba las rodillas. El personaje usaba un pelado con un corte recto en el cogote y mucho pelo a ambos lados de la cabeza,, denominado «mota». Su jerga era especialísima. Por ejemplo: *Avíñame un prajo sin que el polisman te vea.* «Dame un cigarro de marihuana sin que te vea el policía». *En cuanto baje el chivo toco al polacurrio*: «En cuanto salga el número veintiocho en la lotería nacional le pago mi deuda al prestamista». *La pura no pilla barín porque tiene los socarios fu*: «Mamá no puede ver porque tiene mala la vista». Tipo muchas veces delincuencial, el chuchero quedó en Cuba como prototipo de persona de modales bajísimos y de baja ralea. «Mi hija no se casa con ese señor aunque sea hijo de marqueses, porque es un chuchero». También significa marihuanero, delincuente, dependiendo el significado del giro de la conversación. Sinónimos: *Chucho. Chucho bravo.* Ver: *Marcelino.*

CHUCHO. 1. Chuchero. Ver: *chuchero.* 2. Dinero. «Me mandó cinco chuchos por correo». Sinónimo: *Baro.* 3. Látigo. «Me pegó con el chucho». 4. Látigo que es una rama flexible a la que se le han quitado las hojas. «Le dieron con el chucho del caballo y le hicieron una herida en la cara». *Cambia el chucho.* Habla de otra cosa. «Ya te oí bastante sobre eso. Cambia el chucho». *Cambia el chucho que no estás en el toque correcto.* Cambia de opinión. «Mira, Pedro, cambia de chucho, que no estás en el toque correcto». («Cambiar el chucho», en cubano, es cambiar de opinión. Es lenguaje que viene del cambio de línea, de chucho, en los ferrocarriles.) Ver: *Verdugón. Cambiar el chucho.* 1. Cambiar de opinión. «Ese político, ¡cómo cambia el chucho!» (Es el lenguaje que se usa en el ferrocarril transplantado al lenguaje común.) 2. Cambiar la conversación. «Cambia el chucho que viene la policía». (El cubanismo viene del campo de los trenes, pues el chucho es la aguja o los rieles movibles que permiten cambiar los raíles.) *Chucho escondido.* Juego de niñas. «Las niñas van a jugar al chucho escondido». *Ser un chucho.* 1. Ser muy inteligente. «El es un chucho. ¡Cómo sabe!» 2. Ser un chuchero. Ver: *chuchero. Ser un chucho bravo.* Ser inteligentísimo. «¡Cómo sabe! Es un chucho bravo». (Añadiendo la palabra «bravo» el cubanismo forma el aumentativo.)

CHUCHUTREIN. (El) El látigo. «Siempre tiene en la mano el chuchutrein». (Viene de una canción norteamericana. La cación habla del «choo train» es decir, imita, onomatopéyicamente, el ruido que hace el tren por la vía. El cubano hace «chu chu» un juego de palabras con «chucho», o sea, látigo. «Trein» es la palabra inglesa «train», o sea, «tren».)

CHUCUCHUCÚ. Lío. «Por aquí hay mucho chucuchucú».

CHUINGÓN. Ver: *Arrepentimiento.*

CHULIPULI. 1. Amor. «¡Qué dice mi chulipuli!» 2. Bebé. «Tuvo un chulipuli precioso».

CHULO. *Estar alguien de chulo cantante y chiflado de Broguai. Estar de vago.* «Mi primo, toda su vida ha estado de chulo cantante y chiflado de Broguai». («Broguai» es la pronunciación cubana de la famosa avenida de Nueva York, «Broadway».) *Ser un chulo de café con leche.* Se le dice al que alardea de tener mujeres. «Tú no eres más que un chulo de café con leche». (Con «café con leche» se hacen muchos cubanismos. Como por ejemplo: «Catedrático de café con leche»...) Ver: *Anillo.*

CHUMBA. *De chumba.* De casualidad. «Logré el puesto de chumba». Sinónimo: *De churro.*

CHUPADO. Estar chupado. Estar muy flaco. «Si lo ves no lo conoces. Está chupado».

CHUPAR. 1. Conseguir algo de casualidad. «Chupé el trabajo de casualidad». 2. Prender. «Lo chuparon mientras hacía la fechoría». *Chupar el rabo de la jutía.* Beber en demasía. «Es un alcohólico. ¡Cómo le chupa el rabo a la jutía!» *Chúpate esa.* «¿Qué te parece? Delató al tío. ¡Chúpate esa!»

CHUPETA. *Entrar en la chupeta.* Disfrutar de una prebenda; malversar. Los políticos siempre están en la chupeta: disfrutando de una prebenda o malversando. (Se oye, casi siempre, en el campo político.) *Seguir en la chupeta.* Seguir en el disfrute de algo. «Yo, como tú sabes, sigo en la chupeta». (Se oye, sobretodo, en el campo político.) (El cubanismo indica algo ilegal.)

CHUPETEAR. Chupar. «El perro me chupeteó todo». (Es palabra derivada de «chupeta».)

CHUPOPTERO. Aprovechado. «Yo no lo quiero a mi lado. No es amigo de nadie. Es un chupoptero».

CHUQUE. Intercambio. «Vamos a hacer un chuque. Tú verás que conmigo no sales mal».

CHURRE. *Agua e churre.* Café malo. «Lo que me has dado es agua churre». (El cubanismo parece ser una corrupción del castizo «aguachirle» . Es «de» . El cubano aspira la «e» .

CHURREOSO. Persona de baja extracción social. «Ese churreoso jamás entrará en mi familia».

CHURRO. Cosa mal hecha. «La pintura esa será de Picasso pero para mí no es más que un churro». (Algunos dicen que es castizo.) Sinónimo: *Ser un chorizo. Hacerse algo un churro.* Deformarse. «Como lo apretaste, se hizo un churro». *Ser un churro.* Acertar por casualidad. «Saqué cien en matemáticas. Eso es un churro».

CHURRUPIENTO. Que no vale nada, malo. «Este libro es churrupiento». «Esta es una comida churrupienta».

CHUSMA. Persona de baja categoría social. «Es un chusma completo». (El castizo tiene otro significado.)

CHUSMEADO. Con ademanes de baja clase social. «Está chusmeado últimamente».

CHUSMERÍA. Falta de clase. «Eso no es más que una chusmería que no consiento». Ver: *Billete. Meterle a la chusmería en tiempo y forma.* No tener modales. «Juan le mete a la chusmería en tiempo y forma».

CHUSMÍSIMA.O. 1. Destartalada. «Esa cartera está chusmísima». 2. Malo. «Este cuarto está chusmísimo».

CHUSMÓN. Persona sin ningún tipo de modales sociales. «Tu marido es un chusmón». («El chusmón», además de no tener modales, habla y gesticula en forma exagerada.)

CHUTOL. Llevar a ver el «chutol». Regala algo. «Y yo le dije, después de esto a lo mejor me lleva a ver el chutol». (El «Shuttle», que el cubano pronuncia como lo he escrito, es el transbordador espacial de la **N.A.S.A.**, el organismo norteamericano de viajes espaciales. Cubanismo del exilio.)

CHUZO. Látigo. «Me dio con el chuzo y yo no le había hecho nada». (Aceptado por la Real Academia.)

CIA. *Trabajar para la CIA es como el beso de Papá Corleone.* No se puede trabajar para organismos de inteligencia del gobierno americano (u otros gobiernos) pues terminan por liquidarte. «No hagas eso. Trabajar con la CIA es como el beso de Papá Corleone». (La CIA es la agencia central de inteligencia norteamericana. El beso de Papá Corleone se refiere al «beso de la muerte» al que dan los mafiosos cuando van a eliminar a alguien. Papá Corleone es el jefe de los mafiosos. De aquí este cubanismo nacido en el exilio.)

CIBALO. Ver: *Lengua.*

CIBIEYA. Verga. Sinónimo: Ver: *cibieyo.*

CIBIEYO. (El) El pene. «Me duele el cibieyo de tantos excesos».

CICA. Clítoris. «Le gusta al marido, mamador de cica». (Es lenguaje del chuchero. Ver: *Chuchero.*)

CICLÓN. *Ser una mujer un ciclón.* Mover mucho el trasero al caminar. «Tu hermana es un ciclón».

CICLONES. Ver: *Puta.*

CICUTA. (La) Gente canallesca. «La nueva cicuta que gobierna en ese país acaba con él». (Es lenguaje del exilio cubano.)

CIEGO. *Dejar ver dijo un ciego y nunca vio.* Contestación que se da cuando alguien dice: «Deja ver». «¿Vas a meterte en esta empresa? —Deja ver. —Deja ver dijo un ciego y nunca vio». Ver: *Cocuyo.*

CIEGUITA. *Después de eso la cieguita.* Se le dice al que llora desgracias. «*La Cieguita*» es un tango lleno de dolor. «Después que me contó la tragedia le dije: 'después de eso la cieguita'».

CIELAZO. *Dar el cielazo.* Sorprender el que parecía vencido y derrotar al contrario. «Cuando creíamos al enemigo vencido dio el cielazo». (El cubanismo viene de las peleas de gallo. A veces hay un gallo en el suelo que parece que se está muriendo y de pronto se levanta y mata al contrario. A eso se le llama: *Dar el cielazo.*)

CIELITO. *Cielito lindo.* La cárcel. «Lo llevaron a Cielito Lindo». (La prisión de Miami, Florida, está en el último piso de un edificio que es muy alto. De ahí el cubanismo nacido en el exilio, pues al ser el piso tan alto parece estar cerca del cielo.) *Estar un hombre y una mujer como Cielito Lindo.* Verse y fornicar de semana en semana. (La canción dice: «...*De domingo a domingo te vengo a ver*»...) «Esos amantes están como la canción Cielito Lindo».

CIELO. Ver: *Dedo.*

CIEN. (El) El inodoro. «Está en el cien». *Cien puntos.* Estoy de acuerdo el ciento por ciento. (Se usa preferentemente al contestar esta pregunta: «¿Estás de acuerdo?

—Cien puntos». *De cien, cien.* De seguro. «Las medidas que te digo van de cien, cien». Ver: *Bombillo. Distancia. Palenque.*

CIENCIA. (La) *Ser la ciencia.* Ser muy inteligente. «Mi profesor es la ciencia». Sinónimo: *Ser la cátedra.*

CIERRE. Acto de impedir que alguien llegue a algo. «Que cierre me has dado». Sinónimos: *Dar un cierre.*

CIFANA. Comer. «Ya yo cifana». (Es voz china, «cifana». Así suena en chino, la palabra que significa «comer».)

CIFARRA. Negocio del que vive alguien engañando a los demás. «Ahí lo tienes vendiendo papeletas para la rifa de un reloj que no existe. Vive de esa cifarra». *Andar en la cifarra.* Tener alguien un género de vida en el que se vive sin cumplir lo que se promete o se debe. «Siempre anda pidiendo dinero. Nunca lo devuelve. Desde que lo conozco anda en la cifarra».

CIFARREAR. Acción de llevar a cabo la cifarra.

CIFARRERO. El que vive de la cifarra. Ver: *Cifarra.*

CIGARRO. *Cigarro rompe pecho.* Cigarro muy malo. «Déjame botar este cigarro. Me hace toser. Es un cigarro rompe pecho». Sinónimo: *Chorullo.*

CIGARRÓN. *Muerto el cigarrón.* 1. Se acabó. «Le canté las cuarenta y muerto el cigarrón». 2. Se dice cuando algo está liquidado. «Rompí con mi socio porque me tenía muy cansado y ni me preocupo. Muerto el cigarrón».

CIGARROS. *Como cigarros Piedras.* Duros. «Tiene unos senos como cigarros Piedra». (Los cigarros Piedra eran unos cigarrillos que se vendían en Cuba. La piedra es dura. De ahí el cubanismo.) *Echar una cagada de tres cigarros.* Defecar poco. «El hombre está echando una cagada de tres cigarros».

CIGÜEÑA. Plataforma descubierta que se utiliza para transitar por vías de trenes estrechas. Lleva una palanca que se acciona por una persona para adelante y para detrás. «Yo viajé en cigüeña por la Ciénaga de Zapata». Sinónimo: *Cuchi, cuchi. Estar como la cigüeña.* Estar a punto de entregar o dejar algo. «En ese caso estoy como la cigüeña. Que coja otro ese trabajo». *Parecer alguien una cigüeña.* Estar siempre pidiendo algo. «Basta, Pedro. ¡Pareces una cigüeña!» (La cigüeña trae encargos. De ahí este cubanismo culto.)

CIGÜEÑAL. *Las mujeres después que se casan son como el cigüeñal. Hay que ponerles patente.* Con las mujeres después que se casan, como sacan las uñas, hay que ser enérgico con ellas. (Es cubanismo que procede del campo automovilístico.) *Partirle el cigüeñal.* 1. Derrotar. 2. Hacer daño. 3. Matar. (La conversación da el significado.) «A Pedro le partieron el cigüeñal. Apareció sobre unas piedras con el cráneo destrozado». (Matar.) «A Pedro le partieron el cigüeñal. La inversión le costó cien mil pesos». (Causar daño.) «Los Atléticos le partieron el cigüeñal al equipo contrario de balonpié». (Derrotar.) *Tener una mujer un problema en el cigüeñal.* No menear la cintura. «Esa tiene un problema en el cigüeñal. Qué feo camina». Ver: *Cañandonga. Tener una jicotea en la cintura.*

CIGÜERE. *Estar cigüere.* Estar loco. «Tú estás cigüere. ¿Vas a volar en globo?» Sinónimos: *Cable. Tener los cables cruzados.*

CILINDRAJE. *Tener alguien cilindraje.* Ser muy inteligente. «Juan tiene mucho cilindraje». (Es lenguaje automovilístico. Un automóvil con mucho cilindraje es el que corre mucho, tiene mucha potencia.)

CILINDRO. *Arrollar a alguien un cilindro.* Trabajar duro. «En esa fábrica me está arrollando un cilindro». *Pasarle a alguien el cilindro.* Derrotarlo. «En la lucha electoral al Partido Liberal le pasaron el cilindro». Ver: *Ojalá.*

CIMARRÓN. Aplicado al monte indica que tiene mucha vegetación. «Es un monte cimarrón. No se ve de tanta vegetación». Ver: *Cuba. Gato. El buen trato saca al cimarrón del monte.* Equivale a: «*más moscas se cogen con miel que con hiel*». «No le grites: el buen trato saca el cimarrón del monte».

CIMARRONA. *Cuba cimarrona.* La Cuba que no transige con nada que merme su soberanía, su historia, con algo, en general que la merme. «Yo soy de Cuba cimarrona». (Es cubanismo del exilio que ha nacido como oposición a los que tratan de hacer de Cuba un protectorado o un estado norteamericano.)

CIMIENTOS. *Tener una mujer buenos cimientos.* Tener buenas piernas. «Esa mujer tiene buenos cimientos».

CINCHA. *No servirle a alguien la cincha.* Estar muy gordo. «A Pedro ya no le sirve la cincha».

CINCO. *Coger un cinco.* Descansar. «Voy a coger un cinco». (Nuevo lenguaje en Cuba traído al exilio cubano por la gente que llegó en el éxodo del Mariel.) Sinónimo: *Coger un quinto. De los cinco, el del medio no.* «¿Qué vaya contigo? De los cinco el del medio». Se hace un gesto, al mismo tiempo con el dedo del medio. *Estos son otros cinco pesos.* Eso es otra cosa. «Eso no es lo anterior. Esos son otros cinco pesos». Ver: *Cara. Tener cara de billete de a cinco pesos. Ligar el cinco (el seis o cualquier número.)* Se dice cuando el número que uno apuesta en las loterías clandestinas cubana o en la lotería sale premiado. «Hoy ligué el cinco y ayer ligué el cuatro». Ver: *Comercial.*

CINDERELLA. *Echarse un Cinderella de película.* Soñar. «Siempre se echa un Cinderella de película. Mira que es iluso». Ver: *Caballo. Crespos.*

CINE. *Cine de cinco y diez.* Cine barato. «En Cuba había muchos cines de cinco y diez». Ver: *Cartelera.*

CINQUEÑO. Que tiene un dedo chiquitico de más. «El nació cinqueño». *Coger con el cinqueño.* Hacer algo de forma velada. «Cogió el dinero con el cinqueño, por eso no lo pudieron procesar».

CINTA. *Hacer una cinta métrica.* Estar mucho tiempo defecando. «Ese muchacho todos los días hace una cinta métrica». Sinónimo: *Grabar un teip.* («Tape» en inglés «cinta magnetofónica». El sinónimo es cubanismo del exilio y el primero fue cubanismo culto.)

CINTURA. *Darle a la cintura.* Bailar. «Anoche estuve dando cintura hasta altas horas de la madrugada». Sinónimos: *Echar un pie. Girar un tobillo. Cintura montada en flan.* Se dice de la cintura de la mujer que se mueve mucho. «Nena tiene la cintura montada en flan». Sinónimos: *Cadera. Cintura montada en cajas de bolas. Flan. Tener complejo de batidora en la cintura. Meterle a la cintura.* Bailar. «Esta noche voy a meterle a la cintura en el Centro Asturiano». *Tener la cintura débil.* Ser maricón. «Ese muchachito tiene la cintura débil». Sinónimos: *Aceite. Carne. Tener* *una mujer una cintura de avispa.* Tener una cintura muy pequeña. «Lola tiene cintura de avispa». *Tener una mujer una cintura de mono o (cinturita) de circo. 1.* Muy chiquitica. «Juana tiene cintura de mono de circo por eso es tan bonita». 2. Tener una mujer una cintura muy pequeña. «Esa mujer tiene cinturita de mono de circo». *Tener de la cintura para abajo un pomo de cachú.* Tener pantalones rojos. «De la cintura para abajo tiene un pomo de cachú». («Cachú», es «Ketchup» en inglés, o «salsa de tomate». El cubano lo pronuncia «Cachú».)

CINTURÓN. *Apretarse el cinturón.* Reducir los gastos ante una situación económica mala. «No queda otro remedio con la nueva rebaja presupuestal que afecta mi salario que apretarse el cinturón». *Pedir a alguien cinturón de hebilla de oro.* Se dice del que alardea de lo que tiene. «Mira como habla. Está pidiendo un cinturón de hebilla de oro». (En Cuba, en los establecimientos de ventas de víveres u otros alimentos, llamados bodegas, el dueño, el bodeguero, era casi siempre español. En cuanto hacía dinero llevaba un cinturón con hebilla de oro. Por mostrar su status. De ahí el cubanismo que por otro lado no tiene ninguna connotación despreciativa.)

CIPAYARSE. Dejar de ser cubano. «En el exilio mucha gente se ha cipayado». (Cipayo: Desnaturalizado patrióticamente.)

CIPAYO. *Ser un Cipayo.* Se dice del anexionista cubano. «Juan es un cipayo». (No se aplica al que simpatiza con el país, sino al anexionista.) *Todo el mundo está cipayado.* Se dice en el exilio de la gente que son proamericanos más que cubanos, o que están al servicio de la **CIA** (Servicio Secreto de Inteligencia Norteamericano o Central de Inteligencia Americana.) «En este momento algunas de las organizaciones en el exilio están cipayadas». (Es un participio formado por la voz «Cipaya» que se aplica al que reniega de su patria y se entrega a una potencia extranjera.)

CIRCO. *Como dicen los circos baratos.* No hay que descuidarse. «Yo, en este asunto, estoy como dicen en los circos baratos». (En los circos baratos cuando alguien camina por la cuerda floja el maestro de ceremonias dice: «El menor descuido le cuesta al artista la vida». *Estar alguien en la carpa del circo.* Estar en una situación indefinida. «Déjame ver si me asiento. Estoy en la carpa del circo». (Es decir, trapecio arriba y trapecio abajo. De ahí el cubanismo.) *Ser en el circo el que se traga la espada.* Ser homosexual. «Yo lo conozco bien y en el circo es el que se traga la espada». Ver: *Carpa. Cintura. Telón. Trapecista. Yoyo. Pulidor.*

CIRCULAR. Irse. «Circula muchacho. Nadie puede pararse en frente de un colegio electoral».

CIRCUNSTANCIAS. Ver: *Cara.*

CIRIACO. Sí. «¿Me das un beso? —Ciriaco». Sinónimo: *Cirilo Villaverde. Cirillo. Ciro. Solimán.*

CIRILO. *Que si Cirilo monta en yegua.* Que si. «Me preguntó que si tu ibas, que si Cirilo monta en yegua». *Cirilo monta en yerimo.* Punto final; se acabó. «No me vengas con cosas, ya te dije que Cirilo monta en yerimo».

CIRO. Sí. «¿Piensas bailar? —Ciro». Sinónimo: *Ciro Morasén.* (Ciro Morasén es un boxeador cubano. El cubanismo es un juego de palabras entre «sí» y «Ciro», tanto en «Ciro» como en «Ciro Morasén».) *Ciro, Cueto y Miguel.* Sí. «¿Me escribes la carta? —Ciro, Cueto y Miguel». (Ciro, Cueto y Miguel, son los integrantes de un trío muy famoso cubano, llamado El Trío Matamoros.)

CIRUELA. *Encogerse como una ciruela pasa.* Ponerse viejo. «Se encogió, de pronto, como una ciruela pasa». También ponerse delgado. «Dejó de comer y se encogió como una ciruela pasa». *Pasarle lo que a la ciruela, que se volvió pasa.* No amenaces que vas a pagar las consecuencias. «No me digas más eso que va a pasarte como a la ciruela que se volvió pasa». *Ser algo ciruela, pero no pasa.* Ser una mentira bien envuelta. «Eso que me dices es ciruela, pero no pasa». Se basa en el dicho: «Todo pasa como la ciruela pasa». *Ser la vida una ciruela.* Que todo pasa en ella. «Tú no te preocupes; la vida es una ciruela». *Todo pasa como la ciruela pasa.* Equivale a: «No hay mal que dure cien años, ni cuerpo que lo resista». (El cubanismo es un juego de palabras entre «pasar» verbo y «ciruela pasa».)

CIRUGÍA. *Hace cirugía.* Quitarle el gordo al bistek. «El bistek tenía tanta grasa que tuvo que hacerle cirugía».

CISCARSE. Turbarse. «Cuando me vio se ciscó».

CISNE. Ver: *Lago.*

CIUDAD. *Por la ciudad rueda un grito.* Hay algo en el candelero. Algo pasa. «Te digo que no me equivoco en cuanto al desasosiego del ejército. Por la ciudad rueda un grito». (Es cubanismo casi desaparecido, nació con un programa radial que tenía como lema: «*Por la ciudad rueda un grito*».)

CIUDADANO. *Ciudadano cívico.* Delator. «Es un ciudadano cívico». Sinónimos: *Chiva. Ser treinta y tres. Tres.*

CIUDADELA. Casas enormes donde se alquilan cuartos a gentes de baja posición social y económica. Sinónimos: *Cuartería. Cucuyera.*

CLARA.O. *Darle a alguien la clara, la cáscara y la yema.* Hablarle claro. «A mi marido, en el asunto que tú sabes, le dí la clara, la cáscara y la yema». *Estar claro.* Entender. «¿Estás claro en lo que te digo?» Sinónimo: *Estar clarete.* (Es cubanismo que se basa en el vino «Clarete».) *Eres Claro Duany.* Estar claro. «Tienes razón en lo que dices. Tú siempre estás Claro Duany». (Es un juego de palabras con Claro Duany, un pelotero cubano.) *No tener alguien ni clara, ni yema.* No servir para nada. «Ese poeta no tiene ni clara ni yema «.

CLARIBEL. *Estar alguien Claribel González.* 1. Darse perfecta cuenta de la situación. 2. Estar muy claro. «Yo te digo que aquí, para no perecer, hay que estar Claribel González». Sinónimo: *Estar Rioja Clarete. Estar Claribel Garcia.* Estar claro. «En esto estoy Claribel García». *Ser Claribel.* Ser homosexual. «El es Claribel».

CLARIDAD. *Buscar claridad.* Buscar que se resuelvan los problemas. «He hecho ofrendas a los dioses buscando claridad». (Es lenguaje de las religiones africanas que todavía subsisten en Cuba.)

CLARINETE. *Tocar un claro de clarinete.* Succionar el pene.

CLARIÑAN. *Estar clariñan.* Ver las cosas claras de una manera que nadie lo pueda engañar. «A él es difícil engañarlo. Está clariñan».

CLASE. Ver: *Sueldo.*

CLAVAR. 1. Derrotar. «En la guerra los del norte clavaron a los del sur. 2. Irse. «Juan clava el domingo, por avión». 3. Tener éxito. «En ese examen la clavé».

CLAVE. (Las) 1. El pene. «Estaba en el cine y ella me cogió la clave». 2. Instrumentos musicales de percusión de procedencia africana que se usan en las orquestas cubanas. Son dos trozos de madera cilíndricos que suenan con un gran ritmo cuando con uno se da al otro. «¡Cómo él toca las claves!» «Voy a tocar las claves». *Cantar en clave de fu*. Hacer mal las cosas. «Te pasas el día cantando en clave de fu».

CLAVEL. *¡Qué le vamos a hacer a un clavel que se deshoja!* ¡Qué le vamos a hacer! «Juan se murió». ¡Que le vamos a hacer a un clavel que se deshoja!

CLAVELITISMO. *Clavelitismo político.* Opinión política demagógica o impensada. «Eso que me dices es clavelitismo político». (Nace el cubanismo con Clavelito, un artista que decía curar con agua magnetizada.)

CLAVELITO. Se le dice al que duerme con un vaso de agua en la mesa de noche. «Clavelito, quítate esa costumbre». («Clavelito» era un artista que tenía un programa de radio que oía la gente menos educada de Cuba y mandaba a poner un vaso de agua, que él llamaba magnetizada, al lado de la cama para obtener curaciones milagrosas.) Ver: *Programa.*

CLAVICORNIO. *Ser un clavicornio.* Malo. «Esa película es un clavicornio». Ver: *Ser un clavo.*

CLAVO. Pene. Sinónimo: *Clavo de línea. Clavo mohoso.* Pene de una persona anciana. «Le vi el clavo mohoso». *Es un clavo.* Malo. «Esa película es un clavo». (También lo dicen los argentinos.) *Gustarle un clavo de banqueta.* Ser al que le gustan los penes grandes. «Al vecino le gustan los clavos de línea». Sinónimo: *Gustarle un tiro por la retaguardia. No dejar ni los clavos.* Arrasar. «El gobierno no ha dejado ni los clavos».

CLEMENCIA. *Arrodíllate y pide clemencia.* Succióname el pene. «Como no hacía nada le indiqué: Arrodíllate y pide clemencia».

CLIENTE. *Decirle a alguien siempre cliente.* Se dice del que cree que nunca se equivoca. «A ése le dicen cliente. —¿Por qué? —Porque cree que siempre tiene la razón».

CLINCHE. *Estar en el clinche.* Tocarse libidiosamente un hombre y una mujer, o dos enamorados. «En el cine, Juana y Pedro, en seguida entraron en el clinche». «Esos están en el clinche. Descarados». (Viene del boxeo. Lo he oído en expresiones como estas: «Si me dices cuando estaba joven que me querías en seguida hubiéramos entrado en el clinche». Refiriéndose a: «Te hubiera amado».) Sinónimos: *Estar en el mate. Matarse.*

CLÍNICA. *Ser como las clínicas en Cuba.* Se dice de dos personas que se adoran. «Ellos son como las clínicas en Cuba». (Cubanismo culto del exilio. Me dicen que las clínicas eran mutualistas y que el amor es mutuo. De ahí nació el cubanismo.)

CLOACA. *Ser alguien una cloaca.* Comer mucho. «Como no va a engordar si es una cloaca».

CLOCHE. *Empieza por patinarte el cloche y termina por rompérsete la transmisión.* Empiezas por una tontería y terminas por matarte. «Cuídate, que empiezas con partirte el cloche y terminas con rompérsete la transmisión». (Es lenguaje que viene del campo automovilístico. «Cloche» viene de la voz inglesa «Clutch» o «embrague». También: *«Hay que atajar el mal a tiempo».* «Hay que denunciar esa canallada del Gobierno. Empieza por patinarte el cloche y terminas por matarte». *Patinarle a alguien el cloche.* Estar loco o medio loco. «A mi pobre hermano le ha empezado a patinar el cloche». «A Pedro le patina el cloche. ¿Oíste lo que dijo?»

CLOROFILA. *Meterse a la clorofila.* Comer ensalada. «Meterse a la clorofila es bueno para la salud».

CLUB. *Club de los cotuntos.* Se dice de la gente que sale de noche. «Esos son del club de los cotuntos». *Ser un hombre de color del Club de Anguilas.* Ser de buena posición social. «El hombre de color ése es del Club de Anguilas». («El Club de Anguilas» era un club de las gentes de color en Cuba que tenía buena categoría social.) Ver: *Tony.*

COA. Mujer bella. «¡Qué linda es esa coa!» (El cubanismo viene de las siglas de una cooperativa de autobuses en Cuba, la Cooperativa de Ómnibus Aliados, comúnmente conocida por **COA.** La **COA** tenía carros. «Carro» en cubano es «mujer bella». Por eso **COA** es «mujer bella».)

COBA. *Dar coba a un objeto.* Limpiarlo. «Le voy a dar coba a los zapatos». Entrar en coba o acobardarse. Arreglarse con mucho esmero. «Entra que estoy entrando en coba (o cobeándome.)»

COBARDE. Malo. «Juan hizo un trabajo cobarde». *De los cobardes nunca se ha escrito nada.* El que tiene miedo no triunfa. «Tienes que decidirte que de los cobardes nunca se ha escrito nada».

COBARDÍA. Poco. «Me dio una cobardía».

COBEARSE. 1. Acicalarse. 2. Maquillarse. «Voy a cobearme la nariz. Espérame». (Seco lo da como madrileñismo.)

COBIAR. *Cobiar en un solo palo.* Poner algo bello en un santiamén. «Lleva esos zapatos viejos que te los cobía en un solo palo». («Cobiar» una cosa es ponerla como nueva. Es lenguaje del chuchero.) Ver: *Chuchero. Cobiarse en un solo palo.* Hacer las cosas rápidas. «Eso es tan fácil que te lo cobeas en un solo palo». (Lenguaje del chuchero. Ver: *Chuchero. Seco* afirma, al estudiar el habla de Madrid, que *coba* es madrileño.)

COBIJA. Hogar. «Esa familia, pobrecitos, no tienen cobija». *Perder la cobija.* Quedarse calvo. «En pocos años Juan perdió la cobija». Sinónimo: *Perder las tejas.*

COBIO. Amigo. «Ese es mi cobio». Sinónimo: *Ecobio.*

COBRA. Mata. *Cobra, cobra, Canelo.* (El cubanismo nace en las peleas de perros. Cuando un perro tiene al otro ya casi muerto se le grita para que lo mate: «cobra, cobra».)

COBRE. *Al cobre.* Se dice cuando un papalote está sin control.

COCA. *Pintar Coca colas en el aire.* Hacer milagros para lograr algo. «Estoy, para vivir, pintando coca colas en el aire». Sinónimo: *Sacar chispas de la humedad. Ser una botella de coca colas.* Ser muy activo. «Juan es una botella de coca colas. Cómo se mueve». *Tener más anuncios que la Coca-Cola.* Salir todos los días retratados en el periódico. «Aquí los líderes tienen más anuncios que la Coca-Cola». (La Coca-Cola es el refresco.) Sinónimo: *Ser el niño Kodak.* («Kodak» es la marca de cámaras fotográficas.) Ver: *Chapita.*

COCHE. *Pararle el coche.* Interrumpir a alguien de pronto. «Cuando llegó al punto que tú sabes, le paré el coche». *Salir en coche.* Ser bueno el resultado cuando se esperaba lo peor. «No te quejes que saliste en coche a pesar de haber fallado tantas preguntas». Sinónimo: *Ir en coche.* Ver: *trenes.*

COCHINADA. Mala acción. «La cochinada que me hizo me dolió en el alma».

COCHINILLA. Ver: *Meao.*

COCHINITO. (El) 1. Grasa, manteca. «Echale a la comida cochinito». (El Cochinito era una marca de manteca en Cuba. De ahí el cubanismo.) 2. La alcancía. «Ponme cinco centavos en el cochinito». (La alcancía tiene forma de puerquito [cochinito.] De ahí el cubanismo.) 3. Persona gruesa. «A Juan le dicen cochinito por lo gordo que está». *Estar hecho un cochinito.* Estar muy grueso. «Debes de ponerte a dieta porque estás hecho un cochinito».

COCHINOS. *Tratar a alguien como a los cochinos.* Halagarlo mucho con el fin de hacerle una trastada. «Ten cuidado. Él no es buena gente y te está tratando como a los cochinos». (A los cochinos se les engorda para después matarlos. De ahí el cubanismo.)

COCHIQUERO. Chiquero. «El cochiquero de la granja es modernísimo».

COCHUZO. Tonto. «No seas cochuzo, Pedro».

COCIMIENTO. *Dale cocimiento de zapatón.* Golpear a alguien por el trasero. «A Elio dale cocimiento de zapatón». (Lenguaje del campo cubano.)

COCINA. Ver: *Asiento. Trapo.*

COCINADO. *Estar cocinado.* Estar algo preparado desde hace tiempo. «Te la entregaron hoy pero esa cesantía está cocinada desde hace tiempo».

COCINAR. Tramar algo. «¿Qué están ustedes cocinando contra mí?»

COCINERO. *Volverse alguien cocinero.* Tapar las cosas para que no sepan. «El coronel ése se volvió cocinero». (Es cubanismo del exilio. El cocinero tapa las cazuelas continuamente.) Sinónimos: *Estar siempre con la tapa en la mano. Estar siempre jugando a las tapitas.* (Las tapitas es un juego que consiste en tapar las cosas rápidamente con la chapita para que uno que observa diga dónde está la cosa tapada. «El cocinero tiene tapas», y «el juego tapitas». Con este juego de palabras se han hecho todos estos cubanismo nacidos en el exilio.) *Pelearse con el cocinero.* Pelearse con el que manda. «Tú tienes que fracasar. Te peleaste con el cocinero».

COCO. 1. Cabeza. «Tienes un coco grande».[25] 2. Mujer fea. «Esa mujer es un coco. No hay quién se case con ella». 3. Peso. Moneda cubana equivalente al dollar. «Tengo que pagar cinco cocos a mi primo». *A coco sólo le tocó.* Llegarle al hora. Yo sabía que Dios lo castigaba. A coco sólo le tocó». *Al pie del coco se bebe el agua.* Hay que buscar el origen de las cosas para no fracasar. «Vas a fracasar. Estás muy lejos de ese terreno y no sabes si el proyecto allí es viable. No te olvides que al pie del coco se bebe el agua». Hacer las cosas inmediatamente. «Escríbele porque triunfarás al hacerlo inmediatamente porque al pie del coco se bebe el agua». *Destila el coco tiza.* Ser alguien muy inteligente. «El coco destila tiza». Se dice igualmente del que encuentra para todo soluciones prontas. «Aquello fue en un minuto. El coco destila tiza». («Coco» es «cabeza».) *Estar como coco solo.* Tener mucha suerte. «Últimamente no sé lo que me ha pasado. Estoy como Coco Solo». (Se basa en la letra de una canción que dice: *«A Coco sólo le toco».*) *Hacerse un coco o cráneo seco con algo o con alguien.* 1. Entusiasmarse. «No te hagas coco con ella que sé que quiere a otro». 2. Soñar con alcanzar algo. «Hago en estos días coco con el puesto». «Me

---

[25] Seco, lo da como habla de Madrid.

estoy haciendo un coco seco con ella». «Me estoy haciendo un coco seco con ese proyecto». *Hay vistas que tumban cocos y funden bombillos.* Hay vistas envidiosas que te miran para hacerte daño. (Es la forma de referirse a un envidioso.) «El te quiere mucho. —No me hagas reír. Hay vistas que tumban cocos y funden bombillos como las de ése». *Jugar coco o cráneo.* 1. Meditar. «Estoy jugando coco a ver cómo lo hago todo». 2. Pensar. «Espera, estoy jugando coco. Te digo la situación». *Los cocoglace.* Los zapatos de dos tonos. «Que cocoglace más hacheros». («Hachero» es bueno, también inteligente. Lenguaje del chuchero. Ver: *Chechero.*) *No hacer coco.* No prestar atención. «No le hagas coco a lo que te dijo. Estaba de mal humor». *No hay coco o cráneo.* No importa. «No te puedo pagar hoy. —No hay coco». Sinónimo: *No hay pro. Parecer un coco de Santo Domingo.* Muy negro. «Ese niño parece un coco de Santo Domingo». *Patinarle el coco o cráneo.* Estar loco. «A Pedro le patina el coco». Sinónimos: *Cable. Tener los cables cruzados. Poner el coco o cráneo a funcionar.* Ponerse a pensar. «Juan puso el coco a funcionar y salió de la situación». *Por ahí le entra el agua al coco.* Ahí fue o de ahí viene la cosa. «Por lo que me cuentas, por ahí le entró el agua al coco». *¿Por dónde le entra el agua al coco?* ¿Cuál es el quid de la cosa? «Ahora vamos a saber por donde le entra el agua al coco». Sinónimo: *¿Qué es primero, el huevo o la gallina? ¡Qué coco tienes!* ¡Qué inteligente eres! Sinónimo: *Tener mucho güiro.* (Este sinónimos significa asimismo ser cabezón. «¡Qué güiro tiene ese novelista, parece ser un globo!") *Romper el coco o cráneo.* Lograr conseguir algo. «Por fin rompí el coco o cráneo con Juana. La besé». *Ser ñaca e coco.* No valer nada. «Ése es ñaca e coco». *Ser un coco macaco.* Ser muy feo. «La verdad que te casaste con un hombre que es un coco macaco». Sinónimos: *Feo. Ser un cocorioco. Ser un Federico. Te va a partir el coco.* Te va a gustar mucho. «Ese soneto te va a partir el coco». Sinónimo: *Te va a partir el cráneo. Tener dos cocos entre las piernas.* Ser muy valiente. «Pedro tiene dos cocos entre las piernas». (Los cocos son duros y aquí se refieren a los testículos. De ahí el cubanismo.) *Tener coco.* Ser inteligente. «No podrás decir que mi maestro no tiene coco». *Tener el coco o cráneo a mil.* 1. Gustarle muchísimo una persona. «Tengo el coco a mil con tu hermana». («Mil» da aquí el aumentativo. Es una peculiaridad de los cubanismos.) 2. Tener muchas ideas creadoras en la mente. «Estoy haciendo libro tras libro porque tengo el coco a mil». *Tener el coco cargado.* Ser muy inteligente. «Ese químico tiene el coco cargado». («Coco» es «cerebro».) *Tener el coco envaselinado.* Ser muy inteligente. «Resolvió la ecuación. Juan tiene un coco envaselinado». *Tener en el coco un bombillito.* Ser muy poco inteligente. «No progresará porque lo que tiene en el coco es un bombillito». (*Coco* es cabeza.) *Tener en el coco un «espotlait» de mil bujías.* Ser superinteligente. «Lo que él tiene en el coco es un «espotlait» de mil bujías». (Este es un cubanismo del exilio. «Spotlight» que el cubano pronuncia como se ha indicado, es un «foco».) *Tener montado un coco o cráneo con alguien o con algo.* Gustar. «Tengo un coco montado con esa mujer y esa casa». *Tener un coco o cráneo que sabe a piña.* Estar disfrutando mucho algo que se sueña. «Con esa mujer tengo un coco que sabe a piña». *Tener unos ojos que tumban coco y funden bombillos.* Tener unos ojos muy bonitos. «Rosita tiene unos ojos que tumban coco y funden bombillos». *Tener un coco con* *una mujer*. Desearla para sí sexualmente. «Tengo un coco con Hilda». Ver: *Agua. Azúcar. Cuento. Dulce. Guaguancó. Huevos. Pelo.*

COCÓ. Material que se usa en las carreteras. «Se ve, fácilmente, que ya le han echado el cocó».

COCODRILEAR. Convencer a alguien con malas mañas. «Ten mucho cuidado con ese individuo que te cocodrilear».

COCODRILO. *Comerse un cocodrilo en marcha atrás*. Estar pasando económicamente las de Caín. Tener por lo tanto una situación económica malísima. «Hace ya un año que me estoy comiendo un cocodrilo en marcha atrás». Sinónimos: *Comerse un cable con cuerda y todo. Comerse un niño por los pies con tenis y todo*. (Los «tenis», «tennis» en inglés, son zapatos.) Ver: *Caimán. Cola. Evergleis. Comerse un cocodrilo vivo*. Tener una situación económica muy mala. «No sé si lo sabrás pero me estoy comiendo un cocodrilo vivo». Sinónimo: *Comerse un caimán en marcha atrás. Parecer una mujer un cocodrilo en dos patas.* Ser muy fea. «Esa mujer parece un cocodrilo en dos patas. Y ya tú ves, se ha casado». Sinónimo: *Ser un cocodrilo en dos patas. Ser un cocodrilo vestido de hombre*. Comer mucho. «Tú eres un cocodrilo vestido de hombre. ¡Cómo comes!» Sinónimos: *Tener un cocodrilo en el estómago. Tener los Evergleis en el estómago*. (Este cubanismo nació en el exilio. Los Everglades, que el cubano pronuncia como se ha escrito, es una zona pantanosa llena de cocodrilos y caimanes.) *Tener una boa constrictor en el estómago.*

COCOMACACO. 1. Bastón. «Los políticos cubanos usan el cocomacaco». 2. Feo. «Ese hombre es un cocomacaco». Sinónimo: *Federico.*

COCOMOLÍ. Coco con boniatillo. «Ayer me comí el mejor cocomolí del mundo hecho por Julio César».

COCONA. *Ser una mujer una cocona*. Ser muy pintaparada. «Ella siempre ha sido una cocona».

COCOROCO. *Ser un cocorioco*. Ser un bravucón. «Lo mataron por ser un cocoroco».

COCOTAZO. El final. «Ahí fue el cocotazo; cuando le contesté al jefe». Darse un cocotazo. Darse una copa. «Me di dos cocotazos con mis amigos». Ver: *Siete.*

COCOTERO. (El) La cabeza. «Hoy me dolió el cocotero». «Me duele el cocotero». *Estrujar el cocotero.* Ponerse a pensar duro. «Estruja el cocotero y mándame otra lista de versos». *No andar bien del cocotero.* No andar bien de la cabeza. «Dice tonterías porque no anda bien del cocotero». *Tener un cocotero agujereado.* Estar loco. «En la familia todos son normales, pero él tiene el cocotero agujereado». *Tener un cocotero con una mujer.* Gustarle mucho. «Tengo un cocotero con Felicia».

COCOTÚA.O. 1. El jefe, el que más poder tiene. «El es el cocotúo de esa familia». 2. Mujer que no se deja mandar por el marido. «¿Tú crees que en casa de Candita es igual que aquí? No, ella es una cocotúa. No hay quién la mande». 3. Se dice de la mujer que sabe mucho. «Esa mujer es una cocotúa. Domina la filosofía». Sinónimo: *El que más mea.*

COCÚO. Ser una persona un cocúo. Ser muy inteligente. «Ese estudiante en un cocúo».

COCUYERA. Ver: *Ciudadela.*

COCUYO. *En menos de lo que se funde un cocuyo.* En segundos. «Se murió en menos de lo que se funde un cocuyo». (El cocuyo es un insecto antillano que se enciende y se apaga de noche continuamente. En fracciones de segundos. De ahí el cubanismo.) *Ser un cocuyo ciego.* Tener alguien cualidades, pero no aprovecharlas. «Tú eres un cocuyo ciego». *Tener el cocuyo encendido.* Estar en plena actividad haciendo cosas muy importantes. «Juan, últimamente, siempre da en el blanco. Tiene el cocuyo encendido». *Tener ojos de cocuyo.* Tener ojos verdes. «Me gustó, tiene ojos de cocuyo». Ver: *Luz.*

CODAZO. *Te ganaste el codazo de mierda.* Decir o hacer algo que no tiene calidad. «Con eso que has dicho te ganaste el codazo de mierda». (Al que dice o hace algo que tiene calidad se le dice: «Te ganaste el codazo de oro». O «el disco de oro». De aquí el cubanismo que nació en un programa radial en el que cantaba muy bien recibía «un codazo de oro».) *Un codazo de oro.* Una gran felicitación. «Por esa acción te ganaste un codazo de oro». He oído decir: *Dar un codazo de oro.* Felicitar. «Cuando supe lo que hizo, le di un codazo de oro». (Cubanismo creado y popularizado por el locutor cubano Arturo Artalejo.) Ver: *Pelea.*

CODINA. Tacaño. «Es codina. No da ni un centavo». «Ese hombre es codina». (El cubanismo es un juego de palabras con «Codina», que es un apellido y «codo». Cerrando el brazo y tocando el codo se indica que alguien es tacaño. De ahí el cubanismo.) Ver: *Codo. Cola. Estreñido.*

CODOS. *Caminar con los codos.* Ser muy tacaño. «El camina con los codos». *Como codo de rondó.* En seguida. —«¿Me das eso? —Como codo de rondó». Ver: *Calcañal. Codina. Estreñido. Tener gastado el codo.* Ser muy tacaño. «Ese hombre será millonario pero tiene gastado el codo». *Partirle a alguien el codo.* Fracasar por ser muy tacaño. «En ese negocio se le partió el codo».

COGER. Entender. «¿Cogiste lo que te dije?» *Coge el trillo jaragán.* Pórtate bien con el trillo jaragán o te irá mal. (El cubanismo es la voz que el campesino da al perro o al buey.) Sinónimo: *Componte, porrita. Coger a alguien volando bajito.* Sorprenderlo al empezar una cosa. «Lo cogí volando bajito y no supo qué decir». (Es lenguaje principalmente de la policía y tomado de la caza.) *Coger correa la malanga.* Endurecerse la malanga. «No se puede comer. Cogió correa la malanga». (La malanga es un tubérculo que si no se come sacada de la candela se endurece.) *Coger en el aire.* Entender algo enseguida. «Es tan inteligente que cogió la seña en el aire». Sinónimo: *Cogerla volando.* (Es variante del castizo: *Matar en el aire.*) *Coger fiado.* Acostarse con una mujer antes de casarse. «El, todo el mundo lo sabe, cogió fiado con Mirta». *Coger frío.* Acobardarse. «Al verme cogió frío». Sinónimo: *Enjabonársele las manos. Coger la baja.* Saber cuál es el punto débil de una persona y abusar después de ese conocimiento. «El hijo les cogió la baja. Sabe que no tiene carácter. Ahora hace lo que le viene en ganas». *Coger la marchita.* Volver a la rutina. «Después de las vacaciones he cogido de nuevo la marchita». *Coger monte.* Enojarse. «En cuanto le hablas de eso coge monte». *Coger un templado.* Emborracharse. «¡Qué templado cogí anoche!» *Cogerse el culo con la puerta.* Equivale al refrán: Ir por lana y salir trasquilado. «Se creyó que podía dejarme fuera de la asociación, pero se cogió el culo con la puerta». Se dice también: *Cogerse el dedo con la puerta. No hay por donde cogerla.* Se dice de la mujer que no tiene ningún encanto. «A Manuela no hay por dónde cogerla». (He oído también: *Si la tiran a la Bahía, los tiburones la respetan.*) *¿La cogiste?* ¿Lo entendiste? «¿La cogiste? Es muy importante estar al día».

COGIDA. *Ser algo como la cogida de Saguita.* Ser extraordinario. «Ese libro es como la cogida de Saguita». (Saguita Hernández, un pelotero que jugaba en un equipo de pelota profesional en Cuba, el Club Habana, hizo una cogida muy importante que salvó un campeonato para el club. Esa cogida pasó a la música y al cubanismo.)

COGIDO. *Estar cogido.* 1. Estar bajo las influencias de las drogas. «Míralo cómo tiembla. Está cogido». También estar borracho. «Fue a verme y estaba cogido». 2. Estar descubierto y sin escape. «Después de la conversación, se dio cuenta de que conmigo estaba cogido». 3. No tener salida. «En el problema de mi pobre hija y su marido estoy cogido». Ver: *Enmorcillado.*

COGIOCA. Malversación. «Con esta cogioca está por lo alto». «Eso es una cogioca». «La cogioca en el gobierno es enorme». «La cogioca en este gobierno es cosa seria». «La cogioca en las esferas del gobierno es tremenda». *Cogioca con los negros.* Fornicación con las negras. «A mí me encanta la cogioca con los negros». *El Partido de la Cogioca.* Se dice de una organización política que se dedica a malversar en el poder. «Ése de que hablas es del Partido de la Cogioca». *Ser del Partido de la Cogioca.* Ser un malversador. «Debería estar en la cárcel, pues siempre ha sido del Partido de la Cogioca».

COGOLLO. (o Cogoyo.) *El cogollo está en la guardarraya.* La situación está difícil. «Hay que ahorrar porque el cogollo está en la guardarraya». (Cubanismo de origen campesino.) *Estar en el cogollo de la ciudad.* Estar en el centro de la ciudad. «El edificio está en el cogollo de la ciudad».

COGOTE. *Estar hasta el cogote.* Estar harto de todo. «De toda esta situación estoy hasta el cogote». *Ser carne de cogote.* No ser buena persona. «Aquí todos son carne de cogote». Sinónimos: *Cambiado por globos se pierde el aire. Cambiado por mierda se pierde el envase. Ser carne de lepra.*

COGOTICO. Punta en que terminan algunos panes. «Me gusta comerme el cogotico del pan». *Hasta el cogotico.* Hasta el final. «Esto lo haré hasta el cogotico».

COHETE. 1. Pedo. 2. Peso. «Préstame cinco cohetes». Sinónimo: *Baro. Avanzar como el cohete.* 1. Avanzar rápido. «El ejército avanza como un cohete». 2. Ser alguien muy osado. «Tienes que temerle porque avanza como el cohete». *Como cohete.* ¡Muy bien! «Esa medicina me viene como cohete». «¡Ese libro está como cohete!» *Disparar un cohete.* Tirarse un pedo. «Disparó un cohete en el cine». *Dispararse como el cohete.* Ponerse enojado súbitamente en forma estentórea. «Cuando le dije aquello, se disparó como un cohete». *Disparar unos cohetes que ni la **NASA**.* Tirarse unos gases o pedos olorosos y sonoros. (La **NASA** es la «Agencia Espacial» de los Estados Unidos y usa cohetes, y «cohete» en cubano es «pedo». De aquí el cubanismo.) *Estar alguien como el cohete.* Estar ya en la edad provecta. «Yo creía que la cosa no era así, pero ese hombre era como el cohete». (Cuando tiran un cohete en Cabo Cañaveral, EE.UU., se habla de «cuenta regresiva». De aquí el cubanismo del exilio. Lo he oído varias veces, en el sentido de «le queda poco al que se está muriendo».) «No tiene el menor chance. Está como el cohete». (Es decir, «yendo para atrás», en cuenta regresiva.) *Heredar el cohete de la cotorra.* Estar muy nervioso. «Tú has heredado, hoy, el cohete de la cotorra». (Se basa en el chiste de una cotorra que corrió como una exhalación y ganó una carrera porque alguien le puso un cohete en el ano.) *Poner un cohete para que salga como la cotorra con el güin.*

Le voy a atacar duro; lo voy a apostrofar duro; lo voy a regañar duro. Este cubanismo se aplica a diferentes situaciones. «A ese político, en mi columna le voy a poner un cohete para que salga como la cotorra con el güin». (Atacar.) «A ese niño como salga molestando le voy a poner un cohete para que salga como la cotarra con el güin». (Regañar.) (Se basa en un chiste en que lo ponen a una cotorra un cohete en el fondillo y gana la carrera.) *Méteme dos cohetes a ese gallo.* Echame dos pesos de gasolina. —Mira, allí está el que despacha. —Oye, méteme dos cohetes a este gallo». («Cohete» es peso en cubano.) *Meterle a alguien el cohete.* Cabrearlo. «Se sintió muy mal porque le metieron el cohete». Ver: *Luna. No volar alguien ni con cohete.* 1. No perder la calma. «No lo sacas de sus casillas. No vuela ni con cohete». 2. No servir para nada. «No hay forma de sacar nada de él. No vuela ni con cohete». *Pasarle a alguien como al cohete.* Que se dispara ante un estímulo. «Le hice el cuento y le pasó como al cohete. ¡Qué miedo!» *Poner a alguien en órbita como un cohete.* 1. Darle a alguien una patada muy fuerte en el trasero. «Muévete, que si sigues en mi camino, te voy a poner en órbita como un cohete». 2. Poner a una persona en movimiento. «Eres muy vago pero te voy a poner en órbita como un cohete». Sinónimo: *Te voy a dar una patada que te vas a morir de hambre en el aire. Ponerle a alguien un cohete en el culo.* 1. Enojarlo. «Se lo dije porque sabía que le ponía un cohete en el culo». 2. Ponerlo furioso. «Cada vez que escribo le pongo un cohete en el culo». *Salir como un cohete.* Salir disparado, corriendo, rápido, volando. «¿Has visto a Juan? —Sí, estaba aquí pero salió como un cohete». «Cuando oyó la noticia, salió como un cohete». *Ser alguien un cohete explotado.* Se dice del que no le queda nada en la vida por hacer; es un fracaso completo. «Mi hermano es un cohete explotado». *Ser un cohete.* Ser antipático. «Esa mujer es un cohete». *Ser un cohete pesado.* Ser un gas muy apestoso que se ha tirado alguien. «Te has tirado un cohete pesado». *Tener alguien el cohete puesto.* Estar muy animado para algo. «Lo haré esta semana pues tengo el cohete puesto».

COHETERÍA. *Tener alguien un problema de cohetería.* Tirarse muchos gases. «El tiene un problema de cohetería continuado».

COIMA. *Coger alguien la coima.* Ganar en algo. «En ese negocio me cogí la coima». («Coima» quiere decir «dinero».) *Que siga la coima andando.* Que continúe la cosa. «¿Vámonos para casa? —No, que siga la coima andando».

COJEAR. *Saber de la pata que cojea.* Conocer los defectos de alguien. «Yo sé de la pata que cojea».

COJO. *El Cojo de la Bocina de la época.* Se dice despectivamente del que alaba desmesuradamente, sin ton ni son, para obtener ventajas. Lo que se llama en cubano «dar coba». El que lo hace es, en cubano, además de este cubanismo, «un guataca». «Elio es el Cojo de la Bocina de la época. Por eso siempre está con ese escritor de ayer». («El Cojo de la Bocina», era un personaje cubano que se paraba afuera de los cines y cuando llegaba un personaje, decía, por ejemplo: «Acaba de llegar el gran senador»... Éste, para callarlo, le daba una propina. De aquí el cubanismo. El Cojo tenía una pierna de palo y usaba una bocina.) *El cojo es cojo aunque le cojan la pata e palo.* (Equivale a: «La zorra pierde el rabo pero no pierde las costumbres».) «Yo no confío en él. El cojo es cojo aunque le cojan la pata de palo». *El próximo cojo que llegue tiene que buscar su rueda.* Está bueno de sentimentalismo. «Aquí no se trabaja. No se quejen. El próximo cojo que llegue tiene que buscar su rueda. Como oyen». *Eso se puede comprobar o lo dijo el Cojo de la Bocina.* Se dice de algo que es inverosímil. «Viejo, eso que me dices se puede comprobar, o te lo dijo el Cojo de la Bocina». *Pedir más que el cojo del frontón.* Se dice de la persona que se pasa la vida pidiendo. «Mi marido pide más que el Cojo del Frontón: dame esto, dame aquello»... (El cubanismo surge porque en el Frontón Jai Alai de Cuba había un limosnero que se ponía en la puerta y a todo el mundo le pedía varias veces.)

COJÓN.ES. *Cortando los cojones se aprende a capar.* Con la práctica todo se aprende. «Tú no sabes hacer un escrito jurídico pero aprenderás con esos que te doy, porque cortando cojones se aprende a capar». (El cubanismo es de origen campesino.) *De tres pares de cojones.* Mucho. «Tengo un hambre de tres pares de cojones».[26] *Le zumba los cojones.* No hay derecho. «¡Qué cosa! Así que se divorció de esa mujer tan buena. Le zumba los cojones». Sinónimos: *Le ronca el mango. Le ronca la pandereta. Le ronca el tubo. Le roncan los cojones. Ni cojones.* Nada. «¿Tienes tu dinero invertido en esos terrenos? —Ni cojones». *Lo demás es machacarse los cojones.* Lo demás es hablar tonterías. «Él ganará las elecciones. Lo demás es machacarse los cojones». *Tener alguien M.C. (Muchos cojones.)* Ser muy valiente. «Juan tiene mucho M.C». (Fue el lema de una estación de radio en Cuba: «...la única salvación con M.C». La gente se creía que se trataba de algún producto o de algún equipo de la estación.) *Tener los cojones en la garganta.* Tener pánico. «Cuando vi al ladrón tenía los cojones en la garganta». *Tener peste a cojón de oso.* Oler mal. «Cámbiate la ropa que tienes peste a cojón de oso». Sinónimos: *Oler a mono cuqueado. Oler a portañuela de veterano. Tener triple cojones.* Ser valientísimo. «A ese soldado lo condecoraron porque tiene triple cojones». (La palabra «triple» da el aumentativo. Esta es una peculiaridad de los cubanismos.) Ver: *Mango. Tres. Trompones.*

COJONAL. Mucho. «Me costó un cojonal».

COJONUDAMENTE. Bien. «Estoy, aquí, cojonudamente».

COLA. *Cola de pato.* Modelo del automóvil «Cadillac». «Me compré un cola de pato». (El cubanismo nació en el gobierno de Cuba del Dr. Carlos Prío Socarrás en 1948.) *Eso no pega ni con cola, ni con cólera, ni con la papaya de tu madrina.* «Eso no viene al caso. «Eso que tú dices no pega ni con cola, ni con colina, ni con la papaya de tu madrina». (El cubanismo se originó entre los niños que usan esa frase en sus juegos.) *Ponérselo de cola de pato.* Ponerse un delantal que tiene la punta larga al revés, de forma que ésta cae por la espalda. «Para fregar me puse de cola de pato». *Sin cola que son rabones.* El número cinco en el dominó. (Al poner la ficha se dice: «*Sin cola que son rabones*».) *Ser cola de cocodrilo.* Ser muy tacaño. «Yo sé que él es cola de cocodrilo». Sinónimos: *Calcañal de aura. Durañón. Tener un hombre atrás una cola de pato.* 1. Ser muy rico. «Ése tiene atrás una cola de pato. Lo sé de muy buena tinta». («El Cola de Pato» era un automóvil de la «Cadillac» y era un

[26] Tiene la misma estructura lingüística que el castizo: *de cojón.* «La parrillada, p. s., está de cojón». Ver: Jaime Martín: *Diccionario de expresiones mal sonantes del español.* 1974, pág. 78.

auto de lujo. De ahí el cubanismo.) 2. Tener melena. «Ese hombre tiene detrás una cola de pato». Ver: *Coca. Chapita. Piano.*

COLADA. (Una) Una orden de café colado. «Dame una colada de café». *Llevar en la colada.* Beneficiar. Compartir. «Te llevo en la colada». *No entrar o estar en la colada.* No participar en algo. «Yo no entro en la colada ésa». (Muchos afirman que es castizo.)

COLADOR. *Convertir a alguien en colador.* Matar de varios tiros. «La policía lo convirtió en colador». *Convertirse en colador.* Tener una tolerancia infinita. «Ese hombre se ha convertido en colador. No sé cómo no lo matan». Sinónimo: *Aguantar carretas y carretones. Estar pasado algo por el colador.* Estar pasado de moda. «Esos tipos de amores están pasados por el colador». *Poner como un colador.* Dar muchos tiros. «Juan puso a Pedro como un colador». Sinónimo: *Chorro de plomo.* (Seco, en su diccionario, lo da como madrileñismo.)

COLAGOGO. *Él tomó un colagogo, tiene una diarrea que se pasó.* Lo he oído decir del autor de un libro; de un artículo, etc. «¿Lo leíste? El tomó un colagogo. Tiene una diarrea que se pasó». (Es decir el libro es el producto de un colagogo; no vale nada. Es una forma de hablar del cubano.) *Ser alguien un colagogo.* 1. Ser antipático. «Ese amigo tuyo es un colagogo». 2. Ser muy pesado. «Ese amigo tuyo es un colagogo». 2. Aplicado o tratándose de una cosa quiere decir que es mala. «Esa película que vimos anoche es un colagogo». «Este libro es un colagogo». Aplicado a ciertos casos particulares como a un escritor quiere decir que es muy malo. «Ese poeta amigo tuyo es un colagogo». *Tomarse o tómate un colagogo.* Se le grita al que tiene mal humor. (Se basa el cubanismo en la creencia de que el que tiene mal humor es porque proviene de un mal funcionamiento del hígado y como el colagogo es para sanar el hígado de ahí surgió el cubanismo.) «No te resisto tus pesadeces. Tómate un colagogo». «Me cansé y le grité: Tómate un colagogo».

COLAR. 1. Condenar un juez. «Le colaron treinta años al asesino». 2. Entrar. «Coló en la nómina fácilmente». *Donde lo cuelan se cuela.* Si le dan una oportunidad triunfa. «Sabes que llegó a presidente de la compañía y empezó hace dos meses de oficinista. —Claro, si donde lo cuelan, se cuela». (El cubanismo era el lema del café Regil, un café cubano muy popular.)

COLARSE. Tomarse. «Se coló un jarro de agua porque tenía mucha sed».

COLCHÓN. *Obrera del colchón.* Prostituta.

COLCHONETA. Ver: *Catre.*

COLECCIÓN. Ver: *Flor.*

CÓLERA. La que hace cola. «Ésa es una colera consumada». (Hoy en Cuba, para conseguir alimentos y otros productos hay que hacer colas. Con ese motivo ha surgido el cubanismo.)

COLESTRE. Ver: *Colastro.*

COLETILLA. Nota en el periódico, debajo de una noticia, desmintiéndola o atacándola. «El periódico está lleno de coletillas». (El cubanismo surgió en 1960 en Cuba, con motivo de que el gobierno castrista apoyaba estas notas llamadas *Coletillas* a los periódicos.) *Ser alguien de los que a todo le ponen coletilla.* Ser un criticón. «Chico, a ti no se te puede dar una opinión. Tú eres como los comunistas que a todo le ponen coletilla». (Resulta que los comunistas le ponían, al principio de la toma del poder en Cuba, una nota a los artículos del periódico que consideraban que iban en contra de la revolución, a la que llaman coletilla. Era una censura. El que censura es, pues, como los comunistas. Es un cubanismo de ocasión, surgido en aquella fecha de 1959, que hoy apenas se oye.) *Traer coletilla.* Traer consecuencia. «Su disimulo trae coletilla». Sinónimo: *Traer tarabilla.*

COLGAR. Suspender un examen. «A toda la clase la colgaron en matemáticas». *Y lo que cuelga.* Y lo que hay que añadir. «Él es un mal hombre y lo que cuelga».

COLGATE. *Aquí te traigo a Colgate.* Vengo en paz. «Nos abrazamos cuando le dije aquí te traigo a Colgate». («Colgate» es una pasta de dientes. Tenía el lema en que se afirmaba «que una bella sonrisa era la sonrisa Colgate». De aquí el cubanismo.) *Cambiar para Colgate.* 1. Beneficiarse. «Muchacho, con ese negocio, cambié para Colgate». 2. Cambiar o hacer un cambio de cualquier índole. «Él ha perdido muchos amigos. Cambió para Colgate. Ahora está en otro grupo». «Ya no es conservador. Cambió para Colgate». («*Cambié para Colgate*» era un anuncio de la pasta dentrífica Colgate en Cuba. En él se basa el cubanismo.) *Estar Colgate.* Tener los dientes bonitos y estar siempre sonriendo. «Ella siempre está Colgate». (Se basa en la propaganda de la pasta dental Colgate de la Cuba de ayer.)

COLIFLOR. (La) El pañuelo del bolsillo del saco. «Te quedó muy bien hecha esa coliflor». (El chuchero usaba este lenguaje, gráfico en este caso. El pañuelo por la forma de ponerlo, muchas veces, semejaba una coliflor. Ver: *chuchero.*)

COLINA. *Eso no pega ni con cola ni con colina ni con la papaya de tu madrina.* Forma picaresca en que los niños contestan a los amiguitos cuando dicen algo que no pega. *Tener la colina flojísima.* Ser homosexual. «En cuanto lo vi me dije: Tiene la colina flojísima. ¡Mira como se mueve!»

COLLAR. *Este no es el collar de lágrimas.* Se le dice al que se queja para que se calle. «Cállate que este no es el collar de lágrimas». *Ser algo o alguien el collar de lágrimas.* Ser algo muy trágico. «Esa novela es el collar de lágrimas». (Para el aumentativo se dice así: *Ser Félix B. Caignet y «El Collar de Lágrimas».* F.B. Caigent, que era un escritor de novelas trágicas cubano, da en este caso, que llamamos especial en los cubanismos, el aumentativo, o sea: Ser algo o alguien muy trágico. *El collar de lágrimas fue una novela radial famosa de Félix B. Caignet.* Ver: *Competencia. Derecho. Ser algo como el Derecho de Nacer.*

COLLIN. Machete. «Esta yerba es mejor cortarla con un collín». *Hasta el collín.* Hasta el final. «Me atacó hasta el collín». Sinónimo: *Hasta donde dice «trade mark».* (Los cuchillos, junto al mango, dicen «trade mark» o sea, «marca registrada».)

COLMENA. Ver: *Huecos.*

COLMILLO. *Si quieres escupir por el colmillo tienes que gastar saliva.* Si quieres hacer alardes, tienes que gastar dinero. «Si tú quieres escupir por el colmillo (hacer alardes de algo), tienes que gastar saliva».

COLO. *Ponerse algo colo mofongo.* Ponerse bueno. «Esto se está poniendo colo mofongo». (Es vocabulario llevado a Cuba por los esclavos africanos».

COLOMBINA. *Mamá, no llames más gente que rompen la colombina.* 1. No hagas más eso. Vas a tener un problema. (Este cubanismo: *romper la colombina* lo aplica el cubano a innumerables situaciones.) 2. Hacer una cantidad exagerada. «Mamá no hagas más de eso que rompes la colombina». 3. Si se pasan del límite fracasan. «Yo creo que con lo que han hecho hoy ya está bien. Mamá, no llames más gente que rompen la colombina». (Se usa la frase después de cualquier exceso. Por ejemplo: «Deja de comer tanto». Mamá, no llames más gente que rompen la colombina.) Ver: *Mirar. Pototo.*

COLÓN. Ver: *Ruta.*

COLONIA. *Ser de la colonia del mosquito.* Se dice del que, como el mosquito, nunca está quieto, sino de un lado para otro. «No se para. Es de la colonia del mosquito».

COLOR. *El mismo color.* El número nueve en el dominó. «Dominé con el mismo color». *Gustarle el color serio.* Gustarle sexualmente las mujeres de color. «A los españoles les gusta mucho el color serio». *No te vistas de colores para que te llamen Superman.* A mí no me vengas con esas. «Yo se lo dije bien claro y lo paré en seco: No te vistas de colores para que te llamen Superman». (El cubanismo se basa en la letra de un canción.) *Para gustos se han hecho colores y para nalgas tibores.* Contestación que se da a alguien cuando pregunta: ¿Pero a ti te gusta eso? o ¿Por qué haces esto? (Está basado en un poema del poeta español, Don Ramón de Campoamor.) *Tener el color de escupida de sastre.* Tener un color indefinido. «Ése tiene el color de escupida de sastre». *Traje color de mierda de mono.* Traje pardo claro. «No te compres ese traje color de mierda de mono». Ver: *Cheque.*

COLORADO. La rubeola. «Creo que mi hijo tiene el colorado». *Más vale ponerse colorado una vez.* Es mejor decir las verdades de una sola vez. «Le dije todo lo que sentía. Más vale ponerse colorado de una vez»."Yo lo pensé bien y me dije: Voy a hablarle. Más vale ponerse colorado una vez». *Ser colorado como un chino.* Se le contesta al que dice que tiene muy buen color y es al revés. «Sí, ya veo que estás muy fuerte. Si estás colorado como un chino». Ver: *Pañuelo. Y el mundo colorado.* Todo. «Llegó él y el mundo colorado».

COLORANTE. *Ser alguien un colorante Dalia.* 1. Cambiar de opinión una persona de acuerdo a las circunstancias. «No sirve para nada. Es un colorante Dalia». «Tú, te lo digo, eres un colorante Dalia». 2. Ser muy cobarde. «Le gritaron y nada dijo; es colorante Dalia». (Es decir, lo mismo se viste de rojo, que de amarillo. El colorante Dalia era un colorante cubano. La conversación y la circunstancia dan uno o dos.)

COLORATURA. Ver: *Culo.*

COLORES. *Buenas y de colores, palanganas y tibores.* ¿Cómo están ustedes? (Al castizo, «Buenas y de colores», el cubano añade en son de broma: «palanganas y tibores». *Píntelas de colores.* Cambia eso para lo bueno. «No te quejes más. Píntalo de colores».

COLOSTRO. Leche impura. «Esto es un colostro. Hace daño». Sinónimo: *Colestre.*

COLUMBIA. Baile afrocubano. «Vamos a bailar la columbia». *Disparar como el Columbia.* Hacer de cuerpo sin problemas. «Yo no tengo problemas con el estreñimiento. Yo lo disparo como el Columbia». *Estar programado como el Columbia.* Se dice de la persona que hace todo siempre a la misma hora. «El señor de enfrente está programado como el Columbia». *Ser alguien el Columbia.* Ser difícil de manejar. «Juan es el Columbia. ¡Qué trabajo da!» (Me explican que «El Columbia» que es el cohete espacial norteamericano y como tal llena de instrumentos sale suavemente, sin problemas, cuando es disparado. De aquí todos los cubanismos anteriores.)

COMA. Ver: *Acento. Dulzaides.*

COMADREO. Chisme. «Esas mujeres, ¿cuándo dejaran el comadreo ese?»

COMADRILLA. Sillón pequeño. «Me compraron una comadrilla». Sinónimo: *Comadrita.*

COMADRITA. Ver: *Comadrilla.*

COMADRONA. *Él (o ella) es muy bueno, la mala fue la comadrona.* Es una contestación irónica que se da cuando se dice que alguien es muy bueno. «Tu primo es muy bueno. No hay duda de eso. La mala fue la comadrona». (Significa que es una persona muy mala.) Sinónimo: *Camisa.* «Me regaló esa camisa». Ver: *Malo.*

COMANDO. *Entrarle a alguien como un comando.* Hacer algo en seguido, con decisión y sin miedo. «Le entró a Juana como un comando. Y ella le dijo que sí». «Le entró al trabajo como un comando y ya lo terminó».

COMANDOLA. (El) El comandante. «Ese Comandola a la larga perderá la batalla y lo derrocará el pueblo».[27] «Por ahí viene ese comandola tan canalla».

COMBINACIÓN. *Ser una combinación de aura por arriba y cotorra por abajo.* Tener mal combinada la ropa que lleva. «Tú eres una combinación de aura por arriba y cotorra por abajo».

COMBO. *El Gran Combo.* Se dice así cuando se ve a una mujer con senos que se mueven mucho. «Ahí va el Gran Combo». *Tener una mujer «El Gran Combo» en la cintura.* Mover mucho la cintura. «Juana tiene le Gran Combo en la cintura». («El Gran Combo» era una orquesta. De ahí el cubanismo.) Sinónimo: *Tener gelatina en la cintura.*

COMEBASURA. Tonto. «Ése siempre ha sido un comebasura». Sinónimos: *Comebola. Comefana. Comefango. Comegofio. Comequeque. Comerabo. Cometrapo. El comebola del bote.*

COMEBIBLIA. Persona de la religión protestante. «Yo no sabía que había tantos comebiblias en esta religión». (Como algunos protestantes siempre andan con La Biblia debajo del brazo y en todo se refieren a ella, por ese motivo, se creó el cubanismo.)

COMEBOLA. Ver: *Comebasura.*

COMECANDELA. 1. Bandido con respaldo oficial. «No te metas con él que es un comecandela . Te dará un tiro y no le pasará nada». 2. Guapetón. «Ése es el comecandelas del barrio». *Ser un comecandela.* Ser un pillo, un sinvergüenza. «Juan es un comecandela». (En Cuba se aplicaba a los «hombres de acción» de agrupaciones políticas dedicadas a la violencia. «Ese es un comecandela de la Unión Radical».) *Ser un comecandela amarrado.* Se dice en Cuba, del «hombre de acción», que pertenecía a grupos revolucionarios que preconizaban la violencia, que estaba preso o sometido a tal vigilancia policíaca que no se podía mover. «Juan es de Unión Cívica, pero es un comecandela amarrado. Lo vigila la policía constantemente».

COMECATIVÍA. Tonto. «Toda la vida ha sido un comecativía».

---

[27] Lo he oído en España.

COMEDERO. *Comer en cualquier comedero.* Ser soltero. «Juan come en cualquier comedero». *Limpiarle a alguien el comedero.* Quitárselo todo. «Por razones judiciales le limpiaron el comedero».

COME-EN-CUBO. *Ser un come-en-cubo.* Ser un tonto. «No es más que un come-en-cubo».

COMEFANA. Ver: *Comebasura.*

COMEFANGO. Ver: *Comebasura.*

COMEGOFIO. Tonto. «No es más que un comegofio malcriado». «Tu hermano es un comegofio». Sinónimos: *Comebasura. Comemierda.*

COMEIBEBE. Ser bisexual. «Ése, no tengo la menor duda, es un comeibebe».

COMEJÉN. *Caerle comején a uno.* Tener mala suerte. «En los últimos tiempos me ha caído comején». *Echarle a alguien comején.* Derrotarlo sutilmente. «Cayó en la trampa pues le eché comején». (El comején pudre la madera por dentro. De ahí el cubanismo.) *Entrarle comején en la azotea.* Volverse loco. «Nadie lo esperaba, pues estaba muy sano, pero le entró, de pronto, comején en la azotea». *Ladrar a los comejenes.* 1. Estar uno viejo. «Ya tú le ladras a los comejenes». 2. Tener mala vista. «Ya tú le ladras a los comejenes. Esos ojos no andan bien». (El cubanismo es de origen campesino, pues el perro viejo y sin vista, en la palma, le ladra a los nidos de comejenes.) *Tener comején en la azotea.* Estar loco. «Juan tiene desde niño comején en la azotea». Sinónimo: *Tener los cables cruzados.*

COMEMIERDA. (Un) 1. Imbécil; que no vale nada; tonto. (La conversación da lo uno o lo otro.) Por ejemplo si se dice: «No te cases con él porque es inteligente pero un comemierda». indica que no vale nada. «Juan es un comemierda». (Ser un imbécil o un tonto.) También lo hemos oído en el sentido de: *creerse alguien aristócrata.* «No se puede hacer un chiste verde cerca de él porque no le gusta. Es un comemierda». Asimismo indice: *darse importancia.* «Ése es un comemierda y no tiene el menor mérito. ¿Por qué se da ese aire?» Sinónimo de este último: *Tirarse el peo más alto que el culo.*(En fin, se aplica a muchas situaciones de la vida.) 2. Tonto o tonto en demasía. «Ese muchacho siempre ha sido un comemierda». «¡Qué comemierda! ¡Casarse con esa mujer!» 3. Un afectado. «Es un comemierda, mira como levanta la barbilla para hacerse el interesante». Ver: *Fana. ¿Tú eres comemierda o te haces?* Tú entiendes bien, no me vengas con cuento. «Oyéme bien, que te hablé claro. ¿Tú eres comemierda o te haces?» *Un comemierda que da sellitos.* Un tonto de marca mayor. «Elio es un comemierda que da sellitos». («Dar sellitos» significa, por ejemplo: «En demasía». «El es un genio que da sellitos». Es decir es un genio enorme. El sellito lo dan como regalo cuando se compra algo. Cuando se tienen muchos se cambian por mercancías. De ahí este cubanismo nacido en el exilio.)

COMEMIERDIZARLO. *Comemierdizarlo todo.* Rebajarlo todo a la categoría cero, con la conducta. «Ése todo lo comemierdiza. Va por mal camino».

COMEMIERDURÍAS. Tonterías. «Esas son comemierdurías tuyas». «No aguanto tantas comemierdurías».

COMENTARIO. *Ser un comentario de la atalaya de la BBC de Londres.* Ser un comentario de trascendencia. «Esto que te digo es un comentario de la atalaya de la BBC de Londres». (Los comentarios de la atalaya de la BBC de Londres era un noticiario cinematográfico. De ahí el cubanismo.)

COMEQUEQUE. Ver: *Comebasura.*

COMER. Aceptar. «Bueno es el asunto. ¿Comes o no comes?» *Comer caliente.* Alimentarse como debe de ser. «Hay que comer caliente, de lo contrario uno se enferma». *Comer cáscara o cascarita de piña.* Ver: *Cáscara. Volver a comer caliente.* Salir de una situación económica mala. «Con ese puesto volveré a comer caliente». *Comerse la mazorca.* 1. Caer en una trampa. 2. Equivocarse. «Con Antonio me comí la mazorca. Creí que era buena persona». *Comerse la soga.* Estar pasando una mala situación económica. «Yo me estoy comiendo una soga». Sinónimos: *Cable. Comerse un cable. Comérsela.* 1. Hacer algo muy bien. «Con ese trabajo de ingeniería se la comió». 2. Tener relaciones sexuales con una mujer. «El padre lo mató porque se comió a la hija». *Cómetelo pescadito.* Atácalo que es todo tuyo. «Juan es malo. Déjame liquidarlo. —Cómetelo pescadito». (Como piropo se usa con la mujer para decir que es muy bella.) *Yo no como de eso.* El cubano lo repite continuamente, indicando que no acepta lo que se le dice o se le propone. «Yo soy un hombre honrado. ¡Yo no como de eso!»

COMERCIAL. *Hay que pasarle un comercial para venderlo.* Se dice de la persona fea. «A Juan hay que pasarle un comercial para venderlo». *Pasa un comercial de cinco minutos y vete del aire.* Habla poco. «Tengo que hablarte». «—Pasa un comercial de cinco minutos y vete del aire». *Pasar una persona a uno un comercial.* 1. Hablar poco. «Desde que lo conozco sólo pasa comerciales». 2. Meterle un cuento. «Me trató de pasar un comercial». (He oído: *Darle un comercial.* Los comerciales en el radio o en la televisión duran menos de un minuto.) Ver: *Taquigrafía.*

COMERRABO. Ver: *Comebasura.*

COMETA. *Ser alguien un cometa.* Se dice de la persona que no se deja ver por cierto tiempo. «Ese hombre es un cometa. Desaparece de pronto». *Ser un peo un cometa.* Ser largo. «Ese peo es un cometa». (Me dicen que como es largo tiene estela como el cometa.) *Vestir a alguien de cometa.* Echarlo a cajas destempladas. «El novio era un sinvergüenza y ella lo vistió de cometa».

COMETRAPO. Tonto. «Juan es un cometrapo». Ver: *Comebasura.*

COMEVACA. Se dice del alzado que no pelea. «Ése, cuando se alzó, fue un comevaca».

COMIDA. (La) Lo mismo el pene que las parte pudendas, o aparato sexual de la mujer. «En el cine ella me enseñó 'la comida'». «Le puse a ella mi comida en la mano». «Hay mujeres que tienen una comida muy rica por eso los hombres se la enamoran». *Comida de negro.* Ser cosa de baja calidad. «Eso no lo compres. Es comida de negro». (El negro cubano, debido a su pobre situación económica, comía una comida criolla a base de los ingredientes más baratos. De ahí el cubanismo, que de ninguna manera trata de denigrar al negro, un cubano raigal.) *Comida que no toca la campanilla.* Comida escasa. «Esa comida que me han dado no toca la campanilla». *Darle a alguien una mujer comida.* Acostarse con él. «Dicen que la vecina le da comida a Juan. ¡Está bellísima!» *Dejar a alguien fuera de la comida.* 1. No darle participación en algo bueno, como dinero, empresa, etc. «En eso de que hablas, a mi primo, lo dejaron fuera de la comida». «Siempre me ha dejado fuera de la comida». (Algunas veces se dice simplemente: *Dejar fuera.*) 2. No incluirlo en algo. «En lo del diccionario no te dejo fuera de la comida». Ver: *Casa. Irse la comida por el camino viejo.* (Se dice por muchos que es castizo. Ver: *Camino.*) *Pasarse la comida.* Comer rápido. «En un minuto te pasaste la comida». *Pelearse con la comida.* Pelearse con el jefe. «Con eso que le hiciste te estás peleando con la comida». (En general, este cubanismo, comprende todo lo que afecta nuestro trabajo y por lo que nos pueden despedir.) *Ser algo comida de bobos.* Ser algo muy fácil de hacer. «No le tengas miedo al examen. Tú sabes que es comida de bobos». *Ser alguien mala comida.* Ser peligroso. «No te pongas a jugar con él que es mala comida». *Tirarse a la comida como soldado invadiendo una playa.* Engullirla de un sólo bocado. «Es muy mal educado. Se tiró a la comida como soldado invadiendo la playa». Ver: *Lain.*

COMIENDO. *Tener a alguien comiendo de la mano.* Tenerlo controlado, dominado. «Tiene al marido comiendo».

COMINO. *Ser alguien un comino.* Ser alguien muy pequeño. «Juan es un comino. Si se enferma, se muere».

COMINONFO. *Tener cominonfo.* Tener malos los pies. «Ese hombre tiene cominonfo». (Es lenguaje del chuchero. Ver: *Chuchero.*)

COMIÑONES. (Los) Los dedos de los pies. «No sean indecente. No te metas los dedos entre los comiñones». (Lenguaje del chuchero. Ver: *chuchero.*) Sinónimo: *Entomiñones.*

COMITÉ. *Comité de barrio.* Grupo de personajes del régimen castrista que cuadra a cuadra, controlan las actividades de los que en ellas vivían. «Voy al comité a ver si logro permiso para visitar a mi familia que vive en Oriente». *Estar de comité de defensa.* Estar de espía. «Ése está de comité de defensa». (El cubanismo nació en la Cuba de hoy con los comités de defensa —comités de espías— establecidos por el gobierno castrista en cada cuadra.) *Estar en el comité de maricones completo con el secretario general y todo.* Esto se dice en forma despreciativa cuando hay un grupo de personas reunidas y que abogan por una causa injusta. «Está el gobierno reunido». «Sí, está el comité de maricones completo con el secretario general y todo».

COMPANY. Ver: *Cama.*

COMPAÑERO. *Compañeros son los huevos y los separa un gusano.* No somos iguales. (En Cuba, hoy en día, se le llama a todo el mundo «compañero». «Los gusanos», es decir, los anticastristas —«gusano» es un cubanismo que significa desafecto al régimen, contrarevolucionario, —cuando alguien les llama «compañero», contestan: «Compañeros son los huevos y los separa un gusano». «Gusano» se aplica también a un saco alargado con el que los cubanos exiliados sacaban de Cuba, al embarcar, sus pertenencias.)

COMPAÑÍA. *La Compañía Internacional de Alimentos.* La agencia de inteligencia norteamericana **(CIA)**, el cubanismo es un eufemismo que sigue, como se ve las siglas **(CIA)**. (La Compañía Nacional de Alimentos es en realidad la Nestlé.) *Tener la compañía de electricidad al lado de la cama.* Lo hemos oído en casos de enfermos graves que tienen conectados al cuerpo muchos aparatos y cordones. «¡Cómo Pedro no va a estar grave, Juanito, si tiene la compañía de electricidad al lado de la cama!»

COMPARSA. 1. Acompañamiento. «Llegó Pedro y comparsa, Juan». 2. Guarnición. «El bistek viene con una comparsa de papas». 3. Gran cantidad. «Me dieron, en la fonda, una comparsa de galletas». (La comparsa está formada por un grupo de bailadores que viste con colores brillantes, precedidos por una farola que va en lo alto de un palo. De aquí el cubanismo.) *Estar siempre en la comparsa.* Estar en cualquier situación. «Míralo que bien está. No tiene criterio. Está en la comparsa». *Tener una mujer detrás la comparsa del Alacrán.* Tener muchos enamorados. «Esa mujer es tan bella, que tiene detrás la comparsa del Alacrán». («La Comparsa del Alacrán» era muy famosa.)

COMPARSERÍA. Se dice de los que acompañan a una persona. «Ahí viene con la comparsería, no sabe andar sólo».

COMPARSERO. 1. Bailador de una comparsa. «Él es comparsero del Centro Asturiano de La Habana». 2. Persona simpática. «Hace agradable la vida, ¡es tan comparsero!» 3. Que le gusta el baile. «Es un gran comparsero, no se pierde un baile».

COMPAY. Amigo. «¿Qué dice el compay, Pedro?» *Cuidadito, compay, gallo, cuidadito.* Con mucho cuidado. «Mira a ver lo que haces. Cuidadito, compay, gallo, cuidadito». (Está tomado el cubanismo de una canción del famoso trío Matamoros titulada: *Compay Gallo.*) Ver: *Gallo. Punta.* (Es cubanismo de origen campesino.)

COMPETENCIA. *Hacerle competencia a la Ekson.* Acostarse con negras. «Tú no sabes lo que a mí me gusta hacerle competencia a la Ekson». (La «Exxon» es la compañía americana de gasolina. Ella en sus hornos quema el petróleo. «Quemar petróleo», es un cubanismo que quiere decir: «Gustarle a alguien acostarse con una negra». De ahí el cubanismo: Hacerle competencia a la Ekson. El cubano pronuncia «Ekson».) *Hacerle competencia al Collar de Lágrimas.* Estar hablando siempre de tragedias. «Tu mamá le hace competencia al Collar de Lágrimas». («*El Collar de Lágrimas*» era una novela cubana llena de tragedias. De ahí el cubanismo.)

COMPLEJO. *Tener alguien complejo de chivo.* Tener estreñimiento y cagar bolitas. «El pobre, tiene complejo de chivo». *Tener complejo de batidora.* Se dice del que es muy activo. «Mi hijo tiene complejo de batidora». (Se aplica, igualmente, a la mujer que mueve mucho el trasero.) «¡Mira cómo camina! Esa mujer tiene complejo de batidora». Sinónimo: *Tener complejo de trompo. Tener complejo de ternero.* Estar comiendo siempre. «Muchacho, vas a engordar mucho. Tienes complejo de ternero». (Se dice también del que tiene siempre un puesto, o sea, que vive del presupuesto de la nación.) «Volvió a vivir del presupuesto. Tiene complejo de ternero». (En este caso del presupuesto, el cubanismo parece tener relación con otro que reza: *Sacarle la leche a la vaca,* que se aplica al que vive del presupuesto público: «Juan se pasa la vida sacándole la leche a la vaca». Sinónimo: *Estar pegado a la ubre de la vaca. Tener complejo de la melanina.* Tener complejo de ser o tener de color. «Y no creo que en la Cuba de ayer alguien tuvo complejo de la melanina». (Es cubanismo cultísimo.) *Tener una persona complejo de Ajax.* Estar siempre limpiando. «Tu mamá está todo el día limpiando la casa. Tiene complejo de ajax». (Cubanismo nacido en el exilio. El «Ajax» es un limpiador.)

COMPLETA. (La) 1. Comida abundante y barata. «Pedro, dame una completa». 2. Comida de baja estofa compuesto de dos o tres platos. «Dame una completa que tengo mucha hambre». Ver: *Precisa.*

COMPLICADERA. Complicación. «¡Qué complicadera ésta!»

COMPLICADITAS. (Las) Se le dice en el exilio a un grupo de mujeres que siempre andan juntas y tienen muchas complicaciones emocionales. «Por ahí vienen las complicaditas».

COMPONEDOR. *Componedor de bateas.* Amable componedor. El que arregla pleitos que surgen entre personas. «Toda su vida se ha dedicado a componedor de bateas».

COMPONTE. *Componte porrita.* Pórtate bien. «Yo de niño, a mi hijo, como era tan malcriado le decía: Componte porrita». Sinónimo: *Componte que te pertenece.* (Nació este cubanismo con un personaje del teatro bufo cubano, que se llamaba el Viejito Bringuier, quien siempre lo decía.)

COMPRADERA. Acción de comprar algo. «Tú no tienes recursos para tanta compradera».

COMPROMISO. *Tener compromiso en el cuarto fambá.* Tener ganas de corregir. «Creo que tengo compromiso en el cuarto fambá». *Tener compromiso en el cuarto fambá, una mujer.* Estar comprometida o vivir con un hombre. «Lo siento Pedro, yo ya tengo compromiso en el cuarto fambá». («El cuarto fambá» es el «trasero». Es palabra africana llevada por los esclavos a Cuba. Es el «cuarto oscuro» donde los ñáñigos —una secta religiosa y social— celebran las iniciaciones de los neófitos. Por extensión pasó a ser ano —también oscuro,— trasero.)

COMPUESTO. *Compuesto vegetal de Lydia Pinkan.* Frase que se le dice a alguien que está malhumorado. El compuesto de Lydia Pinkaham es un medicamento para los desarreglos de la mujer. Estos causan mal humor. De ahí el cubanismo. «Oye, toma compuesto vegetal de Lydia Pinkham». O se grita simplemente: «Lydia Pinkham». Sinónimo: *Evanol.* (Se usa, el cubanismo en la misma forma.)

COMPUTADORA. *Estar como la computadora o como la computer.* (Esta última palabra es más común en el exilio, donde nació el cubanismo.) Se dice de la persona que sigue siempre un programa fijo. «Ese hombre está como la computer». («Computer» es palabra inglesa. La computadora está programada, de ahí el cubanismo.) *Tener la computadora en la mano.* Ser muy calculador. «No me gusta Pedro siempre tiene la computadora en la mano». Ver: *Marido.*

COMPUTER. *Meter a alguien en el computer.* Tener siempre listo lo que tiene que hacer. «Mi jefe me metió en el computer». (O sea, me tiene programada. Es cubanismo del exilio.) También me manda, me ordena. «Mi marido me ha metido en el computer. Creo que no tengo voluntad». *Ser un computer.* Actuar automáticamente. «Ése es un computer. Parece acordarse de sus tiempos de soldado. Lo llamas y en un minuto está a tu lado». Sinónimo: *Ser un robot.*

COMUNIDAD. (La) Los cubanos exiliados son así llamados por el gobierno cubano y los cubanos de Cuba. «La comunidad hace muchos viajes a Cuba».

COMUNISTA. *Ser comunista.* Se dice del que siempre es negativo a todo. «Vamos al cine». «—Chico, ¿al cine?» «—Chico, tú eres comunista». (En Cuba para decirte no, los comunistas usan la frase: «Negativo Compañero». De ahí el cubanismo.) *Ser un* *comunista cualquiera.* Ser un privilegiado. «Lo que le pasa a tu marido es que es un comunista cualquiera». (Cubanismo del exilio.)

COMUÑANGA. Comunista. «Es un viejo comuñanga. Lleva, por lo menos cuarenta años en el partido».

CONCHITA. *Ser una mujer conchita.* Ser muy fea. «A esa mujer yo no la enamoro porque es conchita». («La Conchita» es una fábrica cubana que hacía cascos de guayaba y como una mujer fea es un casco en cubano, de ahí surgió este cubanismo del exilio.)

CONCOMEO. Ver: *Concorina.*

CONCORINA. *Que bueno que tú concorina con mi concomeo.* Estamos hechos el uno para el otro. (Se usa casi siempre en connotación sexual siendo «la concorina» el aparato sexual de la mujer y «el concomeo» el del hombre.)

CONCRETERA. *No tener alguien más futuro que la Concretera Nacional.* El único futuro que tiene es la muerte. «Ese no tiene más futuro conmigo que la Concretera Nacional». (La Concretera Nacional era una compañía que había en Cuba que hacía concreto. El cubanismo implica que a la persona que no tiene más futuro que la Concretera Nacional lo van a hacer concreto; a triturar.) *Ser una mujer como una concretera.* Tener muchos hombres. «Esa mujer es como una concretera». (He oído decir —lo que explica mejor el cubanismo—: *Ésa mujer es como una concretera; le da vuelta al material.* Es decir, que maneja muy bien a los diferentes amantes. *Tener la Concretera Nacional palanqueada en la boca del estómago.* Comer mucho. «Ese tiene la Concretera Nacional palanqueada en la boca del estómago». (El cubanismo, alude aquí, a los tanques de los carros que iban dando vueltas hasta que se echaba el concreto.)

CONDESA. Ver: *Peo.*

CONDIACOS. (Los) Los aviadores. «Por ahí vienen los condíacos». (Viene de «Condor». Es lenguaje del chuchero. Ver: *Chuchero.*) *Ser un condíaco.* Persona que se aparece de pronto, sin ser invitado y disfruta de lo que hay. «Ahí llegó ese condíaco». (Lenguaje de la Cuba de hoy.) Sinónimos: *Ser un fastasmón. Ser un paracaidista.*

CONDUCTOR. Cobrador en un autobús. «¿Ya le diste el dinero al conductor?» Ver: *Guagüero.*

CONDUMIO. Cosa, situación. *¿Cómo está el condumio?* ¿Cómo está la cosa? El interrogado contestaba de distintas maneras. Una es ésta: «El condumio está de arroz, picadillo y yuca», es decir mal. (Las familias pobres en Cuba, tenían esta dieta de arroz, picadillo y yuca.) *Estar el condumio de picadillo y yuca.* Estar la situación mala. «Juan dice que el condumio está de picadillo y yuca». Sinónimos: *Estar la caña a tres trozos. Estar la cosa de bala.*

CONECTO. (El) El enchufe. «Pon ese alambre en el conecto». Se llama también así, entre los conspiradores, la persona con la que hay que hacer conexión.

CONEJO. Órgano sexual femenino. «Le vi el conejo a Juana». Hay un verso popular que dice: «*Amada prenda querida, te voy a dar un consejo, que no le des el conejo a nadie que te lo pida.* (Es cubanismo de origen campesino.) *Dar el conejo o el conejito.* Entregarse a un hombre. *No lo conejo.* No lo conozco. (El cubanismo consiste en un juego de palabras que nació en un programa radial cubano titulado:

«*La Tremenda Corte*». Uno de los personajes, *Tres Patines*, contestaba en forma de broma, «*No lo conozco*». *Yo te conejo.* Forma simpática de decir: «Yo te conozco». *Zafa conejo.* 1. A otro perro con eso hueso. «Te vendo un reloj de oro... —Zafa conejo». 2. No me molestes. «Le dije cuando me pidió el dinero: Zafa conejo». Ver: *Dientes. Dinero.*

CONEXIÓN. *Estar en la conexión.* Tener sellos, seguro médico, etc., es decir, todos los seguros sociales del gobierno norteamericano. «Mi mamá no tiene problemas, está en la conexión». (Cubanismo del exilio.)

CÓNFITI. 1. Coño. «¡Cónfiti, qué golpe me has dado!» Eufemismo por coño. «¡Cónfiti! ¡...Qué golpe me he dado en la cadera!»

CONFRONTA. (La) La última oportunidad que alguien tiene. «Ésta es la confronta. Aprovéchala». *Coger la confronta.* Tener problemas. «Si sigues con esas amistades te coge la confronta». *Cogerlo a alguien la confronta.* Fracasar. «Como no te apures con la historia te va a coger la confronta». «Llegó tarde a la reunión y lo cogió la confronta». Algunas veces lleva idea de «retraso». «No estuvo a tiempo en el paradero y lo cogió la confronta». También indica: «Ser sorprendido». «Estaba robando y lo cogió la confronta». (Viene el cubanismo del campo de los tranvías que circulaban por La Habana.) *Darle a alguien la confronta.* Llamarlo a contar. «Me dio la confronta el jefe. Estaba furioso». *Te va a coger la confronta.* 1. Fracasar en cualquier sentido. «En esa empresa lo coge la confronta». 2. Vas a llegar tarde. «Parte que te va a coger la confronta». *Hacer (una mujer) una confronta.* Tocarse con un hombre libidinosamente. «Esa mujer me hacía siempre la confronta cuando era jovencita». Ver: *guach.*

CONFRONTÓN. Acto libidinoso en grande, en que una pareja se besa y se toca. «¡Qué confrontón tiene esa pareja en el portal!»

CONFUNDIR. *Confundir la peste con el mal olor.* Equivocarse. «Ese se puso muy confianzudo conmigo y le dije: Oigame, usted no me conoce. Usted ha confundido la peste con el mal olor».

CONGA. La conga no es solamente una pieza afrocubana: «—Voy a bailar la conga», sino que es también el conjunto de personas que bailan la misma. «En la conga de anoche se desmayaron varios de sus integrantes». Ver: *Dale. Mil. Paso. Ritmo.*

CONGRÍ. Una reunión de blancos y de personas de color. «Esto parece un congrí». (El congrí es un plato típico cubano a base de arroz y frijoles negros o colorados. De ahí el cubanismo.) Ver: *Cubano.*

CONGUITA. *Te ponen a bailar una conguita.* Te dominan. «Te dan dinero, esa gente, y te ponen a bailar una conguita».

CONMIGO. (El) El vestido de olán de hilo. «Siempre tiene tres o cuatro conmigos en casa».

CONSCIENTE. 1. Bueno. «Ese artículo está consciente». 2. Mujer bella. «Tu prima está consciente». *Estar algo consciente.* Estar muy bueno. «Este libro no está consciente». «Este cuento está consciente».

CONSEGUIDO. *Estar conseguido.* Estar preocupado. «Estoy conseguido con ese problema». *Traer a alguien conseguido.* Molestar a alguien. «Ese ruido me tiene conseguido». *Tener a alguien conseguido.* 1. Ganado. «Ese amigo tuyo me tiene conseguido». 2. Tener sospechas de alguien. «Te juro que Juan me tiene conseguido».

CONSERVARSE. *Conservarse en alcohol.* 1. Mantenerse en buena salud mediante la ingestión de bebidas alcohólicas. «Tengo buena salud porque me conservo en alcohol». 2. No envejecer. «Yo no me envejezco, viejo, porque me conservo en alcohol».

CONSORTE. Cómplice. «Condenaron a su consorte en el crimen». (Este cubanismo se ha desplazado de la jerga del hampa, donde se originó, al lenguaje popular.)

CONSTANTINA. *Lucha constantina.* Constante. «La vida es una lucha constantina».

CONSULTAR. Ver: *Santo.*

CONTADORA. Ver: *Años.*

CONTAR. *Y para de contar.* No me digas más nada. Termina. «Está bueno ya, para de contar». *Para qué te cuento.* Exclamación que se usa para darle más fortaleza a lo que se dice. «Muchacho, para qué te cuento, llegó el hombre y le entró a tiros a la mujer». (Se dice también: *Cachita, pa' qué te cuento.* «Pa'» es «para.)

CONTÉN. *De contén a contén.* Querer. «No te quejes que yo te llevo de contén a contén». Sinónimos: *Llevar de campana a campana. Llevar de rama en rama como Tarzán lleva a Juana. Querer en montón, pila, burujón, paquete.*

CONTENTOSA.O. Feliz. «Él está contentoso con mi triunfo». *Estar contentosa.* Estar contenta. «Juana está contentosa».

CONTRA. (La) Un que se hacía por la compra de víveres, generalmente caramelos, que daban en ciertos establecimientos comerciales. «No te olvides de darme la contra». «Le compré cien libras de papas y de contra me dio una botella de vino». (En Oriente, la provincia más oriental de Cuba, le llamaban: *Ñapa.* También en Nueva Orleans. Es voz africana.) *Chino manila pa Cantón dame la contra chicharrón.* Así gritaban los niños para mortificarlos a los chinos en Cuba cuando los veían. *De contra.* Además. «De contra que llegó tarde quiso que le preparara la comida». Ver: *Dos.*

CONTRACANDELA. *Dar contracandela.* Defenderse del que lo ataca a uno. «Cuando lo regañé, me dio contracandela». (El cubanismo viene de la industria cañera. Cuando se incendia un cañaveral, la única forma de apagar el incendio es quemar por el lado contrario al mismo. Al toparse ambos se paran.)

CONTRACORRIENTE. *Dar contracorriente.* Dar marcha atrás. «Dentro de poco, en este asunto, hay que dar contracorriente».

CONTRADANZA. *A paso de contradanza.* Hacer las cosas despacio. «Ése lo hace todo a paso de contradanza». (El cubanismo se basa en que la contradanza es un baile de movimientos lentos.) Sinónimo: *A paso de jicotea.*

CONTRAFILO. *Sacar filo, contrafilo y punta.* Hacer las cosas bien. «En todo lo que hace saca filo, contrafilo y punta».

CONTRALIMA. (La) La camiseta. «Voy a ponerme la contralima». (Lenguaje del chuchero. Ver: *chuchero.*)

CONTRALTO. *Coger contralto.* Coger una buena borrachera. «Ése cogió un contralto». (El cubanismo es una contestación a: «Juan nada más que coge tono —es decir, no se emborracha, sino que se pone medio borracho». Se contesta: «¡Qué tono ni tono, él lo que coge es contralto!»

CONTRAPUNTE. Pelear pero sin llegar al cuerpo a cuerpo, es decir, marcar los golpes. «Mira cómo contrapuntean esos dos». (La voz viene del boxeo.)

CONTRAPUNTEAR. Pelear. «Contrapuntearon los unos y los otros por el negocio».

CONTRAPUNTEO. Pelea. «Nadie va a salir bien en ese contrapunteo».

CONTRIBUCIÓN. *No pagar algo contribución o derecho de aduana.* No tienes que ponerle, a lo que haces, cortapisa. «Bebe, que eso no paga contribución ni derecho de aduana». «Habla, que eso no paga contribución ni derecho de aduana».

CONTROL. Ver: *Quality.*

CONTUNDENTE. *Estar una mujer contundente.* Estar muy dura de carnes y bella. «Esa mujer está contundente».

CONUCO. Casa. «Este es mi conuco». (Voz india, de los Siboneyes, indios que habitaban en Cuba a la llegada de Colón.) Pedazo de tierra donde se siembran. «Tengo mamoncillos en mi conuco».

CONVENTO. *Para lo que queda en el convento.* Para lo que se puede salvar. «¿No vas a ver cómo quedó tu casa después del ciclón. —Para qué. Para lo que queda en el convento». Sinónimos: *Para lo que me queda en el convento, me cago dentro. Para lo que queda en el convento al carajo los que están adentro.*

CONVERSACIÓN. Aquí. «El dinero está oyendo la conversación. Dame ese cuadro». Ver: *Hilo.*

CONVERSADERA. Conversación. «Basta ya de conversadera».

CONVIDADO. *Más vale llegar a tiempo que ser convidado.* Hay que llegar a la hora precisa. «Pude cogerlo todo porque mi lema es: Más vale llegar a tiempo que ser convidado».

CONVOY. Ensalada. «El convoy de hoy es de papas y zanahorias». *Vender en convoy.* Vender una mercancía mala acompañando a otra que tiene salida. «El vendió en convoy todo lo malo que tenía en el establecimiento».

COÑA. Broma. «Eso que me dices es una coña». *Andar de coña.* Estar bromeando. «¿Por qué andas siempre de coña?» *Hablar en coña.* Hablar en broma. «No le hagas caso, habla en coña». *Tirar a coña.* Tirar a broma. «Lo que me dijo se lo tiré a coña».

COÑEAR. 1. Bromear. «No te pongas disgustado que estoy coñeando». 2. No decir las cosas en serio. «No le hagas caso, coñea». *Coñear a.* Embromar. «Estaba coñeando a Juan, pero no lo entendió así y tuvimos unas palabras».

COÑO. *Del coño de su madre.* Malo. «Ese libro es del coño de su madre». «Juan es del coño de su madre». *El coño de tu madre.* Todo lo demás. «Me dijo: Tú eres feo, asqueroso y para que no se me olvide nada: el coño de tu madre». Ser algo o alguien del coño de su madre. Ser o muy bueno o muy malo. «Ese hombre es del coño de su madre». «Ese libro es del coño de su madre». También ser difícil. «Le van a hacer una operación del coño de su madre». *Ni un coño de su madre.* Nada. «Fui a verlo. —¿Qué te dio? —Ni el coño de su madre».

COPAS. *Pintar copas.* Coquetear. «Mira como pinta copas». Sinónimo: *Vender lista.*

COQUETERÍA. *Ir a la coquetería.* Ir a maquillarse. «Ahora, sólo me queda ir a la coquetería».

COQUIBIRE. *Tener un coquibire con una mujer.* Gustar, la mujer mucho o estar muy enamorado de ella. «Juan tiene un coquibire con Luisa». *Tener tremendo coquibire* *con una mujer.* 1. Estar enamoradísimo. (Es el aumentativo dado por la palabra tremendo.) «Juan tiene tremendo coquibire con Magda». 2. Ser muy inteligente. «En matemáticas tiene tremendo coquibire».

COQUITO. (Un) Un peso. «Dame un coquito». *Tirarle un coquito a alguien.* Darle un peso. «Me dio cinco pesos pero le tiré un coquito». Sinónimo: *Baro.* Ver: *Tipo.*

CORAL. Ver: *Niño.*

CORAZÓN. *Corazón de melón.* Frase que se le dice a los niños y que intercambian también los enamorados. «¡Cómo te quiero, corazón de melón!» *El corazón no se opera.* Lo mejor es que te calmes. «No te aflijas tanto que el corazón no se opera». Ver: *Agitar. Ponérsele a alguien el corazón como una pasita.* Conmoverse. «Cuando veo la miseria se me pone el corazón como una pasita». *Tener corazón de jiquí.* Ser de corazón duro. «Ese hombre tiene el corazón de jiquí». (El jiquí es una madera cubana muy dura.) *Tener el corazón en el medio del pecho.* Ser muy valiente. «Juan tiene el corazón en el medio del pecho». *Tener el corazón engurruñao.* Estar enamorado. «Tiene el corazón engurruñao por Luisita». (Es «engurruñado» pero el cubano aspira la «d».)

CORBATA. Ahorcar. «A Juan le pusieron la corbata». *Corbata de trampolín.* Corbata muy apretada en el cuello a forma tal que parece que el cuello sale de ella como un trampolín. «Ése lleva una corbata de trampolín». (Es lenguaje del chuchero. Ver: *chuchero.*)

CORCHO. *La isla de corcho.* Así se le decía a Cuba, porque, a pesar de todas las vicisitudes que pasaba en manos de malos políticos, nunca se hundía. «Vivimos en la isla de corcho. No sé cómo no se hunde para siempre con un gobierno tan funesta».

CORCOVEAR. 1. Dudar. «¿No la ves? Está corcoveando sobre lo del matrimonio». 2. Empezar a alejarse de una conducta honesta. «Te digo que tú estás corcoveando». *Mula que corcovea no sirve pa' carretón.* Refrán que indica que el que se aparta de la meta o titubea, fracasa. («Pa'» es «para».)

CORDEL. *Dar cordel.* Sinónimos: *Dar curricán. Darle a alguien cordel.* Darle largas. «Cuando te venga con ésa, dale cordel». *Enredársele los cordeles.* Tropezar con dificultades. «Todo iba bien hasta que se le enredaron los cordeles». *Manejar con cordeles.* Dominar. «Esa mujer maneja al marido con cordeles». (El cubanismo se refiere al hecho de los títeres.) *Tirarle a alguien los cordeles.* Averiguar cómo es la persona. «Ya sé cómo es. Le tiré los cordeles». *Tener cordeles.* Tener influencias. «Ése tiene cordeles en el gobierno». *Tirarle, a una mujer, o a un hombre los cordeles.* Enamorarla.o. «En cuanto la vi le tiré los cordeles. Y nos casamos». «Juanita le tiró a Perico los cordeles». (Se le tira cordeles para que se enrede y se enamore. De ahí el cubanismo.) *Y cordeles.* Y algo más. «Eso vale cincuenta dólares y cordeles».

CORDELITO. *No amarrar a nadie con cordelito de botica.* No dominar a nadie. «Yo a mi marido no lo amarro con cordelito de botica. Si se quiere ir, que se vaya». *No poder meterle a nadie ni el cordelito del paquete.* No poder engañar a nadie. «Es tan conocido que no le puede meter a nadie ni el cordelito del paquete». (*Meter un paquete* es un cubanismo que significa, entre otras cosas, engañar. De aquí el cubanismo. Ya no es que no se pueda meter un paquete, sino que no puede engañar con una mínima cosa como un cordelito.) *Ser el cordelito, de la fiera, de botica.* No ser tan fiero el león como lo pintan. «No le tengas miedo, el cordelito de la fiera es de botica». (En las boticas —farmacias— amarraban las cosas con cordelitos muy endebles. De aquí el cubanismo.) *Tener a alguien amarrado con cordelito de botica.* Tenerlo dominado fácilmente. «Tengo a Juan dominado con cordelito de botica». («Botica» es «farmacia». El cordelito de botica es muy débil.)

CORDOBÁN. *Morder el cordobán.* Doblegarse. «El general mordió el cordobán en la batalla».

CORDÓN. *Coger de cordón de zapato.* Entender algo con dificultad. «Lo que me dijo lo entendí con cordón de zapato». (Es lenguaje del juego de pelota o Base-ball.) *Hála el cordón y desconecta.* Cállate. «Hablaba y hablaba y le dije: Hala el cordón y desconecta». Ver: *Resistencia.*

COREA. (La) El barrio de las compañías de las películas en La Habana. «Te veo en la Corea donde tengo mis oficinas».

CORN. Ver: *Pop.*

CORNELIO. Se dice del que lo engaña la mujer. «Por ahí va Cornelio». (El cubanismo es un juego de palabras con «cuernos» que quiere decir en castizo que la esposa le es infiel.)

CORNETÍN. *Estar abocado a cornetín.* Ver: *Abocado. Aparato. Peo.*

CORO. Coronel. «Por ahí viene el coro». «¿Qué dice el coro?»

COROJO. *Estar que de un peo rompe un corojo.* Ser una mujer muy bella de cuerpo. «Mi prima Rosa está que de un peo rompe un corojo». Descubrir algo. «Dicen que de ese crimen, a finales del mes, se rompió el corojo». *Tener que subir una mata de corojo, desnudo.* (El campesino dice «desnú».) Tener que hacer algo muy difícil para triunfar. «Te digo que para conseguir a Juana tienes que subir una mata de corojo, desnudo». (Lenguaje del campesino avecinado en las villas cubanas.) Ver: *Carne. Mata. Huevo.*

COROMANÍA. (La) Un plato fuerte como el potaje. «Dame la coromanía que tengo hambre».

CORONADO. Se dice del engañado por la mujer con otro hombre. «Ése es un coronado».

CORONAR. Engañar una mujer a un hombre. «A Juan lo corona, desde que se casaron, su mujer».

CORONEL. Cometa grande. «Hoy voy a volar el coronel». «A mí me gusta volar el coronel». *Fabricar el coronel.* Triunfar. «Estaba mal en la vida pero fabricó el coronel».

CORPORACIÓN. *Estar alguien como las corporaciones.* Estar a punto de ser hombre público. «Él está ya como las corporaciones». (En los Estados Unidos cuando las corporaciones venden acciones se dice que «se hacen públicas». Es cubanismo del exilio.)

CORRAL. Ver: *Caballo.*

CORRALITO. *Estar siempre en el corralito.* 1. Actuar como un niño. «El no cambia. Está siempre en el corralito». 2. Estar confinado en las funciones, que uno tiene que desarrollar en la acción. «Yo, en esta compañía siempre estoy en el corralito».

CORREA. *Coger correa la malanga.* Ver: *Coger. Tener correa.* Aceptar las bromas. «Juan tiene mucha correa y no se enfada».

CORRECTO. Bonita-o. «Esa mujer que me presentaste está correcta». *Estar algo correcto.* Bien. «La limpieza de los zapatos está correcta».

CORREDOR. *Ser una mujer corredora.* Ser de las que engaña al marido o fornica con cualquiera. «Se hace la seria pero es corredora». *Tener muchas corredores detrás.* Tener muchos enamorados. «Juana tiene muchas corredores detras». Sinónimo: *Tener más corredores detrás que en la Olimpiadas.* Ver: *Bola.*

CORREO. *Seguir como el correo de la risa.* No tener aplomo. «Esa gente seguirán como el correo de la risa. No se puede confiar en ellos».

CORRETAJE. Huida. «Al primer tiro el corretaje fue grande». *Formarse el corretaje.* Echar a correr todo el mundo en confusión. «Al llegar la policía se formó el corretaje».

CORREVEIDILE. Diarrea. «No puede venir al trabajo porque tiene correveidile». *Estar de correveidile.* Tener diarrea y estar corriendo continuamente para el servicio sanitario. «Me pasé la noche de correveidile».

CORRIDA. *No estar en la corrida.* No estar en algo. «Yo no estoy en esa corrida». *Salir ganando en la corrida.* 1. Ganar dinero en el asunto. «Los contrarios son los únicos que han salido ganando en la corrida». 2. Ocasión. Situación. «En esta corrida no conviene hacer lo que dices». *Ser algo de corrida de toros.* Cuando un hombre a una mujer engaña y hay escándalo envuelto. «Te digo que el problema de Laurita es de corrida de toros». (El «toro» tiene «tarros». Engañar el hombre a la mujer o viceversa es «pegar los tarros». De aquí el cubanismo.) *Ver la vida como corrida de toros.* No prestarle atención, se ve desde un palco. «Yo veo la vida como una corrida de toros». (Forma de hablar del cubano.) Ver: Trabajar.

CORRIDO. *Tener alguien que coger a corrido.* Tener que seguir haciendo algo aunque no quiera. «Aunque no le gusta el trabajo tuvo que coger a corrido». (Es cubanismo que viene del lenguaje del juego. En Cuba se podía apostar en el juego de azar titulado: *Charada*, sólo a un numero o a dos al mismo tiempo y con cualquiera se ganaba. De ahí el cubanismo.)

CORRIENTE. *Camarón que se duerme se lo lleva la corriente.* Ver: *Camarón. La corriente es fruto del enchunfe.* Forma de hablar del cubano que muestra su genio o intelecto y que quiere decir: Una mujer se porta muy bien en una fornicación si el marido sabe estimularla. «Ella no es fría Pedro. No olvides que la corriente es fruto del enchunfe». (Cubanismo culto.)

CORTA. No hables más. «Corta, que estoy apurado». *Estar que corta.* 1. Estar muy preparado. «Para el examen estoy que corto». 2. Estar alguien de mal humor. «No te le acerques. Mira que está que corta». 3. Ser una mujer muy bella. «Esa dama está que corta». *Ser alguien un corta y clava.* Se dice de una persona que sólo tiene ligeras nociones de cultura. «¡Cómo le vas a hacer caso si es sólo un corta y clava!»

CORTALAZO. *Irse de cortalazo.* Irse de lado. «El hombre se fue de cortalazo y se cayó». (Viene del juego del trompo. Al tirar un trompo, para que recorra la distancia, si se va de un lado, se dice: «El trompo se fue de cortalazo».)

CORTAR. *Cortarse con vidrio inglés.* Pisar mierda. «Mira, me corté con vidrio inglés». Ver: *Trueno.*

CORTE. *Dar un corte.* 1. Dar una vuelta. «Socio, yo voy a dar un corte». («Socio» es «amigo». Lenguaje del chuchero. Ver: *chuchero.*) 2. Esquivar. «Me vio y me dio el corte». (El cubanismo viene del campo automovilístico.) *Pantalón de corte de tubo.* Pantalón muy ancho arriba y estrechísimo en los tobillos que usaban los chucheros en Cuba. «Me compré un pantalón de corte de tubo». Ver: *Chuchero. Juzgado.*

CORTINA. *No me vengas con esa cortina.* No trates de fingir. «Habla, no me vengas con cortinas». (Lo he oído también así: *No me vengas con cortina, eso no es de teatro.*) *Ser algo de una cortina de humo.* Ser un subterfugio. «Eso que te dice es una cortina de humo».

CORTIÑAN. 1. Corto. «El traje está cortiñán». 2. Escaso. «El dinero que me dieron está cortiñán».

CORTO. *Te quedas corto.* No acepto. «¡Qué va mi amigo! ¡Te quedas corto!» Ver: *Española. Te quiero y me quedo corto.* Forma de despedida. «Adiós Juan, te quiero y me quedo corto». (Nació el cubanismo con el actor cubano Rosendo Rossell.) Sinónimo: *Te quiero y me quedo «short».* (Cubanismo del exilio. Los «shorts» son un tipo deportivo de pantalones cortos.) *Tener un corto circuito en la cabeza.* Sinónimos: *Cable. Tener los cables cruzados. Tener un corto circuito en las luces altas ya bajas de carretera.* Estar ciego. (Con corto circuito se forman infinidad de cubanismos.)

COSA. *A otra cosa mariposa.* Olvídate de eso. «Cuando me vino con el problema le dije: A otra cosa mariposa». *Estar la cosa que arde.* Estar la situación difícil. «La cosa está que arde en el Oriente». Sinónimos: *Estar la cosa caliente. Estar la cosa de bala. Estar la cosa encendida. Estar la cosa de uan, tu, tri, cojan puesto.* (Uan, tu, tri, es como el cubano pronuncia las palabras inglesas: One, two, three.) *Tener cosas de cabo interino.* Ver: *Cabo.*

COSITA. *Hacer cosita.* Fornicar. «Vamos a hacer cosita».

COSMONAUTA. *El cosmonáuta de la canción.* Se decía cuando se oía a un cantante cantando una canción cuya letra dice: «*Ayer hablé con la luna*»... (Es cubanismo del exilio.) «Ese es el cosmonáuta de la canción».

COSTADO. Ver: *Frente.*

COSTAR. Ver: *Congo.*

COSTURA. *Darle en la costura.* 1. Hacer las cosas muy bien. 2. Saber algo muy bien. «A la pintura le da en la costura». Se dice asimismo, *darle a la bola en la costura.* Sinónimo: *Darle al perro en el mismo hocico. (El cubanismo «darle en la costura» viene del juego de pelota.) Dejar ver las costuras.* Dejar ver los desperfectos. «El Quijote, al mezcla ilusión y, realidad, no deja ver las costuras». Ver: *Piojo.*

COSUBÉ. Dulce cubano. «¡Qué rico está el cusubé!» Se usa además como sinónimo de: Mi vida, mi amor. «¿Cómo estás mi cusubé?» Se oye indistintamente: Cosubé o cusubé.

COTELITO. *Estar alguien de cotelito.* Estar sonriendo. «Él tiene buen carácter, está siempre de cotelito».

COTICA. 1. Cotorra. «Vamos a darle perejil a la cotica que fastidia mucho». «Quiero comprar una cotica». 2. Cotorrita. «¡Qué cotica más bella!» Por extensión se le dice cotica a una muchacha joven, que usa trajes de colorines. «¡Qué cotica más bella es Felicia!»

COTIZAR. *Cotizarse muy caro el mojón duro.* Haber una gran cobardía colectiva. «Cuando oyeron los tiros se cotizó a peso el mojón duro».

COTORRA. Delator. «Esa cotorra delató a todos los compañeros». *Amanecer alguien con la cotorra encendida.* Levantarse hablador. «Mi hermano está hoy intolerable. Se levantó con la cotorra encendida». *Comer cotorra.* Se dice del que habla mucho. «No para de hablar. Comió cotorra». Sinónimos: *Cotorrear. Hablar más que un loro macho. Dame cinco cotorras.* Dame cinco pesos. «Oye, dame cinco cotorras». (Las cotorras son verdes como los billetes. De ahí el cubanismo.) *Dar cotorra.* Dar la tabarra. «Me dio una cotorra de dos horas». *Emular alguien a la cotorra.* Hablar mucho. «Cómo le gusta a tu primo emular a la cotorra». *Hablar más que una cotorra del «Jungol Parrot».* Hablar mucho. «Habla más que una cotorra del «Parrot Jungol» (Lenguaje del exilio. El «Parrot Jungle» que el cubano pronuncia «Parrot Jungol», o el «Parque de las cotorras», es el sitio de la ciudad de Miami donde hay muchas cotorras.) *Ir como una cotorra.* Ir incómodo. «Aquí voy como la cotorra». (Se dice, principalmente, de cuando se va en un automóvil en el medio de dos personas y no hay espacio. Es como estar en una percha.) *Salir alguien como la cotorra.* Salir disparado. «No le pude hablar, salió como la cotorra». (El cubanismo se basa en un chiste en que a una cotorra le metieron un cohete en el trasero.) *Ser alguien una cotorra descompuesta.* Hablar mucho. «Óyelo, es una cotorra descompuesta». (El aumentativo lo da la palabra «descompuesta». Muy típico de los cubanismos.) *Reencarnar alguien con la cotorra.* Ser muy hablador. «Juana, tu hermano reencarnó con la cotorra. No para de hablar». *Tener alguien la cotorra engrasada.* Hablar mucho. «Juan tiene la cotorra engrasada». *Tener la cotorra encendida.* Se dice del que habla mucho. «Hoy mi marido se levantó con la cotorra encendida». Ver: *Botellón. Chicharra. Cohete. Combinación. Meao. Saliva.*

COTORRERA. Ciruelas cotorreras silvestres. «Esas son ciruelas cotorreras».

COTORRONA. Mujer que se exhibe en sociedad y siempre sale retratada en los periódicos. «¿Viste qué grupo de cotorronas hay en el periódico, hoy?»

COTOYO. (Un) Automóvil destruído; en ruínas. «Yo ando en un cotoyo». (Cubanismo de la Cuba de hoy.) *Ser algo un cotoyo.* 1. No valer nada. «Eso es un cotoyo, no doy ni un centavo por él». 2. Una cosa mal hecha. «Eso es un cotoyo».

COTUNTO. Ver: *Feo.*

COUCH. *Mandar más que un «coach».* «Mi mujer manda más que un coach». (Es cubanismo del exilio. «Coach» es el que dirige un equipo de deportistas.)

COVER. Ver: *Especialista.*

CRANCAZO. Dar un crancazo. 1. Animar a alguien a hacer algo. «No quería ser abogado pero le di un crancazo ponderándole las ventajas». 2. Meter cizaña. «Cuando le di el crancazo no reparó que era mentira y mató a la hermana». Se dice también *cranazo.* Sinónimos: *Cranque. Dar cranque.*

CRANEAR. Meditar. «Estoy craneando este pasaje de filosofía».

CRÁNEO. *Cráneo en letra de imprenta.* Escribir continuamente del sexo. «Ese escrito es un cráneo en letra de imprenta». *No hay cráneo.* No te preocupes. «Oye, el dinero que te debo... No hay cráneo, Juan». Sinónimo: *No haber pro. Tener un cráneo en letra de imprenta.* Se dice del que escribe cosas sexuales. «Ese escritor tiene un cráneo en letras de imprenta». Ver: *Cerebro. Coco.*

CRANÍA. *Estar una mujer cranía.* Creerse muy bella. «Esa mujer está cranía». (Viene de Cráneo. El sinónimo es: *Tener un cráneo consigo mismo.* La palabra es craneada, pero el cubano aspira la «d».)

CRANQUE. Ver: *Crancazo. Dar Cranque. Manigueta.*

CRANQUEADO. Persona a la que se le ha dado cranque. *Estar cranqueado.* Se dice del que le han hablado en forma tal que se deja guiar por las opiniones que le expresaron, que son siempre falsas, o por las cosas falsas que le dijeron. «Me atacó en el periódico porque está cranqueado por Pedro». («Dar cranque» es la acción de lo antedicho. A los carros antiguos había que arrancarlos con una palanca por delante. Se llama esto en inglés: «to crank». De ahí vino la palabra «cranque» y «dar cranque», que equivale al inglés: «to crank».) Ver: *Crancazo.*

CRANQUEAR. Ver: *Crancazo.*

CRANQUERO. El que empuja a alguien a hacer algo. «Ése es un cranquero». Sinónimo: *Metedor de quinina.* (Los automóviles antiguos había que arrancarlos por delante y en inglés «to crank» es esa operación. El cubano lo llamó «dar cranque».)

CRECER. *Crecer como la verdolaga.* Crecer mucho. «La peste ha crecido como la verdolaga». (La verdolaga es una planta.)

CRECHE. *Ser alguien una creche.* Tener muchos hijos. «Pedro tiene doce hijos. Es una creche».

CREDENCIALES. *Tener meadas las credenciales.* No aceptar el status de alguien. «Nada que me digas tiene valor. Conmigo tienes meadas las credenciales».

CRÉDITO. Ver: *Tarjeta.*

CREDO. *Estar siempre con el credo en la boca.* Ver: *Boca.*

CREMA. Ser algo o alguien crema. Ser bueno. «Ese hombre es crema. Te lo digo, Pedro». Ver: *Panetela. Ser crema de managua. Ser alguien crema de Yeyo.* Ser muy dulce. «Ese es, te lo recomiendo, crema de Yeyo». (Al cubano raigal —buena persona— también se le dice Yeyo.)

CREPE. Ver: *Papel.*

CRESPOS. *Se le salieron los crespos a Cinderella por las torres del castillo.* Creerse, sin serlo, alguien de la sociedad. «Mira ésa cómo se retrata. Se le salieron los crespos a Cinderella por las torres del castillo». (Cubanismo culto.)

CRESTA. *Estar en la cresta de la ola marina.* Estar en la cúspide del triunfo. Estar arriba en cualquier situación. «Yo estoy en la cresta de la ola marina». («*La ola marina tiene un motorcito*», dice la letra de la canción, «*que camina pa' lante y otro que camina pa'tra*». ["Pa'" significa «para».] El cubanismo implica aunque que la ola vaya para adelante o para detrás siempre se está arriba.) *No creer en cresta.* No creer en guapos. «Cuando mi marido me gritó, yo me le encaré y le dije que yo no creía en crestas». («Ser un gallo» es «ser un guapo» y como el gallo tiene cresta de ahí tenemos el cubanismo.) *Sacudirle la cresta a un hombre.* Hacerlo eyacular. «Le sacudí la cresta en un minuto». Sinónimo: *Sacarle la leche. Sacudirse la cresta.* Fornicar. «Ayer me sacudí la cresta con ella». Ver: *Gallo.*

CRETINOIDEO. Estúpido. «Juan es un cretinoideo». (El cubanismo fue creado por el actor cubano Rosendo Rossell.)

CREYENTE. *Yo no soy creyente, ni tú espiritista.* No tengo que consultarte nada. «Me dijo que lo consultara sobre el proyecto y le contesté: ni yo soy creyente, ni tú eres espiritista».

CRICA. Clítoris. «Tiene una crica bellísima. Como para comérsela sin cubiertos.». Sinónimo: *Pepita. Crica de negra.* Flor de Cuba, morada, con lengüeta rosada, que por su semejanza al clítoris de una mujer de color, rojo-morado, cogió ese nombre.

CRIOLLA.O. *Criolla oscura.* Cerveza oscura. «Dame una criolla oscura». *Criollo rellollo.* Cubano de pura cepa. «Yo fumo porque yo soy un criollo rellollo». *Ver lo que dura un criollo bien cuidado.* Ver lo que dura un cubano que se cuida. «Con la dieta que llevas veo que quieres ver lo que dura un criollo bien cuidado». Ver: *Jodedor.*

CRISANTO. *Ser Crisanto Buena Gente.* Ser buena gente. «Él es, sin lugar a dudas, Crisanto Buena Gente». (Es cubanismo de la Cuba de hoy.)

CRISTAL.ES. Espejuelos. «Tengo que mandarme a hacer unos cristales». (Lenguaje del chuchero. Ver: *chuchero.*) *Estar como la Cristal y Martí.* Llevarse bien con todos. «Yo siempre estoy como la Cristal y Martí». (Este es un cubanismo irreverente. La Cristal es una cerveza y Martí el apóstol cubano. El cubanismo se basa en que ambos le gustan mucho al pueblo cubano.) *Tener quijada de cristal.* Tener tejado de vidrio. «Deberías callarte que tienes quijada de cristal». (La quijada de cristal en términos de boxeo es quijada débil.)» Ver: *Muñequita y Pepa.*

CRISTALERÍA. Ver: *Elefantes.*

CRISTIANOS. Ver: *Demonios.*

CRÓNICA. *Disparar una crónica de Cófiñi.* Escribir algo muy cursi. «En esa novela disparaste algo de Cófiñi». («Cófiñy» un famoso cronista social, escribía muy cursi. De aquí el cubanismo.)

CRONÓMETRO. *Romper alguien el cronómetro.* Romper el récord. «El automóvil de Fangio rompió el cronómetro».

CROQUETA. *Una croqueta con primer piso y mezzanine.* Una croqueta entre dos galletas. «Cantinero, dame una croqueta con primer piso y mezzanine». Sinónimos: *Coco. Tener una croqueta en el coco. Tener una croqueta quemada en el cerebro.*

CROQUINOL. Estilo de pelo llamado «permanente» en español. «Ese croquinol te queda muy bien». (Está el cubanismo tomado de la palabra inglesa.) *Hacerle a alguien el croquinol.* 1. Derrotar. «En el juego de dominó le hicieron el croquinol al grupo del barrio de Cayo Hueso». 2. Eliminar. «En la junta de accionistas le hicieron el croquinol. No tiene ya ni un centavo». 3. Matarlo. «Apareció en el solar. De madrugada le hicieron el croquinol».

CRUCETA. 1. Hombre malvado. «Todo el mundo dice que ese hombre es una cruceta». 2. Tipo de cuchillas que se usa en las cometas, en forma de cruz, para cortar el cometa del contrario. «Cuidado no te cortes al poner a la cruceta en el rabo». Sinónimos: *Calle. Estar en calle y cruceta.*

CRUJÍA. Hambre. «Pasó años con una crujía espantosa».[28]

CRUSELLAS. *Estar alguien con Crusellas anunciando Pirey.* Estar muerto. «Mi pobre primo está con Crusella anunciando Pirey». («Crusellas» era una compañía de jabones y cosméticos, detergentes, etc. de Cuba. «Dar Pirey» quiere decir «matar». De ahí el cubanismo.)Ver: *Colonia. Folletín. Hiel. Pelar al moñito.*

CRUZ. *Hacer la cruz.* Hacer la primera venta de por la mañana. «Con un perfume hice la cruz». *Ser alguien de la Cruz Roja.* Se le dice a la persona que se queja continuamente de que lo hieren con todo lo que le dicen: «Chico, cállate. Eres de la Cruz Roja».

CRUZACABLE. *Por cuestión de cruzacable.* Por estar loco. «Lo hizo por cuestión de cruzacable».

CUÁCARA. *Cuácara con cuácara.* Cuarenta y cuatro. «Voy a cumplir cuácara con cuácara».

CUADRADITO. Perfecto. «Ese artículo está cuadradito». Ver: *Redondo.*

CUADRADO. *Estar cuadrado.* Estar muy relacionado. «Él está cuadrado con el gobierno». *Quedar algo al cuadrado o al cuadradito.* No faltarle ni sobrarle nada. «Ese trabajo quedó al cuadrado o al cuadradito». También ser destruido o aniquilado. «Esa tropa enemiga quedó al cuadrado o al cuadradito». *Ser un cuadrado.* En la Cuba de hoy es ser un dogmático comunista. «Ése es un cuadrado». «¡Qué hombre más cuadrado ese!»

CUADRAS. *¿Cuántas cuadras te costó?* ¿De dónde te lo robaste? La frase lo que implica es lo siguiente: que el objeto fue robado y que el individuo corrió varias cuadras con la policía detrás».

CUADRE. *Tirar un cuadre.* Dejar al contrario sin oportunidades. «Trató de cogerme la delantera en el negocio, pero le tiré un cuadre». (El cubanismo viene del juego de billar. «Tirar un cuadre» es dejar las bolas de cierta manera que el contrario no tiene jugada.)

CUADRITO. Ver: *Sangre.*

CUADRO. Aspecto que ofrece un problema. «La economía va de mal en peor. Ése es el cuadro que afrontamos». *¿Cuál es tu cuadro?* Cuál es tu problema. «¡Qué cara tienes! ¿Cuál es tu cuadro?» Sinónimos: *¿Cuál es tu trova? ¿Cuál es tu trueque? Estar cerrado el cuadro.* No haber esperanzas, o solución. «En este momento está cerrado el cuadro». «Para nosotros, en largo rato, está cerrado el cuadro». (Viene de la pelota, cuando la primera, segunda y tercera, así como el «short-stop», se acercan al bateador para evitar que toque la bola, se dice que «está cerrado el cuadro».) También significa que la situación está mala. «Ahí, en lo de la enfermedad, el cuadro está cerrado, ¿no?» *Enfocar el cuadro.* Analizar el problema. «El primer paso es enfocar el cuadro». *Ya está pintado el cuadro.* Ya está todo preparado. «No te pongas nervioso. Ya está pintado el cuadro». (Lenguaje cubano de la Cuba de hoy.

---

[28] Es castizo en el sentido de padecer trabajos, miserias o males de alguna duración, pero en Cuba ha tomado el significado de hambre. Como trabajo y padecimiento he oído en Cuba, «crujida» que Manuel C. Lasseta, en *Aportaciones al estudio del lenguaje colonial galdosiano*, Madrid, 2974, pág. 46, da como español coloquial de la Península.

Lo han traído al exilio los cubanos llegados en 1980 por el puente marítimo Mariel-Cayo Hueso-Miami.) Ver: *Mono.*

CUAJÁ. *De una cuajá.* De una sola vez. «Hice la cosa de una cuajá». (Forma que el pueblo pronuncia «cuajada». Es lenguaje campesino avecinado en toda la República.)

CUAJAR. Integrarse. «Cuando no cuajé con ellos me pusieron en la cárcel». (Lenguaje de la Cuba de hoy.) *No cuajarle algo a alguien.* No acabar de dársele, de salir bien. «Ese negocio con Pedro no me cuaja. Tengo que esperar». (Dársele.) «El negocio es bueno pero no acaba de cuajar». « (De salir bien.)

CUAJO. *Estar en el cuajo.* Estar en el quid de la cosa. «No te impacientes. Yo estoy en el cuajo». Sinónimos: *Estar en el ajo.* Estar en el «inside». (El cubano lo pronuncia «insaid». Que significa «adentro».)

CUALQUIERA. *Cualquiera por descansar se sienta.* Cualquiera hace lo menos que tú te esperas. «El se dio a la bebida. Me pregunté cómo podía ser posible. Me acordé de lo que me dijo mamá: Cualquiera por descansar se sienta».

CUANDOS. (Los) Ver: *Pacíficos.*

CUARENTA. *Estar a cuarenta iguales.* Estar empatado. «Creíste que me derrotarías, pero ahora estamos a cuarenta iguales». *Ponerle a alguien un jit pareid de los cuarentas.* Sacarle cosas de atrás. «Temblaba como un azogado cuando le puse un jit pareid del cuarenta. (En los años cuarenta —1940— y los siguientes estuvo de moda un programa llamado: *Hit Parade* que el cubano pronuncia como lo he escrito, que consistía en las diez canciones más populares del momento. De ahí nace el cubanismo.) *Valer alguien cuarenta y cordeles.* Valer mucho. «El matemático que te presenté vale cuarenta y cordeles».

CUARESMA. Ver: *Muchachos.*

CUARTEL. Ver: *Hijo.*

CUARTERIA. Ver: *Ciudadela.*

CUARTERONA. Mulata. «Ésa es una cuarterona». (En términos más científicos se le llama así a la mujer o al hombre —cuarterón — que tiene un cuarto de sagre negra.)

CUARTETO. El número cuatro en el dominó. «Ganó con el cuarteto».

CUARTILLO. Veinte centavos. «Dame un cuartillo de plátanos».

CUARTITO. *El cuartito está igualito.* Todo sigue igual. Nada ha cambiado. «¿Cómo están las cosas por allá? —El cuartito está igualito». (El cubanismo nace de una canción cuya letra dice: «*El cuartito está igualito, como tú lo dejaste, la luz a medio tono, la cortina bajita*»...)

CUARTO. *Cuarto famba.* Culo. «¡Qué cuarto famba el de esa mulata!» (Este es un cubanismo de origen africano. «El cuarto famba» es un cuarto oscuro donde se celebran ceremonias cuando se inicia a un ñáñigo, es decir al creyente de esta secta religiosa africana radicada en Cuba.) Sinónimos: *Atrile. Cajón. Imán. Promontorio de Popa. Volumen de Carlota. El otro cuarto se alquila.* Éste es igual que éste. «Mi hijo es muy vago pero el otro cuarto se alquila». (Se usa el cubanismo cuando hay más de dos personas reunidas y se le achaca el defecto a una que también tiene otra.) *En el último cuarto hay son.* En el fondo de todo hay una alegría. «A pesar de mi tristeza te digo que en el último cuarto hay son». (El cubanismo nace con una poesía del mismo título de Francisco Vianello.) *Estar en el último cuarto de milla.* Estar al morirse. «A los sesenta y cinco se está en el último cuarto de milla». Sinónimo: *Estar corriendo los últimos furlones.* (Ambos son cubanismos del exilio.) *Poner un cuarto a una mujer.* Ponerse a vivir con una mujer. «Juan le puso cuarto a Lola». (La gente pobre cuando se ponían a vivir con una mujer alquilaban un cuarto. De ahí el cubanismo.) Ver: *Pollo. Ponerle a alguien un cuarto.* Ponerse a vivir en concubinato. «Pedro le puso un cuarto a la mulata». *Vete a que te pongan un cuarto.* Vete al carajo. «Me contestó mal y le dije: Vete a que te pongan un cuarto». *Tener el cuarto que parece la cueva del Klu Klu Klan.* Tener el cuarto muy regado. «He regañado a mi hijo porque tiene el cuarto que parece la cueva del Klu Klu Klan». (El cubanismo nació en el exilio. El Klu Klux Klan es una secta de fanáticos que linchaban a los negros en los Estados Unidos. El cubano dice Klu.) *Tener un cuarto en el solar del muerto parado.* Ser de baja extracción social. «Ése tiene un cuarto, a pesar de lo que diga, en el solar del muerto parado».

CUATRERO. El número cuatro en el dominó.

CUATRO. *Cuatro mechas.* Se le dice al que tiene poco pelo. «Por ahí va cuatro mechas». Sinónimo: *Tener cuatro mechas. Cuatro esquinas.* Un automóvil viejo, que se está cayendo a pedazos. «Me compré este cuatro esquinas para coger las piezas». Sinónimo: *Cuatro vientos.* Automóvil viejo y destartalado. «Éste es mi cuatro vientos». Sinónimos: *Batavia. Fotingo. Cuatro de septiembre.* Nombre de un dulce de cuatro colores. «Me comí un cuatro de septiembre». *Cuatro para él es multitud.* 1. Es un exagerado. «No le hagas caso: cuatro para él es multitud». 2. Todo lo asusta. «Muchacho, le hablé, pero tú sabes que para él cuatro es una multitud, y nada resultó». *Estar parado en las cuatro esquinas.* Estar vigilando. «Deja que haga un movimiento. Yo estoy parado en las cuatro esquinas». *Para verlo hay que ponerse en cuatro patas.* Adularlo mucho. «A él, para verlo, hay que ponerse en cuatro patas». *Todo lo que tenga cuatro ruedas camina.* Se contesta cuando alguien dice que algo es imposible. «Mi mujer me engañó». «—¡Imposible!» «Pedro, todo lo que tenga cuatro ruedas camina». Ver: *Guagüero. Palote. Y cuatro setenta y cinco que ya se me había olvidado.* Y algo más. «¿Cuánto es? ¿Cinco pesos? —Y cuatro setenta y cinco que ya se me había olvidado». (El cubanismo es la letra de una canción.)

CUATROBOCAS. Cañones de cuatro piezas. «En el litoral han instalado cuatrobocas».

CUATROCIENTOS. *Batear de cuatrocientos en la liga de los pesados.* Ser muy antipático. «Elio batea de cuatrocientos en la liga de los pesados». (En el juego de pelota el que tiene de promedio cuatrocientos tirandole a la bola es un gran pelotero. De aquí el cubanismo.) Sinónimo: *Chorro de plomo.* («Plomo» según Seco es madrileño.)

CUBA. *¡Ay, Cuba, tus hijos lloran!* 1. Latiguillo lingüístico, que quiere decir: ¡Pobre Cuba! y que se usa cada vez que Cuba tiene un problema. «Hubo un atentado en la esquina. ¡Ay, Cuba, tus hijos lloran!» 2. ¡Qué mala está la cosa! «¿Viste el cambio presidencial? ¡Ay, Cuba, tus hijos lloran!» *Cuba libre.* Bebida que se prepara con ron y coca-cola. Sinónimo: *Mentirita. La Cuba cimarrona.* La Cuba que no se rinde. «Yo pertenezco a la Cuba cimarrona». («Cimarrón» era el esclavo que huía.) Ver: *País.*

CUBANA. *De linda cubana.* De porque sí. «Quiere que le regale el carro de linda cubana». *Ser cubana de Marianao.* Ser una mujer una chusma. «Ésa es cubana de Marianao». Sinónimos: *Carne. Ser cubana de chica ven acá.*

CUBANAZO. 1. Cubano, franco y abierto. «Me gusta Pedro porque es un verdadero cubanazo». 2. Cubano que reúne las cualidades de la raza. «Ese muchacho es un cubanazo». 3. Un cubano por los siete costados. «Mi padre era un cubanazo».

CUBANEO. 1. Alegría. 2. Democracia en las relaciones humanas. 3. Fiesta. 4. Forma de ser del cubano caracterizada por una gran actitud democrática en el trato social. (La conversación da el significado.) «Prefieren vivir en el barrio por el cubaneo que hay. ¡Qué alegría!» (Alegría) «Me encanta el cubaneo como trato». (Democracia.) «En cuanto la vi con el cubaneo me di cuenta de dónde era».

CUBANERÍA. Cosas del cubano. «Eso es una cubanería». *La cubanería.* Forma despreocupada y bromista de ser del cubano. «A mí me gusta la cubanería».

CUBANIDAD. *Dame cubanidad.* Dame amor. «No me maltrates. Dame cubanidad». *Ponme cubanidad.* Ponme un disco de amor. «Ese disco no me gusta, ponme cubanidad». (Es un cubanismo casi desaparecido. Se basa en la frase del Dr. Ramón Grau San Martín, presidente de Cuba, ya desaparecido. El partido que él lidereaba era, según él, el «partido de la cubanidad» y la «cubanidad» era «amor».)

CUBANO. *Cubano de medallón.* Cubano de baja categoría social. «Está muy disgustada. La hija está saliendo con un cubano medallón». (El cubano de baja clase social lleva un gran medallón al cuello. De ahí el cubanismo.) *Es más cubano que un boniato.* Es cubano raigal. «Este exiliado es más cubano que un boniato». Ver: *Aspiazo. Estar como los cubanos: Relocalizados.* Abandonar la señora legítima e irse con otra. «Pero está como los cubanos: Relocalizados». (Cuando los cubanos llegaban a Miami, a principios del destierro, los relocalizaba el gobierno norteamericano, los mandaban a trabajar a otras partes del país. De aquí el cubanismo.) *Los cubanos son un balón.* (Porque se elevan, porque progresan.) «Todos los cubanos somos un balón». (Forma de hablar que muestra su genio lingüístico.) *No ser cubano de palomilla y congrí.* No ser un cubano raigal. «Todos esos políticos no son cubanos de palomilla y congrí». («La palomilla» es un bistek que el cubano come mucho. «El congrí» es un plato a base de arroz con frijoles negros, o colorado.) Ver: *Mejicanos.*

CUBICHE. Cubano. «Es un orgullo ser un cubiche». «Yo soy cubiche ciento por ciento». Sinónimo: *Criollo reyoyo.* «Juan es un cubiche de verdad».

CUBICHISMO. Criollismo cubano. «Ese cuadro está lleno de cubichismo».

CUBICHÓN. 1. Cubano. «Ese es un cubichón». 2. Término despectivo contra el cubano, que usan algunos cubanos exiliados que llegaron a Estados Unidos de jóvenes, o usado en el exilio por los hijos de los cubanos al referirse a los cubanos en general.

CUBIERTA. *Ser una mujer una cubierta de una caja de fósforos*. Ser muy bella. «Ella es una cubierta de una caja de fósforos». Sinónimos: *Estar que corta. Romper de un peo un corojo. Ser un plantazo.*

CUBILETE. *El cubilete dirigente*. El grupo dirigente. «Él es del cubilete dirigente de este gobierno».

CUBISILINA. *Ponerse un cubisilina.* Irse para Miami para disfrutar del ambiente cubano y llenarse de Cuba. «Este verano me voy a poner una cubisilina». (Miami es el punto de convergencia de todos los exiliados cubanos. Hay en esta ciudad de Florida, Estados Unidos, medio millón de cubanos exiliados. «*Cubisilina*» viene de «penisilina».)

CUBO. *A cubos.* A pastos. «Hacen tonterías a cubos». *Come en cubo.* Persona que come mucho. «Ese gordo es un come en cubo». *Dar la patada al cubo.* Fracasar. «Con lo que hiciste le diste la patada al cubo». *Meter la cabeza en un cubo.* Avergonzarse del fracaso. «Tú lo que tienes que hacer es meter la cabeza en un cubo». *Pegar hasta con el cubo.* Darle a alguien con todos los medios disponibles. «Al hombre le pegaron hasta con el cubo». (El cubanismo se originó en el boxeo, donde hay un cubo con hielo que se pasa por los hematomas del boxeador.) Sinónimo: *Pegar con el último invento. Regarse como un cubo de agua.* Enfadarse y decir miles de improperios. «Cuando me ofendió me regué como un cubo de agua». Sinónimo: *Botarse. Virar el cubo e salcocho.* Vomitar. «Comí tanto que viré el cubo e salcocho». («e» es «de». La «d» está aspirada. Cubanismo de la Cuba de hoy.) Ver: *Mula. Vaca.*

CÚCALA. *Cúcala que le encuentras.* Tócala que se pone en erección. Se le dice en tono de intimidad, a una mujer. (Está tomado el cubanismo de una canción cubana muy popular.) «Vamos, cúcala que la encuentras».

CUCARACHA. 1. Automóvil pequeño. «No te vayas a comprar la cucaracha ésa». 2. Cobarde. «No seas cucaracha». 3. Persona que no vale nada. «Ése es un cucaracha. No le hace favores a nadie». *Con qué culo se sienta la cucaracha.* Se dice a la persona que afirma que va a hacer algo para indicarle que no puede. «Voy a comprarme un automóvil. —¿Con qué culo se sienta la cucaracha?» (Este refrán ha sido recopilado en sus *Refranes negros* por la investigadora cubana Lydia Cabrera.) *Estar alguien hecho una cucaracha o un cucarachón.* No comportarse como un buen amigo. «No le pidas nada. Está hecho un cucaracha». (O un cucarachón.) Equivale al castizo: *Ser un fulastre. Estar como la cucarachita Martina.* 1. No saber qué hacer. «Juan, decídete, que estás como la cucarachita Martina». 2. Soñar y no poder realizar el sueño. «Mi pobre hermana está como la cucarachita Martina». (Se basa el cubanismo en el cuento infantil: *La Cucarachita Martina.*) *Estar de cucaracha en fiesta de gallina.* Estar fuera de grupo. «Yo no me voy a la fiesta de esa gente porque estaría como una cucaracha en fiesta de gallina». *No creer que porque la cucaracha pasee por el Malecón sea turista.* Lo dice el que se considera hombre de pelo en pecho. «Le haré frente que yo no creo que porque la cucaracha pasee el Malecón sea turista». Sinónimo: *No creer que porque los mosquitos vuelen sean aeroplanos. Saber alguien más que la cucarachita Martina.* Saber mucho. «No creas que lo engañas. Sabe más que la cucarachita Martina». *Saber más que las cucarachas.* Saber mucho. «No podrás engañarlo, sabe más que las cucarachas». *Ser alguien una cucaracha.* 1. Corte de pelo mal dado por el barbero. «Tu barbero es muy malo, te ha dejado la cabeza llena de cucarachas». 2. Ser una persona que no vale nada. «Juan es un cucaracha». «Tú eres una cucaracha. No quiero nada contigo». 3. Ser un cobarde. «Eres una cucaracha, ¿cómo te has dejado decir todas esas cosas?» Sinónimo: *Ser Meao (meado) de perro. Ser una persona como las cucarachas.* 1.

Salir sólo de noche. «Ese individuo es como las cucarachas». 2. Ser muy activa. «Esa mujer es como la cucaracha». *Ser tres cucarachitas y un grillo.* Ser pocas personas. «En la reunión éramos tres cucarachitas y un grillo». *¡Tremenda cucaracha!* ¡Estar a la cabeza de los que no valen nada! «Ahí viene Juan. ¡Tremenda cucaracha!» O de los que no hacen un favor. «No le pidas nada. ¡Tremenda cucaracha!» Ser una mujer la cucaracha Martina. Tener mucho colorete. «Mira a Juana. Es la cucaracha Martina». (En el cuento de Callejas, la cucaracha o cucarachita Martina, se echa mucho colorete. De ahí el cubanismo.) Ver: *Jicotea.*

CUCARACHITA. El clítoris. «Le vi la cucarachita a la vecina». *Estar como la cucarachita Martina.* Estar indeciso. «Hoy estoy como la cucarachita Martina». (En el cuento de Callejas, la Cucarachita Martina, se encontró cinco centavos y no sabía qué hacer con ellos.) *Ser una cucarachita, cucarachón.* No valer nada. «Ese hombre es un cucarachita, cucarachón».

CUCAS. Pesos. «Eso vale veinte cucas».

CUCHARA. Boca. «Ese hombre tiene una cuchara enorme». *Cada uno come con la cuchara que le corresponde.* Cada uno hace las cosas según su naturaleza. (Se oye esto preferentemente en el campo.) «Déjalo, tiene que ir a la cárcel. Cada uno come con la cuchara que le corresponde». *Meterle mano a la cuchara.* Hacerse un aborto. «Ayer fue al médico y le metió mano a la cuchara. Tenía tres meses». (El cubanismo se refiere a que un instrumento para hacer los abortos tiene forma de cuchara.)

CUCHARADA. *Lo tuyo es como la cucharada blanca.* Se dice a esas personas que de cuando en cuando viene con lo mismo».Ya te dije que no. Lo tuyo es como la cuchara blanca». (A los niños les recetaban siempre cucharada para los catarros y enfermedades del estómago y eran blancas. De ahí el cubanismo.) *Tomar hasta la última cucharada del caldito.* Disfrutar de algo hasta el final. «En ese baile me tomé hasta la última cucharada del caldito».

CUCHARADITA. Ver: *Bacalao.*

CUCHARETA. Que se mete en todo. «Qué mal me cae ese cuchareta». *Meter la cuchareta.* 1. Entrometerse. «Tú no tienes que meter la cuchareta». 2. Meterse en algo, ya sea conversación, plan, etc. sin estar invitado. «Te ruego que nos dejes solo y no metas la cuchareta».

CUCHARITA. Persona que está en un puesto muy importante pero no manda. «El presidente es un cucharita». (La cucharita «ni pincha ni corta» es decir que no hace nada.)

CUCHARÓN. ¡Mi amor! «Te amo, cucharón». *Partirle a una mujer el cucharón.* Desvirgarla. «A esa pobre no sólo le partieron el cucharón sino que la embarazaron». En la oración: Me partes el cucharón, significa: «¡Cómo me gustas! Muchacha, me partes el cucharón». Ver: *Cucharadita.*

CUCHICUCHI. Mi amor. «¿Qué dice mi cuchicuchi?» *Cuchicuchi, bueno palo.* Forma de saludar a una mujer liviana. «Cuchicuchi, bueno palo, ¿cómo estás hoy?» («Palo» es el acto de fornicar.) Ver: *Cigüeña.*

CUCHILLA. *Buscar cuchillo para el pescuezo.* Trabajar para el propio mal de uno. «Está buscando cuchilla para su pescuezo». *Estar como una cuchilla «gillete».* Estar muy preparado en cualquier área. «En matemáticas estoy como una cuchilla gillete». (Es decir, estar que corta, es estar muy preparado. Gillete era una cuchilla de afeitar muy popular en Cuba.) También lo he oído como: No me molestes que estoy de mal humor. «Mira, Pedro, vuelve mañana que estoy como una cuchilla gillete». *Salir con la cuchilla (o cuchillo) en los dientes y la chancleta en el dedo gordo.* Salir a la calle dispuesto a todo. «Hoy lo consigo. Salgo con el cuchillo en los dientes y la chancleta en el dedo gordo». *Ser una cuchilla.* Ser muy inteligente. «Juan es un cuchilla. No se le escapa nada». Ver: *Piedra.*

CUCU. *Estar alguien en el Cucu Hospital.* Estar loco. «A Juan lo recluyeron en el Cucu Hospital». (Es cubanismo del exilio, viene del título de una película famosa.) Ver: *Hospital.*

CUCUBAITO. Ese sujeto. «¿Qué se cree el cucubaíto ese?»

CUCUFATE. Persona que no vale nada. «Ese médico es cucufate». Se oye mucho «*negrito cucufate*». Sinónimo: *Ser un ñacaecoco.*

CUCÚN. *Hacer cucún.* Hacer caca. «Me perdonan, voy a hacer cucún». «Tengo ganas de hacer cucún». (Es término eufemístico, y además, para hacerse el gracioso el que tiene la necesidad.)

CUCUSITO. Expresión de cariño. «¡Claro que te quiero cucusito!» «¿Qué dice mi cucusito?» («Querido» «Mi amor», «mi cielo», «mi niño bueno».)

CUELLO. *Blanquito de cuello duro.* Ver: *Blanquito. Haber cuello de botella.* Haber congestión del tráfico. «En las calles de arriba hay cuello de botella». (Lenguaje de la Cuba de hoy.) *Tirarse un peo por el cuello.* Ver: *Peo.*

CUENTA. *Las cuentas claras y el chocolate a la española.* Vamos a decir las cosas como son sin ocultar nada. «Conmigo, las cuentas claras y el chocolate a la española». (Este cubanismo está basado en el lema comercial del «Chocolate La Española», una industria de chocolate cubana.) *No tener cuentas el rosario.* No valer algo nada. «Ese rosario no tiene cuentas». (Cubanismo culto.) *Tráeme la cuenta y la policía.* Frase jocosa que se dice en los restaurantes cuando se va a pagar la cuenta. Sinónimo: *La Dolorosa.*

CUENTAMILLA. Poner cuentamilla. Sofrenar a alguien. «Estoy cansado de que cuando hablo me pongas cuentamilla».

CUENTAVIDA. (El) El reloj. «Este cuentavida es suizo». (Lenguaje del chuchero. Ver: *chuchero.*)

CUENTO. *Cuento chino.* Mentira. «No me vengas con ese cuento chino». Sinónimos: *Cuento de Manila. Cuento de Chocolate.* (Nace el cubanismo de los cuentos de Callejas que traían las distintas marcas de chocolate.) *Cuentos de Quevedo.* Cuentos sucios. «Hágame un cuento de Quevedo». *Cuento de Velorio.* Chiste de doble sentido. «Eso es un cuento de velorio». (En los velorios se hacen cuentos y chistes para matar el tiempo. De ahí el cubanismo.) *Ser el cuento de la maleta.* Cuando se ve a dos personas muy obesas que no se sabe cómo pueden tener relaciones sexuales o carnales decimos: «Ése es el cuento de la maleta». «Mira esos obesos, ¿cómo tendrán relaciones sexuales?» «—Eso es el cuento de la maleta». *Ser el cuento es ver cómo le entra el agua al coco.* Lo importante es averiguar el quid de la cosa. «No me vengas con rodeos. El cuento es ver cómo le entra el agua al coco». *Ser un cuento papití.* Es un cuento para tontos. «No me engañas. Eso que me haces es un cuento papití». (Es lenguaje de la Cuba de hoy.) *Ser algo un cuento de chino manila.*

Ser una gran mentira. «No te creo porque eso es un cuento de chino manila». *Vivir del cuento.* Vivir sin trabajar. «Ese vive del cuento».

CUERAZO. 1. Fornicación. «¡Qué cuerazo ése!» «¡Qué cuerazo más rico ése!» Sinónimos: *Cabillazo. Palo.* 2. Golpe espiritual. «El cuerazo, con la muerte de mamá, fue duro». *Dar un cuerazo.* Fornicar. Sinónimos: *Dar con el cabo del hacha. Dar un barillazo. Echar un cuerazo.* Acción de fornicar. «Ayer le eché un cuerazo a Manuela». Sinónimo: *Echar un palo. Podérsele dar a una mujer un cuerazo.* No ser la mujer muy fea. «A esa mujer se le puede dar un cuerazo. Tiene algo bonito».

CUERDA. *Acabarse la cuerda.* Parar. «Se le acabó la cuerda al orador». *Estirar la cuerda.* Tratar de vivir mucho. «Yo voy a estirar la cuerda lo antes posible». Ver: *Perro. Tener cuerda.* Saber aceptar bromas. «Él no se enoja. Tiene mucha cuerda». Sinónimos: *Tener tabla. Tener más tabla que un salvavidas.*

CUERO. (Los) 1. Los zapatos. «No te olvides de limpiarme los cueros». «Voy a darles brillo a los cueros». 2. Mujer delgada. «Esa mujer es un cuero. Debe alimentarse mal». 3. Mujer fea. «Yo no sé por qué ella salió tan cuero». 4. Prostituta. «Esa mujer es un cuero. Trabaja en la casa de prostitución que allanó ayer la policía». 5. Tambor. «Toca bien ese cuero». (Lenguaje del chuchero. Ver: *chuchero.*) *Cada uno hace de su cuero un tambor.* Cada persona hace lo que le da su real gana. «Déjame y no me des consejo. Cada uno hace de su cuero un tambor». *Cuero manío.* Persona de baja extracción social. «Todos ellos son cueros maníos». *Dar cuero.* Fornicar. *Darle al cuero.* Ser inteligente. «Esa gente no fracasan porque le dan al cuero». *Estar en cueros.* No saber nada. «En matemática está en cueros». *Los cueros.* Los tambores. «¡Qué cueros tiene esta orquesta!» *Partirse el cuero.* Trabajar. «Hoy tengo que partirme el cuero». *Pulir el cuero.* Trabajar duro. «Llevo dos años puliendo el cuero y sigo tan pobre como antes». *Romper el cuero.* Trabajar fuerte. «Desde niño me estoy rompiendo el cuero». *Ser algo un cuero.* Ser buenísimo. «Ese libro es un cuero». (Es un aumentativo psicológico. El cuero es duro y esto que es lo psicológico da el aumentativo.) *Ser una mujer un cuero.* Ser bellísima. *Sonar el cuero.* 1. Castigar. «A mi hijo le sueno el cuero a menudo». 2. Flagelar. «Le sonaron el cuero en la estación de policía». 3. Ir en marcha infantil. «El viene en toda la ruta sonando el cuero». 3. Tocar el bongó. «¡Qué bien ese hombre suena el cuero». 4. Sonar el tambor. «Vamos a sonar el cuero». (En Cuba, en su primera campaña electoral, el General Menocal, se oía esta cancioncita: *«Ahí viene el General, sonando el cuero».* Es decir, en marcha triunfal.) 5. Triunfar. «Es esta contienda, ahí viene Juan, sonando el cuero». *Sonar, alguien, el cuero al tambor.* Fastidiar. «Cállate que te has pasado el día sonándole el cuero al tambor». Ver: *Ojal. Taburete. Yerro.*

CUERPO. *Si tuviera tres cuerpos no le cabe la mierda.* No sirve para nada. *Tener una mujer un cuerpo de matrona.* Tener el cuerpo de una mujer madura: cuadrado y grueso. «Juana tiene un cuerpo de matrona».

CUESTIÓN. *Ser una cuestión de tín marín de dos pingües.* Ser cuestión de suerte. «El ganar ese premio es una cuestión de tín marín de dos pingües».

CUETO. Ver: *Ciro.*

CUEVA. El clítoris de la mujer. «¿A quién no le gusta la cueva?» *Cueva del humo.* Barrio de indigentes. «Vive en Cueva del Humo». También vivir en sitio malo.

«Vive, con todo su profesorado, en Cueva del Humo». *Echar en la cueva.* Perderle el dinero, al dueño de la casa de juego, intencionalmente. «Lo despidieron porque echó en la cueva y lo descubrieron». (Es lenguaje de las casas de juego.) Ver: *Llaga. Paraíso. Sal de la cueva cuá cuá.* 1. Complóceme. «Sal de la cueva cuá cuá y dame el dinero para ir al cine». 2. Revela tu secreto. «Sal de la cueva cuá cuá. Anda y dímelo todo». (La conversación da el significado. Viene el cubanismo de una canción popular.) Ser algo la cueva del Ku Klu Klán. Tener mal aspecto. «Este sitio era la cueva del Ku Klu Klán». (El cubanismo nació en el exilio. El Ku Klux Klan es una asociación secreta de blancos norteamericanos que linchaban o mataban a los negros.)

CUFO. Cárcel. «Juan está en el cufo por robo». (Lenguaje del chuchero. Ver: *Chuchero.*)

CUJE. Mujer fea. «Esa muchacha es un cuje». Sinónimos: *Estar para el tigre. Ser un fleje. Dar cuje.* 1. Castigar. «La madre le dió cuje al niño». 2. Fornicar. «Me pasé casi toda la noche dándole cuje a Carlota». Sinónimo: *Cuero. De ese monte ni un cuje.* Nada. «Me das lo que te pedí. —De ese monte ni un cuje». Sinónimo: *De esa mazorca ni un grano.* Se aplica a muchas situaciones dando la conversación el significado. «¡Como da cuje ese niño!» (Qué malcriado es ese niño.) ¡Cómo me dieron cuje en el trabajo! (Como me hicieron trabajar. *Ser un cuje.* 1. Atacar lleno de vitriolo. «Su lengua es un cuje». 2. Ser muy insistente. «Juan es un cuje preguntando». (Este cubanismo se aplica a diferentes situaciones. La conversación da el significado.)

CUJEADO. *Estar alguien muy cujeado.* 1. No amedrantarlo nada. «Esas críticas no me hacen daño. Yo estoy cujeado». 2. Tener mucha experiencia. «Juan triunfará en ese negocio. Está muy cujeado». «Yo estoy cujeado. Me estás mintiendo». Sinónimos: *Tener muchas horas de vuelo. Ser como las gomas Keli.* («Kelly» es la palabra inglesa. El lema de esas gomas es que «no le entran ni los tiros de las ametralladoras». Era el lema en Cuba, por supuesto. De ahí el cubanismo.)

CULAN. Ver: *Cullín.*

CULANTRILLO. 1. Apuro. «¡Qué culandrillo tienes!» 2. Persona muy nerviosa. «Ése es un culantrillo». *Tener culandrillo.* Tener apuro. «Tiene siempre un culantrillo que lo va a matar». Sinónimos: *Culillo. Tener culillo.*

CULANTRO. (El) El culo. «¡Qué culantro tiene ella!»

CULATA. 1. Bolsillo de atrás del pantalón. «Tiene la culata llena de dinero». 2. Culo grande. «¡Qué culata la de esa mulata!» Sinónimos: *Atrile. Cajón. Cuarto Famba. El Culeco. Inán. Promontorio de Popa. Volumen de Carlota.*

CULATEAR. 1. Cambiar de opinión. «¡Cómo culateaste hoy! Has sido un cobarde». 2. Dar marcha atrás a un vehículo. «Culatea ese camión, Juan».

CULEBRA. *Bailar la culebra.* Bailar inventando nuevos pasos. «¡Qué bien Juan baila la culebra!» Sinónimo: *Tirar pasillos.*

CULEBRILLA. 1. El papalote tiene culebrilla. Se dice cuando al cambiarlo (moverlo en el aire) hace como una culebrilla. «Ese papalote tiene culebrilla, ¡cómo cambia!» 2. Movimiento que hace la cometa cuando tiene contrapeso. «¡Qué culebrilla más bonita hace mi cometa!»

CULEBRÓN. Astuto. «Juan es un culebrón por eso le va bien en la vida».

CULECO. (El) El culo. «Me duele el culeco». Sinónimos: *Atrile. Culata. Cuarto Famba. Inán. Loma del Vigía. Ojete. Oribamba. Promontorio de Popa. Seven-up. (Siete) Volumen de Carlota. Estar culeco*. 1. Estar lleno de felicidad por algo. «Está culeco por su hija». 2. Estar muy enamorado. «El está culeco por ella desde que la vio».

CULECÓN. Persona que no vale nada como tal. «No te fijes en ese culecón que no te conviene». «Yo no quiero hablar con ese culecón».

CULICAGAO. *Ser alguien un culicagao.* Ser un mocoso. «Mi hijo es un culicagao. Por eso no lo dejo intervenir en nada». Niño aún. «No me contestes aunque tengas quince años. Tú eres un culicagao».

CULILLO. *Ser un culillo.* Se dice de una persona que siempre está apurada, que quiere las cosas enseguida e insiste continuamente para que se las den o hagan. «Domínate culillo. Nos pones a todos nerviosos». «Mi marido es para todo, mi amiga, como lo ves: un culillo». Sinónimo: *Ser Pepe Culillo.* Ver: *Cagafuergo. Culandrillo. Tener un culillo.* Estar muy apurado siempre. «Tiene un culillo que no vive».

CULIMAYA. Persona de baja posición social. «Ése es un culimaya».

CULÍN. *Estar la cosa de culín, culán.* Estar la cosa mala. «Con el último suceso la cosa está de culín, culán».

CULITO. (Un) Un poco. «El hizo un culito de café». *Bar culito.* Bar de baja categoría. «Yo no voy a ese bar culito». *Un culito discreto.* Pequeño. «Esa mujer tiene un culito discreto».

CULO. *Administrarse el culo.* Darlo un homosexual al que le convenga. «No, él no anda con cualquiera. Él se administra el culo». *Agua de culo.* Bebedizo. *Cogerse el culo con la puerta.* Corresponde a «ir por lana y salir trasquilado». «Vino a cogerme dinero, pero se cogió el culo con la puerta». *Con qué culo se sienta la cucaracha.* Ver: *Cucaracha. Culo de langosta.* Culo empinado. «Tú, culo de langosta». *Culo de negra.* Culo grande. «Las cubanas tenemos culo de negra». *Culo 'e plancha.* Se dice del que es lento al correr. «Efrén es culo 'e plancha». (El cubano aspira la «d» de «de» y dice «'e».) *Dar el culo.* Darlo todo. «En ese amor por ti he dado el culo». *Darle a alguien agua de culo.* Darle un bebedizo. «Esa mujer al pobre Pedrito le dio agua de culo. Por eso lo tiene dominado». *Darle el culo, de alguien, a la NASA.* Se dice de alguien que se tira muchos peos. «No me pude contener y le dije: «Voy a dar tu culo a la **NASA**». (La **NASA** es la agencia norteamericana que tira los cohetes al espacio para los viajes espaciales. Los cohetes llevan gases. Los peos son gases. He aquí el cubanismo.) *Darse alguien patadas por culo.* Creerse la gran cosa. «Mira que Juan se da patadas por culo». Sinónimo: *Tirarse el peo más alto que el culo. Dejar a alguien de culo en banda.* Dejarlo plantado. «Dejó a Juan de culo en banda». *Echar culo.* Engordar. «¡Cómo estás echando culo!» *El culo sólo da mierda y de vez en cuando un peo.* Se aplica a una persona para decir que no vale nada; y que toda acción que haga siempre será de baja categoría. «¿Qué tú podías esperar de él? No te quejes. El culo sólo da mierda y de vez en cuando un peo». *Fajarle el culo a una mujer.* Enamorarla. «Hace días que viene fajándole el culo a la mulata». *Hablar con el culo a través de los peos.* Haber sido obligado a ingerir palmacristi. «Ése es uno de los que hablan con el culo a través de los peos». (En un tiempo obligaron los gobiernos —mandato de facto de Fulgencio Batista y Zaldívar— a tomar palmacristi a los que hablaban mal del gobierno. «El palmacristi» era un laxante. El pueblo acuñó la frase que explicamos.) *Mirar a través del ojo del culo.* Se dice de la persona que siempre está espiando. «Cuidado que mira a través del ojo del culo». *No tener culo para algo.* No tener influencia. «Tú no puedes conseguir el puesto. Tú no tienes culo para eso». *Pegue o no pegue en el culo te pinto un pollo.* De todas maneras. «Te lo digo con respecto al impuesto. Va. Pegue o no pegue en el culo te pinto un pollo». *Picarle el culo a una mujer.* Tener ganas de acostarse con un hombre. «Yo te lo decía que a ella le picaba el culo. Los hechos lo han demostrado». *Poner a alguien a soplarles el culo a las gallinas.* Humillar. «El gobierno puso a los magistrados a soplarles el culo a las gallinas». *Poner una zapatería en el culo*». Cuando el muchacho rompió el jarrón me dio rabia y le puse una zapatería en el culo». *Ponerle a alguien un cohete en el culo.* Enojarlo. «Cuando me lo dijo me puso un cohete en el culo». *Qué se lo meta en el culo como el indio de Baracoa.* Que se vaya al carajo. «Si no me lo quiere prestar que se lo meta en el culo como el indio de Baracoa». *¿Qué tiene que ver el culo con la llovizna?* ¿Qué tendrá que ver una cosa con la otra? «Viejo, a eso que me cuentas te contesto: ¿Qué tendrá que ver el culo con la llovizna?» (Es una variante del castizo: *«¿Qué tendrá que ver los cojones con el comer?»* Viene del cuento del burro que comía trigo en el prado ajeno. Le llamaron la atención al hombre y le dijo: Pero si no es burro sino burra. A lo que el dueño del prado contestó: «Qué tiene que ver los cojones con el trigo?» *¿Qué tendrá que ver el culo con la témpora?* Qué tiene que ver una cosa con la otra. «No, no, eso no es así. ¿Qué tiene que ver el culo con la témpora?» *Quedar algo en el culo del perro.* Quedar algo lejos. «¿Cuándo llegaremos? Esa ciudad queda en el culo del perro». *Rascarse el culo como los monos.* Estar sin trabajar; de holgazán. «Ése toda su vida se ha estado rascando el culo como los monos». *Ser alguien un culo oficial.* Ser estúpido de lo que no hay remedio. «Pedro es un culo oficial». *Ser un culo e vaca.* Se dice del que no vale nada. «Tú no eres más que un culo e vaca». («E» es «de» pero el cubano aspira la «d».) *Ser un culo mal limpiado.* No vales nada una persona. «No hay dudas de que Oscar es un culo mal limpiado». *Tener ajíbobito (o ajíguaguao) en el culo.* 1. Estar muy apurado. 2. Ser muy activo. 3. Ser muy nervioso. (La conversación da el significado.) «Ése muchacho tiene ajíbobito (o ajíguaguao) en el culo. Fíjate qué apurado va». (1) «No para tiene ajíbobito en el culo». (3) *Tener culo de volsvagen.* Tener un trasero grande que nace desde la cintura. «Esa mujer tiene culo de volsvagen». (La palabra es «Volkswagen». Es el pequeño automóvil alemán. Cubanismo del exilio.) *Tener en el culo el cohete de la cotorra.* Ser muy activo. «Él tiene en el culo el cohete de la cotorra. No para». (El cubanismo se basa en un chiste: es el de la cotorra que gana la carrera porque alguien le puso un cohete en el culo.) *Tener en el culo una cueva de hormigas bravas.* Ser un superactivo. «Juan tiene en el culo una cueva de hormigas bravas. No duerme ni tranquilo». *Tener un culo que sabe a rosa.* Hacer del cuerpo sin mal olor. «Puedes entrar en el baño que yo tengo un culo que sabe a rosa. (Es de las más bajas clases sociales cubanas este cubanismo.) *Tener la mujer un culo como para invitarla a cagar en casa.* Tener un trasero muy bello. «Ella tiene un culo como para invitarla a cagar en casa. *Tener una mujer culo de hormiga brava.* Ser muy ardiente. «Esa mujer tiene culo de hormiga brava». Sinónimo: *Tener culo caliente. Tener una fiesta en el culo.* Tirarse muchos gases.

«Ése tiene una fiesta en el culo». (En las fiestas se tiran cohetes. De ahí el cubanismo pues «cohete» es «peo» en cubano.) *Tener una mujer el culo como un dirigible desinflado*. Se dice de una mujer que se ha puesto a dieta. «Juanita tiene el culo como un dirigible desinflado». Ver: *Ajos. Base. Botija. Buey. Capa. Cohete. Comemierda. Noche. Peo. Pliegue. Reguilete. Tabaco. Tenería. Tusa.*

CULPA. *La culpa de todo la tiene el totí*. Nadie tiene la culpa. «No culpes a nadie porque la culpa de todo la tiene el totí». («El totí» es un ave o pajarito negro cubano.)

CULPITA. *Yo no tengo la culpita ni tampoco la culpona*. Yo no tengo nada que ver con eso. «Mira, Pedro, yo no tengo la culpita ni tampoco la culpona». (El parte de la letra de «*La Chambelona*», el himno del Partido Liberal.)

CULPONA. Ver: *Culpita.*

CULTERO. Protestante. «¿Leíste el culto libro sobre los culteros?»

CULTIVAR. Cuidar. «Como cultiva el pelo». *Cultivar la mota.* Cuidar el pelo. «Yo no estoy calvo porque cultivo la mota». («La mota» es el pelo copioso que se deja a ambos lados de la cabeza. El cubanismo es de origen chuchero. Ver: *chuchero*.)

CULTURA. *Entrar alguien o estar en la cultura del «sanguich».* No cocinar. «Yo, desde que estoy en los Estados Unidos entré —o estoy— en la cultura del «sanguich». (Cubanismo nacido en el exilio. «Sanguich» es la pronunciación que el cubano le da a la palabra inglesa «Sandwich» o «emparedado».) *Tener alguien cultura de extreñimiento.* Se dice del que «puja su cultura a los demás». «¡Qué pesado! Tiene cultura de extreñimiento». («Puja» como el que tiene extreñimiento. De ahí el cubanismo.)

CULUM. *Del Culum al Culambito.* De la seca a la meca. «Estoy del culum al culambito».

CUMBÁN. *Meter un cumbán.* Dar una fiesta. «En casa de mi prima me metieron un tremendo cumbán». «Tremendo cumbán anoche en la casa de Lola». Fiesta. «Anoche fui a un buen cumbán. Comí y bebí mucho». Ver: *Cumbancha.*

CUMBANCHA. Diversión, fiesta, jolgorio. «Como te gusta la cumbancha».

CUMBANCHEAR. Divertirse. «Mira como cumbanchea esa gente».

CUMBANCHERO. El que le gusta divertirse y se divierte en grande. «Juan ha sido siempre un cumbanchero». «Mi tío, a pesar de sus años es un cumbanchero».

CUMBANCHOA. *Irse para cumbanchoa.* Irse de fiesta. «Juan no está. Se fue para cumbanchoa».

CUMBILA. Amigo. «Pedro es mi cúmbila».

CUMPLIDO. *Estar cumplido.* No importarle a nadie el morir. «Cuando me atacó con el revólver me defendí sin miedo porque como tú sabes, yo estoy cumplido».

CUNAGUA. Ver: *Central. Guajiro.*

CUNDANGO. 1. Cobarde. «No seas cundango. Diles, las cosas sin importarte las cosecuencias». 2. Homosexual. «Él es el único cundango en la larga historia de la familia». Ver: *Aceite. Chancletero.*

CUNDIAMOR. *Dale cundiamor.* Se dice del que está de mal humor. «Oye, a tu hermano dale cundiamor». (El cundiamor es una planta silvestre cubana que se dice actúa beneficiosamente sobre el hígado. Hay la creencia popular que el que está de mal humor está enfermo del hígado. De ahí el cubanismo.)

CUNYAYE. Trapiche. «Ese cunyaye muele bien». (Cubanismo camagüeyano. *Diario Las Américas*, 19 de junio de 1977, página 5B. Ver: Víctor Vega Ceballos. «*La tierra base de la cultura camagüeyana*».)

CUÑO.A. *Meter cuña.* Dividir. «He metido cuña entre el gobierno y la oposición». *Poderle poner el cuño.* Estar seguro. «A lo que te digo sobre esa herencia le puedes poner el cuño». Ver: *Regalías.*

CUPLÉ. *Estar en el último cuplé.* 1. Estar agonizando. «Juan está en el último cuplé». 2. Estar en las diez de últimas. «Juana está en el último cuplé». (El cubanismo está basado en la película española de Sarita Montiel: *El último cuplé.*) Ver: *Ultimo.*

CUPLETISTA. *Ser cupletista.* Se dice de la persona que tiene cara de sufrimiento. «Rosa es cupletista desde que nació. No le hagas caso». (Se oye mucho en el medio farandulero. Me explican que la que tiene cara de cupletista tiene, como dice la canción española: «*clavada dos cruces en el monte del olvido*». Y de ahí el cubanismo.)

CUQUEAR. Azuzar, provocar. «Te ruego que no me cuquees o no respondo de mí».

CUQUEO. (El) El cocinar. «En Estados Unidos aprendí el cuqueo». (Cubanismo del exilio nacido del verbo inglés «to cook» que significa «cocinar».)

CURA. *Ni por lo que dijo el cura.* Por nada del mundo. «Yo no hago eso ni por lo que dijo el cura». *Ser una cura de caballo.* Ser una cura bestial. «Lo que le has hecho es una cura de caballo. Lo vas a matar». Ver: *Huevos.*

CURAPIÉ. Zapatos suaves. «Esto, chico, es un curapié». Sinónimo: *Zapatos chinos.* (Los chinos hacían y usaban unos zapatos muy suaves. De aquí el cubanismo.)

CURIEL.A. 1. Aplícase a la mujer que tiene muchos hijos. «Ya lleva veinte hijos. Es una curiela». (La curiela tiene muchos hijos, de ahí el cubanismo.) 2. Se dice del que hace muchas cosas creativas. «Ese pintor es un curiel. Hizo cuatro cuadros más en un día».

CURITA. 1. Rellenos que se ponen las mujeres en los pechos. «No tiene senos; lo que tiene son curitas». 2. Trusas de las llamadas «bikinis» muy pequeñita. «Esa mujer tiene puesta una curita». 3. Vendaje. «Voy a ponerme esta curita en la herida». *Matar con curitas.* Remediarse una mujer sin senos con rellenos. «Ella mata con curitas». *No alcanzar ni para curitas.* Ser muy poco. «El dinero que tenemos no alcanza ni para curitas». *Poner a algo una curita.* Tomar medidas a medias. «A esa situación le has puesto una curita». *Ponerse una curita.* Andar con paños calientes. «En vez de hacer las cosas como son se puso una curita».

CURRACAR. Ver: *Izquierda.*

CURRALA. Trabajo. «No aguanto esta currala». (Lenguaje del chuchero. Ver: *chuchero.*)

CURRALAR. Trabajar. «Hay que curralar duro aquí». «Estoy curralando duro». (Es Andalusismo y el cubano cree que es cubanismo. Lo usa el chuchero. Ver: *Chuchero.*) Sinónimos: *Camellar. Doblar el lomo. Pegar. Pinchar.*

CURRICANEAR. Acción de dar curricán. «Los pescadores han estado curricaneando todas las noches». En general, tratando con maña de conseguir algo. «He estado curricaneando a Lola». (Puede ser para fornicarla; para conseguir otra cosa de ella, etc.) (El curricán es una carnada que se pone en la parte de atrás del barco de pesca para que la sigan los peces.)

CURRO. Persona de la raza blanca. «Te digo que no es mulato, que es curro».

CURRULAR. Trabajar. «Ayer currulé de lo lindo». (Lenguaje del chuchero. Ver: *chuchero.)*

CURSI. *Es tan cursi que se maquilla con pasta de dientes.* Ser extraordinariamente cursi. «Bueno ella es tan cursi que se maquilla con pasta de dientes».

CURSO. Ano. «Le dieron por el curso». (Es cubanismo campesino.)

CURUJAZO. *Darse un curujazo.* Tomarse una copa de coñac, de vino... «Me di un curujazo y me lo sentí en el alma».

CURUJEY.ES. 1. Años. «Me están cayendo los curujeyes». 2. Pelos. «Mi amigo es muy viejo y tiene curujeyes en las orejas». (Los curujeyes son unas plantas parásitas que les caen a los árboles en el bosque.) *Estarle saliendo a alguien los curujeyes.* Estarse poniendo viejo. «Tienes esos problemas porque te están saliendo los curujeyes». (Es lenguaje campesino avecinado en las villas y ciudades de la zona rural de Cuba.) *Tener el palo curujey.* Estar uno viejo. «Te digo que mi palo tiene curujey». También «haber gato encerrado». «En la muerte de Juan el palo tiene curujey». Igualmente tener una enfermedad. «Mira que delgado está. El palo tiene curujey». (El cubanismo es la letra de una canción.)

CURVA. *Tener algo la curva de Cantarrana.* Tener una curva muy pronunciada. «Esta cama tiene la curva de Cantarrana». («La Curva de Cantarrana» es una curva muy pronunciada. De ahí el cubanismo.)

CUSUBÉ. 1. Dulce. «Dame cinco centavos de cusubé». 2. Mi amor. «¿Cómo está mi cusubé?» Sinónimo: *Cuchicuchi.*

CUTÍCULA. *Dejársela a alguien en la cutícula.* No cumplir con él o ella lo prometido. «Dijo que se iba a casar con ella y se la dejó en la cutícula». «Le dije que me esperara a las nueve pero se la dejé en la cutícula». «Me dijo que me iba a dar el puesto pero me la dejó en la cutícula».

El chino de la charada

DA. *Es lo que le da.* Es lo que le llega al alma. «Eso que dices es lo que le da».

DADO. *Estar alguien como los dados.* Equivale al castizo: «Tener matraca», o sea, un vicio oculto, algo oculto. «No sé pero Juan está como los dados». Asimismo ser antipático. «Juan me cae mal porque siempre está como los dados». (Los dados están cargados, de aquí el significado del primer cubanismo. Los dados cargados son pesados. «Ser pesado» es «ser un antipático» de aquí el segundo significado.) *Estar todos los dados echados.* 1. No haber solución. «En Sudáfrica todos los dados están echados». 2. Poner todas las cartas sobre la mesa. «Ya yo eché todos los dados. Ya no doy un paso atrás». *Estar un dado ya echado.* No poderse dar marcha atrás en una situación. «Ahí no hay nada que hacer. Eso es un dado ya echado». *Manejar todos los dados.* Tener todas las cartas en la mano; tenerlo todo controlado. «Con él no se puede ganar en el negocio de las acciones de azúcar, porque maneja todos los dados».

DÁGAME. *Apuntar la flor del dágame.* Empezar a encanecer. «Elio, te está apuntando la flor del dágame». (Ver lo que sigue para la explicación.) *Estar como el dágame florecido.* Estar muy canoso. «Ya tú estás como un dágame florecido». *Ser un hombre dágame.* Ser poco falso. «Habla bombo, pero es como el dágame». (El «dágame» es un árbol que cuando florece da flores blancas y que tiene el tronco hueco. De ahí nacen estos cubanismos. Es lenguaje campesino avecinado en las villas y ciudades rurales cubanas.) Sinónimo: *Tener el tronco hueco como el dágame.*

DALE. *Dale que voy.* No hay quien me pare. «Juan, dale que voy. Adelante». («Dale que voy» es un grito que lanzan los integrantes de una conga cuando estan bailando.)

DALIA. Ver: *Colorante.*

DAMOS. Caballeros. «Voy a la Asociación de damas y damos». (Es un cubanismo festivo.)

DANIEL. *Estar como Daniel Santo.* No trabajar. «Ése está como Daniel Santo. Vive una vida muy buena». Sinónimo: *No poner una.*

DANTE. *Estar de Dante.* De primero, de triunfador. A la cabeza de algo. «En este negocio yo estoy de Dante». («Dante» es «bugarrón» en cubano. Y como éste da por culo, y el «dar por culo» es, en castizo, estar arriba; dominar la situación; estar a la cabeza, se originó el cubanismo.) Ver: *Bocacho. Bugarrón.*

DANZÓN. Baile. *Bailar un danzón sobre un ladrillo.* Ser muy astuto. «El baila un danzón sobre un ladrillo. Por eso ha ganado tanto dinero en la bolsa». Sinónimo: *Escapársele a Tamacún por debajo del turbante. Ser guao. Ser yaya. Escribir alguien danzones.* Ser muy activo. «Mira como se mueve. Ese hombre escribe danzones». (El cubanismo se usa comunmente en esta forma. Cuando alguien es muy activo se dice: «Ése debe escribir danzones». Cuando la otra persona con quien se habla pregunta, por qué, se le contesta: «Porque tiene un montuno que no para». El plural es lo más común aunque lo he oído repetidas veces en singular.) Sinónimo: *Tener un montuno que no para.* (El montuno es una tonada típica cubana.)

DANZONETE. Tipo de música cubana. «Me encanta el danzonete».

DAÑO. *Echar un daño.* Hacer daño a una persona mediante la brujería. «Yo creo que a ti te han echado un daño». *¿Qué daño le he hecho yo al mundo, caballeros?*» ¡Qué mala suerte tengo! «Te volvieron a suspender en álgebra. ¡Qué daño le he hecho yo al mundo, caballeros!» (El cubanismo que nació con un personaje de un programa de televisión se usa casi siempre en todo irónico y gracioso, como indicando que a uno no le importa mucho lo que ha pasado.)

DAR. Hacer algo muy bien. «El tipo indiscutiblemente que le da. ¡Qué bien toca el saxofón!» *Dar cranque.* Alentar con fines aviesos. «Le dio cranque con lo de la mujer y la asesinó». *Dar curricán.* Hacerle cobrar la confianza a una persona para atraparla o derrotarla cuando llegue el momento oportuno. «Le dio curricán y cuando el otro no esperaba nada le asestó el golpe definitivo». (El cubanismo viene del campo pesquero. Al pescado se le da curricán hasta que pica. El curricán es una cuerda con un anzuelo que se cuelga detrás de la embarcación y que el pescado sigue hasta que se decide a comer. Entonces cae en el anzuelo que oculta la comida.) Sinónimo: *Dar cordel. Dar cordel como al papalote.* (Tiene otro significado en cubano que en castizo.) *Dar de lado.* 1. Dejar a alguien fuera de una transacción o negocio. «En el asunto del comité me diste de lado». 2. Esquivar. «Me vio en la fiesta y me dio de lado». *Dar gangarria.* Hablar de cosas que a uno no le interesan. «Me tuvo la noche entera dando gangarria. Ya puedes suponerte cómo me aburrí». *Dar menos aceite que un ladrillo.* Ser muy agarrado. «Ése siempre ha dado menos aceite que un ladrillo y es la persona a la que tú le pides». Sinónimo: *Aserrín. Dar pirey.* Despedir, echar a alguien. «A Pedro la novia le dio Pirey». «Le dieron Pirey en el trabajo». (El cubanismo viene de un anuncio comercial de un detergente. Algunas veces se usa todo el lema y se dice: *Dar Pirey y fuerza blanca.* Con «darle» es «oler cocaína". «Le da al Pirey todas las tardes y tiene destruida la nariz». *Dar salticos de charquito en charquito.* Ser homosexual. «Ése no cabe duda que da salticos de charquito en charquito. Se le ve por encima de la ropa». Sinónimo: *Aceite. Dar un quién vive.* Sorprender. «Estaba en lo mejor de la faena el ladrón cuando le dieron un quién vive». *Dar un tablazo.* 1. Dar un golpe a alguien. «Ese hombre murió porque le dieron un tablazo». 2. Quebrar fraudulentamente. «Dio un tablazo y se alzó con los millones de los accionistas». 3. En la pelota darle fuerte a la bola. «Dio un tablazo pero se lo cogieron». *Dar una picada.* Coger con algún pretexto a alguien dinero que no se va a pagar. «Por ahí viene el individuo que el otro día me dio una picada». *Darle a donde le duele.* 1. Conocer la debilidad de alguien; saber cómo hablarle y tocarle la fibra del corazón. Se usa en muchos sentidos. «Lo venció porque le dio donde le dolía: su orgullo». (Le conocía la parte débil.) «Lo venció porque le dio donde le dolía: le habló bonito y le movió el sentimiento». (Supo tocarle las fibras del corazón.) 2. Tocarle el punto flaco. «Le di donde le duele a mi tía». *Darle en la yema.* Hacer las cosas muy bien. «A todo él le da en la yema». Sinónimos: *Darle a la pelota en la misma costura. Darle al perro en el hocico. Darle una mujer a un hombre un blumazo.* Hechizarlo. (Casi siempre con malas tácticas, es decir, permitiendo que el hombre la toque, pero sin llegar al acto carnal.) «Al segundo día de conocerlo le dio un blumazo y se enamoró. Está tan enamorado que quiere casarse mañana». *Darse coba.*[29] Arreglarse con mucho esmero antes de salir. «Siempre que da una coba que no se le ve la edad que tiene». *Darse lija.* Hacerse el que vale mucho. «Qué lija se da ese tipo». Sinónimo: *Darse escofina. Darse una Covadonga.* (Juego de palabras con Covadonga. «La Covadonga», era la clínica de salud del Centro Asturiano de La Habana. Allí restauraban la salud al que estaba enfermo como hace el que se «da coba» que restaura su belleza o mejora su aspecto personal.) *Darse un palo.* Tomarse un trago. «Todos los días antes de comer se da un palo». *Darse una puñalada.* Desfalcar. «La puñalada que se dio en el negocio es de miles de pesos». *Dársele a alguien una mujer.* Entregársele sexualmente. «Anoche se me dio. ¡Mira que me costó trabajo!» *Ese ni da ni dice dónde hay.* Ese no hace un favor. «No le pidas nada. Ése ni da ni dice dónde hay». *No dar ni decir donde hay.* Se dice de la persona con la que no se puede contar en lo absoluto. «Ni le hables, ¿tú no sabes que ese ni da ni dice donde hay?» *No dar ni los buenos días.* Se dice de la persona agarrada. «Ese no da ni los buenos días. Por eso no tiene un amigo». *Jorobita, Jorobita, lo que se da no se quita.* No te lo devuelvo. (El cubanismo se usa mucho entre los niños. Cuando uno de ellos quiere quitarle al otro lo que le dio, éste le contesta con el cubanismo.) Ver: *Aserrín. Fuego.*

DATA. Ver: *Marido.*

DAUN. Ver: *First. Touch.*

DAVEMPOR. *Ser alguien un «Davempor» cualquiera.* A última hora hacer difícil algo. «El es un Davempor cualquiera, en todo». («Davemport» era un jugador de pelota: base-ball, en Cuba. Nunca cogía la pelota que estaba en el aire fácil, sino que intencionalmente hacía la cogida difícil. El cubano no pronuncia la «t» de su nombre.)

DDT. Ver: *Chinche.*

DE A BUTI. Muchísimo. «¡Te quiero de a buti!» Ver: *Zaíno.*

DÉBIL. *Estar algo débil.* Haber de algo poco. «Los plátanos están débiles». (No hay plátanos.) Sinónimo: *Estar cobarde. Ser, un hombre, débil.* Ser homosexual. «Juan es débil. ¿No ves los gestos?» Sinónimo: *Tener una anemia perniciosa.*

---

[29] Seco lo da como habla de Madrid en su estudio de lenguaje de Arniches.

DEBILIDAD. *Tener debilidad en el traspatio.* Ser homosexual. «Elio tiene debilidad en el traspatio». Sinónimos: *Ser cargado de espalda. Estornudar por detrás.*

DECÁLOGO. El culo. «Tiene un decálogo que es una maravilla». Ver: *Bola.*

DÉCIMA. *Décima guajira.* Canto típico del campesino cubano. «Voy a cantar una décima guajira».

DECIR. *Decir hasta alma mía.* Decir todo tipo de improperios a una persona. «Me dijo hasta alma mía y eso que yo siempre había sido tan gentil con él». Sinónimos: *Decir hasta botija verde. Decir hasta del mal que va a morir. Dímelo cantando.* No. «¿Me prestas el automóvil? —Dímelo cantando». *¿Me dijiste?* ¿Qué? «Préstame cinco pesos. —¿Me dijiste?» (El cubanismo en el tono de voz que se diga indica que no se va a dar nada o que no se está de acuerdo con lo que a uno le dicen.) *¿Me lo dices o me lo preguntas?* Éste fue un latiguillo lingüístico. El cubano lo repetía continuamente, pero ha desaparecido. «Hace mucho frío. —¿Me lo dices o me lo preguntas?» *No decir ni chi.* No decir nada. «Le dije mil cosas y no dijo ni chi».

DEDAL. *Un dedal de café.* Un poco de café. «Sírveme un dedal de café». Ver: *Aguja.*

DEDO. *Cogerse el dedo con la puerta.* Fracasar. «Creyó que me iba a sorprender y coger el dinero, pero lo que se cogió fue el dedo con la puerta». Sinónimo: *Cogerse el culo con la puerta. Cuando el manco eche dedos.* Nunca. «Lo va a querer cuando el manco eche dedos». Sinónimo: *Cuando la rana críe pelos. Llenarle la cara de dedos.* Manotear. «En la discusión le llené la cara de dedos». *Meter el dedo donde no se debe.* Recibir un daño por hacer lo que no se debe. «Lo del golpe que te propinó el vecino te lo tienes bien merecido. Te pasó por meter el dedo donde no debes». *Meterse el dedo en la nariz y llegar hasta la sinusitis.* Meterse mucho el dedo en la nariz. «Muchacho, te estás metiendo el dedo en la nariz hasta la sinusitis. Cuando venga tu mamá se lo voy a decir para que te reprenda». *Quedar con el dedo gordo apuntando para el culo.* Fracasar. «Mi amigo, de eso tú no sabes. Yo sabía que quedabas con el dedo gordo apuntando para el culo». *Ser algo más difícil que meterse el dedo en el culo corriendo.* Ser dificilísimo. «Eso es más difícil que meterse el dedo en el culo corriendo».

DEFENDER. *Defenderse.* 1. No estar mal una persona como tipo. «Ella no es tan fea. Se defiende». 2. Sacar alguien para vivir en la vida o en un negocio. «Con el negocio me defiendo». *No me defiendas.* Cubanismo que se usa para indicar a alguien que no lo defienda a uno, porque la defensa, en realidad, está perjudicando. «Policía, él tiene sus defectos pero es un hombre bueno... ¡Eh, tú, no me defiendas!»

DEFENSA. Medio de subsistencia. «Menos mal que tiene una defensa porque si no se muere de hambre». *Partirle la defensa.* Derrotarlo. «Se creía la gran cosa pero le partí la defensa». (El término en Cuba viene del campo automovilístico, al parecer, porque se oye también en la pelota cuando se perfora el sistema defensivo de uno de los equipos.) Ver: *Comité.*

DEIT. *Un deit con todos los hierros.* Cubanismo del exilio que se dice cuando uno sale con una mujer, no como amigo, sino como «date», es decir, «interesado en ella». «Ten cuidado, él no la sacó de bueno. Eso es un deit con todos los hierros». (Este cubanismo «con todos los hierros» como se ve quiere decir también «de verdad». «Ese es un asesino con todos los hierros».)

DEJADO. Persona que se abandona en todo: apariencia personal; trabajo, o que a nada le pone atención. «No ves que sucio va, es un dejado». «Lo sacaron del teatro porque es un dejado. Hacía las cosas muy mal».

DEJAR. *Dejarse caer.* 1. Insinuarse. «A medida que avanzaba la conversación se dejó caer a ver qué pasaba». 2. No luchar contra los contratiempos. «Se dejó caer y terminó en eso que tú has visto». *Dejarse querer.* No decir ni sí ni no. «Yo lo único que hago es dejarme querer. Si me conviene lo que me proponen entonces tomaré una decisión». *Dejo de ser mío para ser tuyo.* Forma jocosa de ofrecerse. «Tú sabes Juan que yo dejo de ser mío para ser tuyo». Ver: *Engañar. Mirar.*

DELANTAL. Ver: *Mujer.*

DELANTE. Ver: *Atrás.*

DELANTERA. *Darle a alguien la delantera.* (En el matrimonio, referido a que un cónyuge está más joven que el otro.) «Oye, tu mujer te da la delantera, Pedro. Parece una niña».

DELICADO. Homosexual. «Ése es un delicado». Sinónimo: *Aceite. Meter el delicado.* Meter la pata. «Cada vez que hablas metes el delicado». Se dice también: *Meter el delicado pie.*

DELICIAS. *No querer con alguien ni «Las Delicias de Medina».* «Yo con ese no quiero ni las delicias de Medina. No me gusta ese hombre Micaela». (El cubanismo se basa en el nombre de un café muy popular en Cuba: «Las Delicias de Medina».)

DELINCUENTE. *Delincuente de la plaza.* Delincuente de la más baja estofa social. «Elio es un delincuente de la plaza».

DEMONIOS. *Los demonios cristianos.* Así llaman sus enemigos a los demócratas. Sinónimo: *Pececitos rojos en agua bendita.*

DENGAZO. *Meterle a alguien un dengazo.* Atacarlo fuertemente. «Me metió un dengazo en el periódico». (Surgió cuando la epidemia del Dengue en Cuba.)

DENGUE. *Cambiar dengue por Granadina Castro.* Seguir todo igual. «Eso que haces, es cambiar dengue por Granadina Castro». (Es cubanismo del exilio. Surgió con motivo de la epidemia de Dengue que hubo en Cuba. Granadina Castro se refiere a Fidel Castro y el episodio de la invasión norteamericana de la Isla de Grenada.)

DENTADURA. *Dentadura a lo caballo de «Malanga».* Dentadura grande. «Esa mujer tiene una dentadura a lo caballo de malanga». («Malanga» fue un cochero famoso en Cuba.)

DENTUSO. Dentudo. El que tiene los incisivos hacia afuera. «Mira a ese dentuso». Sinónimos: *Diente de conejo. Diente frío.* (Se dice asimismo: *Dientuso.*)

DEPARTAMENTO. *Tener el departamento de producción de lager, envenenado.* Tener muchas ganas de orinar. «Ahora tengo el departamento de lager, envenenado». («Lager» es «orina».) Ver: *Empleado.*

DEPENDEDERA. Dependencia. «No me gusta esa dependedera tuya de ese libro. Puedes equivocarte».

DEPRIMIDA. *Estar una mujer deprimida.* No tener senos. «Esa mujer está deprimida desde que nació». (Es cubanismo del exilio.)

DEPURAR. 1. Despedir del trabajo. «Lo depuraron en el trabajo». «Depúralo y que no venga más. No sabe trabajar». (El cubanismo se aplica a alguien, en cualquier forma, inclusive matando.) «Hay que depurarlo. Vivo es un peligro». (Matar.) 2. Separarse de. «Depuré a mi mujer en forma violenta». Ver: *Majín.*

DERBI. *Ser algo como el Derbi.* Estar lleno de obstáculos. «Este teorema es como el Derbi». (Es cubanismo del exilio. El Derby es una carrera famosa de caballos que tienen que saltar obstáculos. El cubano escribe: «Derbi». Es dicho del exilio.)

DERECHA. *No pararse a la derecha ni para jugar al corcho.* Es un izquierdista convencido. «Ese hombre no se para a la derecha ni para jugar al corcho». («Jugar al corcho» es un juego en el que se le da a un corcho con un palo.) *Picharle una derecha.* Darle a alguien un golpe con la mano derecha. «Se puso impertinente y le piché una derecha». (Se trata de «pichar» verbo formado con la palabra inglesa «To pitch».)

DERECHO. *El único derecho es el del yo-yo.* El único derecho es el mío. «Aquí el único derecho es el del yo-yo». (Es un juego de palabras entre «yo» y «yo-yo».) *Hacerlo mejor que el derecho de nacer.* Hacer una presentación trágica —por supuesto— inmejorable. «No le des un centavo. Él hace una representación mejor que *El Derecho de Nacer*». «Ése es como *El Derecho de Nacer*». («*El Derecho de Nacer*» es una novela llena de tragedia y muy larga del autor cubano Félix B. Caignet, que radiaban en Cuba. De aquí el cubanismo.) *Ser algo peor que El Derecho de Nacer.* Ser muy largo. «Ese escrito es peor que *El Derecho de Nacer*». *Tener derecho de mampara.* Se dice del que está junto al poderoso, pero que no ocupa oficialmente cargo, y que es, sin embargo, muy influyente. «No parece lo que es. Ese hombre tiene derecho de mampara con el ministro». *Tener derecho de pata de palo.* Tener derecho de pirata. «El único derecho que tienen esa gente es de pata de palo». *Tener derecho al pataleo.* Tener derecho a desahogarse. «Déjalo llorar. Tiene derecho al pataleo». Ver: *Contribución.*

DERRAMAR. *Estar derramado.* Tener mucha suerte. «Otra vez acertaste el número. Estás derramado esta noche». Sinónimos: *Estar lechero. Ser un lechero.*

DERROCHE. *Un derroche de fantasía.* Mucho. «La comida fue un derroche de fantasía».

DERRUMBAMIENTO. Derrumbe. «El derrumbamiento fue total».

DERRÚMBIO. Derrumbe. «En casa de Pedro hubo un derrúmbio».

DESAFUEROS. *Desafueros venusinos.* Actividad sexual continuada. «Estos desafueros venusinos me hacen mucho daño».

DESAGUAR. Orinar. «Voy a desaguar que tomé una cerveza».

DESALAR. Orinar. «Espérame que voy a desalar». *Desalar el tasajo.* Orinar. «Si me lo permiten voy a desalar el tasajo». Sinónimos: *Cambiarle el agua al pajarito. Cambiarle el agua a los pescaditos o pececitos. Cambiarle al agua a los tamales. Sacarle el agua al tasajo.*

DESALMIDONARSE. Perder el ánimo, el control, el espíritu. «A la primera dificultad se desalmidonó». «Él se desalmidonó ante los acontecimientos. Y eso que parecía muy valiente». (Toda ropa almidonada está muy tiesa pero cuando se desalmidona se arruga. En esta imagen se basa el cubanismo.)

DESAMPARADO. Ver: *Peñalver.*

DESARMADO. Contento. «Hoy está desarmado porque lo llamó el hijo por teléfono».

DESARROLLO. *No haber desarrollo.* No haber progreso. «No hay desarrollo contigo, Juan. Me voy». (El cubanismo viene del espiritismo.)

DESBANDADA. *Estar alguien a la desbandada.* Estar fuera de control. «En el amor por Alicia está a la desbandada». Sinónimo: *Estar desorbitado.*

DESBANDAR. (A alguien) Echar del trabajo. «En el trabajo me desbandaron».

DESBARATE. *Formarse el desbarate.* Formarse un lío. «Allí se formó enseguida el desbarate». Sinónimos: *Formarse el jelenge. Formarse el titingó.*

DESBORDARSE. Enfadarse. «Se desbordó y le cantó las cuarentas al hijo». *Desbordarse alguien.* 1. Comportarse en forma tal que se quiebran todas las reglas de la buena educación. «¡Qué espectáculo el del Juan! Se desbordó en el cine». 2. Excederse. «En todo lo que hace se desborda».

DESCACHARRARSE. 1. Escacharrarse. «Se me cayó el pomo y se descacharró». 2. Malograrse. «El proyecto se descacharró por falta de dinero».

DESCANSO. *Estar siempre en el descanso retribuido.* No trabajar. «Ese amigo tuyo siempre está en el descanso retribuido. ¡Qué suerte tiene!» (El descanso retribuido era una medida laboral de la legislación cubana en beneficio del obrero cubano.) *Ser el descanso retribuido y el 9.09 juntos.* Ser muy vago. «Mi hijo, me avergüenza decirlo es el descanso retribuido y el 9.09 juntos». (El cubanismo nace con la legislación obrera de Cuba. El descanso retribuido y el 9.09 era beneficios concedidos al obrero que lo eximían de trabajar.)

DESCARACTERIZAR. 1. Hacerle perder el prestigio a alguien. «Lo descaractericé de tal forma que desde aquel momento en vez de un hombre de bien fue considerado un canalla». 2. Poner de manifiesto que alguien miente. «Lo descaractericé en medio de la asamblea». (El reflexivo *descaracterizarse* significa perder uno el prestigio. «Haciendo lo que hizo se descaracterizó».)

DESCARGA. La palabra se aplica a muchas situaciones. 1. Aluvión abrumador de palabras; lata o matraca sostenida. «Me cogió en la esquina y oí su descarga». 2. Historia patética de sufrimiento y miseria. «Me contó la muerte de la madre. ¡Qué descarga!» 3. Pieza musical de ritmo rápido y articuladísimo. «Tremenda descarga la de la orquesta». 4. Pieza musical tocada por conjuntos musicales llamados «Charanga». «¡Ahí viene la charanga con su descarga!» *Descarga, charanga.* Se le dice al que va a hacer de cuerpo apurado. «Estoy apurado. Tengo hasta dolores». «Descarga, charanga». *Echar (dar o meter) una descarga.* 1. Abrumar con una conversación que no interesa. «¡Me echó una descarga; me contó toda su vida!» 2. Reprender. «Me echó una descarga porque llegué tarde anoche». (El cubanismo compara la acción con la de una descarga de fusil.) *Ser algo una descarga de charanga.* Ser muy malo. «Ese poema es una descarga de charanga». *Ser alguien una descarga.* Ser antipático. «Juan es una descarga». Ver: *Charanga. Orégano. Parque.*

DESCARGÓN. 1. Conjunto de las cosas que nos dice la persona que nos abruma. «El descargón de Juan era insoportable». 2. Persona que nos abruma contándonos lo que no interesa. «Huye, que por ahí viene ese descargón».

DESCARGOSO. El que se hace pesado contando cosas trágicas o que no son del caso en una conversación. «¡No seas descargoso!» O «¡Qué descargoso eres!»

DESCARGUITA. 1. Aluvión de palabras que molesta pero de poca duración, o sea, «dar la lata», sólo por un ratico. «Me dio una descarguita que para qué hablar». 2. Fiestecita familiar. «Hoy voy a una descarguita». (Es lenguaje de la Cuba de hoy.) 3. Pieza musical. «Dile a la orquesta que toque una descarguita».

DESCARÓMETRO. *Romper el descarómetro.* Ser muy descarado. «Ese individuo rompió el descarómetro. Es lo más descarado que yo he visto en mi vida».

DESCARRIARSE. Perderse de vista por mucho tiempo. «Juan se me descarrió hace más de cinco años».

DESCARTARSE. Descubrirse. «Cuando habló, se descartó conmigo».

DESCARTE. Persona que no vale nada. «Juan es un descarte». (Este cubanismo es un ejemplo típico en el cual lo castizo se aplica a situaciones de la vida. «Descarte» en castizo es la carta que no sirve en el juego de los naipes.)

DESCASCARAÑADO. Abollado. «No lo compres. Está descacarañado».

DESCASCARAÑAR. 1. Abollar. «Descascarañó el automóvil». 2. Quitarle la cáscara a algo. «Descascarañó la manzana».

DESCENDIENTE. *Ser descendiente de Pestonit.* Saber una persona mucho de jardinería. «Ella es descendiente de Pestonit». «Pregúntale sobre la enfermedad de los rosales. Él es descendiente de Pestonit». («Pestonit» era una cubano que se dedicó siempre a la jardinería y árboles frutales, tenía mucha fama y era considerado un experto en jardinería. Su «Jardín Pestonit» era muy famoso.)

DESCHORIZADO. Sinónimos: *Descocotado. Deschorizarse. Descuarejingarse.* (En el uso reflexivo.)

DESCOCAO. 1. Persona que se vuelve loca por el sexo. «Va mal. No tiene control. Es un descocado». («Descocao», el cubano, como el andaluz, aspira la «d».) 2. Que le gusta el sexo de una manera desproporcionada. «Ahí va detrás de Raquel. Es verdad que es un descocao».

DESCOCOTADA.O. Persona falta de pudor. «Al descocotado ese no lo quiero tener cerca». «Esa descocotada es la vergüenza de su ilustre familia».

DESCOCOTAMIENTO. 1. Acción en que falta totalmente el pudor. «El descocotamiento de tu hermana en la fiesta es algo que jamás se podrá borrar de la memoria de todos. Se portó como una ramera». 2. Aniquilación. «El descocotamiento fue general». Sinónimo: *Desconflautamiento.*

DESCOCOTAR. Liquidar. «Al gobierno lo descocotaron de madrugada. Todos sus miembros tuvieron que salir huyendo». Sinónimos: *Desconchinflar. Descotorrar. Desconflautar. Deschorizar. Despatillar. Destimbalar. Destutañar.*

DESCOGOLLAR. Matar. «Lo descogollaron en la cárcel». (Viene del lenguaje de la caña. «Descogollar» es quitarle a la caña el «cogollo».)

DESCOLORIDO. Ser un viejo. «Tú estás descolorido». (Viene del título de unas escenas costumbristas del periodista Federico Villoch: «*Viejas postales descoloridas*». Él hablaba del pasado.)

DESCONCHINFLADO. 1. Arruinado. «En el negocio está desconchinflado». 2. Fracasado. «Como matemático está desconchinflado».

DESCONCHINFLAR. Ver: *Descocotar.*

DESCONCHINFLARSE. 1. Arruinarse. 2 Fracasar. 3. Herirse en un accidente. «Se desconchinfló al chocar». Sinónimos: *Deschorizarse. Despatillarse. Destimbalarse. Destutanarse.*

DESCONECTAR. Volverse loco. «En medio de la discusión Juan desconectó y hubo que llamar a la policía».

DESCONFIAR. *Ser desconfiado como un chino.* No creer en la paz de los sepulcros. «No crees en nada. Eres desconfiado como un chino». Sinónimo: *No creer que porque los mosquitos vuelan sean aeroplanos.*

DESCONFLAUTAMIENTO. 1. Estado general de anarquía. «El desconflautamiento es general». 2. Fracaso. «Su desconflautamiento en matemáticas fue notorio». 3. Ruina. «El desconflautamiento de la familia fue general». Sinónimos: *Descocotamiento. Deschorizamiento. Despatarramiento. Despatillamiento. Destutañamiento. No dejar títere con cabeza.*

DESCONTINUAR. Eliminar a alguien. «En el trabajo descontinuaron a Juan».

DESCOSIDO. *Como un descosido.* Mucho. «El tiembla como un descosido». *Nunca falta un roto para un descosido.* Siempre hay problemas. «No te preocupes que nunca falta un roto para un descosido. Así es la vida». También: *Siempre un problema viene con otro. Trabajar como un descosido.* Trabajar mucho. Estoy cansadísimo. Anoche trabajé como un descosido».

DESCOTORRAR. Ver: *Descocotar.*

DESCRANEARSE. Volverse loco por una mujer o un hombre. «Cuando la ve, se descranea». *Descranearse por el material.* Volverse loco, alguien, por una mujer o por un hombre. «En cuanto la vio se descraneó por el material».

DESCUAJERINGADO. Ver: *Desconflautado. Descuarinjigado.*

DESCUAJERINGAR. Ver: *Descocotar.* Con el reflexivo indica: 1. Fracasar. «En el negocio me descuajeringué. Perdí hasta el último centavo». 2. Romperse la crisma. «Chocó y se descuajeringó».

DESDORAR. *Sin desdorar a los presentes.* Sin quitarles méritos a los que me escuchan. «Antonio es un cirujano muy bueno; sin desdorar a los presentes, y»... (Es cubanismo de origen campesino.)

DESEMPATAR. Desamarrar. «Desempata ese extremo que yo lo hago aquí».

DESEMPERCUDIR. 1. Limpiar. «Eché a la criada porque no desempercudía nada». «Hay que desempercudir la ropa con un buen jabón». 2. Quitar el polvo. «Voy a desempercudir hoy». (Es cubanismo admitido por la Real Academia Española.)

DESENCASQUILLA. Habla. «Está bien, desencasquilla».

DESENCOLADO. *Sentirse alguien desencolado.* Sentirse mal de salud. «Últimamente me siento desencolado. Debo tener mononucleosis». Sinónimo: *Tener la batería medio caída.*

DESENGRAMPADO. *Estar alguien desengrampado.* Se dice de la persona que parece que tiene los huesos sueltos. «Fíjate en ese flaco. Parece que está desengrampado».

DESENVOLVIMIENTO. *Abrir desenvolvimiento.* Mejorar el futuro. «Con ese rezo abres desenvolvimiento». (O tienes desenvolvimiento.) (Es un lenguaje de los que creen en las religiones africanas vigentes en Cuba.) Sinónimo: *Dar desenvolvimiento. Tener desenvolvimiento.* En el lenguaje de las religiones africanas vigentes en Cuba, significa tener éxito. «Tú, dicen los caracoles, vas a tener desenvolvimiento».

DESEQUILIBRIO. *Tener un desequilibrio en el Caporal.* Enamorarse de una mujer fea. «Siempre ha tenido un desequilibrio en el Caporal». (En el Caporal vendían pollos en Cuba. «Pollo» se le decía a una mujer bella. De ahí el cubanismo.)

DESFACHATADO. Que tiene apariencia personal muy mala. «Muchacho, arréglate el saco y la camisa que pareces un desfachatado». *Estar hecho un desfachatado.* Tener una apariencia personal que linda con lo andrajoso. «Lo vi sucio, con la ropa llena de lamparones. Está hecho un desfachatado». (Es un cubanismo que en lo castizo adquirió un nuevo significado a más del que tiene en español. «Desfachatado» en castizo es «descarado, desvergonzado».)

DESFLECAR. Desvirginar. «La desflecaron de muy joven».

DESFONDAR. Desvirgar a una mujer. «Ése fue el que la desfondó». «La desfondaron los soldados que entraron en la ciudad. ¡Qué crimen!» Sinónimo: *Volarle el cartucho. Estar una mujer desfondada.* No ser señorita. «Esa mujer está desfondada. Siempre tuvo mala reputación en el barrio».

DESGARITADA.O. *Dejar a alguien desgaritado.* Dejarlo abandonado. «Dejó desgaritado a su hermano del alma». (Es lenguaje del chuchero. Ver: *Chuchero.*)

DESGRACIA. Ver: *Suerte.*

DESGUABINADO. Cansado. «Estoy desguabinado». Sinónimo: *Desmondingado.*

DESGUABINAMIENTO. Lío. «Allí se formó tremendo desguabinamiento». También flojera. «Cuando supieron que desembarcaron los patriotas, se formó tremendo desguabinamiento». «En el tiroteo, el desguabinamiento fue general». (El miedo.)

DESGUABINAR. Derrotar. «Desguabinaron a los rebeldes en el pueblo de Las Lajas». Sinónimos: *Desmondingar. Desguabinarse.* Cansarse. «Con tanto sube y baja de escaleras me desguabiné». Sinónimo: *Desmondingarse.*

DESGUATACAO. *Ser el desguatacao de la familia.* Ser la oveja negra de la familia. «Juan es el desguatacao de la familia».

DESIERTO. *Estar en el desierto sin agua y sin camello.* Estar muy mal en todo sentido. «Yo, Juan, estoy en el desierto sin agua y sin camello». (Cubanismo culto.)

DESINFLADO. *Estar desinflado.* Ver: *Aire.*

DESINFLARSE. *Te vas a desinflar.* Se dice a la persona que se tira muchos flatos en el sentido de «para ya», «está bueno». «Muchacho, ¡te vas a desinflar, asqueroso!»

DESMANIGUARSE. 1. Perder los ariques. 2. Pulirse un campesino al contacto con la ciudad, o con un ambiente que no sea campesino. «Desde que llegó a la ciudad se ha desmaniguado mucho».

DESMEJORADO. *Estar muy desmejorado.* No saber alguien lo que dice. «Yo creo que en esta escuela debemos dar sólo clase cuatro días. ¡Muchacho, qué desmejorado estás!»

DESMONDINGADO. *Estar desmondingado.* Estar muy cansado. «Hoy estoy desmondingado». Ver: *Desguabinado.*

DESMONDINGAR. Sinónimos: *Desguabinar. Desguabinarse. Desmondingarse.*

DESMOÑINGADA. Cansada; mal vestida; vieja. «Esa mujer está desmoñingada porque trabaja mucho». (Cansada.) «Esa mujer esta desmoñingada. Esa ropa no se usa en esta fiesta». (Mal vestida.) «A pesar de tener cuarenta años esta desmoñingada». (Vieja.)

DESOMBLIGAR. 1. Cortar el cordón umbilical. «Cuidado al desombligarlo». 2. Derrotar. «Lo desombligué en toda la línea». 3. Independizarse. «Yo me desombligué de mis padres desde muy joven».

DESORBITADO. *Estar desorbitado.* Haber perdido el control por completo. «Muchacho, cálmate, que estás desorbitado». «Estaba desorbitado por eso robó tanto a su paso por el ministerio». *Un desorbitado.* Ver: *Desbandado.*

DESORBITARSE. Perder el control. «Se desorbita fácilmente. Es un vicio malo. Terminará mal».

DESPABILARSE. *Despabílate Mariana que te me vas a quedar.* Muchacha, date prisa y cásate que te vas a quedar soltera. «Yo todos los días le digo a mi hija: 'Despabílate Mariana que te me vas a quedar.'» (La frase se encuentra en una poesía afrocubana que recitaba y popularizó Luis Carbonell, el mejor recitador de poesías afrocubanas en Cuba. Esa popularidad convirtió la frase en cubanismo.)

DESPACHADA.O. *Estar bien despachado.* Tener un pene (o senos) grande. «Tu hijo nació bien despachado. Es un machito de verdad». Sinónimo: *Negro bien surtido.*

DESPACHARSE. 1. Hacer las cosas sin cortapisas y de acuerdo a los deseos de uno. «En ese puesto que tiene se despachó. Hace lo que le da la gana». 2. Malversar en grande. «Con los caudales públicos se despachó». Se dice, asimismo: *Se despachó en grande.*

DESPALILLAR. 1. Concluir rápidamente una cosa. «Despalilla el trabajo que tenemos que ir al teatro». 2. Salir de los compromisos. «Después que despalille te voy a ver». (Estos cubanismos vienen del campo del tabaco, de la tarea de despalillar el tabaco, o sea, quitar el palillo central a la hoja de tabaco.)

DESPAMPANINI. *Estar una mujer despampanini.* Estar muy bella. «Mi novia está despampanini». (El cubanismo surgió con la actriz italiana Silvana Pampanini, que era una mujer de gran belleza.) Sinónimos: *Ser un pollo que come gente. Ser un pollo que para el tráfico.*

DESPARRAMO. 1. Desorganización. «El desparramo en esta casa es terrible». 2. Huida desorganizada. «Al primer inicio de batalla la tropa se desparramó».

DESPATAR. 1. Derrotar. «No hay deporte en que no lo despatarre». 2. Perder. «Los despataron en las oposiciones». Ver: *Despatarrar.* «Lo despatarró en todo».

DESPATARRADO. 1. Arruinado. «En ese negocio quedó despatarrado». 2. Fracasado. «Es un despatarrado en el examen de matemáticas». 3. Vencido. «En el juego de los naipes fue despatarrado». Ver: *Descocotado.*

DESPATARRAR. 1. Arruinar. 2. Fracasar. 3. Vencer. (La conversación da el significado. En lo reflexivo *despatarrarse* significa solamente arruinarse o fracasar.) «Lo despatarraron en el negocio. El socio tenía mala reputación». (Arruinar.) «Se despatarró en su negocio». (Fracasar.) «Lo despatarró en el juego de naipes». (Vencer.) Ver: *Despatar.*

DESPATILLAR. Vencer. «A Juan lo despatillaron». Implica casi siempre la idea de derrota. «En este negocio despatillaron a Juan». Se usa en múltiples ocasiones. «La novia lo despatilló». (Lo dejó.) «Los hijos lo despatillaron». (Lo arruinaron.) Ver: *Descocotar.*

DESPELUZAR. 1. Derrotar totalmente en cualquier forma. «En la competencia lo despeluzaron». 2. Gastarle el dinero, continuamente, a alguien, de forma tal que se van menguando los ingresos. «Esa muchacha, con esos gastos caprichosos, se pasa la vida despeluzando a la familia. Termina por arruinarla». 2. Quitarle a alguien el dinero. «En el juicio, sus amigos de antaño lo despeluzaron». 3. Significa enmarañar el cabello, espeluznar.

DESPEPINANTE. Grande. «Su fracaso, como parlamentario, fue despepinante».

DESPEPITARSE. Trabajar mucho o muy duro. «Estoy despepitado con el libro». Sinónimo: *Despetroncarse*. «Me estoy despetroncando, pero me haré millonario».

DESPERDICIO. *No tener desperdicio una cosa.* Estar completa. «Lo que me dices no tiene desperdicio». (El cubanismo viene del campo del negocio de la carne. Los carniceros, en Cuba, cuando entregaban algo decían: «*Puede irse caserita tranquila que la carne no tiene desperdicio*». Es decir: ninguna grasa que hubiera que botar.) Ver: *Chicho.*

DESPETARRE. *Formarse el despetarre.* 1. Formarse el corre, corre. «Cuando sonó el tiro se formó el despetarre». 2. Irse todo el mundo para la casa enseguida. «En esta universidad los viernes por la tarde se forma el despetarre». Sinónimo de ambos: *Formarse el despetronque.*

DESPETINGARSE. Ser generoso. Darlo todo; ofrecerlo todo. «Pedro se despetinga por uno. Es de lo más bueno».

DESPETRONQUE. (El) 1. Corre, corre. «Al sonar los tiros se formó el despetronque». 2. Huida precipitada. «Nada más que llegó la policía y hubo un despetronque». Sinónimo: *Formarse un despetronque.* Huir. «Cuando llegó la policía se formó el despetronque». 3. Se dice de algo que cansa mucho por la actividad que hay que ejercitar. 4. También trabajar mucho. «Los lunes en el trabajo es el despetronque». (Se trabaja mucho.) «Para ir a trabajar tengo que coger tres autobuses. El despetronque». (Algo que cansa mucho.) *Ser algo un despetronque.* «Ese trabajo es un despetronque». Ver: *Despetarre.*

DESPINGARSE. Fracasar. «Se despingó por no estudiar». También, caerse y darse fuerte. «Montaba la bicicleta y se despingó. Hubo que llamar al médico». (De «pinga» que es «pene». Castiza la palabra aunque el cubano cree que es cubanismo.)

DESPINGUE. (El) El fracaso. «Esa lucha es un despingue». (De «pinga» que es «pene». Castiza la palabra aunque el cubano cree que es cubanismo.)

DESPOJAR. *Despojar a alguien hasta dejarlo en cueros.* Darle una sesión muy larga de una práctica de las religiones africanas vigentes en Cuba llamada «despojo», que significa «bañarse con yerbas», o «darse en el cuerpo con yerbas». «Lo despojaron hasta que lo dejaron en cueros. Ahora dice que se siente muy bien».

DESPOJARSE. 1. Acto de hacerse un «despojo». «Tienes que despojarte». 2. Quitarse de arriba la mala suerte. «Voy a despojarme. No me va bien últimamente».(El despojo es un baño con hierbas y es de origen africano. El cubanismo viene del campo de los ritos africanos existentes en Cuba.) Sinónimo: *Hacerse una limpieza.* Ver: *Babalao. Limpieza. Yerbabuena.*

DESPOJO. Ceremonia de algunas de las creencias religiosas africanas, vigentes en Cuba, por la que bañándose con determinadas hierbas o pasándoselas por el cuerpo —también animales, como un gallo, por ejemplo,— el creyente se despoja de la mala suerte. De aquí la palabra «despojo».) «Me dieron el contrato, el despojo funcionó». Ver: *Babalao. Hacerse una limpieza. Limpieza. Yerbabuena.*

DESPRENDERSE. Echar a correr precipitadamente. «Los borrachos se desprendieron en cuanto vieron que llegaban los guadabosques». Sinónimos: *Chaquetear. Echar un entomillón.*[30] *Echar un pie. Echar una alpargata. Echar una llanta.*

DESPRESTIGIO. 1. Cosa mal hecha. «Yo no acepto ese desprestigio». 2. Orgía sexual. «Vamos esta noche a casa de Pedro que va a haber un desprestigio». *Caer en el desprestigio.* Hacer cosas raras en el acto sexual. «Ella parecía decente, pero cayó en el desprestigio». En general, violar toda ley, moral o norma de conducta. «El cayó en el desprestigio a pesar de venir de buena familia». *El colmo del desprestigio.* Es el latiguillo lingüístico que el cubano aplica a todo. Si el gobierno roba para el cubano, eso «es el colmo del desprestigio»; si alguien se casa varias veces, y vive con una amante a una cuadra de la señora, «es el colmo del desprestigio»; si se hizo amigo de alguien que no lo merece, de nuevo «es el colmo del desprestigio». *Entrar en un desprestigio.* Aceptar una cosa mal hecha. «Yo no entro en ese desprestigio».

DESPUÑETANTE. Formidable. «Ese libro que leí es despuñetante».

DESQUITE. *El desquite lo da piedra.* Despreocúpate. «No hables más de eso, el desquite lo da piedra». («Piedra» era una fábrica de puros —tabacos—.) *Tener el desquite de piedra.* Desquitarse. «Con él tuve el desquite de Piedra». (Viene del lema de los tabacos —puros habanos— Piedra, que decía: «*El desquite lo da Piedra*».)

DESTAPARSE. Revelarse alguien tal cual es. «No confíes nunca en nadie hasta que se destape».

DESTEJE. Comienzo de la calvicie. «Te está comenzando el desteje».

DESTEMPLARSE. Caérsele a alguien el ánimo. «Cuando vio como iba la cosa se destempló».

DESTEÑIRSE. 1. Dejar de merecer la confianza de otra persona. «Para mí te has desteñido. No me pidas más nada». 2. No cumplir la palabra. «Te desteñiste, Pedro. Me habían dicho que eras así».

DESTIERRO. Ver: *Ultima.*

DESTIMBALACIÓN. Ver: *Estampa.*

DESTIMBALADO. *Estar destimbalado.* Estar muy cansado. «Estoy destimbalado de tanto trabajar». Se aplica a otros casos: a estar mal de salud. «El médico lo reconoció y le dijo que está destimbalado». Asimismo, no tener chance u oportunidad en algo. «En eso tú estás destimbalado. Ni te presentes al concurso». Ver: *Desconchinflado.*

DESTIMBALAMIENTO. Ver: *Desconflautamiento.*

DESTIMBALAR. Derrotar. «Lo destimbaló en el último momento». Ver: *Descocotar.*

DESTIMBALARSE. Perder. «Se destimbaló en esa jugada de la bolsa». Ver: *Desconchinflarse.*

DESTOLETADO. Ver: *Desconchinflado.*

DESTOLETAMIENTO. Ver: *Desconflautamiento.*

DESTOLETAR. Ver: *Descocotar.*

DESTOLETARSE. Ver: *Desconchinflarse.*

DESTRAYAR. 1. Aniquilar. 2. Destruir. «Esa gente está destrayando al país». (Parece un verbo formado con la voz «traya, o «látigo».)

---

[30] O «entomiñón».

DESTRONCADO. *Caer destroncado.* Caer rendido de cansancio. «Con tanto trabajo el pobre hombre cayó destroncado anoche».

DESTRUIDO. *Estar destruido.* 1. Estar cansado. «Estoy destruido después del viaje. Me voy para la cama». 2. Estar descorazonado, con el ánimo por el suelo. «Estoy destruido. ¡Cómo es posible que ella se atreviera a tanto!» 3. Estar sin dinero. «Estoy destruido. Por eso no puedo darte nada».

DESTUTANADO. Sinónimo: *Desconchinflado. Desconchinflarse.*

DESVIRAR. Diezmar. «El ejército desviró a los bandoleros». (Viene de la industria del calzado. «Desvirar» el calzado es quitarle a la suela lo que le sobra.) También ajustar. «Voy a desvirar el presupuesto».

DETRÁS. *Estar detrás.* Estar en una difícil situación económica. «En estos día estoy detrás».

DEVELOMEN. Ver: *Reparto.*

DEVOLVER. *Que te devuelvan tu dinero.* Te han engañado. «Me dijeron que ella es una buena persona». «—Que te devuelvan tu dinero».

DEVORAR. *Se la devoró o devorársela.* 1. Algunas veces se oye en tono de reproche como indicando que no lo pudo haber hecho peor. «En vez de dejar a la madre en la casa, la llevó a un asilo. ¡Se la devoró!» 2. Manera de elogiar al que ha triunfado o hecho bien una cosa. «Sacó cien en el examen. Se la devoró». 3. Se dice cuando se ve algo que no es usual. «Sabes que corrió dos millas en seis minutos. Se la devoró». «Contestó todas las preguntas en el examen de trigonometría. Se la devoró». «Se quitó los pantalones en el medio del teatro. Se la devoró».

DEVOTO. *Ser devoto consumado de siete potencias.* Usar siempre un perfume barato. «Elio es devoto consumado de siete potencias». (Las «Siete Potencias» es un perfume barato de un olor malo y penetrante.)

DÍA. *Acordarse hasta del día en que uno nació.* Darse un golpe muy doloroso. «Fue tanto el dolor en el pie cuando me cayó encima la plancha que me acordé hasta del día en que nací». *Aquí, como todos los días.* Bien, sin cambio. Contestación que se da cuando alguien pregunta. «¿Cómo estás tú?» (Viene de un programa radial en Cuba titulado *La tremenda corte.* Así contestaba Tres Patines cuando se le llamaba al principio del programa.) *Estar el día Federico Piñeiro.* Estar feo. «Este martes está Federico Piñeiro». (Federico Piñeiro era un famoso actor cubano que hacía de gallego en la pareja folklórica cubana: *El Gallego y el Negrito.* «Federico» en cubano es «feo». De ahí el cubanismo.) *Los días de rabo de nube.* Estar nervioso. «Los días de rabo de nube no se le puede hablar». (El campesino cubano cree que un rabo de nube, inicio de un tornado, influye sobre la psiquis de una persona y la pone nerviosa o agresiva. De ahí el cubanismo.) *Meter un día de Parque Trillo.* Dar un día malo. «El niño me metió un día de Parque Trillo». (En el Parque Trillo, en La Habana, se celebraban concentraciones políticas ruidosas. De aquí el cubanismo.) *Querer alguien todos los días carne.* Querer fornicar todos los días. *Tener un día chino.* Tener un día malo. «Hoy tengo un día chino». Ver: *Flor. Himno. Inventor. Noche.*

DIABLITO. 1. El muñeco de paja que baila en los ritos ñáñigos, secta llevada a Cuba por los esclavos africanos. 2. Es figura de los carnavales y en los actos folklóricos afrocubanos. «¡Qué bien baila el diablito ese!»

DIABLO. (El) *Cogerlo el diablo Tun Tún.* Sorprender a alguien haciendo algo malo infraganti. «Cuando embarcaban lo robado los cogió el diablo Tun Tún». *Donde el diablo dio las tres voces.* Muy lejos. «Eso queda donde el diablo dio las tres voces». *Que el diablo te escupa el culo si te fallo.* No me molestes más y cree en mi promesa. «Se tranquilizó cuando le dije: Que el diablo te escupa el culo si te fallo». *Ser algo o alguien el diablo Tun Tún.* 1. Conjunto de muchas cosas. «Tu habilitación de novia es el diablo Tun Tún». 2. Ser alguien inteligentísimo. «El en matemáticas, es el diablo Tun Tún». 3. Ser muy malcriado. «Ese niño es el diablo Tun Tún». 3. Si es una medicina efectiva, p.e., se dice: «Esa nueva penicilina es el diablo Tun Tún». (Ser muy buena.) El cubano lo aplica a lo exitoso, a lo bueno, a lo inteligente.

DIAMANTE. *Tener un diamante en la pinga.* Se dice del hombre que sin ser buen tipo tiene muchas mujeres. «Es muy feo pero debe de tener un diamante en la pinga». Ver: *Pinga.*

DIARREA. *Tener diarrea de palabras y estreñimiento de ideas.* Hablar mucho y pensar poco. «Desde que lo vi por primera vez me di cuenta de que tiene diarrea de palabras y estreñimiento de ideas». *Tener diarrea mental.* Hablar tonterías. «No puedo soportar el hablar una palabra con él pues tiene diarrea mental». Ver: *Colagogo.*

DIBUJEQUITO. Dibujito. «Ese dibujequito está bonito».

DIEGO. Moneda de diez centavos. «Dame un diego». *Donde dije digo, digo Diego.* Me retracto. «Un minuto. Donde dije digo, digo Diego».

DIENTE. *Diente frío.* Se dice del que tiene los dientes botados. Sinónimo: *Diente de conejo. No cuente conmigo ni con los dientes.* No cuentes conmigo bajo ninguna circunstancia. «Oye, no cuentes conmigo ni con los dientes». (El cubanismo, al castizo, «No cuentes conmigo», le añadió, «ni con los dientes».) *Meter el diente.* Hacer un gran esfuerzo. «Le metí el diente sin importarme el resultado». *No poder meterle el diente a algo, o a alguien.* Ser algo imposible. «A ese empresa no se le puede meter el diente». (Este cubanismo cuando se refiere a una mujer quiere decir que es feísima.) *No te afiles los dientes que te los tienes que poner postizos.* No cantes victoria que a la larga te derroto. «Mira, no te afiles los dientes que te los tienes que poner postizos. Yo soy muy duro en la batalla». *No te afiles los dientes que de eso tú no comes.* Tú no tienes participación en eso. «Cuando le hablé del negocio y vi su cara le dije: No te afiles los dientes que en esto tú no comes». *Perder los dientes.* 1. Perder el deseo de algo: como sexual. «A mi marido yo lo dejo andar con cualquier mujer pues perdió los dientes». 2. Perder el poder. «Ya no puede servirte en el gobierno. Perdió los dientes». «Ya no se postula. Perdió los dientes». *Ser cáscara de diente.* Sinónimo: *Cáscara. Ser una persona diente de perro.* Ser muy mala persona. «Mi amigo es diente de perro». (El cubanismo compara la persona con una roca viva, puntiaguda.) *Tener alguien los dientes postizos.* No tener garras. «No temas a una pelea con él. Tiene los dientes postizos». *Tener el diente pegado a la pared.* Estar con una mano alante y otra atrás; sin un centavo. «Desde que perdió el trabajo tiene el diente pegado a la pared». Sinónimos: *Estar comiéndose un cable. Estar comiéndose un cable con rueda y todo. Estar en la fuácata. Estar hecho tierra.* Ver: *Cursi. Palillo. Rueda. Tiburón.*

DIETA. *Romper una mujer la dieta.* Estar embarazada. «Juana rompió la dieta». *Tener dieta de goma.* Se dice de la persona que sólo tiene para vivir sellitos de los que da el gobierno. Como el sellito tiene goma, de aquí este cubanismo del exilio. «Mira a esa pobre mujer. Tiene dieta de goma». (Cubanismo del exilio.)

DIEZ. *Coger un diez.* Coger unos minutos libres. «Cogí un diez en el trabajo hoy». (Es también coger un respiro: «Me atacaba continuamente, pero no sé cómo cogí un diez». (Cubanismo de la Cuba de hoy.) *Pasar por un tamiz diecisiete veces más fino.* Escudriñar. «Ese expediente lo voy a pasar por un tamiz de diecisiete veces más fino». *Pasarse para la mil diez.* Cambiar. «Ya yo no trabajo ahí, me pasé para la mil diez». (El cubanismo era el lema de una estación de radio.)

DIFERENCIAL. Dinero. «Dame el diferencial que me debes y ya estamos en paz». (El cubanismo nació con una caricatura que salió en un periódico cubano, en que un joven, con lenguaje populachero, le pedía dinero al padre para salir con la novia. Le decía así: «*Papá, ponte con el diferencial que quiero salir con la lea*». O sea, «dame el dinero que quiero salir con la novia». La palabra viene del campo azucarero. Consiste en una compensación monetaria que se pagaba a los obreros en Cuba.)

DIFÍCIL. 1. Feo. «Tiene una cara difícil». 2. No. «Acompáñame. —Difícil». «Dice Petra que te vas a casar con ella. —Difícil». *Ponerla difícil.* Presentar una cosa en una forma difícil de conseguir. «Me pidió el préstamo, pero se la puse difícil». *Tener una jeta difícil.* Tener una cara fea. «El tiene una jeta difícil». (Es lenguaje del chuchero. Ver: *Chuchero.* Creía que «jeta» es cubanismo cuando se trata de una palabra castiza. Se incluye aquí porque así habla el cubano.)

DIFICULTOSO. *Estar alguien dificultoso.* Ser feo. «Juan está dificultoso».

DIFUNTO. *Preguntarle al difunto si quiere misa.* Preguntarle a un necesitado si quiere ayuda. «Fui y le pregunté a Pedro si quería que le regalara algo en su santo. —Tú tienes cada cosa. Preguntarle al difunto si quiere misa».

DIGESTIVO. Ver: *Tracto.*

DILAYANDO. Hablar cosas insubstanciales. «Se pasa el día dilayando». (También se dice: *Lilayando.*)

DILIGENCIA. Ver: *Mujer.*

DIMAGIO. *Batear como Dimagio.* Se aplica a muchas cosas: 1. Comer mucho. «En el banquete batié como Dimagio». 2. fornicar mucho. «Yo siempre, sexualmente, he bateado como Dimagio». 3. Hablar mucho. «El orador, bateó en lo del hablar, como Dimagio». En fin, se aplica a cualquier situación. («Dimagio» es «Joe Dimaggio» uno de los grandes bateadores de la pelota —base-ball— profesional de todos los tiempos.)

DÍMELO. *Dímelo cantando.* «Dímelo. No tengas miedo de tu opinión. Dímela cantando».

DIN. Ver: *Programa.*

DINAMARCA. *Vete a Dinamarca donde lo tuyo se opera.* Tú eres homosexual. «Vete a Dinamarca donde lo tuyo se opera. Sé que no eres hombre». (Es forma de hablar del cubano. A Cristina Jergerse, la convirtieron de hombre a mujer. La operaron en Dinamarca. De aquí la forma de hablar del cubano.)

DINERO. *Arrebujar dinero.* Ahorrar dinero. «Él tiene mucho dinero arrebujado». *Dinero, ñama, dinero.* Forma jocosa de decir: «Dinero llama dinero». O sea, «El que tiene dinero ganará más dinero». (El cubanismo nació en el programa radial de Garrido y Piñeiro.) «Se hizo millonario. —Claro, dinero, ñama, dinero». *Estar* *parqueado en el dinero.* Ganar mucho dinero. «Yo, desde que llegué a este país, estoy parqueado en el dinero». *Levantar dinero.* Conseguir dinero. «Está levantando dinero para el negocio». *Nivelar dinero.* Ganar dinero. «Juan, en el exilio, ha nivelado dinero». (Es cubanismo del exilio.) *Sacar más dinero que Víctor Hugo a Los Miserables.* Sacarle mucho dinero a algo. «A ese libro le ha sacado más dinero que Víctor Hugo a *Los Miserables*». (Es cubanismo culto. Implica que el libro o la persona que saca el dinero se lo hace de verdad a los pobres, miserables, con algo que no vale nada.) *Se cayó el dinero.* 1. Hubo mucho dinero. «Cuando se supo que él jugaba, en las apuestas, se cayó el dinero». 2. Se los ganó. «Si el candidato norteamericano le habla en español al cubano, se cayó el dinero». (Cubanismo del exilio. Se aplica a muchas situaciones: Si la mujer es bella, se cayó el dinero; si es un hombre honrado, «con él se cayó el dinero»; etc.) *Sacar dinero como Mandrake el Mago, conejos.* Ganar mucho dinero. «Aquí hay muchos cubanos que sacan dinero como Mandrake el Mago, conejos». (Mandrake el Mago, era un personaje de las tiras cómicas [muñequitos en cubano.]) *Ser el dinero Cheo Malanga.* No valer nada. «Hoy en día el dinero es Cheo Malanga». (*Ser un Cheo Malanga*, es no valer nada. «Elio es un Cheo Malanga». De aquí el cubanismo.) *Un bonche de dinero.* Mucho dinero. «Mamá me dejó un bonche de dinero».

DIÑAR. Dar. «Díñame cinco pesos». «Eso díñaselo a cualquiera». (Es andalucismo avecinado a Cuba.)[31] *Diñar maco.* Vigilar. «Te mueves y te diñan, maco». *Diñarle a alguien, maco.* Mirarlo. «Le estoy diñando maco a ese tipo». (Todos los cubanismos anteriores son lenguaje del chuchero. Ver: *chuchero.*) *Díñame un peripé.* Dame un cigarro. «Elio, díñame un peripé». (Es andalucismo-gitanismo, pero el cubano cree que es cubanismo.)

DIOS.ES. *A quien Dios se la dé, San Pedro se la bendiga.* Que el que lo tiene se la disfrute. «Yo y él estábamos enamorados de la misma mujer, pero ella lo prefirió a él y yo como buen perdedor dije: al que Dios se la dé, San Pedro se la bendiga». *Dios castiga sin palo ni piedra.* Refrán de origen campesino. *El néctar negro de los dioses blancos.* El café. «Vamos a tomar el néctar negro de los dioses blancos». *Estar como Dios pintó a Perico.* Estar algo mal. «Ese cuadro está como Dios pintó a Perico».

DIPLOMÁTICO. *Diplomático con coco.* Un pudin con dulce de coco. «Dame un diplomático con coco».

DIQUE. *Estar bueno para el Dique.* Se dice del que tiene muchos hijos. «Ése está bueno para el Dique». («El Dique» era la finca de recría de caballos del ejército.) *Ser el Dique.* Tener muchos hijos. «Ese hombre es el Dique».

DIRECTO. *Directo al pulmón.* 1. Frase, acción o trabajo contundente que llega a la almendra del punto que toca. «Lo que le dijiste fue un directo al pulmón. Se lo sintió. ¿Le viste la cara?» 2. Fuerte. «Este coñac es directo al pulmón». *Tener una*

---

[31] Otros afirman que es voz «gitana». En S. G. Martín de Val, *Hampa Criminal*, Valencia, S.A., aparece como frase hamponesca con otro significado, pág. 21: «*Hemos diñao un topetazo*». (He hecho buen negocio.) Rafael Salinas, «*El delincuente español*» (El lenguaje,) Madrid, Victoriano Suárez, 1896, pág. 21, la da como caló jergal.

bala en el directo. Estar dispuesto a todo. «¿Te vas a examinar? —Claro, y tengo una bala en el directo». (El cubanismo lo creó el Presidente de Cuba, Fulgencio Batista y Zaldívar, ya fallecido, quien lo dijo una vez, refiriéndose a la situación cubana y a su situación personal con respecto a ella.)

DIRECTORIO. *Tener un directorio.* Dirigirlo todo. «Tu mujer, en tu hogar, tiene un directorio».

DIRIGENTE. Ver: *Cubilete.*

DIRIGIBLE. *Ser el dirigible de la «Gud Year».* Ser gordo. «Juan es el dirigible de la «Gud Year». (Es cubanismo del exilio. El dirigible de la «Good Year», la fábrica de gomas norteamericana, y que el cubano pronuncia como se ha escrito, se ve siempre en los cielos de Miami, haciendo propaganda, es grande.) *Tú no eres dirigible.* No me dirijas. «Se lo grité repetidas veces a mi marido: Tú no eres dirigible». Sinónimo: *Tú no eres de la Fuerza Aérea.*

DISCO. *Cambiar el disco.* Dime otra cosa; habla de otra cosa, de otro tema. «Hazme el favor de cambiar de disco. No me hables más de los problemas de tu casa». *Diñar un disco.* Dar una noticia fea. «Mi amigo, no me diñes ese disco». (Es lenguaje del chuchero. Ver: *chuchero.*) *Discos melenudos.* Discos clásicos. «No se te ocurra ponerme un disco melenudo». *Echar un disco a la vitrola.* Buscar nuevos horizontes. «Me voy de este trabajo y voy a echarle un disco a la vitrola». (Me han explicado, los que oí usando este cubanismo, que como cuando uno echa un disco, la vitrola hace muchos movimientos, es decir pasa un rato desde que se pone el dinero a que se toca, eso es un nuevo horizonte.) *Ese disco no lo pongas a tocar más.* No sigas con ese cuento. «Te lo digo: ese disco no lo pongas a tocar más». *Grabar o Imprimir discos.* Fregar o limpiar platos. «¡Cómo hay que imprimir discos en este trabajo!» «Estoy grabando discos en la playa». «Su primer trabajo fue el de imprimir discos en un hotel de la playa, aquí en Miami». (Los discos tienen forma de plato. De ahí este cubanismo nacido en el exilio. Es muestra del humor cubano. Al llegar al exilio muchos profesionales tuvieron que lavar platos y se reían de la situación diciendo que grababan discos.) *Ponerle a alguien un disco.* Darle lata. «En el intermedio, él me puso un disco». *Ser dos personas como disco musical.* Tener diferentes opiniones y sin embargo entenderse. «Juan y Pedo son como disco musical». *Tener el disco rayado.* Repetir una misma cosa hasta la saciedad. «Déjame tranquilo. Tú tienes el disco rayado».

DISCUSIÓN. *Ser discusión de barbería.* Ser una discusión sin sustancia. «Esa discusión es de barbería». He oído también: *Suena a discusión de barbería.*

DISEÑO. *No dejar caer el diseño.* Mantener en alto la imagen de uno. «Ese político no deja caer su diseño».

DISFRAZAR. 1. Darle a alguien una entrada de golpes que le destrozan la cara o el rostro. «Pobrecito Pedro, lo disfrazaron anoche en la esquina». Sinónimo: *Disfrazar a alguien de bobo.* 2. Engañar. «Se puso a jugar a los naipes con él y lo disfrazaron de bobo». *Aunque vengas disfrazado te conozco mascarita.* Tú a mí no me engañas. «Mira, Rodolfo, yo voy a dar la cara. Tú no tienes que hacer nada. —Qué va. Aunque vengas disfrazado te conozco mascarita». (El cubanismo se basa en un chiste erótico.)

DISIDENTE. *¿Tú eres disidente o mal oliente?* Este cubanismo surgió con motivo de los «Congresos de los Intelectuales Cubanos» llamados disidentes, en el exilio. Han sido muy atacados y entre los intelectuales que los rechazan surgió el cubanismo como ataque.) «Ése estuvo en el Congreso de Washington. —Y qué, ¿disidente o mal oliente?»

DISLOQUE. *Ser algo el disloque.* Una desorganización grande. «Este libro es el disloque». También se dice de una locura grande que se hace. «Tu matrimonio es el disloque». *Tener con alguien el disloque.* Quererlo mucho. «Lo que tiene con su marido es el disloque».

DISNEI. Ver; *Uols.*

DISPARADO. *Estar disparado.* Tener muchas ganas de practicar el coíto. «Vete a buscar a una mujer. Hoy estás disparado». También estar nervioso. Un *disparado.* Es un nervioso. La conversación da el significado.

DISPARAR. *No disparar un chicharo.* No trabajar absolutamente nada. «En estas vacaciones no voy a disparar ni un chícharo». Ver: *Casco. Disparar por la culata.* Tirarse un gas. «Estábamos en el cine y él disparó por la culata».

DISPARARSE. Comer precipitadamente. «Se disparó la comida en cuanto se la servimos».

DISPARÁRSELA. *No hay quién se la dispare.* No hay quién la aguante. «A esa mujer —se aplica igualmente al hombre— no hay quién se la dispare». «Se queda sin casarse. Es tan fea que no hay quién se la dispare».

DISPARO. 1. Cosa buena. «Este libro es un disparo». 2. Mujer bella. «Mi tía Luisita, en su juventud, fue un disparo». Cuando se quiere aumentar la significación a «buenísimo» o «bellísimo», se dice: *disparo en un callo.* «Esa mujer es un disparo en un callo». (Es mujer es bellísima.) 3. Trago. «Éste es el segundo disparo del día». «Me voy a dar un disparo». Sinónimo: *Cañangazo.* «Me di un cañangazo». *Hacer un disparo.* Insinuarse a ver si se consigue algo. «Hice un disparo en el trabajo a ver si me ascendían, pero qué va. No se dieron por enterados». «Le hice un disparo a Lola pero no entendió que lo que yo insinuaba es mi amor». *Hacerle un disparo al puro y tumbarle una mano.* Pedirle dinero al padre, y conseguir cinco dólares. «Ayer, Pedro le hice un disparo al puro y le tumbé una mano». («Puro» es el padre, «tumbarle una mano» es «cinco dólares», por lo de cinco dedos.) *Hacerse varios disparos.* Tomarse varios tragos. «Me siento mal, anoche hice varios disparos con los amigos». (Todos estos cubanismo son lenguaje del chuchero. Ver: *chuchero.*)

DISTANCIA. *Distancia y categoría.* No somos iguales. «Ya se lo dije textualmente: Conmigo, mi amigo, distancia y categoría». *La misma distancia la hay de aquí allá que de allá aquí.* Ven tú. (Contestación que se da cuando alguien le dice a uno «ven acá».) *Pasear la distancia.* 1. Hacer las cosas fácilmente. «En matemáticas paseó la distancia». 2. Triunfar sin problemas. «En la competencia de caligrafía siempre he paseado la distancia». (El cubanismo nació en el boxeo de las competencias deportivas de campo y pista.)

DIVIN. Ver: *Nadador.*

DIVORCIO. *Meterle al marido en el divorcio más pruebas que un laboratorio.* No dar cuartel. «Le ha metido al marido en el divorcio más pruebas que un laboratorio».

DOBLAR. *Doblar el lomo.* Trabajar duro. «En esta clase, amiguitos, hay que doblar el lomo».

DOBLE. *Quedarse con el doble nueve.* Fracasar. «Con esa mujer me quedé con el doble nueve». (Es lenguaje que viene del juego de dominó.) Ver: *Tiburón.*

DOBLETE. *Meter, alguien un doblete.* Hacer una hipocresía. «Ése te metió un doblete». (Una jugada en el billar, es «meter un doblete».) *Ser algo un doblete pasado.* Ser difícil. «Escalar esta montaña es un doblete pasado». *Tirar un doblete en pasabolas.* Hacer algo muy difícil. «En esa estatua has tirado un doblete de pasabolas. Las proporciones no eran nada fáciles». (Todos estos cubanismos han nacido del juego del billar aplicado a la vida diaria.) Ver: *Rey.*

DOBLETERO. Hipócrita. «Él es un dobletero».

DOCTOR. *Ese es el Dr. Chold de mi vida.* Ese es el que me mantiene. (El cubanismo, de tipo jocoso, es nacido en el exilio. El Dr. Scholl's vende soporte. Por lo tanto es el soporte de la vida de una persona, según el cubanismo es el que la mantiene. El cubano pronuncia «chold».) Ver: *Chold. Ser alguien el Dr. Chiringa.* No valer nada. «Yo no lo trato porque es el Doctor Chiringa».

DOCTORADO. *Ser muy doctorado.* Creerse la gran cosa. «Juan es un analfabeto, pero al mismo tiempo es muy doctorado». *Tener un doctorado en novelita por entrega.* Haber leído mucha «novela por entrega», las que se entregaban en folletines, cada semana. «Yo tengo un doctorado en novelita por entrega».

DÓLAR. *Estar algo por encima del dólar.* Ser estupendo. «Ese anillo está por encima del dólar». (Cubanismo de la Cuba de hoy.)

DOLER. *Darle donde le duele.* Ir al punto. Latiguillo lingüístico, es decir, algo que el cubano repite continuamente. «A él le di donde le duele». *No doler ni los callos.* Tener buena salud. «Yo no voy al médico porque no me duelen ni los callos».

DOLOR. *Estar en el yunque del dolor.* Estarla pasando muy mal en cualquier forma. «Te digo que últimamente estoy en el yunque del dolor». *Mandar un feo que si fuera un dolor de cabeza no tiene alivio.* Ser muy feo. «Tu primo manda un feo que si fuera un dolor de cabeza no tendría alivio». Sinónimo: *Romper el feómetro.* «Se casó con esa mujer que rompió el feómetro». (El cubanismo es un juego de palabras con barómetro.) Sinónimos: *Ser feo con velocidad. Ser un Federico. Ser más feo que un peo en tinieblas. Nunca dejes que el dolor te mate.* Hasta luego y que no fracases en nada. (El cubanismo se usa en las despedidas en esta forma: «Encantado de verte. Saluda a tu familia y nunca dejes que el dolor te mate».) *Nunca digas que el dolor te mata.* Latiguillo lingüístico o frase que el cubano usa en forma de broma, para indicar a alguien que no se queje, cuando tiene una cara triste o cuando se queja de algo, para indicarle que hay que ser fuerte. «¡Qué mala suerte la mía, no tengo dinero! —Nunca digas que el dolor te mata». «Tengo tantas enfermedades». —«Nunca digas que el dolor te mata». «Sí, lo que dices es muy lamentable, pero nunca digas que el dolor te mata». (Se usa mucho en forma de broma: «Se te fue esa mujer. —Nunca digas que el dolor te mata». Sinónimo: *Aguanta callado. ¡Qué dolor! ¡Qué dolor, qué pena!* ¡Cuánto lo siento! «No tengo dinero». «¡Qué dolor, qué dolor, qué pena!» *Ser alguien un dolor de huevos.* Ser un tipo antipático. «Ése es un dolor de huevos. Verlo es un disgusto».

DOLORES. Dólares. «Dale a Pedro diez dolores». *Dolores del Río.* Dólares. «Ése está lleno de Dolores del Río». (Juego de palabras entre dólares y la actriz mejicana Dolores del Río.)

DOLOROSA. (La) La cuenta. «Cantinero, hágame el favor de traerme la dolorosa».

DOMINANCIA. Dominación. «Te digo que la dominancia de mi marido es insoportable. Cualquier día me meto en el movimiento de liberación femenina».

DOMINGO. *Estar de muñequito de domingo.* 1. Estar pintado en la pared. 2. Ser un cero a la izquierda. «¿De qué se creen que yo estoy aquí, de muñequito de domingo?» (A las tiras cómicas de los domingos se les dice en Cuba: muñequito de los domingos.) *Tilingo, tilingo, mañana es domingo.* ¡Qué va, de ninguna manera! «¿Vas a hacerme el poder? —¡Qué va! Tilingo, tilingo, mañana es domingo». (El cubanismo está tomado de una canción infantil castiza. Lo que se le ha dado a lo castizo, otro significado.) Ver: *Coco.*

DOMINÓ. *Yo en el dominó me viro.* Estar presto a repeler la amenaza. Frase que se usa en contra de alguien que amenaza. «Deja de amenazarme que yo en el dominó me viro». Ver: *Fichas.*

DON. *Claro que entiendo, Don Hilario.* Entiendo muy bien. «No me lo repitas Juan. Claro que entiendo, Don Hilario». (Es frase de un personaje de un viejo programa radial cubano que le gustó al pueblo.) *Estar algo como Don Fo.* Estar muy feo. «Chico, ese viejo está como Don Fo». (Don Fo es un personaje muy feo de las tiras cómicas —muñequitos, en cubano— de Dick Tracy.) *Poder ir alguien al programa de Don Francisco.* Se dice de una persona mayor que aún se mantiene muy bien. «Tu padre todavía puede ir al programa de Don Francisco». Sinónimo: *Ir al programa de Don Francisco y bailar el bailongo.* (Don Francisco es un animador chileno del exilio que tiene un programa muy popular. Es cubanismo del exilio.) *Por fin habló Don Rafael, o Don Rafael del Junco.* Se dice en una reunión cuando alguien que es muy callado habla. «Cuando habló alguien dijo: Por fin habló Don Rafael o Don Rafael del Junco». (Está tomado de una novela: *El Derecho de Nacer*, que radiaban en Cuba. Don Rafael del Junco, el personaje, no hablaba, y estaba esperando la radioaudiencia siempre que lo hiciera.) *Quedarse como Don Alfonso cuando le cagó la vaca.* Quedarse sin saber qué hacer. «Se quedó el pobre hombre como Don Alfonso cuando le cagó la vaca».

DÓNDE. *Mamá, yo quiero saber, de dónde son los cantantes.* Con esta frase se pone en duda una afirmación. «Dicen que tiene cinco millones de dólares. —Mamá, yo quiero saber, de dónde son los cantantes». (El cubanismo, por regla general, y entre amigos, se canta bajito. Es la letra de una canción muy popular en Cuba. El que contesta, pues, lo hace cantando bajito.)

DONERA. (La) Lugar donde venden rosquillas. «Vamos a la donera a comer algo». (Es cubanismo del exilio. Viene de la palabra inglesa «donuts» o «rosquillas».)

DORMIDERA. Dormir mucho. «¡Qué dormidera la de mi papá! Lleva como doce horas».

DORMIR. *Dormir a alguien.* Sugestionarlo. «Lo dormí y me dio el dinero». *Dormírsela.* Engañar a una mujer y lograr tener relaciones sexuales con ella. «Tanto le dio que logró dormírsela a esa pobre criada». *Si te coge durmiendo te mata.* Frase que se dice al que expectora un pollo grande. *Sigue durmiendo de ese lado.* Tú estás equivocado. «Yo te digo que él es buena gente. —Sigue durmiendo de ese lado». Sinónimo: *Sigue durmiendo de ese lado que te va a salir una roncha.*

DORMITORIO. *Estar de dormitorio.* Dormir, una prostituta que vive en una casa de prostitución, toda la noche fuera de ésta, con un cliente. «Ella está de dormitorio».

DOS. *Caerle a alguien con las dos manos.* Irle arriba, hostigarlo con todos los recursos que se tiene. «No sé a qué se debe que me hayan caído arriba con las dos manos. Debe ser que me tienen envidia». Sinónimos: *Dar con todos los hierros. Darle hasta con el cubo. Darle con el último invento.* (El cubanismo viene del campo del boxeo.) *Dos caballos.* Así se llama, hoy, en Cuba, a un carrito que consiste en una plataforma tirada por dos caballos y que se usa como medio de transporte en el campo cubano. «Estoy esperando el dos caballos para visitar a Juana». *El dos de oro.* Harina de maíz. «Hoy vamos a comer el dos de oro». «Hoy comí el dos de oro». (Tanto la harina como el maíz son amarillos como el dos de oro de la baraja española. En tiempos del Presidente Machado, en Cuba, la situación económica era muy difícil y se comía mucha harina.) *Ser algo, o alguien, de dos por quince.* No valer nada. «Ese amigo tuyo, Oscar, es de dos por quince». *Ser algo de dos por uno, como en los perros.* Muy duro. «Vivir en los Estados Unidos es de dos por uno, como en los perros». (El país es duro. Es cubanismo del exilio. Los «perros» es las carreras de perros. Allí pagan el dinero que se apuesta a dos por uno. De aquí el cubanismo.) *Ser algo de a dos por medio y uno de contra.* Ser malo. «Ese libro es de a dos por medio y uno de contra». Ver: *Filo. Pelota. Tibor. Tres.*

DRÁCULA. *Botarse de Drácula.* Hacerse el guapetón. «No te me botes de Drácula que yo no te tengo miedo». *Estar vestido de Drácula.* Estar siempre amenazando. «Mi jefe siempre está vestido de Drácula». (Como Drácula siempre tiene los colmillos fuera se creó el cubanismo.) *Llegar como Drácula.* Llegar alguien con el fin de adueñarse de todo. «Hubo que echarlo de la compañía. Llegó como Drácula. Ya quería ser presidente». «Tuve que separarlo del negocio porque llegó a él como Drácula. Ya maniobraba para quitármelo». (Es decir llegar con los dientes afilados. Drácula tiene los dientes afilados.) *Ser el Drácula del «sausgües».* Ser muy astuto. «Llegó de Cuba hace seis meses y ya está rico. Es el Drácula del 'sausgües.'» (El «sausgües» es la pronunciación que el cubano da a las palabras inglesas «South West» o «Suroeste». El cubanismo nació en el exilio.) Sinónimos: *Escapársele a Tamakán por debajo del turbante. Ser Boloña en La Habana. Ser el hombre Diablo. Ser el mago Jaudini.* (Pronunciación de «Houdini» el famoso mago que era capaz de hacer suertes diversas; salir de una caja de caudales donde estaba encerrado; salir del fondo de un río donde estaba maniatado; etc.) *Ser el monstruo de las siete pelucas. Ser el Drácula del beso francés.* Ser un experto succionando las partes pudendas de la mujer. (El «Beso Francés» es como llaman en Cuba al acto de succionar las partes pudendas.) Ver: *Arteria. Película.*

DRAMA. *Ser el drama del Apotiochi.* Eso es una cosa poco seria. «Eso que me dices es el drama del Apotiochi». (Esto se basa en un cuento sucio cubano, que se cuenta, imitando al italiano. Se llama: «*El drama de la Apotiochi*». Empieza: «*Etumi terrible drama escrito en bela lingua del venerato otor Micaelo, Duañy: Personayes Josef Picaloni, el bohemio; Dinora Loma, la putana...*) (Se oyen muchas pronunciaciones parodiando al italiano como se ve en este diccionario.)

DRIL. *Dril blanco.* Tela de lino de color blanco que era muy usada en Cuba de manera tal que representaba el traje típico del cubano en el verano. «Yo todavía tengo un dril blanco». *Dril hacendado.* Dril de color amarillo. «Yo prefiero el dril hacendado».

DRINK. Viene del verbo inglés «to drink» que significa «beber». Ver: *Soft.*

DRINKI. *Meterle al drinki.* Beber fuerte. «¿Cómo tu hermano le mete al drinki?» *Meterle al drinki con las dos manos.* Beber muchísimo. «Mi hermano le mete al drinki con las dos manos». (Éste es otro caso en el que con las palabras y no con la conversación que le es propia se forma el aumentativo.

DROGUERÍA. Centro de distribución de medicinas. «Llama a la droguería para que te la envíen».

DROMEDARIO. *Dos jorobas no hacen un dromedario.* La cosa no es como tú crees. «No me vengas con tonterías. Dos jorobas no hacen un dromedario».

DUCHA. *Mandar a alguien para la ducha.* 1. Derrotar. «En todo lo que han luchado en contra mía, lo he mandado para la ducha». 2. Sustituir a una persona por otra. «Llámame a Juan que voy a mandar a Pedro para la ducha». (Es un término que viene del base-ball, o pelota. Cuando el lanzador es retirado del juego, porque no puede seguir jugando y lo relevan se dice: «Lo mandaron para la ducha». Se dice igualmente: «Tirar para la ducha».)

DUEÑA.O. *Ser el dueño de los caballitos.* Ser el jefe. «¿Con quién tengo que hablar para conseguir el empleo? —Con el dueño de los caballitos». (Los caballitos son esos aparatos que aparecen en las ferias, con caballitos de madera en los que montan a los niños.) Sinónimos: *Ser el dueño de la papeleta.* (Es decir, del boleto de entrada.) *Ser el dueño del bate, el guante, y la pelota.* (Entre los niños del barrio hay uno que es el que tiene el bate, el guante y la pelota, los instrumentos del juego de pelota americano. Cuando él no los presta no se puede jugar.) *Ser el dueño del malangal.* (El malangal es la siembra de la malanga, un tubérculo abundante en Cuba. Este último cubanismo es de origen campesino.) *Ser la dueña de los caballitos y montar a alguien en el tío vivo.* Poder disponer de alguien cuando se quiere. «Ese hombre no trabaja, y yo le dije: Aquí yo soy la dueña de los caballitos y te monto en el tío vivo. Y lo despedí». Ver: *Palero.*

DULCE. *Comer alguien dulce de coco y después tomar café.* Acostarse con las blancas o con personas de color. «A mi hermano le gusta comer dulce de coco y después tomar café». (El dulce de coco es blanco y el café es negro. De ahí el cubanismo.) *Comerse los dulces.* ¿Cuándo se casan? (El cubanismo se usa por regla general en frase interrogativa.) «¿Cuándo se comen los dulces, Pedro?» *Emular a Dulce María Velazco de limosnero.* Pedir mucho. «Ese emula a Dulce María Velazco, de limosnero». (Dulce María Velazco era una artista cubana que decía a todo: «*un sukces, un verdadero sukces*». Este cubanismo tiene treinta años. Desapareció prontamente como muchos surgidos basados en situaciones del ayer cubano. «Sukces» es la palabra inglesa «Success» que el cubano pronuncia como se ha escrito.) Sinónimo: *Ser un limosnero de sukces. Estar alguien mechado como el dulce de guayaba.* Ser homosexual. «Ese me han dicho que está mechado como el dulce de guayaba». Sinónimo: *Aceite. Hasta para hacer dulces.* De sobra. «En casa hay bebida hasta para hacer dulces». *Hay dulces para todos.* (Este cubanismo se originó en tiempos de la presidencia del Dr. Ramón Grau San Martín, quien dijo que en su gobierno todo el mundo disfrutaría de sus beneficios. Se amplió su significado a muchas situaciones. Por ejemplo: El que mata a sus enemigos y sus compañeros quieren matar más personas pueden decirle: «No se preocupen, que hay dulces para todos. No se precipiten». Y si en una casa están sacando los latones de basura y un niño pequeño quiere ayudar pero no encuentra que hay uno disponible, la madre, puede decirle: «No te preocupes que hay dulces para todos», o sea, «ya podrás ayudar en otra cosa en el futuro». No se desesperen que todo se resuelve. «Cesen de quejarse que hay dulces para todos». *Repugnancia con el dulce después que te lo comiste.* ¿Ahora tienes miedo a las responsabilidades? (Se aplica este cubanismo a cualquier situación.) «Yo no era nada del bandido. No sé nada del atraco del Banco. —¿No me digas, repugnancia con el dulce después que te lo comiste?» *Ser dulce de recorte.* Ser persona sin importancia. «Tú eres dulce de recorte». *Ser un dulce cortado.* Se dice de la persona poco cariñosa. «Mi mamá es un dulce cortado». Ver: *Alambre. Azúcar. Papá. Taburete.*

DUMBO. *Parecerse alguien a Dumbo.* Tener orejas grandes. «Tu compañero de cuarto se parece a Dumbo». («Dumbo» es un elefante de las tiras cómicas —muñequitos—[en cubano] y de las películas animadas, de animales. De aquí el cubanismo.)

DUQUE. El dos en el domino. «Me ganó tirando duque». (O el duque.) En el exilio se oye el cubanismo del mismo significado «duk Esnaider» por el pelotero Duk Snider del equipo de pelota los Dodgers de Brooklyn.

DUQUESNE. *Duquesne de Estrada.* El dos en el dominó. «Triunfo con el Duquesne de Estrada».

DURA.O. *De lo duro.* Rápidamente. «Corrió de lo duro cuando oyó la noticia». *Estar la cosa dura.* Estar muy difícil. «Con las últimas medidas la cosa está dura». *Estar la cosa como jugar al duro y sin guantes.* Estar la cosa mala. «¿Cómo está la economía en Estados Unidos? —La cosa está como jugar al duro y sin guantes». *Ponerse duro.* Ponerse firme. «En este asunto tienes que ponerte duro». *Ponérsela a alguien dura.* Ponerlo en una dificultad. «Con esa pregunta se la pusiste dura al ponente». *Ponte duro.* Sé fuerte, no te ablandes, soporta el dolor con estoismo. «Ya sé lo de tu madre. Ponte duro». Sinónimos: *Hueso. Ponte piedra. Ponte roca. Sacudir duro.* Golpear brutalmente. «Los bandidos que lo asaltaron lo sacudieron duro». *Ser alguien más duro que un mojón de viejo.* Ser muy tacaño. «Mi primo tiene mucho dinero porque es más duro que un mojón de viejo». Ver: *Jicotea.*

DURAÑÓN.A. Mezquino. Tacaño. «Hay quien nace durañón como él y nunca cambia». Sinónimo: *Vivir en Durege entre Durañona y Puerta Cerrada.* (El cubanismo en este caso es un juego de palabras con las calles de La Habana: Durege y Puerta Cerrada.) Ver: *Aserrín. Cola.*

DURAZEL. *Decirle a alguien Durazel.* Se dice de alguien que no envejece. «A esa mujer le dicen Durazel». («Duracell» son unas pilas —baterías— que siempre funcionan. No se echan a perder. De ahí el cubanismo nacido en el exilio.)

E. Ver: *Pachanga.*

EASTERN. *Poner a alguien en la Istern volando.* Destruírlo. «Yo te voy a poner, a ti, en la Istern volando». (Forma en que el cubano pronuncia el nombre de la aerolínea norteamericana «Eastern». Es cubanismo nacido en el exilio y tiene relación con el secuestro de aviones a Cuba. Es decir: «Te voy a mandar a Cuba para que te fusilen». De ahí el cubanismo.)

EBÓ. Ofrenda. «Tengo que hacerle un ebó al santo». (Se trata de una palabra procedente de las religiones africanas vigentes en Cuba y llevada por los esclavos. Es palabra africana.)

EBORA. Brujería. «A Juan le echaron ebora». Sinónimo: *Guemba.*

ECHADO. *Echado pa'lante.* 1. Bravucón. «Como es tan echado pa'lante le contestó al hombre y éste lo abofeteó». 2. Engreído. «Es un echado pa'lante. Y no sé por qué. No le veo nada para tanta pose». («Pa'lante» es «para adelante».) *Echado pa'trás.* Orgulloso. «Es un echado pa'trás. No le habla a nadie. Se cree que desciende de reyes». Significa también engreído. («Pa'trás» es «para detrás».) *Estar echado.* No trabajar. «Está siempre echado». (Como las gallinas.)

ECHAR. 1. Apurarse. «Estoy echando a ver si termino el diccionario». 2. Atacar. «Me echó por la radio sin consideración». «En la asamblea le eché por todas sus desvergüenzas». (Se dice también: *echar con el rayo.*) 3. Correr. «El autobús echó y no lo pude coger». 4. Decir. «Eché todo lo que se me ocurrió». 5. Estudiar duro. «Eché cinco horas encima de los libros». *Echar el resto.* Dar todo lo que uno tiene de sí. «Hay que echar el resto en esta batalla o la perdemos». *Echar flores por la boca.* 1. Hablar cosas muy bonitas. 2. Piropear. «Siempre que me ve echa flores por la boca. No deja de decirme algo bonito de mi cara». (Piropear.) «Es un hombre muy fino. Jamás dice algo indecoroso. Siempre echa por la boca flores». (Hablar cosas muy bonitas.) *Echar sapos y culebras por la boca.* 1. Decir obscenidades. «Siempre está echando sapos y culebras por la boca. Por eso no dejo a mi hijo con él. Los malos modales se pegan». 2. Estar muy enojado. «No te le acerques que se levantó que echa por la boca sapos y culebras». *Echar un jarro de agua fría.* Desilusionar a alguien. «Yo creía que el puesto era mío, pero con lo que me dijo me ha echado un jarro de agua fría».[32] Se dice, asimismo, pero con menos regularidad: *Echarle una ducha fría. Echar un pie.* 2. Bailar. «Anoche eché un pie en casa de mi hermana». Sinónimo: *Girar.* 2. Huir. «Cuando supo las noticias del Primer Ministro echó un pie». Sinónimos: *Echar una alpargata. Echar una llanta. Echar una pata. Echar una pezuña. Echar un calcañal. Echar un entomillón.*[33] *Echar un patín. Echar un quinto.* Echarle a alguien. Atacarlo. «Me echó en el periódico». *Echarse el escaparate arriba.* Acicalarse muy bien. «Mi mujer cada vez que sale se echa el escaparate arriba». *Echarse pa'trás.* No cumplir la palabra. «Tú sabes que estaba de parte nuestra pero cuando vio que ello compartía riesgos se echó pa'trás».

ECHÚ. Diablo en el panteón mitológico africano. «Por ahí viene Echú». (Es voz llevada a Cuba por los esclavos.)

ECOBIO. Amigo; camarada; compañero. «Pedrín es mi ecobio». (Lenguaje del chuchero. Ver: *Chuchero.* Otros afirman que es calé.)

ECONÓMICO. *Ser alguien de tamaño económico.* Ser pequeño. «Mi papá es de tamaño económico. En sus tiempos no existían las vitaminas».

EDAD. *Estar en la edad de la peseta.* Se dice de los niños cuando llegan a cierta edad y se ponen muy antipáticos. «No le hagas caso a tu hermanito. Tú sabes que está en la edad de la peseta». Se dice, asimismo, *estar en la edad de la punzada.*

EDÉN. *Cambia, cambia, cambia. Cambia para Edén.* Cambia. «Tú no puedes estar así. Cambia, cambia, cambia. Cambia para Edén». *Hay cambio para Edén y tostado, y hay que fumarlo.* Va a cambiar la situación, (casi siempre política,) y hay que adaptarse a ella. «Aquí en este país hay cambio par Edén y tostado, y hay que fumarlo». (Se basa en el lema del cigarro «Edén Tostado» en Cuba que decía: «*Cambia, cambia, cambia. Cambia para Edén*».) *Ser alguien como Edén.* Estar loco. «Dice el médico que él es como Edén». (En Cuba había un cigarro «Edén» que era hecho con tabaco tostado. «Estar tostado» es «estar loco». De aquí el cubanismo.)

EDI. *Estar como Edi Cantor.* Mirar a una mujer con admiración, como si se le botaran a uno los ojos. «Cuando vio a Lupe estaba como Edi Cantor». (Eddy —el cubano dice Edi— es un actor de cine norteamericano que tenía los ojos botados.)

EDICIÓN. Ver: *Bolerito.*

EDIFICIO. Ver: *Mezcla.*

EG. Ver: *Escrambol.*

EJE. Ver: *Planetarium.*

EKSLAKS. *Tener que meterle, a alguien, ekslaks.* Se dice de la persona muy tacaña a la que hay que apretar, de mala manera, para que suelte el dinero. «No hay forma de lograr su ayuda. Tienes que meterle un ekslaks». (Es decir hay que darle el laxante «Exlax» para que suelte.) *Tomar un ekslaks.* Se le dice al que siempre está de mal

---

[32] Manuel C. Lassaleta en *Aportaciones al estudio del lenguaje galdosiano*, 1974, pág. 174, lo da como de la Provincia (Habla coloquial.)

[33] O «*entomiñón*».

humor. «No me contestes así, tómate un ekslaks». (Es cubanismo del exilio. El ekslan es el laxante «Exlax» que el cubano pronuncia como se ha escrito.)

EKSON. *Pertenecer una mujer a la Ekson.* Ser muy fea. «Esa mujer pertenece a la Ekson». (La «Exxon» es una compañía norteamericana del petróleo, que tiene una insignia de un tigre. Una mujer fea, en cubano, es «estar como un tigre». De aquí el cubanismo.)

ELÁSTICO. *Estar alguien echo un elástico.* Estar pensando solamente en mujeres. «Ahí viene Pedro, está hecho un elástico». (Por estar siempre en «el ligue», me dicen, o sea, «ligando» —enamorado de una mujer— «ligando» juega con «liga», la liga del elástico. De aquí el cubanismo.)

ELÉCTRICA.O. Ver: *Orégano. Ser un eléctrico.* Se dice del que triunfa en algo y nadie contaba con él porque no se le veían posibilidades. «¿Quién ganó la oposición en biología? —Un eléctrico: Pedro Fernández». (El cubanismo viene del campo de las carreras de caballos.)

ELECTRICIDAD. Ver: *Resistencia.*

ELEFANTE. Ver: *Pulidor.* Gordo. «Es un elefante ese muchacho. Pesa más de doscientas libras». Sinónimos: *Globo de Cantoya. Tonina. Sacarse la rifa del elefante.* Adquirir uno algo que es muy costoso o que su mantenimiento causa mucha dificultad. «Me regalaron este carro. —Te sacaste la rifa del elefante. Creo que tiene doble carburador y no sé cuántos cilindros». (Recibir algo de costoso mantenimiento.) «Llega mi primo. —Pues te sacaste la rifa del elefante». (Recibir una molestia. El cubanismo se aplica a muchas situaciones en la vida; p.e.: «Me llamó el director. —Te sacaste le rifa del elefante». Aquí según el matiz de la voz, puede implicar, «lo que te espera», o «qué mala suerte tienes».) *Ser un cementerio de elefantes.* Ser un sitio sin posibilidades. «Miami es un cementerio de elefantes». *Ser un elefante buscando el cementerio.* Ser muy viejo. «Mi padre es un elefante buscando el cementerio». Ver: *Cementerio. Ser un elefante en una cristalería.* Se dice de la persona que por donde quiera que va hace daño. «Ese amigo tuyo todos los días causa un lío. Es un elefante en una cristalería». Ver: *Cementerio. Galleta. Pistolas.*

ELEMENTO. 1. Grupo de calaveras. «Ya deben de llegar Pedro y Juan. ¡Cómo quiero a ese elemento!» 2. Mujer fácil. «Ese elemento es muy divertido. Pero cuesta mantenerla». *Elemento de yuca y ñame.* Se dice de la gente de muy baja categoría. «Ése es un elemento de yuca y ñame». *¡Qué elemento!* Esa exclamación se oye mucho y quiere decir: 1. ¡Qué gente más divertida! 2. ¡Qué gente sin modales!» ¡Qué gente sin principios! (Las circunstancias y la conversación dan el significado.)

ELENA. Ver: *Fuifio.*

ELIXIR. *Ser algo como el elixir paregórico.* Ser a cuenta gotas. «Este pago es como el elixir paregórico». *Ser algo como el elixir peregrino.* Ser algo que llega a cuenta gotas. «Esa novela es como el elixir paregórico». (Se aplica a los que hablan lentamente y dejando mucha pausa entre palabra y palabra: «Tu hermano es como el Elixir Peregrino».) Sinónimo: *Ser Pepsicola.* (En Cuba le dicen «pepsicola» al que habla con pausas porque el refresco «Pepsicola» tenía el lema: «*La Pausa que Refresca*».)

ELLA. *No estar en ella.* No estar enamorado de ella. «Juan no está en ella».

ELSA. Ver: *Pene.*

ELVIRA. Catarro que, cuando parece que se va, vuelve. «Estuve toda la semana con Elvira». (El cubanismo es un juego de palabras entre «él» y «vira». Como el catarro se va y vuelve se dice: «él vira». Uniendo las dos palabras se obtiene: «Elvira».)

EMBALADO. *Estar embalado.* Estar enfadado. «Juan está muy embalado hoy». También el que está nervioso. «Toma una medicina porque está embalado». Ir rápido. «El autobús iba embalao». Estar alguien «embalao». Estar bajo los efectos de la marihuana. «Juan está embalao. Fumó un cigarro de marihuana». «El estaba embalao, pero según el abogado la cosa no era así». Sinónimo: *Estar grifo.* («Embalao» es «embalado», pero el cubano aspira la «d».)

EMBALAMIENTO. Acción de embalarse, o sea, sufrir el máximo de los efectos de la marihuana. «Cuando la policía vio el embalamiento que tenía, se lo llevó preso».

EMBALARSE. 1. Coger al máximo el efecto de la marihuana. «Con un cigarro se embaló de mala manera». 2. Enojarse. «No se le puede hablar. De nada se embala».

EMBALE. Síntomas que presenta el que fuma marihuana. «¡Qué embale cogió con un cigarrillo!» Se dice, además, del que está muy enojado. «No te le acerques que tiene un embale terrible». Se dice, así mismo del que está de mal humor. «Si le hablas te contesta mal. Siempre tiene ese embale. Le pasa desde niño. Es constitucional». *Tener un embale.* Sinónimo: *Embalao.*

EMBARAJAR. Engañar. «Esa mujer embarajó al pobre profesor fácilmente». Sinónimo: *Dar un quite.*

EMBARCADOR. El que deja plantado a alguien. «Te estuve esperando todo el día. Eres un embarcador». El que enrola a alguien en una impresa que no lo beneficia. «Perdí dinero. Eres un embarcador».

EMBARCAR. 1. Dejar plantado. «Te esperé hasta las cinco. Me embarqué». 2. Enrolar a alguien en algo sin decirle los resultados adversos del enrolamiento, sino por el contrario hablándole lo contrario. «Me dijo que con ese automóvil ahorraría gasolina, pero no fue así. Me embarcó». 3. No cumplir lo prometido. «Me embarcaste. No recibí nada». Sinónimos: *Dar un embarque. Dejársela en el lomo, o en la cutícula, o en la mano. Embarcarse.* Enrolarse en una empresa creyendo que se va a salir bien y resultar lo contrario. «Puse el dinero en ese Banco creyendo que era lo más seguro y me embarqué. Quebró».

EMBARQUE. 1. Acción que resulta de que a uno lo embarquen o que uno se embarque. (Ver: *Embarcar.*) «El embarque ha sido horrible. Lo perdí todo». 2. Cosa aburrida. «¡Qué clase de embarque esa fiesta!» *Ser alguien el empleado del Departamento de Embarque de una compañía cualquiera.* (El cubanismo pone el nombre de la Swift, La Ranchuelera, etc.) Ser una persona que incita o mueve a alguien a hacer lo que resulta desfavorable en cualquier sentido; aburrirlo; comprometerlo, etc. Por ejemplo: «Vete a ver la película tal. Está buena; magnífica». Al día siguiente el que la fue a ver le contesta: «Me embarcaste, la película estaba muy mala y pasé un rato aburrido por ti». Otro ejemplo: «¿Tú crees que él me diga que sí? —No hay duda». Al día siguiente conversan: «Oye, fui a ver a tu amigo, ¡me embarcaste!» (O sea, no me dijo que sí y perdí el tiempo.) Otro ejemplo del cubanismo analizado: «No le hagas caso, que es un empleado del Departamento de Embarque de la Ranchuelera».

EMBARRAR. 1. Comprometerse. «Tú estás tan embarrado como yo en este crimen». 2. Rebajar la reputación de una persona o familia en un acto. «Al no cumplir tu palabra embarraste la reputación de nuestra familia». *Embarrase.* Hacer uno una acción que lo desmerece como persona y en el concepto público. «Usted se ha embarrado con esa acción y no tiene cabida en esta sociedad».

EMBARRETINARSE. Complicarse. «Para de coger trabajo. «No sé por qué te embarretinas con esas cosas».

EMBASARSE. 1. Llegar a casa de alguien. «Me le embasé a Juan de madrugada». 2. Poner en contacto con algo para medrar. «Me embasé en el presupuesto». (Viene del juego de pelota el cubanismo.)

EMBEMBARSE. Enojarse. «Se pasó todo el día embembado».

EMBERE. *El embere mayor.* El presidio. «Lo mandaron para el embere mayor». (En Cuba se hace distinción entre «cárcel», que es un encierro menos horrible que el «presidio». El presidio es lo terrible. «Embere» es palabra africana. Con el auge de las religiones africanas ha habido una gran invasión de palabras africanas. Esto es lenguaje de la Cuba de hoy.)

EMBERRACARSE. Enamorarse locamente. «Se emberracó con ella». «Se emberracó con ella y lo destruyó».

EMBOLIO. Embolia. «Un embolio le paralizó la mano izquierda». (Es voz campesina que se considera una incorrección por la gente de la ciudad.)

EMBOQUE. (El) Cárcel. «Lo mandaron para el emboque». «Lo metieron treinta años en el emboque». «Juan tiene que pasarse un año en el emboque». Sinónimo: *Estar en la loma. Estar en el Príncipe.*

EMBOTELLADO. 1. Acción de disfrutar de una «botella», o sea, de un puesto en el gobierno, que se cobra pero que no se trabaja. «Está embotellado en el Ministerio de Obras Públicas». 2. El que no trabaja en un puesto público y cobra. «Él está embotellado en obras públicas». 3. Tener prebendas en un trabajo. «Él viene cuando quiere pues está embotellado». *Dejar a alguien embotellado.* No dejarle terminar lo que quería decir. «De nuevo me has dejado embotellado y has cogido tú la palabra».

EMBOTELLARSE. *No querer embotellarse.* No querer dejar de hablar. «Cállate. No quero embotellarte». (Es lenguaje de la Cuba de hoy.)

EMBURRARSE. Obcecarse. «Por un quítame estas pajas se emburra».

EMBURUJAR. *Emburujar dinero.* Ahorrar dinero. «El tiene emburujado bastante dinero».

EMBURUJINA. 1. Hipocresía o algo oculto. «En lo que te digo no hay emburujina». (Hipocresía.) «En este trabajo no hay emburujina». (Nada oculto.) 2. Lío. «A mí, sácame de esa emburujina». También: *burujón.* «¡Qué emburujina has hecho con esos papeles!» También cosa dificultosa. «No hay forma de resolver esta emburujina». Asimismo, algo que es difícil de hacer. «Es una emburujina arreglar este televisor». También: bulto mal hecho. «Ese paquete es una emburujina». De igual modo, lugar desarreglado. «Su cuarto es siempre una emburujina».

EMBUTIR. 1. Engañar. «Te embutieron. No hay tal cosa. Da cuenta a la policía inmediatamente». 2. Mentir. «Te embutieron. Él es un mitómano». *Ir embutido.* Llevar un traje que queda estrecho. «Iba embutido Pedro. No podía caminar». Sinónimo: *Parecer un embutido.*

EMI. *Emi, aba, okon, chocho.* Aquí soy yo el que manda. (Palabras de origen africano.) «Y ni una palabra más. Aquí yo soy emi, aba, okon, chocho».

EMILIANO. *Un Emiliano Zapata.* Un cigarro de marihuana muy fuerte. «Lo que se fumó es un Emiliano Zapata. Por eso se siente tan mal». Sinónimos: *Chicharrita. Joe.* (Yoe Luis pronuncia el cubano la voz inglesa.) *Luis. Manteca. Platarco Elías Calle. Llevar detrás un Emiliano Zapata con las cananas cruzadas.* Se dice del que cuida mucho. (Se aplica principalmente a las chaperonas.) «Esa muchacha no hay forma de hablar con ella. Lleva detrás un Emiliano Zapata con las cananas cruzadas». Ver: *Producto.*

EMOCIÓN. *Comienza la emoción y el romance en un nuevo capítulo.* Comienza lo nuevo. «Mira ya está peleando con él. Comienza la emoción y el romance en un nuevo capítulo». (Así empezaba la famosa novela radial: *La Novela del Aire.*)

EMPACADOS. Ver: *Paquetones.*

EMPACHADO. *Estar empachado.* Creerse la gran cosa. «Yo no lo puedo ver. Siempre está empachado».

EMPACHO. 1. Indigestión. «Tengo tremendo empacho». 2. Mucho. *Desprender el empacho.* Acción de frotar el estómago con aceite de oliva para quitar la indigestión. «La señora de la esquina que sabe tanto, es experta en desprender el empacho. Es amiga mía, y se lo desprendió a mi hijo». *Tener alguien un empacho de algo* (colorete, etc.) Tener mucho. «Juana tiene un empacho de colorete». *Tener un problema de empacho.* 1. No aceptar lo que le dicen a uno. 2. Tener anginas. «Hace días tengo un problema de empacho con lo que me dices».

EMPADRONADOR. Se dice del que en las loterías clandestinas vigentes en Cuba, hace muchas apuestas. «Él es el empadronador más grande del pueblo».

EMPAGUA. Ver: *Anagüeriero.*

EMPAPAYARSE. Enamorarse locamente. «No hay nada que hacer. Está empapayado con Lola».

EMPAQUETADO. *Estar empaquetado.* Estar muy bien vestido. «Mira qué empaquetado sale hoy de la casa, ¿a dónde irá?» *Ir empaquetado.* Ir engañado. «Ya va bien empaquetado».

EMPAREDADO. *Emparedado de mezzanine.* Se dice de un emparedado que es grande porque le han puesto mucho jamón, queso, pierna, etc. *Emparedado con mezzanine y segundo piso.* Emparedado de grandes dimensiones porque ha sido compuesto con gran cantidad de pierna, jamón, etc.

EMPARRILLARSE. Acostarse. «Me voy a emparillar. Mañana tengo que levantarme muy temprano».

EMPATADURA. Añadidura. «Procura que no se le vea la empatadura».

EMPATARSE. 1. Conectarse con. «Me empaté con Juan». 2. Conseguir algo. «Me empaté con un buen puesto». 3. Obtener algo. «Me empaté con un empleo». *Empatar el termómetro.* Tener mucha fiebre. «Vamos para el hospital que Juan empató el termómetro».

EMPERCHADO. Bien vestido. «¡Qué emperchado está Pedro!» *Estar emperchado.* Estar muy elegante. «Juan está hoy emperchado». (Al traje se le dice «percha». De aquí estos cubanismos.)

EMPERICARSE. 1. Enojarse. «Cuando le llamé la atención se emperició». 2. Vestirse bien. «Siempre está empericada a la última moda».

EMPINADO. *Estar alguien empinado.* Estar bebido. «Hoy está empinado desde temprano».

EMPINAR. *Empinar el papalote.* 1. Elevar el papalote. «Vamos a empinar el papalote». 2. Poner el pene en erección. «Por fin empinas el papalote. Creí que eras impotente». Ver: *Chiringa.*

EMPINGADO. *Estar empingado.* Estar bravo. «No hables con él que está empingado».

EMPINGAMIENTO. Ver: *Empingue.*

EMPINGARSE. Enfurecerse. «Cuando vi lo que había hecho me empingué». (Es verbo derivado de «pinga» o «pene».)

EMPINGUE. *Coger un empingue.* Enojarse. «Cuando se lo dije cogió tremendo empingue». Sinónimos: *Empingamiento. Ponerse bravo. Tener un empingue.* Estar enojadísimo. «Tengo un empingue que estoy dispuesto a todo en este asunto».

EMPLUMAR. Volverse homosexual. «Emplumó de pronto y terminó como ves».

EMPUJADERA. 1. Acción de adular. «Tu empujadera con el candidato da pena». 2. Acción de tratar de lograr algo actuando fuertemente y eliminando felizmente a los contrarios. «La empujadera por el puesto ha sido asquerosa». 3. Se dice al acto de agasajar a alguien continuamente o hacerle favores con el fin de lograr algo de él. «La empujadera del señor ése es asquerosa». Sinónimo: *Galoteo.* Insistencia que molesta. «Para ya ese galoteo».

EMPUJADOR.A. 1. Adulador. «Es el empujador más grande del mundo». 2. El que hace todo tipo de servilismo para conseguir algo. «No soporto al empujador ése». Sinónimo: *Muño.* 3. Individuo que trata de quitarle algo a otro, o impedir que se lo den. «Ese empujador me quiere quitar el puesto. Está tratando de congraciarse con el jefe». 4. Que insiste en demasía. «Ése es un empujador». 5. Que insiste para desagradar. «Tú eres demasiado empujador. Por eso no le caes bien a nadie». En general persona que trata de persuadir para que haga algo. «Siempre a sido un empujador».

EMPUJAR. 1. Obligar. «Me empujaron el radio a la fuerza. Costó diez dólares». 1. Tratar de quitarle a alguien algo: un puesto, una mención honorífica, o impedir que consiga algo. «Como me odia mucho, empujó para sacarme del puesto». 3. Tratar de conseguir algo uno. «¡Cómo empuja para tratar de llegar al primer lugar!» (En «empujar» con estos significados siempre hay algo tortuoso. El cubanismo tiene ese espíritu.) *Caballero, no arrempujen.* Señores, no empujen, que todos cabemos. (Este cubanismo se usa en forma de chiste, cuando hay una aglomeración de personas tratando de entrar en un lugar. Un espectáculo, por ejemplo.) *Empujarse.* 1. Comer a la fuerza. «No tengo apetito, pero para mi salida tuve que empujarme los huevos y las papas». 2. Soportar con desagrado. «Tuve que empujarme toda la conversación de ese hombre». Ver: *Jalar.*

EMULAR. *Estar emulando a Manolo Fernández.* Estar triste o llorando desgracias. «Mi primo se pasa la vida emulando a Manolo Fernández». (Manolo Fernández, «*El Caballero del Tango*», era un tanguista cubano de fama internacional. Como el tango es muy triste surgió el cubanismo.)

ENANITOS. Ver: *Blanca. Chucherías.*

ENANO. *Arrepentirse de ser enano.* Quedarse cerca de serlo. Crecer un poquito más de la estatura de un enano. «Fernandito se arrepintió de ser enano». *Enano, pero con una pinga así.* Así contesta un hombre pequeño cuando alguien se refiere despectivamente a su estatura. «—Tú eres muy pequeño. —Sí, enano, pero con una pinga así». (Viene de un cuento de Pepito —Jaimito en España. «Pinga», es «pene».) *Ser alguien como un enano de circo.* Ser chiquito y cabezón. «Él es como un enano de circo. ¡Qué feo!» *Yo soy un enano.* (Cubanismo de tipo jocoso que nació en un programa de televisión llamado: «*La Tremenda Corte*». Se usa únicamente cuando le preguntan a uno quién es.) «—¿Tú quién eres? —Yo soy un enano». (Fuera de la broma no tiene significado, pues a continuación el que contesta se identifica. «¿Tú eres Pedro? —No soy un enano. Espérate que te vayas. Es una broma. Yo soy Pedro». (La broma está en que recuerda lo que se llama «pega», pues en esa forma era utilizado por el personaje del programa mentado: para pegar el juez. «La pega» consiste en sorprender a alguien con una pregunta, cuando se recibe la contestación entonces se le contesta con una frase jocosa. El que cae en la trampa es «el pegao». En la psicología del pueblo cubano está el no dejarse sorprender nunca con una «pega», por eso el escritor costumbrista Eladio Secades decía que en Cuba había cubanos cuyo mayor orgullo era que no los habían pegado nunca. Ejemplo de pega. «—¿Te vino a buscar Ramón, Pedro? —¿Qué Ramón? —El dueño de este bastón». (Y se señala uno para el pene.) «Te pegué, Pedro. Te pegué». Es éste un juego, «la pega», que se ve mucho entre los niños.)

ENCABRONADO. *Tener el pelo encabronado.* Tener el pelo muy despeinado. «Siempre tienes el pelo encabronado». Sinónimo: *Tener el pelo endiablado. Tener un pelo encabronado.* Tener un pelo muy bueno. «La verdad es que tienes un pelo encabronado». *Tener la mente encabronada.* Puede ser pensar cosas malas o imaginar cosas o ser muy inteligente. La conversación da el significado. «Siempre desconfiado, porque tiene la mente, encabronada». (Piensa cosas malas.) «¡Qué poema surrealista! ¡Tiene la mente encabronada!» (Tiene imaginación.) «Resolvió el teorema. Tiene la mente encabronada». (Es inteligente.)

ENCAGUA. Sombrero. «Me acabo de comprar un encagua». (Voz de origen chuchero. Ver: *chuchero.*)

ENCAJADA. *Estar una mujer encajada.* Estar enamorada perdidamente. «Esa mujer está encajada contigo. ¡Qué problema!» Sinónimo: *Estar encarnada.*

ENCAJADO. *Estar encajado con una mujer.* Estar muy enamorado de ella. «Juan está encajado con esa mujer».

ENCAJE. Ver: *Metro.*

ENCAJILLO. *Darle a alguien el encajillo.* Darle una oportunidad. «Yo le di el encajillo. Por eso llegó tan alto».

ENCAMAR. Hablarle bonito a alguien para convencerlo. «Me encamó y permití que se casara con mi hija». (El encamar lleva una carga psicológica: el que encama siempre consigue al convencer algo que le favorece mucho a él y le da pérdida al «encamado».) *Encamar a la lea.* Hablarle bonito a una mujer para conquistarla. «Estoy encamando a esa lea porque me gusta mucho». (Lea es caló, o sea, lenguaje gitano. El cubanismo es lenguaje del chuchero. Ver: *chuchero.*)

ENCAME. *Tener otro encame.* Tener otro estilo. «Mi abogado gana porque tiene otro encame». *Un encame butín.* Un discurso muy bueno. «Eso es lo que yo llamo un encame butín». («Butín», es «bueno». «Este baile está butín». (Estos cubanismo son lenguaje del chuchero. Ver: *chuchero.*)

ENCANE. *Ir a encane.* Fracasar. «No van a encane esa gente porque se retiran a tiempo». (Lenguaje del chuchero. Ver: *Chuchero.*)

ENCANGREJARSE. Funcionar mal o no funcionar el motor. «El carro es nuevo y sin embargo se encangrejó. Se paró en el medio de la calle». *Estar una persona medio encangrejada.* No sentirse bien. «Yo te digo que me siento medio encangrejado. Déjame tomarme la temperatura». Sinónimo: *Tener media caída la batería.*

ENCANTO. *Durar un encanto tanto como El Encanto.* Durar poco la felicidad. «Tu encanto durará tanto como El Encanto». (Se refiere a la tienda cubana «El Encanto» que destruyó un sabotaje en 1961 y cuya estructura se vino abajo en segundos. Cubanismo nacido en el exilio.) *Estar entre el Encanto y Fin de Siglo.* Estar feliz. «Yo estoy entre el Encanto y Fin de Siglo». («El Encanto» y «Fin de Siglo», eran dos tiendas famosas en La Habana.) *No tener Encanto sino Fin de Siglo.* Estar ya desilusionado. «Él, con esa mujer, ya no tiene Encanto, sino Fin de Siglo». *Todo Encanto tiene su Fin de Siglo.* Todo termina. «Lo comprendo. Todo encanto tiene su fin de siglo». (El cubano hace un juego de palabras entre el nombre de las dos famosas tiendas habaneras y forma los anteriores cubanismos.) Ver: *Etiqueta.*

ENCAPIRRARSE. 1. Amulatarse. «Esa emigración ha encapirrado a los pueblos de Suramérica». 2. Ennegrecerse. «La cultura española se encapirró ya en el Siglo XVI». «Todas esas familias antiguas se encapirraron». («Capirro» es mulato en cubano. «Ése es capirro». «Encapirrarse» es un verbo creado a partir del sustantivo.)

ENCARAMARSE. *Encaramarse el bonito.* Maquillarse muy bien. «Ella no es bonita, pero cuando sale se le encarama el bonito y parece una belleza».

ENCARGO. *Hacer una mujer un encargo.* Quedar embarazada. «Mi hermana hizo un encargo».

ENCARNACIÓN. *Llamarse una mujer Encarnación.* Estar perdidamente enamorada de un hombre. «Esa mujer se llama Encarnación. Está siempre junto al novio o hablando de él». (A las Encarnación, le llaman Encarna. El que se «encarna» es el que vive para la persona amada. Es un juego de palabras entre «Encarnación», «Encarna» y «Encarnada». En cubano «estar encarnado» es estar perdidamente enamorado. De esto y lo anterior nace el cubanismo.)

ENCARNADO. Ver: *Calavera.*

ENCARNARSE. 1. Coger odio. «Se me encarnó y me persiguió mucho». (Lo he oído muchas veces con este sentido de «tener odio a una persona».) 2. Enamorarse. «Se encarnó con esa mujer y fue su perdición». 3. Enamorarse de mala manera. «Cuando la vio se encarnó con ella». 4. Gustarle a uno mucho una cosa. «Se ha encarnado con las matemáticas y nada más piensa en ellas».

ENCARNE. Enamoramiento. «El encarne que tiene conmigo es penoso porque yo no lo quiero».

ENCARTONADO.A. *Estar encartonado.* 1. Haber estado tuberculoso. «Ese hombre está encartonado». 2. No envejecer. «Te felicito. Pareces un niño. Estás encartonado». *Tener una sífilis encartonada.* Estar loco. «Lo recluyeron. Tiene una sífilis encartonada».

ENCARTONARSE. 1. Dejar de envejecer. «Se encartonó de pronto y adquirió esa cara de niño». 2. Quitársele a uno la tuberculosis. «Cuando se esperaban los peores resultados, se encartonó».

ENCARTUCHAR. Dominar. He oído decir varias veces: «Esa pasión que lo encartucha está acabando con él». «A Pedro, Luis lo tiene encartuchado».

ENCASQUILLARSE. 1. No poder una persona tomar una resolución. «Hace varios días que se encasquilló y no sabemos qué hacer con ese asunto». 2. Quedarse una persona de pronto muda, sin saber qué decir. «Estábamos en medio de la conversación y de pronto se encasquilló». *Encasquillarse en algo.* Coger manía con algo. «Está encasquillado con eso de que tiene cáncer en la nariz y se pasa el día tocándose la verruga». *Tener algo encasquillado.* Poner algo en espera sin adoptar una resolución, pero dispuesto a tomarla en el momento preciso. «Nos dijo que teníamos que tener la ley encasquillada hasta que conviniera aprobarla». (El cubanismo viene del campo de las armas de fuego.)

ENCENDER. *Encendérsele a alguien el bombillo.* Darse cuenta. «De pronto se me encendió el bombillo y te llamé».

ENCENDIDA.O. *Dar una encendida.* Amonestar. «Le di al niño una encendida». *Estar encendido.* 1. Estar enojado con alguien. «Estoy encendido con Juan». «Juan está encendido. Espero que se calme. No le conviene ese enojo». 2. Estar molesto. «Estoy encendido con esta situación». 3. Tener muchos deseos sexuales. «No puedo ver a una mujer porque me vuelvo loco. Estoy encendido». *Estar encendido alguien.* Oler muy mal. «Báñate, que estás encendido». *Estar la situación encendida.* Estar la situación muy mala. «En cualquier sentido la situación en Miami está encendida». Sinónimos: *Estar la situación de bala; de balín cantore; de cuando la mona no carga al hijo. Estar, una ciudad, encendida.* Tener problemas gravísimos. «Nueva York está encendido. Mucha delincuencia». *Tener un cerebro encendido.* Ser muy inteligente. «Mi maestro tiene el cerebro encendido». Sinónimos: *Tener el coco, el güiro, el moroco, el moropo, endiablado.* («Coco», «güiro», «moroco» y «moropo», significan en cubano «cabeza».) *Tener un músculo o un órgano del cuerpo encendido.* Doler mucho. «Tengo el músculo de la pantorrilla encendido». *Venir encendido.* Tener ganas de fornicar. «Voy a una casa de prostitución porque vengo encendido».

ENCHUCHADO. *Estar enchuchado.* Tener una prebenda. «Esta enchuchado en el gobierno». («Enchuchado» es término ferroviario. Consiste en conectar un chucho a la luz eléctrica; al enchufe.)

ENCHUCHAR. Tiene diferentes significados. 1. Camelar. «Lo enchuché después de hablarle mucho». 2. Colocar. «Te voy a enchuchar en esta compañía». 3. Conseguirle a alguien una prebenda. «Lo enchuché con el ministro. Cobra, pero no trabaja». 3. Fornicar. «Anoche enchuché a Juana varias veces». (Es un cubanismo que viene del campo ferrocarrilero. En el reflexivo ya el significado cambia, pues *enchucharse*, quiere decir lo mismo que *ser un botellero* o *tener una botella*, (ver: *botella*, y *botellazo*;) o sea, tener un puesto en el gobierno, cobrarlo y no trabajar. «Está enchuchado en el Ministerio de Salubridad». 4. Tener influencia. «Mi primo está enchuchado en este gobierno. Hace lo que quiere».

ENCHUFE. *Quitarle a alguien el enchufe.* Dejarlo tranquilo. «Por tu madre, quítame el enchufe». Ver: *Corriente.*

ENCOCORARSE. 1. Enfadarse. «Cuando le hice la pregunta se encocoró». 2. Emborracharse. «Cuando lo vi estaba completamente encocorado».

ENCOGIDO. *Estar siempre encogido.* Estar siempre en pose. «Ese tonto está siempre encogido».

ENCOMANDITA. Ver: *Sociedad.*

ENCONTRAR. *Encontrar a alguien hasta en la sopa.* Ver a alguien en todos los lugares. «A ese señor me lo encuentro hasta en la sopa. En donde quiera que yo estoy, está él».

ENCORIO.[34] Pie. «Tiene un encorio grande». Sinónimos: *Entomiñón. Ñame.*

ENCUADRILLAR. Aguantar varios presos a otro y violarlo. «En cuanto entró en la cárcel encuadrillaron al pobre hombre». (Es lenguaje que surgió en la cárceles cubanas.)

ENCUENTRO. *Llevarse de encuentro.* 1. Barrer con todo lo que se le opone a uno. «Tenía que llegar a la cumbre y se lo llevó de encuentro, aunque era su hermano». 2. Derrotar. «En la carrera de cien metros se lo llevó de encuentro».

ENCUERAR. Quitarle a alguien todo. «La mujer lo encueró en el divorcio».

ENCUEROS. *Estar encueros y con la mano en los bolsillos.* Tener una situación económica difícil. «El está encueros y con la mano en los bolsillos». (El cubano de dos palabras «en cueros» ha formado una sola: «encueros».)

ENCUERUZA. *Estar encueruza.* Estar encuera. «Con ese vestido está encueruza».

ENCUFO. Cárcel. «A Pedro lo metieron en el encufo».

ENDIABLADO. Ver: *Chamullo.*

ENDIÑAR. Dar. «Le endiñó varios golpes por la cabeza». (Se dice que es calé.) *Endiñarle la jeta a alguien.* Mirarle a la cara. «Le indiñé la jeta al individuo y le dije lo que tenía que decirle». («Jeta» es castizo, significa «cara». El chuchero usa la palabra así, creyendo que era propia de él. Ver: *chuchero.*)

ENDOQUI. *Ser, alguien, un endoqui colorao.* Ser persona que se aprovecha. «Ese señor es un endoqui colorao. No lo quiero de amigo». (Es voz africana llevada por los esclavos a Cuba. «Colorao» es «colorado» pero el cubano aspira la «d».)

ENFANGARSE. Mezclarse en asuntos inmorales. «Se enfangó de pies a cabeza en ese escándalo».

ENFERMEDAD. *Ser una mujer una enfermedad.* Ser una mujer muy bella. Tener un gran cuerpo. «Esa mujer es una enfermedad».

ENFERMERA. Autobús. «Estoy esperando a la enfermera». (Se les decía así porque estaban pintados del mismo color que el uniforme de las enfermeras.)

ENFERMITA.O. *Ser una mujer una enfermita.* Gustarle las posiciones raras y los actos inusitados en el acto sexual. «Basta verle la cara para saber que es una

---

[34] Tambien se dice «**encorioco**».

enfermita». «Por la cara se le ve que esa mujer es una enfermita». (Se dice también del hombre: *ser un enfermito.* Ver: *Cerebral. Perversita. Prostitución.*

ENFERMO. *Ser algo una cosa de enfermo grave.* No durar más de setenta y dos horas. «Esa conspiración fue una cosa de enfermo grave».

ENFILAR. *Enfilar los cañones.* Atacar a una persona, acosarla, estar en contra de ella. «Me tiene, desde que me conoció, enfilados los cañones. Pero la antipatía es mutua».

ENFURRUÑARSE. Irritarse, enojarse. «Se enfurruñó conmigo por algo que yo no hice».

ENGALLINARSE. Enfadarse. «Ha estado engallinado toda la mañana».

ENGANCHAR. 1. Coger una sífilis. «La prostituta lo enganchó». Sinónimos: *Dejar enganchado. Dejar en la estaca. Premiar.* «Yo creía que tú eras mi amigo, pero me dejaste enganchado». 2. Conseguir trabajo. «Enganché en el ministerio». *Engancharse en el último tren.* Aprovechar la última oportunidad. «Yo me enganché en el último tren. De lo contrario me quedo sin trabajo». Sinónimo: *Engancharse en el cabú.* (El «cabú» es el último carro del tren.)

ENGAÑADORA. (La) Se dice de la mujer que usa postizos para fingir formas del cuerpo esculturales. «Esa mujer es una engañadora». (El cubanismo nació con una canción del mismo título.) *Ser una mujer engañadora.* Estar llena de afeites que la hacen lucir bonita, pero en realidad ser fea; o ponerse rellenos. «Parece que tiene senos pero es engañadora».

ENGAÑAR. *No te dejes engañar.* Latiguillo lingüístico que el cubano usa en la conversación como final de frase. Indica: «Esto es como te digo». «Esta situación lleva a la nación a la ruina. No te dejes engañar». «Ten la seguridad. Ése es un hombre malo, no te dejes engañar». «El vendrá a buscar el dinero, no te dejes engañar». «Yo sé lo que te digo. No te dejes engañar».

ENGAÑE. Engaño. «Eso es un engañe».

ENGARACHUSARSE. 1. Enojarse. «Se engarachusó en cuanto vio que la cosa estaba perdida». 2. Molestarse una persona y estar pronta a responder cuando se le llama la atención. «¿Puedes creer que se me engarachusó cuando le hablé?» Sinónimo: *Engarrullarse.*

ENGATILLADA.O. *Estar una persona engatillada.* 1. Se dice de la persona que salta en cuanto se le habla. Siempre tiene el mal humor reprimido y presto a soltarlo. «Mamá siempre está engatillada». 2. Tener un deseo sexual muy fuerte. «Yo estoy engatillado. Tengo que salir a buscar a una mujer».

ENGRAMPAR. 1. Casarse. «Ya mi hija engrampó». 2. Conseguir un puesto. «Engrampé en el gobierno». Sinónimo: *Enganchar.*

ENGRAÑARSE. Enfadarse. «No tiene un día feliz. Se pasa la vida engrañado».

ENGRASAR. Sobornar. «Engrasé al secretario del ministro y creo que logré las contratas».

ENGUAJIRARSE. Violentarse. «No le hables así que se enguajira». También ponerse tímido. «Cuando nos ve, se enguajira. Él es así de tímido».

ENGUIRRAMIENTO. Enojo. «El enguirramiento le duró una semana».

ENGUIRRARSE. Enojarse. «Mi padre se enguirra por las cosas de mi hermano y eso le hace mucho daño». Se dice, asimismo, *enguirriarse.*

ENHIERRADO. *Estar enhierrado.* Portar un arma. «Ten mucho cuidado cómo hablas con él que está enhierrado».

ENHUEVADO. Estar enamorado. «Juan está enhuevado con esa muchacha».

ENHUEVAR. Engañar. «Da pena cómo le está enhuevando».

ENJABONARSE. *Enjabonársele las manos.* Acobardarse. «En el momento preciso se le enjabonaron las manos». Sinónimo: *Coger frío.*

ENJALMA. *Llevar a alguien, en la enjalma.* Auxiliarlo. «A ése yo lo llevé en la enjalma». (Es vocablo del campo cubano y viene de que le guajiro coge al perro lo lleva en la montura.)

ENJOCICARSE. Enojarse. «En cuanto vio las notas del hijo de la escuela se enjocicó». (Es de raíz campesina este cubanismo. El campesino al hocico le llama «jocico». Por eso el cubanismo es «enjocicarse».)

ENKIKO. Gallo. «Dame ese enkiko». (Voz africana llevada a Cuba por los esclavos.)

ENMANIGUARSE. 1. Acostumbrarse a vivir en el campo. «Él era muy citadino pero ahora se enmaniguó». 2. Meterse en las patas de los caballos. «Con tu conducta en la escuela te han enmaniguado, Juanito».

ENMARAÑAR. Meter en un lío. «¿Tú puedes creer que mi propio hermano me enmarañó?» Sinónimo: *Hacer una maraña. Enmarañarse.* 1. Estar muy ocupado. «Yo estoy muy enmarañado con este trabajo». 2. Meterse en un lío. «Me enmarañé por muy enmarañado».

ENMORCILLADO. *Estar alguien enmorcillado.* Estar atrapado. «En el asesinato ése, a Juan lo tienen enmorcillado». Sinónimo: *Tener cogido.* Estar siendo fornicado. «Juan tiene enmorcillada a Cuca».

ENRAMADA. Ver: *Revólver.*

ENREDILLO. Enredo. «El enredillo que tu hijo ha formado es fenomenal».

ENSALADA. *Ensalada entrada a palos.* Mala. «Me dieron una ensalada entrada a palos».

ENSALCHICHAR. 1. Derrotar. «En ese deporte siempre ensalchichan a Pedro». 2. Engañar. «En eso te ensalchicharon de mala manera. Si se veía el fraude». 3. Fornicar. «A ese lo vi que lo ensalchichaban anoche en el corredor».

ENSEÑAR. *No me han enseñado nada.* Latiguillo lingüístico que el cubano repite constantemente, y que se aplica cuando alguien no hizo nada excepcional. «Tendrá mucha fama, pero ese médico no me ha enseñado nada». También para definir que alguien no vale nada. «A mí, ese poeta, no me enseñó nada».

ENSILLADO. *Estar alguien ensillado.* Estar listo para salir. «Mi mujer siempre está ensillada».

ENSUCIAR. Defecar. «¡Qué ganas tengo de ensuciar!»

ENTARABILLADO. Tener a alguien controlado. «Lo tengo entarabillado, no te preocupes». (Cuando se lleva un cometa —empinar un papalote— se le pone una tarabilla, que es un artefacto para enganchar al papalote del contrario. De aquí proviene la voz: «entarabillado».)

ENTENDIDO. *Ahí está el entendido ése.* Se dice de la persona que no tiene moral, que se dice liberado de todo. «Ahí está, el entendido ése». (Lenguaje de la Cuba de hoy.)

ENTERITICO. Enterito. «El libro está enteritico. No le falta ni una hoja».

ENTERO. 1. Bien. «Este libro está entero. Va a cambiar las teorías sobre la física cuántica». *Estar entero.* Estar muy bien de salud. «Cómo no voy a nadar los cien metros si estoy entero». *Estar un hombre o una mujer enteros.* Ser muy bellos, muy buenos tipos. «Pedro está entero». «Me enamoré de Juanita en cuanto la vi porque está entera». «Esa mujer está entera». «Esa vecina mía está entera». Sinónimo: *De un peo rompe un corojo. Ser un trono.* De un hombre que es buen tipo se dice que está entero. «Juan está entero».

ENTERRORIOS. Entierros. «Son enterrorios de pobre. Los hace la ciudad».

ENTIERRO. *Sacar el entierro.* Sacar el dinero. «Sacó el entierro, él que es tan agarrado». *Ser algo un entierro de tercera clase.* Se dice cuando en un restaurante, por ejemplo, nadie habla. «Mira esos parroquianos. ¡Qué cara! Esto es un entierro de tercera clase». En general se aplica a lo aburrido. «Esta película es un entierro de tercera clase». *Ser la esperanza corta como el entierro de pobre.* Tener poca esperanza. «Mi esperanza en este asunto es corta como el entierro de pobre». *Ser más negocio pagarle a uno el entierro que la comida.* «A éste es más negocio pagarle el entierro que la comida. Ayer se comió diez platos». (Se dice del que come mucho.)

ENTIMBALADO. Enojado. «Juan está entimbalado por todo lo que está pasando aquí».

ENTIMBALAR. Enojar. «Me entimbalas con tu actitud». *Entimbalarse.* Enojarse. «Se entimbala uno fácilmente cuando ve las cosas que pasan aquí».

ENTINGLA. Vete. «Entingla rápido». (Cubanismo de la Cuba de hoy.)

ENTIQUITÍ. Mujer pequeña. «Me encanta esa entiquití». (Lenguaje del chuchero. Ver: *chuchero.*)

ENTISADURA. Lo que resulta de forrar un objeto. «La entisadura que le hicimos a la pelota quedó muy bien».

ENTOLLAR. 1. Fornicar. «Entollarla es una delicia». 2. Vencer. «En cualquier cosa que competimos, lo entollo».

ENTOMILLÓN.[35] Pie. «Me duele el entomillón. Debe de ser que el zapato no me queda cómodo». Sinónimos: *Escorio. Ñame.* (Voz de origen chuchero. Ver: *chuchero.*) *Chaqueteando entomillón.* Huyendo. «El preso está chaqueteando entomillón». *Echar un entomillón.* Ver: *Chaquetear. Echar.*

ENTOYADO. Perdedor. «Siempre en toda contienda es un entoyado». (Es la forma que el cubano pronuncia «entollado».

ENTRADA.O. Ver: *Artista. Fiado.*

ENTRAR. *Entrar como Pedro por su casa.* Entrar en un lugar sin la debida autorización. «Entró como Pedro por su casa en el balneario». *No entrar en ésa.* No compartir una idea, una acción, algo que se va a hacer. «—Vamos a tirarle piedras a la farola de la esquina, Pedro. —Yo no entro en esa». Además ver: *Lin. Yo no entro en eso.* 1. Eso no me importa. «Eso no me ofendió. Yo no entro en eso». 2. Yo no acepto eso. «—La pornografía está protegida por la Constitución. ¿Qué crees de eso?

---

[35] Se, dice por muchos, *entomiñón.*

—Yo no entro en eso». 3. Yo no te acompaño en la empresa. «—Vamos a poner una fábrica de botellas. —Yo no entro en eso». En general se usa en muchos casos.

ENTREDÓS. (La) La querida de alguien. «Mi entredós me dejó porque no le di el dinero que me pedía». «El tiene una entredós hace dos años. Por eso no se casa». (El cubanismo nace al estar la querida entre dos, o sea, entre el marido y la mujer.)

ENTRETENERSE. *Conmigo te entretienes pero no juegues.* No te propases que te va a costar caro. «Déjalo, él sabe hasta dónde ir. Conmigo te entretienes pero no juegas».

ENTREVERADO. (El) Parte de la costilla del puerco. «Dame una libra de entreverado». *Estar alguien entreverado.* No estar de muy buen humor. «Me he levantado un poco entreverado. Debe ser la alergia».

ENTUBAR. Fornicar. «La entubé anoche». Sinónimo: *Dar con el tubo.* «Anoche le di con el tubo». *Entubar a un hombre.* Darle por detrás en el acto sodomita. «A ése lo han entubado varias veces».

ENTUNAFICHADO. *Tener a alguien entunafichado.* Darle a alguien de comer todos los días tuna. «Mi mujer me tiene entunafichado». (El cubanismo nació en el exilio donde debido a la rapidez de la vida americana hay que almorzar muchas veces un emparedado de «tuna fish» [tuna,] un producto enlatado americano, por no haber tiempo de preparar almuerzo».

ENVASE. Ver: *Mierda.*

ENVIDIA. *Si la envidia fuera tiña la gente no saldría de los especialistas de la piel.* Equivale al castizo: «*Si la envidia fuera tiña, cuántos tiñosos no hubieran*». *Tener envidia policromada.* Ser muy envidioso. «Humberto tiene envidia policromada».

ENVOLVENCIA. ¿En qué envolvencia estás? ¿En qué estás? (Lenguaje traído al exilio por la gente que llegó por el puente marítimo: Mariel-Habana.) Ser algo una envolvencia diferente. Ser una cosa diferente. «A eso no le puedes entrar así. Eso es una envolvencia diferente». (Lenguaje de la Cuba de hoy, llevado a Miami por los arribados de Mariel, en el puente marítimo: Mariel-Cayo Hueso, de 1980.) Sinónimo: *Ser una bolada distinta.* (He oído también volada.)

ENYERBADO. *Estar enyerbado.* 1. Estar complicado en algo ilegal. «—¿Tú crees que lo pongan en libertad? —¡Qué va! Está enyerbado». 2. No estar algo muy claro. «No compres ese terreno que parece que los papeles están enyerbados». 3. Tener dificultades. «No creo que pueda sacar el examen de física. Estoy enyerbado con ella». 4. Tener mucho trabajo. «Con gusto te acompañaría a la playa, pero estoy enyerbado».

ENYERBARSE. Complicarse algo. «El asunto se está enyerbando. Hay que tener cuidado». «La situación económica se está enyerbando».

ENYUGAO. *Estar enyugao.* Estar casado. «Pedro está enyugao». (Es «enyugado» pero el cubano aspira la «d». Es lenguaje campesino.)

EPISODIOS. Ver: *Televisión.*

ÉPOCA. *Época de mamey.* Época buena. «En mi época de mamey salía a bailar todas las noches». (Los puertorriqueños le dicen, «ser un mamey», a algo fácil, bueno. Esto hizo nacer el cubanismo del exilio.) *Estar en la época de guonderguman.* Estamos en la época de la liberación de las mujeres. «Tienes que darte cuenta que estamos en la época de guonderguman». (Es cubanismo del exilio. La «guondeguman», que es la forma en que el cubano pronuncia «Wonder Woman» es la palabra inglesa que define a la mujer dotada de poderes divinos. El es personaje de un programa de televisión norteamericano.) *Ser de la época del trapito.* Ser muy antiguo. «Eso es de la época del trapito». (Se refiere a cuando las mujeres usaban para la regla, trapitos.)

EQUEY. Amigo. «Pedro es mi equey de toda la vida».

EQUILICUÁ. Así mismo. «El fue el que hizo el puente no el otro. —Equilicuá». Se dice también: *equiricuá o equelecuá.*

EQUIPAJE. Cuerpo de la mujer. «Esa mujer tiene un equipaje bello».

EQUIPO. *Entregar el equipo.* Morirse. «Ayer, Juan, entregó el equipo». *Ser alguien un equipo de demolición.* Se dice de la persona muy activa. «No lo soporto en la casa. Cómo se mueve. Es un equipo de demolición». *Ser del equipo de la otra zona.* Ser homosexual. «El es del equipo de la otra zona».

ERENQUE. *Erenque apotarenque.* Aura tiñosa. «Maté un erenque apotarenque». (Voz de origen africano.)

ERIZADO. *Estar erizado.* Estar temeroso. «Yo estoy erizado porque la situación va muy mal».

ERIZO. *Estar en el erizo.* No tener ni un centavo. «Yo con mucho gusto ayudaría para el regalo, pero es que estoy en el erizo». Sinónimos: *Estar comiéndose un cable. Estar comiéndose un chino. Estar comiéndose un niño.* (Se le añade algunas veces: *con tenis y todo.*) *Estar hecho tierra. Estar tan hecho tierra que si le echan agua se convierte en fango.*

ERMITA. Ver: *Camino.*

ERUTO. *Ser alguien un eruto.* Ser antipático. «Ese hombre es un eruto».

ESBIRRO. Asesino. «Los esbirros policíacos lo mataron». (He aquí un cubanismo en que lo castizo toma significado distinto. En castizo es alguacil, policía.)

ESCACHADO. *Estar escachado.* Estar en mala situación económica. «Todo el mundo sabe que él está muy escachado».

ESCACHARSE. 1. Fracasar. «No le digas que te quieres casar con ella porque te vas a escachar. Ella no te ama». 2. Perder jugando a un juego de azar. «En esta lotería yo me escacho».

ESCACHE. Fracaso. «El escache ha sido grande». *Caer en un escache.* Fracasar. «Contigo he caído en un escache». *No hay escache.* No hay problema. «Estate tranquilo que no hay escache». *Para que no haya escache.* Para que no se falle. «Voy a escribir la carta para que no haya escache; sale a las cinco de la mañana».

ESCAFANDRA. *Ponerse la escafandra.* Succionar el clítoris de la mujer. Sinónimos: *Bajar al pozo. Ponerse la careta de pelo.*

ESCALA. Ver: *Maricón.*

ESCALERA. *Le quitaron la escalera y le dejaron la brocha.* Le quitaron lo principal y le dejaron lo que no servía. «Dicen que son muy buenos, pero al hermano le quitaron la escalera y le dejaron la brocha». *Servir de escalera.* Servir de comodín para el encubrimiento de algo. «El le sirvió de escalera para que llegara a donde llegó. Ambos son culpables».

ESCAMPAR. *No llueve que no escampe.* Corresponde al castizo: «*Tras la tempestad viene la calma*». Todo tiene solución. «No te preocupes, que no llueve que no escampe. Saldrás de todas tus dificultades».

ESCÁNDALO. *Ser una mujer un escándalo.* Estar bellísima. «Tu hermana, perdóname, es un escándalo. Salió en la belleza a su madre».

ESCAPAR. Vivir con dificultad. «Gano para ir escapando». *Escapársele a Tamakún por debajo del turbante.* Ser muy astuto, en forma tal que siempre se triunfe. «Ese muchacho se le escapó a Tamakún por debajo del turbante». (Nace el cubanismo de los episodios de «*Tamakún, el Vengador Errante*», que radiaban en el circuito **C.M.Q.** de La Habana. El héroe de los mismos, Tamakún, nunca perdía. Era el prototipo de la astucia, de la audacia. El episodio fue creado por el costumbrista cubano Dr. Armando Couto, primerísimo intérprete de la «*chusmería cubana*».) Se dice también: *Escapársele a Barrabás. Escapársele a Satanás o al diablo.* Pero el más usado es el que hemos venido tratando.)

ESCAPARATE. *Caerle a alguien un escaparate arriba.* Sufrir un gran descalabro. «A Pedro le cayó un escaparate arriba con la noticia». (Siempre que se tiene un descalabro se sufre demasiado, se usa este cubanismo.) «Se le fue la mujer y le cayó un escaparate arriba. No se ha repuesto del dolor». Sinónimo: *Caerle el empaiar esteit arriba.* (Es el Empire State, que el cubano pronuncia como se ha escrito, uno de los edificios más alto del mundo.) Otro sinónimo: *Caerle un piano.* (En el exilio, para un descalabro o sufrimiento pequeño se dice: *Caerle un beibi piano.* («Baby» es la palabra inglesa «pequeño».) *Ser una mujer escaparate de tres lunas.* Ser una mujer fea y con cuerpo grande. «Esa mujer es un escaparate de tres lunas».

ESCAPE. Ver: *Tubo.*

ESCAREARSE. Emborracharse. «Ya está escareado. Con dos cervezas».

ESCARLATA. Ver: *Pimpinela.*

ESCARRANCHAR. Estirar. «Mira cómo el negro Simón escarrancha la boca».

ESCLAVA. Manilla que se lleva en el brazo. (Es prenda femenina.) «A mí me encantan las esclavas de oro».

ESCOBA. *Coger la escoba.* Trabajar. «En vez de hablar tanto, coge la escoba». *Dar escoba.* 1. Despedir, eliminar. «En la oficina di escoba. Despedí a la mitad del personal». 2. Echar a alguien. «En ese negocio dieron escoba». «La novia le dio escoba y está desconsolado». Sinónimo: *No dejar títere con cabeza. Escobita nueva barre bien.* Lo nuevo siempre es novedoso. «Mi hija que ha sido tan vaga está encantada con el curso de mecanografía. Es que escobita nueva barre bien». *Tragarse la escoba y quedarse el millo afuera.* Querer pasar por aristócrata y verse que no lo es. En general, fingir lo que no se es porque en la conducta de la persona se revela. «Mírala en la crónica. Se tragó la escoba y le quedó el millo afuera». También, no entender lo que le han dicho a uno: «Tú te has tragado la escoba y se te quedó el millo afuera. No entendiste». Ver: *Luna. Palo.*

ESCOBADA. *Echar una escobada.* Barrer. «Voy a echar una escobada».

ESCOBAZO. Ver: *Aura.*

ESCOBERO. *Ser escobero.* Ser muy activo sexualmente. «Siempre ha sido un escobero. Por eso se ha divorciado tanto». (El escobero, es el que vende escobas y anda con el palo de las mismas en alto. «Palo» es pene en cubano. De aquí el cubanismo.)

ESCOCH. *Estar un hombre o una mujer cogidos con escoch teipe.* Estar muy vieja(o). «Ellos están cogidos con escoch teipe». (Es «scotch tape», o «papel precinta o de pegar», que el cubano pronuncia como se ha escrito. Es cubanismo del exilio.)

ESCOFINA. Ver: *Dar. Darse lija.*

ESCOGIDA. *Estar en la escogida.* Estar pensando qué hacer. «Chico, todavía estoy en la escogida. No sé qué hacer». (El término viene del campo del tabaco pues al proceso de separa o seleccionar las hojas del tabaco curadas se le llama: «Escogida».)

ESCÓN. Ver: *Nueve.*

ESCONDIDOS. *Jugar a los escondidos.* Andarse buscando ávidamente y no encontrarse. «Por fin te encuentro. Estábamos jugando a los escondidos».

ESCOÑAR. Estropear. «Escoñó, en el choque, el automóvil».

ESCOÑARSE. 1. Caerse. «Iba en la bicicleta y se escoñó». 2. Fracasar. «Se escoñó en el negocio». Sinónimos: *Despatarrarse. Destutanarse.* Ver: *Despatarrarse.*

ESCOPETA. *Apuntar bien con la escopeta.* Se dice al que acostumbra a orinar fuera de la taza. «Muchacho, cochino, la próxima vez apunta bien con la escopeta». (O sea, «orina dentro de la taza».) *Escopeta recortada.* Escopeta a la que se le han cortado el cañón con el fin de que disperse más el tiro. Es un arma mortal. (Se usó mucho en Cuba por la oposición para realizar atentados contra los personeros del gobierno del general Machado.) *Estar algo de escopeta.* Estar muy bien. «Ese anillo está de escopeta». Antónimo: *Estar algo de bala. Pa' su escopeta.* ¡No! «Vamos a ver a Perico. —¿El loco? ¡Pa' su escopeta!» («Pa'» es «para».) *Ser algo una escopeta.* Ser muy bueno. «Esa revista es una escopeta». *Ser una mujer una escopeta.* Ser bella. *Tirar con escopeta recortada.* Decirle a alguien en su cara cosas malas acerca de ella; dar una opinión de una persona en cualquier sitio muy desfavorable a la misma. «Oye, me enteré que en la reunión me tiraste con escopeta recortada».

ESCORADO. *Estar escorado.* Estar borracho. «Todos los domingos está escorado».

ESCORAR. Emborrachar. «Ya tú verás. Yo me voy a escorar con ponche».

ESCORIA. Nombre que le dan los comunistas a los que dejan la isla para ir a la libertad. «Yo estoy muy orgulloso de ser escoria».

ESCRAMBOL. *Hacerle a alguien un escrambol eg.* Darle muy fuerte en los testículos. «En la pelea, Juan le hizo a Pedro un escrambol eg». (Es cubanismo del exilio. «Scrambled eggs», son «huevos revueltos», en inglés, y que el cubano pronuncia como se ha indicado. Así le pusieron los testículos al que le dieron.)

ESCRIBIENTE. *No estar contratado el escribiente de la Pinta.* Contestación que se da a aquél que le manda a uno a tomar notas. «Viejo, para ya, que yo trabajo aquí pero no soy escribiente de la Pinta». (Este cubanismo era usual en bufetes cubanos entre la empleomanía.)

ESCRIP. *Dispara un escrip.* Contarle a uno una tragedia. (Se dice de la gente que siempre se están quejando pero que son «artistas», es decir, fingen y escenifican algo que no tienen.) «Vi a tu mamá y me disparó un escrip». («Script», en inglés es el libreto que se usa en la televisión o en el radio.)

ESCRITOR. *Escritor de pin, pan, pun.* Escritor malo. «Ese es un escritor de pin, pan, pun». Sinónimo: *Escritor de pin, pan, pun, cojan puesto.*

ESCRUDRIVER. *Hacerle un escrúdriver a una mujer.* Succionarle el clítoris a una mujer. «Es una asquerosidad hacerle un escrúdriver a una mujer». (Es cubanismo del exilio. El «Screw driver», que el cubano pronuncia como se ha escrito, es «destornillador».)

ESCUADRA. El pene. «Se lo llevaron preso porque sacó la escuadra». Ver: *Hierro.*

ESCUELA. *La escuela de los negritos.* La escuela superior. «Vamos a la escuela de los negritos». (En Cuba había muchas mujeres de color estudiando en la Escuela Normal y en la Superior. De aquí el cubanismo que no tiene carácter discriminatorio. Jamás lo oí con tal dejo.)

ESCUPIDERA. *No escupas para arriba porque te conviertes en escupidera.* Es una variante de: «*No escupas para arriba que la saliva te cae encima*». 1. No hagas alardes. 2. No presumas de lo que no eres. «Necesitaba que alguien le diera una lección y le dije: «No escupas para arriba porque te conviertes en escupidera».

ESCUPIR. *Hay quien se la pega y escupe.* Expresión que quiere decir: «Haz las cosas, pase lo que pase. No importa el resultado. Recuerda que hay quien se la pega y escupe».

ESCUPITAJO. *Estar la cosa de escupitajo de colegio.* Haber perdido seriedad algo. «En ese lugar la cosa está de escupitajo de colegio». (En Cuba, los niños, echaban «guerras de escupitajos». De aquí el cubanismo.)

ESENCIA. *La esencia buena viene en pomo chiquito.* Contestación que da una persona pequeña cuando alguien le dice que es muy pequeña. *Ser esencia de guayacol.* Ser alguien muy mala persona. «Tu hermano, perdona que te lo diga, es esencia de guayacol». (El aumentativo de este cubanismo se obtiene cambiando la palabra esencia por extracto. *Ser extracto de guayacol.* «Tu hermano es esencia de guayacol». Cuando todavía se quiere aumentar más se dice: *Ser extracto de guayacol en pomo chato.*)

ESLAKS. Ver: *Anuncio.*

ESLOGAN. *Ser alguien como el eslogan.* «No me pudo ganar en nada porque conmigo hay que ser como el eslogan». (El «Slogan» que el cubano pronuncia «eslogan» es: Competir con calidad.)

ESMERARSE. Morirse. «Mi padre se esmeró». (Cubanismo de origen chuchero. Ver: *Chuchero.*)

ESMERIL. *Darle a alguien esmeril.* Matarlo. «A Perico le dieron esmeril anoche. Tenía muchos enemigos».

ESMERILARSE. Morirse. «Se esmeriló ayer a las cuatro de la madrugada». (Lenguaje del chuchero. Ver: *chuchero.*)

ESMERISLAR. Matar. «Lo esmerislaron de madrugada». (Es lenguaje del chuchero. Ver chuchero.)

ESMITH. (El) El revólver. «Sacó el esmith y lo mató». (Es cubanismo del inicio de la República que viene de la marca del revólver americano. Está ya casi desaparecido.)

ESNUCARSE. Desnuncarse. «Ayer se esnuncó al caerse». «Juan se esnuncó». (Este cubanismo proviene de la forma incorrecta de pronunciar la palabra «desnucar» el campesino cubano. El dice «Esnuncar», como se ha escrito. Se oye en el campo cubano y entre personas de muy baja clase social o sin educación. La forma incorrecta de pronunciar se ha hecho nacional como cubanismo.)

ESO. *Allá va eso.* Eso está decidido. «Allá va eso, aunque pelees». *Tener una «Eso Estandar» particular.* Gustarle las mujeres de color a un hombre. «Yo te digo que cada cubano tiene una «Eso Estandar» particular». (El cubano, a la compañía de petróleo norteamericana, «Esso Standard Oil», la pronuncia como se ha escrito. El cubanismo viene del hecho de que existe otro que es «*quemar petróleo*», o sea, acostarse con mujeres de color y como la «Esso Standard Oil» quema petróleo, surgió por asociación este cubanismo.)

ESÓFAGO. Ver: *Boa.*

ESPACIAL. Ver: *Punto.*

ESPADA. *Toca que tienes la espada en el tallo.* Es lenguaje del dominó. Se dice cuando se pasa al contrario. «Anda, toca que tienes la espada en el tallo». Ver: *Circo.*

ESPADILLAR. Clavar el remo en el fondo para que la embarcación vire. «Espadille ahora, Juan, para coger aquel rumbo». (Se oye mucho en la región de Manzanillo, provincia de Oriente.)

ESPAGUETI. *Ser un «espagueti» que no llega a macarrón.* Ser uno que se queda, en todo, a medio camino. «Él es siempre lo mismo, un «espagueti» que no llega a macarrón».

ESPAIKS. Ver: *Guasasa. Guisopo.* Ver: *Ladilla.*

ESPALDA. *El lugar donde la espalda pierde su nombre.* Las nalgas, el culo. «Le dieron una patada en el lugar donde la espalda pierde su nombre». (Siendo la palabra culo una mala palabra en Cuba el cubano recurre al eufemismo de este cubanismo.) *Entrar de frente y salir de espalda.* Se dice de la persona que es homosexual. «Ése siempre entra de frente pero sale de espalda». Sinónimo: *Salir de marcha atrás con el baúl abierto.* «¿Tú no sabías que siempre salía de marcha atrás con el baúl abierto?» Ver, además: *Aceite. La espalda me arde.* Me están vigilando. «Te digo que la espalda me arde». Sinónimo: *Tener salpullido.* «Hace días que tengo salpullido. Huelo a la policía». Ver: *Debilidad.*

ESPANTAR. Huir. «Vamos a espantar antes que nos cojan». *Espantar la mula.* Huir. «Nunca he visto gente más cobarde. ¡Cómo espantaron la mula!» *Espantar una galleta.* Darle una bofetada a alguien. «Cuando vi los modales de mi hijo, no me pude aguantar y le espanté una galleta».

ESPANTO. *Ser algo de espanto y brinco.* Ser espantosísimo. «Aquello es de espanto y brinco». (*A ser de espanto*, el castizo, se ha añadido «*y brinco*» que da el aumentativo.)

ESPANTOSA.O. Enorme. «Ese médico tiene una clientela espantosa». *Espantoso Mr. Chang.* ¡Qué horrible! «Cuando me enteré le contesté: Espantoso Mr. Chang». (Cubanismo del exilio. Estaba basado en las películas de Charlie Chang, el detective chino.)

ESPAÑA. *Echar la cosa a España.* Echarlo al olvido. «Entre las dos familias, las cosas se echaron a España». *En el tiempo de España.* En un tiempo remoto. «En el tiempo de España había mucha corrupción». También se refiere al tiempo en que Cuba fue colonia de España. «En el tiempo de España no había libertad». Ver: *Fuifo.*

ESPAÑOLA. *Española de pelo corto.* Persona de color. «Charito es española de pelo corto».

ESPARTILLO. *Cuando el espartillo me llegue a los cojones.* Nunca. «Tú podrás volver a ser mi socio en este negocio cuando el espartillo me llegue a los cojones». «Eso sucederá cuando el espartillo me llegue a los cojones». Sinónimo: *Cuando la rana críe pelo.* (El espartillo no crece alto. De ahí el cubanismo.)

ESPASMOS. *Darle a alguien espasmos de mal humor.* Ponerse malhumorado a ratos. «A él siempre le dan espasmos de mal humor». (Es cubanismo culto.)

ESPÁTULA. Mujer fea. «¡Cómo tú ibas a pensar que yo me iba a casar con la espátula esa!» (Este cubanismo es de origen chuchero. Ver: *chuchero.*) Sinónimos: *Casco. Fleje.*

ESPECIAL. *Haber una especial de «Gilet».* Frase que se le grita al que está barbudo. «Lo vi y le grité: Oye, hay un especial de la «Gilet». («Gilet» es la forma en que el cubano pronuncia el nombre de la navajita de afeitar: «Gillete».) *Ser alguien el especial de la semana.* No valer mucho. «No te cases con él que te arrepentirás. Es el especial de la semana». (Este cubanismo nacido en el exilio lo he oído de esta forma: *Ser igual que en los groceries* (tiendas de comestibles en EE.UU.) el especial de la semana. El cubano pronuncia «grocery», «groceri» como en inglés.)

ESPECIALISTA. *Ser alguien especialista de cover-op.* Engañar a la mujer. «Juan es especialista en cover-op». (Es «cover-up» en inglés.) Ver: *Envidia.*

ESPECIE. *Cobrar una especie.* Se dice del que le hace algún servicio a una mujer y en vez de cobrar en dinero tiene relaciones carnales con ella. «Ese abogado no tiene buena fama. Dicen que a las mujeres les cobra en especie». *Ser de la especie de las babosas.* Se dice de esa gente que por donde pasa todo lo tumba o rompe. «Me rompiste el retrato. Lo tiraste al pasar. Tú eres de la especie de las babosas». (Algunas veces se dice: *Tú eres de la especie de las babosas que por donde camina deja rastros.*)

ESPEJO. *Espejo sin luz.* persona que se pone de obstáculo en algo. «Muchacho eres un espejo sin luz. Voy a tener que atacarte si persistes en tu posición». Sinónimos: *Ser un atravesado. Ser un clavo de línea. Ser un polín.*

ESPEJUELOS. *Querer a alguien con espejuelos.* Quererlo a medias. «Yo quiero a Juan, te lo confieso, con espejuelos».

ESPEJUELÚO. Que usa unos espejuelos muy grandes. «Ahora sí que te digo que eres un espejuelúo».

ESPERANZA. *Ser algo largo como la esperanza de un pobre.* Se dice de algo que tarda mucho en llegar, en obtenerse. «Ese nombramiento es largo como la esperanza de un pobre».

ESPERAR. *Espéralo sentado.* 1. No. «—¿Me das el lápiz? —Espéralo sentado». 2. Quiere decir que lo que pides o te prometieron nunca llegará. «Espéralo sentado para que no te canses». «¿Así que te prometió el libro? Espéralo sentado». 3. Se dicen de algo que han prometido y que se espera obtener pero que nunca va a obtener. «¿Así que te dijo que te iba a regalar un bate y una pelota? Espéralo sentado».

ESPICHE. *Poner a alguien en «espiche».* Destruirlo. «Se puso majadero y lo puse en espiche». (El «espiche», o «espicho», es un sistema de asar un cerdo atravesándolo, por el medio, con una vara.)

ESPICHO. *Estar como un espicho.* Estar muy delgada. «Juanita está como un espicho». (El espicho es la vara que se le pasa al puerco por el medio cuando se asa. De ahí que se diga: «Asar en espicho».) «Voy a asar en espicho».

ESPIDGUEI. *Ser algo espisguei corrido.* Ser algo que hace triunfar. «La bondad de esa mujer es «espidguei» corrido». (Cubanismo del exilio. «Espidguei» es la forma en que el cubano pronuncia la voz inglesa «speedway» o «autopista».) *Tener alguien un espidguei.* Tener una operación del corazón con varias venas de circulación periférica. Esto en Estados Unidos se llama «by-pass», nombre además de las carreteras periféricas en los «speedways». De aquí el cubanismo.)

ESPIGÓN. Mucho. «Ahí hay un espigón. Quita un poco de café». (Es término marinero.)

ESPINA. *Agarra que no tiene espinas.* 1. Cogélo sin problemas. «Agarra que no tiene espinas». 2. No tengas miedo. «Agarra que no tiene espinas. Hazlo». Ver: *Pescado.*

ESPINILLA. Ver: *Humor. Sacarle a alguien las espinillas de las nalgas.* Mimarlo mucho. «Yo a mi hijo hasta le saqué las espinillas de las nalgas. Por eso salió tan falto de carácter».

ESPIRITISMO. *Cogerle a alguien el espiritismo.* Saber sus tácticas. «Creyó que me iba a engañar, pero le cogí el espiritismo». *El espiritismo de algo.* El quid de algo. «¿Cuál será el espiritismo de ese aparato?»

ESPIRITISTA. *Como el espiritista Matías.* Se dice al que mezcla perfumes sobre sí o en su trabajo. «Estás como el espiritista Matías». *Estar como el espiritista.* Estar alguien en una situación mala y clamando por salir de ella. «Hace meses que está como el espiritista». (El espiritista cuando saluda dice: «Luz y Progreso, Hermano». De ahí el cubanismo.) *Estar como los espiritistas.* Cambiando continuamente. «Juan está como los espiritistas. No hay forma de saber su opinión en firme». *Hueles como el espiritista.* Se le dice al que huele a varios perfumes ya que en Cuba, algunos espiritistas, perfumaban con varias lociones a los clientes. De tanto pasar perfumes el espiritista olía. Matías fue un espiritista famoso en Cuba.) *Juan no es espiritista.* Se dice del que no progresó. «Juan siempre en el mismo lugar. No es espiritista». (Los espiritistas se saludan: «Luz y progreso, hermano». De aquí el cubanismo.) *No poder ser alguien espiritista.* 1. No poder predecir el futuro. «Chica, cómo yo te voy a contestar eso; yo no soy espiritista». 2. Ser una persona estúpida. «Ése no podía ser espiritista. Se veía desde niño». (Se basa el cubanismo en que el espiritista tiene, se dice en Cuba: «luz y progreso». Los hermanos espiritistas se despiden así: «Luz y progreso, hermano». El que no tiene luces es estúpido. De ahí el cubanismo.) *Posesionarse más que un espiritista.* Se dice del que cuando agarra una posición no la suelta por nada. «Ese político se posesiona más que un espiritista». (En el espiritismo, el difunto se posesiona del vivo. De aquí el cubanismo.) *Volverse espiritista.* Se dice del que pone los ojos en blanco. «¿Qué, te volviste espiritista?» (El espiritista se comunica con el más allá. De aquí el cubanismo.) Ver: *Creyente. Matías.*

ESPÍRITU. *Espíritu de Makdonald.* Espíritu frívolo. «En el exilio hay espíritu de Makdonald». (MacDonald's es un sitio donde venden «jamgurguesas», etc.) *Espíritu de Makdonald y Burdains.* Espíritu super frívolo. (Es el aumentativo que se logra como hace siempre el cubanismo, añadiendo palabras, en este caso «Burdines», que es una tienda por departamentos norteamericana. El cubano pronuncia «Burdains».

Cubanismo del exilio.) *Ser alguien como los espíritus.* Se dice del que no progresa. «Pedro es, el pobre, como los espíritus». (Está basado en el saludo espiritista: «Luz y progreso, hermano». *No tener espíritu de Navidad.* Le dice la mujer al hombre o viceversa, cuando no quiere fornicar. «Tú, Pedro, no tienes espíritu de Navidad». (Cubanismo del exilio.) *Ser como el Espíritu Santo.* No verse a alguien nunca. «Pedro, dichoso los ojos que te ven. Eres como el Espíritu Santo». (Es cubanismo culto. El Espíritu Santo está en todos los lados y nadie lo ve.) *Tener espíritu de ferrocarril.* Se dice de la mujer que siempre está pegada al hombre, que no lo deja sólo por un momento, porque como los ferrocarriles, siempre está enganchada. «Esa mujer tiene espíritu de ferrocarril. Yo no sé cómo él la aguanta».

ESPIRITUALES. Ver: *Problemas.*

ESPOLÓN. *Espolón de gallo.* Tipo de callo en la planta del pie. «¡Cómo me molesta ese espolón de gallo! Voy a ver al quiropedista».

ESPOTLAIT. Ver: *Coco.*

ESPREI. *Déjame traer el esprei.* Se le dije a un guapo cuando quiere hacer alarde de tal. «Oye te digo: Déjame traer el esprei». (Es cubanismo del exilio. En cubano, cuando alguien «tira guaperías», «se hace el guapo», se dice: «¡Qué peste a mierda!, para indicar que no se le tiene miedo. El «esprei» es la forma en que el cubano pronuncia la palabra inglesa «spray», o «ambientador». Es para quitar la peste a mierda. De aquí el cubanismo.)

ESPUELA. *Calzar espuela al siete.* Ser peligrosísimo. «Pedro calza espuelas al siete. No sabe Enrique con quién se las tiene que ver». (El cubanismo viene del campo de las peleas de gallos. Las espuelas de los gallos tienen diversas medidas. Las del número siete son la mayores. Por lo tanto el número sirve aquí, en el cubanismo, de aumentativo.) *Calzar espuelas de caramelos.* Ser un hombre peligroso. «Ese hombre calza espuelas de caramelo. Una pelea con él es de lo más peligrosa». (El cubanismo viene del campo de las peleas de gallos.) *Dar espuela.* 1. Introducir la mujer el dedo en el trasero del hombre para conseguir una erección potente. 2. Mortificar. «Se pasa el día dando espuelas. ¡Cómo me mortifica!» *Tener alguien espuelas como gallinas.* Ser muy vieja. «Esa mujer tiene espuelas como gallinas». *Tener engrasadas las espuelas.* Estar alguien siempre pronto a conseguir algo por los medios más tortíceros. «Ése tiene engrasadas las espuelas». También estar alguien dispuesto a llegar a algún extremo para conseguir algo. «Yo le temo. No sabes cuándo se te viene encima. Siempre tiene engrasadas las espuelas».

ESPUELAZO. *Tirar el espuelazo.* Atacar. «Cuando lo menos lo esperes te tira el espuelazo». (El cubanismo viene del campo de las peleas de gallos.)

ESPUMA. Ver: *Jabón.*

ESQUELETO. Persona delgada. «Mi hermano, después de la enfermedad, es un esqueleto». Se dice también: *Un esqueleto rumbero o un esqueleto viviente.* «Mi hermano, después de la enfermedad, es un esqueleto viviente». *Hacer el trato del esqueleto.* Hacer un trato desventajoso. «Ese contrato que me propones es hacer el trato con el esqueleto». *Ser un esqueleto rumbero.* Ser un hombre o una mujer muy flacos, que es un calavera. «Mi hermano siempre ha sido un esqueleto rumbero». *Un esqueleto rumbero.* Una persona delgada que baila muy bien. «Es un esqueleto rumbero. ¡Qué pasos!»

ESQUI. Ver: *Bikini.*

ESQUINA. *Dar esquina.* Pasarse horas en una esquina esperando poder ver a una muchacha pasar. «¡Cómo tú das esquina. Se ve que estás enamorado!» Sinónimo: *Hacer posta. La esquina del pecado.* Calle por donde pasan mujeres bonitas. «Estamos parados en la esquina del pecado». (A las calles de Galiano y San Rafael, se les llamaba en Cuba, la Esquina del Pecado, porque desfilaban por allí muchas mujeres bonitas. Pero después el nombre se usó indistintamente, en el hablar popular, aplicándolo a cualquier sitio donde hubiera mujeres bellas.) *Retirarse a una esquina neutral.* 1. Coger un respiro. «Dejé la cosa. En estos días estoy retirado a una esquina neutral». (Viene del boxeo.) *Tirarle una punta de esquina.* Poner a alguien en difícil situación. «Me estaban molestando mucho con sus ataques y le tiré una punta de esquina». (El cubanismo está tomado del juego de pelota americano. El lanzamiento de punta de esquina siempre pone en aprietos al que tiene que batearlo. Por eso el cubanismo.) Ver: *Cuatro.*

ESQUINADO. Persona que no es tomada en consideración en algo. «En su profesión lo tienen esquinado a Juan, los demás compañeros. No le dan la menor ayuda como han hecho con otros».

ESQUINAR. Ignorar a alguien o a algo. «Han esquinado a Juan porque es muy inteligente, en la convención de su partido». Sinónimo: *Dar un esquinazo.*

ESTABLECER. *Establecer el sociolismo.* Tener un «socio», o sea' un amigo en alguno de los lugares donde se hacen cola y por ello burlar la cola en la Cuba actual. «Acabo de establecer el sociolismo; así que espérame aquí, que yo voy primero».

ESTACA. *Ser una estaca.* Ser muy serio. «Pedrito ha sido siempre una estaca». Ver: *Perico.*

ESTADO. *El estado es menor de edad.* No lleves a juicio al gobierno que vas a perder. «—Como no me pongan el foco en la calle voy a demandar al estado. —No lo hagas que el estado es siempre menor de edad». También se dice, con mucha frecuencia, *el gobierno es menor de edad.* (Algunos dan todo esto como castizo.) *Estados Unidos.* Ver: *Sam.*

ESTAMPA. *Ser alguien la estampa de la destimbalación.* Ser muy feo. «Esa mujer es la estampa de la destimbalación».

ESTE. Ver: *Patada.*

ESTEIK. *Esteik man.* Se dice en Miami del que pone el dólar americano sobre su patria, Cuba. (La traducción literal es: *Hombre que le gusta el bistek.*) «Aquí en el exilio hay muchos esteik man». (Es «steak» o «bistek». Cubanismo del exilio.)

ESTERNÓN. *Partirle a alguien el esternón.* 1. Contiene la idea de liquidar; «a los enemigos le partieron el esternón»; de ganar; de derrotar; y se aplica a distintas situaciones. 2. Ganarle a alguien. «En las competencias le partí el esternón». 3. Matar a alguien. «Una banda rival le partió el esternón». «A Juan le partieron el esternón». 4. Ser bravucón. «Yo le parto el esternón a cualquiera. Conmigo no se juega».

ESTIBADOR. *Estibador cariñoso.* Bujarrón o bugarrón. «Ése anda buscando a un estibador cariñoso». Sinónimos: *Buga. Bugati.*

ESTILETE. *Ser un estilete.* Ser chismoso. «Ese hombre tiene un defecto. Es un estilete». Sinónimos: *Lengua lisa. Tener una lengua que se la pisa.*

ESTIMULAR. Darle dinero a alguien. «Lo estimulé con cinco dólares».

ESTIRAR. *Estirarse como el chicle.* Ver: *Chicle.*

ESTOFADO. *Estar alguien estofado.* Haber comido mucho. «Estoy estofado. Necesito bicarbonato».

ESTÓMAGO. *Entonarle a alguien el estómago.* Ayudarlo. «Está tan bien monetariamente porque yo le entoné el estómago». También lo he oído en repetidas veces con el sentido de rechazo: «Tú no eres cantante para que yo te entone el estómago». *Sentirse el estómago como si uno se hubiera tragado una piedra de carburo.* Sentir mucha acidez. «Me siento el estómago como si me hubiera tragado una piedra de carburo». (Cubanismo de origen campesino.) *Tener en el estómago la Comparsa del Alacrán.* Tener mucha hambre. «A ésta hora, todos los días, tengo la Comparsa del Alacrán». (El Alacrán era una comparsa cubana que desfilaba en los carnavales habaneros.) Ver: *Guayaba. Señorita.*

ESTOPA. Ver: *Globito. Libra.*

ESTORNUDAR. Ver: *Debilidad.*

ESTRADA. Ver: *Duquesne.*

ESTRAGUE. Ver: *Guayaba.*

ESTRAIKES. *Cantarle a alguien un estraike.* Derrotarlo. «En la subasta me cantó un estraike». *Tirar sólo estraikes a alguien.* No dejarlo avanzar. Tenerlo siempre controlado. «No puedo ganarle porque todo lo que me tira son estraikes». (Estos son cubanismos que vienen del juego de pelota, o base-ball. El «strike» que el cubano pronuncia «estraike», se produce cuando la bola que el lanzador lanza, cae en determinada zona de donde éste está, o éste le tira a la bola y no le da. Con tres «strikes», el bateador no puede seguir bateando, como se dice en la pelota. De aquí el cubanismo.)

ESTRAMBÓLICA. Ver Estrambótica.

ESTRATEGIA. *Tener alguien más estrategia que el D. dei.* Tener mucha estrategia. «Vencerá a la larga porque tiene más estrategia que el D. dei». (El «D. Day» que el cubano pronuncia «D. dei» fue el día en que los Aliados, en la Segunda Guerra Mundial, lanzaron la invasión de Europa.)

ESTRELLA. *El tipo de la estrella.* El comandante. «Dicen que el primer ministro es el tipo de la estrella». (El cubanismo surgió con la revolución cubana. Los más importantes eran los comandantes. Usaban una estrella.) *Ser una estrella.* Ser superior. «En matemáticas es una estrella». Sinónimo: *Ser polvo de estrellas.* Ver: *Arcano.*

ESTREÑIDO. Ser agarrado. «¡Qué estreñido saliste!» Sinónimos: *Aserrín. Más aceite da un ladrillo.*[36] *Ser aceite de cabo de paraguas. Ser Alejandro en puño. Vivir Dureje entre Durañona y Puerta Cerrada.*

ESTREÑIMIENTO. Ver: *Diarrea.*

ESTRIBILLO. Ver: *Victoria.*

ESTRICNINA. *Ser alguien estricnina.* Ser malísima persona. «Ese hombre es estricnina».

---

[36] Lasseta lo incluye en el lenguaje coloquial galdosiano.

ESTROPAJO. *Dejar a alguien hecho un estropajo.* Liquidarlo en cualquier forma. «La mujer lo ha dejado hecho un estropajo». Sinónimo: *Convertir en gollejo. Estar como un estropajo de aluminio.* Estar muy arrugada una persona. «Ella ya está como un estropajo de aluminio». *Ser alguien estropajo de aluminio.* 1. Estar siempre muy sucio. «Tan buen tipo y es un estropajo de aluminio». 2. No ser cariñoso. «Mi marido es estropajo de aluminio».

ESTROPEO. Acariciar, lúbricamente, a una mujer. «Ayer, en el cine, hice un estropeo».

ESTRUJAR. Ver: *Remojar.*

ETIQUETA. *Creerse alguien la etiqueta del yodo.* Creerse muy inteligente. «Juan es un tonto pero se cree la etiqueta del yodo». (El yodo pica. El cubanismo entiende que la inteligencia es algo como el yodo, que pica, es decir, que sobresale.) Sinónimo: *Dárselas de veneno. Ser alguien la etiqueta de yodo.* Ser veneno. Ser malísimo. «Te asociaste con él. Si ese hombre es la etiqueta del yodo». *Tener la etiqueta distinguida del Encanto.* Ser muy bueno. «En poesía tiene la etiqueta distinguida de El Encanto». (El cubanismo es el lema del Encanto, una tienda por departamentos que existía en Cuba, de fama internacional.) Ver: *Soplarlo.*

EVERGLEIS. *Parecer alguien un escapado del Evergleis.* Comer mucho. «Chico, modérate. Pareces un escapado del Evergleis». (Es cubanismo del exilio. En los Everglades en el estado de la Florida, que el cubano pronuncia como lo he escrito, hay muchos cocodrilos. De aquí el cubanismo, porque en Cuba, «ser un cocodrilo» es comer mucho.) *Tener un Everglades en la barriga.* Ver: *Barriga.*

EXPLOTÁ. *Darse una explotá.* Enojarse súbitamente. «Cuando menos nos lo esperábamos se dio una explotá».

EXPLOTADO. Se dice del individuo que de cualquier cosa explota. «No le hables que es un explotado».

EXPLOTARSE. Enojarse. «Por lo mínimo se explota».

EXPLOTE. *Coger el explote.* Enojarse mucho de pronto. «Al decírselo, cogió el explote». *Tener un explote.* Estar furioso. «No me hable que tengo un explote».

EXPRIMIDORA. (La) La fábrica trabajando. «Ese está en la exprimidora todo el día. Trabaja mucho». (El cubanismo nació en el exilio.)

EXQUISITE. *Estar algo, «exquisite form».* Ser muy bueno. «Esto está «exquisite form». (Juego de palabras entre «exquisito» y una marca de sostenes para mujeres: «Exquisite Form». El cubano pronuncia el cubanismo como indico.)

EXTINGUIDOR. *Darle extinguidor.* Fornicar. Se le dice al que afirma que tiene muchos deseos de fornicar. «—¡Qué deseos tengo de acostarme con ella! —Pues, dale extinguidor».

EXTRA. *Ponerle un extra al lanzamiento.* Aguzar del ingenio. «Yo en todo lo que hago, le pongo un extra al lanzamiento». (Es lenguaje que viene del juego de pelota o base-ball.)

EXTRACTO. *Ser alguien extracto de cacumbia.* Ser malísima persona. «Ése es extracto de cacumbia». (Es aumentativo. Como el «extracto» es un perfume caro, el cubano usa la palabra como aumentativo.) *Ser alguien extracto de naranja agria concentrado con limón.* Ser muy agarrado. «No da un centavo ni aunque lo maten. Ni a la familia. Es extracto de naranja agria concentrado con limón». *Ser algo* *extracto de niche.* 1. Ser de piel negrísima. «Él es extracto de niche». («Niche» es negro en cubano. Con extracto se forman muchísimos cubanismos en aumentativo.) 2. Ser muy cursi. «Esa camisa es extracto de niche». («Niche» es el cubanismo de «negro». Como a la gente de color le gusta usar colores de tono subido en sus prendas de vestir surgió el cubanismo.) *Ser extracto de diente de perro.* Ser malísima persona. «Éste es, en su comportamiento, extracto de diente de perro».

EXTRAFINO. Homosexual. «Ése es un extrafino». Sinónimo: *Cherna.*

EXTRAÑINO. Extraño. «Eso está extrañino».

EXTRAÑO. *Ser algo, o alguien, más extraño que la mierda de gallo.* «Ese hombre es más extraño que la mierda de gallo».

LOS NÚMEROS DE LA CHARADA CHINA

El chino de la charada

1 — *CABALLO*
2 — *MARIPOSA*
3 — *MARINERO*
4 — *GATO BOCA*
5 — *MONJA*
6 — *JICOTEA*
7 — *CARACOL*
8 — *MUERTO*
9 — *ELEFANTE*
10 — *PESCADO GRANDE*
11 — *GALLO*
12 — *RAMERA*
13 — *PAVO REAL*
14 — *GATO TIGRE*
15 — *PERRO*
16 — *TORO*
17 — *LUNA*
18 — *PESCADO CHICO*
19 — *LOMBRIZ*
20 — *GATO FINO*
21 — *MAJÁ*
22 — *SAPO*
23 — *VAPOR*
24 — *PALOMA*
25 — *PIEDRA FINA*
26 — *ANGUILA*
27 — *AVISPA*
28 — *CHIVO*
29 — *RATÓN*
30 — *CAMARÓN*
31 — *VENADO*
32 — *COCHINO*
33 — *TIÑOSA*
34 — *MONO*
35 — *ARAÑA*
36 — *CACHIMBA*

FA. *Dále fa.* Eliminar. «A eso dale fa». Ver: *Carne.*

FAB. *Dar Fab.* Lavar. «Voy a dar Fab». («El Fab» es un detergente.)

FÁBRICA. *Estar alguien como la fábrica de zapatos «Suave».* Estar suave. «Juan está siempre como la fábrica de zapatos suave». (Hay una fábrica de zapatos, en Miami, llamada «Suave». De aquí el cubanismo nacido en el exilio.) *Poner una fábrica de almohadas.* Se dice cuando se ve a un grupo de homosexuales reunidos. «Con esos pongo una fábrica de almohadas». He oído decir: «Voy a poner una fábrica de almohadas. ¡Qué cantidad de plumas!» (Coteja las plumas de las almohadas con las de un pájaro. Se le dice en Cuba «pájaro» al homosexual. De ahí el cubanismo.) *Ponerle una fábrica de golpes a alguien.* Darle una gran paliza. «La policía se dedica a ponerle una fábrica de golpe a cualquiera».

FACADA. Cosa muy bien hecha. «Este trabajo es una facada». (El cubanismo parece provenir de «facada», es decir, de producir una herida grande con la «faca», o sea, «la navaja».)

FACHADA. 1. El cuerpo de frente de una mujer. «Muy bella la fachada de esa mujer. ¡Lástima que por detrás no esté tan bella!» 2. Senos. «¡Qué fachada más bonita tiene esa joven!» *Ser una persona fachada y cornisa.* No valer nada. «¡Cómo engañan las personas! ¿Quién iba a decir que tú eras fachada y cornisa?» Sinónimo: *Buchipluma.*

FACHO. *Hacer un facho de combatimento.* Hacer un robo con fractura. «Ese hizo un facho de combatimento». (Se oye entre universitarios del ayer cubano. El facho de combatimento eran grupos de fascistas de Mussolini. En cubano hacer un *facho* es frase del chuchero, ver: *chuchero*, y quiere decir «robar». «De combatimento» da el aumentativo: con fractura.)

FACTORÍA. Fábrica. «Esta factoría es grandísima». *Dar factoría.* Trabajar. «Para poder vivir en este país hay que dar mucha factoría». Sinónimo: *Camellar. Estar en la factoría.* Trabajar mucho. «Pedro está en la factoría el día entero». Ver: *Canción. Nivel.*

FACTORIZAR. Trabajar. «¡Cómo factorizo! La cosa es de mañana, tarde y noche».

FACULTAD. *Tener facultades de cantante.* Ser un soplón. «Oscar tiene facultades de cantante».

FACUNDO. *Estar claro Facundo.* Ver las cosas claras. «¿Viste qué cantidad de muertos en el terremoto? Facundo estaba claro». (Este cubanismo se ha popularizado en Miami con motivo del terremoto de Nicaragua. Facundo es el personaje de una canción cubana y en la canción dice que la tierra va a temblar. De ahí el cubanismo.) Ver: *Tata.*

FAI. (Un) Cinco centavos. «Sólo tengo un fai». (La moneda de cinco centavos es «five» en inglés, o sea, «cinco». El cubano capta de la manera que se escribe la pronunciación del inglés.)

FAIARPLEIS. *Tener el faiarpleis encendido.* Tener el tabaco encendido. «Tiene el faiarpleis encendido desde que salimos de casa». («Faiarpleis» es como el cubano pronuncia la palabra inglesa «fireplace», o «chimenea». A la persona que fuma mucho el cubano le llama «chimenea», de aquí el cubanismo nacido en el exilio.)

FAINA. (La) 1. El trabajo. «Voy para la faina». (Cubanismo de origen chuchero. Ver: *chuchero.*) 2. Policía. «Por ahí viene la faina». *Estar en faina.* Estar trabajando. «Hoy no estoy en faina». (Es lenguaje del negro cubano. «Faina» es una corruptela lingüística de «faena», o sea, «trabajo».)

FAINERA. Tontería. «¡Qué fainera la tuya con ese libro!»

FAINO. Tonto. «No seas faino». (Se usa este cubanismo sobre todo en la provincia de Camagüey. Darío Espina Pérez, en su *Diccionario de Cubanismos*, [Barcelona, España, 1972,] da para este cubanismo la definición de «rústico, montuno, incivil».)

FAJA. *Una faja comunista.* Una faja que aprieta mucho. «Ésa es una faja comunista». (Porque oprime a las masas, como el comunismo.)

FAJADA. Discusión. «Me di con mi hijo, tremenda fajada».

FAJAR. 1. Enamorar. «Le estoy fajando a María». 2. Insistir en vender una mercancía. «Me la fajó tanto que se le vendí aunque la quería para mí». 4. Insistir para que rebajen el precio a una mercancía. «Me la fajó tanto que le rebajé cinco pesos». 5. Pelear. «Se fajaron en el medio de la clase y los expulsaron de la escuela». 6. Tratar de convencer a alguien. «Le fajó para que haga el proyecto de la empresa». *Fajarle el culo a una mujer.* Enamorarla. «Hace días que le estoy fajando el culo». *Fajarse por los palos.* 1. Esforzarse por llevar una empresa hacia adelante. 2. Trabajar duro. (La conversación da el significado.) «Me estoy fajando por los palos para vivir». (Trabajar.) «Me estoy fajando por los palos por este proyecto. Y lo saco adelante». (Esforzarse.) Ver: *Fajón.*

FAJARLE. *Fajarle a una mujer destutanadamente.* Enamorarla descaradamente. «Le fajó a la mujer del amigo destutanadamente».

FAJARSE. 1. Pelear con otro. «Nos fajamos por nada. Nos dimos duro». 2. Trabajar. «Hoy estoy fajado duro con esta tarea». *Fajarse de campana a campana.* 1. No desfallecer. «Triunfó en la competencia por que se fajó de campana a campana». 2. Trabajar de sol a sol. «Toda mi vida he doblado el lomo fajándome de campana a campana».

FAJATINA. Pelea. «En la esquina había una fajatina». Se oye principalmente en el sentido de una pelea entre varios que quieren la misma cosa. «¡Qué fajatina por esa herencia!»

FAJÓN. 1. Acción de fajar. (Enamorar.) «El fajón que le dio a Lola fue increíble». 2. Pelea grande. «El fajón fue terrible. Hubo dos muertos». 3. Sustantivo de «fajar», o «enamorar». «El fajón fue de pronto y ella se asustó». Persona esforzada y diligente especialmente en los deportes. «La segunda base es un fajón». *Asimilar el fajón.* Aceptar una persona que la enamoren. «Ha asimilado el fajón muy bien. Mañana vuelvo a tratar». *Dar un fajón.* Enamorar. «Le di un fajón». Sinónimo: *Meter un fajón. Meter tremendo fajón.* Enamorar, con todo lo que uno sabe. «Le metí tremendo fajón a la muchacha». (Fajón y el verbo «fajar» se usan siempre que uno trata de conseguir algo y trata de convencer en cualquier cosa con el mejor arte persuasivo. «Le dio tremendo fajón al jefe y le dio el día libre». «Le fajé al banquero y me dio cinco pesos».) *Tirar un fajón.* Enamorar. «Me tiró un fajón el descarado a pesar de que es un hombre casado».

FAJOTERA.[37] Riña. «En mi casa, por política, se formó una fajotera». Sinónimo: *Fajotiña.*

FAJOTIÑA. Pelea. «Ya está de nuevo en la fajotiña». Sinónimo: *Fajotera.*

FAKIR. *No ser fakir.* «Oye, no soy fakir», dice el que tiene mucha hambre; es decir, que no vive de comer espadas. *Poner a alguien como el fakir.* Sacarle el jugo, o sea, explotarlo. «Como te coja, en el trabajo, te pone como el fakir». (El «fakir» siempre es muy delgado. De aquí el cubanismo.)

FALLA. *Falla Gutiérrez, Falla Bonet.* Cualquiera comete un error. Corresponde al refrán: «Al mejor escribano se la va un borrón. —Oye, no vayas a fallar. Ven esta noche. —Falla Gutiérrez, Falla Bonet». (El cubanismo es un juego de palabras entre «fallar», y los apellidos de dos familias muy distinguidas de Cuba: «Los Falla Gutiérrez», y «Los Falla Bonet». A lo que se refiere el cubanismo es a: «Si esa gente tan alta falla, ¿cómo no voy a fallar yo?") *Si tú fallas viene boné detrás.* Si tú fallas, nada pasa. «¡Y qué! Si tú fallas viene boné detrás». (Se basa en el cubanismo: «Falla Gutiérrez, Falla Bonet», que quiere decir que «cualquiera falla». Este cubanismo es un juego de palabras con la familia cubana de apellido «Falla».) Ver: *Boné.*

FALLAR. 1. Equivocarse. «Cometiste un error en casarte con ella. —Sí, fallé». 2. No tener buena salud. «Voy al médico. Estoy fallando». (Viene del automovilismo.)

FALLETEO. 1. Error continuo. «Tú sigues en el falleteo». 2. Fallo continuado. «¡Qué falleteo tiene este motor!»

FALLO. *Coger en un fallo.* Sorprender a alguien en un error. «Trató de engatuzarme pero lo cogí en un fallo y me di cuenta de toda la verdad». *No hay fallos.* Sin falta. «No te olvides de recoger la pieza del garage —No te preocupes. No hay fallo». *Tener alguien un fallo.* 1. Andar mal de salud. «Tengo un fallo en algún lugar del cuerpo. No me siento bien». 2. Estar medio loco. «Te contestó así porque tiene un fallo. Está para recluirlo. Toda la familia está loca».

FALSETE. *Tocar nada más falsete.* Ser falso. «Tu marido nada más toca falsete». (Cubanismo de la gente culta.)

FALTAR. *Faltar menos que cuando empezamos.* Falta menos para terminar que cuando empezamos. Contestación que se da cuando preguntan: «¿Falta mucho?» Se

---

[37] O «*fajatera*».

contesta: «Falta menos que cuando empezamos». *No me faltes que yo le sobro.* Si usted me falta va a tener un problema grave conmigo y usted no puede conmigo. (Esta frase surgió en un programa radial del Dr. Armando Couto, el costumbrista cubano, y experto en psicología de lo cubano, titulado: *Los Tres Villalobos.* Cuando alguien trataba de intimidarlo le contestaba: «*No me falte que yo le sobro*».)

FAMBO. Ver: *Nalgabolú.*

FAMECO. (El) El pan. «Dame un pedazo de fameco». (Lenguaje del chuchero. Ver: *chuchero.)*

FAMILIA. Ver: *Arete. Desguatacao.*

FAN. *Fan fan.* Apelativo cariñoso. «¿Cómo estás, fan fan?» Sinónimo: *fanfanito.* «¿Cómo estás fanfanito?»

FANA. 1. La policía. «La fana está vigilando mucho hoy». (Cubanismo de origen chuchero. Ver: *Chuchero.*) 2. Mierda. «Me manché con fana». *Come fana.* Persona que no vale nada. «Ése es un comefana». Sinónimo: *Comermierda. Comefana y comemierda,* se usan, además, en el sentido de tonto. «¡Qué comefana! ¡Casarse con un mujer pública!» (Comemierda.)

FANDANGO. Lío. «¡Cómo le gusta el fandango, mi amigo!»

FANDUNGO. Comida. «Mi vida, hazme un fandungo que tengo hambre».

FANGIO. *Ser un Fangio.* Guiar muy bien. «Soy un Fangio con el timón en la mano». (El cubanismo nació con la ida a Cuba, a competir en carreras automovilísticas, del campeón del mundo, Fangio.) Sinónimo: *Ser un timón.*

FANGO. *Si no hay fango no hace barro.* Si no se trabaja no se gana dinero. «Chico, si no hay fango no hace barro». (El cubanismo se aplica a múltiples situaciones. Equivale, igualmente, al castizo, lo que natura no da, Salamanca no otorga... «No puede tocar el violín. Si no hay fango no hace barro».) Ver: *Agua.*

FANGUERO. 1. Lodazal. «Cuidado no te hundas en este fanguero y perezcas». 2. Sitio lleno de fango. «Esta casa es un fanguero».

FANTASÍA. *Querer una mujer fantasía.* Querer hacer actos sexuales extraños. «Esa mujer quiere fantasía». (El cubanismo viene del billar en el cual una jugada maestra se le llama en castizo: *fantasía*».) *Tirar fantasía.* Hacer en el acto sexual cosas extrañas. (Este cubanismo, al igual que el anterior, viene del billar.) *Vivir una fantasía que ni la de «Guold Disnei».* Ser muy fantasioso. «Dice que es millonario. Vive una fantasía que ni la de Guold Disnei». (Cubanismo del exilio. «Guold Disnei», es la forma en que el cubano pronuncia el nombre del caricaturista norteamericano, Walt Diney, famoso creador del Pato Donald, etc.) Ver: *Derroche.*

FANTASMÓN. *Aparecerse algo de fantasmón.* Presentarse súbitamente. «El lío se presentó de fantasmón». *Botarse de fantasmón.* Hacerse el guapetón. «En la reunión se botó de fantasmón». Ver: *Condíaco.*

FANTOCHERÍA. *Gustarle la fantochería.* 1. Exhibirse como un fantoche. 2. Lucirse. «Siempre hace lo mismo para que se fijen en ella. Le gusta la fantochería».

FANTOMAS. *El regreso del fantomas.* Se dice cuando se encuentra uno con alguien al que no se le veía por largo rato. «¡Miren, Juan! El regreso de Fantomas». (El cubanismo se basa en el título de una película.) Ver: *Regreso.*

FAO. *Darle a alguien fao y no contárselo.* Tener mucha suerte y salir ileso de algo; sin problemas. «Está trabajando de ingeniero. En el examen le dieron fao y no se lo contaron». (Es lenguaje que viene del juego llamado baloncesto.) *El que da muchos faos sale «cagao».* El que comete muchos errores fracasa. «Te digo como se dice en el juego de pelota: el que da mucho faos sale cagao». *Estar alguien fao.* Tener un pequeño problema mental. «Hace tiempo que nota que no discurre bien. Está fao». *No estar fao, sino ponchao.* No tener un defecto sino una incapacidad total. «En matemáticas, tú no estás fao sino ponchao». (Es «ponchado» pero el cubano aspira la «d». Ambos «fao» y «ponchao» son términos del juego de pelota o baseball.)

FARÁNDULA. *Volver a la farándula.* Volver a la mala vida. «No se había arrepentido mi esposo de su vida desordenada. Volvió a la farándula». (En Cuba, como en España, hay mucha gente que cree que los actores de teatro no son personas morales. Basta citar este verso español que se repite mucho en Cuba: «*Todo aquel que se enamora/de una mujer de teatro/es como el que tiene tos/y toma bicarbonato*».)

FARAÓN. *El faraón del ronquido.* Se dice del que ronca mucho. «Antonio es el faraón del ronquido».

FARAONA. *Debutar como cualquier faraona.* Debutar como cualquier otra persona. «Ella debutó como cualquier faraona». (En lo de faraona, se ve la influencia andaluza en este cubanismo.) *La faraona de las caderas en flan.* Se dice de la mujer que tiene muchas caderas. «Ella es la faraona de las caderas en flan». Sinónimos: *Tener un complejo de batidora en la cadera. Tener las caderas montadas en caja de bola.*

FARDO. Traje. «Me compré un fardo bonito». *Fardo de madera.* La caja de muerto. «Hoy en día cuestan un horror los fardos de madera». *Ponerse el fardo de madera.* Morirse. «De madrugada se puso el fardo de madera». Sinónimo: *Ponerse el chaquetón de pinotea. Un fardo de perico.* Mucha cocaína. «Se murió por ingerir un fardo de perico». («Perico» es cocaína.)

FARGO. Ver: *Mujer.*

FARMACÉUTICO. *Estar alguien como el farmacéutico.* Saber algo de todo. «El está como el farmacéutico. Es increíble». (El farmacéutico siempre sabe mucho de medicina debido a los productos que vende. De ahí el cubanismo.) Sinónimo: *Estar como el boticario.* (En Cuba, al farmacéutico, se le dice también, boticario.)

FARMER. *Ser, un hombre, un farmer.* Se dice del que fornica continuamente. «Pedrito es un farmer». (Se basa, el cubanismo, en que el «farmer», —palabra inglesa que quiere decir «campesino»,— siempre está ordeñando, o sacando leche. Y provocar el orgasmo se dice en cubano «sacar la leche».)

FAROL. Alarde. «Eso es un farol». *Apagarle a alguien un farol.* Cerrarle un ojo de un golpe. «Se puso a molestarme y le apagué un farol. *Tirar un farol.* Alardear. «Se pasa la vida tirando faroles».

FAROLA. Limpiador cubano. «Dale farola para que quede limpio». «Usa la farola para quitarle esas manchas». (Farola era la marca de un limpiador.) *La farola del Morro.* Los ojos. «Quítame de arriba la farola del Morro». («El Morro» es una fortaleza colonial a la entrada de la bahía de La Habana.) Ver: *Luces.*

FAROLERO. Alardoso. «Cuando me casé con mi marido no sabía lo farolero que era».

FAROLES. 1. Ojos. «Tiene los faroles de color azul». 2. Senos. «Tiene unos estupendos faroles esta joven». *Enfocar los faroles.* Mirar. «Ese hombre está enamorado de mí. Se pasa el día enfocándome los faroles». *¿Hay fiesta esta noche que estás limpiando los faroles?* Se le dice al que se mete los dedos en la nariz. *Volver alguien con los faroles encendidos.* Volver borracho. «Salió y volvió con los faroles encendidos».

FASTIDIAR. *No es lo que fastidia sino lo seguido que lo hace.* ¡Qué manera de molestar! «No, si no es lo que fastidias, sino lo seguido que lo haces».

FASTIDIETA. Fastidio. «¡Qué fastidieta la tuya!» «¡Qué fastidieta tener que ir a esa fiesta!»

FATAL. *Al que se pone fatal hasta los perros lo mean.* Las desgracias vienen juntas. «Bueno, con decirte, que hasta en la biblioteca donde me conocen, me pidieron identificación. Nada, al que se pone fatal hasta los perros lo mean». Sinónimos: *El que nace para buerro del cielo le cae la aldaba. El que nace para medio* (moneda de cinco centavos) *no llega a real.* (Moneda de diez centavos.) *El que nace para real no llega a peseta.* (Moneda de veinte centavos.) *El que nace para tamal del cielo le caen las hojas. Bailar siempre con la más fea. Ponerse fatal.* Tener mala suerte. «Me puse tan fatal que llegó el padre cuando ella salía para la primera cita». Sinónimo: *Estar fatal. Ser fatal.* Tener mala suerte. «Juan volvió a romperse la clavícula. Es un fatal».

FATALIDAD. No puede ser. «Dame cinco pesos. —Fatalidad, viejo».

FATALITO. *Apellidarse fatalito.* Tener mala suerte. «Yo sabía que esto sólo podía pasarme a mí porque me apellido Fatalito».

FATALUCO. *Ponerse fataluco.* Tener mala suerte. «Con ese trabajo me puse fataluco». Ver: *Fatal.*

FAVOR. *Hacerle el favor a una mujer.* Fornicar a una mujer fea. «A ella, te lo digo, yo le hice un favor».

FE. *Con fe y ardor.* 1. Con toda el alma. «Lo hizo con fe y ardor y por eso el cuadro quedó tan bonito». 2. Mucho. «Llueve con fe y ardor». Sinónimo: *No es carne.* «Lo que llueve no es carne».

FEA. *Bailar con la más fea.* Tener mala suerte. «Así que soy el último en la lista de compensaciones. A mí siempre me toca bailar con la más fea». Ver: *Fatal. Más fea que el rayo.* Feísima. «Mi sobrina es muy inteligente pero es más fea que el rayo». Sinónimo: *Más fea que el querequeté, de cotunto.* (El querequeté y el cotunto son pájaros cubanos.)

FÉFERES. 1. Alimentos. 2. El sustento. 3. La comida. «Ella me da los féferes». «No gano ni para ganarme los féferes». (Lenguaje del chuchero. Ver: *chuchero.*)

FEÍTO. *Ser Feíto y Cabezón.* Ser testarudo. «El que no oye consejos no llega a viejo. Tú eres Feíto y Cabezón». (El cubanismo hace un juego de palabras entre «testarudo», y «cabezón». «Féito y Cabezón» era una ferretería muy conocida en Cuba.) *Te llevo de ito en ito como Cabezón a Feíto.* Te quiero. «Yo a ti te llevo de ito en ito como Cabezón a Feíto». (El cubanismo le ha puesto un acento al apellido «Féito», y la ha convertido en «Feíto».) Sinónimo: *Te llevo de rama en rama como Tarzán lleva a Juana.*

FÉLIX. *Ser Félix B. Caignet.* Ser una persona muy trágica. Para aumentar el efecto emotivo de la frase y decir que la persona es muy, pero muy trágica se dice: *Ser un Félix B. Caignet y el Collar de Lágrimas.* (Félix B. Caignet, era un poeta negrista cubano de gran valía. Pero su fama la alcanzó con novelas radiales como: «*El Derecho de Nacer*», y «*El Collar de Lágrimas*», preñadas de tragedias y lágrimas. De ahí el cubanismo.)

FELLINESCO. *Ser algo fellinesco.* Ser absurdo. «Eso que me cuentas es fellinesco». (Es cubanismo culto del exilio. Como el director de cine italiano, Fellini, presenta en sus películas, situaciones absurdas y surrealistas, el cubanismo se ha basado en él.)

FELO. *Estar peor que Felo con el gallo y el arado.* Estar muy mal. «Yo te digo que estoy peor que Felo con el gallo y el arado». (El Vicepresidente de Cuba, Dr. Felo Guas Inclán, perteneció toda su vida al Partido Liberal. Exiliado en Miami a partir del año 1959 seguía hablando del glorioso destino que esperaba en Cuba al gallo y al arado, que era el emblema del partido liberal. Guas Inclán conoció hasta su muerte la miseria en Miami. El cubano, haciendo de todo un chiste para aliviar la pena acuñó el cubanismo que explicamos.)

FENATO. *Estar en el fenato.* Ser feliz. «Desde que la conocí estoy en el fenato».

FENIX. Ver: *Ave.*

FENÓMENA.O. *Fenómeno es un niño con tres cabezas, porque dos tiene cualquiera.* Se contesta al que dice que algo es «un fenómeno». «Este libro es un fenómeno. —Fenómeno, es un niño con tres cabezas, porque dos tiene cualquiera». *Ser de la fenómena.* De los buenos, buenos. «Los cubanos somos de la fenómena».

FEO. *Los feos para la cocina.* Se dice para dispersar a un grupo. Equivale al castizo «calabaza, calabaza, cada uno para su casa». Sinónimo. *A correr liberales del Perico. Mandar un feo.* Ser muy feo. «¡Qué feo te mandas muchacho!» *Mandar un feo de película.* Ser feísimo. *Mandar un feo que si fuera dolor de cabeza no tiene alivio.* Ser requetefeo. (Casos en que el cubanismo para el aumentativo acumula palabras y no usa la terminación.) Sinónimos: *Ser feo con velocidad. Ser más feo que un oso con sarna. Ser más feo que un peo en tinieblas. Ser mas feo que escupir en la sopa. Ser un feto. Ser un feto en pomo. Tener puesta la careta de Frankestein. Tener un Frankestein al natural.* (La palabra inglesa es: Frankestein.) *Ser alguien feo con velocidad.* Ser muy feo. «Juan es feo con velocidad. No me caso con él ni loca». *Ser más feo que un camión Mack.* Ser feísimo. «Lo conocí y es más feo que un camión Mack». (El camión Mark, de frente, es feísimo. Es cubanismo culto.) *Ser más feo que un peo en tinieblas.* Ser feísimo. «Cuando conocí a la hermana quedé horrorizado. Es más fea que un peo en tinieblas».

FEODORO. Feo. «A feodoro no hay quién te gane». (El cubanismo es un juego de palabras con Teodoro.) *Ser un feodoro.* Ser muy feo. «Antonio es un feodoro».

FEÓMETRO. *Romper el feómetro.* Ser muy feo. «De todos los hermanos él es el más feo. Rompió el feómetro». (El cubanismo es un juego de palabras con barómetro y sigue la línea del siguiente cubanismo: *Romper el barómetro.* Llover mucho.)

FERDINANDO. *Ser Ferdinando el toro.* Ser homosexual. «Desde que lo vi me di cuenta de que es como Fernando el toro». (El cubanismo viene de una película de W. Disney, en que el toro Ferdinando cuando vio las flores del torero empezó a olerlas y a besarlas en vez de embestir.)

FERIA. *Acabársele a alguien la Feria de las Flores.* Acabársele lo bueno. «Ponte a estudiar. Desde hoy se te acabó la Feria de las Flores». *¿Con quién tú contaste para* *ir a la feria?* ¿Quién te dio permiso? «Compré este vestido, ¿te gusta? — Devuélvelo en seguida, ¿con quién contaste tú para ir a la feria?» *Estar en la Feria de las Flores.* Darse un baño de rosas. «Con lo que le dijeron a la mujer, está en la Feria de las Flores». («*La Feria de las Flores*», es un película de Jorge Negrete. De ella surgió el cubanismo, que ya apenas se oye.) Ver: *Lolita. Mula.*

FERIAR. 1. Buscar. «Debido a la crisis tuve que feriar gasolina». 2. Liquidar; malbaratar. «Ferió toda la fortuna del padre en un mes». 3. Robar. «Lo voy a feriar en cuanto doble la esquina». *Feriar hasta el inán.* Para vivir hay que trabajar durísimo. «No se puede vivir en estos días. Hay que feriar hasta el inán». (Cubanismos de origen chuchero. Ver: *chuchero.* «Inán» es «culo» para el chuchero. *Dar el culo* en cubano quiere decir, entre otras cosas, trabajar mucho. «Para vivir hay que dar el culo». *Feriar hasta el inán* corresponde a *dar el culo.*)

FERMENTAR. Ver: *Agitar.*

FERNÁNDEZ. Ver: *Labios. Loco.*

FERRETERÍA. *Tener algo, la ferretería completa.* Tener todo lo que lleva. «Ese arroz con pollo tiene la ferretería completa». Sinónimo: *Tener todos los hierros.* Ver: *Hambre.*

FERRETRE. Lío. «En el ferretre lo mataron».

FERRETREQUE. Mucho. «Allí había un ferretreque de gente».

FERROCANILLA. *Echar recia ferrocanilla.* Caminar mucho. «Hoy eché recia ferrocanilla». (Es lenguaje del chuchero. Ver: *Chuchero.*)

FERROCARRIL. *Tener el pie en el ferrocarril.* Estar en la línea, es decir, ni grueso, ni delgado. «Tú tienes el pie en el ferrocarril». Ver: *Espíritu.*

FETECÚN. Fiesta. «Esta noche hay un fetecún en la esquina». (Lenguaje del chuchero. Ver: *chuchero.*) *Después del fetecún.* Después de lo que pasó. «Después del fetecún de Cuba no ceo en nada».

FETI. (La) La salud. «Algo me afecta la feti en estos días». (Hemos oído decir también *la fete*. Es lenguaje del chuchero. Ver: *Chuchero.*)

FETICHERA.O. Fetichista. «Lo prendieron por fetichero».

FETO. Feo. «Es un feto. No hay nada bonito en ella». Ver: *Feo. Ser alguien un feto embotellado.* Ser feo. «Ése es un feto embotellado».

FETUCHINI. (El) Se llama así a un pene largo y flaco. «Mírale el fetuchini. A pesar de lo bajito que es». (Es cubanismo del exilio.)

FIADO. *Coger fiado.* 1. Acostarse con un hombre antes de casarse. «Dicen que ha cogido fiado. Y tan infeliz que parece». 2. Tener relaciones sexuales los novios antes de casarse. «Yo creo que esos dos cogieron fiado. La familia no los vigilaba mucho». *Coger fiado y no dejar ni la entrada.* Ser un descarado. «A ese hombre no se le puede dar confianza, porque coge fiado y no deja ni la entrada». (Cubanismo del exilio.)

FIANA. (La) 1. La policía. «Huye, que por ahí viene la fiana». «Me cogió la fiana y tuve cinco días preso». (Es lenguaje del chuchero. Ver: *Chuchero.*) Sinónimos: *El Azul. La Jara.* 2. Un chino. «Le compré las verduras a un fiana».

FIAR. *Hoy no se fía, mañana sí.* No. «¿Me puedes llevar contigo esta noche? —Hoy no se fía, mañana sí». (El cubanismo viene del letrero que colgaban en muchos establecimientos en Cuba que decía: «*Hoy no se fía, mañana sí*», o sea, que no daban la mercancía gratis.)

FIARA. (La) 1. Cuchillo. «Sacó la fiara y me dio una puñalada». 2. La pistola. «El hombre sacó la fiara y le dio cuatro tiros».

FICHA. *Hacer ficha.* Se dice de las prostitutas que se sientan en las mesas con los clientes. «Esas mujeres hacen ficha». *Estar alguien jugando a las damas y confundir las fichas.* Fracasar. «¿Qué le pasó? —Que estaba jugando a las damas y confundió las fichas». *Ser alguien para alguien la ficha del dominó.* Dominarlo. «Ése es para mí ficha del dominó». «El marido es para ella ficha del dominó». (La ficha del dominó se pone dónde uno quiere. De ahí el cubanismo.)

FICHAR. Trabajar. «Estoy fichando hoy de ocho a diez de la noche». (Tiene un significado diferente al panameñismo que llama «fichar» al servicio de atender las muchachas a los clientes de bares.)

FICHAS. *No pasarse nunca con fichas en el dominó.* Ser un vivo. «No pienses lo contrario. El nunca pasa con fichas en el dominó».

FIDELÍSIMA. *Llamarse fidelísima.* Ser muy fiel. «Esa perra se llama Fidelísima».

FIERA. Sagaz; habilidoso. «Juan es un fiera». Así mismo «amigo». «Te quiero fiera».

FIERO. Bueno. «Este libro de Vintilia Horia es muy fiero». Ver: *Corderito.*

FIESTA. 1. Gasto. «¿Cuánto es la fiesta para darte una parte?» 2. Lío. *Acabarse como la fiesta del guatao.* Terminar algo en forma de violenta. «La reunión terminó como la fiesta del guatao». (Viene el cubanismo de una fiesta que hubo en un pueblo en Cuba llamado «El Guatao», que terminó trágicamente.) Sinónimo: *Terminar como la fiesta de los chinos. Dar una fiesta encueros y con la mano en los bolsillos.* Dar una fiesta non-santa. «En esa casa las fiestas que se dan son en cueros y con las manos en los bolsillos». *De fiesta con lo galanes.* Divertirse. «La gente ahí siempre está de fiesta con los galanes». (Cubanismo del exilio.) *En la fiesta de los caramelos tú no eres ni el papel del rompequijá.* (Es «rompequijada», pero el cubano aspira la «d».) Tú no vales nada. «Tú, Pedro, en la fiesta de los caramelos, no eres ni el papel del rompequijá». (Forma del hablar del cubano que muestra su gran dominio lingüístico. El papel del caramelo rompequijada era malo.) *Estar alguien de fiesta con los galanes.* 1. Andar con homosexuales. «Míralo allí, de fiesta con los galanes». (Este cubanismo tiene muchas aplicaciones.) 2. Estar dándose mucho gusto. «En este trabajo que tiene ahora está de fiesta con los galanes». 3. Estar muy feliz. «Él como siempre: de fiesta con los galanes». («*De fiesta con los galanes*», era un programa radial en Cuba) *¿Hay fiesta?* Se pregunta esto cuando alguien se limpia los mocos. Sinónimo: *¿Hay fiesta esta noche que estás limpiando los faroles? Querer estar de fiesta.* Querer fornicar por tener deseos sexuales. «Cuando se pone así es que quiere estar de fiesta». Cuando se trata de una mujer el sinónimo es: *Parecer una perra ruina. Ser un espectáculo, o una reunión, una fiesta de solar.* Ser algo poco serio. «La reunión de ayer de la directiva fue una fiesta de solar». *Sonar una fiesta.* Dar una fiesta muy buena. «¡Si ves la fiesta que sonó!» *Tener fiesta con una mujer.* Fornicarla. «Hoy tuve fiesta con Pedro». Ver: *Cucaracha.*

FIESTEO. Diversión. «¿Está bueno el fiesteo?»

FIFÍ. *Tener a alguien como a un perrito Fifí.* Tenerlo dominado. «Elsa tiene a Juan como a un perrito Fifí». (El perrito Fifí camina detrás del dueño. De aquí el cubanismo.) Ver: *Muchachita. Perrita.*

FIGURADO. Lucimiento. *El figurado.* Acción de darse pisto. «¡Cómo le gusta el figurado a ése!» *Gustarle el figurado.* Gustarle ser el centro de la atracción. Sinónimo: *Si lo entierran quisiera ser el muerto. Tener delirio de figurado.* Tener delirio de ser el centro de la atracción. «Pedro tiene delirio de figurado». (El cubano dice «figurao», porque aspira la «d».) *Gustarle a alguien el figurao.* 1. Gustarle el figurar. «A Pedro le gusta mucho el figurao». 2. Gustarle la notoriedad. «Lo que lo pierde a él es que le gusta el figurao». (Es «figurado» pero el cubano aspira la «d».)

FIGURÍN. *Cualquier figurín duerme en el parque.* Cualquiera hace cualquier cosa. «¿Puedes creer que era empleado de confianza y cometió el robo? —Es que cualquier figurín duerme en el parque». Sinónimos: *Cualquiera pica un pan. Cualquiera se come un «cake».* (Torta. El cubano pronuncia la voz inglesa «cake» «queik».)

FIJO. *Jugar fijo en la bolita.* No ser mujeriego. «Juan sólo juego fijo en la bolita». («La bolita» es un juego de azar.) Ver: *Trabajar.*

FIL. *No haber fil que coja la bola.* Ser algo muy difícil. «Dilo en el discurso que no hay fil que coja esa bola». (El cubanismo utiliza el lenguaje de la pelota. El «fil» que es la forma en que el cubano pronuncia la palabra inglesa: «field» es «jardinero», o sea, el que está en las afueras del ruedo donde están las bases. La «bola» es la «pelota».)

FILA. Ver: *Tiburón.*

FILAR. 1. Mirar. «Ese individuo no fila». (Es lenguaje del chuchero. Ver: *chuchero.*) 2. Ver. «Estoy filando desde aquí». 3. Vigilar. «La policía lo lleva filando por días». Ver: *Voz.*

FILARMÓNICA. *Ligar la Filarmónica con la Tropical.* Ser aristócrata y vulgar al mismo tiempo. «Lo bueno del pueblo cubano es que liga la filarmónica con la tropical». («La Filarmónica» es la orquesta y «La Tropical» es un sitio donde se daban bailes de pueblo.)

FILDEAR. 1. Coger en el aire. «¡Cómo ese perro fildea la pelota!» 2. Ver de soslayo las partes pudentas de la mujer. «Le fildié los pelos púbicos a Brenda». *Fildear alguien mal y no batear.* Ser una nulidad. «El nuevo profesor fildea mal y no batea». («Batear» es darle a la pelota con el «bate».) *Fildear una pregunta.* Entenderla bien. «Yo se la contesté porque le fildié la pregunta». («Fildear», es palabra que viene del juego de pelota derivada de la inglesa: «to field», y significa «coger la bola antes de que llegue al suelo».)

FILES. *Estar pa' los files.* Estar en los últimos lugares. «En el examen estás pa' los files». (El cubanismo viene del juego de pelota. «Pa'» es «para».) *Poner una novena con dieciocho files.* Hacer imposible que alguien gane. «No podía moverme. Me puso una novena con dieciocho files». (En el juego de pelota hay tres files. Dieciocho cubrirían tanto terreno que el bateador nunca podría batear sin que los files cogieran lo que él bateaba.) *Tirar a alguien para los files.* 1. No darle a nadie la consideración debida. «Cuando baraja nombres para la presidencia, me tira para los files». 2. Ponerlo al final. «A mí siempre me tiraste para los files». «En el banquete lo tiraron para los files». (Del inglés: «field».) *Ranquear en los files.* Estar clasificado algo o alguien en los últimos lugares. «Esta película ranquea en los files». («Ranquear» viene del inglés: «to rank», o «estar clasificado».)

FILETE. Mujer bella. «Ahí viene ese filete que vive cerca de mi casa». *El filete que camina.* Se dice de una mujer muy bella. «Esa mujer, como puedes ver, es el filete que camina». *Dar filete y no punta.* Dar algo bueno. «No te puedes quejar que lo que te doy es filete, no punta». *Estar una mujer o algo a punto de filete.* Estar a punto de ser muy bella. «Está desarrollando. Está a punto de ser filete». *Ponerse con un filete.* Dar algo bueno. «No me hagas más cuentos que me vas a ayudar, y ponte, ahora, con un filete». («Ponerse» es «dar».) *Ser algo filete.* Ser muy bueno. «Este libro es filete».

FILETEAR. Tratar de tener lo mejor. «Se pasa la vida fileteando».

FILIPINOS. *Disfrazarse de filipino modesto y meterse en la jungla.* Vivir alguien en un sitio muy apartado y modestamente. «Él, médico tan famoso, podía ganar mucho dinero, pero se disfrazó de filipino modesto y se metió en la jungla. Ya ves a dónde queda el pueblo donde vive». *Ser filipinos con F.* Saber mucho; ser muy astuto; inteligente; ser muy simpático. (La conversación da el significado pues éste es un cubanismo que se aplica a cualquier situación.) «Él es filipino con f, por eso llegó tan alto». (Inteligente.) «Vas a pasar una noche deliciosa con él. Es filipino con f». (Simpatiquísimo.) (El cubanismo nació en el exilio con el lema de unos tabacos [puros] filipinos que venden en Miami.)

FILO. *Caminar por el filo de la navaja, como el caracol, sin que la hoja lo parta en dos.* 1.Saber sortear situaciones. 2. Ser superinteligente en la vida, para caminar a través de situaciones y problemas sin recibir daño. «No temas, él camina por el filo de la navaja como el caracol sin que la hoja lo parta en dos». *Coger filo.* Mirar a una mujer para verle un encanto. «Le cogí un filo a aquella mujer. ¡Qué preciosa!» Sinónimo: *Coger un filo de bola. Coger un roletazo.* (De la palabra inglesa «roll».) *Dar un filo de bola.* Dar una oportunidad. «No te quejes que te di un filo de bola». Sinónimo: *Dar un filón. Cogerla al filo.* Darse cuenta enseguida. «Es inteligentísimo. La cogió al filo y actuó en consecuencia». *Estar con el filo para arriba.* Estar siempre dispuesto al ataque. «Yo estoy siempre con el filo para arriba».*Fajar con filo contrafino y punta.* 1. Atacar de mala manera. «Cuando me vio, se me fue para arriba y me fajó con filo contrafino y punta. Le dí un golpe en la cara». 2. Enamorar violentamente. «Le fajó con filo contrafino y punta». 3. Tratar de convencer usando todo tipo de arte. «Para que le regalara el automóvil, me fajó con filo contrafino y punta». *Perder el filo de la guataca.* Halagar de forma baja y asquerosa. «En este exilio, algunos han perdido el filo de la guataca». *Sacar filo, contrafilo, y punta.* Ser muy astuto. «Juan saca filo, contrafilo y punta. Fíjate que él no habla sino que observa». *Tener filo, contrafilo y punta.* Ser muy osado; quererlo todo para sí. (La conversación da el significado.) «Yo no lo meto en ninguna empresa mía, porque me desplaza. Él tiene filo, contrafilo y punta». (Quererlo todo para sí.) *Tirar un filo de bola.* Hacer algo muy difícil. «Lo logró. Tiró un filo de bola». (El cubanismo viene del billar.)

FILÓLOGO. *Ser un filólogo manejando la lengua.* Se dice del que succiona las partes pudendas de la mujer. «El es un filólogo manejando la lengua». (Es cubanismo culto del exilio.)

FILOMÁTICO. 1. Estudioso. «El es muy filomático». 2. Persona que se dedica a estudiar continuamente. «Fue el primer expediente en la clase porque es un filomático». Sinónimos: *Pegón. Polilla.*

FILOMENO. *El que más y el que menos se llama Filomeno.* Hay que esperar cualquier cosa de cualquier ser humano. «Robó, pero no hay que olvidar que el que más y el que menos se llama Filomeno». *Suéltame Filomeno que Pototo no te ha hecho nada.* ¡Está bueno ya! «Suéltame Filomeno que Pototo no te ha hecho nada». (Viene de un programa radial: *Pototo y Filomeno.*) Ver: *Pototo.*

FILOSOFÍA. *Tener Filosofía de esteichon guagón.* Se dice del hombre y la mujer que fornica con cualquiera y después no lo ve más. «Ese hombre tiene Filosofía de esteichon guagón». (El Station Wagon es un automóvil al que llaman «pisa y corre». «Pisar» es «fornicar». Así que después de fornicar, corre, o sea, se va. De aquí el cubanismo.) *Una filosofía que nunca ha fracasado: Primero calienta, después mete la piza en el horno.* Calienta a la mujer, o sea, súbele el líbido y te será fácil acostarte con ella. «Te digo que es una filosofía que nunca ha fracasado: primero calienta, después mete la piza en el horno». (Es forma de hablar del cubano que demuestra su «ingenio» lingüístico.)

FILÓSOFO. *Lo dijo el gran filósofo Chicharito (o Chicho): «No somos nada».* Se dice, en forma graciosa, cuando pasan sucesos extraordinarios. «Él se murió. Ya lo dijo el gran filósofo Chicharito: «No somos nada». (Había en Cuba un programa de radio llamado: *Chicharito y Sopeira.* El negrito era Chicharito y decía este cubanismo. Sopeira era el gallego.)

FILTRAR. 1. Memorizar. «Mi mujer no filtra. Está mala». 2. No entender algo. «No filtra. No ves que no es inteligente». 3. Oír. «No filtra bien, tiene malos los oídos». *Filtrar un mazo.* Ser superinteligente. «Juan filtra un mazo». (Es madrileñísmo avecinado en Cuba hoy.)

FILTRO. *Ser un filtro.* Ser muy inteligente. «Juan es un filtro». (Es un madrileñísmo, hoy avecinado en Cuba.) (Los) Los riñones. «Está malo de los filtros».

FIN. *Al fin y al fallo.* A la postre, al fin. «Al fin y al fallo consiguió entrar en la judicatura». *Fin de Siglo.* Ver: *Encanto. Siglo.*

FINA. *Ser una mujer fina pero de apellido Selastraga.* 1. Ser una prostituta de ademanes o modales muy finos. «Esa es Fina Selastraga». 2. Tener muy buenos modales, lo que parece indicar que es de buena familia y moralidad, pero acostarse con cualquier hombre. «Sí, es muy fina, pero es de apellido Selastraga. Te lo participo». (Es un juego de palabras con Fina, de buenos modales y Fina [Josefina.] Y el apellido «Selastraga», se descompone en «Se las traga», o sea, se introduce los penes.)

FINANCIAMIENTO. *Quedarle a alguien el financiamiento de tres automóviles.* Quedarle poco de vida. «Ya nos queda, sólo el financiamiento de tres automóviles». (Es cubanismo del exilio.) Sinónimo: *Quedarle tres afeitadas a alguien.*

FINO. *Es tan fino, tan fino que se parte.* Se dice de una persona que es homosexual. (El cubanismo es un juego de palabras convirtiéndose fino (educado) en homosexual. Como los modales de los homosexuales son muy delicados (finos) se convierte fino en homosexual.) Ver: *Polvo. Pasar algo por un tamiz diecisiete veces más fino.* Ver: *Diez. Pasarse de fino.* Fracasar. «Tú no tienes término medio y es por eso que fracasas. En esto te pasaste de fino». (El cubanismo viene del billar.) *Ser muy fino.* Ser homosexual. «Se descubrió que es muy fino ese muchacho». *Tirar un fino de bola.* Ver: *Filo.*

FINQUERO. Se dice del que le gusta el trabajo de la finca. «No hay quién lo saque de allí. Es un finquero».

FIÑE. 1. Hijos. 2. Niño. «¿Cuántos fiñes tienes tú?» «Tú todavía eres un fiñe, por eso no puedes trabajar».

FIÑERÍA. Hijos pequeños. «Pedro viene con toda su fiñería, incluyendo el último». (Fiñe es un niño pequeño. Fiñería es también un conjunto de niños pequeños.) «En la piñata estaba toda la fiñería».

FIÑÍO. *Estar fiñío.* Ser delgado. «Es un niño fiñío». *Ser fiñío.* Ser tacaño. «No suelta un centavo, es un fiñío».

FIÑOSO. Niño. «No le hagas caso, ¿no ves que es un fiñoso?» (Adjetivo proveniente de fiñe: niño.) Ver: *Fiñe.*

FIQUITO. *Fiquito con fiquito.* Estar siempre juntos. «Ese matrimonio está siempre fiquito con fiquito». Ver: *Miquito. Ser fiquito figurado.* Se dice del que no vale nada y se cree algo. «Siempre fue un fiquito figurado».

FIRMAR. *Firmar más que Clark Geibol.* Se dice del que firmó muchos cheques sin fondo. «A ése lo cogieron por firmar más que Clark Geibol. (El cubanismo, que ha nacido en el exilio, se refiere al actor norteamericano Clark Gable, que el cubano pronuncia como se ha escrito.)

FIRS. *Hace firs daun, secon daun pero no llegar al toch daun.* No llegar a triunfar. «Siempre le pasa lo mismo, hace el firs daun, secon daun pero no llega a toch daun». (Es cubanismo del exilio tomado del juego de fútbol americano. Las palabras inglesas: «First», «Second», «Down», y «Touch», el cubano las pronuncia como se han escrito.)

FISCAL. *Ser un fiscal.* 1. Estar siempre pidiendo. «Ese mendigo es un fiscal». 2. Se dice del tipo que siempre está pidiendo algo. «No da nada. Es sólo fiscal». (El fiscal siempre está pidiendo penas. De aquí el cubanismo, que se oye, preferentemente, entre abogados.)

FISCALÍA. *Volver a la fiscalía.* Volver a ser macho. «Ya en mi casa volví de nuevo a la fiscalía». (Es voz surgida entre abogados.)

FISQUITÍN. Pedacito pequeño. «Dame un fisquitín de ensalada».

FISQUITO. Pedacito. «Dame un fisquito de tu pan para probarlo». Sinónimo: *Chirringuita.* «Dame una chirringuita de pan para probarlo». *Dejarle a alguien un fisquito abierto.* Darle una oportunidad. «Le agradezco que me deje un fisquito abierto». («Fisquito» es «pedacito».) «Dame un fisquito de pan».

FISTA. Persona que se cree una gran cosa, tiene ademanes muy refinados y no trata a los demás. «Ése es el individuo más fisto que he visto en mi vida». Sinónimo: *Fistoso.* (Puede ser lo mismo nombre que sustantivo. En un guaguancó —tipo de música popular cubana de origen africano— se habla de un «blanquito fistoso». (Adjetivo.) «Ese fistoso es insoportable». (Nombre.) Ver algodón. *Meterse a fista.* Hacerse la melindrosa. «No era así, pero, de pronto, se metió a fista».

FISTERÍA. Ver: *Fista.o.*

FISTOSERÍA. Acción de ser fisto. «Tu fistosería te hace mucho daño. Tienes que cambiar».

FISTOTE.A. Que se hace el muy fino. «¡Mira qué fistote es!»

FISTOTERÍA. Acción de creerse superior; la gran cosa; de hacerse el muy fino. «No aguanto la fistotería de esta asociación».

FITINA. *Dale fitina.* Toma un reconstituyente. Se usa cuando alguien no recuerda algo. «¿No recuerdas? Toma fitina». («La Fitina"es un reconstituyente para la memoria.) *Fitina contigo.* Se le dice al que no recuerda; al que ha perdido la memoria. «Muchacho, fitina contigo. Mira a ver si te recuerdas». Sinónimo: *Tener que tomar fitina. Gastar fitina.* Pensar. «A eso hay que darle fitina». Sinónimo: *Darle coco.* «A ese problema dale coco».

FLACA.O. *Estar alguien más flaco que un güin de papalote sin frenillo.* Estar flaquísimo. «Tú estás más flaco que un güin de papalote sin frenillo. No te nutres bien». *Estar más flaco que un ratón de ferretería.* Estar muy delgado. «Ella está más flaca que un ratón de ferretería». *Ser más flaco que Canilla.* Ser muy delgado. «Tú eres más flaco que Canilla». (Es el arroz Canilla, tipo de arroz de grano extra fino. De aquí el cubanismo.)

FLAI. Lío. «Eso que me dices es un flai. ¡Qué fastidio!» *Caer de flai.* Presentarse de pronto. «Mi primo me cayó de flai». *Caerle a alguien un flai en la cabeza.* Ser un tonto. «A ése le cae, fácilmente, un flai en la cabeza». *De flai.* Rápidamente. «Lo metí en el asilo de flai». *¡Qué clase de flai!* ¡Qué tipo más malo, más desagradable! «No mantiene a la familia. ¡Qué clase de flai!» (Persona mala.) «Por ahí viene Pedro. ¡Qué clase de flai! Se nos desgració el día». (¡Qué individuo más desagradable!) («Flai» es «fly», lenguaje de la pelota. Se dice «fly» cuando la bola está en el aire y es fácilmente cogible antes de que llegue a tierra.) *Salir algo de flai.* Salir mal. «Ese examen me salió de flai». *Ser un flai por debajo de la mesa.* 1. Ser una mentira. «Ese hombre me engañó. Es un flai». (No vale nada. Es una mentira como hombre.) «Eso que me dices es un flai». (Es una mentira.) Sinónimo: *Ser una guayaba.* 2. Ser una sorpresa. «Eso es un flai por debajo de la mesa». *Tirar de flai en la cárcel.* Llevar a la cárcel sin más trámites. «Aquí la policía no se anda con rodeos y te tira de flai en la cárcel». *Tirarla de flai.* Tratar de engañar a alguien. «Él me la tiró de flai, pero yo no caí en la trampa». *Torear un flai.* En el juego de pelota, base-ball, titubear al coger una pelota que ha elevado un batazo. «¡Míralo cómo torea el flai!» *Yo no voy en ese flai.* Yo no me uno a ese disparate. «Se lo dije con claridad. Yo no me voy en ese flai».

FLAMBOYÁN. Ver: *Matrimonio.*

FLAN. Se le llama así a la persona de carnes fofas. «Oye, flan, tú no vas al cine esta noche?» *Hay quien come flan, hay quien come cascos.* Hay a quien le gustan las mujeres bellas y a quien le gustan la mujeres feas. «Míralo con esa mujer. Es verdad que hay quien come flan y hay quien come cascos». («Flan» es la mujer bella. «Casco» es la mujer fea. El cubano dice: «Esa mujer es un flan». (Bella.) «Esa mujer es un casco». (Fea.) *Parecer las caderas de una mujer un flan en manos de un* *nervioso.* Mover mucho las caderas. «Lo que más me atrae de Juana es que sus caderas parecen un flan en manos de un nervioso».[38]

FLANCOS. *Tiene unos flancos que ni para la guerra.* Se dice de la mujer que está muy bella. «Juanita tiene unos flancos que ni para la guerra». (Es cubanismo culto.)

FLAUTA. Tabaco largo y delgado. «Me encanta la flauta». *La flauta de un sólo hueco.* El pene. Sinónimo: *Tocar la flauta.* Succionar el pene. *Tocar alguien, la flauta, por todos los huecos.* Ser homosexual. «No me engaña. Ése toca la flauta por todos los huecos». *Tocar la flauta hasta las nueve plantas.* Succionar el pene en toda un extensión.

FLETAR. Irse. «Juan, cuando lo vio llegar, fletó».

FLETEAR. Putear. «Esa mujer está fleteando».

FLETERA. Prostituta. «Ella es una fletera». Sinónimo. Jinetera (cubanismo de la Cuba de hoy.)

FLI. *Echale fli.* Quítatelo de arriba. «La próxima vez que te venga a ver écharle fli». (El «fli» era un producto que se usaba en Cuba para matar moscas y otros insectos.)

FLOJIÑÁN. *Estar flojiñán.* Estar flojo. «El niño, a pesar de tantos medicamentos, está flojiñán». *Estar la comida flojiñán.* No estar abundante. «Ese almuerzo está flojiñán». («Flojiñán» es «flojo».) «Esa ponencia está flojiñán». «Me siento flojiñán».

FLOR. *Buscar la flor del caballo.* Escoger algo malo. «Mi hija fue a buscar la flor del caballo». (La flor del caballo es la mierda.) *Flor de leche.* Nata o espuma de la leche. «Esa leche es muy buena porque tiene mucha flor de leche». (Cubanismo camagüeyano principalmente. Ver: Víctor Vega Ceballos: «*La Tierra Base de la Cultura Camagüeyana*», Diario de las Américas, 19 de Junio de 1977, pág. 5B.) *Flor leidi.* Capataz. «Cuidado que por ahí viene la flor leidi». (Cubanismo nacido en el exilio cubano. Al capataz, «foreman» en inglés, cuando es mujer le dicen así: «leidi», que es la manera en que el cubano pronuncia «Lady» o «señora», en inglés.) *Pertenecer alguien a la colección de la flor de la guajira.* Ser un hipócrita. «Ese pertenece a la flor de la guajira». (El cubanismo nace del cuento de la campesina cubana que tenía una flor artificial sobre el pecho y decía que era «fingía». «Fingía», es «fingida», o «falsa», pero el cubano aspira la «d». De ahí el cubanismo.) *Ponerse como la flor de la maravilla.* Ponerse a renacer. «Cuando dejé el trabajo, me puse como la flor de la maravilla». Ver: *Dágame. Ser alguien flor de un día.* Ser algo efímero. «Juan, ese puesto que te han dado es flor de un día». *Ser flor de té.* Ser maricón. «Por ahí viene flor de té». (Cubanismo del exilio. Fue creado por el escritor cubano Armando Couto en una novela que publicó, seriada, en la revista *Réplica*, de Miami.)

FLORA. *Anota Flora y pita camión.* 1. Acabar algo de mala manera. «Si no se hace algo en contra de la delincuencia, anota Flora y pita camión». 2. Se usa en el sentido de envejecimiento en frases como: «Las americanas hasta los veintiuno están muy bien. Después, anota Flora y pita camión». *Tener todo listo de anota Flora pero cualquier día pita camión.* Se le dice a una persona que se cree muy segura de algo

---

[38] *Ser un flan,* lo he oído en el sentido de nervioso, en la traducción de la opereta de F. Lehar, *La viuda alegre.*

para decirle que cree que tiene algo bajo control pero que ya verá cómo se le derrota en el futuro. «Él se cree invulnerable. Lo tiene todo listo de anota Flora pero cualquier día pita camión». (Se basan estos cubanismos en el dicho cubano «*Anota Flora y pita camión*», que nació en una portada del semanario humorístico *Zig Zag*.)

FLORENCIA. *Todo le asiste hasta Florencia Naitingueil.* Le asiste toda la razón. «A tu marido todo le asiste, hasta Florencia Naitingueil». (Es un cubanismo culto del exilio. Florence Nightingale —que el cubano pronuncia como se ha escrito— es una enfermera famosa. La enfermera asiste. A él le asiste toda la razón. Este juego de palabras da el cubanismo.)

FLORES. *Dejarle a alguien la pucha de flores.* No cumplir con alguien. «Lo esperé para firmar pero me dejó con la pucha de flores». Ver: *Lolita.*

FLORIDA. Ver: *Pasión.*

FLORIPÓN. *Ser un floripón.* Ser un hombre anticuado. «Él es un floripón. Mira cómo se viste». Sinónimo: *Ser un floripondio.*

FLORIPONDIO. *De Floripondio.* De gratis. «Este automóvil lo conseguí con mi primo, de Floripondio». «Me lo hizo de floripondio». Sinónimo: *De gratindei. Floripón.*

FLORO. *Ser floro.* Se dice de alguien que anota mucho. «Ese hombre es Floro». (Viene el cubanismo del otro que dice: *Anota Flora, Pita camión.*)

FLORÓN. *Ser alguien un florón.* No valer nada. «El no es más que un florón».

FO. *Darle el fo.* Ignorar a alguien. «Ese canalla, en la recepción, me dio el fo». «No quiso salir al teléfono. Me dio el fo». *Hacerle a alguien el fo.* No prestarle atención, despreciarlo —pero haciéndoselo saber, para humillarlo—. «¿Tú puedes creer que fui a ver a Juan y me hizo el fo?» *Mirarlo todo como si fuera un Fo.* No gustar nada. «Los americanos miran a otras culturas como si fuera un Fo». Ver: *Gente.*

FOCÁ. (La) La mala suerte. «La focá no me deja vivir». Lo hemos oído pronunciado, también: *focu. Quitarse la focá.* Quitarse la mala suerte. «Con esas oraciones me quité de arriba la foçá». Ver: *Mentalidad. Perro.*

FOCO. *Apagar un foco.* Ver: *Farol. Apagar un farol.*

FOFO. *Estar fofo.* Estar media loco. «Por lo que se ve está fofo».

FOGÓN. (El) El trasero. «Te digo que ella siempre tuvo un fogón divino». Sinónimo: *Globo. La Loma de Candela. La Loma de Camarioca. Creerse que alguien es fogón.* 1. Excitar el líbido del hombre una mujer. «Me toca porque se cree que yo soy fogón. Pero ella no me gusta». 2. Mortificar a alguien con el fin de ponerlo de mal humor. «Lo hace adrede. Se cree que yo soy fogón». *Para quemarse hay que acercarse al fogón.* Para triunfar hay que arriesgarse. «Yo logré hacer una fortuna porque siempre supe que para quemarse hay que acercarse al fogón».

FOKINJAM. *Vivir en el fokinjam.* Se dice de la gente que va a la cama con cualquiera. «Los vecinos viven en el fokinjam». (Cubanismo del exilio. Como hay un «Buckingam», que es el palacio de los reyes de Inglaterra, por derivación, el cubanismo formó la palabra «fokinjam».)

FOLIPIL. *Necesitar alguien Folipil.* Tener mucho vello. «Esa mujer necesita Folipil».

FOLLETÍN. *Ser el folletín Hiel de Vaca de Crusellas.* Ser algo o alguien muy trágico. Se dice de la persona trágica o de la obra trágica. «No me cuentes más tragedias. Eres el folletín Hiel de Vaca de Crusellas». «¡Cómo voy a terminar esta novela si es el folletín Hiel de Vaca de Crusellas!» («*El Folletín Hiel de Vaca de Crusellas*», era un programa radial en el que ponían novelas cursis y llenas de tragedias.)

FONDA. *Entrar en una fonda equivocada.* Cometer un error. «Con esa mujer entré en una fonda equivocada al quererla fornicar». (Se aplica siempre a mujeres e indica que se creyó que la mujer era de primera. A la fonda se va a comer. «Comerse» a la mujer es «fornicarla». Se entró, me dicen, en una fonda donde no había comida. De aquí el cubanismo.) *Esto no es la fonda «El Sopapo».* Aquí se sirve a horas fijas. «Se lo digo a tu padre y a ti: Esto no es la fonda «El Sopapo». (Casi siempre se dice en las casas cuando los hijos quieren comer a horas distintas.) Ver: *Casa.*

FONDILLO. *Quieren pescar y no mojarse el fondillo.* No quieren correr riesgos. «Los americanos quieren pescar y no mojarse el fondillo».

FONDILLÚA. Se dice de la persona que tiene mucho fondillo. «¡Mira que esa mujer es fondillúa!»

FONDO. *Ir al fondo.* 1. Fracasar. «Con ese proyecto va al fondo». 2. Hundirse. (Sentido figurado.) «Con esa mujer va al fondo». Ver: *Fuego.*

FONGUEO. Ver: *Bate.*

FONMOVIETÓN. (El) 1. El ir de un lado para otro. 2. El movimiento. «A él le gusta el fonmovietón». (Cubanismo del exilio. En inglés es el nombre de un noticiario que fue muy famoso, ya desaparecido.)

FONÓGRAFO. *Darle vuelta al fonógrafo hasta que suelte la manigueta.* Llevar algo hasta las últimas consecuencias. «Yo voy a darle vuelta al fonógrafo hasta que suelte la manigueta. Después de mí, el diluvio». Sinónimo: *Darle candela al jarro hasta que suelte el fondo.*

FORD. *Cada uno sabe cómo manejar su ford.* Cada uno sabe lo que hace. «No me des consejos, cada uno sabe cómo manejar su ford». (Cubanismo del exilio.)

FOREVER. *Ser algo forever ambar.* Ser para siempre. «Nuestro amor es forever ambar». («*Forever ambar*», es el título de una película norteamericana basada en una novela del mismo título. De aquí el cubanismo.)

FORMARSE. *Formarse un sal pa' fuera.* Formarse un escándalo, una algarabía. «Todo marchaba bien pero cuando llegamos al punto tres se formó el sal pa' fuera». Sinónimo: *Formarse un tira y jala.* («Pa'» es «para».) Formarse un titingo.

FORRADO. *Estar forrado.* Tener mucho dinero. «Él dirá lo que quiera pero yo sé que está forrado». *Nacer forrado.* Nacer rico. Nacer en cuna de oro. «Ése nació forrado. Si lo sabré yo».

FORRARSE. 1. Ganar mucho dinero. «En el negocio se forró». 2. Malversar. «En el ministerio se forró».

FORRO. Embuste, mentira. «Eso es un forro». *Llevar alguien más forro que un maletín.* Estar muy abrigado. «En Nueva York hay que llevar más forro que un maletín». (Es cubanismo del exilio.) *Meter forro.* 1. Copiar en los exámenes. «Tuve que meter forro, de lo contrario no pasaba el examen». 2. Hacer trampas. «Trató de meterme un forro pero lo descubrí a tiempo». (El cubanismo viene del juego de dominó.) *Pasar más trabajo que un forro de catre.* Pasar mucho trabajo. «Desde que nací pasé más trabajo que un forro de catre».

FOSA. *Tener en la boca una fosa maura.* Decir muchas malas palabras. «Tú, lo que tienes en la boca, es una fosa maura».

FOSFORERA. *Tú no eres fosforera para dar candela.* Frase que se dice en los ambientes bajos por la mujer al hombre para disminuirlo sexualmente. «Dar candela», se refiere a tener actividad sexual. Ver: *Chispa.*

FOSFORITO. *No ser la candela sino fosforito.* Ser de una inteligencia normal. «Ella no es la candela. Ella es sólo fosforito». («Ser la candela» es superinteligente en cubano.) Ver: *Candela. Ser alguien un fosforito.* Persona que responde a la primera provocación. «Ten mucho cuidado porque es un fosforito». (Al fósforo cuando lo rayan se enciende. «Encenderse» es ponerse bravo en cubano. De ahí el cubanismo.)

FÓSFORO. *Estar el fósforo encendido.* Estar el lío andando. «Hoy, en esta junta, está el fósforo encendido». *Los fósforos.* 1. Los frijoles. «No me gustan estos fósforos. ¿Qué le echaste?» 2. Persona de la raza negra. «En esta región viven muchos fósforos». Se dice también: *Fosforitos.* (Este cubanismo se aplica, en muchas ocasiones al que se irrita fácilmente: «No lo provoques que es un fosforito». *¡Pa' los fósforos!* Exclamación que quiere decir: Yo no intervengo en eso. «¿Por qué no te postulas de concejal? —¡Cómo está la situación, pa' los fósforos!» *Tener el fósforo encendido.* Tener la inteligencia agudísima. «Hace días que tiene el fósforo encendido. ¡Qué bien habló!» Igualmente: tener el pene en erección. «Desde que vio a esa mujer, tiene el fósforo encendido y no se le baja». Ver: *Cajita. Cubierta. Mecha. Pavo Real. Reverbero.*

FOSOS. Los bolsillos. «Deja ver si tengo un centavo en los fosos». (Cubanismo de origen chuchero. Ver: *Chuchero.*) *Estar esmerilao por los fosos.* No tener un centavo. «A fin de mes estoy esmerilao por los fosos». (Los fosos son los bolsillos. «Esmerilao» es «esmerilado» pero que el cubano aspira la «d». Es lenguaje del chuchero. Ver: *chuchero.*) Ver: *Luz.*

FOTINGO. Automóvil viejo. «Me compré un fotingo que apenas camina». (Es el nombre que se le dan a los automóviles Ford viejos.) Sinónimos: *Bartavia. Cacharro. Cuatro vientos. Fotingo de Bigotes. Fotingo de tres patás.*

FOTOGRAFÍA. *Estar de fotografía o de entierro.* Estar bien vestido. «Primera vez que te veo de fotografía o de entierro». *Una fotografía de bistek.* Un bistek muy fino. «Eso es una fotografía de bistek».

FOTUTAZO. 1. Infarto cardíaco. «Sufrió un fotutazo que lo tiene entre la vida y la muerte». 2. Ruido que produce la bocina de un automóvil. «Cuando el transeúnte oyó el fotutazo, saltó». *Meterle alguien un fotutazo.* Matarse. «Juan tenía cáncer y se metió un fotutazo».

FOTUTEANDO. Atacando. «Fotuteando ganó la pelea».

FOTUTEAR. 1. Apurar. «Se pasa el día fotuteándose en el trabajo». 2. Atacar a una persona. «Ha estado fotutiándome por los periódicos». «Lo fotuteó continuamente en la reunión. Todo se lo rebatió». 3. Enviar. «Lo prendieron porque el hijo fotuteaba dinero de contrabando para Nueva York». 4. Zaherir. «Lo fatuteó con sus opiniones, pero él no se dio por enterado». Sinónimos: *Tirar fotutazos. Tirar puyas. Fotutear en el periódico.* Salir todos los días en el periódico. «Juan está fotuteando continuamente en el periódico».

FOTUTO. 1. Bocina de un automóvil. «Ese fotuto es muy estridente». 2. Hombre inquieto. «Es tan inquieto que le dicen fotuto».

FRACA. *Ser una mujer fraca.* Ser viciosa. «Es una mujer fraca». (Lenguaje del chuchero. Ver: *chuchero.*)

FRANCÉS. *Ser francés de Bola de Nieve.* Ser francés malo. «Ése es francés de Bola de Nieve». (Bola de Nieve era un cantante cubano que usaba en una de sus canciones —Monsieur Julián— palabras en francés mal pronunciadas. De aquí el cubanismo.) Ver: *Drácula.*

FRANCESA. *Tirar a la francesa.* Tirar fotografías falsas a los peatones para no gastar rollos y para coger la dirección de donde viven y fotografiarlos en la casa. «Como no tenemos dinero para rollos, tiramos a la francesa». Ver: *Revolución.*

FRANCISCO. Ver: *Don.*

FRANKESTEIN. *Ser alguien Frankestein en Bermudas.* Ser feísimo. «Ese hombre es Frankestein en Bermudas». Ver: *Feo.*

FRAPÉ. *Salpicar frapé.* Tratar con frialdad. «¿Tú sabes que en la entrevista me salpicó con frapé?» Sinónimos: *Tirar un frío. Tirar un hielo.*

FREGADO. Ver: *Barrido.*

FREÍR. *Freír huevos.* Hacer un ruido con la boca que indica insatisfacción. «Oye, ¿por qué fríes huevos?»

FRENILLO. *Él rey del frenillo haciendo papalote.* Ser muy, muy inteligente. «El es el rey del frenillo haciendo papalote». *Tener frenillo en el papalote.* Estar constreñido por alguien. «El presidente no puede moverse porque tiene frenillo en el papalote». Ver: *Flaco. Papalote.*

FRENO. *Nadie me puede agarrar el freno.* Nadie me puede detener. «Todo el mundo lo sabe. A mí nadie me puede agarrar el freno». Ver: *Barranca.*

FRENTE. *El que tiene un frente, tiene un costado.* Toda persona tiene una debilidad, una parte flaca. «No te preocupes. Él no es invencible. El que tiene un frente, tiene un costado». Ver: *Calva. Novedad. Preservativo. Profilaxis.*

FRESA. Ver: *Tortonis.*

FRESCA. *Levantarse con la fresca.* Levantarse al amanecer, muy temprano. «Me gusta levantarme con la fresca». «A mí me encanta levantarme con la fresca».

FRESCO. *Botar al fresco, rareza.* Ponerse un traje llamativo. «Ayer boté al fresco, rareza». Lo he oído al hacer una cosa rara en el acto sexual. «Ayer, con Carlota, boté al fresco, rareza». Lo he oído también como: *Botar rareza. Mandar a tomar el fresco.* Mandar al diablo. «Me enojé con él y lo mandé a tomar el fresco».

FRESCOLANA. *Ser un frescolana.* Ser un fresco. «Mira que tú eres frescolana, mi hermano». (El cubanismo es un juego de palabras con la palabra «frescolana» que era una tela que se usaba en Cuba.) Se dice también: *Ser un frescolana García.*

FRÍA. *Una fría.* Una cerveza. «Dame una fría, por favor».

FRICANDÓ. Frío. «Hay un fricandó que cala los huesos». *Estar algo de fricandó.* No tener ambiente. «Ese restaurante está de fricandó». («Fricandó» es «frío». «¡Qué fricandó hace!")

FRIJOL. *Buscarse los frijoles.* Trabajar. «No puedo hablar contigo porque me estoy buscando los frijoles». *Pa' los frijoles.* Sinónimo: *Pa' los fósforos.* («Pa'» es «para».) *Por un frijol no se pierde la olla.* Nadie es necesario. «Yo te lo dije que te iban a botar. Por un frijol no se pierde la olla». *Frijol de carita.* Variedad del frijol negro. «Quiero hoy comprar frijoles de carita». (El frijol parece una cara: de ahí el cubanismo.) *Se te queman los frijoles.* 1. Apúrate. 2. Tener un percance por ser vago. «Como no se apure se le queman los frijoles». 3. Vete. (La conversación da el significado.) «Corre que se te queman los frijoles». (Véte apurado.) *Ser una comida frijol chino.* Ser muy mala. «Esta comida es frijol chino». (A principios de la toma del poder en Cuba, por el marxismo-leninismo, llegaron «frijoles chinos». Eran malísimos. De aquí el cubanismo.)

FRÍO. *Andando se quita el frío.* Trabajando es como se triunfa. «Yo, mi hijo, he triunfado en la vida porque he hecho bueno el lema de que andando se quita el frío». *Coger frío.* Acobardarse. «Cuando vio que la cosa iba en serio, cogió frío». *Estar frío como una rana.* Estar alguien muy frío. «Muchacha, tú debes de tener la presión baja, pues estás fría como una rana». *Estar alguien frío como el pescado.* Estar muerto. «Cuando lo encontraron estaba frío como el pescado». *Hacer un frío que chifla el mono.* Hacer mucho frío. «Hoy hace un frío que chifla el mono». *Meter frío.* Amenazar a alguien. «Juan le metió frío a Pedro». *Meterle frío a alguien.* Meterle miedo. «No se atrevió conmigo porque le metí frío». *No me cubras que no tengo frío.* No trates de despistar. «Te conozco. No me cubras que no tengo frío». *Si tienes frío cómprate un oso y échatelo arriba.* Se le dice al que tiene frío. «Mira que eres friolento. Si tienes frío cómprate un oso y échatelo arriba». (Cubanismo del exilio.) Ver: *Fricandó.*

FRIQUI. *Ser un friqui.* En Cuba, al miembro de una pandilla juvenil, que no simpatiza con el comunismo, lo llaman friqui. «Yo soy un friqui».

FRITA. Especie de bistek de carne molida cubano. *Buscarse una frita.* 1. Buscar el diario sustento. «Es muy duro, en estos tiempos, buscarse una frita». 2. Ganarse la vida. «Con este negocio me estoy buscando la frita». Sinónimo: *Buscarse los frijoles. Encantar a alguien las fritas Dominó.* Ser muy dominante. «A Juana le encantan las fritas Dominó». (Es cubanismo del exilio. «Fritas Dominó» es un establecimiento cubano en Miami donde se venden fritas. «Dominó» es «dominar».) *Estar entre la frita y el hamburguer.* Se dice de los cubanos que son ciudadanos americanos. «Mi prima Aurora juró ayer la Constitución americana. Está entre la frita y el hamburguer». *Gustarle a un hombre las fritas.* Gustarle las mujeres pequeñas y bellas. «A mí siempre me han gustado las fritas». (La frita es una rueda pequeña de carne molida bien condimentada. De aquí el cubanismo.) *Ser algo malo como un eruto de frita.* Ser malísimo. «Elio es malo como un eruto de frita». (La frita es una especie de «jamburguesa» cubana. Es comida barata.)

FRITO. *Estar frito.* No tener posibilidades. «No aspires que estás frito». Se dice también: *Estar fritico. Tener a alguien frito.* Tenerlo muy molesto. «Juan me tiene frito con todas sus impertinencias».

FRONTÓN. *El Frontón Jai a Lai.* Una frente ancha con muchas ideas inteligentes. «¿Viste cuando el abogado levantó el Frontón Jai a Lai?» (El Frontón Jai a Lai, es el sitio en que en Cuba se jugaba, «pelota vasca». Es un juego de palabras entre «frente», y «frontón», —como aumentativo de frente.— Le llaman además: *El Palacio de los Gritos*. La frente —como el frontón— grita: Tiene ideas. De aquí el cubanismo.) Ver: *Jorobado. Puerta. Rebote.*

FRUTA. Ver: *Teñir.*

FRUTABOMBA. (La) El sexo de la mujer. Sinónimos: *Bollo. Cosita. «Masterchar».* (De la voz inglesa: «Mastercharge», una tarjeta de crédito.) *Papaya. Gustarle la frutabomba al natural.* Gustar fornicar sin preservativos. «Si vienen los hijos, que vengan. Me gusta la frutabomba al natural». (La frutabomba recibe también el nombre de papaya. Y papaya es en cubano las partes pudendas de la mujer. De ahí el cubanismo.)

FRUTO. Ver: *Corriente.*

FU. 1. Cosa que no sirve. «Esta es una novela fu». 2. Mala persona. «Ese es un fu». 3. Persona que no cumple su palabra. «No te pagará cuando dice: Es un fu». 4. Persona que no sirve para nada. «Ese es un fu». Se oye a menudo: «Tremendo fu». *Hacer un fu.* Hacer un feo. *Ponerme un fu.* Dar una mala opinión de otra persona. «No me aceptaron porque me puso un fu». *Quedarse sin fu ni fa.* Quedarse sin nada. «En la herencia me quedé sin fu ni fa». Ver: *Batear. Carne. Gao.*

FUÁCATA. *Dar fuácata a la lata.* Se dice la acción de una mujer que se acuesta con cualquier hombre. «Esa mujer cuando joven le daba fuácata a la lata». *Estar en la fuácata.* Estar muy pobre. «Tú sabes muy bien que estoy en la fuácata». Sinónimos: *Estar en carne. Estar en la prángana. Estar comiéndose un niño. Estar comiéndose un niño por los pies con tenis y todo. Estar tan hecho tierra que si le echan agua se convierte en fango. Sonar cuatro fuácatas a alguien.* Tirarle cuatro tiros. «Me salvé de milagro, porque me sonaron cuatro fuácatas».

FUCA. 1. Pistola. «Sacó por la fuca y le dio tres tiros». 2. Revólver. «Me hizo un disparo con la fuca». «Sacó la fuca y me mató». Sinónimos: *El hierro. El perfumador.* (Lenguaje del chuchero. Ver: *chuchero.*)

FUEGO. *Fuego a la Maya y al Tinguao.* 1. Que suceda lo que suceda. «¿Vas a desobedecer a tus padres? —Fuego a la Maya y al Tinguao». 2. Se dice cuando una mujer quema al amante. «Le dio fuego a la Maya y al Tinguao. Le echaron treinta años». (En Cuba eran muy comunes los crímenes pasionales. De ahí el cubanismo.) *Fuego a la lata hasta que suelte el fondo.* Ver: *Fondo. Ir a apagar el fuego.* «¿Vas a apagar el fuego?» Pregunta que se la hace a una persona que camina muy de prisa; que está muy apurada. *No dar ni fuego fatuo.* No servir para nada. «Esos yanquis no dan ni fuego fatuo». Sinónimo: *Ni dan, ni dicen dónde hay.* Ver: *Danza.*

FUELLE. *Los fuelles.* Los pulmones. «Me hice una radiografía de los fuelles. Estoy muy bien». (Cubanismo de origen chuchero. Ver: *chuchero.*)

FUENTE. Ver: *Niño.*

FUERA. *Dar fuera.* Terminar una relación con alguien. «A ese individuo le di fuera porque no es una persona decente». *Dejar fuera.* No incluir. «Es tan mal amigo que me dejó fuera del negocio». Ver: *Botar. Estar alguien fuera.* No estar en el quid de la cosa. «En eso que dices estás fuera». *Fuera catarro.* Asunto terminado; al diablo. (La conversación da el significado.) «Bueno, ya está. Fuera catarro». (Asunto terminado.) Dice que ya tú verás... Fuera catarro». (Al diablo.) *Llevar hasta fuera (o fuerate).* Querer mucho. «A Juan lo llevo hasta fuera». Ver: *Bote.*

FUERATE. Ver: *Fuera. Linga. Llevar hasta fuera.*

FUERTE. *Éste que está fuerte, fuerte, sepáramelo.* Me quedo con éste. (El cubanismo es la repetición de un lema de una firma cigarrera cubana.) *Fuerte como pan mojado.* Se refiere al pene y se le contesta al que dice que tiene el pene muy fuerte. «Sí, ya sé lo que tienes muy fuerte. Fuerte como pan mojado». *Socio fuerte.* Amigo íntimo. «Éste es mi socio fuerte». Sinónimo: *Mi hermano. Mi sangre. Mi tierra. Minfa. Parna. Socio.*

FUERZA. *Dar Pirey y Fuerza Blanca.* Eliminar. «En el trabajo le dieron Pirey y Fuerza Blanca». (Es el lema de un jabón de lavar, o detergente.) Ver: *Dirigible.*

FUETAZO. *Meter un fuetazo.* Meter un cheque sin fondo. «Yo lo sabía. Terminó por meterle un fuetazo a Antonio. El banco devolvió el cheque».

FUFIO. Culo. Tiene un fufio grande. (Lenguaje del chuchero.) Sinónimo. Fuifo. *Lo que le sale por el fufio es la montaña Santa Elena.* Se dice del que se tira vientos muy sonoros, u olorosos. «A ése lo que le sale por el fufio es la montaña Santa Elena». (Es cubanismo del exilio. Cuando la erupción del volcán Santa Elena, en Estados Unidos, se oía este cubanismo.)

FUFÚ. Comida hecha con plátano rayado. «Hoy como fufú». *Hacer con alguien fufú de plátano.* 1. Aniquilarlo. «Con ese canalla voy a hacer fufú de plátano». 2. Destruirlo. «Ha hecho con él fufú de plátano». Sinónimos: *Disfrazarlo de chatino. Hacerlo machiquillo. Hacerlo salcocho. Tener fufú en el cerebro.* Ser muy bruto. «Me casé con una mujer que desgraciadamente tiene fufú en el cerebro». Sinónimos: *Tener una croqueta en el cerebro. Tener una croqueta quemada en el cerebro.* (En este caso es «brutísimo». La palabra «quemada» da el aumentativo.) *Volverse fufú de plátano.* Se dice del que se deja dominar. «¿Quién lo iba a creer? Con ella se volvió fufú de plátano». (El fufú de plátano es un puré de plátano. De aqui el cubanismo.)

FUGUILLA. Se dice del que es muy inquieto. «Muchacho, eres un fuguilla».

FUIFO. El culo. «Tiene un fuifo que es más grande que una casa de apartamentos». Sinónimos: *Cajón. El atrile. El cuarto fambá. El hongolosongo. El inán.* Ver fufio y fuifu.

FUIFU. *Tener el fuifu disfrazado de España en llamas.* Tener el recto ardiendo. «Hoy comí algo picante y tengo el fuifu disfrazado de España en llamas». («Fuifu» es «culo». El cubanismo es un juego de palabras con la bebida «España en llamas», o sea, sidra con coñac.) Ver fuifo y fufio.

FUIQUI. *El Fuiqui Fuiqui.* 1. Aparato de matar insectos. «¿Le echaste líquido al fuiqui fuiqui?» 2. El coíto. «¡Cómo le gusta el fuiqui fuiqui!»

FULA. Incumplidor. «Ése es un fula». Sinónimo. Fulastre. Fulastrón.

FULASTRE. Incumplidor. No pagó. Es un fulastre. *Morir el fulastre por su mal gusto.* Equivale al castizo: «*El pez por la boca muere*». «Tenía que terminar así, el fulastre por su mal gusto, muere». Sinónimo. Fula. Fulastrón.

FULASTREADA.O. *Estar algo fulastreado.* No llegar a nada. «Esa candidatura está fulastreada».

FULASTREAR. Engañar. «Ella lo fulastreó».

FULASTRÓN. Incumplidor. «No eres más que un fulastrón. Vete por ahí».

FULIMIÑINGUE. Pequeña. «Esa muchacha es una fulimiñingue». Sinónimo: *Entiquití.* «Es una muchacha entiquití». (Esta voz es de procedencia chuchera. Ver: *chuchero.*)

FULIMIÑIQUE. *Ser algo o alguien un fulimiñique.* Ser pequeño. «Juan es un fulimiñique. Y así se queda. No crece más». «Eso es más que una miniatura. ¡Es un fulimiñique!»

FUMACO. *Ser un fumaco.* Ser un fumador de marihuana. «La policía la detuvo porque es un fumaco».

FUMANCHÚ. *Soltar el Fumanchú.* 1. Librarse de la mala suerte. 2. Soltar la mala suerte. «Por fín solté el Fumanchú. Todo me está saliendo bien». («Fumanchú» era un artista chino que visitó La Habana. Como cuando el cubano tiene mala suerte dice: «Tener un chino detrás y en puntillas» o «tener un chino encaramado en el hombro» y librarse de la mala suerte, *soltar el chino* ha sustituido la palabra chino por Fumanchú en este cubanismo.) *Tener un Fumanchú a pupilo.* Tener muy mala suerte. «Hace tiempo tengo un Fumanchú a pupilo». (Se me ha dicho por muchos cubanos que el origen del cubanismo, para ellos, se debe a que la palabra «Fumanchú» está formada por dos palabras: «Fu», cubanismo que quiere decir malo, y «manchú» que significa «chino.) Ver: *Fu.*

FUMAR. *Allí fumé.* De eso no sé; eso no me interesa. «¿Sabes tú si Juan tiene problemas con su mujer? —Allí fumé». (El cubanismo viene del juego infantil *las candelitas*, donde al hacerse una pregunta a uno de los participantes, contesta: «Allí fumé».) *Fumarse a alguien.* Derrotar. «A ése lo fumo yo». (El cubanismo tiene su origen en la contienda electoral entre el Ing. Mario García Menocal y el Dr. Alfredo Zayas y Alfonso para la presidencia de Cuba. Ambos repartían puros con sus efigies en los anillos. Coincidieron un día y se los intercambiaron. Menocal sacó un fósforo y dijo: «A este me lo fumo yo». Y procedió a fumarse el puro indicando que derrotaría a Zayas. Éste contestó con otro cubanismo: «Pues yo a este me lo meto en el bolsillo». Y puso el puro con la cara de Menocal en el bolsillo.)

FUMBLEAR. Ver: *Amantequillarse.*

FUMECA. Mujer mala. «Esa mujer es una fumeca». (Lenguaje del chuchero. Ver: *chuchero.* Hay una poesía chuchera que dice: «*Eres fumeca, lea, engañadora*».)

FUMECO. Cigarro malo. «No hay quien se fume este fumeco». (Lenguaje del chuchero. Ver: *chuchero.*) Sinónimos: *Billiken. Rompepecho. Charuto.*

FUMERA. Ver: *Tabaquero.*

FUNCHE. Harina hervida sin grasa. «Voy a comer funche. Me gusta».

FUNCIÓN. *Ser alguien, una función de cine.* Anunciarse mucho. «Chico, tú eres una función de cine».

FUNDAMENTOS. *Los fundamentos.* Las piedras; es decir, los que se ponen en los altares de las deidades africanas en Cuba. «Mira los fundamentos de esa santa. Están pintados».

FUNDIDO. *Estar fundido.* Estar muy enfermo. «Está fundido, ¿no le ves el color?» También estar agotado. «Después de tanto estudiar estoy fundido». Así mismo estar loco: «Juan esta fundido».

FUNDIRSE. Caer en una depresión nerviosa. «Me he fundido de lo mucho que he trabajado en estos años».

FUNDORA. Ver: *Piano.*

FUNERAL. *Dar un funeral con bembé en Caballero y zumbar después para el Litel Flauer.* Dar un funeral por todo lo alto. «Quería tanto al esposo que le dio un funeral con bembé en Caballero y después lo zumbó para Litel Flauer». («Bembé» en cubano además de ser un rito africano es una fiesta. «Caballero» es una funeraria de Miami. «Little Flower», que el cubano pronuncia como se ha escrito, es una iglesia de Miami, Florida, U.S.A. Es cubanismo nacido en el exilio.)

FUÑIDA.O. Debilucho, delgado. «¡Qué fuñido es mi hijo adorado!» (El cubano dice: «fuñío», porque aspira la «d».)

FUÑIR. Molestar. «Hazme el favor de no fuñir». *La fuñió.* La jodió. Frase que se dice cuando alguien hace una cosa loca. «Se fue Juanita con el novio. La fuñió».

FUÑIRSE. Morirse. «Se fuñió de madrugada». Sinónimos: *Cantar el manisero. Guardar el carro. Ponerse el chaquetón de pino tea.*

FURIA. *Con furia.* Mucho. «Tiene años con furia». «Es feo con furia».

FURLÓN. Ver: *Cuarto.*

FURNIA. El estómago. «Hoy me levanté con un fuerte dolor en la furnia». «Voy a echarle alimentos a la furnia». Sinónimo: *La caja del pan.*

FURRUMAYA. *Una furrumaya.* 1. Conjunto de personas que no valen nada. «Aléjate de esa furrumaya». 2. Una persona de bajísima clase social. «Ese señor es un furrumaya. Por lo menos actúa como tal». «Se casó con una furrumaya». (Lo he visto escrito: *Furrumalla.*)

FUSELAJE. Cuerpo. «Esa mujer tiene un bello fuselaje». (Cubanismo tomado de la aviación.)

FUSIBLE. *Tener un fusible fundido.* Estar loco. «Ése tiene un fusible fundido». Sinónimos: *Tener comején en la azotea; en el güiro; en la teja; en el coco; en el pent-house;* (el cubanos pronuncia «penjaus».) *Tener guayabitos en la azotea. Tener los cables cruzados. Tener un corto circuito en el coco. Tener un pase a tierra.* (Como se ve, muchos cubanismo proceden del campo de la electricidad.) Ver: *Caja.*

FUSIL. *Limpiar el fusil.* Tener relaciones carnales. Se dice también: *Limpiar el cable.*

FUSILADERA. Fusilamiento. «La fusiladera era frecuente en aquellos días».

FUSILAR. Relampaguear. «Está fusilando para las tierras de Goyo». (El cubanismo es de origen campesino.)

FUTBOLISTA. Ver: *Casco.*

FUTETE. Malo. «Esa mujer es futete». Sinónimos: *Fu. Fumanchú. Fumeca.*

FUTIVARSE. Fugarse. «El acusado del crimen se futivó de la cárcel». «Se futivaron todos de la cárcel».

FUTURO. *Tener el futuro del tibor de meao.* Tener un mal futuro. «Sí, dame aliento. Mi futuro es el del tibor de meao».

GABARDINA. *Gabardina estilo Caballero de París.* Gabardina sucia. «Es una gabardina al estilo Caballero de París».

GABINETE. Casa. «Estoy cansado. Me voy para el gabinete».

GAFE. *Es un gafe.* Se dice del que trae mala suerte. «Húyele que es un gafe». (Posiblemente es una corruptela de «gafo», «leproso». Por eso trae mala suerte.)

GAGÁ. *Estar alguien gagá.* Estar indeciso. «El en esto está gagá». (Es decir, tartamudea, como el tartamudo, al que le dicen gago. De aquí el cubanismo.)

GAGO. Tartamudo. «Mi primo es gago».

GAITO. Español. «Por ahí viene el gaito recién llegado». Sinónimos: *Galifa. Galifardo.* Ver: *Junir.*

GAJO. *Estar en el gajo.* 1. Estar vigilando. «No se me escapa porque estoy en el gajo». 2. Ni para arriba ni para abajo, es decir, normal, sin problemas. «Hoy estoy en el gajo». *Hay que pasarle un gajo de albahaca.* Se dice cuando alguien está muy enojado ya que cree que el baño con la mata llamada albahaca, sosiega. «Muchacho, cállate, hay que pasarte un gajo de albahaca». Ver: *Guineo. Venado.*

GALA. Ver: *Uniforme.*

GALÁN. *Estar vestido de galán.* Estar buscando mujeres para fornicar por tener deseo. «¿No lo ves en esa esquina? Está vestido de galán». (Este es un cubanismo del exilio basado en un programa de Rolando Barral, un actor cubano, titulado: «*De Fiesta con los Galanes*». El que se viste de galán quiere estar de fiesta. «Querer estar de fiesta», es un cubanismo que quiere decir tener deseos de fornicar. De aquí el cubanismo.)

GALANES. Ver: *Fiesta.*

GALERÍA. *Hacer algo para la galería.* Hacer algo que no se siente para impresionar a los que ven. «No te creas lo que hace; lo hace para la galería».

GALIANO. *Galiano de Motembo.* Licor malo. «Estoy tomando Galiano de Motembo». (El cubanismo se basa en una combinación del licor Galiano —italiano— y las minas de Motembo en Cuba que daban gasolina natural.) Ver: *Virtudes.*

GALIFA. Español. «Mi padre es galifa». Sinónimo: *Galifardo.*

GALIFARDO. Ver: *Galifa.*

GALILLO. *Le partieron el galillo.* Le interrumpieron el discurso. «a ese gritón, le partieron el galillo». *Tener galillo.* 1. Hablar muy alto. «¡Cállate, tienes mucho galillo!» 2. Tener un tono de voz muy fuerte.

GALIMATÍAS. *Ser alguien el Divino Galimatías.* Ser una persona que habla cosas que no se entienden. «Mi tío es el Divino Galimatías». (El cubanismo se deba a que al Presidente de la República de Cuba, el Dr. Ramón Grau San Martín, como hablaba en forma que nunca decía nada en concreto, lo llamaban el Divino Galimatías.) Sinónimo: *Ser un Cantinflas.*

GALLA. Mujer. «Por ahí va una galla». (Femenino de «gallo».)

GALLARDO. (El) Café. «Hazme el favor de servirme el gallardo».

GALLARETA. Ver: *Pato.*

GALLARUZA. 1. Mujer de baja calidad y peleona. 2. Mujer hombruna. (La conversación da el significado.) «Esa gallaruza sólo busca líos. Se ve que es de ínfima calidad». (Primer significado.) «No me gusta porque es gallaruza. Parece un hombre». (Segundo significado.)

GALLEGO. 1. Español. «Ese gallego es de Andalucía». (En Cuba a todos los españoles se les llamaban gallegos, sin hacer distinción de la provincia a la cual pertenecen.) Sinónimos: *Gaito. Galifa. Galifardo.* 2. Mi amigo. «Oye, gallego. ¿A dónde vamos hoy?» Sinónimos: *Candela. Monstruo. Tigre. ¿Cómo se puede vivir con un gallego veinte años y no saber que come aceitunas?* Como no se va a conocer a una persona con la que se ha vivido muchos años. «Yo no sé cómo pudo hacerte eso. ¿Cómo se puede vivir con un gallego veinte años y no saber que come aceitunas? Es culpa tuya». (Es cubanismo de gente culta.) *Gallego de pantalón de pana y amolador de tijeras.* Español que es muy conservador. «Pedro es un gallego de pantalón de pana y amolador de tijeras». (El emigrante llevaba muchas veces un pantalón de pana y se ganaba la vida amolando tijeras.) *Mira si los gallegos son brutos que al pan le dicen bollo.* Chiste sin bilis sobre los españoles en Cuba; sólo por hacer reír. (En Cuba a los españoles se le dicen «gallegos». «Bollo» es el aparato sexual de la mujer en Cuba. De ahí el cubanismo.) *Ponerse como un gallego de almacén.* Ponerse gordo. «En unos meses se ha puesto como un gallego de almacén». (Muchos españoles en Cuba —gallegos— eran gruesos. Tenían almacenes en Cuba. Se veían frente a ellos vigilando al público. Por ser estos almacenistas gruesos se creó el cubanismo.) *Ser gallego.* Bailar mal. «En el baile eres un gallego». (Es que la mayoría de emigrantes españoles eran gruesos y de movimientos torpes. De aquí el cubanismo.) «Gallego» se le grita al que maneja mal un automóvil. «Gallego» que vas a chocar». Sinónimo: *Paragüero. Ser un gallego potentado.* Se dice de un español que usa un cinto con hebilla grande. «Mira ese gallego potentado». (Los españoles en Cuba usaban un cinturón como el descrito y casi todos eran gordos. De aquí el cubanismo.) *Sin gallego no hay mulata.* Sin esto no hay solución. «Te lo digo para que lo aceptes. Es la única forma de arreglarlo. Sin gallego no hay mulata». Sinónimo: *Sin azúcar no hay país.* Ver: *Cariño.*

GALLEGUITO. Niño fuerte y de cachetes colorados. «Mi nené es un verdadero galleguito».

GALLERAS. *Haber peleado en todas las galleras.* Tener mucha experiencia. «Él triunfará. Él ha peleado en todas las galleras». (La Gallera es donde pelean los gallos.) «¿Vas hoy a la gallera?»

GALLERÍA. Lugar a donde se crían los pollos de pelea. Aceptado por la Real Academia. Ver: *Mona.*

GALLETA. *¡Cómo gozo con las galletas «El Gozo!»* ¡Qué bien me siento! «Puedo gritar a viva voz: ¡Cómo gozo con las galletas el gozo!» (El cubanismo está tomado del lema de las galletas «El Gozo».) *Darle una galleta y convertirlo en trompo.* Darle un sopapo fuerte. («Sopapo», es «galleta».) «Le dio una galleta y lo convirtió en trompo». *Darle a alguien una galleta de ida y vuelta.* 1. Cruzarle la cara de manera sonada. 2. Darle un gran o tremendo sopapo. «En frente de todos le dio una galleta de ida y vuelta». «En la bronca le dieron una galleta de ida y vuelta». *Darle a alguien una galleta que le va a poner la cabeza en torniquete.* Abofetearlo fuertemente. «Como me vuelvas a hablar así te voy a dar una galleta que te va a poner la cabeza en torniquete». *Darle a alguien una galleta que va a pasar hambre en el aire.* Darle una bofetada fuerte. «Ella te va a dar, si sigues así, una galleta que vas a pasar hambre en el aire». *Emular a la galleta Única.* Darle un galletazo a una persona. «Ese hombre me molestó tanto que emulé a la galleta Única». («La Galleta Única», era una marca de galletas que había en Cuba.) *Galleta de ida y vuelta.* Sopapo contundente. «Le dio una galleta de ida y vuelta». *Hacer una galleta de un carro.* Destrozarlo en un choque. «Hizo Elisa, de su carro una galleta». (Carro es automóvil.) *No ser media galleta de nadie.* 1. Cobarde. «Tiembla; no es media galleta de nadie». 2. Ser muy pequeño. «Tú no eres media galleta de nadie». *No ser una galleta de nadie.* Ser muy débil. «Yo te he dicho que tú no eres galleta de nadie». *Perderse una galleta.* Ser castigado si uno persiste en la actitudes. *Remangarle a alguien una galleta.* Abofetearlo. «Le remangó una galleta en pleno rostro». *Sacarse la rifa de la galleta.* Cuando un niño se porta mal la mamá le dice: «Te vas a sacar la rifa de la galleta». O sea, «te voy a castigar». «Muchacho, estáte quieto. Te vas a sacar la rifa de la galleta». *Yo no soy galleta.* Se contesta al que dice, metiéndose con uno: «—¡Cómo te gozo! —Mira, viejo, yo no soy galleta». (O sea, no tienes por qué divertirte a costa mía. Las galletas «El Gozo», como ya se explicó anteriormente, eran unas galletas cubanas. De aquí el cubanismo.) Ver: *Cachirulo. Sardinas. Sopapo.*

GALLETAZO. *Hay un galletazo en el aire.* Aquí va a haber un lío. «Si sigues hablando así hay un galletazo en el aire». Sinónimos: *Aquí va a haber moña. Esto va a terminar como la fiesta del Guatao.* («Galletazo», es «sopapo».)

GALLETICA. *No parar hasta no ver a alguien en galleticas de plátano.* Atacarlo hasta destruirlo. «Ése periodista, con el político ese, no para hasta verlo en galleticas de plátano». *Quedar como galletica de plátano.* 1. Aplastado por completo. «El quedó como galletica de plátano». 2. Aplicado a una persona es aplastarlo, aniquilarlo. «A ése lo voy a dejar como una galletica de plátano». («Las galleticas de plátano», se obtienen picando el plátano en rodajas, o rueditas, finísimas. De aquí estos cubanismos.)

GALLINA. 1. Cobarde. «Eres un gallina». (Aunque se tiene por cubanismo aparece en el *Guzmán de Alfarache.*) 2. mujer entrada en años. «¿No ves que es una gallina?»

A una gallina vieja no le conviene la cresta de ningún gallo. A otro perro con ese juego. «Oígalo bien, a una gallina vieja no le conviene la cresta de ningún gallo». *Acostarse con las gallinas.* Recogerse muy temprano. «Siempre se acuesta con las gallinas». *Gustar de las gallinas de culo caliente.* Gustar de las mujeres ardientes. «A mí me gustan, sobre todo, las gallinas de culo caliente». *Hacer falta una gallina prieta.* Se dice cuando hay o se tiene muy mala suerte. «Después de la última desgracia te digo, que en esta casa hace falta una gallina prieta». (Es creencia entre muchos cubanos, tomadas de las religiones africanas existentes en Cuba, que el sacrificar una gallina prieta a un Dios africano quita la mala suerte.) *Parece una gallina cogida a escobazos.* Se dice del que está cansado; mal vestido; en fin, el que tiene una apariencia mala por cualquier motivo. «Si la ves con aquellos vestidos. Parecía una gallina cogida a escobazos». «La pobre, había dormido mal. Parecía una gallina cogida a escobazos». (Es cubanismo nacido dentro del campesinado cubano.) *Pasarse una gallina prieta.* Quitarse la mala suerte. «Juan tenía mala suerte pero se pasó una gallina prieta». (El cubanismo tiene el mismo origen que el anterior.) Sinónimos: *Acostarse con una negra. Singarse una negra. Templar con una negra.* (*Templar* y *singar* son cubanismos que indican *fornicar*. El cubanismo tiene el mismo origen que el anterior y se basa en la creencia que tener relaciones con una persona de color quita la mala suerte.) *Poner más que una gallina.* Hacer mucho. «En eso de los libros tú pones más que una gallina». *Ser la misma postura de gallina.* Parecerse a otra persona. «Ambos son la misma postura de gallina». Sinónimo: *Ser cagaíto. Ser una gallina cogida a escobazos.* Ser muy fea. «Esa mujer es una gallina cogida a escobazos». *Volverse una gallina loca.* Perder el control. «En la reunión se volvió una gallina loca». Ver: *Cucaracha. Espuelas. Niños.*

GALLINERO. Grupo de mujeres chismosas. «No te acerques que te coge el gallinero y esas mujeres no paran de hablar de todo el mundo». *Estar algo hecho un gallinero.* Estar algo muy desarreglado. «Tu oficina está hecha un gallinero». *Se alborotó el gallinero.* Se dice cuando gritan las mujeres. «Mira, se acaba de alborotar el gallinero». *Tirar a alguien para el gallinero.* Ponerlo en el último puesto. «No lo escogieron. Lo tiraron para el gallinero». (El gallinero es el sitio más alto y más barato en los teatros, donde van los que no tienen dinero. De aquí el cubanismo.)

GALLITO. *Estar hecho un gallito.* Se dice de la persona que se da de guapo. «Estás hecho un gallito y un día vas a tener problemas con esa actitud». *Ser un gallito.* 1. Ser guapo. «Es un gallito tu hermano». 2. Ser un hombre que no se rinde ante las adversidades. «Se empinará sobre su desgracia, pues es un gallito». Se dice también: *Ser un gallito de pelea.* Ser valiente. «Yo siempre te dije que él era un gallito de pelea». Sinónimo: *Gallito Kikiriquí. Ser un gallito kikiriquí.* 3. Ser un hombre muy activo sexualmente. «A pesar de su edad es un gallito». *Vestirse de gallito para picar la fruta.* Prepararse para enamorar a una mujer. «Ahí lo tienes; vestido de gallito para picar la fruta». Ver: *Bola.*

GALLO. 1. Amigo. «¿Cómo tú estás, gallo?» 2. Dinero. «Tengo un gallo en el bolsillo». 3.Inteligente. «Ese abogado es un gallo». 4. Pedazos de pelo encrespados. «Péinate esos gallos». (Como parecen crestas de gallo se formó el cubanismo.) 5. Persona. «El gallo sabe que usted es bueno». *Ahí no pica mi gallo.* Yo no participo en eso. «No sigas, ahí no pica mi gallo». (Es lenguaje que proviene de las peleas de gallos.) *Al cantío de un gallo.* Cerca. «Ese sitio queda al cantío de un gallo». (Es cubanismo campesino.) *Al gallo más gallo le llevo la cresta.* Yo no le tengo miedo a nadie. «Te lo digo: al gallo más gallo le llevo la cresta». *Cantar bien el gallo.* Saber lo que hace. «No tienes que temer nada. Ese gallo canta bien». *Cantar más que el gallo.* Ser un gran batallador en la vida. «Él triunfará, porque canta más que un gallo». (Es cubanismo de origen campesino.) *Capar al gallo.* Romper con una persona. «Cuando vio la situación capó al gallo. No lo vio más». *Coger los gallos el corral.* Tomar los jefes el mando. «Cuando los gallos cogen el corral cambia la situación». *Cuidadito compay gallo.* Ándate con cuidado. «Cuidadito compay gallo, que la cosa no está buena». (El cubanismo está tomado de una canción del Trío Matamoros.) *Cuidarse como gallo fino.* Cuidarse mucho. «Me estoy cuidando como gallo fino porque quiero vivir mucho». *Desplumar a un gallo.* Casarse con alguien. «A ese gallo lo desplumo yo». *Destapar al gallo.* Descubrir algo. «Si te destapo el gallo vas preso». *El gallo viejo sólo pelea en su patio.* La persona mayor sólo debe de pelear en el terreno que conoce. «Tú aquí no te puedes sentir bien en Estados Unidos porque el gallo viejo sólo pelea en su patio». *Ese gallo está matado.* Eso ya está hecho. «No te preocupes que ese gallo está matado». *Ese gallo ya cantará y alguien lo pisará.* Ese termina mal. (Por cometer un error y pagar las consecuencias.) «Él se cree muy vivo. Ese gallo ya cantará y alguien lo pisará». (Lenguaje que viene de las peleas de gallos.) *Estar alguien como un gallo loco.* Estar desorientado. «Tu marido está como gallo loco». *Estar un gallo untado contra uno.* Ser enemigo encubierto. «Yo no le doy la espalda porque ese gallo esta untado contra mí». (Es lenguaje de las peleas de gallos que ha ido a lo popular con otro significado. Un gallo untao es uno preparado ilegalmente para una pelea. «Untao» es «untado», pero el cubano aspira la «d».) *Gallo levantón.* Que parece que se va a morir y se levanta. «Cuidado con ese hombre, Pedro, que se levanta, es gallo levantón». (Es lenguaje de las peleas de gallos.) *Haber un gallo tapado.* Haber algo oculto. «En ese negocio hay un gallo tapado. No lo hagas». «No compres esa casa. Hay un gallo tapado». *Írsele el gallo.* Desafinar. «A la cantante se le fue un gallo». *Levantar un gallo.* Tomar la decisión en el momento preciso». «Yo levanté el gallo cuando vi que podía la discusión tener malas consecuencias». (El cubanismo viene también las peleas de gallo.) *Levantarse el gallo.* Recuperarse. «Creían que me tenían en el suelo pero se levantó el gallo». (Viene el término de las peleas de gallo.) *Matar el gallo en la valla chica.* Derrotar a alguien después de haberle ganado antes, repetidas veces. «Lo derroté antes, y después, maté al gallo, en la valla chica». (En las peleas de gallos, el gallo ya casi muerto se lleva de la valla grande a la chica para ser ultimado por su oponente.) *Muerto el gallo.* Se acabó. «Está bien. Muerto el gallo. Pasemos a otro asunto». «Muerto el gallo. No quiero oír más de esa historia». *No haber por dónde coger al gallo.* No haber qué hacer. «En este problema no sé por dónde coger al gallo». *No me asustes al gallo.* No lo asustes. «No le digas esas cosas a Pedro. No me asustes al gallo». *No ser herida para gallo fino.* Ver: *Herida. No poder soltar el gallo de una sola vez.* No poderse resolver todo de una sola vez. «En este asunto no se puede soltar al gallo de una sola vez». *Otro gallo cantaría.* Otra cosa hubiera pasado. «Si en Cuba hubiera habido honestidad administrativa, otro gallo cantaría». (Es un cubanismo del campo avecinado a la ciudad.) *Oye, gallo.* Oye, amigo. «Oye, gallo, vamos al cine». *Pelear, alguien, como los gallos de abajo.* Ser peligroso, alguien, cuando está caído. «Ten mucho cuidado con él que, como los gallos, pelea de abajo». *Pica, gallo.* 1. Ataca. «No te dejes intimidar por nadie. Pica gallo». 2. Se le dice al orador que ataca cuando habla. «¡Pica gallo! ¡No te calles!» (Es lenguaje que viene de las peleas de gallos.) *Se creen que soy el gallo de Jorge el piloto. ¡Cómo me dan píldoras!* (En las tiras cómicas, o muñequitos, de «*Jorge, el piloto*», *Manteca*, su amigo, tenía un vientre prominente que hacía saltar los botones de la camisa. Estos se los comía el gallo. De aquí el cubanismo.) *Se defecó el gallo.* Se acobardó. «Cuando vio el revólver se defecó el gallo». Sinónimo: *Se cagó el maricón. Ser algo un gallo muerto.* Estar liquidado. «Ese asunto ya es un gallo muerto». Pero se aplica preferentemente a una persona que no tiene regreso. «Ese candidato es un gallo muerto». *Ser alguien chiquitico como un gallo y defecar como un caballo.* 1. Engañar con las apariencias. «Cuídate de él, es capaz de todo. Es chiquitico como un gallo y caga como un caballo». 2. Ser muy fuerte. «El ganará esta carrera; es chiquitico como un gallo y caga como un caballo». *Ser un gallo bolo.* Ser un cobarde. «Ese hombre a pesar de su historia, no era más que un gallo bolo». (El gallo bolo no pelea.) *Ser un gallo capón.* Se dice de la persona que quiere tener, como el gallo de ese tipo, los hijos siempre junto a él. «Su actitud no es ridícula. Hace bien ese gallo capón». *Ser un gallo corredor.* Se dice de la persona que tiene mucha paciencia y no hace nada si no sabe la actitud de un contrario. «Él triunfará, ¿no ves que es un gallo corredor?» (El gallo corredor corre por la valla para que el otro lo siga y se canse. Entonces ataca.) *Ser un gallo choncano.* Alardoso. «No le tengas miedo que es un gallo choncano». (En las peleas de gallos este gallo lanza cinco o seis golpes pero no pelea.) *Ser un gallo giro.* Estar desorientado. «Él es un gallo giro. No saber qué hacer». (El gallo giro, cuando lo ponen en la arena, mira a un lado y al otro, sin saber qué hacer.) *Ser un gallo luchón.* Estar muy avezado. «Ése no puede perder porque es un gallo luchón». (El gallo luchón es aquél con quien se entrenan los demás gallos antes de las peleas.) *Ser un gallo «puchindrum».*[39] Pelear con cualquier cosa. «Hay que andar con cuidado con él porque es un gallo puchindrum». (El gallo puchindrum, es decir, el que ha peleado mucho y está ya sin control, y pelea con los otros gallos sin motivos. «Puchindrum», es como el cubano pronuncia la frase inglesa: «Punch 'n drunk».) *Ser un gallo tape.* Se dice de la persona que parece estar derrotada y ataca de pronto, como hace el gallo tape en las peleas de gallos.) «Desconfía de él que es un gallo tape». *Ser un gallo untao.* Gallo al que por haber sido preparado, le resbala el ataque del contrario. «Me juego la vida que ese gallo está untao. Fíjate cómo resbala». *Soltar el gallo.* Gastar el dinero. «No seas así y suelta el gallo». Ver: *Espolón. Extraño. Gallina. Memoria. Rocío.*

GALÓN. *Ponerse los galones.* Asumir funciones de jefe. «En el trabajo se puso los galones». *Subírsele los galones.* Engreírse. «En el nuevo puesto se le han subido los galones».

GALOPE. Ver: *Caballo.*

---

[39] También «*punchindrum*».

GALÚA. Bofetada. «Me dio una galúa en plena cara». *Sonar una galúa.* Dar una bofetada. «Me sonó una galúa en plena cara».

GAMBA. Billete de cien pesos. «dame una gamba». (Lenguaje del chuchero. Ver: *Chuchero.*)

GAMBADO. Persona que tiene las piernas torcidas. «Mi primo nació gambado». (Es «gambado», pero el cubano aspira la «d» y dice, generalmente, «gambao» o «gambá» por gambada, en el caso de una mujer.) Ver botar. Chencha.

GAMBEARSE. Torcerse. «Se me gambeó el tobillo».

GAMBUSINO. *Trabajar para los gambusinos.* No lograr nada. «He perdido el día. He trabajado para los gambusinos». (Así dice el pescador cuando no recoge nada.)

GANADERÍA. *Ponerle a un hombre una ganadería.* Engañar una mujer al hombre. «A Pedro le pusieron una ganadería». (Se basa el cubanismo en que el ganado tiene cuernos y cuando se engaña a alguien se dice en castizo que «se le pusieron los cuernos» y en cubano que «le pegaron los tarros».)

GANADERO. Persona a la que le gustan las mujeres gordas. «Ese hombre es un ganadero». (Al ganadero le gustan las vacas. «Vaca» en cubano le dicen a la mujer gorda. De aquí el cubanismo.)

GANADO. *Ganado de mala raza.* Se dice de la persona que come mucho y no engorda. «Pedro es ganado de mala raza». *Ganado de alta calidad.* Mujeres buenas. «Por esa esquina va un ganado de alta calida». *Ganado de primera.* Una mujer hermosa. «Ella es ganado de primera». *Ganado son vacas.* (Es lenguaje del dominó.) Cuando alguien dice: «El que repite, gana». Se le contesta: «Ganado son vacas». «El doble nueve. El que repite gana. —Ganado son vacas». Ver: *Repetir.*

GANAPIERDE. *Jugar al ganapierde.* 1. Atreverse. «En la vida hay que jugar al ganapierde». 2. Juego de niños cubanos. «Vamos a jugar al ganapierde».

GANAS. Ver: *Negro.*

GANCHITO. *Con el tiempo y un ganchito.* Poco a poco. «Yo lo logré con el tiempo y un ganchito».

GANCHO. Ganga. «Ese vestido es un gancho». *Carne de gancho.* Mujer liviana. «ahí va esa carne de gancho». (En la carnicería, se cuelga del gancho la carne que todo el mundo se lleva. De aquí el cubanismo.) *Ponerle a alguien el gancho.* Tenderle una trampa. «Le puso el gancho para que no hablara». *Ir de gancho.* Ir de gratis con otro. «En este negocio voy de gancho con Juan».

GANDICIÓN. 1. Codicia. «La gandición lo llevó a la cárcel». (El cubanismo viene de la palabra «gandío», o sea, «avaricia».) 2. Egoísmo. 3. Querer acapararlo todo; tenerlo todo. «Su gandición lo lleva a la tumba». «¡Qué gandición la tuya. Ya tienes bastante!»

GANDINGA. Comida mala. «La comida que hace mi mujer es gandinga». *Le partió la gandinga.* Lo mató. «Esa gente no creen en nadie y le partió la gandinga». (Se aplica a muchas situaciones.) «En eso de las matemáticas te parto la gandinga». (Sé más matemáticas que tú y te gano.) «En el negocio le partieron la gandinga y perdió miles de pesos». (Lo engañaron.) *Mala gandinga.* Mala naturaleza. «Él tiene mala gandinga». *Partirle a alguien la gandinga.* 1. Matarlo. «A Elio le partieron la gandinga en el corredor». 2. Se aplica a muchas situaciones ya con el significado de matar. «A Juan, al llegar a su casa, le partieron la gandinga. Lo enterraron ayer». Ya con el liquidar a alguien en el negocio. «Los socios le partieron la gandinga». (La conversación da el significado.) *Ser de mala gandinga.* Tener mala naturaleza. «Ése es de mala gandinga». *Tener mala gandinga.* 1. Atreverse mucho. «Con esa proposición tiene gandinga». 2. Ser osado. «¡Qué gandinga la tuya, te atreves a todo!» *Vivir de gandinga.* 1. Vivir de guapo. «Ése vive de gandinga». 2. Vivir malamente, pasando las de Caín. «Ese pobre hombre vive de gandinga».

GANDÍO. Glotón. «Muchacho, no seas gandío».

GANDOFIA. Comida de mala calidad. «En esta fonda sólo sirven gandofia».

GANE. *No tener gane.* No poder ganar. «Tú ya, no tienes gane».

GANGA. *La ganga de los catorce.* Los catorce miembros del Buró Político del Partido Comunista Cubano hoy en día. «Ese ministro es de la ganga de los catorce».

GANGARRIA. 1. Adornos baratos de metal que se ponen las mujeres. «Todo lo que lleva encima no es de oro; es pura gangarria». 2. Pelea callejera. «En frente de mi casa se formó una gangarria ayer y tuvo que ir la policía a sofocarla». 3. Ruido. «Esa gente está formando una gran gangarria». 4. Instrumento de percusión de metal que se usa en las orquestas cubanas. «La gangarria da mucho ritmo». *Dar gangarria.* 1. Dar lata. «¡Qué clase de gangarria me ha dado la vecina hoy!» 2. Molestar. «No cesa de darme gangarria».

GANGUERA. Ver: *Polaca.*

GANSO. Homosexual. Sinónimo: *Aceite.*

GANSTER. *Pasarle a alguien como al ganster.* Lo mataron. «A él, el pobre, anoche, le pasó como al ganster». (Dicen que al gangster lo mataron por saber mucho. «Sabía demasiado», [está basado el chiste].) «¿Cuántos son dos y dos? —Cuatro». (Y lo matan «por saber demasiado».) *Ser alguien como los gansters.* Ser alguien que siempre tiene una coartada, que se cubre. «A mi marido es muy difícil sorprenderlo porque es como los gangsters». (Es cubanismo del exilio. El cubano pronuncia «ganster», la voz inglesa «gangsters», o sea, «pandillero».) *Terminar como los gansters.* Terminar muerto. «Como sigas de guapo, terminarás como los gansters». (Es cubanismo del exilio.)

GAO. Hogar. «Me voy para el gao». *Gao fu.* 1. Casa de cita —lo que en Cuba llaman Pasada—. 2. Sitio donde van las parejas a hacer el amor. «Lo vi entrando en el gao fu». («Gao» es «hogar». «Fu» es «malo».) *Tener el gao andando.* Tener el negocio andando. «Hace varios días que tengo el gao andando». (Todos estos cubanismos son lenguaje del chuchero. Ver: *Chuchero.*)

GARABALDINOS. En el campo cubano, aún, son zapaticos de bebé. «Qué lindos los garabaldinos de ese niño». (El cubanismo se oía ya en los primeros años de la República de Cuba. Se está perdiendo.)

GARABATILLO. *De garabatillo.* Terrible. «Tiene una fiebre de garabatillo». «Tiene un dolor de garabatillo».

GARABATO. Especie de gancho para remover la tierra cortada. «Ese garabato ya está muy herrumbroso». *La mano del garabato.* La mano izquierda. «Coja por el camino y cuando llegue a la palma coja la mano del garabato». Ver: *Mano.*

GARAJE. Ver: *Aposento.*

GARAPIÑA. Refresco de piña. «Tengo mucha sed. Vamos a tomar una garapiña».

GARBANSUDO. *Un cubano garbansudo.* Un cubano antipático. «Tú no eres más que un cubano garbansudo». (El garbanzo es muy pesado. «Ser pesado» es «ser antipático». De aquí el cubanismo. Se aplica a muchas situaciones, por ejemplo, «un libro garbansudo», es «un libro pesado», que no se puede leer. «Yo no leo ese autor. Sus libros son garbansudos».)

GARBANZO. *Ser alguien un garbanzo seco.* No expresar cariño una persona. «Con los hijos es un garbanzo seco». Ver; *Arroz. Perfumador. Potage.*

GARBUNDIA. (La) Comida. «Es hora de la garbundia». (Lenguaje del chuchero. Ver: *Chuchero.*) Sinónimos: *La butuva. La grasa.*

GARCÍA. Ver: *Claribel. Mensaje. Noche.*

GARDEL. *Encomiéndate a Gardel.* Se le dice al que empieza a contar tragedias. «Oye, Elio, encomiéndate a Gardel». *Ser alguien Gardel.* Vivir del recuerdo. «Antonio, el pobrecito, ¡cómo sufre!, es Gardel». «El exiliado es Gardel». (Gardel, cantante argentino de tangos muy famoso, ya fallecido, cantaba una canción llena de nostalgia de Buenos Aires, al que quería volver a ver. De aquí el cubanismo nacido en el exilio.) Ver: *Bufanda. Tango. Troba.*

GARDEN. Ver: *Ruf.*

GARGAJITO. *Estar alguien hecho un gargajito.* Estar muy viejo. «Él ya está hecho un gargajito. Claro que tiene años».

GARGAJO. Mujer muy fea. «Esa mujer es un gargajo. Ni la miro». *Ser alguien un gargajo humano.* Ser muy feo. «Pedro es un gargajo humano».

GÁRGARAS. *Hacer gárgaras con algo.* No prestarle atención. «Yo con eso hago gárgaras». Sinónimo: *Ser antiflojitínico. Hacer nada más que gárgaras.* Quedarse a la mitad. «No terminará el cuento. No hace más que gárgaras». *No hacer gárgaras.* No tener miedo a nada. «Con ése no tienes que temer. Te protegerá. No hace gárgaras por nada». *No pasar de gárgaras.* 1. Llegar a cierto punto. «Eso no pasa de gárgaras». 2. No atreverse a más. «Duerme tranquilo. No pasa de gárgaras». *Te voy a mandar a hacer gárgaras.* 1. Mandar para el carajo. «Cuando me dijo aquello lo mandé a hacer gárgaras». 2. Se le indica al que dice malas palabras. «¡Qué boca más sucia tienes, no sigas diciendo eso! ¡Te voy a mandar a hacer gárgaras!»

GARNATÓN.[40] Golpe en la cara. «Como no te calles te voy a dar un garnatón».

GARRAFÓN. *Ser alguien un garrafón sin gollete.* Ser un gordo de esos de cuerpo como globo y cabeza pequeña. «Tu hermano es un garrafón sin gollete». También se dice del que tiene un conocimiento que es superficial, aunque aparenta lo contrario. «Ella es un garrafón sin gollete». (Es lenguaje campesino avecinado en las villas rurales cubanas.) Senos grandes. «¡Qué lindos los garrafones de esa mujer!»

GARRAPATA. *Engancharse como la garrapata al perro.* 1. Estar tan enamorado de una mujer que se está siempre al lado de ella. «Está con Lola, enganchado como una garrapata al perro». 2. No soltar algo. «Se ha enganchado a ese puesto como la garrapata al perro». Sinónimo: *Ser un Chichí.*

---

40 Proviene de una pronunciación defectuosa de «*gaznatón*». «*Garnatón*» ha tomado carta de naturaleza en la lengua y lo consideramos un cubanismo por pronunciación.

GARROTE. *Prestar al garrote.* Prestar dinero con intereses leoninos. «Cogí dinero prestado al garrote».

GARROTERO. Prestamista. «Ése es el mayor garrotero de la comarca». *De garrotero tendría mucho éxito.* ¡Cómo aprieta, cómo agarra, cómo acogota! «Me hace trabajar enormemente en el trabajo. De garrotero tendría mucho éxito». (¡Cómo acogota!) «Me llama y me llama para cobrarme. De garrotero tendría mucho éxito». (¡Cómo aprieta!) «Si te ve, no te deja ir. De garrotero tendría mucho éxito». (¡Cómo aprieta!) (El garrotero es el que da un préstamo leonino.) «Tiene a la novia que no la deja moverse. De garrotero tendría mucho éxito». (¡Cómo agarra libidinosamente!)

GARUFA. *De Ché Garufa nada.* De la Argentina, nada. «¿Sabes algo de la Argentina? —De Ché Garufa nada».

GASEOSA. *Ser alguien gaseosa La Paz.* ser muy suave en sus modales. «¡Me encanta! Él es gaseosa La Paz». *Ser como la gaseosa La Paz que hace burbujas.* Las mata callando. «Ése es como la gaseosa La Paz que hace burbujas». También he oído: «Es Paz pero hace burbujas». (La gaseosa «La Paz» era una gaseosa muy suave que había en Cuba.) Ver: *Paz.*

GASOLINA. *Acabarse la gasolina.* 1.Morirse. 2. Significa algo que terminó, como terminar un discurso. «Ayer lo enterraron, se le acabó la gasolina». (Se murió.) «A la mitad del discurso se le acabó la gasolina». (Terminar.) *Saber qué gasolina echarle a alguien.* Saber cómo manejarlo. «Hay que saber, con el jefe, qué gasolina echarle».

GASTOS. *Entrar en gastos.* Estar comprometido. «Tengo que seguir en la cosa porque ya entré en gastos. Soy tan responsable de lo que sucede como el que más».

GASTRONÓMICO. Ver: *Restaurante.*

GATA. Mujer de costumbres licenciosas. «Esa mujer, a pesar de su apariencia, es una gata». *Caer en una gata.* Caer en el ridículo. «Cálmate, que estás cayendo en la gata». (En el diminutivo *gatita,* es muchacha linda.) «¡Qué gatita más linda la vecina de enfrente!» *Parecer una mujer una gata grifa.* Tener el pelo parado. «Esa mujer parece una gata grifa». *Ser una gata de «ali» con hambre.* Ser feísima una mujer. «Esa mujer es una gata de «ali» con hambre». («Con hambre» hace el aumentativo. Es uno de esos casos que en vez de la terminación del aumentativo se recurre a una palabra. Cubanismo del exilio. «Ali» es la forma en que el cubano pronuncia la palabra inglesa «Alley» o «callejón».)

GATAZO. *Dar un gatazo.* Impresionar. «Él sabe lo que hace y anoche dio un gatazo».

GATILLO. *Los muchachos del gatillo alegre.* Los gangsters. «Esos son los muchachos del gatillo alegre». Sinónimo: *Tira, tira. Muchacho del gatillo alegre.* Gángster. «El hijo de Fernando se le metió a gángster del gatillo alegre». (El cubanismo fue inventado durante la época del presidente cubano, Dr. Ramón Grau San Martín, refiriéndose a los pandilleros.) *Pegársele a alguien el dedo en el gatillo.* No cesar de disparar. «Le metió seis balazos. Se le pegó el dedo en el gatillo».

GATO. (El) 1. El aparato sexual de la mujer. Sinónimos: *El Bollo. El Chocho. La Frutabomba. La Papaya. El Pajarito. El Masterchar.* (De la voz inglesa: «Mastercharge».) 2. Piel de mala calidad que usan las mujeres. «Eso no es buena piel. Eso es un gato». *Al gato hay que darle piltrafa.* Hay que darle a cada cual por la vena del gusto. «Yo lo tengo dominado. No ves que lo conozco, y al gato hay que darle piltrafa». *Borrar o tachar con caca de gato.* Ver: *Caca. Buscarle los tres pies al gato.* Buscarse un problema. «No sigas adelante, le estás buscando los tres pies al gato». *Defenderse como un gato boca arriba.* Saber defenderse muy bien. «No te tienes que preocupar que él sabe defenderse como un gato boca arriba». *Estar alguien como los gatos.* Se dice de esas personas que no tienen donde vivir, o quién los quiera y están como los gatos, esperando que alguien los recoja. «Ese hombre está, el pobre, como los gatos». *Estar como el gato.* Tener muchas soluciones y estar obligado a coger sólo una, por las circunstancias. «Hay veces, que por la ley hay que estar como el gato». (Es que el gato tiene cuatro patas y un sólo camino recto.) *Estar de gato.* Estar desesperado por tener una mujer. «Ése mira a todas. Está de gato». *Gato al agua.* Se dice cuando alguien ha sido derrotado. «Juan perdió. Gato al agua». *Gato mariposa.* Miembro del G2, o sea, de la policía política del Régimen Comunista Cubano. «Ése es un gato mariposa». *Gato viejo, guayabito.* El hombre viejo siempre busca mujer joven. «Se fue con una mujer de veinte años. —Claro, gato viejo, guayabito». (El guayabito es un ratoncito pequeño.) *Huir como gato cimarrón.* Huir como alma que se lleva el diablo. «Cuando me vio, huyó como el cimarrón». *Meterle a alguien el gato.* Ganarlo. «Sé que ella, a Pedro, le metió el gato». *No quedar ni el gato.* No quedar nada; haber sido arrasado todo. «Después que el ejército pasó por allí no quedó ni el gato». *Parecerse alguien a los gatos.* Ser muy casero. «Juan se parece mucho a los gatos. No sale nunca de su casa». *Parecer alguien un gato abandonado en el placer.* Tener un aspecto muy lamentable. «Chico, ¿qué te pasa? Pareces un gato abandonado en un placer». *Ponerse como el gato.* Hacerse el gracioso. «Siempre que ya a un lugar se pone como el gato». (El gato da vueltas en el suelo para que lo acaricien. De aquí el cubanismo.) Lo he oído también como buscar cariño. «Como está sólo, siempre se pone como el gato con los demás». *Quedar alguien como el gato Félix.* Fracasar. «En todo queda como el gato Félix». (En la películas del gato Félix, él siempre queda dibujado en la pared y se va rompiendo a pedacitos. De aquí el cubanismo.) *Quedar como el gato de los muñequitos.* Quedar destruido. «En el negocio quedé como el gato de los muñequitos. (El gato de los muñequitos, en el cine, siempre queda dibujado en la pared, destruido. De aquí el cubanismo.) *Sacar a alguien como a un gato.* Ponerlo de patitas en la calle. «Ella sacó a Carlos como a un gato». (A los gatos se le coge por el cuello y así se les saca de la casa. De aquí el cubanismo.) *Sentirse como un gato con botas.* Sentirse bien. «Ése se siente como un gato con botas». *Ser alguien como los gatos.* Se dice de la persona que tiene pelos de distintos colores. «Tu hermano es como los gatos». *Ser alguien un gato con botas.* Vivir muy bien. «¡Qué suerte tiene! Es un gato con botas». *Ser un gato con botas.* 1. Estar triunfando. «Él es un gato con botas». 2. Tener mucho dinero. «Lo ganó en la construcción. Es un gato con botas». *Si quieres gato, búscalo en el tejado.* Si quieres algo, tienes que buscarlo. «Si quieres gato, búscalo en el tejado». *Tener el gato siempre bien engrasado.* Estar una mujer siempre lista para fornicar. «Las queridas tienen siempre el gato engrasado». *Tener una mujer un gato persa.* Tener un aparato sexual muy peludo y sedoso. «Ella no es bonita, Juan, ¡pero tiene un gato persa!» *Un gato echado.* Una peluca. «Llevaba un gato echado de última calidad». *Ver de noche como los gatos.* Desenvolverse fácilmente. «Ése ve de noche como los gatos». *Volver a alguien gato de Angora.*

Amansarlo. «Era más fiero, pero la mujer lo volvió gato de Angora». Ver: *Azulejos. Candela. Lavado. Luna. Santo. Gatos lacrimógenos.* Mujeres lloronas. «Mira que hay gatos lacrimógenos en estos días». Lo he oído, también, aplicado a los hombres. «Es un gato lacrimógeno. No puede vivir sin ella».

GAVETA. *No andes con esa gaveta que tiene cucarachas.* No indagues. «Mira, estáte quieto. Lo mejor es no andar con esa gaveta que tiene cucarachas». *Tener la gaveta como un nido de gallinas.* Tener la gaveta desordenada. «Reñí con mi marido porque tiene la gaveta como un nido de gallinas». *Tener muchas gavetas.* 1. Ser muy astuto. 2. Tener muchos recursos. «Juan tiene muchas gavetas. A la larga vencerá».

GAVILÁN. *Comerse un gavilán con plumas.* Estar muy mal de situación económica. «Yo me estoy comiendo un gavilán con plumas». Sinónimo: *Comerse un cable. Comerse un chino. Comerse niño. Comerse un niño por los pies con tenis y todo.* Ver: *Cable.*

GEMELOS. (Los) Los pulmones. «Hoy me hice una radiografía de los gemelos». Sinónimo: *Los fuelles.* (Lenguaje del chuchero. Ver: *Chuchero.*) *Tener una mancha en los gemelos.* Estar tuberculoso. «En la placa apareció que Juan tiene una mancha en los gemelos».

GENERAL. *Ser general de café con leche.* Ser general de baja categoría. «Ese general pariente tuyo lo es de café con leche». Ver: *Cuero.*

GÉNERO. Ver: *Mula.*

GENTE. *Gente buena y del comercio.* Personas decentes. «Mis amistades son gente buena y del comercio». *Gente de chapi y de chalapi.* Se dice de las personas chismosas. «Yo no los saludo porque son gente de chapi y chalapi». *Gente del bronce.* Maleantes. «Siempre anda con gente del bronce». *Gente fofo.* Gente que no vale nada. «Esa es gente fofo». Sinónimo: *Gente del fo. Ser una salagente.* Ser una persona que trae mala suerte. «No quiero encontrarme con esa salagente». *Mi gente.* Mi amigo. «¿Cómo está mi gente?» Sinónimos: *Candela. Monstruo. Tigre.* Ver: *Crisanto. Pototo.*

GERVASIO. *Tener Gervasio y Belascoaín.* Ser alguien muy bueno. «Este muchacho tiene Gervasio y Belascoaín». (Gervasio y Belascoaín son dos calles de La Habana. El cubanismo se usa principalmente, cuando alguien dice: «Pedro tiene virtudes». —Calle también de La Habana.— Se le contesta: «¡Qué va! El tiene Gervasio y Belascoaín».)

GESTAPO. *Ser alguien la gestapo.* Se dice entre los estudiantes de las escuelas privadas de las personas que cuidan los recreos. «Antonio es de la gestapo».

GILET. *Sobrarle, a alguien, con un paquetico de «gilet».* Estar muy enfermo con la cara ajada y delgada. «A ese pobre, con un paquetico de Gilet, le sobra». («Gilet» es la forma en que el cubano pronuncia el nombre de la navaja de afeitar norteamericana, «Gillete».) Ver: *Cuchilla.*

GIMNASIO. *Tener un gimnasio adentro.* Estar en la línea. «Pedro tiene un gimnasio adentro. ¡Mira, qué figura!»

GIÑA. (Una) 1. Odio. «Ese hombre me tiene giña». 2. Poquito. «No te puedo dar porque queda una giña». *Cogerle giña a alguien.* 1. Cogerle rabia. «A ese individuo le cogí una giña». 2. Cogerle odio. «Me cogió giña desde que me vio». *Conocer giña.* Conocer gente basura. «Yo en mi vida conocí mucha giña».

GIRA. *Tener a una persona gira.* Tenerla loca. «Me hace tantas preguntas que me tiene gira».

GIRAR. Bailar. «Ese gira muy bien». «Se pasó la fiesta girando». «Vamos a girar esta noche en el club». Sinónimos: *Echar un pie. Girar la cintura.*

GIRO. *Ser un gallo giro.* Estar desorientado. «Pedro no sabe lo que hace. Es un gallo giro». (Se compara al hombre con el «gallo giro», de las peleas de los gallos, de donde viene el cubanismo.) *Tener a uno giro.* Fastidiarlo, cansarlo con peticiones. «Ese hombre me tiene giro. Dale el nombramiento».

GITANA. Ver: *Herencia.*

GITANO. Homosexual. «Ese es un gitano desde que nació». Sinónimos: *Cafiaspirínico. Cherna. Importador de carne para el interior. Mariquita. Pajarito. Pájaro. Parguela. Pargo. Pato. Sayonara. Uno que da marcha atrás y con el baúl abierto. Volador. Portarse como el gitano.* Portarse muy bien una persona con otra haciéndole regalos, etc. «Juan se porta conmigo como el gitano». (Se oye entre profesores de literatura. Alude al poema de Federico García Lorca: «*La Casada Infiel*», y a la expresión: «*Un Gitano Señorito*», muy popularizada en Cuba por las canciones españolas.)

GLOBERO. Mentiroso. «Fernando es un globero». «No seas globero. Eso es mentira». Ver: *Guayabero.*

GLOBITO. *Ser algo puro globito.* No servir para nada. «Esa señora Uvero es puro globito». Sinónimo: *Ser pura estopa.*

GLOBO. 1. Comida que consiste en las sobras del día, que compraban los mendigos en La Habana. «Voy a comprar un globo en esa fonda». 2, Líder inflado. «El globo de los Estados Unidos en Miami fue Juan Fernández». 3. Mentira. *Desinflarse el globo.* 1. Ir a la bancarrota un negocio que parecía boyante pero que se sabía estaba en el aire. «Se le desinfló el globo. Están vendiendo la mercancía». 2. Quedar expuesta la mediocridad de una persona que pasaba por intelectual. «Cuando le preguntaron a fondo no sabía responder. Se le desinfló el globo». *Globos llenos de agua.* Las ubres de la vaca. «¡Qué globos llenos de agua tiene esa vaca!» *Globo puro.* Cosa que no vale nada. «Esta novela es un globo puro». *En un globo terrenal/más pa'lante nos veremos/y después conversaremos/palabras con más lugar.* Bueno, muchachos. (He oído este versito usado por la gente para despedirse. «Pa'lante» es «para adelante».) *Explotar alguien o algo como el globo de Cantoya.* 1. Arruinarse, destruirse una reputación. (El cubanismo indica ruina.) «Ese negocio explotó como el globo de Cantoya». 2. Venirse abajo algo o alguien. «El negocio explotó como el globo de Cantoya». *Hacerle a una mujer un globo de Cantoya.* Embarazarla. «Después que le hizo el globo de Cantoya la abandonó». *Inflar un globo.* Dejar embarazada una mujer. «Ese canalla infló un globo y ahora no quiere casarse». *Llegar de globo.* Llegar de sorpresa. «No le teníamos el cuarto preparado porque llegó de globo». *Parecer alguien un globo desinflado.* Estar muy arrugado por viejo o por haber bajado muchas libras. «Se puso a dieta y parece un globo desinflado». «Sólo cumplió sesenta años y ya parece un globo desinflado». *Publicar algo en el globo de la «gudyiar».* Lanzar una noticia a los cuatro vientos. «Que yo vivo con Marta lo han publicado en el globo de la Gudyiar». (En Miami, la compañía americana de gomas «Good Year», —el cubano pronuncia «gudyiar»,—

tiene un dirigible que recorre los cielos de la ciudad y lleva el nombre. Es una forma de anunciar la compañía. De aquí el cubanismo nacido en el exilio.) *Ser algo puro globito.* 1. Algo sin consistencia. «Esa novela es puro globito». 2. Ser una mentira. «Eso que te han dicho es puro globito». Sinónimo: *Ser guayaba pura. Ser alguien como un globo de helio.* Tirarse muchos gases. «Juan es como un globo de helio». *Ser alguien un globo desinflao.* (Es desinflado pero el cubano aspira la «d».) Estar caído después de haber disfrutado de mucha riqueza o poder. «Ahora, en su vejez, es un globo desinflao». *Soltar un globo.* Decir una mentira. «Soltó el globo delante de todos a pesar de que sabíamos la verdad». *Soltar un globo de Cantoya.* Decir una mentira enorme. «Soltó el globo de Cantoya delante de todos». («Cantoya» da el aumentativo.) Sinónimo: *No es una guayaba sino un guayabal.* («Guayaba» además de la fruta, en cubano, es mentira. «Guayabal» es un conjunto de árboles de guayaba.) *Tener la cabeza como un globo.* Tenerla cansada. «He trabajado tanto que tengo la cabeza como un globo». *Vender a alguien como globo.* Ser alguien muy gordo. «A Juan yo lo vendo como globo y saco dinero». Ver: *Fogón. Mierda.*

GLÓBULOS. *Ser el autor de los glóbulos rojos.* Ser muy bueno. «Ese hombre es el autor de los glóbulos rojos».

GLORIA. Ver: *Chicho.*

GLU. *Ser alguien enemigo del «glu».* Se dice del que no quiere trabajar. «Mi tío siempre ha sido enemigo del glu». («Glu» es la forma en que el cubano pronuncia la palabra inglesa: «glue», o sea, un pegamento para pegar. «Pegar», en cubano es «trabajar». De aquí este cubanismo del exilio.) *Tener alguien glu en el calendario.* Quitarse la edad. «¡Cincuenta años! Ese tiene glu en el calendario». (Es cubanismo del exilio.)

GLUCOSA. *Tener alguien muy alta la glucosa.* Ser muy dulce. «Juan tiene muy alta la glucosa». (Es cubanismo culto.)

GODOY. *Estar Godoy puro.* Estar muy seguro. «Te digo que estoy Godoy puro». *Ser como Godoy, Zayán.* Ser seguro. «Ese avión es como Godoy y Zayán». («Godoy» y «Zayán», era una compañía de seguros que había en Cuba y que tenía el lema: «Para seguros, seguros Godoy». De aquí el cubanismo.) *Ser Godoy.* Estar seguro de sí mismo. «Yo estoy Godoy, sé lo que hago». (Mismo origen que el anterior.) Sinónimo: *Tener bien tirados los caracoles.* Estar seguro de todo porque le averiguaron el futuro por la posición de los caracoles, al ser tirados, en el suelo. Viene de las costumbres llevadas a Cuba por los esclavos africanos.)

GOFIO. *Come gofio.* El que habla tonterías. «Ese orador es un comegofio». Sinónimos: *Come basura. Comefana. Comemierda. Cometrapo. Comer gofio.* Hacer tonterías. Sinónimos: *Comer cascarita de piña. Comer cativía. Comer de lo que pica el pollo. Hablar gofio.* Hablar cosas vacías, sin ningún peso. «Cállate, no hables más gofio». Sinónimos: *Comer cascarita e caña.* («e» es «de», pero el cubano aspira la «d».) *Comer cativía. Comer de lo que pica el pollo.* Ver: *Bolitas. Mula.*

GOLDA. *Estar como Golda Maier.* Estar gorda una mujer. «Yo tengo que bajar de peso. Estoy como Golda Maier». («Golda Maier» era la Primera Ministro de Israel. El cubanismo es un juego de palabras entre «Golda», y «gorda», debido a que la gente pronuncia la «r» como «l».)

GOLETA. *Dar goleta.* Acción de goletear. *Echar goleta.* Tratar de coger a las bravas, la posición que alguien tiene. «Le está echando goleta a Pedro». También juego de niño, cuando varios se sientan y no hay asientos para todos, uno o varios hacen fuerza para sacar a alguien del asiento. «Niños, no echen goleta». Ver: *Goletear.*

GOLETEAR. Tratar de coger la posición de otro con fuerza o con malas mañas. «Oye, me estás goleteando». *Goletear la calle.* Trabajar mucho. «Estoy goleteando la calle continuamente».

GOLETEO. (El) Efecto de goletear, o sea, de sacar, por malas artes, a uno del lugar a donde ha llegado en la vida, para cogerlo uno. En general desplazar a alguien con malas artes. «El goleteo es una cosa natural en la naturaleza humana».

GOLETERO. El que da goleta. Ver: *Goletear.*

GOLILLA. *Llevarse en la golilla.* Derrotar. «En todo me lo llevé en la golilla».

GOLLEJO. Mujer fea. «Esa mujer es un gollejo. No se casará nunca». *Convertir a alguien en gollejo.* Arruinarlo a base de peticiones; aniquilarlo a base de trabajo. (El cubanismo indica aniquilar en alguna forma.) «En el trabajo me han convertido en gollejo. No puedo seguir en él. Trabajé doce horas diarias». *Estar hecho un gollejo.* Estar muy mal de salud. «Si lo ves ahora. Está hecho un gollejo». *No tirarle ni un gollejo a un chino.* Se dice de la persona que alardea de algo que no hizo. «Todo eso que me cuenta es mentira. Durante la guerra no le tiró ni un gollejo a un chino». *Estar hecho un gollejo.* Estar depauperado. «Pedro está hecho un gollejo».

GOLPE. *Golpe de suegra.* Golpe en el codo que produce una descarga eléctrica. «¡Qué golpe de suegra!» *Golpe en el plexo solar.* Golpe contundente y definitivo que deja a uno fuera de combate. «Ganó en el examen porque me dio un golpe en el plexo solar». Sinónimo: *Golpe en la punta del hígado.* (Viene del boxeo.) *Telegrafiar el golpe.* Anunciar el golpe. «El pugilista telegrafió el golpe». (Es voz del boxeo y también del baloncesto.) *El que empuja no se da golpes.* Hay que ser osado y se triunfa. «Sigue insistiendo. El que empuja no se da golpes».

GOLPETAZO. Golpe de estado. «En todas partes del mundo hay golpetazos». (Lenguaje de la Cuba de hoy.)

GOMA. *Convertirse alguien o la gente en goma.* 1. Pegarse a algo o a alguien para conseguir un fin. «Con ese expediente me convertí en goma hasta que lo resolví». 2. Se dice de la mujer que no deja solo por un momento al marido. «Esa mujer con Pedro se ha convertido en goma». 3. Se dice del que pega la gorra, es decir, que come y bebe a costa de los amigos, pues nunca paga. «Juan se convierte siempre en goma». (Es decir: «Se pega».) 4. Trabajar mucho. «En las factorías la gente se convierte en goma». (Se derriten de tanto sudar. De aquí el cubanismo.) Sinónimos: *Ser un arete una persona. Ser un inmolador. Ser una perseguidora. Dar a alguien por la goma de repuesto.* Derrotar. «Ha ese le he dado siempre por la goma de repuesto». *Dar goma.* 1. Aporrear la policía a alguien. «A mi primo, por revoltoso, le dieron goma». 2. Pegar con un tubo de goma. «Le dieron tanto goma que murió». *Estar por la goma.* 1. Decir las cosas duramente. «Me ha hablado claro. Está por la goma». 2. Decir las verdades. 3. Cantarle a alguien las cuarenta. «Te oí lo que le dijiste a Cuquita. Estás por la goma». 4. Comportarse alguien muy enérgico. «Ni te menees que el director está por la goma». (Se dice también: *viene por la goma.*) 5. Estar de mal humor. «No te acerques que está por la goma». 6. Hacer las cosas muy bien. «No puedo fracasar en nada porque después de haber tomado este curso estoy por la goma». 7. No aceptar opiniones de otros. «¿Así que no tengo razón? Estás por la goma». 8. No fracasar nunca. «¿Ganasta más dinero? Estás por la goma». 9. No haber forma de convencer a alguien. «No le digas nada. Persiste en su opinión. Está por la goma». (El cubanismo viene del campo de la pelota o base-ball. El lanzador o pitcher que está por la goma es aquel al que el bateador no puede batearle la pelota, al guardar el equilibrio en el lanzamiento. Lo he oído también en forma de aumentativo, «estar por la goma», aplicado a atacar fuerte a alguien. «Lo desguazó en el artículo. Está por la goma en el ataque». [Ataque durísimo.]) *Gastarse la goma.* Acabarse. «Vámonos. Es el final de la película, se gastó la goma». *Goma de repuesto.* El culo. «Ese descarado me tocó la goma de repuesto y llamé a la policía». Sinónimo: *Cajón. Hacer de goma, engrudo.* Se dice del hombre y la mujer que se tocan libidinosamente. «Esa pareja hace de goma, engrudo». (El cubanismo compara a la pareja, por lo que se pegan, con la goma de pegar. Se pegan tanto que se hacen engrudo. De aquí el cubanismo.) *Meterse una goma.* Ponerse un enema. «El médico me metió una goma». *Ser una mujer goma arábica.* Estar siempre pegada al marido. «Esa Laurita es goma arábica». Ver: *Cujeado. Dieta. Mujer. Sellito.*

GÓMEZ. *Estar OK Gómez Plata.* Estar muy bien. «Yo de salud estoy OK Gómez Plata». (El cubanismo está tomado de un lema comercial. La aspirina OK Gómez Plata decía que «daba la hora», y «dar la hora» en cubano es «estar bien».)

GONORREA. *Gonorrea de garabatillo.* Gonorrea de difícil curación.

GORDA. Mucha. «En el mundo hay maldad gorda». «Me dieron una comida gorda». Ver: *Acupuntura. Dedo. Peje. Premio.*

GORDO. *Gordo como un alambre.* Se le contesta al que dice que tiene el pene gordo. «Sí, ya lo veo. Si es gordo como un alambre». Ver: *Billetaje.*

GORGOJO. *Caerle gorgojo a uno.* Tener un contratiempo, una desgracia; venirle la mala. (La conversación de el significado.) «Perdí todo el dinero. Me cayó gorgojo». (Venirle la mala.) «Se murió mi hermana. Me cayó gorgojo». (Desgracia.) «No me dieron el cheque hoy. Demoran quince días. Me cayó gorgojo». (Contratiempo.) *Galleta con gorgojo.* Hombre casado. «No me puedo fijar en él porque es galleta con gorgojo».

GORRERO. El que pega la gorra. «Ten mucho cuidado que es un gorrero».

GORRIÓN. *Estar alguien hecho un gorrión.* Tener relaciones sexuales muy frecuentemente. «En la luna de miel, uno está hecho un gorrión». *Ser un gorrión ligado con guanajo zunco.* Se dice del que come mucho. «Está tan gordo porque es un gorrión ligado con guanajo zunco».

GORRITO. Preservativo.

GORRO. *Llenársele a alguien el gorro de guizasos.* Venirle mal las cosas. «Hasta aquí todo marchaba bien, pero se me empezó a llenar el gorro de guizasos».

GOTEAR. *Estar alguien al gotear.* Estar al aparecerse. «No te marches que Juan está al gotear».

GOTERA. *Estar entre dos goteras y una gota de agua.* Estar en dificultades. «Ya, hace tiempo, está entre dos goteras y una gota de agua. Y no puede salir». *Tener alguien una gotera en la azotea.* Estar loco. «Mi pobre hermano tiene una gotera en la azotea. Le dijo el médico». Sinónimos: *Estar tocado del queso. Tener los cables* *cruzados. Tener un corto circuito en el pent-house.* (Que el cubano pronuncia «penjaus».) *Tener guayabitos en la azotea. Tener un pase a tierra. Tener una teja corrida.*

GOVEA. *Oye, Govea.* Oye tú. «Oye, Govea, ¿cómo estás?» (El cubanismo es la letra de una canción. «*Oye, Govea/no te asustes/cuando veas/al alacrán tumbando caña*».)

GOYA. *Dále recuerdos a Goya.* Se pone al final de las oraciones para decir que algo queda arreglado definitivamente. «Cuando yo intervenga en ese problema entre Pedro y Luis, dále recuerdos a Goya». «Cuando yo acabe de tapar esos huecos por donde entra el aire, dále recuerdos a Goya». Sinónimo: *Dále recuerdo a Goya, y besos a las muchachitas.*

GOZADERA. *Estar en la gozadera.* Estar muy bien. «Quiero que sepas que me saqué la lotería y estoy en la gozadera».

GOZADORA. Mujer que le gusta el acto sexual. «Esa mujer es una gozadora». *Tener cara de gozadora.* Tener cara de mujer que le gusta lo sexual. «Esa mujer, que se mudó enfrente, tiene cara de gozadora».

GOZAR. *Estar gozando a alguien.* Estar divirtiéndose a costa de alguien. «No puedo aventajarme en la escuela. Lo estoy gozando a Pedro». *Gozar a alguien.* Divertirse a costa de alguien. «Juan, ayer, me gozó de lo lindo». *Gozar más que las galletas el Gozo.* Gozar mucho. «Con ellas gozo más que las galletas el Gozo». (Las galletas «El Gozo» eran una galletas cubanas.) *Poner a gozar a alguien.* 1. Ayudarle en cualquier sentido. «Con el trabajo lo puse a gozar». 2. Beneficiarlo; conseguir para alguien un beneficio. «Tú no te preocupes. En cuanto llegue a ministro, te pongo a gozar». «El me agradece mucho, ¿no ves que lo puse a gozar?» 3. Darle gusto con algo. «Con ese disco te voy a ponerlo a gozar». 4. Derrotarlo. Indica destrucción del adversario. «Se mete Pedro conmigo y lo pongo a gozar». Ver: *Bailar.*

GOZO. *A mí me matan pero yo gozo.* No me importa nada; no me importa la opinión de nadie. «Eso que haces no está bien. Ya sé que tu filosofía es: «A mí me matan pero yo gozo».

GOZÓN. Gozador. «Juan es un gozón. ¡Cómo se divierte!»

GRACIA. Ver: *Tiñosa.*

GRACIANO. Gracias. «Te invito a la fiesta». —Graciano». *Ir en Graciano.* Ir bien. «Juan va en Graciano si logra ganar el premio».

GRACIAS. *No me hagas más gracias que tú no eres un mono.* No me hagas gracias. «Mira Juan, no me hagas más gracias que tú no eres un mono».

GRACIELLA. *Y Graciella del busto.* Y menos mal. «Y Graciella del busto que no se metió en el agua».

GRADUADO. *Ser graduado del Parque Central.* No saber de nada, nada. «Tú eres un graduado del Parque Central». (En el Parque Central de La Habana se reunía todo el mundo que no trabajaba.)

GRAJICIDA. *Ser un grajicida.* Oler muy mal. «Ese individuo es un grajicida». (Viene de la palabra «grajo» que en Cuba se tiene como cubanismo pero que debe de haber llegado durante la colonia. El grajo, abundante en la península, es un pájaro de muy mal olor.)

GRAJICIDIO. Matar por el mal olor. «Levantó la mano y cometió un grajicidio con Juan. Cayó muerto. Fulminado».

GRAJO. Mal olor que desprenden las axilas de las personas desaseadas. «¡Qué olor a grajo tiene ese hombre!» *Tener un grajo, con ajo, y cebolla, y todo.* Oler malísimo una persona. «Tú tienes grajo, con ajo, y cebolla, y todo». (Es el superlativo de *tener olor a grajo* o *tener grajo.* El cubano como es habitual en su lenguaje popular añade palabras para formar el superlativo y no usa las terminaciones del mismo.)

GRAMPA. *Ser algo cosa de grampa.* Ser cosa de influencia. «Ese negocio es cosa de grampa. De lo contrario olvídate de él».

GRAN. Ver: *Combo.*

GRANDES. *De Grandes Ligas.* Grande. «Es un lío de Grandes Ligas». (En la pelota —base-ball— en las Grandes Ligas —la asociación más grande de las ligas— juegan los grandes peloteros. De aquí el cubanismo.) Ver: *Bate.*

GRANO. (El) Cabeza pequeña. «Yo no sé cómo hay sombrero para esa grano». *De esa mazorca ni un grano.* 1. Nada. 2. No está. (La conversación da el significado.) «Préstame cinco pesos. —De esa mazorca ni un grano». (Nada.) «¿Vino Pedro? —De esa mazorca ni un grano». *Sacarle la espinilla al grano.* Decir la verdad. «Yo no me ando con chiquitas y le saqué la espinilla al grano. Y la que se formó».

GRASA. (La) La comida. «Esta grasa es malísima». «Voy a comprar la grasa». *Jugar grasa.* Comer. «Es hora de jugar grasa». «Ya me llegó la hora de jugar grasa».

GRATEN. *Al graten.* Ver: *Huevos.*

GRATILANDIA. *Coger algo de gratilandia.* Cogerlo gratis. «Chico, esto vale dinero y tú quieres cogerlo de gratilandia. No puede ser». (Es cubanismo del exilio.)

GRATINDEI. *A la gratindei.* De gratis. «Y todo esto que tú vez aquí es de la gratindei». Sinónimo: *De Floripondio. De gratindei.* De gratis. «No me costó nada. Es de gratindei».

GRAVE. *Ser algo Grave de Peralta.* Ser grave. «Eso que tú me dices es Grave de Peralta». (Grave de Peralta era un apellido popular en Cuba.)

GRAVEDAD. *Tener gravedad.* No tener erección un hombre. «El tiene gravedad».

GRIFA. Marihuana. «Es fumador de grifa». (Es cubanismo que apenas se usa. El fumador de marihuana prefería decir: «Voy a meterme un pito», antes de: «Voy a fumar grifa».)

GRIFO. 1. Estar bajo los efectos de la marihuana. «La policía lo sorprendió completamente grifo». 2. Feo. «Es un grifo».

GRILLO. Mujer flaca y fea. «Se ha casado con un grillo». Se dice, igualmente, *grillo malojero. Graduarse de grillo.* Ponerse feo. «Era bonita pero en los últimos años se graduó de grillo». *Graduarse de grillo y en vez de diploma recibir maloja.* Volverse fea y ser despreciada por todo el mundo. «Ella era preciosa. Todo el mundo tenía que ver con ella. Pero se graduó de grillo y ahora en vez de diploma le dan maloja». *Ser un grillo.* Se dice del que se pone de pronto de mal humor. «Cuidado con él, que es un grillo». (El que se pone de mal humor salta, y como el grillo salta, se originó el cubanismo.) *¿Tú crees que porque el grillo salte, sea malojero?* ¿Qué tú crees de eso? Sinónimo: *¿Tú crees que porque el calamar tenga tinta, escriba? Vestirse de grillo y montársele en la solapa.* Perseguirlo. «Ella, cuando se casaron, se vistió de grillo y se le montó en la solapa». *Yo le digo al grillo salta, pero cuando va a saltar* *le corto las patas.* Yo le hago creer que lo puede hacer y cuando lo hace, lo derroto de mala manera. «Yo sé que son muy poderosos mis enemigos, pero yo le digo al grillo que salte, pero cuando va a saltar le corto las patas». (Es lenguaje campesino avecinado a la ciudad.) Ver: *Pata.*

GRINGADA. *Una gringada.* Una tontería. «Eso que has hecho es una gringada». (Al estadounidense le llaman «gringo». Los estadounidenses han cometido muchos errores. De aquí el cubanismo.) También una niñería. «No te pongas así que es una gringada. No seas niño». (Cubanismo del exilio.)

GRINGUERÍA. Costumbre norteamericanas que no aceptan los cubanos. «Me puso, esa cubana, en la cuenta de que iba a tomar acción, contra mí. La llamé y le dije: «Gringuerías no». (Es cubanismo del exilio.) *Estar en la gringuería.* Adoptar aptitudes y costumbres norteamericanas. «Mírale, pagándose el cine y con un hombre al lado. Está en una gringuería». (Es cubanismo del exilio.)

GRIS. (El) El cerebro. «¿Cuándo vas a empezar a usar el gris?» *Tener en el gris royón balanceado.* Ser muy inteligente. «Te digo que él lo que tiene en el gris es royón balanceado». Sinónimos: *Tener nitrón en la azotea. Tener tiza en el cerebro.* Ver: *Bufanda.*

GRITERÍA. Ver: *Harina.*

GRITO. *Estar en el grito.* De moda. «Ese disco está en el grito». Ver: *Ciudad.*

GROCERI. *Ser una mujer como los groceris.* Tener dos maridos. «Juana es como los groceris. ¡Qué mala mujer!» (El «grocery» es una tienda de venta de comestibles. Es palabra inglesa. Aquí, en el exilio, los «groceris» cubanos tienen cadenas: «Varadero Uno», «Varadero Dos». De ahí el cubanismo.)

GRULLA. *A tu tierra grulla, aunque sea en una pata.* No hay nada como el país de uno.

GRUPA. *Echar grupa.* Marcharse a caja destemplada. «Cuando llegó la policía, los ladrones echaron grupa». (Viene del campo cubano.)

GRUPO. *Estar fuera de grupo.* 1. No pertenecer a un grupo de personas. «No te entenderán. Estás fuera del grupo. Ellos no son de tu altura moral». 2. Ser más inteligente que todo el mundo. «Yo te digo que en matemáticas está fuera de grupo». *Pertenecer al grupo de las charangas.* Se dice del que le da una matraca a alguien, (esto es castizo, aunque en Cuba creen que es cubanismo.) «Ese pertenece al grupo de las charangas». («Las Charangas» es un grupo musical que toca unas piezas llamadas descargas y también unas fiestas donde se tocan descargas. El cubano al «dar matraca», le llaman «descarga». De aquí el cubanismo. «Descarga» es en cubano también «reprimenda».) «Mamá me dio una descarga».

GRUYERE. Ver: *Casco. Queso. Velorio.*

GUABINA. *Ser un guabina.* 1. Se dice de la persona que zafa el cuerpo. «Hace sufrir mucho a su mamá porque es un guabina». 2. Ser alguien escurridizo. «Nunca sabes a qué atenerte con él porque es guabina».

GUABINEAR. Zafar el cuerpo. «No te lo dará. ¿No ves que está guabinando?»

GUABINEO. Acción de guabinar. «Siempre está en el guabineo».

GUACA. Alcancía. «Pon el dinero en la guaca del niño».

GUACABINA. (La) 1. Dinero. 2. La comida. *La guacabina se la lleva el guacaico.* El más vivo siempre triunfa. (Es cubanismo de origen campesino.)

GUACAMAYO. Feo. «Es un guacamayo. ¡Qué cara más fea!»

GUACARNACA. Tonto. «Ese amigo tuyo es un guacarnaca». «¡Qué guacarnaca eres!»

GUÁCAROS. (Los) Los zapatos. «Me compré unos guácaros fenomenales». (Lenguaje del chuchero. Ver: *Chuchero.*) Sinónimos: *Los tacorontes.*

GUACATAZO. Golpe. «Cuando más descuidado estaba me dio un guacatazo».

GUACH. *Cogerlo a alguien, el guach an guear.* Cogerlo una situación mala. «A mi marido lo cogió el guach an guear». (Es cubanismo del exilio. «Guach an guear», se refiere a la tela «Wash and Wear», [que el cubano pronuncia como se ha escrito,] que se lava y no se plancha. El cubanismo se refiere sin embargo, a que el «marido tiene que lavar», hacer cosas en el hogar, y que en Cuba no hacía, pues existía otra cultura: La española. De aquí el cubanismo.) Sinónimo: *Coger la confronta.* Ver: *Tranvía. Ser un viejito guach an guear.* Estar un anciano muy arrugado. «Ese infeliz es un viejito guach an guear».

GUACHINANGO. 1. Astuto. «El es un guachinango. El sabe qué hacer en cada momento». 2. Persona viva, que no se deja atrapar o comprometer. «Nadie puede con ese guachinango». 3. Persona viva y habilidosa. «Hay que tener cuidado al tratar con él. Es un guachinango». 4. Simpático. «Me gusta porque es muy guachinango».

GUACHINEAR. Mantenerse en la cerca, entre dos aguas. «No lo podrás comprometer jamás. Sabe guachinear».

GUACHIPUPA. (La) 1. Desayuno. «Este desayuno está horrible; está guachipupa». «Yo tomo la guachipupa a las seis de la mañana». (Se trata de un desayuno de chícharos que sirven en las cárceles de Cuba hoy.) 2. Especie de ponche. «En la fiesta sirvieron guachipupa». 3. Mejunje. «Esta pomada es una guachipupa». 4. Refresco malo. «Eso es una guachipupa». «¿No han hecho guachipupa? Quiero refrescarme». (Cubanismo de la Cuba de hoy.)

GUADALAJARA. *Venir de Guadalajara.* Ser policía. «Ese viene de Guadalajara». (Lenguaje del chuchero. Ver: *Chuchero.*)

GUAGUA. Autobús. «Por ahí viene mi guagua».[41] *Coger la guagua equivocada.* «Conmigo has cogido la guagua equivocada». *De guagua.* De gratis. «Eso va de guagua. Eso va de gratis». «Esto es de guagua». Sinónimos: *De Floripondio. De gratindei. De guaguancó. De ñapa. Estar de guagua.* No hacer nada. «Ya hace meses que estoy de guagua». (Lenguaje de la Cuba de hoy.) *Se te va la guagua.* Termina. (Se le dice a alguien que coge la palabra y no la suelta.) «Pues, como te iba diciendo. —Juan, que se te va la guagua». Ver: *Rufa.*

GUAGUANCÓ. 1. Es una composición improvisada, de origen negro, en que se logra el ritmo con cualquier cosa que se le echa a mano. «Vamos a toca un guaguancó». 2. Música de origen africano. *Inventar un guaguancó sobre un ladrillo.* Ser muy inteligente. «Ese inventa un guaguancó sobre un ladrillo. Respétalo siempre». *Llegar, por fin, el guaguancó de los barrios bajos.* Llegarle la justicia a alguien. «Me muero tranquila. Por fin la llegó el guaguancó de los barrios bajos». («*El Guaguancó de los Barrios Bajos*», es el título de un guaguancó.) *Ser alguien de guaguancó.* Salir

---

[41] Se oye en Canarias, Manuel Alvar lo incluye en su obra: *El español hablado en Tenerife*, Madrid, 1959.

de gratis. «Esto como tú ves te sale de guaguancó». Sinónimos: *De Floripondio. De gratindei. Ser del guaguancó de los barrios bajos.* Ser de lo más bajo de la escala social. «Esa familia es del guaguancó de los barrios bajos». *Ser un guaguancó alguien.* Vivir muy bien. «Ese individuo es un guaguancó». (El cubanismo nace con un guaguancó, con el «del vive bien». El vive bien en Cuba, es el que no labora o trabaja y le resuelven todo.) Ver: *Guaguancocero.*

GUAGUANCOCERO. Persona que toca el guaguancó: composición improvisada que se logra el ritmo no con instrumentos musicales sino con latas, palos, maderas, cajones, etc. «Él nació guaguancocero».

GUAGÜERO. *Hacer con una mujer como el guagüero.* Poncharla, o sea, fornicarla. «Pedro hace con esa mujer de la esquina como el guagüero». (El guagüero poncha la transferencia —el boleto para coger otra ruta de guagua,— que da y recibe el guagüero, o sea, el empleado que cobra en las guaguas, o autobuses. A éste se le dice sobretodo, «conductor». «Guagüero» es el chofer.) «¡Cómo corre ese guagüero!» *Ser guagüero.* Estar todo el día trabajando. «Yo soy, en este nuevo trabajo, un guagüero». («El guagüero» —los que manejan una guagua o autobús— muchas veces no le paraba al pasaje que esperaba. Es el cubanismo un juego de palabras entre «no para en la esquina» y «no parar en el trabajo».) *Ser un guagüero de la ruta cuatro: Mantilla-Ayuntamiento.* Ser de baja calidad social. «Tú no eres más que un guagüero de la ruta cuatro: Mantilla-Ayuntamiento. Basta ver tus modales». Sinónimo: *Ser tamalero en el Juanelo. Ser un guagüero midiendo un semáforo.* Ser muy preciso. «En este trabajo hay que ser un guagüero midiendo un semáforo». (Los guagüeros —los que manejan una guagua o autobús— ponían el autobús en movimiento segundos antes de que la luz verde apareciera en el semáforo. De aquí el cubanismo.)

GUAGUÍ. Malanga. (Tubérculo tropical. Es nombre indio.)

GUAICAICO. Astuto. «Ese es, lo he visto desde que lo conocí, un guaicaico».

GUAINO. (El) Borracho. «Llévate al guaino ese. Molesta su borrachera». Sinónimo: *Curda.*

GUAIRAO. *Donde el guariao cantó.* Lejos. «Eso queda donde el guairao cantó». (El canto del guairao —un ave cubana— se siente muy lejos en el monte cubano.) Sinónimos: *Donde el diablo dio las tres voces y nadie lo oyó.* (He oído también llamarle guairao.)

GUAIRIAO. Persona de piernas largas. «Por mucho que me corras no me coges guairiao». *Sonar el guairiao.* Haber líos. «Aquí está al sonar el guairiao».

GUAJACA. *Agarrarlo a alguien la guajaca.* Ponerse canoso. «Ya tú verás cómo cambias de criterio cuando te coja la guajaca». Sinónimo: *Estar floreciendo el dágame.* (Es habla del campesino cubano importada por los pueblos del interior de Cuba. No se oye en La Habana.) Ver: *Júcaro.*

GUAJACÓN. Larva de pez y muy pequeño. «Encontré un guajacón en el río». Ver: *Tintorera.*

GUAJASANES. Vagos. «En esta compañía hay muchos guajasanes».

GUAJIRA. Ver: *Camisa.*

GUAJIRADA. 1. Modales incorrectos de un campesino. «Fíjate cómo muestra la guajirada». 2. Timidez. «Quítate esa guajirada de encima que estás muy grande». (El campesino cubano es llamado «Guajiro» y como hombre de campo es muy tímido.

De aquí el cubanismo.) *Guajirada violenta.* Meter la pata de forma ostensible. «Eso que hiciste es una guajirada violenta». *Soltar la guajirada.* Pulirse un guajiro y adquirir modales de citadino. «Mi primo en dos meses soltó la guajirada».

GUAJIRO. 1. Aplícasele al cubano que no es de La Habana. «Tú eres guajiro de Consolación del Norte». 2. Tímido. «Es un guajiro. ¿No te das cuenta? Por eso no habla». *Estar como el guajiro de Cunagua.* Tener un día formidable. «Míralo, está como el guajiro de Cunagua». (Se basa en una canción de Abelardo Barroso, que se llamaba, así mismo, «*El Guajiro de Cunagua*», y dice: «*Éste es mi día*».) *Estar como los guajiros.* Estar a punto de irse; de marcharse. «En esta reunión estoy como los guajiros». (Los guajiros, los campesinos, en Cuba, se estaban acabando porque los movían para las ciudades. Se estaban, pues, marchando. Marchando, en cubano, es marchitarse. Por lo tanto, «estar como los guajiros» es marchitándose, marchándose. De aquí el cubanismo.) *Estar como los guajiros en La Habana.* Estar nervioso. «Hoy estás como los guajiros en La Habana». *Estar hecho un guajiro comiendo.* Probar de todo, como si fuera un campesino, [guajiro en cubano] que nunca ha visto la comida. «Pedro, estás hecho un guajiro comiendo». *Guajiro macho.* 1. Campesino puro. «Él es un guajiro macho». 2. Raigal. «Él es un guajiro macho». *Llegó el guajiro de Cunagua.* Llegó el que faltaba. «Mira quién viene por ahí. Llegó el guajiro de Cunagua». (El cubanismo está tomado de una canción que cantaba un famoso cantante cubano, Abelardo Barroso.) También: el más inteligente. «Todo en la oficina estaba mal hasta que llegó el guajiro de Cunagua». *Ser un guajiro amarrado con lazos.* Ser muy provinciano. «Ése no cambia. Es un guajiro amarrado con lazos». Sinónimo: *Ser un guajiro con polainas. Ser un guajiro de Remanganagua.* Ser de baja posición social. «Esa gente que ahora está alternando en sociedad no son más que Guajiros de Ramanganagua». *Hablar como los guajiros.* Hablar accionando con las manos, actuando. «Él habla como los guajiros». (Los guajiros son los campesinos.)

GUAJIRÓN. Se dice del hombre grande, de buen aspecto, pero no pulido socialmente. «Es un guajirón y no cambiará nunca».

GUAMÁ. Grito que se lanza cuando una orquesta toca bien. «¡Guamá! ¡Sigan tocando así! ¡Guamá!» *Ser fuerte como un guamá candelón.* Ser fortísimo. «Juan es fuerte como un guamá candelón». (El guamá candelón es un árbol de madera muy dura.)

GUAMPAMPIRO. 1. Amigo. «Oye, Guampampiro, párate ahí». «Oye, guampampiro, vamos al baile está noche». Sinónimos: *Acere. Batíviri. Candela. Monstruo. Tigre. Ser un viejo un guampampiro.* Ser un viejo enamorado. (Lo que en Madrid es un «*viejo verde*».) «Tan viejo y es un guampampiro. Hay que ver para creer».

GUÁMPARA. (La) 1. El machete. «Agarré por la guámpara y los hice correr». «Me dio con la guámpara y me cortó el brazo sin querer». 2. El revólver. «Me tiró con una guámpara nueva, que llevaba debajo de la camisa».

GUAMPARAZO. Golpe con el machete. «Le di un guamparazo en el medio de las nalgas».

GUÁMPIRA. El revólver. «Sacó la guámpira y le entró a tiros».Sinónimos: *La fumina. El hierro. El perfumador.*

GUAMUTA. *Pertenecer al Guamuta Yatch Club.* Ser una persona de baja extracción social. «Ya sé que él pertenece al Guamuta Yatch Club». (El cubano pronuncia «Yat Clu».)

GUANABACOA. *Botarse a Guanabacoa.* Ir a ver a un babalao, o sea, al sacerdote de las religiones africanas vigentes en Cuba, para que lo cure a uno o le diga del futuro. «Como estaba enfermo me boté a Guanabacoa». *Darse una vuelta por Guanabacoa.* Irse a quitar la mala suerte. «Tengo muy mala suerte y me voy a dar una vuelta por Guanabacoa». (Irse a dar una limpieza. Se le llama «limpieza», a bañarse con yerbas siguiendo los dictámenes de las religiones africanas vigentes en Cuba, para librarse de la mala suerte. En Guanabacoa, ciudad cercana a La Habana, hay «babalaos» o sacerdotes de las religiones africanas que bañaban a los creyentes. De aquí el cubanismo.) *Pásate por Guanabacoa.* Se le dice al que tiene mala suerte. «Volviste a fracasar. Pásate por Guanabacoa». (El Guanabacoa vivía un famoso babalao, sacerdote de las religiones africanas, que hacía «despojos», práctica de las religiones africanas «para quitar la mala suerte».) También se aplica al que está de mal humor. «¡Qué humor! Pásate por Guanabacoa». (Era una canción del compositor cubano, Osvaldo Farrés, popularizó a los cubanos. Empieza así: «*Me boté a Guanabacoa/a casa del babalao*». De aquí el cubanismo.) Ver: *Habana.*

GUANÁBANA. 1. El plural significa senos grandes. «¡Qué guanábanas las de esa mujer!» Sinónimo: *Melones.* 2. Fruta pulposa muy agradable al paladar, común en Cuba. «Dame un refresco de Guanábana». *Estar en la guanábana.* 1. Estar muy bien en cualquier sentido. «Hace años que él está en la guanábana». 2. Vivir muy bien. «Yo estoy en la guanábana». Sinónimo: *Estar como guarandol de a peso. Estar pegado a la guanábana.* Estar junto al poder. «Siempre en cualquier gobierno, está pegado a la guanábana». (El cubanismo es distinto al de *estar en la guanábana*, que quiere decir que se está viviendo muy bien.) «Juan está en la guanábana». (Siempre implica, sin embargo, que se vive del presupuesto nacional. Sin embargo, esto ya se dice de forma explícita cuando se usa *estar en el jamón.* «El jamón» es el poder.) «Con este presidente está en el jamón». *Llevar veinte años en la guanábana.* Vivir muy bien por veinte años. «Ese político lleva veinte años en la guanábana». Sinónimo: *Llevar veinte años comiendo masa.*

GUANACO. Tonto. «Juan es un guanaco».

GUANAJA. *Estar alguien echado como una guanaja.* Estar cansado. «Juan está echado como una guanaja». *Tener una guanaja echada en el pecho.* Tener un gran catarro en el pecho. «No puedo respirar. Tengo una guanaja echada en el pecho».

GUANAJERA. (La) 1. Hacer el tonto. «Estás siempre en la guanajera». 2. La tertulia. «Sólo hay asientos en la guanajera». 3. Luneta sin numerar en el teatro. «Tienes que sentarte en la guanajera». 4. Tontería. «Siempre tiene esa guanajera».

GUANAJERÍAS. Tonterías. «Yo no aguanto las guanajerías esas». «No soporto tus guanajerías».

GUANAJERO. Tonto. «No seas guanajero. Yo sé como son las cosas».

GUANAJO. Así le llaman los cubanos al pavo. «Me voy a comer un guanajo». 1. Dinero. «¿Cuándo piensas repartir el guanajo?» «Tengo el guanajo en mi casa». Sinónimo: *Guano.* 2. Tonto. «Ése es un guanajo». *Adoptar la actitud del guanajo.* Enfurecerse y no hacer nada. «Le volverá a pasar. ¿No ves que adopta la actitud del guanajo?» (El guanajo se enfurece, se sube en la cerca, y no hace nada. De aquí el cubanismo.) *El guanajo tiene plumas.* Hay algo escondido. «Cuidado, muchachos, que el guanajo tiene plumas». (Es cubanismo campesino que se ha avecinado a la ciudad. Lo he oído también referido a algo que parece muy sólido y no lo es: «El negocio parece estable, pero el guanajo tiene plumas».) *El guanajo seco.* El dinero. «Dame, ahora mismo, el guanajo seco». *Entrar en el guanajo.* En el dinero. «Con ese negocio entré en el guanajo». *Montar a guanajo a pelo.* Ser un tonto de capirote. «El siempre ha montado guanajo a pelo». (Es cubanismo de origen campesino.) *Ni la cabeza de un guanajo.* Nada. «A ése no le doy ni la cabeza de un guanajo». Sinónimo: *Ni un guanajo relleno. Sacarse la rifa del guanajo.* Tener muy mala suerte. «Me he sacado con el nuevo empleado la rifa del guanajo». *Ser alguien un guanajo.* Ser un tonto. «¿Se casa con ella? ¡Qué guanajo es tu hermano!» *Ser un guanajo.* Ser tonto. «Eres lo más guanajo del mundo». *Soltar el guanajo.* Gastar el dinero. «Suelta el guanajo que no te lo vas a llevar cuando te mueras». Sinónimo: *Soltar el gallo. Y un guanajo relleno.* «¿No me llevas al cine? —Y un guanajo relleno». Ver: *Cabeza. Plata.*

GUANAJONA. *Ser una mujer guanajona.* Ser medio boba, ser medio tonta. «Esa muchacha es una guanajona. No se da cuenta de nada». (Se dice, igualmente, de la mujer que está criada en la casa muy estrictamente y no tiene mucha malicia.)

GUANAZO. *Guanazo zunco.* Ver: *Gorrión.*

GUANIBINA. Persona mala. «Ese muchacho es guanibina».

GUANINA. Sopa. «Esa guanina no hay quién se la coma». (Lenguaje de la cárcel.)

GUANO. Dinero. «Dame el guano para comprar el automóvil». «Tiene guano cantidad. Ver: *Cabeza. Guanajo.*[42]

GUANTANAMERA. Lío. «No me mezcles en esa Guantanamera». *Cantar hasta la guantanamera.* Hablarlo todo cuando se es detenido por la policía. «El cantó hasta la Guantanamera». («*La Guantanamera*», era un programa en el que se cantaban en décimas los sucesos diarios, de más resonancia en la crónica policíaca en Cuba. *Cantar la guantanamera,* es en cubano morirse. Aquí la preposición «hasta» le da otro sentido.) *Cantarle a alguien la Guantanamera.* Haber fallecido. «A Pedro le cantaron la Guantanamera». Sinónimos: *Haber cantado el manisero. Haber guardado el carro. Haberse puesto el chaquetón de pino tea. Cantarle a alguien una Guantanamera con Joseíto Fernández y todo.* Darle a alguien un escándalo. «Lo sorprendió con otra mujer y le cantó una Guantanamera con Joseíto Fernández y todo». Sinónimos: *Meter una Guantanamera. Encender un carnaval. Formarle a alguien una Guantanamera con Joseíto Fernández y todo.* 1. Darle a alguien un escándalo tremendo. «Cuando lo vio con la otra le formó una guantanamera con Joseíto Fernández y todo». (Joseíto Fernández es el autor de la canción: «*La Guantanamera*». Tenía un programa donde el tema era «*el suceso criminal del día*», lo mismo un asesinato, que un robo grande, es decir: violencia. De aquí este cubanismo que es el aumentativo, dando el nombre Joseíto Fernández, el mismo. Es

---

[42] Está en Galdós. Ver: Manuel Lassaleta, *Anotaciones al estudio del lenguaje coloquial galdosiano*, Madrid, 1974, pág. 39.

otro caso en que el cubano recurre a una palabra y no a la terminación gramatical para formar el aumentativo.) 2. Formar un lío grande. «Porque no le dieron el dinero formó una Guantanamera con Joseíto Fernández y todo». (El cubanismo *formarse la* o *una guantanamera*, es decir un lío. «En la fiesta se formó una Guantanamera». Sinónimo: *Formarse la descojonación. Formarse un potaje. Formarse un salpafuera.* Lo he oído igualmente como: «Formarse la Guantanamera a las tres de la tarde». (En la Guantanamera se cantaba el suceso trágico —de sangre casi siempre— del día. De aquí el cubanismo.) «En esa casa se formó la guantanamera a las tres de la tarde». (El cubanismo viene de la canción popular cubana que dice: «*Eran las tres de la tarde cuando mataron a Lola*».) *Llegarle a alguien la Guantanamera.* 1. Morirse. «Ayer le llegó a Juan la Guantanamera». *Ser algo una Guantanamera.* Ser algo muy trágico. «Lo que me cuentas es una guantanamera».

GUANTÁNAMO. *Guantánamo ahí.* No prosigas. «Guantánamo ahí. No admito lo que dices».

GUANTE. *Cara de guante.* Tonto. «No eres más que un cara de guante». (Es lenguaje de la Cuba de hoy.) Sinónimo: *Cara de cartucho. Colgar los guantes.* Dejar de hacer algo; retirarse cuando se es mayor. «Yo no seguí en el negocio. Colgué los guantes». Sinónimo: *Colgar el sable. Conocer a alguien como un guante.* Conocerlo al dedillo. «Yo a tu hermano lo conozco como un guante. No hará nada». *Darle a alguien el guante y la pelota.* Concederles el turno. «No te impacientes, dentro de poco les doy el guante y la pelota». *No sacarle a alguien el guante de la cara.* No dejar de atacarlo. «Lo derrotó, porque no le sacó el guante de la cara». (Es término del boxeo llevado a lo popular. Al boxeador que no se saca el guante de la cara, lo derrotan casi siempre.) *Ser el dueño del guante, el bate y la pelota.* Ser jefe. «En esta celebración yo soy el dueño del guante, el bate y la pelota». (El cubanismo se origina con el juego de pelota. o base-ball, en que intervienen los niños. Siempre hay uno que presta el bate, el guante y la pelota y cuando se cansa de jugar se va, dejando a los demás adoloridos.) Sinónimos: *Ser el dueño de los caballitos. Ser el dueño de la papeleta. Ser el que más mea. Virar a alguien como un guante.* Cambiarlo. «Cuando se casó era muy gastador, pero yo lo viré como un guante». Ver: *Palero. Punta. Timbero.*

GUAÑA. Una moneda de veinte centavos en Cuba llamada peseta. «Préstame una guaña. Te la devuelvo mañana». Sinónimos: *Tapa. Tapurria.*

GUAÑO. *Botarse de guaño.* Actuar fuera de control; en forma enérgica. «No le toleré la intromisión y me boté de guaño». «Como no saques los gatos de la cama me boto de guaño y ya verás como sufres». Sinónimos: *Botarse para el chapiao. Botarse de peligroso.*

GUAO. La acepción es el nombre de un árbol venenoso muy común en Cuba. «Toco la mata de guao y se le inflamó el cuerpo». 1. Persona inteligente. «Él es guao, por eso ha escrito tantos libros». Sinónimo: *Ser nitrón. Tener tiza en el cerebro.* 2. Ser mala persona. «El que se acerca tiene problemas con él porque es guao». (El guao es una planta que llena de ronchas al que se pone bajo su sombra.) *Echame guao.* Si te da envidia, fastídiate. «Publiqué un libro más y échame guao». (El guao es un árbol cubano y cuya sombra o contacto produce erupciones cutáneas.) *El que toca el guao se hincha.* Contestación que se le da al que molesta o trata de hacer un daño.

«Oye, te voy a decir bien las cosas: el que toca el guao se hincha». *Húyele como al guao.* Se le advierte a alguien con respecto a una persona que no vale en cualquier sentido; que no es de fiar. «Dicen que siempre está metido en líos. Húyele como al guao». (Es cubanismo del campo que se avecinó a la ciudad.) *Ser algo o alguien guao.* Ser peligroso. «Ese negocio es guao». (El guao es una mata que quema. De aquí el cubanismo.) *Ser Chef Guao.* Ser un cocinero de primera. «Ese cocinero es Chef Guao».

GUAPACHÁ. 1. Culo. «¡Qué guapachá tiene esa mujer!» 2. Persona alegre; que le gusta gozar la vida. «Él no se pone bravo por nada. Él es un guapachá». *Darle a alguien con el Guapachá.* 1. Brindarle, alguien, a otra persona una situación fácil. «Salí del problema, mi primo Pedro, me dio con el guapachá». 2. Enamorarse perdidamente un hombre de una mujer. «La vi y me dio con el guapachá». («Guapachá' en cubano es «culo».) *Tirarle una mujer a un hombre la palangana y darle con el guapachá.* Pelear mucho con ella pero estar muy enamorado de ella. «Me tiró Juana la palangana, pero me da aún con el guapachá». (Estos cubanismos se basan en una canción muy popular en Cuba que cantaba Rolando La Serie, cantante cubano muy famoso.) *Vivir como un guapachá.* Vivir muy bien. «Siempre ha vivido como un guapachá». Ver: *Palangana.*

GUAPEANDO. Luchando con la vida. «Aquí, mi amigo, por no variar, guapeando».

GUAPEAR. Ver Guapeando. *Beroquear.*

GUAPEO. Acción de guapear. «No hay día en que no esté en el guapeo».

GUAPERÍA. *Irse con la guapería a otra parte.* Marcharse. «Pedro se fue con la guapería a otra parte». (Es un latiguillo lingüístico, algo que el cubano repite constantemente». Ver: *Esprei.*

GUAPITA. *Quedar algo guapita.* Quedar corto. «Esa camisa te queda estilo guapita». «Le queda muy bien esa guapita». (La guapita es una prenda corta de hombre, una especie de camisa que cierra y termina en la cintura.) Ver: *Traje.*

GUAPO. (Un) Un dólar; un peso. «Me dio cien guapos». *Amansar al guapo.* Ser cariñosa. «Ella siempre, en el portal, está amansando al guapo». *Aquí no hay negro guapo ni tamarindo dulce.* (Refrán descriminatorio; tilda de cobarde a los hombres de color. El hombre de color cubano nos hizo junto a su hermano blanco la patria cubana. Su valentía es legendaria. Basta citar dos titanes: El general Antonio Maceo y el general Quintín Banderas.) *Se acabaron los guapos en Yatera.* Aquí no hay guapos. (El cubanismo es la letra de una canción.)

GUAPOSO. Camorrista. «Mi hermano Pedro es un guaposo».

GUAQUITA. *Levantar una guaquita.* Ganar dinero. «Me ha costado trabajo pero he levantado una guaquita». *Tener una guaquita.* Tener dinero. «Yo hace tiempo que tengo mi guaquita».

GUARABEADO. Ornamentado; de mucho adorno y colores. «Ese es un vestido guarabeado».

GUARABISO. *Estar algo guarabiso.* Estar ornamentado. «Eso está demasiado guarabiso. No te lo compres que parece de mujer».

GUARACHA. Broma. «Esa guaracha es muy simpática». *Estar de guaracha.* Estar de fiesta. «Esos siempre están de guaracha». Sinónimo: *Guarachear. Hacer realidad la guaracha. Con una fiera humana estoy casada.* Estar casada con alguien de mal carácter. «Antonia, yo hago realidad la guaracha, con un fiesta humana estoy casada». Ver: *Guarachero.*

GUARACHEAR. Bromear. «Te molestas. Por eso no guaracheo contigo». «No le hagas caso. Está guaracheando».

GUARACHERO. Persona alegre. «Juana es feliz por ser tan guarachera». Algunas veces tiene la acepción de persona que no le pone seriedad a la vida. «Nada le hace mella. No le presta atención a nada por ser tan guarachera». Que tira las cosas a broma. «No le hagas caso. El es muy responsable, pero también es guarachero en su manera de ser con los demás». *Ser alguien un guarachero.* Estar siempre de broma. «Mi hermano no cambia. Es un guarachero siempre». Sinónimo: *Gustarle la guaracha.*

GUARACHITA. *Es una Guarachita.* Es un cuento. «Yo te pago el dinero. —Mira, eso es una guarachita». *Tener que tocarle a alguien la guarachita.* Tener alguien que ser controlado. «Yo no voy a hablar si no le tocan a Juan la guarachita». (El cubanismo se refiere a una guarachita —tipo de música cubana— que dice: «Amarren al loco si no yo no toco».)

GUARANDOL. Tela. *Estar como el guarandol.* No tener problemas. «Ese está como el guarandol». Se dice, asimismo, *Estar como el guarandol de hilo; de a peso; o de cuatro anchos.* Ver: *Ancho. Guanábana.*

GUARANDÓN. Tonto. «Me pasma lo guarandón que eres».

GUARAÑÓN. (El) La muerte. «Con esa enfermedad vas camino al Guarañón».

GUARAPEAR. *Estar guarapeado.* Estar mal vestido. «Ya estoy viejo pero no quiero estar, además, guarapeado».

GUARAPETA. Borrachera. «Tiene tremenda guarapeta». «La guarapeta que cogió, ¡qué terrible!» «¡Qué guarapeta has cogido!» *Coger una guarapeta.* Coger una borrachera. «Con tanto vino cogí una guarapeta».

GUARAPETEADO. De muchos colores. «Esto esta demasiado guarapeteado».

GUARAPO. *Meterle al guarapo.* Beber aguardiente. «Entre comida y comida le meto al guarapo».

GUARAPOSO. Dulce. «Está muy guaraposo».

GUARARÁ. Lío. «¡Qué guarará se formó en la esquina!»

GUARARAO. *Ser como el guararao.* Ser muy feo. «Juan es como el guararao». (Es cubanismo de origen campesino.)

GUARARÉ. *Tener algo, guararé.* 1. Estar enamorado. «Su problema es que tiene guararé». 2. Ser un truco. «No confíes en él. Lo que te dice es guararé». (Proviene del habla de los «Ñáñigos» una secta secreta social, de mala reputación en Cuba, nacida en tiempos de la esclavitud, formada principalmente por hombres de color, aunque muchos blancos pertenecen a ella.)

GUARAREY. Celos. «Es que tiene guararey con esa mujer». (Voz africana llevada a Cuba por los esclavos.)

GUARAU. Gente. «No me gusta la guarau esa». Sinónimo: *Guarandalla.* (Es cubanismo de la Cuba de hoy.)

GUARDADO. *Estar alguien guardado.* Estar preso. «Hace días que la policía tiene a Pedro guardado».

GUARDAFANGO. Caderas. «¡Qué clase de guardafango porta esa mujer!» Ver: *Garden.*

GUARDAR. 1. Morirse. «Papá guardó inesperadamente». (Se dice también *guardar el carro.*) Sinónimos: *Cantar el Manisero. Cantar la Guantanamera. Ponerse el chaquetón de pino tea.* 2. Ser puesto en prisión. «Lo guardaron por quince días».

GUARDARRAYA. Separación que existe entre los sembrados de caña. *Tener guardarraya con alguien.* Ser amigo de alguien. «Ése tiene guardarraya con mi hermano». *Tener una guardarraya en la cabeza.* Tener una línea sin pelo a lo largo de la cabeza. «El maestro tiene una guardarraya en la cabeza». Ver: *Cogoyo.* (He visto cogollo.)

GUARDIA. *Bajar la guardia.* Estar desprevenido. «Al bajar la guardia me sorprendieron». (El cubanismo viene del boxeo.) Ver: *Cabo.*

GUARIABAO. *Ser algo guariabao.* Ser de varios colores. «Ése es un vestido guarabiao». (Es «guarabiado» pero el cubano aspira la «d».) Sinónimo: *Guaribeado.*

GUARIAO. *Sonando el guariao.* Sonando los tiros. «Allí estaba sonando el guariao. Habían muchos muertos».

GUARICANDILLA. Persona que no vale nada. «No quiero que te cases con el guaricandilla ése». *Ser un guaricandilla.* Ser una persona que no vale nada. «Ni lo trates. Es un guaricandilla».

GUARINÉ. *Tener alguien guariné.* Estar sumamente enamorado en forma tal que no puede vivir sin la mujer. «Tú, hermano, con Lola, tienes guariné».

GUASABAQUEO. Falta de seriedad. «Yo no hago negocio aquí porque hay mucho guasabaqueo». (Viene de «Guasa», o sea, «relajo».) Sinónimo: *Relajo. Estar en el guasabaqueo.* Unirse a la falta de respeto. «Lo que tenemos que hacer es que entre en el guasabaqueo. Cuando le coja el gusto, no nos denuncia más». Ver: *Guasabeo.*

GUASABEAR. 1. No trabajar. «Estás de nuevo guasabeando». 2. Gustar intensamente. «Él guasabea la lengua popular».

GUASABEO. 1. Acción de guasabear. «Está siempre en el guasabeo». 2. Cuando se hace el que se trabaja, pero no se mueve una paja. «No te engañes, el jefe sabe del guasabeo que te traes. ¡Si no hay producción!» Sinónimo: *Guasabagueo. Guasabaqueo.*

GUASASA. *Ser alguien una guasasa.* 1. Ser muy insistente y por lo tanto molestar. «Me voy. Ahí viene Juan que es una guasasa». (La guasasa es un insecto de costa, que infecta las playas por las tardes cuando no hay brisa y que se pega al cuerpo y molesta. Es molestísimo. De aquí el cubanismo.) 2. Ser un impertinente. «Mi hermanito, es, pobrecito, una guasasa». Sinónimos: *Ser una ladilla. Ser una ladilla con «espaiks».* («Spikes» que el cubano pronuncia como se ha escrito, son los pinchos de los zapatos de los peloteros.) 3. Ser una persona que molesta mucho. «Ese muchacho es una plaga. Es una guasasa». Ver: *Mosquito. Polilla.*

GUASH. *Convertir a alguien en «guas an guear».* Destruirlo. «Esa mujer convirtió a Pedro en «guash an guear». (Cubanismo de exilio. «Guash an guear» es la forma en que el cubano pronuncia las palabras inglesas «Wash and Wear», que es la tela que no hay que planchar. Pero la tela no guarda la textura y sale de la lavadora arrugadísima. De aquí el cubanismo.)

GUASIMARA. Americano. «Esa guasimara de al lado es de la Florida». (Este cubanismo nació en el exilio.)

GUASITIMACOLA. (La) La fornicación. «Míralos en la guasitimacola». (Es lenguaje de la Cuba de hoy.)

GUATACA. 1. Adulón. «No seas guataca. Eso es cosa muy mala». 2. Especie de azada con que se corta la hierba. (En plural *guatacas* significa orejas.) 3. Oreja. «¡Qué guataca más grande tiene!» (Es lenguaje del chuchero. Ver: *Chuchero*.) «Tengo una infección en las guatacas». *Dar guataca.* Alabar. «¡Cómo has dado guataca, hoy, en el ministerio!» *Perder el filo de la guataca.* Alabar hasta la degradación a alguien. «Con el presidente ha perdido el filo de la guataca». («Guataquear» es alabar deshonrosamente. De aquí el cubanismo.)

GUATACAZO. Golpe. «Me dio un guatacazo en la nariz».

GUATACÓN. Ver: *Guataca.*

GUATACUDO. Orejudo. «Eres un guatacudo. Hazte una operación».

GUATAO. Ver: *Fiesta.*

GUATAQUEAR. Acción de alabar vergonzosamente. «Se pasa el día guataqueando».

GUATAQUEARDOR. Ver: *Guataca.*

GUATAQUERÍA. 1. Alabanza mezquina. «Eso es una guataquería». Ver: *Guataquear.*

GUATEMALA. *Salir de Guatemala para entrar en guatepeo o guatepeor.* Salir de algo malo para entrar en algo peor. «Siempre salgo de Guatemala para entrar en guatepeo (o guatepeor.)»

GUATEQUE. Ver: *Bateque.*

GUATIVERO. Campesino. «No es más que un guativero».

GUATÍVIRI. Amigo. «¿Cómo estás guatíviri?»

GUATRAPEADO. *Estar alguien guatrapeado.* 1. Arrugado. «Ese papel está guatrapeado por viejo». 2. Cansado; envejecido. «A los cuarenta y cinco años está guatrapeado». «No puedo seguir cargando, estoy guatrapeado». 3. Estar viejo. «Para su edad, Juan está guatrapeado». 4. Limpiar. «Hay que guatrapear duro esta casa». *Estar muy guatrapeado.* Mal tratado por la vida. «Ya yo estoy muy guatrapeado». También estar molido, cansadísimo. «Yo estoy hoy guatrapeado». Ver: *Cansado.*

GUATRAPEAR. *Ir a guatrapear.* Ir a divertirse. «Anoche me fui a guatrapear hasta las dos de la mañana».

GUATUCHI. *Tener un «guatuchi» entre las piernas.* Tener un pene grande. «Mi primo tiene un «guatuchi» entre las piernas». («Watussi» que el cubano convierte en «guatuchi» es una tribu de negros altísimos del África.)

GUATUSI. Persona de color, alta, delgada y con el pelo parado. «Por ahí viene un guatusi».

GUAYABA. Una mentira. «Eso es una guayaba». «Me dijo una guayaba tremenda». Sinónimo: *Globo. Cuando el mal es de cagar, no valen guayabas verdes.* La cosa no tiene remedio. «No te esfuerces que cuando el mal es de cagar, no valen guayabas verdes». *Estar mechada la guayaba.* Haber algo oculto. «Ten cuidado con eso. Para mí, que la guayaba está mechada». (En Cuba se vendía mucha guayaba mechada. De ahí el cubanismo.) *Estar mechado como el dulce de guayaba.* Ser homosexual. «Juan está mechado como el dulce de guayaba». Sinónimo: *Gitano. Hijo de la gran guayaba.* Eufemismo para no decir hijo de puta. Sinónimo: *Hijo de la Gran Logia.*

Guayaba y mamoncillo no es comía, compay, eso lo que da es estrague. Equivale al castizo: «*Ningún perro lamiendo engorda*». «Se lo digo, guayaba y mamoncillo no es comía, (es «comida» pero el cubano aspira la «d».) compay, es lo que da es estrague». («Estrague» es mal en el estómago. En Cuba decimos: «Tengo el estómago estragado». Es lenguaje campesino avecinado a la ciudad.) *Meter guayaba.* Decir mentiras. «Se pasa la vida metiendo guayabas». *Meter una guayaba.* Ser un mentiroso. «No me metas una guayaba más». *Saber lo que son cajitas o cajetas de dulce de guayaba.* Ver: *Caja. Casco. Mal. Mojón.*

GUAYABAZO. 1. Golpe. «El guayabazo fue en plena frente». 2. Golpe con el bastón. «En la refriega le dieron un guayabazo».

GUAYABERA. Prenda de vestir peculiar del campesino cubano. «El campesino cubano siempre ha vestido de guayabera». *Estar de guayabera como el hombre de la casa Prado.* Ser siempre un criollo, cubano de verdad. «Yo siempre he estado en el exilio, de guayabera, como el hombre de la casa Prado». (La Casa Prado de Cuba tenía un anuncio en el que se le decía al público que en un sitio de La Habana estaba vestido de guayabera el hombre de la Casa Prado. El que lo reconociera tenía un premio. De aquí este cubanismo nacido en el exilio.)

GUAYABERO. Mentiroso. «Pero muchacho, ¡qué guayabero eres!» «Pedro es un guayabero». «¡Qué guayabero eres!» Sinónimo: *Globero. Soplador de globos.*

GUAYABITA. Mentirita. «Eso es una guayabita». Licor que se hace con una fruta llamada «guayabita del pinar». «Se emborrachó tomando guayabita».

GUAYABITO. Ratoncito pequeñito. «La casa está llena de guayabitos». *A lo guayabito.* Con mucho cuidado; con mucho disimulo. «Hazlo a lo guayabito». (El guayabito, que es un ratoncito pequeñito, cuando muerde, sopla para que no duela. De aquí el cubanismo.) *Ser alguien un guayabito.* Gustarle el queso. «Pedrito es un guayabito». *Tener guayabitos en la azotea.* Estar loco. «Él tiene, lo puedes ver, guayabitos en la azotea». Ver: *Gato. Gotera.*

GUAYABITOSIS. *Tener alguien guayabitosis asoteril.* Estar loco. «Juan tiene guayabitosis asoteril». («Guayabitosis Asoteril», viene de «Guayabitos en la azotea». Se dice, que el que «está loco», tiene guayabitos en la azotea.)

GUAYABO. Especie o tipo de bastón hecho de guayabo. «Camín siempre usó un guayabo». «¿Dónde compraste ese guayabo?» *Estar detrás del guayabo.* Vigilar o estar vigilando. «¡Cuidado! Está detrás del guayabo el policía». «Pedro está siempre detrás del guayabo». *Guayabo cimarrón.* Bastón hecho del palo del guayabo y sin retoques. «El poeta Alfonso Camín siempre usó un guayabo cimarrón». *Orden del guayabo.* Grupo de policías que con bastones disolvían grupos de ciudadanos en Cuba. «Me voy que por ahí viene La Orden del Guayabo». *Ser alguien guayabo.* Ser miedoso. «Tú no me metes miedo porque tú eres guayabo». (En Cuba, al ratoncito se le dice *guayabito* así como a la persona cobarde.)

GUAYABÚO. *Mulato guayabúo.* Mulato que parece blanco. «Él no es más que un mulato guababúo aunque se crea blanco». Ver: *Mulato.*

GUAYACÁN. Peso. «Sólo tengo un guayacán». Sinónimos: *Baro. Hoja de lechuga. Guayo. Mantecoso.*

GUAYACOL. Ver: *Retama.*

GUAYO. Peso. *Dile a Catalina que te compre un guayo.* Vete con ese cuento a otro lado. (El cubanismo viene de una canción que dice: «*Dile a Catalina que te compre un guayo/que la yuca se me está secando*».) *Ponérsele a una mujer como un guayo.* Fornicarla mucho. «En la luna de miel te lo ponen como un guayo». Ver: *Cabeza. Guayacán.*

GUEAR. Ver: *Guach.*

GUEDES. Ver: *Álvarez.*

GUEL. Ver: *Mujer.*

GUELFARGO. *Tener un «guelfargo» en la mano.* Tener algo muy bueno: mujer, negocio, etc. (La conversación da a lo que se refiere.) «Desde que me casé tengo un guelfargo en la mano». (Felicidad.) «Desde que me establecí en la venta de caramelos, tengo un guelfargo en la mano». (Ganó dinero.) (La «Wells Fargo» es una compañía americana que transporta dinero. Es la más famosa de Estados Unidos. Este cubanismo nacido en el exilio está basado en esto. El cubano pronuncia la palabra como se ha escrito.)

GUEMBA. Brujería. «Me han echado guemba». (Palabra africana.) Sinónimo: *Ebora.*

GUEMBAZO. Brujería. «A Juan le echaron un guembazo». *Meter un guembazo.* Echar brujería. «A Pedro le metieron un guembazo y se murió».

GUERRA. *Estar alguien de guerra con los tanques.* Gustarle las mujeres gordas. «No sé cómo se las arregla pero mi hermano siempre está en guerra con los tanques». *La Guerra de las Galaxias.* Ruido chillón y persistente. «Oye la lavadora. Es la Guerra de las Galaxias». (Es cubanismo del exilio. Viene del título de la película: «*La Guerra de las Galaxias*». En ella, el fondo no es solamente musical sino de un ruido persistente y chillón: el de las naves espaciales. De aquí el cubanismo.) *Ser alguien una guerra a la nariz.* Oler mal. «Ese hombre no usa desodorante y es una guerra a la nariz».

GUERRILLA. 1. Equipo de pelota o de otro juego improvisado. «Vamos a formar una guerrilla y jugar pelota». Sinónimo: *Pitén.* 2. Grupo sin habilidades. «En la compañía de electricidad, renunciaron los que sabían y dejaron a cargo de todo a una guerrilla». 3. Orquesta no profesional. «Acuérdate que ellos no son una orquesta sino una guerrilla».

GUERRILLERO. Traidor. «No te fíes de él; es un guerrillero». (Como se ve el cubanismo ha cambiado el significado del castizo.) *Amor guerrillero.* Amor de un día. «No quiso comprender que nuestro amor era guerrillero». *Ser guerrillero.* 1. Cubano malo. «Es un guerrillero. En los negocios no tengo trato con él». 2. Delator. «Es un guerrillero malo por eso lo denuncio a la policía». 3. El que afronta todos los sacrificios que le exige el comunismo cubano. «Él es un guerrillero. Nunca se queja de la escasez de todo». (Cubanismo de la Cuba de hoy.) 4. Ser un cubano que no es patriota. «No te fíes de él, es un guerrillero». («Guerrillero» en la época de la guerra en contra de España era el cubano que se unía a las fuerzas españolas.) 4. Ser un mal cubano. «No cuentes con él para nada patriótico. Es un guerrillero». (A los cubanos que luchaban en contra de los cubanos en la Guerra de Independencia les llamaban guerrilleros.) 5. Ser una mala persona. «Pedro siempre ha sido un guerrillero».

GUIA. Ver: *Buey.*

GUICHINCHITO. Negocio malo. «Me pidió por el guichinchito cien mil dólares. ¿Estará loco?» Sinónimo: *Timbiriche.*

GUICHINCHO. Pequeño. «Ése es un muchachito guichincho».

GÜIJE. Duende. «Si te portas mal te lleva el güije». «Los güijes habitan en el río». (Es voz africana llevada a Cuba por los esclavos.)

GÜIKEN. *Vivir en güiken.* Vivir sin trabajar. «Ése toda la vida ha vivido en güiken». («Güiken» es la forma en que el cubano pronuncia la palabra inglesa «Week-end» o «fin de semana». En el week-end no se trabaja. De aquí el cubanismo.)

GUIKINGO. Pequeño autobús que se une a otro más grande en la Cuba de hoy. «¡Cómo han decaído en Cuba! Usan guikingos». («Wikingos» es la palabra que el cubano pronuncia como se ha escrito.)

GUILLAO. 1. Presuntuoso. «Es un guillao. No lo soporto». 2. Se dice del que se da aires. «Ése es un guillao». (Es «guillado» pero el cubano aspira la «d».) Ver Guillo.

GUILLARSE. 1. Hacerse el sueco. «Se guilló cuando le pedí el dinero». 2. Se dice del que se hace el sueco. «Cuando le planteas el problema se guilla». Sinónimos: *Botarse de Guillermina. Hacerse el chivo loco.*

GUILLATÉN. Acción de hacerse el bobo. «Está siempre en el guillatén». (Viene de «guillado» o «guillarse», o sea, «hacerse el bobo».)

GUILLE. Acción de hacerse el sueco. *Estar en el guille.* 1. Hacerse el sueco. 2. Pavonearse como buen tipo. (La conversación da el resultado.) «Se cree lindo. Siempre está en el guille». (Hacerse el buen tipo.) Sinónimo: *Vender lista.* «Siempre está en el guille si le hablo del asunto». (Hacerse el sueco.) Sinónimo: *Estar alguien en el Guillermón Moncada.* (El cubanismo es un juego de palabras con un héroe de la independencia cubana.) Se dice también: *Hacerse el Guillermón Moncada.* En vez de *guille* se dice también *guillo.*

GUILLERMINA. Acción de guillarse. Sinónimo: *Guillo. Andar de Guillermina.* Andar haciéndose el loco. «Para no pagar a nadie anda de Guillermina». (El cubanismo viene de guillarse, que en cubano quiere decir hacerse el loco.) Sinónimos: *Andar de chivo loco. Hacerse el sueco.* Ver: *Guillarse.*

GUILLERMINARSE. Ver: *Guillermina.*

GUILLERMO. Ver: *Guedes. Rebote.*

GUILLERMÓN. *Ir de Guillermón.* Ir de incógnito. «En ese viaje voy de Guillermón». Sinónimo: *Ir de Guillermón Moncada.* (Aunque es lenguaje del chuchero siempre fue de uso general el cubanismo. Ver: *chuchero.* Es un juego de palabras con *guillo* o acción de pasar inadvertido.) Ver: *Guille.* Para «estar de Guillermón Moncada» o «Hacerse el Guillermón Moncada» ver Guille.

GUILLO. 1. Acción de guillarse. Sinónimo: *Guillermina.* 2. Tipo de brazalete que el hombre se pone en la muñeca. «Me compré un guillo de oro». *Cada uno vive con su guillo y no es Álvarez Guedes.* Creerse algo que no es. (Guillo es creerse algo que no es.) «Su guillo es ser un intelectual. Cada uno vive con su guillo y no es Álvarez Guedes». (Álvarez Guedes es un artista cubano muy popular, de nombre Guillermo, al que llaman Guillo. Es cubanismo del exilio.) *Tener guillo.* Creerse la gran cosa. «¡Fíjate cómo camina! ¡Qué guillo tiene!» Sinónimo: *Ser un guillao.* (El cubano aspira la «d» de «guillado».) *Vivir con su guillo.* Vivir en una falsa postura, pero vivir feliz en ella. Ver: *Álvarez.*

GUILLOTINA. *Darle a alguien una guillotina bancaria.* Desplumarlo. «A tu amigo Juan, Pedro le dio una guillotina bancaria».

GÜIN. 1. Junco delgadísimo. «Aquí hay mucho güin». 2. Material de la caña que por lo poco que pesa sirve para hacer cometas. «Este güin es más delgado que el de tu cometa». 3. Persona flaca. «Juan es un güin». Sinónimo: *Ser una pita. Estar hecho un güin.* Estar muy delgado. «Ese niño está hecho un güin». *Estar en la punta del güin o de un güin.* 1. Estar a punto de fracasar. «Mi pobre hermano tiene que tomar medidas para salvarse de la quiebra, porque está en la punta del güin». 2. Estar algo en el aire. «En el puesto estoy en la punta de un güin». Sinónimos: *Estar al borde de la piragua. Estar de niño de París. Estar en el pico del aura.* 2. Estar muriéndose. «Juan no hace el cuento. Está en el güin». *Estar más flaco que un güin.* Estar muy flaco. «Pedro está más flaco que un güin». También he oído: *que la punta de un güin.* Ver: *Cohete. Papalote. Punta.*

GUINDA. *Quedarse en guinda.* Quedarse en babia. «Contigo siempre me quedo en guinda. Hablas muy complicado».

GUÍNDALA. (La) 1. Lo que cuelga. 2. Lo que está unido a la cosa principal. (La conversación da el significado.) «Eso no es lo importante sino la guíndala».

GUINDAR. 1. Colgar. «Guinda eso del palo». 2. Morirse. «Juan guindó ayer por la mañana». Sinónimo: *Guantanamera.* 3. Terminar. Ver: *Guantes.* (Cuando dice: *Guindar los guantes [o el sable].*)

GUINEO. Persona rápida. «Ese muchacho es un guineo». *Estar como el guineo en el gajo.* Estar siempre alerta. «A mí no me sorprenden con nada, porque yo estoy como el guineo en el gajo». «Yo no me dejo sorprender. Estoy como el guineo en el gajo». (El guineo siempre mira, nerviosamente, para todo los lados. De aquí el cubanismo de origen campesino.) *Ser un guineo.* Se dice del que camina rápido. «Juan es un guineo». Ver: *Venado.*

GÜINES. *No ser de Güines.* No comer papas. «Él no es de Güines». (Güines es una villa de la provincia habanera donde se daban las mejores papas de Cuba. De aquí el cubanismo.)

GUINGARRA. Grupo de personas. «En la esquina había una guingarra».

GUINSANDOGUE. *Darle a alguien, guizandogue.* Matarlo. «Le dieron al ladrón, guizandogue». Sinónimos: *Dar guizo. Pelar al moñito.* Ver Guiso.

GÜIRA. La güira es un recipiente hecho, por ejemplo, del coco o de la fruta de la mata de güira. Es tosco y feo. *Estar como una güira seca.* Estar una mujer muy arrugada. «Fue bonita de joven, pero ahora está como una güira seca». *Ser alguien una güira seca.* Tener un carácter muy seco. «Juan es una güira seca». (Se aplica a la persona que no se ríe o que no da cariño.) *Tirar una güira.* Pelar mal. «Lo que te han tirado es una güira». Ver: *Potro.*

GÜIRITO. (Un) Un poco. «Dáme un güirito de café con leche». (Se oye, sobretodo, en la provincia de Santa Clara.)

GÜIRO. Instrumento musical. «En la orquesta toco el güiro». Recipiente. «¿Dónde pusiste el güiro lleno de agua, Josefa?» (Se usa, principalmente, en el campo cubano.) *Aflojársele el güiro.* Volverse loco. Se dice, asimismo, *estar mandado del güiro. No portar nada en el güiro.* No tener inteligencia. «Con eso que hizo no porta nada en el güiro». (Güiro es cabeza.) *Meterle al güiro.* Pensar. «Se pasa la vida metiéndole al güiro. Por eso resuelve esos problemas matemáticos tan difíciles». *Perderse güiro, calabaza y miel.* Perderse todo. «En el ciclón se perdió güiro, calabaza y miel». «Si sigues así vas a perder güiro, calabaza y miel». (Es lenguaje campesino avecinado en la villas y ciudades rurales de Cuba.) *Ponerle la tapa al güiro.* Ser algo el colmo. «Eso que acabas de decir le pone la tapa al güiro». Se dice, asimismo, *ponerle la tapa al pomo. Salir con el güiro recalentado.* Salir con la cabeza cargada. «Salí del examen con el güiro recalentado». *Tener flojo el güiro.* Lo he oído de la gente que no tiene agilidad al conversar. «Esa gente tiene flojo el güiro. No la compares con nosotros». *Zafarle a alguien el güiro.* Matarlo. «Los ladrones le zafaron el güiro». («Güiro» es «cabeza».) Ver: *Coco. Gotera. Tapa. Yagua.*

GUISANTE. Asesino. «Ése es un guisante».

GUISAR. Matar. «Lo guisaron al amanecer». Sinónimo: *Dar matica de café.* «No se sabe quién le dio matica de café». Ver: *Café.*

GUISARSE. Matarse. «Se guisó mi primo ayer».

GUISO. 1. La muerte. «¡Cómo está el guiso por las calles!» 2. Trabajo. «El guiso tuyo es muy bueno». *Dar guiso.* Matar. «Anoche le dieron guiso». «Ayer durante todo el día estuvimos dando guiso». Sinónimos: *Dar cicuta tibia. Dar guisopo. Dar matica de café. Dar guiso espeso. Pelar al moñito.* Matar mucha gente. «Ayer la cosa fue de guiso espeso». (El aumentativo está dado por el adjetivo «espeso». El cubanismo, en vez de recurrir a la terminación, se vale de adjetivos u otras partes de la oración, cualidad del mismo.) Se dice también: *guiso gordo. Estar en el guiso.* 1. Entrar a formar parte de una cosa complicada, rara. «Yo no entro en el guiso ése. No me gusta». 2. Estar en el quid de la cosa. «Yo, en todos estos años, he estado en el guiso de eso de que me hablas». *Olor a guiso.* Estar la cosa de muerto. «¡Qué olor a guiso hay hace unos días!»

GUISOLANDIA. Sitio donde asesina. «Cuba es Guisolandia».

GUISOPA. *Estar alguien ya guisopa.* Estar liquidado. «El se muere mañana. Está ya guisopa». El superlativo es: «Esta ya guisopa con los espaicks colgados». (El cubanismo, en él acude a palabras como siempre, y no a terminaciones propias del mismo. Los «spikes» que el cubano pronuncia «espaicks» son los zapatos que usan los peloteros.)

GUITARRA. *No tener guitarra para la melodía.* No estar a la altura de las circunstancias. «Los gobernantes de este país no tienen guitarra para la melodía de la inflación».

GUITE. *Morirse guite.* Morirse muchas persona al mismo tiempo. «¿Están comiendo ustedes eso? Se van a morir guite».

GUITITÍO. Pequeñín. «Mi hijito nació guititío».

GUITO. Enfermedad de la piel. «Juan tiene guito».

GUIZASO. *Tener el saco lleno de guizasos.* 1. Estar a punto de perder el control. «Me detuve. No salté porque tenía el saco lleno de guizasos». 2. Estar medio loco. «Lo recluyeron antes de que se ponga peor. Tiene el saco lleno de guizasos». 3. Tener muchos problemas. «Hace mucho tiempo que tengo el saco lleno de guizasos». (La conversación da el significado. Este cubanismo muestra muy bien la creatividad lingüística del cubano. El guizaso tiene espinas como las penas y se pega al cuerpo, a las ropas, en forma tal que es difícil arrancarlo. Al hacerlo causa dolor. Si coge la piel la hiere. Este cubanismo se aplica a muchas situaciones: por ejemplo, si algo o alguien lo tienen a uno lleno. «Juan me tiene el saco lleno de guizasos». «Esa conducta me tiene el saco lleno de guizasos».) Ver: *Buche. Gorro.*

GUIZO. *Dar guizo.* Ver: *Guizándogue. Guizolina.*

GUIZOLINA. *Dar guizolina a la primera de cambio.* Matar en cuanto se presenta la ocasión. «Le dio guizolina a la primera de cambio. Pero lo cogió la policía». Sinónimo: *Dar guizo. Dar matica de café. Vivir en Guizolina.* Vivir en un país donde hay muchos asesinatos. «Los colombianos, actualmente, viven en Guizolina». (*Dar guizo* es matar. De aquí el cubanismo.)

GUNGADÍN. *Ser gungadín.* Ser mulato. «Él lo oculta pero es gungadín». (Viene de la película: «*La Carga de los Seiscientos*», en que el héroe, llamado *Gungadín*, es mulato.)

GUONDERGUMAN. Ver: *Época.*

GUSANERA. *Se alborotó gusanera.* 1. ¡Qué alboroto se ha formado! «Estábamos allí, y de pronto, se alborotó gusanera». 2. Se dice cuando alguien se pone en movimiento. «Ya él está atacando a sus enemigos. Se alborotó gusanera». Sinónimo: *Se espabiló gusanera. Se revolvió gusanera.* ¡Qué alegría hay! «¡Qué fiesta tan buena, se revolvió gusanera!» «¡Me saqué la lotería! ¡Se revolvió gusanera!»

GUSANO. (El) 1. Contrarrevolucionario. Nombre que se le da en Cuba al opositor del régimen castrista. 2. Especie de saco largo. «Me llevo las cosas en el gusano». (El cubanismo nació porque en esos sacos largos los cubanos que se exiliaban sacaban sus cosas de Cuba.) 3. Pene pequeño. «Tengo una ardentía en el gusano».

GUSARAPO. Persona que no vale nada. «No me mires gusarapo. No quiero hablar contigo».

GUSIANAO. *Estar alguien gusianao.* Haber perdido la fe en el comunismo en Cuba. «Vigílalo, que está gusianao». (Cubanismo de la Cuba de hoy. En Cuba a los exiliados cubanos le llaman «gusanos». Han hecho un verbo con la palabra gusano. De aquí el cubanismo.)

GUSTO. *Con mucho gusto y fina voluntad.* Forma de saludar tomada de Fontanils, un cronista social del *Diario de la Marina*, que decía así: «Te lo haré Pedro con mucho gusto y fina voluntad». *Justo a su gusto.* Perfecto. «Este regalo es justo a su gusto. Te lo aseguro». (Era el lema comercial de unos cigarros cubanos. De aquí el cubanismo.) *Para gustos se han hecho colores y para nalgas tibores.* El verso del poeta asturiano Ramón de Campoamor que dice: «*Para gustos se han hecho colores/y para escoger, las flores*», ha sido parodiado en esa forma. «Que haga lo que quiera que para gustos se han hecho colores y para nalgas tibores». Ver: *Fulastre.*

GUTIÉRREZ. Ver: *Boné.*

¿ESO ES TUYO...Ó DE LA CASA DE LOS TRUCOS?
MENÉNDEZ

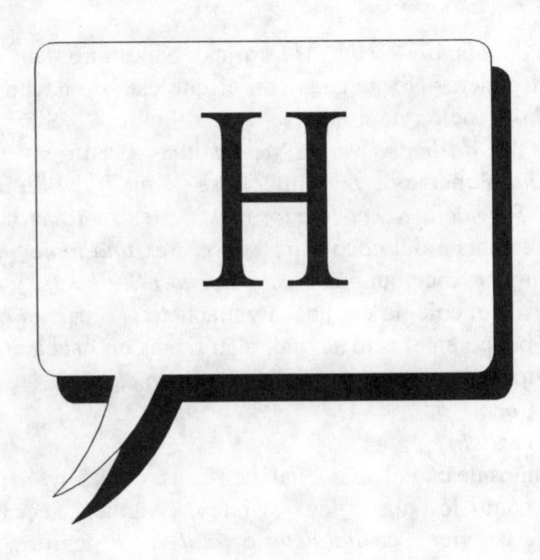

H. *Por hache o por be.* Equivale al castizo «por fas o por nefás». «Por pitos o por flautas».

HABANA. *Querer meter La Habana en Guanabacoa.* Expresión que se usa cuando alguien quiere meter una cosa donde no cabe. (Guanabacoa es una villa cerca de La Habana.) *Un Habana Santiago.* Un puro grande. «Me estoy fumando un Habana Santiago». (Es la ruta de autobuses que más larga distancia recorría en Cuba. De aquí el cubanismo.) Ver: *Almendares. Mundo. Túnel.*

HABER. *De que los hay los hay.* Expresión que se refiere a que hay personas que son capaces de hacer cualquier cosa, el ridículo, etc. Se dice también: *De que los hay, los hay, la cosa es dar con ellos.*

HABITANTE. Persona de baja condición social. Se usa para denigrar a alguien. «No me hables de Juan. Ése es un habitante». Sinónimo: *Habitantón.*

HÁBITOS. *Tener hábitos que no son de cura.* Malos. «Tu hijo tiene unos hábitos que no son de cura».

HABLANTINO. Persona que al hablar dice cosas superficiales. «Eres un hablantino. Nunca dices nada serio».

HABLAR. *Hablar bagazo.* Hablar cosas insustanciales; hablar tonterías. «No hables más bagazo». *Hablar gordo.* 1. Alardear. «Habló gordo, ¿para qué?» 2. Hablar fuerte. «Le habló gordo al hijo». *Hablar ordala.* 1. Hablar como el chuchero. «No te da pena hablar ordala». 2. Hablar muy bien. «Juan en el banquete habló ordala. Fue una magistral pieza oratoria». Ver: *chuchero; Hablar basura; Hablar cascarita de piña.*

HABLATEO. Charla ruidosa. «El hablateo de esa gente es insoportable».

HACENDADO. Ver: *Dril.*

HACERSE. 1. Coger muchos beneficios. «Con ese periódico mío, me hice». (Se aplica a cualquier situación que reporta beneficios. «Con esa novia, (puesto, etc.) te hiciste». 2. Ganar mucho dinero. «Con esa contrata te has hecho».

HACHA. *Dar con el cabo del hacha.* 1. Fornicar. Sinónimo: Dar serrucho. *Estar de hacha.* Tener el poder. «No juegues con él que está de hacha». Lo hemos oído también como la acepción de «ponerse de mal humor». «Siempre está de hacha. ¡Qué carácter!» *Me da hacha venir.* Me fastidia. «Venir a verte me da hacha». *Ponerse de hacha.* Ponerse de mal humor. «Está malo del hígado y de pronto se pone de hacha». *Ser hacha del coco a los pies.* Ser extraordinariamente inteligente. «En pedagogía es hacha del coco a los pies». *Ser una mujer hacha.* Ser bonita. «Juana es hacha». (Se dice también: *estar hacha.) Ser hacha y machete.* Ser muy inteligente. «Desde el colegio era hacha y machete». *Tener un hacha con cabo de nácar.* Ser muy bueno en el acto sexual. «Tú tienes un hacha con cabo de nácar». («Hacha» es el «pene».) Sinónimo: *Tener nitrón en el güiro.*

HACHERO. Ver: *Coco.*

HAITIANO. Ver: *Trabajo.*

HALAR. Cumplir años de cárcel. «Está halando cinco años hoy». *Halar leva.* Adular; lisonjar. «Mira cómo le hala la leva al jefe». (Algunas veces el cubanismo se sustantiviza y se convierte en *halaleva* o *jalaleva.* «Siempre fue un halaleva». Sinónimo: *Ser huele, huele.* «Es el huele, huele de Pedro». *Halarse para atrás.* Decidirse. «Se haló para atrás y lo hizo». (Expresión campesina.)

HAMACA. *Ser alguien un pudre hamaca.* Ser un vago. «Él no sirve para nada. Es un pudre hamaca». (Voz campesina.)

HAMBRE. *El hambre es mala consejera.* El hambre induce a hacer cosas malas. (Se usa para disculpar una acción o para decir por qué tuvo lugar.) «Cómo no iba a surgir el problema. El hambre es mala consejera». *Juntarse el hambre con la necesidad.* Tener una situación económica muy mala. «Se me ha juntado el hambre con la necesidad y nada puedo hacer». *Pasar más hambre que un toro viejo.* Pasar mucha hambre. «Estoy pasando más hambre que un toro viejo. Por eso estoy tan flaco». *Pasar un hambre de telaraña en el ombligo o en el culo.* Tener una situación económica muy difícil. «Pobre amigo, está pasando un hambre de telaraña en el ombligo». *Tener más hambre que un cocodrilo.* Tener mucha hambre. «Mi hijo menor tiene más hambre que un cocodrilo». Sinónimo: *Tener más hambre que un real de tripa.* (Se usa despectivamente también este cubanismo para indicar que la persona «no vale nada».) «Se cree alguien y tiene más hambre que un real de tripa». Ver: *Galleta. Padre. Partío.*

HARAGÁN. *Es más haragán que un buey viejo.* Ser muy haragán. «Muchacho, eres más haragán que un buey viejo. Trabaja». (Cubanismo de origen campesino.)

HARAPOS. *Estar de Pedro Harapos.* Estar de pobre de solemnidad. «Está de Pedro Harapos. Se arruinó hace muchos años». *Ser Pedro Harapos.* Ser desaliñado. «Contigo no salgo porque eres un Pedro Harapos». *Vestir de Pedro Harapos.* Vestir mal. «Vistes de Pedro Harapos. No sabes combinarte».

HARINA. (La) El dinero. «Dame la harina para ir al cine». «Me llegó la harina». «Siempre está sin harina en el bolsillo». Sinónimos: *Mantecoso. Papiro. Estar comiendo harina.* Estar pasando una difícil situación económica. «Pedro está comiendo harina». Sinónimo: *Estar comiendo tierra.* Antónimo: *Estar hecho. Estar hecho harina.* 1. Estar mal económicamente. «Estoy hecho harina últimamente». 2. Estar muy cansado. «He hecho ejercicio y estoy hecho harina». Se aplica a muchas situaciones, inclusive al estar loco: «Míralo cómo grita, está hecho harina». (loco) *Estar la harina de resaca.* Volver el hambre a un sitio que lo padeció antes. «En Cuba, la harina está de resaca». (Es cubanismo culto. En Cuba, cuando la crisis económica producida en los treinta por la caída del precio del azúcar, se comía harina. De aquí el cubanismo.) *Harina con gritería.* Harina con carne de puerco. «Vamos a comer harina con gritería. Es riquísima». *Ni yo soy harina ni tú eres panadero.* Frase que las mujeres les dicen a los hombres que tratan de tocarla. (Al hombre que toca a las mujeres se le dice: «panadero», en cubano, porque como éste, amasa la masa.) *Para cocinar, la harina es muy importante ante la levadura.* Lo importante es el talento. «Escribe. Pero no te olvides que para cocinar, la harina es muy importante ante la levadura». *Tener harina.* Tener dinero. «Esa gente tiene mucha harina en el banco». Sinónimos: *Sacado de proporciones.* «Ése es un problema hecho con harina Royal». (La harina blanca infla. De aquí el cubanismo.) *Tener billetes; Tener hojas de lechuga; Tener manteca. Un problema hecho con harina Royal.* Antónimo: *Estar hecho.*

HASTA. *Hasta el fuerate.* 1. Al máximo. «Te protegeré hasta el fuerate». 2. Mucho. «Se robaron hasta el fuerate».

HATUEY. *Estar como Hatuey.* Estar muy sudado. «Con este calor estoy como Hatuey». (La cerveza «Hatuey» tenía un indio en la etiqueta. Salía fría, perlada por el frío del refrigerador. De aquí el cubanismo.)

HEBILLA. Ver: *Cinturón.*

HECHO. *Estar hecho.* 1. Tener mucho dinero. «Muchacho, él llora miseria, pero está hecho». (El que recibe «pingües beneficios» está hecho. Por eso se aplica a muchas situaciones. «Con ese puesto, (mujer, etc.) estás hecho».) 2. Tener una buena situación económica. «Con esas contratas Juan está hecho». 2. No tener problemas. «Juan está hecho. Nació de familia rica».

HECHURA. *Una hechura de café.* Un vasito pequeño de café. «Dame una hechura de café». Sinónimos: *Un bolito de café. Un buchito de café.*(El cubano dice normalmente: «Un buchito de café». «Vamos a tomar un buchito de café».)

HEDIONDA. (La) Ver: *Apestosa.* (La)

HEDIONDERA. 1. Lugar sucísimo. «¿Vas a esa fonda? ¿Cómo puedes comer en esa hediondera?» 2. Sitio asqueroso, lleno de mugre, sucio. «Yo no almuerzo en esa hediondera».

HELADO. Ver: *Carrito.*

HELECHO. *Helecho es una mata.* Se dice al que habla de la fuerza del hecho. «—El hecho es... —Mira Juan, helecho es una mata, o sea, no confíes tanto en el hecho». (El cubanismo es una juego de palabras entre «hecho» y «helecho».)

HÉLICE. *Tener alguien una hélice en el culo.* Ser muy activo. «Juan tiene una hélice en el culo. No para».

HELIO. *Coger más helio que el Columbia.* Enojarse. «Estoy cogiendo más helio que el Columbia». («El Columbia» es la nave espacial norteamericana. Es cubanismo del exilio.) *Vivir del helio.* Estar inflado. No ser lo que se dice de él, lo que aparenta. «En este exilio hay mucha gente que vive del helio». Ver: *Zepelín.*

HEMBRA. Ver: *Potentísima.*

HEMORRAGIA. *Hemorragia de satisfacción.* Dar algo un gusto extremo. «Conocerlo fue una hemorragia de satisfacción». También lo he oído en el sentido de recibir mucho dinero. «Me mandó una hemorragia de satisfacción y compré una casa».

HEMORROIDES. Ver: *Patada.*

HERÁLDICA. *Cantarle a alguien la heráldica sin historia.* Darle un buen escarmiento, un escándalo. «Al niño le canté una heráldica sin historia». (Escarmiento.) «A ese descarado le voy a cantar una heráldica sin historia». (Darle un escándalo.) (Es un cubanismo culto.)

HEREJE. *Estar una cosa o una mujer hereje.* Estar muy fea. «No compro eso. Está hereje». «Esa mujer está hereje a pesar de que la familia es muy bonita».

HERENCIA. *Coger una herencia gitana.* Tener mala suerte. «Con esa mujer cogí una herencia gitana».

HERIDA. (La) Gasto. «¿Cuánto es la herida?» La cuenta. «Ahí viene la herida». Se oye más a menudo: «Dame la herida». *Hacerle una herida leve a alguien.* Cogerle un poco de dinero. «Es un canalla. No paga las deudas. Menos mal que me hizo una herida leve». Se aplica a muchas situaciones: «Con su ataque me hizo una herida leve». (No me perjudicó mucho.) «Ella me dejó, y me hizo una herida leve». *Hacer una herida a alguien.* 1. Gastar mucho. «Perdóname la herida que te hice en el almuerzo». 2. Perjudicarlo. «Con esa acción hiciste una herida en el trabajo». *No ser herida para gallo fino.* Expresión que se usa para indicar que a uno no lo vencen las dificultades. «Eso que me pasó no es herida para gallo fino». *Sangrar por la herida.* Estar dolido, estar resentido. «Habla así de él porque lo derrotó en los exámenes. Está sangrando por la herida». Sinónimo: *Hacerle un hoyo.*

HERIDO. Ver: *Cabo.*

HERMANÍSIMO. (El) Es el nombre del que tiene una posición de mando en Cuba. «Para todo confía en el hermanísimo, por eso es Secretario de Actas».

HERMANITAS. *Las Hermanitas de la Caridad están en los conventos.* Yo no le hago un favor a nadie. «Me lo dijo sin ruborizarse. Las hermanitas de la Caridad están en los conventos».

HERMANO. Esta palabra es utilizada continuamente por el cubano en el sentido de paisano. «Óyeme, mi hermano, dame cinco libras de dulce». «Me puedes ayudar, hermano». «Mi hermano, no te pongas bravo»... *Ni de joda hermano.* No te equivoques. «Ni de joda, hermano, me digas eso». *Ser el hermano Trapito.* Ser un mendigo como el de los muñequitos. (Tiras cómicas cubanas.) «Vístete, que te pareces al hermano Trapito».

HERNIADO. *Estar algo herniado.* Tener un defecto. «Esos zapatos están herniados en el tacón».

HÉROE. *Creerse el héroe de Cascajo.* Ser muy valiente. «Ése aunque tú no lo creas se cree el héroe del Cascajo». (El cubanismo está tomado de la historia de Cuba.) *Ser el héroe de Cascajo.* Ser muy valiente. «Es el héroe del Cascajo, no lo dudes».

HERRADURA. *No dar una con la herradura.* Fracasar siempre. «Ése no da una en la herradura». (Se refiere a la herradura que se tira a un clavo.)

HERVIDURA. Ver: *Palo.*

HIEL. *Estar hecho un hiel de vaca.* Estar trágico. «Juan está hecho un hiel de vaca». (El cubanismo surge de un programa radial de novelas: «*El folletín hiel de vaca*».) Ver: *Folletín.*

HIELO. *Apuntar en el hielo.* Condonar una deuda; no cobrarla. «Eso que me compraste te lo apunto en el hielo». (Se usa mucho en el imperativo: «Apúntamelo en el hielo».) *Botarle a alguien un hielo.* Tratarlo fríamente. «Cuando me vio, me botó un hielo». *Dar o meterle un hielo a alguien.* Tratar fríamente. «En la fiesta me metió (o tiró) un hielo». Sinónimos: *Dar hielo. Tirar a alguien hielo frapé.*

HIERBAS. Ver: *Mono.*

HIERRO. (El) El automóvil. «¿Qué te parece el hierro que compré?» También una pistola o revólver. «Sacó el hierro y se lo descargó encima». «Siempre lleva arriba tremendo hierro». O el traje. «Ese hierro está elegantísimo». (Es lenguaje del chuchero. Ver: *chuchero.)* En plural son las cuatro ruedas del automóvil. «Son grandes los cuatro hierros del automóvil». *Con todos los hierros.* Con todos los aditamentos. «Dame el arroz con todos los hierros». (Por ejemplo: mariscos, pollo, etc.) «Compré un carro con todos los hierros». (Aire acondicionado, gomas del último tipo, etc.) *Dar hierro.* Fornicar. «Anoche di hierro hasta la madrugada». «Me voy a dar hierro». Sinónimos: *Arruinar la escuadra; Dar serrucho; Serruchar; Templar. Echar a alguien hierro.* Hacer disparos a alguien. «Al pobre hombre le echaron hierro». Sinónimos: *Dar perfumador. Echar fumina. El que a hierros mata no puede morir a sombrerazos.* (Equivale a: *Al que a hierro mata a hierro muere.*) *Mantener el hierro inhiesto.* Mantener el pene erecto. «Durante todo el tiempo mantuve el hierro inhiesto». (Cubanismo de gente culta.) Sinónimo: *Mantener la bandera en alto. Poner algo, mohoso el hierro.* Afectar algo la virilidad sexual. «Las píldoras contra la presión ponen mohoso el hierro». *Poner el hierro.* Fornicar. *Querer hierro una mujer.* Querer que la forniquen. «Juana quiere hierro». *Tirarle (o caerle) a alguien con los hierros.* Atacarlo fuertemente. «En el editorial, te tiran con todos los hierros». *Un hierro que va gritando.* Se dice de una mujer bella, de un automóvil bonito. «¡Qué mujer! ¡Es un hierro que va gritando!»

HÍGADO. *Caerle alguien como un hígado.* No caer simpático. «Lo conocí y me cayó como un hígado». *Darle a alguien en la punta del hígado.* Derrotarlo. «En todo le he dado en la punta del hígado». (Cubanismo tomado del boxeo. La punta del hígado es muy vulnerable. De ahí el cubanismo.) Sinónimo: *Dar un golpe en el plexo solar. Impactarle el hígado a alguien.* Molestarlo. «Eso que me dices me impacta el hígado». *Tener el hígado a la vinagreta.* Estar de mal humor. «Con todas esas tengo el hígado a la vinagreta». Sinónimo: *Ser algo un Yab en la punta del hígado.* (El Yab, jab en inglés, pero que el cubano pronuncia como lo he escrito es un golpe corto y muy fuerte.)

HIGO. *Higo de puta.* Eufemismo que se usa para no decir: «Hijo de puta».

HIGUERA. *Estar alguien como la higuera.* Estar en una situación económica muy difícil; estar muy delgado; no tener relaciones sociales. (La conversación da el significado.) «Mi hijo está como la higuera». (Muy delgado.) (El cubanismo viene de una canción que decía «ya la higuera se secó»...

HIJA. *Ser hija de Mamá Inés.* Pasarse el día fumando y tomando café. «Chica, tú eres hija de Mamá Inés». (Se basa en la canción cubana «*Mamá Inés*» de Eliseo Grenet. El cubano dice: «Mamainé».)

HIJO. *Caerle a alguien un hijo macho.* Caerle grandes problemas. «Con mi hermano me cayó un hijo macho». *Declararse hijo único.* No tener amigos. «Hace mucho rato que se declaró hijo único». *Es hijo del maltrato.* Se dice en Cuba al que favorece al que lo trata mal. «La mujer lo trata a patadas y él la adora. Es hijo del maltrato». Homosexual. «Anda Elio con el marido. Elio es hijo del maltrato». *Estar la cosa de cuando la mona no carga al hijo.* Estar muy difícil la situación. «¿Oyes los tiros? La cosa está de cuando la mona no carga al hijo». *Hacer a alguien un hijo macho.* Causarle un perjuicio. «Con su llegada me hace un hijo macho». *Hijo de burra o de yegua.* Eufemismo para no decir: «Hijo de puta». Sinónimos: *Hijo de la gran guayaba. Hijo de la gran logia. Hijo de puta horizontal y vertical. Hijo de puta al cuadrado. Hijo de gato no caza ratones.* Cada uno es producto de una crianza. Uno hace lo que ve. «¡Cómo no iba a salir ladrón! Hijo de gato no caza ratón». *¡Ser hijo de Papá Montero!* Se dice del que es muy sobresaliente en algo. «En química es hijo de Papá Montero». «Cuidado que estás hablando con uno que es hijo de Papá Montero». *¡Hijo de puta horizontal y vertical!* Persona sin ninguna virtud. «Ése es hijo de puta horizontal y vertical». Ver: «*Hijo de burra*» arriba. «*Hijo de Changó*». continuamente se oye: «Es hijo de Changó». «Es hijo de Oyá». El que habla se refiere a que alguien tiene esa relación con uno de los santos de la religión africana que aún subsiste en Cuba: Babalú Ayé; Changó; Oyá. En el caso de ser «hijo de Changó», se dice asimismo de alguien que es «pronto a la violencia o el mal humor», porque se afirma que los hijos de ese santo tienen esa cualidad. «No le provoques que puedes tener un problema grande. Es hijo de Changó». (O sea, se va a enfurecer y a actuar violentamente.) *Ser hijo de la picarazada de viruelas.* Ser un idiota. «Ése es hijo de la picarazada de viruelas». Sinónimo: *Hijo de majá nace pintado. Hijo de viejo.* Conservador. «Ése es hijo de viejo. ¡Qué retrógrado!» *Ser hijo del caballo del cuartel.* Ser alguien al que cuidan mucho. «Mi primo tiene mucha suerte. Es hijo del caballo del cuartel». *Un hijo de puta, vestido de paisano.* 1. Alguien que es muy mala persona y lo encubre muy bien. «Elio es un hijo de puta vestido de paisano». (Paisano. Los policías se vestían en Cuba algunas veces de paisano cuando estaban en sus horas laborales o de servicio. De aquí el cubanismo.) 2. Ser un canalla, que engaña. (*Vestido de paisano*, es *engañar*.) «Los dos son unos hijos de puta vestidos de paisano».

HIJOPUTÓMETRO. *Romper el hijoputrómetro.* Ser muy mala persona. «Tu primo rompió el hijoputrómetro». (Es un juego de palabras con barómetro. Cuando llueve mucho el cubano dice que «se rompió el barómetro». De ahí el cubanismo.)

HILAR. *El que no hila no borda.* El que no trabaja, nada consigue. «Te lo digo, el que no hila no borda». (Es cubanismo culto.)

HILARIO. Ver: *Don.*

HILARIÓN. *Estar vestido de Hilarión Cabrisas.* Estar vestido con ropas de hilo fino, telas entre las preferidas por los cubanos al vestir. «Qué bien te ves en ese Hilarión Cabrisas, mi amiga». *Ser alguien Hilarión Cabrisas.* 1. Quejarse de todo. «Tu señora, perdona que te lo diga, es Hilarión Cabrisas». (Se dice del que se queja continuamente. Hilarión Cabrisas, poeta cubano, es el autor de «*La lágrima Infinita*». De aquí este cubanismo culto.) También no llorar si alguien muere, etc. «Te puedes ir con otra. Yo no soy Hilarión Cabrisas».

HILO. *Al hilo.* Seguido. «El equipo ganó quince juegos al hilo». Sinónimo: *A la jila.* «Gané quince juegos a la jila». *Arrancar el hilo de la conversación.* Meterse alguien en la conversación de forma brusca y tomar la palabra. «Es un pesado. Ayer nos arrancó el hilo de la conversación en la tertulia». *Da lo mismo jabón que hilo fino.* Todo es igual. «Yo con lo que venga no me preocupo. Para mí da lo mismo jabón que hilo fino». *Perder el hilo y el carrete.* Perderlo todo. «Él perdió el hilo y el carrete». *Ser un hilo.* Ser muy delgado. «Juan es un hilo». Sinónimo: *Ser una pita.*

HIMNO. *El Himno de los cubanos en el exilio.* «Esa canción es el himno de los cubanos en el exilio». (Se refiere a la «Guantanamera». «La Guantanamera» era un programa en décimas que comentaba «el suceso del día», o sea, la noticia que era tragedia. Como la vida en el exilio de los cubanos es una tragedia, surgió este cubanismo en el exilio. El programa era de Joseíto Fernández y la Calandria.)

HIPO. *Dar algo hipo.* 1. Ser muy bueno. «Ese automóvil da hipo». 2. Ser una mujer muy bella. «Esa mujer da hipo, Pedro».

HIPÓDROMO. Ver: *Caballo.*

HISTORIA. *Así se escribe la historia, de noche y con velas.* Así son las cosas. «Ahora es genio, porque así se escribe la historia, de noche y con velas». *Tener alguien una historia beisbolera.* Dar mucho golpe a la familia. «El señor de enfrente tiene una gran historia beisbolera». (El «beisbolero» viene de «base-ball», o sea, del inglés; en español es pelota-base o juego de pelota.)

HIT. *Estar en el hit pareid.* Tener un gran éxito. «Yo estoy actualmente en el hit pareid». (El cubano pronuncia «jit parei». El «hit parade» es voz inglesa que quiere decir «desfile». Es una selección con todas las canciones norteamericanas de moda. De ahí el cubanismo.) *Haber un hit pareid.* 1. Formarse un lío. «Ahí va a haber un hit pareid». «En Irán va a haber un hit pareid». *Ponerle a alguien un hit pareid del cuarenta.* Sacarle cosas de atrás. «Como se postule le voy a sacar un hit pareid del cuarenta».

HOCICO. *Asomar el hocico.* Aparecerse en un lugar. «No asomes el hocico en esa fiesta». *Darle al perro en el hocico.* Hacer las cosas muy bien. «El, en todo, le da al perro en el hocico». —Darle bien a la pelota en el juego de pelota o base-ball.— «La tercera base le da al perro en el hocico». Sinónimo: *Darle a la bola en la costura. Meter el hocico.* Fisgonear. «Ya te he dicho que no quería que metas el hocico en nada».

HOCIQUEARSE. Enfadarse. «Cuando se lo dije, se hociqueó». (Es cubanismo del campesinado cubano, aunque el cubanismo también se oye en la ciudad.)

HOGASA. Ver: *Padre.*

HOJA. *Hoja de cal.* Papel «¡Qué caras se han puesto las hojas de cal!» *Hoja de lechuga.* Moneda de a peso. «Me alcanza con cinco hojas de lechuga».(Ver además, para *hoja*, *tamal* y *filo.*) *La hoja de lata.* En cuello de la camisa. «¡Cómo brilla la hoja de lata!» (Es lenguaje del chuchero. Ver: *chuchero.* El cuello de la camisa lo llamaba así el chuchero por llevarlo muy almidonado y planchado con piedra pomez.) *Meterle a la hoja de lata.* Tomar sopas de lata. «En el exilio, cómo le he metido a la hoja de lata». (Es cubanismo del exilio donde se toma mucha sopa de lata.) *Ser alguien como la hoja del caimito.* Ser de naturaleza hipócrita. «Juan es como la hoja del caimito». (La hoja del caimito tiene dos colores. De ahí el cubanismo.)

HOJALATERO. Ver: *Chicho.*

HOLA. *Conocer a alguien de hola, hola.* Conocerlo superficialmente. «Yo conozco a Pedro de hola, hola». Se dice también: *Conocerlo de hola, hola y p'al carajo.* («P'al» quiere decir «para el».)

HOMBRE. *Aquí hay un hombre gozando y ése soy yo.* 1. Se dice cuando algo le es indiferente a uno. «Allá ustedes con eso. Aquí hay un hombre gozando y ése soy yo». 2. Se dice cuando se logra un triunfo. «Lo logré; aquí hay un hombre gozando y ése soy yo». (El cubanismo es la letra de una canción.) *Donde hay hombre no hay fantasmas.* El hombre todo lo puede resolver». La situación era difícil pero yo dije: donde hay hombre no hay fantasmas». *El hombre con el bacalao a cuesta.* Se dice del que está casado con una mujer fea. (El cubanismo está tomado de una medicina: «La Emulsión de Scott», que tiene en la etiqueta a un hombre que lleva un bacalao en el hombro. «Bacalao», en cubano es «mujer fea».) *El hombre de la canastilla.* Baratillero, el vendedor de baratijas. «Mira lo que le compramos al hombre de la canastilla». *El hombre gilet.* El que ya tiene sombra de la barba. «Por ahí viene el hombre gilet. No bailo con él porque me lastima la cara». (El hombre «Gillette», era una propaganda de las navajas «Gillette», que el cubano pronuncia «gilet», en Cuba. Se decía que tenía «la sombra de las cinco», porque ya, a esta hora, se proyecta la barba.) *El hombre no es más que un majá. Donde ve un hueco se acuesta a dormir.* Todos los hombres se guían por el instinto sexual. «No hay hombre que no sea una bestia, Caridad. El hombre no es más que un majá; donde ve un hueco se acuesta a dormir». *Hacerse hombre.* Hacerse rico. «Juan se hizo hombre con las construcciones». *No hay suerte para el hombre honrado.* Expresión que se usa cuando se fracasa en algo. «Fracasé en el negocio. No hay suerte para el hombre honrado». *Ser el hombre diablo.* Ser muy inteligente. «No hay nada que no resuelva. Es el hombre diablo». Sinónimos: *Escapársele a Tamakún por debajo del turbante. Sacar chispa debajo de la humedad. Ser guao. Ser guao puro. Ser el monstruo de las siete pelucas. Ser la muerte en cueros cruzando el Niágara en bicicleta. Ser nitrón. Tener tiza en el cerebro. Ser un hombre de cajita de polvo.* Ser amanerado. «El profesor es un hombre de cajita de polvo». *Ser el hombre orquesta.* Hacer de todo. «Él es el hombre orquesta». (El «hombre orquesta» era un hombre de color cubano que tocaba varios instrumentos a la vez: se ponía en la cabeza una pandereta; en el costado un tambor...) *Ser un hombre que lo mismo sirve para un anuncio de Emulsión de Scott que de Píldora Ross.* Ser un hombre que sirve para cualquier cosa. «Sabe tanto, que lo mismo sirve para un anuncio de Emulsión de Scott que de Píldora Ross». (La «Emulsión de Scott», y la «Píldora Ross» son medicinas.) *Ser alguien un hombre vaina.* Que no vale nada. «Ése es un hombre vaina». (Es cubanismo de la provincia de Oriente, donde como en Venezuela, y en otras regiones del Caribe, se usa la palabra «vaina» para referirse al que hace de idiota o tonto, o el que no vale nada.)

HOMBRO. *Tener un aura parqueada en el hombro.* Tener mala suerte. «Desde que nací tengo un aura parqueada en el hombro». Sinónimos: *Tener un chino detrás y en* *puntillas. Tener un chino parqueado en el hombro. Tener una tiñosa parqueada en el hombro.*

HOME. *Pisar el home.* Triunfar. «Por fin pude pisar el home». (El cubano pronuncia «jon». El cubanismo viene del juego de pelota. «Pisar el jon» es anotar carrera, o sea, un triunfo.)

HOMOSEXUAL. *No ser homosexual sino mariconazo.* Se le contesta al que dice, que alguien que uno sabe que lo es, no es homosexual. «Juan no es homosexual, yo creo. —Tú tienes razón: no es homosexual sino mariconazo».

HONGOLOSONGO. *El hongolosongo.* El trasero. «Mira qué hongolosongo tiene esa mujer». Ver: *Cajón.*

HORA. *A la hora del cuajo (o de los mameyes.)* 1. A la hora de la decisión. «A la hora de los mameyes, él actúa». 2. En el momento preciso. «A la hora del cuajo me dijo que no». *Dar la hora.* 1. Ser algo muy bueno. «Ese escrito da la hora». 2. Ser una mujer muy bella. «Esa mujer da la hora. ¡Qué bella es!» *Llamarse una mujer o algo reloj.* La mujer ser hermosa. El objeto ser muy bueno; de gran valor. «Esa mujer se llama reloj». (El cubanismo se basa en que «el reloj da la hora» y la mujer «da la hora» es decir, está hermosa y el objeto que «da la hora» vale mucho.) *Llevar dos horas de vuelo.* Hacer poco tiempo. «Esto hacerlo sólo lleva dos horas de vuelo». *Necesitar alguien muchas horas de vuelo.* Necesitar experiencia. «Para ser cerrajero se necesitan muchas horas de vuelo». *¿Qué hora le toma hermano?* ¿Qué hora es? ¿Qué hora le toma, hermano?» (Es lenguaje del chuchero. Ver: *chuchero.*) *Tener alguien muchas horas de vuelo.* Tener mucha experiencia. «Tu primo tiene muchas horas de vuelo, de ahí su éxito». *Tener más horas que Toscanini* Haber dirigido o mandado mucho. «Ese dictador tiene más horas que Toscanini». («Toscanini» es el famoso «director de orquesta» italiano. Es cubanismo culto. Algunos de los cubanismos anteriores vienen de la aviación, como se ve.) Ver: *Marido. Mil.*

HORCHATA. Ver: *Sangre.*

HORIZONTAL. *Ponerse horizontal.* Acostarse a dormir. «Estoy cansado, me voy a poner horizontal». Ver: *Hijo.*

HORMIGA. *Caminarle a alguien, hormigas por la cabeza.* Estar loco. «A tu hermano le caminan hormigas por la cabeza». Sinónimos: *Estar ponchado. Tener guayabitos en la cabeza. Tener guayabitos en el «penjaus».* («Penthouse» en inglés que el cubano pronuncia «penjaus».) *Comer como hormiga y cagar como elefante.* Comer poco y defecar mucho. «Mira Pedro, tú comes como hormiga y cagas como elefante». *Matando la hormiguita.* Paso bailable que consiste en pararse en el medio de la pieza y dar con el pie derecho en el suelo como si se matara a una hormiga. «Es muy cómico cuando mata la hormiguita». *Ser alguien hormiga tambocha de las que se comieron a Pedro Capetillo.* Ser muy osado; ser una mala persona. (La conversación da el significado. El cubanismo viene de un programa radial: «*Los Tres Villalobos*».) Ver: *Culo. Paraíso.*

HORMIGUERO. *Engendrar un hormiguero.* Formar una discusión. «Allí se engendró un hormiguero».

HORNO. *El horno no está para galletas.* 1. La situación no es favorable. «En estos momentos en mi casa el horno no está para galletas». 2. Se aplica al que está malhumorado. «No te le acerques que el horno no está para galletas». Corresponde al castizo: *La Magdalena no está para tafetanes.* Ver: *Filosofía.*

HORRIPILANCIA. Cosa fea y ridícula. «¡Qué horripilancia ese cuadro!» *Vivir en la horripilancia.* Lo he oído en dos sentidos: 1. Vivir bajo el terror. «En ese país se vive en la horripilancia». 2. Vivir pobremente. «No tengo un centavo. Vivo en la horripilancia».

HORRIPILANDOSA. Feísima. «Esa mujer es horripilandosa». Sinónimo: *Horripilantosa.* («Horripilandoso» es lenguaje de la Cuba de hoy. «Horripilantoso» es un cubanismo de siempre.)

HORROROSO. *Lo tuyo es horroroso.* Latiguillo lingüístico que usa el cubano continuamente en casos como este: «—Me separé de mi mujer. —Lo tuyo es horroroso». «—No trabajo más aquí. —Lo tuyo es horroroso». (Indica que la persona de quien se dice: «Lo tuyo es horroroso» no cree en nada ni en nadie.)

HOSPITAL. *El hospital de los cucú.* El hospital de los locos. «Lo metieron en el hospital de los cucú». (Es cubanismo del exilio basado en el título de una película norteamericana.)

HOYITO. Hueco que tienen algunos en la barbilla. «Ése es el primer hombre que veo con hoyito».

HOYO. *Hacerle a alguien un hoyo.* Ver: *Herida.* (*Hacerle a alguien una herida.*) *Si no tiene hoyos* (lo he oído también *hoyitos*) *no es salvavidas.* Eso no es verdad. «Mira, no te creo lo que me dices. Si no tiene hoyos, (u hoyitos) no es salvavidas». También no ser algo genuino. «Esa carta, mira, no es de ese señor, a mi entender, si no tiene hoyos no es salvavidas. Falta algo en ella».

HUACA. Escondrijo en el que se esconde el dinero. «Tenía el dinero en una huaca tremenda». *Tener una huaca que no la brinca un chivo.* Tener mucho dinero. «Ése tiene una huaca que no la brinca un chivo». Sinónimo: *Tener una paca que no la brinca un chivo.*

HUECO. *Dar hueco.* Dar oportunidad. «Me dio un hueco en el equipo». *Dar el hueco.* Favorecer más de lo que se podía. «Con ese nombramiento, le dio el hueco». (O sea, equivale a *dar el culo*, favorecer grandemente.) También, ser homosexual un hombre o puta una mujer. «Dicen que ella da el hueco». *Ése es el hueco que mi culebra pide.* Ésa es la mujer que me gusta. «Esa que tú ves, es el hueco que mi culebra pide». *Estar hueco como dágame pa' colmena.* 1. Estar tuberculoso. «Fue al médico y está como dágame pa' colmena». 2. Ser hipócrita. «Ése está hueco como dágame pa' colmena». (El «dágame» es un árbol que se pone hueco y de él los campesinos cogen la madera para colmenas. «Pa'» es «para. Es cubanismo del campo avecinado a la ciudad.) *Hacer más huecos que una colmena.* Se dice del sepulturero del cementerio. «El pobre, hace más huecos que una colmena». *Tener un hueco en el tanque.* Estar alguien cansado por haber trabajado mucho. «No me puedes ajetrear porque tengo un hueco en el tanque». *Ver sólo el hueco de la cerradura.* Ver sólo lo superfluo. «A mí lo que no me gusta de él es que sólo ve el hueco de la cerradura». Ver: *Flauta. Majá. Tres.*

HUELE. Ver: *Culo. Huele.*

HUELELEA. *Ser un huelelea.* Acercarse mucho un hombre a la mujer para piropearla. Encimarse sobre ella para piropearla. «Pedro no seas huelelea». («Lea» es un andalucismo vigente en Cuba, significa «muchacha».)

HUELISIAR. Meterse alguien en lo que no le importa. «Se pasa la vida huelisiando». (El cubanismo se usa con preferencia en el campo.)

HUELLA. *Huellas vegetales.* Huellas dactilares. «Me tomaron las huellas vegetales». (Cubanismo que motiva el chiste y la gracia.)

HUEQUITO. *Lo que sale pa' fuera por los huequitos de los zapatos es candanga.* ¡Qué peste tiene en los pies! «No se los lava nunca. Que lo que sale pa' fuera de los huequitos de los zapatos es candanga». («Pa' fuera» es «para afuera». Es cubanismo es de la Cuba de hoy.)

HUERFANITA. Ver: *Anita. Mamá.*

HUESITO. *Huesito de Santo.* Mujer delgada. «Esa mujer es un huesito de Santo». Ver: *Pito.*

HUESO. *Chupar el hueso.* Estar en mala situación económica. «No mejoro. Sigo chupando el hueso». *De hueso blanco no se puede sacar bistek.* Se aplica a muchas situaciones y quiere decir: «Donde no hay base no se puede sacar nada». «Tenía que terminar mal. De hueso blanco no se puede sacar bistek». *De hueso negro y duro.* Fuerte. «Yo soy anti-comunista de hueso negro y duro». *El huesito de la alegría.* La rabadilla. «¡Cómo me duele el huesito de la alegría!» *Hueso namá tenía mi novia.* Se le dice a alguien que tiene una novia muy fea, en sentido jocoso. «Ahí viene Carlitos. —Tengo novia. —Hueso namá tenía mi novia». (Es la letra de una canción. «Namá» es «nada más».) *Los huesos.* Los dados. «La policía los sorprendió jugando a los huesos». *Parecer alguien un huesito de santo.* 1. Dulce de forma muy delgada. 2. Estar muy delgado. «Después del tifus parece un huesito de santo». *Llegar al hueso.* Saberlo todo. «Es este asunto, yo llego al hueso». *Quedar alguien en hueso y pellejo.* Perder alguien todo lo que tenía; quedar muy delgado. (La conversación da el significado.) «Ya le quitaron la última casa. Quedó en hueso y pellejo». *Ser un hueso.* Ser astuto. «Ese campesino es un hueso». *Ser un hueso nuevo.* Ser un nuevo rival. «Tengo muy mala suerte. Ya tengo un hueso nuevo en mi camino». *Ser hueso de ternilla.* Ser mala gente. «Pedro, como tú sabes, es hueso de ternilla». *Tener a alguien como hueso de santo.* Tenerlo pegado. «Siempre te tengo como hueso de santo». (El «hueso de santo» es un dulce.) *Tener hueso.* Estar cansado. «Hoy tengo hueso». Así mismo, «estar aburrido». «Tengo hueso de ver esta película». También «tener hambre». «¡Qué hueso tengo al mediodía!» Sinónimos: *Tener novilla. Tener partido.*

HUEVA. *La hueva lisa.* Los testículos.

HUEVITO. *Ser algo huevito batido.* Ser una exageración. «Eso que me dices es huevito batido».

HUEVO. *Ese huevo quiere sal.* Cuando alguien que no lo acostumbra lo alaba a uno o se porta en forma que no es usual extremando la cortesía o los favores se dice: «Ese huevo quiere sal». *Estar alguien como los huevos.* Cambiar de situación en la vida. «Él siempre ha estado como los huevos». (Los «huevos» son los «testículos». Cuando hay deseo sexual, suben, se endurecen; y cuando se ha fornicado, bajan, se ponen flácidos.) *Freír huevos.* Ruido de inconformidad que se hace con los labios.

«Ya te dije que si sigues friendo huevos ibas a tener problemas conmigo». *Huevo culeco.* Huevo podrido. «Este es un huevo culeco». *Huevo e toro.* Se dice de la persona que tiene un testículo inmenso debido a una hernia. Se usa como sustantivo solamente. «Ahí viene Huevo e toro». (En vez de usar «de» el cubano aspira la «d» y resulta «e».) *Huevo frito no saca pollo.* 1. Agua pasada no mueve molino. «—Déjame excusarme por lo de Pedro». «—Juan, huevo frito no saca pollo». 2. El que no trabaja no triunfa. (Ese refrán es campesino.) «El que no trabaja no come. Trabaja que huevo frito no saca pollo». *Huevo huero.* Se dice del hombre que siendo buen tipo es sexualmente un desastre. «El marido le salió un huevo huero». *¡Manda huevos!* 1. Parece mentira. «Manda huevos lo que me has hecho». 2. ¡Qué cosa más grande! «¡Manda huevos! Aparece cuando nadie lo esperaba». *Meter el huevo en un tornillo.* Afrontar la situación. «Metió el huevo en el tornillo y ganó». *Mojársele a alguien los huevos.* Acobardarse. «Yo creía que era valiente, pero en la discusión de ayer se le mojaron los huevos». *No encontrar dónde poner el huevo.* No saber qué hacer. «Juan no sabe dónde poner el huevo. Es un indeciso». *No tener huevos sino un par de cocos.* 1. Ser muy osado. «Me pidió mil dólares. No tiene huevos sino un par de cocos». 2. Ser muy valiente. «Ese piloto no tiene huevos, sino un par de cocos». (Los «huevos» son los testículos.) *Romper una mujer un huevo de puta.* Estar muy bella de cuerpo y cara. «Esa mujer rompe un huevo de puta». Sinónimo: *De un peo rompe un corojo. Ser alguien como el huevo.* Estar un día «blando» y otro muy fuerte. «Tú eres como el huevo. Eso es falta de carácter». (El huevo puede ser un día «blando» o «duro». De aquí el cubanismo.) *Ser un huevo de lancha.* Se dice del que no trabaja. «Elio es un huevo de lancha». *Ser un huevo rollón balanceado.* Tiene muchas vitaminas. «Todo ese huevo es rollón balanceado». (El «rollón balanceado» era un alimento muy nutritivo para los pollos.) *Tener alguien que comerse los huevos duros.* Tener que fastidiarse. «Yo siempre tengo que comerme los huevos duros». *Tener los huevos al gratén.* Tener los testículos irritados. «Tengo que echarles talco, pues tengo los huevos al gratén». (Cubanismo del exilio.) *Tener los huevos pasados por agua.* 1. Hacer mucho calor. «Me voy a poner una ropa ligera que tengo los huevos pasados por agua». 2. Tener los testículos duros por falta de coito. «Hace meses que no estoy con una mujer y tengo los huevos pasados por agua.: Sinónimo: *Calentamiento. Yo con tus huevos y los del cura hago tortilla.* Yo no temo. «Te lo digo para que te lo aprendas, yo con tus huevos y con los del cura hago tortilla». (En Cuba, los niños decían cuando otro muchacho les preguntaban: «—¿Lo juras? —Sí, por los huevos del cura».) Ver: *Dolor. Mayeya.*

HUGO. Ver: *Dinero. Poeta.*

HUMEDAD. Ver: *Chispas.*

HUMO. *Echar humo.* 1. Estar muy enfadado».Hoy con la noticia echa humos». 2. Fumar. «Se pasa el día echando humo». *Picharle una de humo.* Hacerle a alguien una pregunta difícil. «En el examen me picharon una de humo». («Pichar» viene del verbo inglés «to pitch» que significa hacer, lanzar.) *Ser una bola de humo.* Ser muy inteligente; muy veloz. (La conversación da el significado de este cubanismo tomado del juego de pelota.) «¡Cómo no iba a quedar en primer lugar si es una bola de humo!» (muy inteligente.) «Juan gana la competencia, es una bola de humo». (es veloz.) *Subírsele los humos.* Envanecerse. «Desde que ganó el premio se le subieron los humos». *Tener alguien más humo que el cohete.* Creerse la gran cosa. «Ese tonto, tiene más humo que el cohete». Ver: *Bola.*

HUMOR. *No tener humor ni en los granos.* No tener ningún humor. «Él no tiene humor ni en los granos». *Perder alguien el humor pero quedarle la espinilla.* Poder hacer aún daño. «Yo te digo que es peligroso. Perdió el humor pero le queda la espinilla». *Ver: Espasmo.*

HÚNGARO. *Estar hecho un húngaro.* Andar sucio y mal vestido. «Tu primo siempre está hecho un húngaro». Este cubanismo se oye, sobre todo, en la provincia de Las Villas o Santa Clara. A los gitanos los llamaban «húngaros». Así que en vez de decir: «Estás hecho un gitano», dicen: «Estás hecho un húngaro».

HURACO. Culo. «¡Cómo me duele el huraco!» *No pagar nada por el huraco de alguien.* Se dice de alguien que es homosexual. «Yo no pago nada por el huraco de Elio». *Tener a España en llamas en el huraco.* Tener irritado el culo. «Tengo a España en llamas en el huraco. Voy a ponerme 'Solución X' que es muy refrescante». («España en llamas» es una bebida compuesta de sidra y coñac y que es muy explosiva. El cubanismo, como gracia, utiliza «España en llama».)

HUYUYO. Parecer que se huye, que no se da el frente. «Últimamente me parece un pato huyuyo».

¡SALPÍCAME DE CHICLE QUE QUIERO MORIR PEGADO!

IBANA. 1. Homosexual. «Juan es ibana». (Es voz africana llevada a Cuba por los esclavos.) 2. Mujer. «Ten cuidado con esa ibana!» (Lo he visto escrito: «*Ivana*».)

IBERIA. *Ser Iberia.* No tener que depender de nadie. «Yo no te necesito. Soy Iberia». (Es cubanismo del exilio. La línea aérea española **Iberia** tiene un lema: «*Iberia vuela con alas propias*». De ahí el cubanismo.)

ICÚ. La muerte. «¡Qué Dios te libre de Icú!» *Ser alguien icú.* Valer mucho. «Pedro en todo es icú». (El cubanismo viene de las religiones africanas que viven en Cuba.)

IDA. *Ida y vuelta. Emparedado de Ida y Vuelta.* Emparedado grande. «Cantinero, sírvame un emparedado de ida y vuelta». *Libro de ida y vuelta.* Libro grande. «*El Guzmán de Alfarache* es de ida y vuelta». Ver: *Galleta.*

IDEAL. *Tener el ideal político del ternero.* Chupar de los fondos del Estado, o sea, malversar. «Oscar tiene el ideal político del ternero». (El ternero «chupa la ubre» de aquí el cubanismo.)

IDENTIDAD. *Tener una identidad de inodoro.* No valer nada, o sea, «Ser una mierda». «¿Lo oíste hablar? Juan tiene una identidad de inodoro».

IFÉ. Ver: *Ilé.*

IGLESIA. *Esa iglesia repica y echa incienso.* Se dice de un gas sonado. «Fue allí. Esa iglesia repica y echa incienso».

IGNORABUNDIA. Ignorancia. «La ignoranbundia de esa gente es total». Se dice también: «innorabundia».

IGUALADA. *Ser algo la igualada trágica.* Ser la situación decisiva. «Estamos en la igualada trágica: o resolvemos o perdemos la guerra». (El término viene del «jai alai». Cuando empataban al final del juego los pelotaris y el partido se resolvía con tanto se le decía al empate, «la igualada trágica».)

IGUALITICOS. Igualitos. «Estos gemelos son igualiticos».

IGUALITO. *Quedarse igualito.* No inmutarse. «Se lo dije y se quedó igualito». (Lenguaje de la Cuba de hoy.)

IKORO. Ver: *Oyú.*

ILÉ. (El) La casa. «Me voy para el ilé». (Voz africana.) Sinónimo: *El Gao. Ilé Ifé.* La provincia de Matanzas por la cantidad de cubanos de color que hay en ella. (**Ilé Ifé** es la capital de in reino Yoruba del ayer.) «Yo viví en Ilé Ifé cinco años. En el pueblo de Limonar».

IMPASE. Salir del estado de inactividad en que se está. «Hay que hacer algo para salir de este impase». (Es una oración que se oye mucho en Cuba aunque no sea propiamente un cubanismo. Pero sí una forma que se ha hecho propia de pueblo cubano.)

IMPERATIVO. *El imperativo categórico de la tripa en falso.* El hambre. «Hoy tengo más que nunca el imperativo categórico de la tripa en falso». (Cubanismo culto.) *Hacerlo por el imperativo categórico de la tripa en falso.* Tener que comer. «Debería estar a dieta pero lo hace por el imperativo categórico de la tripa en falso». (Cubanismo culto.) *Seguir los imperativos de la tripa en pulso.* Tener que comer por tener mucha hambre. «Lo siento pero voy a seguir los imperativos de la tripa en pulso». *Tener el imperativo categórico de la tripa en falso.* Tener hambre. «Tengo el imperativo categórico de la tripa en falso». (Lenguaje de los universitarios.) Sinónimos: Tener Ambrosía. Tener una brisita.

IMPERFECTADA. *Hacer imperfectadas.* Hacer cosas mal hechas. «Te he dicho mil veces que no hagas imperfectadas». (Es cubanismo de la Cuba de hoy.)

IMPERMEABLE. *Ser alguien como el impermeable.* Ser un individuo odioso. «Juan es como el impermeable. No lo soporto». (Como el impermeable es repelente; así surge el cubanismo.)

IMPORTADOR. *Importador de carnes para el interior.* Homosexual. Ver: *Aceite.*

IMPORTANTUTE. *Ser algo muy importantute.* Ser muy importante. «Ir al médico es muy importantute». (Es cubanismo creado por el actor y escritor Rosendo Rosell, desde su columna en el *Diario de las Américas* de Miami, Florida.)

IMPOTENTE. Ver: *Canción.*

IMPRENTA. *Poner a alguien a trabajar como la Imprenta Nacional.* Ponerlo a mecanografiar mucho. (Surgió en Cuba cuando el gobierno marxista confiscó todas las publicaciones y creó, para dirigir lo escrito, la Imprenta Nacional.) Ver: *Cráneo.*

IMPROSULTA. (La) *La non puls ultra.* «Ese libro es la improsulta». (Las gentes de pueblo deforman las palabras. Este es uno de esos casos.)

IMPUESTO. *Remangar un impuesto.* Poner un impuesto. «A los refrigeradores le remangaron un impuesto». Ver: *Yanquiruli.*

IMPULSADO. *Estar impulsado.* Estar nervioso. «Hoy, después de lo de ayer, estoy impulsado». Sinónimo: *Estar atónico.* Antónimo: *Estar paciflora. Estar sedadita.*

IN. *Compromiso in.* Bueno. «Mi compromiso con Luisa es un compromiso «in». (Lenguaje de los cubanos nacidos en Estados Unidos o llegados de niños o de jóvenes.) Ver: *Pleis. Quality.*

INALES. Sobras de la comida. «Yo como filete, yo no como inales».

INÁN. Culo. (Voz de procedencia africana.) Ver: *Cajón. Inán Cotú.* Culo grande. «Esa tiene un Inán Cotú».

INCAPTURABLES. (Los) Nombre de los taxis en la Cuba de hoy. «No se ve por ahí, en ninguna parte, un incapturable».

INCIENSO. *Repica y echa incienso.* ¡Qué gas te has tirado! «Pedro, muchacho, repica y echa incienso». (Cubanismo culto.) Ver: *Iglesia.*

INCUMBENCIA. *No tener acento en la incumbencia.* No tener importancia. «Ni te preocupes. Eso no tiene acento en la incumbencia».

INDEPENDENCIA. *No bajarse de la independencia y seguir dando carga al machete.* Se dice del que está siempre hablando de patriotismo. «Ahí lo tienes con otra arenga patriótica. No se ha bajado de la independencia y le sigue dando carga al machete».

INDIA. *Ser la india del Caribe.* Ser una esclava. Es lo que las mujeres le dicen a los hombres. «Oye, Pedro, ¿qué tú te crees, que yo soy la india del Caribe?»

INDIANÁPOLIS. *Gente de Indianápolis.* Indios. «En las reservaciones quedan aún mucha gente de Indianápolis». (Indianápolis es una ciudad de Estados Unidos. El cubanismo, nacido en el exilio, es un juego de palabras entre el nombre de la ciudad y la voz indio.)

INDIFERENCIA. *El ferrocarril de sus desprecios resbala sobre los raíles de mi indiferencia.* (Frase que dicen los muchachos de una muchacha que no los quiere.)

INDIGESTIÓN. *Tener una indigestión de almanaque.* Tener muchos años. «Él lo que tiene es una indigestión de almanaque».

INDIO. (El) El sol. «El indio está duro hoy». «Mira que grande está el indio». Ver: *Cuco. Ojos. Estar como el indio.* 1. Estar en mortal peligro. «No muevas la tabla que se nos cae, Pedro, está como el indio». (El sinónimo de éste cubanismo es: *Estar al borde de la piragua.* Éste es el cubanismo que da lugar al que analizamos. En las piraguas viajan los indios. De aquí el cubanismo.) 2. Estar en las últimas. «Está como el indio, no llega a mañana». *Estar como los indios.* Estar en la luna de Valencia; en el más allá. «Mis alumnos siempre están como los indios». *Indio helado.* Cerveza de la marca Hatuey, bien fría. «Dame un indio helado». (La etiqueta de la cerveza tenía un indio, de ahí el cubanismo.) Sinónimo: *Indio sudado. Los indios.* Los trabajadores de la Cuba de hoy. «Los indios en Cuba trabajan de sol a sol». *Poner a alguien de indio caribe.* Mandarlo para el diablo. «Por su insolencia, lo puse de indio caribe». *Ponerse el indio bravo.* Se dice cuando el sol se pone muy fuerte. «Voy a cubrirme la cabeza porque el indio se está poniendo bravo. A esta hora siempre el indio aquí se pone bravo». *Quedarse como el indio.* Quedarse sin dinero; es decir, sin nada, en taparrabos. «La estoy pasando muy mal. Me quedé como el indio». *Soltarse el indio.* Hacer mucho calor. «Esta semana, socio, se soltó el indio». (Es lenguaje del chuchero. Ver: *chuchero.*) *Tener alguien la intríngulis del indio.* Ser complicado. «Ese tiene la intríngulis del indio». (Cubanismo que se oye solamente entre gente culta.) Sinónimo: *Ser una persona complicadita. Un indio en dos canoas.* Una cerveza en dos vasos. «Cantinero, por favor, dame un indio en dos canoas». Ver: *Indio de Baracoa.*

INDISCRETO. *Ser un indiscreto comiendo.* Se dice del que come mucho. «Ese hombre es más que un glotón. Es un indiscreto comiendo».

INDIVIDUO. *Ser alguien un individuo chinche.* Se dice del que hace trabajar, a los demás, hasta el agotamiento; que les saca el alma trabajando. «Yo no trabajo con él. Es un individuo chinche». 2. Se dice del que se pasa la vida cogiéndole dinero a éste y al otro, dinero que no devuelve, para vivir sin trabajar. Lo que en castizo es un «picador». Es decir que vive de la picada. «Es un picador. Es un individuo chinche. Siempre pidiendo dinero. ¡Vago!»

INDULTAR. Salir airoso de una situación difícil; salir del atolladero. «Estaba a punto de perderlo todo en el trabajo pero me indulté».

INDUMBA. Amiga. «Por ahí viene mi indumba». (Indumba es término africano, llevado por los esclavos a Cuba y usado por el chuchero. Ver: *chuchero.*) También Jefa. «Por ahí viene mi indumba». (Se dice asimismo de la señora de la casa.)

INDUSTRIA. *Ser alguien de la industria de la harina.* Ser obeso. «El señor Salvat siempre ha sido de la industria de la harina». (La harina engorda. De aquí el cubanismo.)

INDUSTRIAL. Ver: *Técnica.*

INÉS. Ver: *Mamá.*

INFAMIL. *Chupar el Infamil.* Estar cogiendo del presupuesto nacional ilícitamente. «Esa gente está chupando el Infamil». («El Infamil» es un patente cubano para engordar a los niños. Un reconstituyente. Es cubanismo del exilio.)

INFANCIA. Ver: *Jardín.*

INFANTICIDA. Se dice del hombre mayor que está casado o enamorado de una mujer muy joven. «No mires a esa niña, Pedro. No seas infanticida».

INFANTICIDIO. Acción de casarse un hombre mayor con una mujer menor de dieciocho años. «Juan se casó ayer. Cometió un infanticidio».

INFANTILISMO. *Infantilismo veterinario.* Amor desmedido por los animales. «Ese americano tiene infantilismo veterinario».

INFINITA. *Poner a funcionar a la infinita.* Llorar. «Cuando me vio y se lo dije, puso a funcionar la infinita». (Es cubanismo culto y se basa en un poema: *«La lágrima infinita»,* del poeta cubano Hilarión Cabrisas.)

INFINITO. *Que se quede el infinito sin estrellas.* «No me importa que después de esto se acabe el mundo. A pesar de él, yo no voy a gritar: «que se quede el infinito sin estrellas». (El cubanismo es la letra de una canción.)

INFLACIÓN. *No hay inflación, hay tremendo globo.* «Eso de que no hay inflación es un cuento, hay tremendo globo». (Es forma de hablar del cubano que muestra su genio lingüístico. Este cubanismo es nacido en el exilio.)

INFUMABLE. Algo que no hay quien lo acepte; que se rechaza. Es cubanismo que se usa en muchas situaciones. «Esa mujer está infumable». (Es muy fea.) «Ese libro está infumable. No pasé de la página dos». (No hay quien lo lea.) «Esa ropa está infumable». (No hay quien se la ponga.) *Estar una mujer infumable.* Estar muy fea. «Ella está infumable».

INGENIERO. *Ser ingeniero.* Se dice del que tiene torres de libros, de papeles. «¡Mira qué espectáculo! ¡Tu hermano es ingeniero!» (Es cubanismo culto.)

INGENIO. *Moler más que un ingenio.* Comer muy aprisa. «Juan muele más que un ingenio». *Tener alguien más ingenio que el «Jaronú».* Ser muy inteligente. «Ella tiene más ingenio que el Jaronú». («El Jaronú» era uno de los ingenios azucareros más imponentes de Cuba: totalmente electrificado. El cubanismo se basa en la unión de ingenio-talento con ingenio-fábrica de hacer azúcar; en este caso de tamaño inmenso como el «Jaronú».)

INGLÉS. *Cortarse con vidrio inglés.* Poner el pie sobre la mierda. «Juan se cortó con vidrio inglés». *Hablar inglés de caballito.* Hablar mal inglés. «Tú hablas inglés de caballito». *Hablar inglés de Jorrín.* Hablar un poco de inglés. «Yo hablo inglés de Jorrín». (Los libros de textos de inglés en Cuba eran de Sorzano Jorrín. De ahí el cubanismo.) *Inglés de factoría.* Inglés malo. («Factoría» es «fábrica». Este es un cubanismo del exilio.) «Habla inglés de factoría». Sinónimo de éste: *Hablar inglés de one, two, three, cojan puesto.* (El cubano pronuncia uan, tu, tri.) *Hablar inglés de Pogolotti College.* (El cubano pronuncia «cóleye».) *Hablar inglés de la Juestern Iunión.* (Es la compañía de cables, que el cubano pronuncia «juester iunión».) Ver también: *Lord.*

INGRIMA. *Ingrima y sola.* En grima y sola. Triste y sola. «Ella está ingrima y sola». (Es una jerigonza popular.)

INODORO. *Ése, de inodoro de café no tiene precio.* Se dice del que almacena muchos periódicos. «Ese profesor, de inodoro de café, no tiene precio». Ver: *Identidad y Tapa.*

INQUICO. 1. Mujer joven. «Siempre se enamora de inquicos». 2. Prostituta. « ¡Cómo me gustan esas inquicos». «Ese inquico cobra dos pesos». (La conversación da el significado. Es voz africana adoptada por el chuchero. Ver: *chuchero.* También lo he visto escrito de esta forma: *Inquicos.*) Sinónimos: *Flete Fletera.*

INSIDE. *Estar en el insaid.* Estar en el quid de una cosa, saber lo que está pasando. «Yo estoy en el insaid, él lo quiere matar». («Insaid» es como el cubano pronuncia la palabra inglesa «inside», que quiere decir «adentro». No es cubanismo del exilio, sino que tiene larga tradición en Cuba.)

INSOMNE. Ver: *Pupila.*

INSPECCIÓN. *No pasar, alguien, inspección.* Ser muy feo. «Pedro no pasa inspección».

INSTANTÁNEO. Ver: *Sello.*

INSTRUMENTO. *Volar por instrumento.* 1. Estar ido por completo. «El pobre está volando por instrumento». 2. Tener la cabeza vana. «Hoy vuelo por instrumento. ¡Qué mala tengo la cabeza!» 3. Tener mucho sueño. «Estoy volando por instrumentos. Me caigo». Ver: Berrinche y Orquesta.

INSURRECTO. *Insurrecto majasero.* Patriotero. «Ese es un insurgente majasero». (La voz se le aplicaba en la guerra de independencia de Cuba, al soldado de Cuba que no peleaba.) *(«Tirar majá»* es un cubanismo que quiere decir que no se trabaja. *«Majasero»* es el que no trabaja. Se usa, como se ve, en el sentido de insurrecto que se la da de patriota —un patriotero— y no lo es, aunque se hace que vive para la patria.)

INTEGRAL. Ver: *Negro.*

INTELECTUAL. Cierto tipo de espejuelos que usan los que se creen intelectuales. «Me compré un par de intelectuales en la óptica». (Estos espejuelos [o lentes] son de armadura gruesa y de buena marca.) Ver: *Emos.*

INTELIGENTÚO. Inteligente. «Juan es un inteligentúo».

INTENSIV. *Ser algo de intensiv kear.* Ser algo grave. «Ese problema es de Intensiv Kear». («Intensive Care», es en inglés «Cuidado Intensivo». Es la unidad médica donde van las personas que están gravísimas. Es un cubanismo del exilio.)

INTERÉS. *Cogerle interés a alguien.* Cogerle roña. «Le estoy cogiendo interés a Pedro».

INTERIOR. *Del interior.* Se llama en Cuba así a lo que no es La Habana. «Juan es del interior». Ver: *Guajiro e Importador.*

INTERNACIONAL. *Pertenecer a la internacional de las pingas.* Ser homosexual. «Ambos pertenecen a la Internacional de las pingas». («Pinga» es «pene» en castizo. El cubano lo cree cubanismo.) Ver: *Mujer.*

INTÉRNAL. *Pedir más que el «intérnal réveniu».* Pedir mucho. «Tú pides más que el «intérnal réveniu», mi hijo. No tengo dinero hoy para caramelos». (El «Intérnal Revenue», que el cubano pronuncia como lo escribo, y que es la máxima oficina de impuestos americana, siempre está tratando de extraer el máximo de dinero de los contribuyentes norteamericanos. De ahí este cubanismo del exilio.)

INTERNALGAL. Ver: *refrescar.*

INTERPELAR. Ver a alguien o encontrarse con alguien. «¿Dónde te interpelo mañana?» *¿Quién me interpela?* ¿Quién me llama? « »—Pedro, el teléfono. —Oigo, ¿quién me interpela? ¿Juanita?»

INTERRUPTO. El que ha perdido su trabajo; el desempleado. «Tenemos dos millones de interruptos en el país». (Lenguaje de la Cuba de hoy.)

INTERVENTOR. *Dejar al interventor en Cuba.* No admitir uno que nadie lo domine. «Oye, cuando me hables, no te olvides que al interventor lo dejé en Cuba». *Haber salido de Cuba por no haber tenido interventor.* Se dice cuando alguien quiere darle a uno una orden. «Mi mujer no quería que fuera al banquete, pero yo le dije que yo había salido de Cuba para no tener interventor». (El cubanismo se basa en que en Cuba, con el gobierno actual, antes de confiscar los bienes o las empresas, los intervenían, poniéndoles un interventor que se hacía cargo de ellos y coartaba la libertad del dueño. Es cubanismo nacido en el exilio.)

INTESTINO. *Pujar hasta casi hacerse arrancar el intestino.* Se dice del que puja gracias, cultura, etc. «Cuando llega a nuestra tertulia, puja hasta casi hacerse arrancar los intestinos».

INTRANSITABLE. *Estar casi intransitable.* Estar antipatiquísimo. «Hoy, no sé lo que le pasa. Está intransitable».

INTRIGA. *Vive la intriga y no indagues.* No hagas preguntas. «Ya te dije que te callaras. Vive la intriga y no la indagues».

INTRIGADO. *Dejar a alguien intrigado como en las soap-operas.* Dejar a alguien intrigado por varios días. «No se lo dije. Lo dejé intrigado como en las soap-operas». (Lo he oído la mayoría de las veces así: *Dejar a alguien en 'suspens' como en las soap-operas.* La palabra del inglés es «suspense» —intriga demorada— y «soap-operas» son los episodios sentimentales unidos en serie que pasan por radio o televisión en Estados Unidos.)

INTRÍNGULIS. Ver: *Indio.*

INVENTARLA. *¡La inventaste!* Se dice del que demuestra gran ingenio en cualquier ocasión. «Lo que tenemos que hacer es darle un homenaje y así no se disgusta. ¡La inventé!»

INVENTO. *Ser algo de invento gallego.* No servir. «Eso que me dices es el invento gallego». (En Cuba había muchos chistes con los emigrantes de la Península porque muchos eran gentes buenísimas pero aldeanos. Se decía, sin mala intención, para bromear con ellos, que habían inventado los zapatos sin tacones, que son las alpargatas, y el porrón, al que para limpiarlo, hay que romperlo. De aquí el cubanismo.)

INVENTOR. *Escapársele alguien al inventor del movimiento continuo de las ruedas.* Ser muy astuto. «Juan se le escapó al inventor del movimiento continuo de las ruedas». Sinónimos: *Escapársele a Tamakún por debajo del turbante. Ser el inventor de la flor de un día. Ser el inventor de la sopa de ajo. Ser la muerte en cueros cruzando el Niágara en bicicleta. Ser nitrón. Ser tiza.*

INVERECUNDO. *El inverecundo deletéreo.* El que en todos los gobiernos está pegado al presupuesto. «Cómo se las arregla, no sé, pero es el inverecundo deletéreo». Sinónimo: *El insumergible.*

INVERO. (El) La cárcel. «Lo mandaron cinco años para el invero». Sinónimo: *Cielito lindo.*

INVITACIÓN. *Darle una invitación al vals muy fuerte.* Animarlo fuertemente para que haga algo. «Lo logró. El cuñado le dio una invitación al vals muy fuerte». Sinónimo: *Dar arranque. No me hagas invitación al vals que te lo bailo.* No juegues conmigo, que te va a salir mal el juego. «Te lo digo por última vez; no me hagas invitación al baile que te lo bailo». (Cubanismo culto.) *Tener invitación al vals.* Tener lío. «Conmigo, como te pases, vas a tener invitación al vals». (Cubanismo culto.)

INYECCIÓN. *Ponerle a alguien una inyección.* Mandarle dinero. «En estos días te mando una inyección».

IÑA. Tragedia. «Se formó una iña en la esquina». («Iña» es palabra africana.)

ÍÑIGUEZ. Ver: *Dalia.*

IR. *Ir a rendirla.* Dormir. «Estoy cansado. Voy a rendirla». *Irle a alguien piri piti flaútico.* Irle bien. «A mí siempre me ha ido piri piti flaútico». *Irse la comida por el camino viejo.* Atragantarse. «Se le fue la comida por el camino viejo. Por eso tose». (Algunos creen que es castizo.) *Irse a bolina.* Fracasar. «El negocio se fue a bolina». (Se dice también: *Irse a bolina el papalote.*) *Irse a bolina como la picúa.* Terminarse algo. «Nuestro amor se fue a bolina como la picúa». *Irse a pie.* Comer con las manos. «Déjate de protocolo y vámonos a pie». *No ir con alguien.* No estar de acuerdo con alguien. «Contigo no voy en ninguna opinión».

IRIAMPO. *Comida.* «¿Cómo está el iriampo?» «Dame el iriampo». (Es voz africana llevada a Cuba por los esclavos negros y que usa asimismo el chuchero. Ver: *chuchero.*) Sinónimos: *La chaúcha. La grasa. Los víveres. Estar en el iriampo.* No tener ni un centavo. «Toda mi vida he estado en el iriampo». *Meterle al iriampo.* Comer. «Vamos a meterle al iriampo».

IRIS. *Ser una mujer, Iris Chacón.* Tener un trasero grande. «Esa amiga tuya es Iris Chacón». (Es cubanismo del exilio. Iris Chacón es una cantante-bailarina puertorriqueña de trasero prominente.)

IRONBER. *Ser como el refresco Ironber.* Ser muy fuerte; de hierro. («El Ironber» era un refresco cubano. En inglés es: «Iron-beer».)

IRRIGAR. Pensar. «Tú no irrigas bien. Por eso cometes errores».

IRSE. *Irse y devolverse.* Ir y volver. «Ven a verme y devolverme enseguida».

IRÚN. Banco de la charada, un juego clandestino en Cuba. «No te preocupes. El irún manda el dinero».

ISABELITA. *Ser Isabelita.* Se dice de la mujer que anda siempre para arriba y para abajo. «Estáte quieta, que eres Isabelita». *Ser mujer como Isabelita.* Estar bien vestida, ser bonita y buscar un amor. «Tu hermana es como Isabelita». (Se basan ambos en una canción argentina en que Isabelita se paseaba por la calle Florida de Buenos Aires, muy bien vestida. Ella tenía un gran dolor, pues buscaba un amor.) Ver: *Ataque.*

ISLA. *Isla flotante.* Bizcocho en natilla suave. «Dame una Isla Flotante».

ISLEÑO. Habitante, natural o procedente de Islas Canarias. «Mi padre es isleño. Nació en Las Palmas». «Tengo entendido que él es un isleño». (En Canarias dicen que es canaria la palabra.)

ITALERO. (El) El que tira los caracoles, en las religiones africanas vigentes en Cuba, para predecir, por la forma en que caen, el futuro. «Yo tengo mala suerte. Tengo que ir a ver al italero».

ITALIAN. *«Italian boi».* Tipo de peinado que las mujeres usaron en Cuba. «Yo de jovencita usaba el «Italian boi». (La palabra inglesa es «boy». «Italian Boy», «Niño italiano» en inglés.)

ITALIANA. Ver: *Hígado.*

IZQUIERDA. *Curracar a alguien para la izquierda.* Gustarle el izquierdismo. «Ese político, curraca para la izquierda». Ver: *Acera y lado.*

IZQUIERDAZO. (El) El dinero que se da por la izquierda, en forma ilegal u oculta. «El recibía el izquierdazo».

JABA. 1. Cesta. «Me compré una jaba grande». 2. Marca que tiene el mulato en la rabadilla. «Esa jaba indica que es mulato».

JABADO. 1. Mulato. «Ese jabado tiene una fuerza descomunal». 2. Tiro de gallo. «Apuesto al jabado». *Ir por el jabado.* Ir por un camino seguro. «Yo en esto voy por el jabado».

JABÓN. *Dar jabón.* Alabar. «Deja de darle jabón». *Dar jabón que hace espuma.* Halagar muchísimo. «Juan le da a María un jabón que hace espuma». (Es otro caso en que la palabra «espuma», hace el aumentativo, como acostumbra el cubanismo.) *Eso no es jabón que se gaste.* Contestación que dan las mujeres cuando les dicen que el marido les es infiel. «Vi a tu marido con otra. Déjalo, que eso no es jabón que se gaste». *Hacer algo con jabón.* Hacer algo sigilosamente, con disimulo. «No me dí cuenta del robo porque lo hizo con jabón». *Lavarse la cara con jabón de cemento.* No reírse. «Ése se lavó la cara con jabón de cemento». *Ponerle a alguien a Panchita Jabón Candado en la mano.* Ponerlo a trabajar duramente. «Yo no tuve suerte. Desde que nací me pusieron a Panchita Jabón Candado en la mano». («Panchita Jabón Candado» era el lema del jabón cubano «Candado». Era personificada por una negra bajita, regordeta, con una pañuelo en la cabeza. Lavaba en una batea con el jabón Candado.) *Ser alguien como el jabón.* Ser muy suave. «Antonio es como el jabón». (Es un cubanismo que alude al jabón «Suave», un jabón fabricado en el exilio.) *Ser una Panchita jabón Candado.* Ver: *Candado. Hilo. Panchita. Pase.*

JABONEAR. Alabar con desmesura. «Se pasa la vida jaboneando al jefe».

JABONEO. Acción de jabonear. «Está en el jaboneo».

JABONERO. El que alaba sin ton ni medida en forma servil. «No me gusta porque es un jabonero». *En casa del jabonero el que no cae resbala.* El que tiene el perfecto conocimiento de algo no puede ser engañado. «Yo te dije que él te sorprendería. No te olvides que en casa del jabonero el que no cae resbala».

JABUCO. 1. Especie de canasta. 2. Saco. «Lo metió todo en el jabuco». *Dar jabuco.* Desairar una mujer al enamorado. «Juana le dio jabuco a Pedro».

JACA. *Pararle la jaca.* Interrumpir. «Estaba atacándome fuertemente pero le paré la jaca». *Tirarle la jaca arriba.* Atacar. «Me tiro la jaca arriba pero me supe defender». Sinónimo: *Tirarle los caballos encima.*

JACAMÁN. Persona de experiencia. «Siempre se porta como un jacamán viejo».

JACOMINO. El picadillo. «Dame jacomino». *Ser alguien de Jacomino.* 1. Ser de baja extracción social. «No me vengas con cuentos, que tú eres de Jacomino». («Jacomino» es un barrio pobre de La Habana.) 2. Ser un tonto. «Cómo no lo iba a engañar si era de Jacomino».

JAFASERA. Bronca. «Se formó en la esquina una jafasera». (Sinónimo. *Jafatera* otro cubanismo que indica lo mismo.)

JAFATERA. Ver *Jafasera.*

JAI. *Jai a lai.* Ver: *Frontón.*

JAIBA. 1. Boca. «Abrió la jaiba y lo detuvieron». 2. Cangrejo pequeño. «Hoy sólo cogí jaiba». *Abrir la jaiba.* Abrir la boca. «Eso te pasó por abrir la jaiba». *Comportarse como un jaiba.* Actuar como un cobarde. «En la pelea se comportó como un jaiba». *Ser un jaiba.* Ser un cobarde. «Eres un jaiba». *Son jaibas mayúsculas.* Son gentes de pelo en pecho. «Esos que ves allí, en la zona de tolerancia, son jaibas mayúsculas».

JAIBEARSE. Acobardarse. «Mi primo siempre se jaibea».

JAIBERÍA. Hipocresía. «Déjate de jaibería conmigo».

JAIBERO. Cobarde. «Eres un perfecto jaibero».

JAIBITO. *Es jaibito como el venado.* Es muy escurridizo. «Ese hombre es jaibito como el venado». Ver: *Candela. Jaiba.*

JAIME. *Don Jaime.* Ver: *Catuca.*

JALÁ. Cantidad. «Le dio a su hermano una jalá de palos». *Darle a alguien una jalá de palos.* Darle muchos palos seguidos. «Lo encontré robando en mi casa y le di una jalá de palos». (Es cubanismo de origen campesino.) *De una jalá.* De una viaje. «Lo hizo de una jalá». (He oído también: *En una jalá*».)

JALADERA. Borrachera. «¡Qué jaladera tiene!»

JALADITO. *Estar jaladito.* 1. Demacrado. «Está muy jaladito después del tifus». 2. Estar borracho. «Ayer estuvo todo el día jaladito».

JALADO. *Estar jalado.* Estar borracho. «Ayer se pasó el día jalado».

JALALEVA. Adulón. «Es un jalaleva, ¡qué asco!»

JALAO. *Jalao yerboso.* Borrachera de marihuana. «Te digo que eso es un jalao yerboso y no de alcohol».

JALAR. Jala pa'llá. Depende del tono. Si se dice de mal humor es: «Vete a freír espárragos». Con admiración es: «¡Qué cosa!» «Se murió. Jala pa'llá». («Pa'llá», es la contracción de «para allá».) *Jalar y empujar.* Ser fuerte. «Este coñac jala y empuja». (Lo he oído sólo aplicado a la bebida.)

JALARSE. Emborracharse. «Ayer se jaló en la fiesta».

JALETA. Borrachera. «Tú siempre con tus malditas jaletas».

JALISQUIAO. Se dice del estudiante que no aprende en la Cuba de hoy. «Juan está jalisquiao».

JALOGÜÍN. *Ser una mujer un Jalogüín.* Ser muy fea. «Esa mujer es un jalogüín». (El «Halloween», una fiesta infantil norteamericana, los muchachos se disfrazan con caretas espantosas de brujas. De aquí este cubanismo nacido en el exilio.)

JAMA. 1. Comida. «Esta jama es de primera». 2. Gasolina. «Este automóvil necesita jama». *A venderle al que llegó la jama.* Vamos a dejar de trabajar. «Muchachos, vamos a venderle, al que llegó la jama». (Lenguaje de los marielitos, o sea, los llegados al exilio por el puente marítimo Mariel-Cayo Hueso, en 1980. «Jama» es «comida».)

JAMACASO. 1. Bamboleo. «El jamacaso de este tren es terrible». 2. Golpe físico. «Me dio un jamacaso que me partió una rodilla». 3. Golpe espiritual. «Con este jamacaso de la muerte de mi padre estuve destrozado». 4. Líos. «Estos jamacasos constantes con tu hermano me matan».

JAMAQUEADO. *Estar alguien jamaqueado.* 1. Estar cansado. «Estoy muy jamaqueado. Por eso no tengo ganas de hacer nada». «Me voy a acostar, estoy jamaqueado». 2. Tener mucha experiencia. «Yo estoy muy jamaqueado, para que me vengas con esa mentira».

JAMAQUEAR. 1. Mover. «Me cogió por los hombros y me jamaqueó». 2. Hacer trabajar duro a alguien. «Me ha jamaqueado de mala manera». 3. Tratar mal. «Me jamaqueó de lo lindo en su oficina». Sinónimo: *Batuquear.*

JAMAQUEARSE. Bambolearse. «Cómo se jamaquea este tren».

JAMAQUEO. Acción de jamaquear.

JAMAR. 1. Comer. «Voy a jamar a las doce». 2. Conocer bien a alguien. «A Pedro lo jamo bien. Es un buen hombre». 2. Entender. «Le dices algo y lo jama enseguida». 3. Fornicar. «Se jamó a la lea». (Es lenguaje del chuchero. Ver: *chuchero.* «Lea» es «mujer».) *Estar jamando sicas butis.* Estar fornicando mujeres nuevas. «Tiene mucha suerte, está jamando sicas butis». (Habla del chuchero. Ver: *chuchero.*)

JAMARSE. Asistir. «Me jamé toda la función del cine hoy». *Jamarse el frío.* Aguantar el frío. «Me jamé el frío en Chicago». «Me jamé el orador toda la noche». («Jamar» es «aguantar».) Sinónimo: *chinarse el frío.*

JAMÁS. *En jamás de los majases.* Equivale a *Jamás de los jamases.*

JAMO. Especie de red en forma de manga que se usa para pescar y cazar mariposas. «Éste jamo está muy bueno». *Meter a alguien en el jamo.* Incluir a alguien en algo sin obtener consentimiento. «Aquí está el nombre de Juan, ¿quién lo metió en el jamo éste?» En sentido interrogativo se contrae al que se entremete en algo sin justificación. «Hizo declaraciones, ¿quién lo ha metido en el jamo este?» («Meter a alguien en el jamo» es asimismo, «controlarlo». «El marido es muy mujeriego pero lo metió en el jamo a pesar de todo».) *¡Qué clase de peje ha caído en el jamo!* Mira quién ha llegado. «Ahí entra Juan. ¡Qué peje cayó en el jamo!» «¡Qué clase de pescado ha caído en el jamo! Juanito, chico, ¿cómo estás? ¡Qué bueno que has llegado!»

JAMÓN. *Coger jamón.* 1. Estar recibiendo pingües ganancias. «Estoy cogiendo jamón hace rato en esa empresa». 2. Lograr un beneficio sin mucho trabajo. «Esa gestión fue un jamón. No tuve problemas». 3. Lograr una cosa fácilmente. «En este asunto cogiste jamón». 4. Rescabuchar. «Déjame coger jamón con esa mujer». *Dar jamón.* 1. Hacer actos de exhibicionismo sexual. 2. Tocar a una mujer con fines libidinosos. «Juan en el cine le daba jamón a Laura». 3. Toquetear a una mujer. *Dar jamón serrano.* Tocar mucho a una mujer con fines libidinosos. «Juan, en el cine, le daba jamón serrano a Laura». (Éste es uno de los casos en que la palabra como «serrano»

—el cubano se refiere al famoso jamón de la sierra— funciona como aumentativo.) *El jamón.* La Presidencia de la República de Cuba. *Entrarle al jamón.* Malversar. «Le entró al jamón en el Ministerio de Hacienda». *Estar en el jamón.* Tener un buen cargo público. «Desde que el amigo es ministro está en el jamón». *Estar ligado al jamón.* Estar disfrutando materialmente del gobierno. «Pedro toda su vida ha estado ligado al jamón». *No me des jamón que tú no eres lonchero.* Deja de tocarme. «Le dije al descarado lo siguiente: No me des jamón que tú no eres lonchero». («Dar jamón» es cubanismo que quiere decir «tocar a una mujer con fines libidinosos». Y «lonchero» se llama a la persona que corta el jamón y el queso, la pierna, etc. en un restaurante y prepara emparedados. El cubanismo como se ve está lleno de gracia. Se oía, principalmente, con variantes de poca monta al aquí puesto, en las guaguas —autobuses— cubanas.) *Pegarse al jamón.* Conseguir un cargo público. «Ya me pegué al jamón. Ayer llegó el nombramiento». *Ser algo jamón del diablo.* Ser muy bueno. «Esa película es jamón del diablo». *Ser algo o alguien jamón.* Ser una cosa muy fácil. «El examen es un jamón». «Esa pregunta es un jamón». *Tragarse un jamón.* No darse cuenta de que le mienten. «Me tragué el jamón de Juan». Ver: *Nananina. Repello.*

JAMONA. 1. Mujer de medio tiempo. «Está casado con una jamona». 2. Mujer entrada en años. «Se casó con una jamona». Sinónimo: *Veterana.*

JAMONEAR. 1. Acción de tocar a una mujer con fines lascivos. «La policía lo sorprendió jamoneando en el cine». 2. Acción de vender una mercancía robada. «La policía llegó cuando estaba jamoneando el ladrón». 3. Beneficiarse. «Yo voy a jamonear en esa venta». Tocar libidinosamente. «Juan le jamoneó el culo a Aurora».

JAMONERO. 1. El que compra mercancías robadas. «Toda esa mercancía que se robó para en manos del jamonero». 2. El que toca a las mujeres con fines lascivos. «No hay dudas de que ese jamonero está enfermo. Siempre que va al cine toca a una mujer distinta». «¿Viste cómo le tocó el trasero a esa mujer. Es un jamonero».

JAMONETA. Ver: *Años.*

JAMONÍA. *Coger una jamonía.* Coger una matraquilla. «Siempre coge una jamonía».

JAN. *Jan de palo.* Instrumento para abrir huecos. «En el campo usan siempre un jan de palo». (Se oye sólo en el campo cubano. Es siboneyismo, o sea, que se remonta a los primeros habitantes de Cuba: Los Indios Siboneyes.)

JANAZO. Golpe que se da con los puños o con el antebrazo. «Me dio un janazo en medio de la discusión». «Me dio un janazo fuerte». *De un janazo.* De una sola vez. «Lo hizo de un janazo».

JANEARSE. Aguantar callado. «Se janeó diez horas de su conversación ¡Qué aguante!» En el sentido de aguantar algo estoicamente. «Se janeó diez horas en ese avión».

JANES. Pesos. «Me dio los janes en cuanto se los pedí». (El cubanismo siempre se usa en plural.)

JANGA. *Hacer la janga.* Jugar una mala pasada. «Ayer me hizo una janga Benito». Sinónimos: *Hacer una basura. Hacer una mierda.*

JAPI. *Cortarle el japi.* Quitarle a alguien la idea. «Se propasó conmigo pero enseguida le corté el japi». *Tener un japi.* Tener un deseo extraordinario de algo. «Juana tiene un japi de cocinera». («Japi» es la pronunciación de «happy», «feliz», voz inglesa.)

JAQUE. Asunto «Llevo ya varios días en este jaque». *Dar jaque.* Hacer muchas cosas a la vez y por ello estar todo el día corriendo de un lado para otro. «¡Qué mal me siento! ¡Qué jaque me he dado hoy!» *Meterle a alguien un jaque.* Meterle un golpe. «Lo sorprendió descuidado y le metió un jaque». (El cubano acostumbra a cortar palabras. «Jaque» viene de «jaquimazo». He oído mucho *meterle un jaque.*)

JAQUETÓN. Llamativo. «Ése es un color jaquetón».

JÁQUIMA. *Comerse la jáquima.* Ser infiel a una mujer. «Ella, a los dos meses de casada, se comió la jáquima». *Quedarse con la jáquima en la mano.* Fracasar. «Se creía muy astuto pero se quedó con la jáquima en la mano».

JAQUIMAZO. Golpe. «Le dio un jaquimazo con la mano derecha». «Me dio un jaquimazo que sentí en el alma».

JARA. (La) La policía. «Por ahí viene la jara». Sinónimo: *Los azules.*

JARABE. *Dar jarabe de pico.* 1. Enamorar. «Le dio jarabe de pico a Lola y se casó con ella». 2. Hablarle muy bonito a alguien para tratar de convencerlo. «Le dio jarabe de pico a mi padre pero no lo pudo convencer».

JARANA. *Tirarse en jarana con.* Atreverse con. «Yo no sé cómo, conociendo mi carácter, te tiras en jaranas conmigo».

JARDÍN. *Mandar a alguien para el jardín de la infancia.* Ser un niño. «Tuve que separarme de mi marido y mandarlo para el jardín de la infancia». (Que es el Kindergarten.) Ver: *Chivo.*

JARDINERO. 1. Así se llama al «outfielder» del baseball. (Juego de pelota.) «¡Qué bien batea ese jardinero!» («Outfielder» es palabra inglesa.) 2. Posición que ocupan tres de los peloteros en el juego de pelota. «Él es el jardinero del equipo». 3. Término inventado para «fil» por el cronista cubano Víctor Muñoz. Ver: *Fil.*

JARRETE. *Ser jarrete.* Ser muy tacaño. «Oye, paga, que usted es jarrete». También ser muy duro: una persona de carácter. «A mí no me convence. Yo soy jarrete». (El «jarrete» es la parte más dura de la res: «Carnicero, no me vayas a dar jarrete».)

JARRETUDA. *Estar muy jarretuda una persona.* Estar muy vieja para algo. «Ya yo estoy muy jarretuda para hacer esas niñerías». (El «jarrete» es la parte más dura de la res. De ahí el cubanismo.)

JARRO. *Jarro de leche.* Persona que se enfada fácilmente. «No seas jarro de leche». (Como la leche cuando hierbe se bota, y «botarse, en cubano, es enojarse, de aquí surgió el cubanismo.) *Quedarse más callado que un jarro de lata.* Quedarse muy callado. «Juan, al oír la noticia, se quedó más callado que un jarro de lata». Ver: *Candela.*

JARTÓN. Persona que come mucho. «Es un jartón asqueroso». (Es corruptela de «hartón».)

JARUCO. Ver: *Blanquizal.*

JATA. Cobarde. «Juanito es un jata».

JAULA. *Estar en una jaula alguien de periquito.* Estar en una mala situación. «En estos meses estoy en una jaula de periquito». Ver: *Carro. Mono.*

JAVA. Truco. «Eso que me hicieron fue una gran java». *¡Qué java la java!* Se dice cuando mucha gente hablan al mismo tiempo. «Allí había un tremendo java la java». (Es cubanismo culto.) *Vaciar la java.* Volcar, fraudulentamente, en una elección, el registro electoral. «Los liberales volcaron la java». Ver: *Mulata.*

JEARPIS. Ver: *Mono.*

JEDIONDO. 1. De baja condición social. «Ése es un jediondo». 2. Que huele mal. «Es un jediondo».

JEJÉN. *Nadie sabe dónde el jején puso el huevo.* Nadie sabe dónde está eso. «¡Qué hombre! Allí nadie sabe dónde el jején puso el huevo». *Saber dónde el jején puso el huevo.* 1. Saberlo todo. «Yo sé hasta dónde el jején puso el huevo». 2. Ser muy inteligente. «Ése sabe hasta dónde el jején puso el huevo». (El «jején» es un mosquito pequeñísimo que molesta mucho en las playas.) Ver: *Mosquito.*

JELENGUE. Lío. «En casa de mi tío se formó un gran jelengue». *Cansarse alguien de tanto jelengue.* Cansarse de la lucha por la vida. «Juan se retiró con sus ahorros. Se cansó de tanto jelengue». En general, se aplica a muchas situaciones. Por ejemplo, «Juan se divorció porque su mujer formaba muchas discusiones y él no podía aguantar tanto jelengue». (No podía aguantar las discusiones.) «Lo hacían trabajar mucho y se fue del trabajo. No podía aguantar tanto jelengue». (No podía aguantar mucho trabajo.) Sinónimos: *Desbarate. Potaje.*

JERINGA. Fastidio. «¡Qué jeringa esta fiesta !» *Agua de jeringa.* Café aguado. «Perdona que te lo diga pero este café es agua de jeringa». *Ponerle jeringa a un muerto.* Hacer algo que no sirve para nada. «Eso que haces es como ponerle jeringa a un muerto».

JERINGAR. 1. Fastidiar. «¡No me jeringues más!» 2. Molestar. «Se pasa el día jeringando. No se dará cuenta».[43]

JERINGUETA. Fastidio. «¡Qué jeringueta ir ahora!» Sinónimo: *Jeringa.*

JERINGUILLA. *Ser una jeringuilla desechable.* Ser algo o alguien que no se quiere. «El marido es para ella una jeringuilla desechable». (Cubanismo del exilio.)

JESÚS. *No ser del barrio de Jesús María.* No ser de baja calidad social. «Yo, mi amigo, no soy del barrio de Jesús María». (El barrio de Jesús María, uno de los más típicos y coloniales de La Habana, era habitado por gente pobre y muchos pertenecientes a un cabildo negro llamado «ñáñigo», que dirimían sus querellas en cuchilladas y broncas callejeras. De aquí el cubanismo.) Ver: *Chou.*

JETA. *Tener la jeta como nalga de mono chiquito.* Tener la cara como pelusilla. «Tiene la jeta como nalga de mono chiquito». (Es lenguaje del chuchero. Ver: *Chuchero.* Para la «cara» el chuchero usaba la palabra castiza, «jeta».)

JÍBARO. El que vende la marihuana. «El jíbaro nos la trae». *Ver a un jíbaro que pone onda.* «Ver a un traficante de marihuana que le vende esta al vicioso. «Me voy a ver a un jíbaro, Pedro, a ver si me pone en onda». (Es lenguaje del chuchero. Ver: *Chuchero.)* Ver: *Montuno. Perro.*

JIBE. Colador. «No tengo jibe. No puedo hacer el dulce».

JIBIRIJABA. Lío. «Ayer, en casa de Manuel, se formó un jibirijaba».

JÍCARA. Vasija pequeña. «El café se sirve en jícaras».

JICOTEA. Tortuga. «Hoy tomé sopa de jicotea». *¿Con qué se sienta la jicotea?* ¿Qué poder tienes tú para eso? Se dice en casos como éste: «Voy a detenerlo. —¿Con qué se sienta la jicotea?» «Voy a hablarle y a convencerlo. —¿Con qué se sienta la

---

[43] Aunque hoy perdida en España, los madrileños la reivindican.

jicotea?» (También: *¿Con qué culo se sienta la cucaracha? o ¿Con qué culo se sienta la jicotea?) Decir como la jicotea.* Decir no. («La jicotea dijo: ¡Qué va, Mariana, no puedo!» De ahí el cubanismo.) «Siempre dices como la jicotea. Eres terrible». *Echarle meao de jicotea.* Enemistarse con alguien y no tratarlo más. «A ése le eché meao de jicotea». *Estar una mujer como la jicotea.* No tener cintura. «Esa mujer no me gusta porque es como la jicotea». *Hay que pegarle candela como a la jicotea.* Se aplica a muchas situaciones, pero indica que hay que actuar muy fuerte contra alguien para lograr resultados con él. «Para sacarlo del puesto hay que darle candela como a la jicotea». «Para que se calle hay que darle candela como a la jicotea». «Para que se doblegue hay que darle candela como a la jicotea». *Paso de jicotea.* Forma de huelga que consiste en trabajar lentamente. «Los obreros se declararon en paso de jicotea». *Quedar como la jicotea.* Derrotado. «En la contienda, quedó como la jicotea». (Cuando a la jicotea la viran no puede hacer nada. De ahí el cubanismo.) *Ser jicotea de garapacho duro.* Tener un alma dura. «Ese hombre es jicotea de garapacho duro». *Ser una mujer una jicotea con carapacho caliente.* Ser una mujer fea, pero ardiente. «Mi vecina es una jicotea con carapacho caliente». *Una jicotea con ruedas.* El automóvil alemán llamado «Beatle», en Estados Unidos, de la Wolkswagen. «A mí me va muy bien con esta jicotea con ruedas». Sinónimo: *Candela. Hay que darle candela como al Macao. Tacharlo con caca de gato.*

JIGUA. *Ser alguien una jigua.* Molestar mucho. «Ese hombre es una jigua».

JIGUANIZAR. Cortar a alguien el pene. «Los bandidos lo jiguanizaron». (El cubanismo nació en Jiguaní, Oriente, donde una mujer le cortó el pene al amante.)

JIGÜE. Duende. «El jigüe está en el río».

JIGÜERA. Taza pequeña de café. «Aquí se toma el café en jigüeras».

JILAZO. Batazo en que el corredor sólo corre una base en el juego de pelota. «El pelotazo dio un jilazo sobre tercera». (Verbo formado con la palabra norteamericana «hit» del juego de pelota. El «hit» es cuando el bateador llega a primera.) Se aplica a muchas situaciones para denotar éxito. «Al Juan sacar sobresaliente en el examen dio un jilazo». «Esa buena acción tuya es un jilazo».

JIMAGUA. 1. A los «gemelos» se les dice «jimaguas». Por ejemplo: «¡Qué jimaguas más bellos!» (Viene la palabra de dos santos idénticos de las religiones africanas.) 2. Mellizo. «Ése es el jimagua de Alfredito». 3. Ruedas traseras de un vehículo de transporte por carretera. Cuando son dobles. «Las jimaguas de ese camión están gastadas». «¡Mira las jimaguas del camión! ¡Qué grandes!» *Parió el jimagua.* Se dice cuando alguien repite algo. Por ejemplo, alguien grita y otra persona repite el grito, se dice: «Parió el jimagua». «¿Oíste? Parió el jimagua».

JIMÉNEZ. (Los) Los «G-men» en Estados Unidos, o sea, los agentes del F.B.I., (Detéctives del Federal Bureau of Investigation) la célebre agencia de investigación estadounidense. «Por ahí vienen los Jiménez. Los conozco bien». (Cubanismo del exilio. Es una derivación del cubanismo, de «G-men». El cubano dice «Jimen» y lo españolizó en «Jiménez».)

JINETE. *El jinete Materva y su ayudante Salutaris.* 1. Se dice esta frase cuando entran en una reunión dos amigos. «Mira ahí viene el jinete Materva y su ayudante Salutaris». 2. Se dice esta frase cuando se acercan dos personas de mala reputación». «¡Mira, cuidado! Por ahí viene el jinete Materva de que hablamos y su ayudante

Salutaris». (Ser «materva» en cubano es ser «malo». «Materva» es un refresco en Cuba y «Salutaris» una gaseosa. Por cierto, riquísimos.) *Ser alguien el jinete del bocadito.* Se dicen de los que sólo van a las fiestas o actos a comer y especialmente bocaditos. «Da pena verlos, son lo jinetes del bocadito». «Forman legión los jinetes del bocadito».

JIÑA. Odio. «¡Qué jiña Fe tiene desde pequeña!» (Es un cubanismo de origen africano.)

JIPÍO. 1. Ruido asmático en el pecho. «El cigarro le produce el jipío». 2. Silbido en el pecho producto del asma o bronquitis. «Esto te quitará el jipío». *Dar el último jipío.* Morirse. «Anoche dio el último jipío». Sinónimos: *Colgar los guantes. Coger el camino de marañón. Entregar el equipo. Ponerse el chaquetón de pino tea.*

JIQUÍ. 1. Bueno. «La fiesta está jiquí. 2. Duro. «Esta roca es jiquí». *Estar como el jiquí.* Estar muy fuerte. «Juan está como el jiquí. No se enferma nunca». *Salió a tomar ron Jiquí.* Se fue. (El cubanismo es el lema de un ron cubano.) *Tener corazón de jiquí.* Tener corazón duro. «Pedro tiene corazón de jiquí». (El «jiquí» es una madera cubana muy dura.)

JIRIBILLA. Muchacho inquieto, nervioso. «Qué jiribillas ese muchacho!» *Ser jiribilla.* Ser muy activo. «Yo siempre fui jiribilla». *Tener jiribilla.* 1. Se dice del que en el baile se mueve mucho». «Ese muchacho tiene jiribilla cuando baila». 2. Ser muy activo. «Ese muchacho tiene jiribilla. Por eso hace todo tan rápido».

JITI. Ver: *Zepelín.*

JODEDERA. *Vivir de la jodedera.* Vivir de pícaro. «Juan vive de la jodedera».

JODEDOR. *Jodedor vigueta.* Bromista en grande. «Me hizo tremenda broma. Es un jodedor vigueta». Se aplica a muchas situaciones. «Como anda de juerga con mujeres. Es un jodedor vigueta». «Como afronta las situaciones sin inmutarse, es un jodedor vigueta». (Tiene un gran dominio de sí mismo.) *Un jodedor criollo.* Se dice del cubano que vive alegremente sin preocuparse de nada. «Juan es un jodedor criollo». *Un jodedor cubano.* Un cubano que goza la vida y nada le importa. «Ése es un jodedor cubano».

JODEDORA. Mujer alegre y que le gusta gozar la vida. «No es buena esa mujer. Es una jodedora».

JODER. Molestar. «No me jodas tanto. Déjame tranquilo». (En español castizo, «joder» es «tener relaciones sexuales».) Ver: *Gallo. Mortificar.*

JODIENTINA. 1. Eufemismo para no usar la palabra «jodedera» que se considera de mal gusto. 2. Falta de respeto. «En el examen se formó la jodientina». 3. Lío «No me vengas con esa jodientina».

JODÓNICO. Jodedor. «Como ves, es jodónico».

JOJOTA. *Estar una fruta jojota.* Estar mala, pasada. «Ese mamey está jojoto».

JOLGRÓ. (El) El cuello de la camisa. «Echale almidón al jolgró». (Voz de procedencia chuchera. Ver: *chuchero.*)

JOLIGUD. *Pasarle a algo como a Joligud.* Desaparecer. «A esto le ha pasado como a Joligud». («Hollywood», que el cubano pronuncia como lo he escrito, ya es sólo una sombra del pasado. De aquí este cubanismo culto del exilio.)

JOLONGO. 1. Problema. «Ya te he dicho que ya tengo bastante jolongo con lo mío para cargar con lo tuyo. No me des problema». 2. Saco. «Esto no cabe en el jolongo». *Meter a alguien en el jolongo.* 1. Convencer. «Con lo que le dijo lo metí en el jolongo». 2. Derrotar. «Yo a Juan lo metí en el jolongo. No sale de diputado». 3. Se aplica a muchas situaciones. Por ejemplo: si se conquista a una mujer se dice: «A Juana por fin la metí en el jolongo. Me caso pronto». Sinónimo: *Meter en el jamo.*

JON. *No pisar alguien el «jon».* No acertar nunca. «En los negocios nunca pisas el «jon». (Es término tomado del juego de pelota o «base-ball». El que pisa el «home» es el que gana si se cumplen, además, otras formalidades del juego: No ser tocado con la bola por el contrario, etc.) *No pisar jon.* 1. Lo mismo que *No pisar base.* 2. No alcanzar ningún beneficio; 3. No lograr nada nunca; 4. No ganar un concurso; 4. No llegar a fornicar a una mujer; 5. No llegar a realizar algo; 6. no triunfar. (Se aplica a diferentes situaciones.) «Con Juana no pisó jon. Se casó con otro». «Ella tiene mala suerte, nunca pisa jon». («Jon» es «home», que es la base principal en el juego de pelota. El que pisa home en la pelota, anota una carrera, triunfa. De aquí el cubanismo.) Sinónimo: *No poner una.* «Juan es un fracasado. No pone una». Ver: *Pelotero.*

JONDILERÍN. *Empezar el jondilerín.* La falta de respeto, el lío. «Ya empezó el jondilerín en este gobierno». Sinónimo: *Formarse el titingó.* (En el caso que se trate de formarse un lío.)

JONRÓN. *Batear de jonrón.* 1. Hacer una cosa muy bien; 2. Tener un gran éxito. «En ese negocio bateaste de jonrón». *Batear o dar un jonrón.* Tener éxito. «El bateó o dio un jonrón». Si se aplica a una cosa indica que es buena. *Dar alguien un «jonrón» de laboratorio.* Realizar algo grande de cualquier tipo. «En es nueva casa que construyó dio un «jonrón» de laboratorio». («Jonrón» viene del juego de pelota o «base-ball», que en España llaman «pelota-base», donde batear la bola de forma tal que se recorran las tres bases, sin parar, es un «home-run», es lo mayor que puede hacer un bateador y que el cubano pronuncia como se ha escrito. El cubanismo viene del hecho de que en Cuba, en un terreno de jugar pelota, al fondo del mismo, quedaban los laboratorios «Wasserman». El terreno tenía mucha profundidad. Por eso cuando la bola caía en los laboratorios se decía que era un «jonrón de laboratorio». Como la bola recorría una gran distancia hasta llegar al laboratorio nació el cubanismo.) *No llegar a jonrón.* Pararse en un límite. «El trasero de esa mujer está bueno pero no llega a jonrón». (En forma negativa y con imperativo quiere decir: «Que no pase de un límite».) «Haz eso contra él pero que no llegue a jonrón». *Ser algo o alguien un jonrón.* Ser muy exitoso. «Eso, o ese, es un jonrón».

JORGE. Ver: *Manteca.*

JORNALERO. Ver: *Bollo.*

JOROBA. *Conocerle, a alguien, la joroba.* Conocerlo bien. «No me puede engañar porque yo le conozco la joroba». *Ser algo joroba de camello.* Que cambia de opinión. (Es decir, como la joroba, sube y baja.) «Ahora eso. Tú eres una joroba de camello». Sinónimo: *Conocerle a alguien hasta el último pliegue del culo.*

JOROBADA. *Meterse una jorobada.* Introducirse el pene. «Juan se metió una jorobada de niño. Por eso es así».

JOROBADO. Especie de machete algo curvo que se usa en el campo para cortar hierbas. «Cuidado, niño, con ese jorobado, que te puedes cortar». *La mano del* *jorobado.* Se le dice a la derecha. «Se hizo daño en la mano del jorobado». (Este cubanismo es de origen campesino.) *Pedir más que el jorobado de la puerta del frontón.* 1. Estar siempre haciendo peticiones; 2. Pedir mucho. «Ese empleado pide más que el jorobado de la puerta del frontón». (En el edificio del Frontón Jai-alai en Cuba había un mendigo en la puerta, encorvado, que pedía mucho. De ahí el cubanismo.)

JOROBITA. *Jorobita, jorobita, lo que se da, no se quita.* No te lo devuelvo. «Devuélveme el libro. —Jorobita, jorobita, lo que se da no se quita». (Esto dice el niño cuando un compañerito quiere quitarle algo que le regaló. De ahí ha pasado al lenguaje popular.)

JOROCÓN. 1. Adaptar aptitudes de guapo. «No seas jorocón conmigo. No te lo permito». 2. Bravucón. «No seas jorocón. Pórtate bien». 3. Duro, en frases como estas: «Febrero es el mes más jorocón del invierno». (Es el mes más duro, más frío.) 4. Guapetón. «Ahí viene el jorocón ése, pero yo no le temo». 5. Guapo. «Es el jorocón del barrio». Ver: *Candela.*

JORRA. *Ser una mujer jorra.* Se dice de la mujer estéril, que no puede dar a luz. «Esa mujer es jorra. Por eso sufre mucho».

JOSEÍTO. *No llegar alguien ni a Joseíto.* No valer nada. «Ese vecino tuyo no llega ni a Joseíto». Ver: *Guantanamera. Labios. Loco.*

JUAN. *Dejar algo como San Juan Alumbrado.* Dejarlo mal. «Dejó el trabajo, por eso lo despedí, como San Juan Alumbrado». *Ese problema que te lo solucione Pepe Machete o Juan Abundancia.* «Vete para el carajo». Contestación que se da airado o molesto. Se ofende con ella al que se le da diciéndole que es homosexual, porque «Pepe Machete» y «Juan Abundancia» son cubanismos que quieren decir «Bugarrón».) *Estar como Juan Albizu.* Creerse alguien un conquistador de mujeres sin serlo. «Ese hombre está siempre como Juan Albizu». (El cubanismo viene de una canción que cantaba el mejicano Juan Albizu que decía: «*Tengo mil novias, tengo mil novias, en la imaginación*»...) *Salir como Juan Gualberto.* Salir con paraguas. «Con este día tan bello y sale como Juan Gualberto». («Juan Gualberto», gran patriota cubano, salía siempre con paraguas.) *Si no es Juan, es Pedro, o si no su hermano.* Buscar excusas. «No te excuso. Ya sé que si no es Juan, es Pedro, o si no su hermano». *Ser más feo que Juan Orol.* Ser feísimo. «Ese novio tuyo es más feo que Juan Orol». («Juan Orol» es un artista español muy feo.) *Ser una mezcla de Juan Orol con Pedro López Lagar.* Ser requetefeísimo. «Ese pariente tuyo es una mezcla de Juan Orol con Pedro López Lagar». («Juan Orol» y «Pedro López Lagar» son artistas, el primero español y el segundo argentino y ambos son feos. Éste es otro caso de formación del aumentativo por acumulación de palabras prescindiendo de la terminación. Es caso típico del cubanismo.) *Ser un Juan Bemba.* Persona que no vale nada. «No me lo digas. Ya veo que es un Juan Bemba».

JUANA. *Hay que llamar a Juana Pérez.* Hay que invocar a los espíritus. «Las cosas están tan mala que hay que llamar a Juana Pérez». (El cubanismo brota de la canción que dice: *Juana Pérez, espiritista...*) *Juana Campamento.* Se dice de la mujer que se enamora de soldados y policías. «Ésa no es más que una Juana Campamento». *Llevar de rama en rama, como Tarzán lleva a Juana.* Querer mucho a una persona. «Tú sabes que yo te llevo de rama en rama, como Tarzán lleva a Juana». (El cubanismo surgió con los episodios de «Tarzán», el legendario personaje de las novelas del mismo título. «Juana» era su compañera en la selva.) *Ser, una mujer, Juana Tripita en La Habana.* 1. Fingir una mujer que vive muy bien, que tiene muchos enamorados, etc. (La frase da el significado.) «No tiene ni un centavo pero vive como Juana Tripita en La Habana». (Finge tener dinero.) «No tiene ni un novio pero vive como Juana Tripita en La Habana». (Finge tener muchos enamorados.) (Estos cubanismos están basados en la canción de un trío cubano, muy famoso: «El Trío Matamoros».) 2. Vivir muy bien. «Esa negra es Juana Tripita en La Habana desde hace mucho tiempo. ¡Qué bien vive!» *Vete a ver a Juana Pérez Espiritista.* Consulta a una brujera para que te quite el mal de ojo. «Cuando me contó la cosa le dije: 'Véte a ver a Juana Pérez Espiritista'». (El cubanismo nace con la letra de la canción: *Juana Pérez Espiritista...) ¡Y dale Juana!* Se dice del que insiste en algo. «¡Y dale Juana! ¿Cuántas veces te he dicho que no?» Sinónimos: *Llevar de contén a contén. Querer el montón, pila, burujón, paquete. Querer el montón, pila, burujón, puñado.* Antónimos: *Echar a alguien meao de jicotea. Tachar con caca de gato.*

JUANELO. Ver: *Tamalero.*

JUANETE. Ver: *Último.*

JUBILA. Piensa. «Date cuenta de la situación. Ha llegado el momento esperado, jubila». Sinónimo: *Legisla.*

JUBO. Tipo de majá del campo cubano. «No le tengas miedo que es un jubo».

JÚCARO. *Parecer un júcaro cargado de Guajaca.* Ser muy viejo. «Parece joven, pero es un júcaro cargado de Guajaca». (Es lenguaje campesino que se ha avecinado en las ciudades y villas de la zona rural cubana.)

JUDÍA. Ver: *Chorizo.*

JUDÍO. 1. Fantasma. 2. Pájaro cubano de color negro. «En esta casa hay un judío suelto». *Estar los judíos morrongueando.* Estar los judíos cantando. «Los judíos están morrongueando en el valle. ¿Qué pasará?» (El «morronguear» —canto— de los judíos anuncia la presencia de cualquier intruso. Voz campesina que se usa en la ciudad.) *Parecer un judío sacado de una cámara de gas.* Estar muy delgado. «Después de la gripe pareces un judío sacado de una cámara de gas».

JUEGO. Sociedad Ñáñiga. «Aquí en este barrio, hay muchos juegos Ñáñigos». (Los esclavos libres forman asociaciones religiosas y culturales. La de los Ñáñigos se llama «Juegos". Es una sociedad secreta.) *Estar fuera del juego de pelota.* No participar en algo. «En este asunto estoy fuera del juego de pelota». Se dice de la persona que no se da cuenta de lo que pasa a su alrededor. «No lo culpes porque siempre está fuera del juego de pelota».

JUEZ. Ver: *Juzgado.*

JUGADA. *Estar en la jugada.* 1. Estar en el quid de la cosa. 2. Estar involucrado. (La conversación da el significado.) «En ese negocio estoy en la jugada. Soy accionista principal». (Estar involucrado». «No me pueden sorprender, porque estoy en la jugada». (Estar en el quid de la cosa.) *Hacerle a alguien una mala jugada.* Hacerle una trastada. «Pedro me hizo una mala jugada». *Llevar en la jugada.* Asociar a alguien en algo. «Tengo suerte, el ministro me lleva en la jugada. —¿En cuál? —En la del paquete».

JUGADOR. *Jugador, copardo, seguro perdedor.* Equivale al refrán castizo: «*El que mucho abarca, poco aprieta*».

JUGAR. *Jugar a los bomberos.* Bañarse. «Voy a jugar a los bomberos». *Jugar a la gallinita ciega.* Hacer la cosas sin ton ni son. «Eso te pasó porque estabas jugando a la gallinita ciega». («La gallinita ciega» es una juego de niños. Uno de ellos se pone una venda en los ojos y tiene que tocar a los demás niños quienes no se dejan. De ahí el cubanismo.) *Jugar cabeza.* Escabullirse. «En el negocio me jugó cabeza». *Jugar capicúa.* Ir al seguro. «En estas elecciones el candidato juega capicúa». *Jugar coco.* Pensar. «No pueden hacer nada que yo no sepa porque yo juego coco». *Jugar con la cadena y no con el mono.* No me mortifiques que vas a tener que afrontar las consecuencias de mi enojo. «Yo se lo dije bien claro: juega con la cadena y no con el mono». *Jugar con fuego.* Arriesgarse. «En ese negocio estás jugando con fuego». *Jugar con tierra y un palito.* Se dice del que está todo el día mortificando sin tener qué hacer. «Chico, deja de molestarme. ¿Por qué no juegas con tierra y un palito?» *Jugar en la misma novena.* Ser lobos de la misma camada. «Esos dos son unos fascinerosos. Juegan en la misma novena». *Jugar fulastrería.* Hacerle una trastada a una persona. «Ese individuo a mí me jugó una fulastrería». *Jugar viveza.* Poner en práctica la habilidad. «Me jugó viveza y se me escapó». *Por jugar, juega hasta la chapita.* Estar alguien enviciado en el juego. «Se arruinó porque por jugar, juega hasta la chapita».

JUGO. *Ni jugo de piña.* Nada. «De eso no te doy ni jugo de piña». *A ti ni jugo de piña.* Nada. «Aquí no puedes ganar ni jugo de piña». Sinónimo: *Ni jugo de coco.*

JULEPE. Trabajo. «Tengo un julepe que no me lo creerás». *Dar julepe.* Hacer trabajar. «En ese trabajo le dan un julepe tremendo a los empleados». *Haber mucho julepe.* Mucho que hacer pero en demasía. «Hoy hubo mucho julepe en el trabajo. No lo aguanto». *Tener julepe.* Desmayo. «Con tanto sol ha tenido un julepe».

JULEPEADO. Cansado. «Me quedo en casa. Estoy muy julepeado».

JULIO. *No es cuatro de Julio.* Se le dice al que se tira muchos gases. «Muchacho, no es cuatro de Julio». (El cuatro de Julio es el día de Independencia norteamericana. Los «gases» con «cohetes». Ese día se tiran cohetes. De aquí este cubanismo nacido en el exilio.)

JUMERO. Borracho. «Él es un jumero».

JUNCO. Ver: *Don Rafael. El Junco. Radio. Rafael.*

JUNGLA. Ver: *Filipino. Tarzán.*

JUNIR. *June el acento gaito que porta el andoba.* Oye el acento español del hombre. («Junir» es «oír". «Gaito» es «español». «Andoba» es «persona». Esta es una muestra típica de la germanía del chuchero. Ver: *chuchero.*)

JUNTADERA. Acción de juntarse. «La juntadera tuya con Pedro ha mermado mucho tu prestigio».

JUPIÑA. *Ni jupiña.* Nada. «El individuo no sabía ni jupiña». (La «jupiña» es un refresco cubano a base de piña.)

JURA. *Jura que si jura que no jura que un ravio aseguesi alló.* La situación está difícil. (Esta oración de procedencia africana, la dicen los niños cubanos cuando juegan al «chocolongo», —tipo de juego de bolas— u otros juegos en Cuba.)

JUSTINIANO. *Llegar Justiniano.* Llegar justo. «Menos mal que llegamos justiniano. Por poco se nos va el tren. ¡Qué sofocón!»

JUTÍA. *Comer como una jutía.* Comer de prisa. «Ese muchacho come como una jutía». *Jutía vieja no sube palo podrido.* El que tiene experiencia no fracasa. «Yo no me uno a esa gente. Jutía vieja no sube palo podrido». (La jutía es un roedor grande que habita en los campos cubanos y cuya carne es comestible. Es cubanismo campesino.) *Ser un jutía.* Ser un cobarde. «¿Viste cómo corría? Es un jutía». Ver: *Rabo. Ruchín.*

JUTÍO. *Ser un jutío.* Ser una persona que no progresa. El campesino dice: «Ese toro o potro no crece más, compay, eso es un jutío». En la ciudad donde se avecinó, el que no progresa es un jutío.

JUVENTUD. *Estar de loca juventud.* Llevar una vida desordenada. «Esa gente está de loca juventud». *Estás acabando con mi juventud.* Se dice en tono de broma, pues es la letra de una canción, en cualquier circunstancia propicia. «Así que no me quieres, Lola. Estás acabando con mi juventud». «Pídeme dinero otra vez. Estás acabando con mi juventud».

JUYUYO. Muy abundante. «En automóvil, en San Juan de Puerto Rico, está juyuyo».

JUZGADO. *Ser un juzgado de Tremenda Corte.* Ser un juzgado donde se atropella la justicia porque no hay seriedad. «Cuando vi aquello me di cuenta de que el juzgado era la Tremenda Corte». *Ser el tremendo juez de la Tremenda Corte.* Ser un juez de pacotilla. «Ése es el tremendo juez de la Tremenda Corte». (Ambos cubanismos están basados en el programa: «*La Tremenda Corte*», un programa cómico en un juzgado que hacían Aníbal del Mar y Leopoldo Fernández, conocidos artistas cómicos cubanos. De aquí los cubanismos.)

Dr. CRISTOBAL DIAZ AYALA

MUSICA CUBANA

Del

Areyto a la Nueva Trova

3ra. Edición

Ediciones Universal

Portada con dibujo «El sexteto» de Silvio Fontanillas
del libro sobre la historia de la música cubana de Cristóbal Díaz Ayala

K. *Ser alguien K. Listo Kiloaut.* Ser muy activo. «Apenas se puede hablar con él porque es K Listo Kilouat». («K. Listo Kilouat», es un muñequito que utilizaba la compañía de electricidad en Cuba. El que es como él tiene, me dicen, mucho voltaje. De aquí el cubanismo.) También lo he oído aplicado a una mujer que es muy ardiente. «No beses a Lola que es K. Listo Kiloaut». (La mujer, como es K. Listo Kilouat, tiene mucho voltaje en el clítoris y le gusta mucho el sexo.)

K-MART. *Dar K-Mart.* Mantener pobremente. «Allá me mantenías como una reina, pero aquí me has dado K-Mart». (El cubano pronuncia la voz inglesa K-Mart, «keimar». Los «K-Marts» son tiendas populares y baratas.)

KANDANGA. Malo. «Este libro está kandanga». Mucho.

KARMA. *Cogerle a otro el karma.* Ganarle. «Él, a mí, me cogió el karma».

KATANGA. *Oficial de Katanga.* Cierto. «Esto es oficial de Katanga».

KECHER. Ver: *Careta.*

KEIKE. *Ser algo como el keike.* Picarse y repartirse. Se aplica a muchas situaciones. «Keike» voz fonética por el inglés «cake», que significa «panetela» o «torta de cumpleaños».) «Las mujeres aquí son como el keike». (Es decir, hay muchas mujeres que se reparten o se van muy fácilmente con los hombres.) «Aquí, en este ministerio, el dinero es como el keike. El ministro tiene mucho presupuesto y lo reparte».

KEME. *La keme.* La bicicleta. «Préstame la keme, por favor».

KID. *Kid chocolate.* Hombre de color. «Por Mariel llegaron muchos Kid Chocolates». («El Kid Chocolate», fue el gran boxeador cubano. Era de color.)

KIKIRIBÚ. *Kikiribú mandinga.* Y ya. «No lo pienses más, vamos a bailar y kikiribú mandinga».

KIKIRIKÍ. Moño en la cabeza o forma que coge el pelo que semeja la cresta de un gallo. «Peínate, que tienes un kikirikí». *Meter un kikiriki en el Gallo.* Comprar joyas caras. «Ayer metí un kikirikí en el gallo». («El Gallo» es una joyería de lujo de La Habana.) *Ser alguien un gallito kikirí.* Ser muy guapo. «Yo siempre he sido un gallito kikirikí». (Es un cubanismo campesino que se ha hecho citadino. El «kikirikí» es un gallito muy activo y peleador.)

KILE. *Con kile.* Mucho «La quiero con kile». *Diñar el kile por el cegato.* Fornicar por el ano. «La policía los sorprendió diñando el kile por el cegato». («Cegato» es ano.) *Me tiene el kile encendido.* «Ella me tiene el kile encendido». Se dice de una mujer que es muy sexual, es decir, que el hombre tiene muchos deseos de fornicarla. («Kile» es pene.) *Tener un kile bute.* Tener un pene grande. «Mi hijo tiene un kile bute». (Todos estos cubanismos son voz del chuchero. Ver: *chuchero.*)

KILERO. Ridículo con el dinero. «¿Viste cómo regateó? Es un kilero».

KILO. Moneda de un centavo. «¿Me puedes dar un kilo?» *Al kilo.* Perfecto. «Eso de que me hablas está al kilo». *Cámbialos por kilos prietos para que te duren.* ¡Qué te dure la felicidad! «—¡Estoy muy contento! —Pues cámbialos por kilos prietos para que te duren». *El kilo no tiene vuelta.* 1. Eso es como es. No hay forma de cambiarlo. «No me trates de convencer. El kilo no tiene vuelta». 2. No hay nada que hacer. «No te empeñes más. Ya te lo dije: el kilo no tiene vuelta». 3. No volver con una mujer. «Me dejaste. Y conmigo, el kilo no tiene vuelta». *Estar al kilo.* Estar bien de salud. «Me examinó el médico y estoy al kilo». *No valer ni un kilo partido por la mitad.* No valer nada una persona; ser algo de baja calidad. «Tú no vales ni un kilo prieto partido por la mitad, Pedro». *Ser un kilo prieto.* Ser muy trigueño. «Juan es un kilo prieto». Ver: *Casa.*

KILOMETRAJE. Ver: *Acción y cámara.*

KILOUAT. Ver: *K.* Ver: *Calixto.*

KIMBIADO. *Tener a alguien kimbiado.* Hacerle un daño. «Ese hombre me tiene kimbiado». (El cubanismo viene de la palabra africana «Kimbia». El que está en la *cazuela de Kimbia,* en las religiones africanas existentes en Cuba, es un hombre malo. De ahí el cubanismo.)

KIMBIAZO. *Meterle a alguien un kimbiazo.* Hacerle un daño. «Yo creo que alguien me ha metido un kimbiazo». («Kimbiazo» viene de «Kimbia», que es una palabra africana.) Ver: *Cazuela.*

KIMBO. Revólver. «Sacó el kimbo y lo mató». *Estar alguien kimbo.* Estar loco. «Hace tiempo que noté que estaba kimbo».

KIN KÓN. *Caerle a alguien Kin Kón.* 1. Atacar a alguien un adversario fuerte. «Vietnam ofendió a China y le cayó Kin Kón». 2. Caerle a alguien arriba, alguien que no lo deja tranquilo pidiéndole, esto o lo otro, u ordenándole. «Me casé con Genaro y me cayó Kin Kón». 3. Caerle a alguien un trabajo muy grande. «Con ese libro que tengo que hacer me cayó Kin Kón». (En general se refiere al hecho de que alguien tiene que enfrentar algo inusitado pero muy poderoso, fuerte, en su vida.) *Ser alguien un Kin Kón.* Ser muy bruto. «No sabe una palabra de nada. Es un Kin Kón». *Ser una kinkona.* Ser muy grande de cuerpo una mujer. «Juana es una kinkona». («King Kong», que el cubano pronuncia «Kin Kón», es un simio gigantesco de una película norteamericana muy famosa, del mismo título.)

KINKE. *Ser kinke kinke.* Se dice al que tiene el pelo encrespado como la gente de color. «El es un kinke kinke». («Kinke» es en inglés el pelo encrespado del hombre de color. De aquí este cubanismo del exilio.)

KLIN. *Estar más Klin que Master Klin.* 1. Estar limpio de polvo y paja. «No me pudieron encontrar nada en el expediente porque yo estoy más Klin que Master Klin». 2. Saber muy bien lo que se trae entre manos. «En este asunto yo estoy más Klin que Master Klin». *Meterle a algo más Klin que Master Klin.* Limpiarlo mucho. «ella le metió al automóvil más Klin que Master Klin». («Master Clean» es una cadena de tintorerías en Estados Unidos. De aquí ese cubanismo del exilio. «Klin» es la forma de pronunciar «clean», que significa limpio.)

KLINES. *Tener que recoger los klines para secarse el sudor.* Tener que empezar de nuevo por haber fracasado. «Cuando me creía seguro tengo que recoger los klines para secarme el sudor». «Klineis» es la palabra inglesa «Klinex», que el cubano pronuncia como la escribo y que significa toallitas higiénicas. Cubanismo del exilio.) Ver: *Mister.*

KODAK. *Gustarle a alguien la Kodak.* Gustarle el halago. «A Antonio le gusta la Kodak». (Cubanismo del exilio.) Ver: *Matiné.*

KOLA. Ver: *Kodak.*

KU KLUX KLÁN. Ver: *Cuarto.*

Portada del libro con la antología de escritos de la escritora cubana Lydia Cabrera (1899-1901) preparada por la profesora Isabel Castellanos. La foto, tomada por Pierre Verger, es del patio de la Quinta San José de Lydia Cabrera, en La Habana.

LABERINTO. *Ser algo el Laberinto de las Doce Leguas.* Ser algo que no hay forma de entenderlo. «Este problema de matemáticas es el Laberinto de las Doce Leguas». (El Laberinto de las Doce Leguas es una cayería cubana, muy difícil de navegar. De aquí el cubanismo.)

LABIO. *Del manantial a sus labios.* Ser algo puro. «Este oro es del manantial a sus labios». (El cubanismo está tomado del lema comercial de un agua mineral que había en Cuba.) *Estar en los labios de Joseíto Fernández.* Haber sido parte de un suceso de sangre. «Pedro estuvo en labios de Joseíto Fernández». (Joseíto Fernández, cantor de «*La Guantanamera*», tenía un programa del mismo nombre donde se escenificaban y se cantaban en décimas los sucesos del día. De aquí el cubanismo.) *No me hagas reír que tengo el labio partido.* A otro perro con ese hueso. «Cuando me dijo Juan que era bueno le contesté: No me hagas reír que tengo el labio partido». Se dice también: *No me hagas reír que se me parte el labio. Tener una mujer los labios afuera.* Ser muy fornicadora. «Ésa, me dicen, tiene los labios afuera».

LABOR. *Nacer alguien en Labor Day.* Ser muy vago. «Tu hijo, mi amiga, nació en Labor Day». (El cubano pronuncia «leibor dei» la voz inglesa «Labor Day», que significa «Día del Trabajo». Es una cubanismo nacido en el exilio.)

LABORANTISMO. Habladuría. «Eso es puro laborantismo».

LABORATORIO. *Trabajar en un laboratorio.* Se dice del que está siempre analizándolo todo. «Te voy a analizar la actualidad nacional. ¿Otro análisis? Chico, tú trabajas en un laboratorio».

LABORISTA. *Ser laborista.* Trabajar mucho. «Yo soy laborista». (Es cubanismo de gente culta. Se refiere al partido laborista inglés y viene del juego de palabras entre laborista —miembro del partido de tal nombre de Inglaterra— y laborar, o sea, trabajar.)

LABORO. Trabajo. «Estoy en el laboro todo el día».

LADILLA. *Curar a alguien como las ladillas.* matar. «A ti te voy a curar como las ladillas». *El que no ha tenido ladillas no es cubano.* Forma de hablar de los cubanos para indicar que es un gran criollo. «Yo te lo digo: el que no ha tenido ladillas no es cubano». (En Cuba, la generación que tenía quince años en 1945 y las anteriores frecuentaban las casas de prostitución donde adquirían ladillas, un tipo de piojo.) *Llegar alguien con su ladilla.* Llegar con alguien que molesta mucho. «Ahí llega ése con su ladilla». O llegar alguien que sustenta una opinión que mortifica. «Ahora te vuelve loco con lo que dice. Ahí llegó con su ladilla». *Ser alguien una ladilla con sarampión.* Éste es el aumentativo de «ser ladilla», o sea, «mortificar mucho». El cubano como se ve, no recurre a las terminaciones del aumentativo sino a formar, «con sarampión» el aumentativo.) Sinónimo: *Ser alguien como una ladilla con «espikes».* Molestar en demasía. «Tú eres una ladilla con espikes». («Spikes» son los clavitos que tienen los zapatos de los peloteros para evitar caídas y para que puedan correr en el césped, pues pinchan o hincan. El cubano, para el aumentativo, recurre en este caso a la imagen de hincar. Es otro de los casos especiales a los que nos hemos venido refiriendo a lo largo de este diccionario de formar el aumentativo.) *Ser alguien una ladilla culera.* Molestar mucho. «Tú eres una ladilla culera». Sinónimo: *Ser una guasasa.* Ver: *Guasasa. Ladilloso. Mosquito.*

LADO. *Caérsele a alguien de lado el Cachumbambé.* Tener un gran tropiezo. «A Pedro, en el proyecto, se le cayó de lado el Cachumbambé». *Comer hasta por el lado zurdo.* Comer mucho. «Él es un glotón. Come hasta por el lado zurdo». *Girarse para otro lado.* Hacer otra cosa. «Yo no trabajo de impresor. Me giré para otro lado». (Cubanismo de la Cuba de hoy.) *Levantarse con el lado izquierdo.* Levantarse con mala suerte. «Es la segunda vez que me caigo al suelo. Me voy a matar. Hoy me levanté con el lado izquierdo». *Sigue durmiendo de ese lado que te va a salir un chichón o una roncha.* Si persigues en lo que haces vas a sufrir desagradables consecuencias. «Cambia de conducta. Si sigues durmiendo de ese lado te va a salir un chichón (o una roncha.)» *Tratarse de medio lado.* Tratarse dos personas sin franqueza. «Juan y Pedro se tratan de medio lado». Ver: *Medio. Película. Tango.*

LADRAR. *Tener ganas de ladrar.* Tener ganas de comerse un perro caliente o hot dog. «En estos momentos tengo muchas ganas de ladrar. Vamos al restaurante».

LADRILLITO. Ver: *Baile.*

LADRILLO. Dinero. «—¿Cuántos ladrillos tienes? —Sólo cinco pesos». *Caerle a alguien, un ladrillo arriba.* Tener un percance. «Iba al negocio y le cayó un ladrillo arriba». Sinónimo: *Le cayó un piano arriba.* Ver: *Baile.*

LAGARTIJA. *De lagartija para arriba, todo es cacería.* Se dice para indicar que no hay que detenerse en el uso de cualquier medio para vencer, para llegar. «No me critiques por mis métodos: de lagartija para arriba todo es cacería». *Ser alguien una lagartija de caño.* Ser flaco, feo y sucio. «Nunca se casará Paco. Es una lagartija de caño». Ver: *Rabo.*

LAGARTO. *Ser alguien un lagarto.* Saber adaptarse a la situación. «Ese político es un lagarto».

LAGER. Ver: *Departamento. No quiero lager ni gaseosa, lo que quiero es irme.* Se le contesta al que quiere que uno haga algo a lo que uno está opuesto. Equivale a decir: No. «Dame cinco pesos. —Mira, yo no quiero lager ni gaseosa, lo que quiero es irme». «Quédate. —Yo no quiero lager ni gaseosa, lo que quiero es irme». (Se aplica a múltiples situaciones. Lager es cerveza en cubano.)

LAGO. *Sumergirse alguien en el lago.* Ser homosexual. «Antonio se sumergió ya en al lago hace mucho tiempo». «El bailarín se sumerge en el lago, Petra». (Es cubanismo culto. Se trata del ballet «*El Lago de los Cisnes*». «Ser cisne» en cubano es «ser homosexual». De aquí el cubanismo.)

LÁGRIMA. *Con lágrimas de sangre vas a escribir la historia.* Vas a sufrir de verdad. «Te digo que con lágrimas de sangre vas a escribir la historia». (El cubanismo es la letra de una canción muy popular en Cuba.) *Lágrimas de hombre.* Las cuchillitas de afeitar de hoy en Cuba, porque arañan y sacan sangre, ya que el filo es malísimo. «Es terrible usar lágrimas de hombre. Destrozan la cara». *Lágrimas negras.* Frijoles negros. «Voy a comer lágrimas negras». Ver: *Collar. Competencia. Félix B. Caignet.*

LAIN OP. Menú. Orden. *¿Cuál es el lain op de la comida?* ¿En qué orden se sirven los platos? «Dime, ¿cuál es el lain op de la comida?» (El «line up» —que el cubano pronuncia como se ha escrito,— es el orden en que batean los peloteros en el juego de pelota, o base-ball. Es cubanismo del exilio.)

LAMEBOTA. Servil. «Ése es un lamebota. Por eso ha llegado alto».

LÁMPARA. *Ser un lámpara.* Ser una persona de conducta desordenada. «Ése es un lámpara. La familia sufre mucho».

LAMPARITA. *Ser alguien de lamparita china.* Hacerse alguien el delicado de salud. «No lograrás que trabaje. Siempre está de lamparita china». (Las lámparas chinas son de papel, de ahí el cubanismo.)

LANA. *Tener lana en la cabeza.* Pensar lentamente. «Desde que nació tiene lana en la cabeza». Ver: *Metal.*

LANCES. *No te lances conmigo.* Latiguillo lingüístico que usa el cubano para indicar: «No te atrevas». «No te lances conmigo que no acepto eso». (Es forma de hablar del cubano, especial, aunque se puede decir en castizo, pero no se oye fuera de Cuba.)

LANCHA. Ver: *Caderas. Huevo.*

LANCHEROS. Así dicen en Cuba hoy, a los que se fugan en lanchas a Estados Unidos. «Está preso por lanchero».

LANGALLO. Gallo. «Ese langallo es bueno para peleas».

LANGOSTA. Culo. «Esa mujer tiene una langosta muy bonita». *Estar la mujer como la langosta.* Tener culo. «Esa mujer está como la langosta. ¡Cómo me gusta!» *Irse todo en langosta.* Ser una mujer flaca y tener mucho culo. «A tu mujer todo se le fue en langosta». *Parársele a una mujer la langosta.* Estar una mujer embarazada. «Ella dio un mal paso y se le paró la langosta».

LANZARSE. 1. Atreverse. «Se lanzó en el negocio de las construcciones y triunfó». 2. Insinuarse a una mujer con fines deshonestos. «Se lanzó conmigo y se lo dije a mi marido».

LÁPIZ. *Afilar el lápiz.* 1. Rebajar. (Se usa preferentemente en el imperativo.) «Cuenta lo que te debo y afila el lápiz». 2. Rebajar costos. «Si no afilo el lápiz quebramos». *Casarse a punta de lápiz.* Casarse por interés. «No se quieren. Se casaron a punta de lápiz». *Empezar de lápiz y terminar de mochito.* Caerse de una posición a lo más bajo. «Ése era presidente y paró de barrendero. Empezó de lápiz y terminó de mochito». *Lápiz de caramelo a kilo.* Lápiz barato. Se rompió. Es que es un lápiz de caramelo de a kilo». *Meterle (o echarle) lápiz a una cosa.* Sacar cuentas antes de decidirse. «Antes de comprar la casa le metí (o eché) lápiz». *Ser un lápiz con* *casquillo.* Se dice del que está protegido. (Como el «casquillo» protege la punta del lápiz.) «Es muy difícil derrotarlo porque es un lápiz con casquillo».

LAPOMA. El pene. «En el cine me cogió la lapoma». (He oído también: la poma, separado.)

LARGAR. *Largar una patada.* Dar una contestación grosera. «Le pregunté correctamente lo que me dijiste y me largó una patada».

LARGO. *Ser algo largo como la esperanza de un pobre.* Ser algo muy largo. «Este libro es largo como la esperanza de un pobre». Sinónimo: *Ser algo largo como un real de tripa.*

LARGUIRUCHO. Alto y flaco. «Él es larguirucho». Se dice también: *Largarucho. Ser larguirucho.* Ser muy alto y delgadísimo. «Tu hijo es un larguirucho».

LASCAS. *Dar lascas.* Batear lo que en pelota o base-ball se llaman «hit». «Ese pelotero de que hablas daba unas lascas por encima de segunda». («Segunda» es «la segunda base».) *Sacar lascas.* 1. Obtener información. 2. Obtener provecho. (La conversación da el significado.) «De él saqué lascas y pude desbaratar sus planes». (Información.) «A eso que me dijiste le saqué lascas». (Provecho.)

LASERIE. *Ser alguien a lo Laserie.* Ser tremendo. «Ése es a lo Laserie». *Tenemos un Laserie aquí.* «Voy a actuar como una persona sin educación». (Esta frase se oía, con preferencia, entre la gente baja en Cuba en cualquier discusión. La frase quiere decir lo siguiente: «Te tiro la palangana y te doy con el guapachá». Cubanismo que señala que se actúa groseramente y viene de una canción del cantante popular cubano, Rolando Laserie, al que llaman «El guapo de la canción". De aquí los cubanismos anteriores.) «¡Qué sitio más malo! ¡Cómo tenemos Laserie aquí!» Ver: *Palangana.*

LATA. (La) 1. Automóvil. «Mi lata es de primera». 2. Cuello de la camisa. (Porque en Cuba se planchaban con mucho almidón y se les pasaba piedra pómez y quedaban blancos y duros como una lata. En Cuba, se usaba siempre la camisa blanca. Es lenguaje del chuchero. Ver: *Chuchero.*) 3. El acelerador del automóvil. 4. Machete. «La rural pegaba con la lata. Todo el mundo huía». *Corre sardina que se te va la lata.* Así se le grita al que corre para poder coger el autobús que no para. *Darle a la lata.* 1. Avanzar en la vida. «Aquí vamos, dándole a la lata». (Es lenguaje del chuchero. Ver: *Chuchero.*) 2. Ir viviendo. «Aquí estamos dándole a la lata». *Darle a la lata, taconazo aquí, taconazo allá.* Ir viviendo a encontronazos. «Aquí estamos dándole a la lata, taconazo aquí, taconazo allá». *Darle la patada a la lata.* 1. Fracasar. «En ese negocio la di la patada a la lata». 2. Morirse. «Le dio la patada a la lata y lo enterraron ayer». Sinónimos: *Cantar el Manisero. Ponerse el chaquetón de pino tea. Fuego a la lata.* 1. Manos a la obra. «Vamos, Pedro, fuego a la lata». 2. Piropo que se usa cuando pasa al lado de uno una mujer muy bella de cuerpo y cara. «Fuego a la lata. ¡Qué belleza!» *Fuego a la lata, a la Maya y al Tinguaro.* Mano a la obra y con toda energía. «No podemos esperar. Fuego a la lata, a la Maya y al Tinguaro». (La Maya es un pueblo de la provincia de Oriente. El Tinguaro es un ingenio de azúcar, de los más grandes de Cuba.) *La lata de melocotón.* Alude a la lata llena de agua que las mujeres cubanas usan en las fábricas para limpiarse sus partes pudendas. «Yo siempre traigo mi lata de melocotón para no usar ésa que está en el baño». *Lata de aceite de carbón.* Lata de cinco galones. «Dame una lata de aceite de carbón». *Tener la lata brillosa.* Tener el automóvil siempre con brillo. «Yo siempre tengo la lata brillosa». *Tener que pasarle a alguien la lata de destupir el «suer».* Se dice del que dice muchas palabrotas. «A ese indecente hay que pasarle la lata de destupir el suer». («Suer» es la forma en que el cubano pronuncia la palabra inglesa «sewer» o «alcantarillado». Es cubanismo del exilio.) Ver: *Fuácata. Fuego. Hoja. Jarro. Mula. Sardina.*

LATERAL. *Darle a algo o a alguien de lateral.* Echarlo a un lado. «A tu primo le di de lateral». (No lo trato. Lo dejé a un lado.) «A esa comida le di de lateral». (No me la comí. La eché a un lado.) Ver: *Tipo.*

LATÓN. *Dar latón.* Dar lata. «Ayer me dio latón». *Irse todo para el latón de basura.* Corresponde al castizo: *Joderse todo. Irse al carajo. Irse a la mierda.* Terminar mal. «En el proyecto, todo se fue para el latón de basura». *Tener cara de latón de basura.* Ser fea o feo. «Juanita tiene cara de latón de basura». Ver: *Basura.*

LAUDELINA. *¿Hasta cuándo, Laudelina?* ¿Hasta cuándo? «¿Hasta cuándo, Laudelina, vas a estar hablando?»

LAVA. *Estar continuamente en lava la java.* Estar continuamente peleando. «Estos españoles están continuamente de lava la jaba».

LAVABA. *Así lavaba, así lavaba que yo lo vi.* Cuando se habla del lavado de billetes procedentes de la droga siempre alguien canta esta canción que viene de una infantil española cuya letra dice: «*Así jugaba, así jugaba que yo lo vi*». «Lo cogieron lavando dinero. —Así lavaba, así lavaba que yo lo vi». (Lavar dinero es «to wash money», depositar en un banco, de acuerdo con alguien, como legítimo, el procedente de las drogas, para burlar los impuestos.)

LAVADO. *Hacerse un lavado de gatos.* 1. Bañarse por arriba. 2. Echarse un poco de agua y ya. «El niño se hizo un lavado de gatos, señora». Ver: *Tren*

LAVADORA. Ver: *Tángana.*

LAVANDERO. *Lavadero de plata.* Lugar donde se lavan los billetes procedentes de la droga para llevarlos al extranjero y traerlos de vuelta a los Estados Unidos como inversión legítima. «Ese banco es un lavadero de plata». *Ser lavandero.* Se dice del que tiene mucho lío. «Juan es lavandero». (El lavandero tiene muchos líos, bultos, de ropa. De ahí el cubanismo.)

LAVAR. *Ni te lo laves que no hay alcohol.* Ver: *Alcohol. Calle.*

LÁZARO. Ver: *San.*

LAZO. *Guajiro cogido con lazo.* Se aplica también a otras personas. (El que está «cogido con lazos», es una persona safia, sin cultura.) *Llevar arriba un lazo de cuero.* Ser muy bruto. «Ése lleva arriba un lazo de cuero». (Es decir, arreos, como las bestias.) *Ser el Lazo de Oro.* Ser bueno. «Eso que escribiste es el Lazo de Oro». («El Lazo de Oro» era el nombre de una sombrerería en La Habana.) *Tener que coger a alguien a lazos.* Ser muy rebelde. «No hay forma de tratar con él. Hay que cogerlo a lazos». Ver: *Guajiro. Sello.*

LEA. *Ser una lea de gritos.* Estar muy bonita de cara y cuerpo una mujer. «Esa lea es de gritos». *Tener a un lea curralando.* Ser chulo. «Se dice persona decente, pero tiene a una lea —mujer— curralando en el bar». (Son andalucismos que el cubano ha combinado con el significado de «ser chulo».) *Una lea que levanta la calle de punta a punta.* Una mujer preciosa. «Ésa es una lea que levanta la calle de punta a punta».

Sinónimo: *Una lea que para el tráfico.* («Lea» es un andalucismo-gitanismo avecinado en Cuba. El cubano lo cree cubanismo.) Ver: *Indumba.*

LECHAZO. Eyaculación. «Fue un lechazo riquísimo». «¡Qué lechazo el de anoche con ella!» Sinónimo: *Venida.* («Leche» es «semen» en cubano. De aquí el cubanismo.)

LECHE. *Aquí no se ha cumplido aquello de que cuando la leche sube, los huevos bajan.* ¡Qué inflación hay! (Esta forma de hablar que muestra el genio lingüístico del cubano, tiene doble sentido gracioso, que se analiza a continuación: Subir la leche es tener mucho deseo sexual. Una vez que se eyaculan, los testículos, o huevos, se ponen flácidos.) *Café con leche con polines.* Café con leche bien oscuro. «Dame un café con leche con polines». *Dar la leche.* 1. Eyacular el hombre. 2. Tener la mujer un orgasmo. «Ella me dio la leche varias veces». («Leche» es «semen» en cubano. De aquí el cubanismo.) *Dar poca leche.* Ser agarrado. «Ese individuo da poca leche». Sinónimos: *Ser estreñido. Dar más aceite un ladrillo. Ser aceite de cabo de paraguas. Vivir en Dureje entre Durañona y Puerta Cerrada.* Se aplica también al que escribe y no produce mucho. «Ese escritor da poca leche». *Dar una mujer la leche.* Ponerse muy contenta. «Cuando se lo di me dio la leche». (Es groserísimo el cubanismo.) Sinónimo: *No caberle un grano de alpiste o arroz en el culo. Dejar la leche.* Fornicar. «Voy a dejar la leche en casa de mi secretaria» (Leche es semen en cubano.) *Dejar la leche en un sitio.* Fornicar en el sitio. «¿Dejaste mucha leche en España?» *Estar criado con leche prestada.* Estar raquítico. «No pesa ni cien libras. Creo que lo criaron con leche prestada». *Estar borracho de leche.* Pensar sólo en el sexo. «Ese hombre está borracho de leche». Sinónimo: *Pensar sólo en leche. Estar como la leche.* Estar atrasado. «Ese periódico está como la leche». (El que no fornica dice: «Tengo la leche atrasada». De aquí el cubanismo.) *Meterle a la leche como un bebito.* Se dice de la persona que toma mucha leche. *Para la leche que da la vaca que se la tome el ternero. Para lo barata que está la leche, ¿para qué vas a comprar la vaca?* ¿Para qué casarse si las mujeres se entregan fácilmente? «Es que me planteó que me casara con ella. —Para lo barata que está la leche, ¿para qué te vas a comprar la vaca?» *Pomo de leche.* Se dice de la persona muy blanca. «Tú eres un pomo de leche». *¡Qué clase de leche!* Se dice cuando se ve un padre con hijos que se parecen mucho. «Mira esa familia. ¡Qué clase de leche!» *Sacar la leche.* Provocar el orgasmo del hombre o de la mujer. «A ella, estoy seguro, que le saqué la leche». *Sacarle a alguien la leche.* Hacerlo eyacular. «Ella me sacó la leche». *Sacarle a alguien más leche que una vaca.* Obtener de la persona muchos beneficios. «Le he sacado más leche que una vaca». Sinónimo: *Sacarle el jugo. Salir la leche como si fuera Moralitos.* Tener un gran orgasmo. «Con ella me salió la leche como si fuera Moralitos». (Moralitos era una famosa lechería de Cuba. Tener una lechería, en cubano, es tener mucho semen. De aquí el cubanismo.) *Tener alguien una leche peor que Similac.* Tener un humor malísimo. «La leche de tu marido es peor que Similac». (En castizo, «tener mala leche» es «tener mal humor». El Similac es una leche de bebitos que sabe mal. De aquí este cubanismo nacido en el exilio.) *Tener leche.* Tener suerte. «Él tiene mucha leche, se sacó la lotería». *Tener la leche adulterada.* No tener hijos. «Hay una cosa cierta. Él tiene la leche adulterada». *Tener la leche cortada.* Estar de mal humor. «Hoy amanecí con la leche cortada». (Algunas veces se dice: *Cortada en trocitos.*) Sinónimo: *Estar echando leche. Tener la leche* *cortada en cuadritos.* Estar de malhumor. «Anoche lo vi y tenía la leche cortada en cuadritos». *Tener mucha leche.* Ver: *Reventado. Tiene una mala leche y ahora la tiene cuajada.* Tiene el mal humor exacerbado. «Tiene una mala leche Pedro y ahora la tiene cuajada». Ver: *Café. Chulito. Cresta. Jarro. Mulata. Nata. Pinga. Pomo. República.*

LECHEADO. Ver: *Mulato.*

LECHERÍA. Significa tener suerte. «La lechería tuya es increíble». También, café donde se vende café con leche. Eran viejos cafés españoles con mesas de mármol y patas de hierro, sitios de bohemios. «Por esta calle hay varias lecherías. Si no tomas café con leche, tienen chocolate». Ver: *Leche.*

LECHERO. Persona que tiene mucha suerte. «Es un lechero. Gana siempre en la lotería». «¡Qué lechero eres en la lotería!» *Al lechero no lo matan por echarle agua a la leche sino por decirlo.* Hay que tener mucho cuidado con lo que se dice. «No te olvides que al lechero no lo mataron por echarle agua a la leche sino por decirlo». *Levantarse como un lechero.* Levantarse muy temprano en la mañana. «Yo, toda mi vida, me levanto como el lechero». *No poder dedicarse alguien a lechero.* Estar siempre muy malhumorado. «Ese individuo no puede dedicarse a lechero». (Es que tiene «la leche cortada». «Tener la leche cortada» es estar de malhumor. La leche cortada no se puede vender. Con eso juega el cubanismo.) *Ser un lechero.* Se dice también del que se pasa la vida pegado al presupuesto. «En todos los gobiernos es un lechero». (Como el lechero, está pegado a la ubre; a la teta de la vaca. De aquí el cubanismo.)

LECHÓN. 1. Estar alguien obeso. «Es un lechón. Si no baja de peso se muere». 2. Persona obesa. «No comas más que eres un lechón». 3. Plato típico cubano que consiste en un puerco asado. «El lechón de hoy es formidable». *A mí no hay lechón que se me muera en la barriga.* A mí no hay quién me pase la nota. «Trató de engañarme, pero a mí no hay lechón que se me muera en la barriga». *Dormir como un lechón.* Dormir a pierna suelta. «¡Qué bien duerme! ¡Cómo un lechón!» *Estar hecho un lechón.* Estar muy gordo. «Juan está hecho un lechón». «Mi primo está hecho un lechón». *Morírsele a alguien los lechones en la barriga.* Ser un vago. «A ése siempre se le mueren los lechones en la barriga». (El cubanismo es de origen campesino.)

LECHUGA. *Hojas de lechuga.* Billetes de banco. «Tengo en mi cuenta de ahorros mil hojas de lechuga». *Estar fresco como una lechuga.* No estar cansado. «Dormí sólo tres horas pero me levanté fresco como una lechuga».

LECHUGUITA. Ver: *Palo.*

LECHUZA. *El carro de la lechuza.* El carro de muertos del municipio que usa la gente pobre. «Lo llevaron a enterrar en el carro de la lechuza del municipio».

LEEDERA. Lectura. «Tanta leedera te va a afectar los ojos».

LEGISLA. Ver: *Jubila.*

LEGISLAR. 1. Hacer decisiones correctas. «No legislaba bien de joven y todo le salía mal en los estudios». 2. Pensar. «Estoy legislando a ver cómo resuelvo el problema». (Aquí el cubanismo cambia de nuevo el significado del castizo.) *Estar todo legislado.* Estar todo previsto. «No te preocupes, no podemos fracasar. En el negocio todo está legislado». *Legisla y no te vuelvas loco.* Coge las cosas con calma. «Yo sé todos los problemas que te agobian. Pero coge las cosas con calma. Legisla y no te vuelvas loco».

LEGÓN. *Ser un Legón cualquiera o ser un «Joe» Legón cualquiera.* (El cubano pronuncia «Yoe».) Ser muy fuerte. «Tú eres un Legón cualquiera». (Joe Legón era un boxeador cubano muy fuerte.)

LEGUA. *Por una legua.* Por mucho. «Lo derrotó por una legua». *Verse a la legua.* Verse enseguida. «Ese error se ve a la legua».

LEI. *Darle un lei of a alguien.* Echarlo. «La novia le dio un lei of». (Cubanismo del exilio. En inglés «lay off», que el cubano pronuncia como se ha escrito, significa «despedir del trabajo».)

LEÍDA. *Ser una persona leída y escribida.* Ser una persona culta. «Ella es una persona leída y escribida».

LEITER. Ver: *Reparto.*

LEJOS. *De lejos parece y de cerca lo es.* Ser homosexual. Ver: *Gitano.*

LENGUA. *Caer en lengua.* Besarse, introduciéndose las lenguas en las bocas respectivas una pareja. «Mira, ahora cayeron en la lengua». Sinónimos: *Caer en el lengüeteo. Darse la lengua. Estar en el lengueteo. Dar lengua de vaca.* Protestar. «Mañana empieza a dar lengua de vaca». *Darse dos la lengua.* Estar de acuerdo. «En ese asunto se están los dos dando siempre la lengua». *Darse la lengua.* Estar de acuerdo. «Esos dos se dan la lengua a pesar de todo». *Guardarse la lengua donde no da el sol.* Callarse. «Guárdate la lengua donde no da el sol». (Se usa siempre en el imperativo.) Sinónimo: *Guardar la lengua en donde le quepa. Hablar una lengua pasada por agua.* Hablarla mal. «El habla el francés pasado por agua». (Cubanismo culto del exilio.) *Hablar a media lengua.* Se dice del que ha succionado el clítoris de una mujer. «Oye, estás hablando a media lengua». *La lengua, la más feroz de (cualquier) lugar.* Se dice del hombre que tiene predilección de succionar las partes pudendas de la mujer. «A ése le llaman la lengua más veloz». «Juan es la lengua más veloz de aquí». *Lengua lisa.* Chismosa. «Juana es una lengua lisa». *Morirse con la lengua en alto.* Encantarle a un hombre vivir sólo para succionar, hasta el último instante las partes pudendas de la mujer. «Yo te lo digo, moriré con la lengua en alto». Se le dice, también en broma, a alguien para rebajarle su virilidad sexual. «Tú morirás con la lengua en alto». *No parársele ni la lengua.* Se dice de un hombre que está muy viejo. «Al pobre hombre no se le para ni la lengua». *No poder levantar ni la lengua.* Ser muy viejo. «Ya ése no puede ni levantar la lengua». (El cubano hace muchas bromas sexuales. Cuando alguien es viejo y hace alardes de ser potente, le dice: «A ti sólo te queda la lengua», o sea, sólo puede succionar las partes pudendas de la mujer. Este hombre no puede ni levantar la lengua para realizar esto. De aquí este cubanismo groserísimo que sólo se da por el carácter compilatorio de esta obra.) *Perder la lengua y quedarle la campana.* 1. No darse por vencido. «Es infatigable. No hay imposibles para él. Pierde la lengua y le queda la campana todavía». 2. No sacar nada de la experiencia. «Volvió a fracasar como siempre. Él pierde la lengua pero le queda la campana». *Ser algo una lengua de jubo.* Ser muy afilada. «Eso no es un machete; es una lengua de jubo». (El «jubo» es un reptil cubano, no venenoso. Es lenguaje campesino avecinado a las villas y ciudades rurales cubanas.) *Tener alguien una lengua de vaca.* Que no es prudente, que habla mucho. «Es muy bueno, pero tiene una lengua de vaca». (La lengua de vaca es larga. De aquí el cubanismo, ya que el que no es prudente, en castizo, «tiene una lengua larga».) *Tener en la lengua un vibrador.* Mover mucho la lengua el que succiona las partes pudendas de una mujer. «Mi lengua es un vibrador». *Tener en la lengua un torniquete.* Ser un chismoso de marca mayor. «Lo que tu vecina tiene en la lengua es un torniquete». (Es decir, nunca suelta el chisme. Como el torniquete, nunca suelta.) *Tener lengua de cíbano.* Se dice del hombre que succiona con rapidez las partes pudendas de la mujer. *Tener una lengua de hilo de carretel.* Tener una lengua viperina. «A mí ella no me gusta porque tiene una lengua de hilo de carretel». (O sea, tiene una lengua larguísima, como el hilo. De aquí el cubanismo.) *Tener una lengua llena de vaselina.* Ser un chismoso. «Ésa tiene una lengua llena de vaselina». (O sea, que le resbala.) *Tener una lengua que se la pisa.* Ser muy chismoso. «Ése tiene una lengua que se la pisa». Sinónimo: *Lengua larga. Lengua lisa.* Ver: *Chiflar. Filólogo. Oreja.*

LENGUÁTICO. Se le llama al que le pasa a una mujer la lengua por la oreja. «Ése es un lenguático. ¡Qué asqueroso!»

LENGUE. Dulce hecho con leche y zumo de maíz tierno. «¡Cómo me gusta el lengue!»

LENGÜETEO. Hablar mucho. «¿Qué lengüeteo se traen esos dos?» (La palabra implica siempre sospecha de algo malo.) Ver: *Lengua.*

LENGÜÍN. Chismoso. «Juan es muy lengüín».

LENTEJUELA. *Ponerse de lentejuela.* Ponerse de gala. «Como voy al cine me puse de lentejuela».

LENTOSOS. (Los) Los espejuelos. «Me compré unos lentosos hoy». (Lenguaje del chuchero. Ver: *Chuchero.*) Sinónimo: *Los cristales.*

LEÑA. *Dar leña.* Fornicar. «En este viaje me pasé los días dando leña». Sinónimos: *Dar caoba. Dar serrucho. Serruchar. Echarle leña a la locomotora.* Incitar. «No hagas eso. Vas a incitar un problema. No le eches leña a la locomotora». *La leña roja tarda pero llega.* La justicia llega. «No importa lo que él haga. La leña roja tarda pero llega». (Viene del juego de pelota o base-ball.) *Rayar la leña.* Trabajar. «Hace días que está rayando la leña. No para». También en Oriente, provincia más oriental de Cuba, es «bailar», tal y como aparece en «*Ma' Teodora*», un son cubano. «Juana está rayando la leña. Está así desde que llegamos al baile». *Se acabó el carbón. Hay que cocinar con leña.* 1. No hay que andarse con paños calientes. 2. No hay que andarse con tibieza. «En esta situación se acabó el carbón y hay que cocinar con leña». También se lo dicen las mujeres de baja clase al marido cuando cumple poco con ellas. «Oye, Elio, se acabó el carbón, hay que cocinar con leña». («Cocinar con leña» quiere decir «fornicar bien, con pasión».) *Tener una leña que se arrastra.* Tener un pene grande. «Juan tiene una leña que se arrastra». Ver: *Carga.*

LEÑAZO. En el juego de pelota cuando un bateador le da a una pelota con mucha fuerza se dice que le dio un leñazo o que es un leñazo. «El bateador acaba de dar un leñazo que se llevó la cerca».

LEO. *Ser un Leo Marini.* Ser la voz que acaricia. «Quiéreme, que yo soy Leo Marini». (Leo Marini era un cantante de moda en Cuba durante los años cincuenta al que se le decía: «*La voz que acaricia*». Este cubanismo está casi desaparecido.)

LEÓN. *Coger a alguien el león.* Tener un problema grave. «A Pedro lo cogió el león». Sinónimo: *Cogerlo la confronta. Convertirse algo en un león tozudo.* Convertirse en un problema difícil de resolver. «Si no te enfrentas ahora se te convierte en un león tozudo». *El león de la Metro.* El aparato sexual de la mujer. Sinónimo: *El chocho. Estar como el león de Etiopía.* Con ganas de tener mucho dinero. «Pedro está como el león de Etiopía». *Morder, a alguien, un león del Circo Santos y Artigas.* No ser un contrincante fuerte; el que le ganó en algo. Es decir, no le hizo daño. (Por regla general, los leones de circo son viejos y no atacan. El Circo Santos y Artigas era un circo cubano muy famoso.) «No te preocupes, Genaro, ataco de nuevo. El que me mordió es un león del Circo Santos y Artigas». *Preguntarle al león de la Metro si quiere cámara.* Preguntarle a alguien si quiere que todo el mundo se entere de lo que está haciendo que redunda en su beneficio. *Ser algo un león tozudo.* Ser algo difícil. «Eso es un león tozudo. Hay que irle poco a poco». *Ser al final como el león de la Metro.* Rendirse al final. «Yo sabía que ese grupo de pistoleros era, al final, como el león de la Metro». *Ser el León de la Metro.* 1. Ser fuerte. 2. Ser osado. «Entró en el acto, como Pedro por su casa. Es el León de la Metro». (Osado.) «Levantó todo ese peso. Es el León de la Metro». (Fuerte.) 3. Valer mucho. «No te preocupes que tu hermano es el león de la Metro». (En las películas de la *Metro Goldyn Mayer*, sale un león anunciando la compañía de películas. De ahí estos cubanismos.) *Ser un león tusado.* Haber perdido la actividad; la iniciativa. «Ya no es lo que fue. Es un león tusado».

LEONA. *Ser una mujer una leona en la cama.* Gustarle mucho las posiciones raras en el acto sexual. «Esa mujer es una leona en la cama, me lo han dicho». (El castizo toma otro sentido.) *Ser una mujer una leona y estarle quedando poca melena.* Haber sido muy bonita pero ir en cuesta abajo. «Juana es una leona pero ya le está quedando poca melena». (Se aplica a toda situación que «va cuesta abajo».)

LEONARD. *Convertir a alguien en Leonard.* Se dice de la persona a la que se trata fríamente. «A ése lo voy a convertir en Leonard». (Es decir, «lo voy a tratar fríamente». Leonard es una marca de refrigeradores, y al que tratan fríamente «le tiran hielo». «Tirar hielo» es un cubanismo que quiere decir «tratar fríamente». De ahí el cubanismo.)

LEONIS. Ver: *Cía.*

LEOPARDO. Ver: *Casa.*

LEOPOLDO. *Quedarse en San Leopoldo.* No tener siempre modales. «Tú te quedaste en San Leopoldo». (San Leopoldo es un barrio de clase sobre lo pobre de La Habana.)

LÉPERO. Astuto. «Él es un guajiro lépero». (Aceptado por la Real Academia.)

LERNA. *Ser un lerna.* Ser una persona de costumbres nada buenas. «Ese sujeto es un lerna, por lo tanto no lo quiero en mi casa».

LETRA. *Cada uno trae su letra escrita.* Cada uno nace con su destino. «No hay escapatoria. Cada uno trae su letra escrita». *Ser la letra de alguien.* Ser el destino. «Ésa es la letra, mi hermano, y no puedes huir de ella». (En las religiones africanas vigentes en Cuba, para saber el destino de la persona, se tiran cocos secos al suelo. Cada coco representa una letra.) Ver: *Cráneo.*

LETRERO. *No tener el letrero en la frente.* Se da esta contestación cuando alguien pregunta «si no se le conoce», o «si no se sabe que tiene tal posición». «—¿Usted no sabe que yo soy policía? —Usted no tiene el letrero en la frente».

LEVA. *Hala leva.* Adulón. «Tú siempre has sido un hala leva». Sinónimos: *Chicharrón. Guataca.*

LEVADURA. Ver: *Calidad.*

LEVANTAMIENTO. *Hacer el levantamiento.* 1. Lograr que una mujer acceda a salir con uno. «Hice el levantamiento de María en la esquina de mi casa». 2. Ponerse el pene en erección. «En cuanto la vi, hice el levantamiento». *Lograr levantamiento.* Lograr que el pene se ponga en erección. «A los noventa logra levantamiento».

LEVANTAR. Conseguir una mujer. «A esta mujer la levanté hablándole bonito». *Levantar el campamento.* Marcharse. «Bueno, ya está bueno por la reunión. Voy a levantar el campamento». Sinónimo: *Irse con la música a otro lado. Levantar la paloma.* Descubrir una cosa. «Levanté la paloma y la policía se los llevó preso». *Levantar muertos.* Tipo de sopa muy sustanciosa. «Esta sopa es levanta muertos». *Levantar parejo.* Colaborar. «En esta empresa tenemos que levantar parejo». *Levantar presión.* Mejorar económicamente. «En cuanto levante presión yo te presto el dinero». *Levantarse.* Salir de una mala situación económica. «Me levanté con la ayuda de tu tío». *No levanten la piedra que sale la cochinilla.* No hablen más del asunto. «Eso está concluido. No levanten la piedra que sale la cochinilla».

LEVANTE. Acto de conquistar o levantar a una mujer. «Hoy hice varios levantes». «Has hecho un buen levante». *¡Tremendo Levante!* Se dice cuando un hombre conquista a una mujer bella. «¡Qué tremendo levante el de Perico!» (Es decir, ¡qué conquista!)

LEVANTÓN. Aclarar el día. «¡Qué levantón ha dado la mañana!»

LEVITA. *Estar cogido con levita.* Se dice de la persona que es muy puntillosa. «Ese amigo tuyo está cogido con levita».

LEY. *Ley Remache.* La que consolidaba o convalida un hecho; elecciones, amnistías, etc. Es casi siempre de carácter electoral. «Nada podemos hacer. Ya metieron la Ley Remache». «Para estas elecciones dictan una Ley Remache». *Ley Retrato.* Que retrata, de ex-profeso, una situación. «Lo sacaron para la calle con una Ley Retrato».

LEZNA. 1. Astuto 2. Ladino. «Él es un lezna».

LIBERAL. *A correr liberales del Perico.* A poner pies en polvorosa. «En cuanto vi que aquello iba mal dije: «A correr liberales del Perico». (El cubanismo nació en una reunión política liberal en Cuba.)

LIBERAR. *Liberar de sus funciones.* En el lenguaje de la Cuba de hoy significa «cesantear». «El jefe de limpieza de calles ha sido liberado de sus funciones».

LIBERARSE. *Liberarse como Liberace.* Ser homosexual. «Ése está liberado como Liberace». (Liberace fue un famoso pianista que era homosexual.)

LIBERTAD. *Libertad para el preso.* Se dice cuando alguien lanza un gas. «Oye, muchacho. No te da pena. Libertad para el preso». Ver: *Antorcha. Preso.*

LIBORIO. 1. El pueblo cubano. (Liborio es una caricatura del pintor Abela, (1891-1964) de un campesino que representa al pueblo cubano.) 2. Nombre que se le aplica al pueblo cubano. *Juan Liborio.* Una persona sin méritos. «¿Quién es ese Juan Liborio para criticar?» *Liborio paga.* El pueblo paga. «Roban los políticos, pero Liborio paga». *Ser un Liborio.* Caerle arriba todas las desgracias. «Mi hermano es como yo: un Liborio». (Se basa el cubanismo en la creencia de que el pueblo de Cuba ha sido muy desdichado.)

LIBRA. *¿A cuánto costará la libra de ese chilindrón?* ¿Cuánto dinero dieron por eso? «Lograron la concesión. —¿Cuánto costará la libra de ese chilindrón?» *Estar algo más enredado que una libra de estopa.* Ser algo muy difícil de solucionar. «Ese problema en la Cámara de Comercio está más enredado que una libra de estopa». *Ser alguien de libra en pie.* Ser mala persona. «Ése es un hombre de libra en pie». (El tabaco de libra en pie es un tabaco malo. De ahí el cubanismo.)

LIBRE. *Por la libre.* 1. Sin limitaciones. «Va mal. Está por la libre». 2. Sin restricción. «Hago esto por la libre». (Lo he leído una vez en España.) Sinónimo: *Por la libreta.*

LIBRETA. *Estar por la libreta.* Aceptar. «Yo fumo sin esconderme porque ya hasta mi esposo está por la libreta».

LIBRETO. *Darle a alguien un libreto nuevo.* Darle nuevas instrucciones. «Me acaba, el jefe, de dar un libreto nuevo».

LIBROS. *Libros caseros.* Libros hecho por el autor personalmente; el trabajo todo: tipográfico, de tiraje, de encuadernación, etc. «Este libro, como los otros del autor, es casero». *Me dio cuatro libros para llevar y todo el pueblo atrás.*

LICÁN. 1. Candela. «Voy a encender la licán». 2. Persona astuta. «Hay que tener cuidado porque todos ellos son licán».

LÍDER. *Terminar como los líderes.* Muerto. «Si sigues así, terminarás como los líderes».

LIGA. *Batear en las grandes ligas.* Ser de altura, de mucha valía. «En profesor batea en las grandes ligas». «Esa opinión batea en las grandes ligas». *De grandes ligas.* De altura. «Ése es un juicio de grandes ligas». *Estar fuera de liga.* Estar fuera de grupo por lo inteligente, o por la alta clase social a que pertenece. «Tú, en ese examen de matemáticas, estás fuera de liga». «No te juntes con esa morralla. ¿No te das cuenta que estás fuera de liga?» (Es lenguaje de la pelota o base-ball. Hay peloteros muy buenos que deben de jugar en otra división más alta, —liga. W) *Jugar en una liga que otro no juega.* 1. Dedicarse a otra actividad. «Yo gané dinero porque juego en otra liga que él no juega: los negocios». 2. Ser distinto a otra persona; dedicarse una persona a una actividad distinta que otro. Se usa muchas veces en tono despreciativo. «¡Qué va, yo no me junto con ese muchacho! Él juega en una liga que yo no juego». (Refiriéndose a que tiene un defecto moral. Es término que viene de la pelota o base-ball. En el caso de ser distinto a otro oímos: «No nos llevamos bien por nuestros temperamentos. Él juega en una liga que yo no juego».) *Jugar en grandes ligas.* Ser inteligente. «Él es de los que juegan en grandes ligas». (Los circuitos de pelota o base-ball en Estados Unidos se dividen en secciones, siendo las Grandes Ligas donde juegan las estrellas de ese deporte.) *Pertenecer a la liga contra la ceguera.* Ser ciego. «¿Tú no ves lo que pasa? Perteneces a la Liga contra la Ceguera». («La Liga Contra la Ceguera», era una institución cubana contra la ceguera.) *Querer jugar en la liga grande.* Querer ser una estrella en todo. «Estudio para jugar en la Liga Grande». (En la pelota [base-ball] el jugador de la Liga Grande juega en el más alto nivel de la liga.) *Querer jugar en esa liga grande.* Querer pertenecer a un sitio muy grande, alto, importante, o selecto. «Me dijo mirando al Senado: Yo quiero jugar en esa Liga Grande». (Ver explicación dada en el cubanismo anterior.) *Ser de la Ligas contra la Ceguera.* Se dice del que no ve las cosas; del que no se da cuenta de las cosas. Se alude a un asilo de ciegos en Cuba. «La mujer lo engaña, pero él es de la

Liga contra la Ceguera». (Para proteger al ciego había en Cuba una organización nacional: La Liga contra la Ceguera.) Sinónimo: *Ser de Varona Suárez.* (Ambos son cubanismos cultos.) *Ser de la liga de la toalla.* Gente que se protege y ocultan a los demás lo malo que hacen. «No lo llevaron a la cárcel porque ese es de la liga de la toalla». *Ser de grandes ligas.* Ser de sociedad. «Juan es de grandes ligas, no es como esos tontos que se lo creen porque han hecho dinero». Ver: *Bate. Cuatrocientos. Deito. Fanático. Grandes.*

LIGANDO. Ver: *Elástico.*

LIGAR. Fumar marihuana. «Lo cogieron ligando marihuana». *¿Con qué la ligaste?* Se le dice al que hace algo mal o da una opinión tonta. «Así que debemos callarnos ante la rebeldía de la juventud, ¿con qué la ligaste?» (Es decir, con qué mezclaste la marihuana que fumas. Este cubanismo es un latiguillo lingüístico.) *Ligar el parlé.* Tener suerte. «En estas dos absoluciones que logré hoy, ligué el parlé». (El cubanismo viene del juego del azar.) *Ligarla alguien.* Hacer algo bien. «En esa empresa la ligó tu mujer».

LIGER. Ver: *Big.*

LIGUE. Ver: *Elástico.*

LIJA. *Darse lija.* Darse pisto. «Mira que tu hermana se da lija». *No te des tanta lija que se te parte la uña.* No asumas esos aires de importancia. «Mira, Pedro, no te des tanta lija que se te parte la uña». Ver: *Piedra. Producto.*

LIJOSO. Jactancioso, vanidoso. «Ese señor es un lijoso. Y no sé el motivo».

LILA. Ver: *Bairum.*

LILAYAR. Hablar cosas insustanciales. «Ustedes se pasan la vida lilayando».

LILAYERO. El que habla cosas insustanciales. «Él es un lilayero. No se le puede poner atención».

LIMA. Camisa. «Me compré una lima buenísima». «¿Te gusta esta lima?» (Lenguaje del chuchero. Ver: *Chuchero.*) *Como el de lima.* Como si con él no fuera. «Siempre está como el de lima. Nada le importa». *Hacer lima.* Hacer algo bueno. «Lo que él hace en muebles es lima». *Jugar alguien a lima sorda.* Ser muy intrigante. «No le tengo simpatía porque juega a lima sorda». (Es una variante del castizo: *ser una lima sorda.*) *Ser de Lima.* Se refiere a algo que no se expresa. «Mi odio es de Lima». (Es decir sordo.) *Ser una lima sorda.* Se dice de la persona que hace daño y que trabaja solapadamente. «Él siempre ha sido una lima sorda. Cuando vienes a ver ya está el daño hecho».

LIMÍTROFE. Ver: *Agua.*

LIMÓN. *Ser alguien extracto de limón.* Ser una persona amargada. «Tú a pesar de tu juventud eres extracto de limón». *Tocar con limón.* Regañar. «Como se portó tan mal ayer, lo toqué con limón».

LIMONCITO. *Estar tirando el limoncito.* Estar en la rutina. Se usa en contestación a «¿Cómo estás? —Tirando el limoncito». Sinónimo: *Afilando la misma piedra. Tirando el limoncito.* En la misma rutina. *Tirar el limoncito.* Pasar el rato. «En este asunto estoy tirando el limoncito».

LIMOSNA. *Pedir limosna con escopeta.* Exigir que le den limosna a la fuerza. «Ese pordiosero es un atrevido. Pide limosna con escopeta». *Puesto de pedir limosna.*

Negocio de mala muerte llamado «timbiriche». «Voy a venderlo. Esto no es más que un puesto de pedir limosna».

LIMOSNERO. Ver: *Dulce.*

LIMPIA. *La limpia.* La aniquilación de todos. «El ejército hizo la limpia de los bandidos».

LIMPIAO. Muerto. «Pedro es un limpiao en vida». *Estar limpiao.* Estar muerto. «Apareció limpiao en la esquina». (Es «limpiado» pero el cubano aspira la «d».)

LIMPIAR. *Limpia.* Quitarse de eso. «Estoy enamorado de ella. —Limpia, que eso no te conviene». (Se usa sólo en esta forma. En el imperativo.) *Limpiar el piso con alguien.* Maltratarlo de palabras. «Lo fui a ver y limpió el piso conmigo». (Algunas veces se oye: *fregar el piso con alguien.*) *Limpiar el piso con dos escobillones.* Trabajar mucho. «Limpio el piso con dos escobillones y todavía lo que gano no me alcanza para comer». *Limpiarse con alguien.* No prestarle la más mínima atención. «Yo me limpio con él y con lo que dice». *Limpiarse el pecho.* 1. Salir de alguien. «Con dos pesos me limpié el pecho con él». 2. Resolver algo. «Con una carta de recomendación me limpié el pecho».

LIMPIARSE. *Limpiarse con alguien el papel.* No tener la mínima consideración. «Yo me limpio contigo». He oído además: «Yo me limpio contigo, no me obligues a sacar el papel». O sea, «No me obligues, además a ser descortés». Ver: *Papel.*

LIMPIEZA. Matar. «Hicieron una limpieza y tiraron los cadáveres al río». *A este hay que darle una limpieza.* (La limpieza es una practica religiosa en que el ser humano se baña, por ejemplo, en agua donde se a puesto la yerba llamada Albahaca o se frota el cuerpo con ella. Se supone que todo esto aleje la mala suerte. Este cubanismo se usa cuando alguien tiene muy mala suerte.) «Óyelo hablar. A este hay que darle una limpieza». Sinónimos: *A éste hay que limpiarlo. Darle un paseo por la botánica El Niño de Atocha. Hacerle un despojo.* («La botánica El Niño de Atocha» es una tienda de Miami donde venden lo necesario para una «limpieza» y otros ritos religiosos de las religiones africanas que subsisten en Cuba debido a los esclavos. Es cubanismo del exilio.) *Hacer limpieza general.* Despedir a todo el mundo. «En este establecimiento hicieron limpieza general». *Hacerse una limpieza.* Practicar lo dicho arriba cuando se explica lo que es «limpieza». «Tengo muy mala suerte. Tengo que hacerme una limpieza». Sinónimos: *Despojarse. Hacerse un despojo. Pasar por la botánica El Niño de Atocha. Hacerse una limpieza con rompezaragüey.* Usar específicamente la yerba llamada rompezaragüey para hacerse la limpieza de que se habla. «Me voy a quitar mis males haciendome una limpieza con rompezaragüey». (Se usa el rompezaragüey cuando se tiene muy, muy mala suerte.) *Tienes que hacerte una limpieza.* Se le dice a la persona que tiene mala suerte. «Así que tú perdiste el puesto. Tienes que hacerte una limpieza». Sinónimos: *Despojarse. Tener que hacerse un depojo. Tener que ver al babalao.* («Hacerse una limpieza», «un despojo», es, es un rito de acuerdo a las religiones africanas vigentes en Cuba, pasarse unas hierbas por el cuerpo al bañarse o bañarse en la esencia de ciertas hierbas como la albahaca para quitarse los males. De ahí el cubanismo.)

LIMPITO. *Dejar algo limpito y blanquito.* Dejarlo muy pulido. «Él vino, leyó tu artículo y lo dejó limpito y blanquito».

LIN. *Lin Yu Tan. Como dijo Lin Yu Tan: todo lo que sube baja, y todo lo que entra, sale.* Toda situación cambia. «No te preocupes que como dijo Lin Yu Tan: todo lo que sube, baja y todo lo que entra, sale». (Lin Yu Tan era un filósofo chino muy conocido en Cuba.)

LINCOLN. (Un) Un peso. (El cubanismo nació en el exilio.) Sinónimos: *Barilla. Baro. Hoja de lechuga. Mantecoso. Patriota.*

LINDA. *De linda cubana.* De porque sí. «Quiere que le dé el libro de linda cubana». *Querer estar una mujer de linda cubana.* Querer estar haciendo lo que le venga en ganas. «Quería estar de linda cubana, pero el padre estaba encima de ella y la controló».

LINDO. *Pararse de lo lindo.* Mantenerse en sus trece. «Se paró de lo lindo y no hubo forma de convencerlo». Ver: *Botija. Cielito.*

LINDORO. Lindo. «Es un lindoro». *Estar de lindoro.* Se dice del individuo que se cree muy buen tipo y se exhibe para que las mujeres lo admiren sin enamorarse de ninguna de ellas. «Mi hermano, desde que hace ejercicios está de lindoro». Sinónimos: *Estar de castigador. Estar de pito dulce. Hacerse el lindoro.* Hacerse el simpático. «No vengas aquí a hacerte el lindoro».

LÍNEA. Medida de bebida de los bares de Cuba. «Dame una línea de ron». (Existe también la media línea.) «Dame una media línea. La línea entera me marea». *Ésa es la única línea que no da la vuelta.* El tiempo nunca regresa. «Si pudiera volver a vivir, pero ésa es la única línea que no da la vuelta». *Esta es la línea Maginot.* De aquí no paso. «Tú sigue manejando pero yo me quedo. Ésta es la línea Maginot». (Cubanismo de gente culta. Ya sólo se oye entre gente mayor. Surgió cuando la Segunda Guerra Mundial.) *Meterle una línea.* Derrotarlo. «Le metí una línea y no pudo hacer nada». (El cubanismo viene del juego de pelota o base-ball.) *Pasarse alguien el día enchuchando y cambiando de línea.* Tener varios trabajos al mismo tiempo. «No descanso. Me paso el día enchuchando y cambiando de línea». (El cubanismo usa términos de los ferroviarios: «enchuchar», es conectar un tren con otro y «cambiar de línea» es tomar otro tren.) *Ser algo, o alguien, media línea.* Ser pequeño. «Esa mujer es media línea». En Cuba, para tomar licor, se usan dos medidas en el vaso. El vaso completo es «una línea», y por la mitad, «media línea». (Aunque parece ser castizo ya desaparecido en España, en Cuba se le tiene como cubanismo.)

LINGA. *Dar linga hasta el fuerate.* Repertir sin cesar en cualquier forma: molestando; fornicando; etc. «Ese muchacho estaba ayer imposible y dio linga hasta el fuerate». «Estuvo de amores con ella y dio linga hasta el fuerate». (Fornicó toda la noche.) «En el discurso dio linga hasta el fuerate». (Repitió mucho la cosa que trataba.) («Hasta el fuerate» es muchísimo.) «La tocaba libidinosamente hasta el fuerate». También indica profundidad. «Voy a estudiar la cuestión hasta el fuerate para descubrir bien lo que pasa. Vaya, hasta la almendra». *Darle linga al automóvil.* Ponerle muchas millas de viaje. «Se rompió. Le di mucha linga a este automóvil». *Meterse en una linga.* Meterse en un problema. «Si te metes en esa linga vas a arrepentirte».

LINGUAL. Ver: *Agotamiento.*

LINTERNAS. *No trabajarle, a alguien, las linternas.* Estar ciego. «A ése no le trabajan, desde niño, las linternas».

LÍO. *Comprarse un lío.* Buscarse un problema. «Yo me compré un lío con eso». Sinónimo: *Buscarse una chaqueta.*

LIONGO. *Tú son liongo.* Tú eres homosexual. (Así dicen los cubanos tratando de imitar o copiar el habla de los chinos en Cuba que de esta forma llaman a los maricones.)

LIPIDIA. Discusión; porfía. «Se pasa el día en la lipidia».

LIPIDIOSO. El que discute por cualquier cosa. «¡Cállate, qué lipidioso eres!»

LÍQUIDA. Ver: *Tiza.*

LIQUIDACIÓN. Ver: *Tienda.*

LIQUIDADO. *Estar liquidado.* 1. Estar destruido en algo y no tener regreso. 2. Estar vencido por la vida. (La conversación da el significado.) «En esa área está liquidado». (Destruido en algo.) «Tan joven y está liquidado». (Vencido por la vida.)

LÍQUIDO. *Líquido de freno.* Refresco. «Dame un líquido de freno». (Es lenguaje de la Cuba de hoy. Los refrescos son tan malos que los llaman de esa manera.)

LISETERO. Cubeta. «Tráeme el lisetero que está lleno de camarones».

LISTA. *Gozar la lista.* Gozar la coquetería. «A ese hombre cómo le gusta gozar la lista. No se da cuenta de que hace el ridículo». *Lista de apuntaciones.* Lista de apuestas. «El policía le cogió a Pedro la lista de apuntaciones». *Ser una lista más grande que la de un vendedor de billetes.* Ser muy grande. «Me presentaron una lista de demandas más grandes que la de un vendedor de billetes». (El vendedor de billetes siempre llevaba una gran franja o lista de billetes desplegada. De aquí el cubanismo.) *Vender lista.* Coquetear. «Se pasa la vida vendiendo lista a pesar de que ya es un hombre maduro». Ver: *Copas.*

LISTO. *Estar alguien listico y para el tongón.* Estar fracasado. «No sigas insistiendo. Tú no puedes hacer ya nada en eso. Estás listico y para el tongón». Sinónimos: *Estar listón de pino tea. Estar listo para la fiesta. Listo Arcaño y dale Dermos.* A empezar. «Bueno. No demores más. Listo Arcaño y dale Dermos». (El cubanismo nace en un programa del jabón Dermos en Cuba. Arcaño era la orquesta. El locutor decía el cubanismo explicado.) Ver: *Calixto. K.*

LISTÓN. *Estar listón de pino tea.* Estar muy cansado. «Después de ocho horas de trabajo, estoy listón de pino tea». Ver: *Listo.*

LITERAS. (Los) Los intelectuales. «Esos literas ya me tienen cansado». (Se usa también en plural. Es una ironía, pues la «litera» es una especie de cama para dormir.)

LIVIANA. *Mujer liviana.* Mujer fácil. Sinónimo: *Liviana de cascos.*

LLAMABA. *Ser algo como aquello que se llamaba.* No existir ya. «Ese monumento que buscas es como aquello que se llamaba». («Se llamaba» es un cubanismo que quiere decir: «Se murió». Por ejemplo: «Juan se llamaba». El cubano por lo general dice: «Se ñamaba», imitando el habla del *«negrito»*, un personaje folklórico, que hacía Alberto Garrido, un famoso actor cubano.)

LLAMAR. *Llamar a contar.* Pedirle explicaciones. «Me llamó a contar y yo no sabía nada del asunto». *Llamarse algo chenche por chenche.* Dando y dando. «Dile a tu hermano que si quiere tratos conmigo que eso se llama chenche por chenche».

LLAMAS. *Caer envuelto en llamas.* Destruirse. «Con esa declaración cayó envuelto en llamas». *Dejar a alguien envuelto en llamas.* Dejarlo loco. «Pedro, con su actitud, me dejó envuelto en llamas». (Se aplica a muchas situaciones. Por ejemplo, si la mujer se le va a uno, y se lleva las propiedades, lo deja envuelto en llamas: «Lo dejó la mujer envuelto en llamas. Cargó con todo».) *Lanzar a alguien envuelto en llamas.* Destruirlo. «En ese trabajo me lanzaron envuelto en llamas». «Se puso brava con mi actuación en el cargo y me lanzó envuelto en llamas». Ver: *Fuifo.*

LLANERO. *Quedarse como el llanero.* Quedarse sólo. «Se quedó como el llanero después que se le fue la mujer. Está aburridísimo». *Ser el llanero solitario.* Se dice del que siempre anda o está solo. «Ese hombre no se junta con nadie. Le dicen el llanero solitario». «Pedro es el llanero solitario». («*El Llanero Solitario*», era el título de unos episodios radiales y de una película. De ahí el cubanismo. He oído también decir: *Llamarse el Llanero Solitario.*) Sinónimo: *Estar solana.*

LLANO. *Estar perdido en el llano.* No saber qué hacer. «La verdad es que estoy perdido en el llano». *Estar perdido en el llano como Rodolfo Villalobos.* No saber nada. «Tú estás perdido en el llano como Rodolfo Villalobos». (Al castizo: *Estar perdido en el llano*, el cubano ha añadido: *como Rodolfo Villalobos.* Era un personaje de «*Los Tres Villalobos*», una obra radial de Armando Couto. También transitaba por las sabanas, llanos de Cuba. De aquí el cubanismo.)

LLANTA. Pie. «¡Qué llanta tiene ese hombre!» Sinónimo: *Plataforma.* «¡Qué plataforma tiene Arturito!» Ver: *Pezuña. Echar una llanta.* Correr mucho. «¡Qué clase de llanta echó el que ganó la carrera!» *Estar en llantas.* Estar en mala situación económica. «Últimamente, como sabes, estoy en llantas». Sinónimos: *Comerse un cable. Comerse un niño. Comerse un niño con tenis y todo* (en aumentativo.) *Las llantas.* Los zapatos. «¿Te gustan éstas llantas que te compré?» (Lenguaje del chuchero. Ver: *chuchero.*)

LLANTÉN. 1. Llanto. «¡Qué llantén tiene ese niño!» 2. Queja. «¡Tremendo llantén el de ése hombre!» (Esta última expresión es lo que más se oye.) 3. Ruego matizado con una historia trágica para tratar de conseguir algo. «No te admito más el llantén». *Echar un llantén.* Pedir algo con súplicas. «Se lo di. Me echó un llantén». Sinónimo: *Tirar un llorao. Tirar un llantén.* Contar una historia trágica tratando de obtener algo del que escucha. «Me tiró un llantén pero no di mi brazo a torcer».

LLAVE. *Botarle a alguien la llave.* Condenarlo a cadena perpetua. «A Pedro le botaron la llave; se muere en la cárcel». *Echarle la llave a alguien.* Dominarlo. «Siempre les echa la llave a sus contrarios». *Llave de vigueta.* Poner presión fuerte. «Me inmovilizo. Me puso una llave de vigueta en el mercado de víveres». *Tener la llave de los caballitos.* Ser el jefe. «En esta organización él tiene la llave de los caballitos». (He oído, asimismo: *Tener la llave de los caballitos y echarlos a andar cuando quiere.*) *Tener más llaves que San Pedro.* Tener alguien muchas llaves en el llavero. (Pero se usa preferentemente con los ladrones.) «Ese ladrón tenía más llaves que San Pedro. ¡Cómo robó!» Ver: *Pito.*

LLAVEAR. Apretar. «Esta compañía está llaveando a los empleados para que trabajen más».

LLAVIAO. *Llevar a alguien llaviao.* No dejarle libertad para nada. «Esa mujer lleva al marido llaviao». («Llaviao» viene de «llave», es decir, lo «llevaba llaviado», «cerrado».)

LLEGA. *Llega y Pon.* Barrio de indigentes. «Esta barriada es un llega y pon». *Parecer algo un llega y pon.* Parecer un barrio de indigentes. (El llega y pon era un barrio de indigentes en Cuba.) Sinónimo: *Parecer una cueva de Humo.* (Es otro barrio de indigentes: *Cueva de Humo.*)

LLEGAR. *Llegar hasta donde el cepillo no toca.* Profundizar. «En ese estudio llegué hasta donde el cepillo no toca». (Es el lema de una pasta de dientes.)

LLEUN. *No dejar a nadie fuera del «lleun».* Compartir con él un negocio. «Yo sé que son mis amigos y no me dejan fuera del lleun». («Lleun» es una palabra africana.) Sinónimo: *No dejar a nadie fuera de la jama.*

LLEVA. *Lleva y trae.* Chismoso. «No es más que un vulgar lleva y trae».

LLEVAR. Querer. «Tú sabes lo que te llevo». *Hablar para llevar.* Se dice de una persona que habla con enjundia, que hace pensar. «Ángel habla para llevar». *¿Hasta dónde me vas a llevar?* Tienes que ponerte un límite. «¿Hasta dónde me vas a llevar? No te pases del límite». *Llevar a alguien.* 1. Asociar a alguien en un negocio. «Te llevo en la nueva empresa». 2. Querer a alguien. «A él lo llevo bien». «Hace tiempo que la llevo». «Yo siempre te he llevado, Pedro». *Llevar a la marcheré.* Hacer trabajar duro. «En ese trabajo me llevan a la marcheré». Sinónimos: *Llevar a buchito de café y patá (patada) por culo. Llevar hasta la soga.* (Viene del boxeo.) *Sacar el jugo. Llevar a la tabla.* Atosigar. «Me llevó a la tabla y pagó las consecuencias». (Viene del campo automovilístico.) *Llevar de rama en rama como Tarzán lleva a Juana.* Amar. «Me caso contigo porque te llevo de rama en rama como Tarzán lleva a Juana». (Tomado de los episodios radiales de Tarzán.) Sinónimos: *Llevar de campana a campana.* (Viene del boxeo.) *Llevar de contén a contén. Llevar la batuta.* Ser el jefe. «Yo aquí llevo la batuta». *Llevar en la jugada.* Incluir. «Oye, llévame en la jugada. Me gusta ese negocio». *Llevársela.* 1. Comprender. «—¿Comprendes? —Me la llevé». 2. Darse cuenta. «En cuanto empezaste a hablar me la llevé». 3. Entender. «Mira lo que dijo, ¿te la llevaste?» *Llévatelo viento de agua.* ¡Que se vaya, Dios mío! «—Llegó tu acreedor. —Llévatelo, viento de agua». *No llevar bien.* En el boxeo indica no boxear bien. «Ese boxeador no lleva bien». *Para que lleven.* Para que sepan. «Ése es un canalla. Para que lleven». (El cubano dice, por lo general, aspirando la «a» y la «r». «Pa' que lleven», es «para que lleven». Este cubanismo tiene un tono como de venganza, de herir.)

LLORAO. *Tirar un llorao.* Suplicar. «Me tiró un llorao, pero fui inflexible». *Ya tú ves, yo no lloro.* Cómo me divierto. «A mí lo que me dicen no me hace mella. Ya tú ves, yo no lloro». (Es la letra de una canción y latiguillo lingüístico.)

LLORAR. *Como quiera que te pongas tienes que llorar.* No hay remedio para tu caso, tus males o problemas. «Me cambié de posición en la cama y me siguen los dolores. —Como quiera que te pongas tienes que llorar». «—Cambié de compañía y siguen los problemas. —Como quiera que te pongas tienes que llorar». «—Mira eso, voy por la otra carretera y se me rompe el carro. —Como quiera que te pongas tienes que llorar». «—Tu caso no tiene remedio». (El cubanismo está tomado de una canción.)

Llorar sinsonte. Llorar mucho. «No lo dejaron salir y estaba llorando sinsonte». Sinónimo: *Echar un llantén.*

LLOVER. *No está lloviendo.* Se dice esto cuando alguien maneja mal. «Cuidado, viejo, no está lloviendo». (El que maneja mal, para el cubano, es «paraguas». De aquí el cubanismo. «Juan es paraguas. No lo dejes conducir un automóvil». Sinónimo: *Paragüero.* Es más común decir: «Juan es paragüero», que paraguas. *Va a llover más que el día que mataron a Bigotes.* Va a llover mucho. «Hoy va a llover más que el día que enterraron a Bigotes».

LLOVIZNAS. *Quedarle a alguien tres lloviznas.* Apenas le quedan pelos en la cabeza. «A tu marido, apenas le quedan tres lloviznas».

LLUEVE. *Siempre que llueve, escampa.* Todo tiene solución. «No te aflijas. Todo tiene solución. Siempre que llueve, escampa».

LLUVIAS. *Llegaron las lluvias.* Se dice cuando se presenta algo que gusta o que no gusta de imprevisto. «La que toca es la vecina. Llegaron las lluvias». (El tono de voz da si es agrado o desagrado. El cubanismo viene del título de una película.)

LOAN. Ver: *Cara.*

LOBO. *Del lobo un pelo, aunque sea del culo.* Del lobo un pelo. «Me dio sólo mil pesos y me debía tres mil. Del lobo un pelo, aunque sea del culo». (El cubano añade: «aunque sea del culo», al refrán español.)

LOCA. Homosexual. «Es una loca». «¡Qué desgracia! El hijo le salió loca». Sinónimo: *Aceite. Gitano. Estar de loca juventud.* No tener responsabilidades. «Tan mayor y anda todavía de loca juventud». *Estar una mujer loca por la música.* Gustarle el acto sexual. «Esa mujer está loca por la música». *Loca del culo.* Homosexual. «Creo que mi nuevo vecino, es una loca del culo». *Ser una loca de castañuelas.* Ser un homosexual completo, que además llama la atención por ello. «Humberto es una loca de castañuelas». *Todas las locas terminan de espalda. Si no salen de espalda, entran de espalda.* El que tiene tendencia a la homosexualidad es marica tarde o temprano. «Lo de él no me llamaba la atención en lo absoluto. Todas las locas terminan de espalda. Si no salen de espalda entran de espalda». Ver: *Culo.*

LOCADIA.O. Persona que está loca. «Ella es una locadia». «Él es un locadio».

LOCO. *Agarra el loco que se fue de la soga.* Contrólate. «Pedro no puede hacer eso, agarra el loco que se te fue de la soga». *Amarra al loco.* Tranquilízate. «Muchacho, me sacas de quicio. Amarra al loco». *Amarren al loco, si no, yo no toco.* Se aplica a diferentes situaciones. Por ejemplo si un orador va a hablar y ve que hay mucho ruido en el salón le dice a alguien: «Amarren al loco, si no, yo no toco». O sea, «si no hay orden, no hablo». O si llaman a alguien para dirigir una compañía este dice: «Amarren al loco, si no, yo no toco». O sea, «organicen aquello y yo me hago cargo de la presidencia». Lo ha popularizado en el exilio una canción (pero se oía en Cuba frecuentemente.) La conversación da los diferentes significados. *Estar alguien como Edén.* Loco. «Él está como Edén». (El Edén era un cigarrillo tostado. El que está «tostado» está loco en cubano. De aquí el cubanismo.) *Estar más loco que una chiva.* Estar muy loco. «El está más loco que una chiva». *Estar loco pa' la cara.* Estar loco de remate. «Juan está loco pa' la cara». («Pa'» es «para».) *Estar loco por revivir a Joseíto Fernández.* Por ver que alguien a quien se odió se murió. «Él, con Pedro, está loco por revivir a Joseíto Fernández». (Joseíto Fernández se hizo popular cuando cantaba «*La Guantanamera*». Al que le cantan la guantanamera se murió. De aquí el cubanismo.) «A Pedro le cantaron la Guantanamera». *Funcionarle a cada loco con su batería.* Seguirle la corriente. «Yo no tengo problemas con él. Yo a cada loco lo funciono con su batería». *Tener el loco guiken arriba.* Estar muy nervioso por un rato. «Ya estás bien, pero ayer tuviste el loco de guiken arriba». («Guiken» es la forma en que el cubano pronuncia la palabra inglesa: «week-end», o sea, «fin de semana».) Ver: *Chivo. Tingo.*

LOCÓMETRO. *Romper el locómetro.* «Juan rompió el locómetro». (Es lenguaje de la Cuba de hoy.)

LOCOMOTORA. *Parecer alguien una locomotora tragando leña.* Estar muy activo. «Él no para un minuto. Parece una locomotora tragando leña».

LOCONA. Homosexual. «¡Qué locona eres!» Sinónimo: *Aceite. Loca.*

LOCOS. Ver: *Mazorra.*

LOCUTORA. *Ser locutora, artista y si hay caballo voy al campo.* Hacer de todo. «Yo te lo digo, no le tengo miedo a nada. Soy locutora, artista, y si hay caballo voy al campo». (Se puede cambiar las palabras locutora, artista, pero no *si hay caballo voy al campo*, porque éste es el cubanismo. Las comadronas tenían en los pueblos de campo este anuncio: «Fulana de tal, comadrona. Si hay caballo voy al campo».)

LOLA. *Estar medio Lola.* Estar medio loca. «Él está medio Lola hace días». *Irse a viajar con Lola.* Irse para el carajo. «Y después de decirle aquello me fui a viajar con Lola». (Este cubanismo es de la época del treinta. Hoy está prácticamente desaparecido.) *Lola o Lolita por su hermosura.* Hacer algo sin permiso. «Consigue el pase. Esto no es de Lolita por tu hermosura». *No dejes para Lola lo que puede hacer Loni.* No delegues en personas ajenas lo que tú puedes hacer. *Ser algo cuando mataron a Lola.* Suceder algo a las tres de la tarde. «¿Cuándo pasó eso? — Cuando mataron a Lola». Ver: *Tres.*

LOLIPOP. *Faltarle a alguien nada más que el lolipop.* Ser un tonto. «A tu marido, te lo digo sin ofenderte, nada más que le falta el lolipop». (El lolipop es una golosina que chupan los niños. De aquí el cubanismo.)

LOLITA. *De Lolita, por tu hermosura.* De gratis. «Es tan descarado que quería que le hiciera el trabajo de Lolita por su hermosura». «¿Así que te lo va a dar de Lolita por tu hermosura? ¡Qué tonto eres!» Sinónimo: *Porque vine a la Feria de las Flores.* «¡Así que te lo va a dar porque vine a la Feria de las Flores! ¡Qué tonto eres!» Ver: *Ay.*

LOLO. *Ser alguien Lolo Maloro con su manilla de oro.* Ser un tipo peligroso. «Ese hombre es de cuidado. Es Lolo Maloro con su manilla de oro».

LOMA. *Estar en la loma.* Estar preso. «Él está en la loma cumpliendo muchos años». *Lomas de Managua.* Senos puntiagudos. «Siempre ella ha tenido unas Lomas de Managua preciosas». *Que lo que quiera comer se lo coma y lo que no para la loma.* Que haga lo que quiera que yo no me voy a molestar. (Se dice en contestación a algo.) «Dice que no te va a dar nada. —Pues que lo que quiera comer se lo coma y lo que no para la loma». *Ser alguien de La Loma.* Ser mala persona. «Cuídate de ellos que son de La Loma». (Ha cogido el cubanismo la letra del son: *Son de la Loma,* muy popular en Cuba, que cantaba el Trío Matamoros.) Ver: *Fogón. Sostén.*

LOMBRIZ. Ver: *Pita.*

LOMO. *Agachar el lomo.* Trabajar. «Desde los primeros días de mi niñez agacho el lomo». *Cogerle el lomo a alguien.* Pegarle. «Como no se comporte bien le voy a coger el lomo». *Dejársela en el lomo.* No cumplir con alguien. «A Antonio se la dejó su primo en el lomo». Sinónimos: *Dejársela en la cutícula. Dejársela en la mano.* (En este último caso proviene del juego de pelota.)

LOMPLEIN. Se dice así del que es detenido por la policía y habla hasta por los codos. «El jefe resultó un lomplein». (Es un cubanismo nacido en el exilio. «Lomplein» es la pronunciación cubana de la voz inglesa «long playing».)

LONDRES. Ver: *Comentario.*

LONGANIZA. Cosa muy larga. «Ese libro es una longaniza».

LONGINES. *Ser alguien «Longines».* No cambiar, ser siempre el mismo. «Tú eres Longines». («Longines» es una marca de relojes ingleses que ni se atrasan ni se adelantan.) Sinónimo: *Ser fijo como Longines.*

LONGO. *Ser alguien Longo.* Ser largo en el trabajar. «Juan es longo. Adelanta por eso mucho».

LONGOLOSONGO. *Ser algo longolosongo.* Ser bello. Se aplica casi siempre al trasero de la mujer. «Tiene un trasero longolosongo». Se usa mucho en esta frase. «Tienes longolosongo en el hongolosongo». (El hongolosongo es el trasero de la mujer.)

LONI. *Te lo digo. No dejes para Lola lo que pueda hacer Loni.* (Cubanismo del exilio.) Ver: *Lola.*

LOQUERA. *Estar en la loquera.* Estar loco. «Juan hace rato que está en la loquera».

LOQUERO. Desorden. «Esta casa es un loquero». También psiquiatra. «Hace tiempo que visita al loquero». *El loquero de alguien.* El que domina y tiene influencia con alguien. «Para conseguir el puesto con el ministro, hay que ver a Luis, su loquero». *Ser el loquero de.* Ser el que controla a otra persona; el único que la convence. «Tú eres el loquero del maestro». *Ser un buen loquero.* Se dice no sólo del psiquiatra competente, sino del que domina una situación. «No tengo miedo que haya pánico, es un buen loquero».

LOQUÍSIMA. Homosexual que exagera el vicio. «Es loquísima como puedes ver. ¡Pobre familia! Y el padre tan macho».

LOQUITO. *Ser un loquito* (en el acto sexual.) Hacer de todo a la mujer. «Ese hombre es un loquito. Me cuenta cada cosa que hace con su mujer». Sinónimo: *Hacer rarezas.* El plural: *loquitos*, o sea, los escritores pertenecientes a la literatura del absurdo. «Los loquitos no pasan a la historia. No hay quién los entienda». (Cubanismo de los medios intelectuales cubanos.)

LORD. *Ser alguien una combinación de Lord inglés con Cheo.* Ser una persona que tiene mezcla de modales refinados y de modales zafios. «Él engaña porque tiene una combinación de Lord inglés con Cheo». (Decimos «Cheo», al cubano de ademanes zafios.) *Ser un Lord Peo.* Creerse lo que no es y darse importancia. «Ese individuo es un Lord Peo».

LORITO. *Tener alguien caminaíto de lorito.* Caminar con el culo parado y las patas abiertas. «Juan tiene un caminar de lorito».

LORO. *Adorar como un loro.* No querer. «A ti te adora como un loro». (Se basa en un versito de los niños cubanos: «*Te quiero, te adoro, te compro un loro, y te meto de* *cabeza en el inodoro*».) *Andar como los loros.* Con muchos anillos. «Tú siempre estás como los loros». (A los loros le ponen anillos en las patas. De aquí el cubanismo.) *Cantar como un loro.* Se aplica al delincuente que todo lo cuenta a la policía. «Lo cogió la policía, lo interrogó y cantó como un loro». *Hablar más que un loro macho.* Hablar mucho. «Ése habla más que un loro macho. No se calla ni de noche ni de día». *Querer a alguien como al loro.* No quererlo. «Yo creo que ella lo quiere como al loro». (Se basa en la canción de niños que dice: «*Te quiero, te adoro/te compro un loro/y te meto de cabeza en el inodoro*». *Ser alguien un loro descompuesto.* Hablar compulsivamente. «Ese abogado es un loro descompuesto».

LOTARIO. (El) Un traje atlético, de esos que se usan para correr. Una sudadera. «Hoy me compré un lotario».

LOTERÍA. *Cantar alguien la lotería clara.* Decir las cosas sin tapujos. «No pude más y le canté la lotería clara». *Cantar la lotería mejor que los niños de la Beneficencia.* Cantar muy bien. «Tu hermano canta la lotería mejor que el niño de la Beneficencia». (Los niños de la Beneficencia cantaban la lotería los sábados en Cuba. De aquí el cubanismo.) *Jugarse la lotería sin billetes.* Arriesgarse. «En todo se juega la lotería sin billetes». Sinónimo: *Sacarse la lotería sin billetes. Pasarse el día cantando igual que la lotería.* Se dice, con sorna, del que habla cuando es detenido. «Juan se pasó el día cantando igual que la lotería». *Sacarle la lotería del verraco.* Casarse. «Ése, dentro de unos días, se saca la lotería del verraco». («Verraco» es «tonto» en cubano, entre otras cosas.) *Sacarse la lotería.* Tener mala suerte. «El se ha sacado la lotería sin billete». Que quiere decir igualmente: Tener la peor suerte del mundo. «No tiene trabajo y le nacieron trillizos, se sacó la lotería sin billetes». *Sigue cantando a ver si te sacas la lotería.* Sigue hablando que vas a tener un problema. «Te lo digo, contrólate. Sigue hablando a ver si te sacas la lotería». Ver: *Billetes.*

LUCAS. (Un) 1. Moneda de cien pesos. «Tiene miles de lucas». 2. Un billete de a mil pesos. «Estoy rico. Aquí tengo cinco lucas. —¡Cinco mil pesos!» Ver: *Naranjo.*

LUCES. *Luces de Buenos Aires.* Se dice cuando encienden las luces en un cine o un teatro. «Luces de Buenos Aires. Ya era hora». (Este cubanismo está basado en un tango del cantante argentino Carlos Gardel.) *Tener alguien malas las luces altas o bajas de carretera.* No ver bien. «Van a operarlo porque tiene malas las luces altas (o bajas) de carretera». (El cubanismo proviene del campo automovilístico.) *Tener más luces que la farola del Morro.* Ser inteligentísimo. «Él tiene más luces que la farola del Morro».

LUCHA. *Coger lucha.* 1. Afanarse. «No cojas lucha con eso. Todo llega con calma». 2. Angustiarse. «No cojas lucha que ella llega». 3. No te enojes. «No cojas lucha con lo que dijo Pedro». (Es cubanismo llevado a Miami por los cubanos llegados por el Mariel y de uso corriente en la Cuba actual. Parece importado de México. Es el castizo que el cubano cree que es cubanismo. Se oye casi siempre en sentido negativo. Cubanismo de la Cuba de hoy.)

LUCIFER. *Meter lucifer.* Encender toda la casa. «Está muy obscuro. Voy a meter lucifer».

LUCINDA. *Ser Lucinda.* Se dice de la mujer que le gusta ostentar, (lucir en cubano.) «Juana es Lucinda siempre». (Es una palabra entre «lucir», «ostentar», en cubano, y «Lucinda» nombre de mujer.)

LUCIR. Parecer. «Juan luce viejo. —A mí me luce que él es viejo». «Eso luce bueno». «Esto luce un espejo».

LUISA. *Ser alguien como Luisa Lane que no ha encontrado su Superman.* (El cubano pronuncia «Lein».) Se aplica a las mujeres solteronas. «Ella es como Luisa Lein que no ha encontrado su Superman». (El cubanismo está tomado de las tiras cómicas o muñequitos de «*Superman*».)

LUJO. Ver: *Restaurante.*

LUKE. Ver: *Duque.*

LUMUMBA. *Entrar Lumumba en Katanga.* Fornicar. «Cuando la besé fue cuando entró Lumumba en Katanga».

LUNA. *Ser una luna de gato y escoba.* Ser una luna llena y rojiza. «Hoy hay una luna de gato y escoba». *Si no es luna es cuarto creciente.* Si no es calvo es bastante adelantado. «Juan si no es luna, como ves, es cuarto creciente». (Se oye entre la gente culta.) Ver: *Romance.*

LUNAR. *El lunar de Lola.* El número uno en el dominó.

LUYANÓ. *Ser alguien de Luyanó pa'* (para) *abajo.* Ser del pueblo. «Él hace mucho, a pesar de que es de Luyanó pa' abajo». (Luyanó es un barrio de La Habana. Vivía en él mucha gente buena, pero humilde. De aquí el cubanismo.)

LUZ. *Dar luz a alguien.* Darle dinero. «Estaba quebrado y le di luz». *Dar más luz que un bombillo.* Brillar mucho. «Ese anillo da más luz que un bombillo». *Estaba esmerilado por los fosos y le di luz.* No tenía dinero y yo se lo di. «Mi hermano estaba esmerilado por los fosos y le di luz». («Esmerilado por los fosos» es «no tener dinero». Es lenguaje del chuchero. Ver: *Chuchero.*) *Ir algo luz y progreso.* Ir bien. «Todo el asunto va luz y progreso». *Luz de cocuyo.* Leve. «En los bohíos, en el campo cubano, se ve luz de cocuyo». (El cocuyo es un insecto del Caribe que tiene la propiedad de iluminarse.) *Luz y Progreso.* Buena suerte. «Bueno, Luz y Progreso. Nos vemos». (Se usa en las despedidas. Fue cubanismo popularizado en el programa radial de Garrido y Piñeiro. También es un saludo muy popular entre los espiritistas.) *Luz y Progreso, hermano.* 1. Equivale muchas veces a «que desaparezca de mi vida». «Se lo grité: Luz y Progreso, hermano». Sinónimo: *Llévatelo, viento de agua.* 2. Que te vaya bien. (Es fórmula de despedida.) *Octavio de la Luz Medina.* El número ocho en el dominó. *Ser luz de cocuyo.* Ser muy débil. «La luz que da la presa es luz de cocuyo». *Tener una mujer puesta la luz roja.* Tener la regla. *Vacuna sin luz y sin progreso.* Vacuna que tiene el mismo número de décimas. «Todos los años ponen esa vacuna sin luz y sin progreso». («*Luz y Progreso*» es el mote de los espiritistas. La vacuna no progresa, no aumenta. De aquí este cubanismo nacido en el exilio.) Ver: *Espiritista. Privilegio.*

Portada del libro *MI HABANA* de Álvaro de Villa, pseudónimo de Rolando Álvarez, uno de los humoristas mejores y más conocidos de Cuba.
La caricatura es de Antonio Rubio representando varios personajes populares cubanos: el limpiabotas, el chuchero y la mulata.

M. *Estar en M. Delli.* Estar atrasado. «Perdona que te lo diga, pero tú estás en M. Delli». (M. Delly era un famoso escritor de novelitas rosas de principios de siglo. De aquí el cubanismo.)

MA. Mamá. «Oye, ma, te quiero mucho»: (Es la forma que usan los negros al hablar. No se aplica sólo a la madre sino a cualquier mujer.)

MABINGA. 1. Palabra africana que quiere decir boniato. «Dame un poco de mabinga». 2. Tabaco de la peor calidad. «Ése fuma mabinga». Sinónimo: *Billiken. Charuto. Rompepecho.* Ver: *Tierra.*

MABUYA. Dios taíno. «Eso no se resuelve ni con Mabuya».

MAC. *Ser una mujer como MacArtur.* Se dice de una mujer ya muy mayor, pero que todavía conserva las formas. «Ella es como MacArtur». Algunas veces se añade la razón al cubanismo: «Ella es como MacArtur, peleó hasta el último momento». (Pelear hasta el último momento quiere decir en cubano, que se mantuvo bien hasta una edad avanzada. MacArthur, el general norteamericano, en las Filipinas, durante la Segunda Guerra Mundial, peleó hasta el último momento. El cubano lo pronuncia como se ha escrito.)

MACABRO. Malo. «Juan habla un inglés macabro».

MACACO. Bastón. «Le dio un golpe con el macaco». Se dice, también: *cocomacaco.* Sinónimos: *Guayabo. Guayabo cimarrón.*

MACADAM. Material que se usa en las calles. «A esta calle le pusieron mucho macadam».

MACALUNGA. *¡Ay, macalunga, como me gusta la rumba!* Grito de alegría que se da cuando se está en la presencia de una felicidad inusitada. «¡Me saqué la lotería! ¡Ay, macalunga, como me gusta la rumba!» (Procede de cuando una orquesta toca muy bien música caliente. Alguien grita así.) *¡Ay, macalunga!* También, lo que tengo que aguantar. «Ahí viene ese idiota. ¡Ay macalunga!» *Hay macalunga.* ¡Ay, Dios mío! «¡Se sacó lo lotería! ¡Ay Macalunga!»

MACAMBUSIO. 1. Amigo. «Oye, macambusio, llámame». 2. Tonto. «Ya me tiene cansado el macambusio ése».

MACANTAYA. Amigo. «Óyeme, macantaya, ¿cuándo vuelves?»

MACAO. *Hasta al macao lo sacan de la cueva.* No hay quien pueda ocultarse. «Te perseguiré y no olvides que hasta al macao lo sacan de la cueva». *Para que suelte hay que darle candela como al macao.* Con él hay que utilizar la violencia. «No entiende. Para que suelte hay que darle candela como al macao». *Sacar al macao de la cueva.* Sacar a alguien de su aislamiento. «Hablé con Juan. Yo al macao lo saqué de la cueva». (El macao es un tipo de cangrejito cubano que siempre está en la cueva.) Ver: *Candela.*

MACATE. (El) 1. Pene. «¡Qué macate tiene ese niño!» «Forniqué tanto que me duele el macate». «Mira qué macate». 2. Los testículos y el pene. «Mira como se le marca el macate». Se da este nombre sobretodo al bulto que se forma cuando el pene y los testículos se proyectan sobre el pantalón apretado. «Mira qué macate tiene. ¿Por qué no se quita esos pantalones?» *Comerse el macate.* Fracasar. «He tenido mala suerte. Me comí el macate». *Tremendo macate.* Pene grande. «Ese niño tiene tremendo macate». Sinónimo: *Mandar un macate.*

MACEÍTO. *Ser Maceíto.* Ser filocomunista. «Pedro es Maceíto». (Así se llaman los cubanos del exilio que van a servir al comunismo, yendo a Cuba en una brigada llamada Antonio Maceo.)

MACEO. *Competir con Maceo.* Ser muy guapo. «Tú compites con Maceo». (El General Antonio Maceo, héroe de Cuba, tenía el cuerpo lleno de heridas.) Ver: *Parientes. Tolete.*

MACETA. *Estar por la maceta.* 1. Estar buenísimo. «Ese libro está por la maceta». También dar las respuestas justas. «En las contestaciones estuviste por la maceta». 2. Ser muy estricto. «Eso no te lo va a permitir. Él está por la maceta». También he oído como «estar por decisiones fuertes sin transigir». «No acepta. Está por la maceta». Así mismo, saberlo todo. «En el negocio triunfará. Está por la maceta». Lo he oído como «estar en todo». «Volvió a tomar la decisión exacta. Está por la maceta». *Seguir alguien con la maceta en la mano.* Seguir en la posición de mando. «Éste sigue con la maceta en la mano a pesar de sus errores». Sinónimo: *Estar de martilla. Estar de martillo.*

MACHACO. Bruto. «Eso es como te digo, machaco».

MACHADATO. *Dejar el Machadato y caer en Miguel Mariano.* Salir de una situación difícil para caer en otra. «No tengo suerte, dejé el Machadato y caigo en Miguel Mariano». (Machado, presidente de Cuba, afrontó la mas grande crisis económica de la isla.) Miguel Mariano Gómez fue presidente de Cuba. Su época, económicamente hablando, no fue muy buena.) Sinónimo: *Salir de Guatemala para entrar en guatepeor, (o guatepeo.) Estar pasando un Machadato.* Estar atravesando una situación económica difícil. Me encuentro, como puedes ver, pasando un Machadato». (El machadato fue una época de mucha hambre en Cuba.) Sinónimos: *Cable. Estar comiéndose un cable. Querer seguir viviendo en el Machadato.* Se dice del que se queja del precio alto de las cosas. «No te quejes. Paga lo que es. Tú quieres seguir viviendo en el Machadato». (En el Machadato todo era muy barato. De aquí el cubanismo.) Ver: *Precio.*

MACHADO. *Pararse en Machado.* Creer que los precios de hoy son los de ayer. «Éste se paró en Machado. Cree que esto cuesta un peso». (Se aplica el cubanismo, principalmente, entre la gente mayor, a aquel que cree que los precios de hoy son como los de ayer, porque en tiempos de la presidencia del General Gerardo Machado en Cuba hubo una depresión económica y los precios estaban por el suelo.)

MACHANGO. Buen tipo. «¡Qué machango eres!»

MACHANGUERÍA. Machismo del hombre, en el sentido de creer que todo se lo merece. «Qué machanguería la de tu marido, Lola».

MACHARRANGO. El amante, el querido. «¡Ese imbécil es el macharrango de ella!» (Lenguaje de la Cuba de hoy.)

MACHAZO. *El machazo de la película.* 1. Se dice del que es muy buen tipo. «Pedro es el machazo de la película». También valiente. «Resolvió la situación. Es el machazo de la película». 2. El que tiene el mando. «Aquí él es el machazo de la película». *Ser el machazo de la película.* Ser muy buen tipo. «Mi hijo es el machazo de la película».

MACHETE. 1. El que combate y desprecia a las autoridades en la Cuba de hoy. «A ese machete lo van a fusilar». «Desde el primer día es un machete». (Cubanismo de la Cuba de hoy.) 2. Pene. Sinónimo: *Barra.* 3. Pesos. «Tengo unos cuantos machetes conmigo». Sinónimo: *Baro. Dame el machete, mi negro.* Fornícame. «Anda, dale al machete, mi negro». (Forma de hablar del cubano que muestra su genio lingüístico. «Mi negro» es «mi amor». «Dame al machete», es «fornícame».) *Dar machete.* Quitar cosas de un escrito. «A esta novela le voy a dar machete». *Ser algo machete.* Bueno. «Esta novela es machete». *Ser hacha y machete.* Ser una persona que vale mucho. «Yo quiero que sepas que mi primo, en esa disciplina, es hacha y machete». *Ser un Maceo sin machete.* Ser un patriota que no puede liberar a su patria. «Tú no eres más que un Maceo sin machete». (El cubanismo nació en el exilio cubano.) Ver: *Achero. Pepe. Zafra.*

MACHETERO. *Buen machetero.* El patriota cubano alzado en armas que daba buenas cargas al machete contra los españoles, en la guerra de independencia. «Mi tío peleó con Maceo y era un buen machetero». (Ver: Alfonso Camín, que lo usa en su poema: «*El Yanquí de Jimaguaní*». Página 25.) *Ser hacendado y quedarse en machetero.* Haber sido un gran mujeriego pero no poder serlo más por estar viejo. «¡Quién lo iba a decir! Era hacendado y se ha quedado en machetero». («Hacendado» en Cuba era el que tenía ingenios de azúcar. El «machero» era el que cortaba la caña.) Ver: *Carey.*

MACHETÓN. Ladrón. «Por ahí pasaron los machetones y se lo robaron todo».

MACHO. *Búscate un macho.* Así gritan las bajas clases sociales a una mujer que se enfada. «Mira como nos mira esa mujer. Búscate un macho». *Estar alguien de macho o estar en el macho.* Ser el jefe. «En esta situación yo estoy de macho». Sinónimos: *Ser el dueño de los caballitos. Ser el dueño del bate, el guante y la pelota. Ser el que más mea. Hablar como un loro macho.* Hablar mucho. «Tú hablas como un loro macho». *Hacerle a alguien un hijo macho.* 1. Meterlo en un lío «Con esa situación me has hecho un hijo macho. ¿Cómo salgo del atolladero?» 2. Perjudicarlo. «Me has hecho un hijo macho y pierdo dinero». 3. Ponerlo en una dificultad. «Con lo que has dicho me hiciste un hijo macho». *Macho, varón,* *masculino.* Forma jocosa en que se dice que se es del sexo masculino. «Soy macho, varón, masculino»». Sinónimo: *Machuno. Ser macho Villalobos.* Ser el mejor. (Macho Villalobos es el personaje de una novela radial: «*Los tres Villalobos*», de Armando Couto.) *Tener talento macho.* Tener mucho talento natural. «José Martí tenía talento macho». *Tener un padrejón macho.* Estar indigestado. «Juanito tiene un padrejón macho». Ver: *Guajiro. Hijo. Mango. Plátano.*

MACHUBROCHA. Este cubanismo se usa en un juego de niños. En esos juegos que se dice que tiene pega, que consiste en decir algo para que el que oye pregunte qué es y salirse con una respuesta conectada con el sexo. «Yo tengo un machubrocha. —¿Qué es eso, Luis? —Una pinga,— pene, con dos brochas. Te pegué». («Pinga» es castizo. En Cuba se tiene a la palabra como cubanismo.)

MACHUCHO. 1. Forma cariñosa de dirigirse la mujer al marido. «Machucho, no te pongas bravo». 2. Equivale a mi chino. «Machucho, ¡cómo te quiero!»

MACHUNO. Sinónimo de macho.

MACHUQUILLO. *Hacer machuquillo de alguien.* Aniquilar. «Como sigas molestándome voy a hacer machuquillo contigo». (El machuquillo es una comida cubana que se hace con plátano majado.) Sinónimos: *Hacer fufú de plátano. Hacer picadillo.*

MACO. Ver: *Diñar.*

MACORINA. Ver: *Mano.*

MACRI. De la raza blanca. «Tú sí eres macri». (Lenguaje del chuchero. Ver: *Chuchero.*)

MACUTÍN. Dinero. «¡Cómo tiene ése macutín en su casa». Sinónimo: *Baro. Trillar la de macutín.* Cogerle a alguien el dinero. «A ese pobre hombre le trillaron la de macutín».

MACUTO. 1. Dinero. «Tiene mucho macuto en su hogar». Sinónimo: *Baro.* 2. Especie de bolsa. «Cómo pesa este macuto».

MADAMA. Ver: *Perica.*

MADERERA. *Tener arriba la maderera Pérez y Hnos.* Ser un descarado total. «Me pidió otra prórroga del pleito. El tiene arriba la maderera Pérez y Hnos». (El que tiene la maderera Pérez y Hnos., famosa en Cuba, tiene mucha tabla, o sea, aplomo. De aquí el cubanismo.) *Tener que comprarse alguien la maderera de Pérez y Hnos.* Tener que controlarse el carácter por tenerlo muy explosivo. «Mi hermano, tienes que comprarte la maderera de Pérez y Hermanos». (Es que la maderera de Pérez y Hnos., muy famosa en La Habana, tiene tablas. «Tener tablas» quiere decir, también, controlarse el artista ante el público. De aquí el cubanismo. «Tener tablas» es castizo. El cubano lo cree cubanismo.)

MADRE. *Cagarse en la madre de los tomates.* Eufemismo por «Me cago en la madre de todo». «Me cago en la madre de los tomates si no me traes una A». Sinónimo: *Cagar en Sebastopol.* (Algunos lo dan como castizo. Por supuesto que estos cubanismos se basan en la misma estructura lingüística que usa el castizo para casos semejantes.) *Ser del coño de su madre, y del padre, y del tío.* Es el aumentativo para decir que alguien es malísimo. Supermalo. Se forma añadiendo estas palabras al castizo: «Es del coño de su madre». «Ahora traicionó a su mentor político. Es del coño de su madre, y del padre, y del tío». (Añade padre y tío.) *La rebombiá de tu madre.* «Se fueron a las manos cuando le dijo: La rebombiá de tu madre». Sinónimo:

Tu mamá calimbanbó. (Forma que utilizan los niños imitando la manera en que los chinos mientan la madre.) *Nacer de madre doble.* Ser una mala persona. «Ése nació de madre doble». Sinónimo: *Estar criado con leche prestada. Vivir en casa del coño de su madre.* Vivir muy lejos. «Mi primo vive en casa del coño de su madre». Sinónimos: *Vivir en la Quimbambas. Vivir en los Remates de Guane.* Ver: *Coño.*

MADURA. *Ponerle la madura a alguien.* Hacerle un beneficio: darle una oportunidad; hablar bien de él, etc. «En la reunión le puse la madura al referirme a su persona». (Hablar bien de él.) «Cuando vi que necesitaba el dinero le puse la madura con Juan». (Lo ayudé.) Antónimo: *Ponerle la verde.*

MADURO. *Dejarlo a uno maduro.* Darle una golpeadura. «Me dejaron maduro en la esquina los bandidos». *Estar de maduro para podrido alguien.* Estar un hombre ya pasado de los sesenta. «Parece joven pero está de maduro para podrido». *Lo malo de ser maduro es que uno se pasa enseguida para podrido.* Contestación que se da alguien dice que es un hombre maduro.

MAGNAVOX. *Abrir el magnavox.* Empezar a hablar sin parar. «Abrió el magnavox y continuó hablando todo el día». («Magnavox» es una marca norteamericana de equipos eléctricos, micrófonos, etc. De aquí el cubanismo.)

MAGNESIA. *Convertir a alguien en magnesia.* Caerle encima para que haga algo. «Yo lo estoy vigilando y en cualquier momento lo convierto en magnesia». (Caer arriba es «agitar» en cubano. La magnesia hay que agitarla antes de usarla. De aquí el cubanismo.) *Estar siempre de magnesia.* Estar siempre nervioso. «Tú estás siempre de magnesia». (La magnesia se agita. El nervioso está agitado. De aquí el cubanismo.) *Ser como la magnesia «filiks».* Ser un hombre o mujer muy activo. «Él es como la magnesia «filiks». («Filiks», es como el cubano pronuncia el nombre de la magnesia «Phillips» muy popular en Cuba. A la magnesia hay que «agitarla» antes de usarse y el hombre activo está siempre agitado. De aquí el cubanismo.)

MAGO. *Ser alguien el mago de la pirotecnia.* Se dice del que se tira muchos peos. «Óyelo, es el mago de la pirotecnia». *Ser un mago.* Lograr éxitos que otros no logran. «¿Puedes creer que consiguió el puesto? Es un mago». Se dice también: *Ser Mandrake el mago.* Ver: *Dinero.*

MAGUA. Dinero. «Ese tío mío está repleto de magua. Pienso que me deje algo al morir». Sinónimo: *Billete.*

MAGUADO. No quedar contento. «Me he quedado maguado con el hecho de que él no viene».

MAIBELLINE. *Dar Maibelline.* Moverle los ojos una mujer a un hombre coquetamente. «En mi juventud, yo, como todas las mujeres di mucho maibelline». («Maybelline» es una crema para las pestañas. El cubano pronuncia «maibelline».)

MAINE. *Así volaron el Maine y era de acero.* Frase jocosa de los niños cuando uno de ellos se inclina al suelo y muestra el trasero. (El Maine fue el barco que estalló en la Bahía de La Habana.)

MAÍZ. *Aquí, vestido de maíz para que me coman los pollos.* Frase jocosa que se dice como contestación a: «¿Qué haces? —Aquí, vestido de maíz para que me coman los pollos». O sea, dejándome querer por todo el mundo. (Es un juego de palabras entre pollo como castizo y como cubanismo: pollo es mujer bella.) *Coger o sorprender a alguien asando maíz.* Cogerlo o sorprenderlo en la realización del acto. «Lo sorprendieron, al ladrón, asando maíz». *Como comer maíz.* En abundancia. «Juan gana medallas en el colegio como comer maíz». *Echarle a alguien maíz.* Tratar de ganar la amistad de alguien. «Le estoy echando maíz y ya lo tengo casi conmigo». *Maíz pa' los pollos.* Se le dice a una mujer bella, al verla pasar. «¡Qué bella! ¡Maíz pa' los pollos!» («Pa'» es «para».) *Que el que siembra su maíz, que recoja su pinol.* El que la hace, la paga. «Tiene que cumplir en la cárcel. El que siembra su maíz, que recoja su pinol». Sinónimo: *Chivo que rompe tambor, con su pellejo lo paga.* Ver: *Pollo.*

MAJÁ. *Estar encuevado como el majá.* Estar esperando una ocasión propicia. «No creas que ha dejado la contienda. Está encuevado como el majá». (Por regla general el cubano aspira la «d», y dice «encuevao».) También no salir de la casa. «No hay forma de verlo. Está encuevado como el majá». *Hacerse alguien el majá.* Comportarse ladinamente. «Juan se está haciendo el majá. ¡Qué mala persona es!» *Hacerse el majá, o el majá mocho.* Ser muy astuto. «Se hace el majá para poder observarte y después atacarte». (El majá mira fijamente a un pájaro, lo hipnotiza y después lo atrae para devorarlo». *Heder a majá cuquiao.* («Cuquiao» es «cuquiado» pero el cubano aspira la «d».) Oler muy mal. «Báñate que hueles a majá cuquiao». (Lenguaje campesino avecinado a las villas y ciudades cubanas de las zonas rurales.) *Pudrir el majá.* Estar digiriendo la comida. «Duerme la siesta para pudrir el majá». *Ser alguien como el majá: donde ve un hueco se mete.* Se dice del que fornica continuamente sin importarle si la mujer es bella o no. «Míralo con esa fea. Es como el majá. Donde ve un hueco se mete». (Es lenguaje campesino.) *Tirar majá.* 1. Engañar. «Oscar siempre me tiró majá». (En el juego es «hacerse que no se sabe».) «Nos ganó porque nos tiró majá». 2. Hacerse el sueco. «No me tires majá que tú sabes lo que te digo». 3. No tener intenciones de cumplir una promesa. 4. No trabajar. «Se pasa el día tirando majá». 5. Simular que no se sabe algo para triunfar. «Sabe el juego muy bien, pero está tirando majá». 6. Zafar el cuerpo. «Cuando hay que trabajar tira majá».

MAJAGUA. 1. Base para el juego de pelota. «Con esa majagua es peligroso». 2. Bate en el juego de pelota o base-ball. «Ahora le pega a la pelota con la majagua, fuertemente». 3. Traje bueno y elegante. «Qué majagua la tuya, mi amigo». «¡Qué majagua llevas hoy!» «¡Qué majagua más bello!» «¡Qué majagua más bella!» Sinónimo: *Flu. Percha. Tener una majagua en el brazo.* Tener mucha fuerza en el brazo. «Ese pelotero tiene una majagua en el brazo». (Es lenguaje beisbolero. La majagua es una madera preciosa cubana.)

MAJAMA. *Pegarle un tarro a Majama Gandi.* Ser pacifista una vez pero después disentir de sus ideas. «Hoy le pegué un tarro a Majama Gandi». («Pegar un tarro» es un cubanismo que además de engañar a la mujer, significa no seguir una idea.) *Ser Majama Gandi.* Ser un pacifista. «Tú eres un Majama Gandi». (Cubanismo culto del exilio, nacido con la película del prócer hindú.)

MAJARETE. Tipo de dulce hecho con maíz. *Coger majarete.* Conseguir una ganga. «Con ese automóvil cogiste majarete». *Dar majarete.* Ayudar a alguien. «No te puedes quejar. Te estoy dando majarete». *El majarete.* El pene. Sinónimo: *Barra. Gustarle a alguien el majarete.* Gustarle la buena vida. «Muchacho, ¡cómo te gusta el majarete!» (Hemos oído esta frase relacionada con el acto sexual. «¡Cómo le gusta el majarete!» *Quitarle a alguien el majarete.* Suprimir un beneficio. «El nuevo jefe le quitó el majarete». *Tirar majarete.* Perder de propósito. «El banquero tira majarete para después ganar cuando te distraes».

MAJASEAR. Trabajar poco. «Ese profesor majasea mucho en clase». Ver: *Majaseo.*

MAJASEO. (El) 1. El trabajar poco fingiendo que se hace mucho. «Esta industria no adelanta por el majaseo». 2. Tocarse una pareja mucho. «A esa pareja le encanta el majaseo». «Esa pareja tiene tremendo majaseo». 3. Vagancia. «Tienes tremendo majaseo». *El Rey del Majaseo.* Un vago de marca mayor. «Él siempre ha sido el rey del Majaseo». (Viene de «majasear», o sea, «no trabajar».)

MAJASÓN. *Estar medio majasón.* Estar medio vago. «Tú estás medio majasón. Hay que trabajar».

MAJASONA. Persona que vaguea en todo. «No se puede contar con él porque es una persona majasona».

MAJAZO. Bueno. «Mi amigo es un majazo».

MAJÍN. *Ser alguien Majín.* Se dice del que cesantea mucho. «Ese ministro es Majín». (El depurativo Majín depura la sangre, y el ministro depura, o sea, cesantea. De aquí el cubanismo.)

MAJIONGA. Trampa. «Antonio siempre anda con majionga (o magionga)» «No sé qué majionga (o magionga) se trae entre manos». (Es cubanismo de origen campesino.)

MAJOMÍA. Trampa. «Déjate de esa majomía conmigo que no caigo». (El castizo tiene otro significado.) Ver: *Berrenchín.*

MAJÚA. *Dar majúa.* Halagar a alguien para ganárselo. «Al jefe le estoy dando majúa». (La majúa sirve de carnada.) Sinónimo: *Dar curricán. Darle a alguien majúa.* Estarlo camelando para algo. «A tu marido esa mujer le está dando majúa».

MAKDONALD. *Alborotarse alguien a lo MakDonald.* Enfurecerse alguien e ir hasta las últimas consecuencias «Yo se lo dije: conmigo no juegues que yo me alboroto a lo MakDonald». (Es un cubanismo nacido en el exilio. El MacDonald que el cubano pronuncia como se ha escrito, es un establecimiento que vende, entre otras cosas, perros calientes. Cuando se compra un perro caliente se dice en inglés que lo quiere «all the way», es decir, con todas las salsas. Alborotarse a lo MakDonald es alborotarse «all the way», o sea, completamente. De ahí el cubanismo.) Ver: *Espíritu.*

MAL. *Cuando el mal es de cagar, no valen guayabas verdes.* 1. No hay nada que hacer. «Obedece a tu padre, aunque no te guste, que cuando el mal es de cagar no valen guayabas verdes». 2. No hay remedio. «No importa lo que haga. Cuando el mal es de cagar no valen guayabas verdes». (Refrán campesino.) *Decirle hasta del mal que va a morir.* Maltratarlo de palabras. «Me enfrenté con él y le dije hasta del mal que va a morir». *El que canta, su mal espanta.* El que le hace frente a un problema con buen ánimo, lo resuelve. «No tengas miedo ante la adversidad, que el que canta, su mal espanta». *Mal rico te pele.* Ojalá que te mueras. (La misma base lingüística del castizo: *Mal landre te agarre.*) *Ser alguien mal encabado.* Ser muy feo. «Ella es muy bonita pero el hermano es mal encabado». *Ser mal agradecido.* Se dice de la persona que come mucho y no engorda. «Ese muchacho es mal agradecido. Mira que se alimenta». Ver: *Espasmos. Fulastre.*

MALA. *Caer la mala.* Tener mala suerte. «Desde entonces me ha caído la mala». *Dar la mala.* Engañar. «En el negocio me dio la mala». *Estar una mujer mala.* Estar fea. «Esa mujer está muy mala». Sinónimos: *Estar hecha un casco. Estar hecha un fleje. Ser un grillo. Irse con la bola mala.* 1. Cometer un error. «Él no tuvo buen juicio y se fue con la mala». (El cubanismo viene del juego de pelota, o base-ball.) 2. Tomar la decisión equivocadamente. «No hace las cosas bien, siempre se va con la bola mala». (Está tomado del juego de pelota, o base-ball.) Algunas veces se dice, simplemente: *Irse con la mala. Ponérsela a alguien mala.* Ponerlo en una dificultad. «A ese tipo con la pregunta se la puse mala». Ver: *Bola.*

MALANGA. 1. En frase como «la malanga que nosotros sabemos», indica «lo mucho que nosotros sabemos». «La malanga que nosotros sabemos es de sabios». También: «El secreto que sabemos». «La malanga que nosotros sabemos irá con nosotros a la tumba». 2. Lío. «No quiero tener una malanga contigo». *Acabarse la malanga.* Terminar algo. «Ya se terminó la malanga». *¿Cómo está la malanga?* ¿Cómo está la cosa, la situación? «Pedro, dime, ¿cómo está la malanga?» *Entrar en la malanga.* Asociarse con algo. «A mí aquello me gustaba; me decidí y entré en la malanga». *Esta malanga.* Esta cosa. «Esta malanga es difícil». *La malanga.* La cabeza. «Me pica la malanga». Sinónimos: *El coco. El pen-jaus.* (Pent-house en inglés.) *La chirimoya.* (Seco da «coco» como madrileñísmo.) *Estar en la malanga.* Estar en el quid de la cosa. «Él es tan inteligente que está en la malanga». Sinónimo: *Estar en el ajo. Malanga isleña.* 1. Grande. «Ésta es una malanga isleña». 2. Pene grande. «Tienes una malanga isleña». (Es, en este contexto, el que más se oye.) *Ponérsele a alguien dura o mala la malanga.* Tener una situación difícil. «A Juan se le puso mala la malanga». También, cosa. *Ser una malanga.* No tener inteligencia. «Tú siempre has sido un malanga». *Tener una malanga con alguien.* Tener un problema con alguien. «Ayer tuve una malanga con el jefe». Ver: *Dinero. Periódico. Punto. Tres. Yuca.*

MALANGAL. *Ser el dueño del malangal.* Ser el jefe. «Ese señor es el dueño del malangal». Sinónimos: *Ser el dueño del bate, el guante y la pelota. Ser el dueño de los caballitos. Ser el dueño de la papeleta. Ser el que más mea.*

MALANGANOSTRA. La cosa de que se trata. «Ya tú ves lo que es la malanganostra». (Cubanismo formado por la palabra malanga, o sea, cosa, problema y nostra [italiano.]) Se dice también: «Ya tú ves lo que es la malanga». «¡Cómo está la malanga!»

MALANGAZO. Golpe. «Me dio un malangazo entre ceja y ceja». Sinónimo: *Tortazo.*

MALANGUITA. Problema pequeño. «Hoy tuve una malanguita con mi tía». *Hacerle malanguita al jardín.* Podarlo todo. «Hoy voy a hacerle malanguita al jardín». (Es un cubanismo nacido en el exilio cubano. Se basa en el pelado a «la malanguita» que se le hacía a los niños en Cuba, en el que le dejaba sólo un mechoncito de pelo cayendo sobre la frente y se la pelaba el resto casi al rape.) *Pelado a la malanguita.* Especie de pelado que usan los niños. Consiste en tener toda la cabeza rapada y una mota de pelo sobre la frente en un costado de la cabeza. «La moda es pelar a los niños a la malanguita». Ver: *Melena.*

MALARRABIA. Boniatillo con coco. «Como recuerdo fuera de mi tierra la malarrabia que comíamos de niño».

MALASIA. *Ser alguien el tigre de la Malasia.* 1. Ser fuera de serie. «Debes conocerlo. «Ese hombre es el Tigre de la Malasia». 2. Ser muy astuto. «Mi hermano es el tigre de la Malasia». (El cubanismo viene del título de las novelas de Emilio Salgari muy populares en Cuba y su héroe: *El Tigre de la Malasia.*) Sinónimos: *Escapársele a la momia por debajo del vendaje. Escapársele a Tamakún por debajo del turbante. Ser hacha y machete. Ser lican. Ser Sandokán. Ser tiza. Tener nitrón en el cerebro.* Ver: *Tigre.*

MALDAD. *Estar en la maldad.* 1. Andar precavido. «A mí es muy difícil engañarme porque yo siempre estoy en la maldad». 2. Equivale al castizo: «No creer ni en la paz de los sepulcros». «A mí no me engaña, porque estoy en la maldad». (Latiguillo lingüístico. Es decir, algo que el cubano repite continuamente.) También desconfiar de todo el mundo. «Yo siempre estoy en la maldad». 3. Estar en la astucia. «Yo siempre estoy en la maldad. Por eso el jefe no puede despedirme». 4. Estar siempre en el meollo de todo. «No me pudo sorprender porque estoy en la maldad». *Hacer una maldad.* Hacer una movimiento político contra el enemigo. «El jefe quiere despedirme pero no puede porque le hago mil maldades». *Hacerle una maldad a una mujer.* Fornicarla. «Ayer le hice una maldad a ella».

MALDITA. (La) La bencedrina. (Casi extinguido el cubanismo. Así le llamaban a la bencedrina, los estudiantes universitarios en Cuba, porque la tomaban para no dormirse y poder pasar la noche estudiando.) «Mañana tengo examen. No puedo acostarme. Voy a tomar la maldita».

MALEFICIO. El catarro o un catarro malo «Me cayó el maleficio».

MALETA. Ver: *Cuento.*

MALLA. Ver: *Triple.*

MALO. *Es tan malo que le pegó el catarro a la comadrona.* Es malísimo. «Elio es tan malo que le pegó el catarro a la comadrona». (Forma de hablar del cubano en la que evidencia su dominio lingüístico.) *Ponerse malo el mantecado.* Empezar a deteriorarse una situación muy buena. «El mantecado se está poniendo malo».

MALOJA. 1. Cigarro de marihuana de mala calidad. «Dame una maloja». «Esto no es de Oriente. Esto es maloja». Sinónimo: *Prajo.* 2. Yerba que se le da al caballo como alimento. «A ese caballo hay que darle maloja. Está muy delgado». *Comer alguien maloja.* Hablar basura. «Mira que tú comes maloja. No des más opiniones». *La maloja ésa échasela al caballo que tú quieras.* Decide tú con tus cosas lo que te da tu real gana. «Oye, si no quieres prestarme el dinero, está bien. La maloja ésa, échasela al caballo que tú quieras». *Tú nunca me ha echado maloja.* Se le dice al individuo que se propasa con uno. (Se le indica que nunca lo ha mantenido a uno para tomarse esos derechos. «Estáte en tu lugar. Tú nunca me has echado maloja». (Maloja es el alimento que se le da a los caballos.)

MALTA. *Malta India todo el día.* Se le dice a alguien que tiene que trabajar mucho. «Muchacha, ¡cómo trabajas! —¡Malta India todo el día!» (Es un cubanismo que se basa en el lema de la Malta India, una malta puertorriqueña. Se oye sólo entre los cubanos que residen en Puerto Rico.)

MALTEÑO. Así llaman al plátano en ciertas zonas de la provincia matancera. «Juan, dame una libra de malteños».

MAMÁ. *Ahí mamá.* Sigue haciendo lo que haces. Se oye principalmente cuando una orquesta toca muy bien. «¡Qué piano toca! ¡Ahí mamá!» *¡Ay! ¡Ay, Mamá Iné!* ¡Qué difícil es esto! (Viene de la canción cubana que comienza así: *¡Ay, Mamá Iné! ¡Ay, Mamá Iné, todos los negros tomamos café...!* («Iné» es «Inés».) «¡Ay, Mamá Iné, Ay, Mamá Iné! —¿Qué te pasa? —Que no puedo sacar el problema». *Comparada con tu mamá, ella es Anita, la Huerfanita.* Ella se queja menos que tu mamá. «Mi mujer, comparada con tu mamá, es Anita la Huerfanita». (*Anita, La Huerfanita* es un personaje de las tirar cómicas —muñequitos en cubano.—) *Ser más trágico que Mamá Campanitas.* Ser trágico en demasía. «No le hagas caso: Esa mujer es más trágica que Mamá Campanitas». (*Mamá Campanitas* es una novela que ponian en la televisión, en Miami. Es cubanismo nacido en el exilio.) *Ser una mujer como mamá Beiker.* Ser muy mala. «La mujer del calvo es como mamá Beiker». (Cubanismo del exilio. «Mamá Baker», que el cubano pronuncia como se ha escrito, fue una pandillera famosa en Estados Unidos, muy cruel. De aquí el cubanismo que surgió porque hicieron una película sobre el personaje.) Ver: *Hija.*

MAMADOR. Quien succiona las partes pudendas de la mujer. «Ése es un mamador». (El cubano, para herir a una persona o tratarla despectivamente, dice iracundo: «No es más que un mamador y viene a dársela de inteligente». La palabra y su femenino: «mamadora» tiene como se ve en este caso, repito, una carga emotiva de gran desprecio.)

MAMADORA. Ver: *Mamador.*

MAMAR. *Estar mamando en seco.* Estar hecho un tonto. «Te pasas la vida mamando en seco».

MAMAS. *No es mamas boi es mamá tolete.* No es que tenga modales femeninos sino que es homosexual. «Elio no es mamas boi. Es mamá tolete». («Mama's boy», en inglés, y que el cubano pronuncia como se ha escrito, es el niño que por estar apegado a su madre tiene gestos femeninos. Es cubanismo del exilio. Hace un juego de palabras entre «mamas boy», y «mamas muchacho», y «mamas tolete». «Tolete» es «pene».)

MAMBÍ. Es hoy patriota. «Juan es un mambí». *Sombrero a la mambí.* Sombrero al estilo del que usaban los cubanos que se alzaron en armas contra España, llamados mambises, cuando la guerra de independencia. «Ese sombrero que lleva ese campesino es a lo mambí». (El sombrero del mambí es de yarey.) Ver: *Pacíficos.*

MAMBO. *Entrar al mambo.* Coger dinero. «En cuanto el padre se muera, le entran al mambo». *Estar el mambo durañón.* Estar la lucha por la vida muy dura. «Qué cansado estoy de todo. El mambo está durañón». *Estar el mambo duro* (el mantecado.) Estar la cosa muy difícil. «Yo creo que el mambo está muy duro». Sinónimo: *Estar la acera dura. Ponerse malo el mambo.* Ver: *Mantecado. Mejicano.*

MAMBOCHAMBO. *Estar alguien mambochambo.* Estar bien. «Él, con los comunistas, está mambochambo». (Es cubanismo de la Cuba de hoy.)

MAMBOLERÍAS. *Hacer mambolerías.* Hacer payasadas. «Ese político se pasa la vida haciendo mambolerías».

MAMEY. *Disfrutar del mamey.* Disfrutar del presupuesto nacional. «Lleva muchos años disfrutando del mamey». También disfrutar de un descanso; de una vacaciones; de algo que da placer. «Estoy disfrutando del mamey. ¡Qué lástima que es sólo por siete días!» (Vacaciones.) «Estoy disfrutando del mamey. El concierto es fenomenal». (Espectáculo.) «Estoy disfrutando del mamey. Como me gusta el mar». (Naturaleza.) *Olvidarse del mamey.* Olvídate de eso. «Olvídate del mamey. No te voy a dar nada». Sinónimo: *De eso nada y de eso cero. Olvídate del mamey.* La cosa no es fácil. «Olvídate del mamey que hay que luchar». *Ser algo muy mamey.* Ser muy fácil. «Eso es un mamey». (Lo trajeron los Marielitos, o sea, los cubanos que llevaron en 1980 a Estados Unidos por el puente marítimo Mariel-Cayo Hueso. Sin embargo, «es un mamey» con el mismo sentido se oye en Puerto Rico hace más de treinta años. Es un puertorriqueñismo importado en la Cuba de hoy.) Ver: *Chiquitico. Época.*

MAMEYAZO. 1. Golpe. «A Juan le dieron un mameyazo en la trifulca». «¡Qué mameyazos se reciben en la vida!» 2. Infarto. «El corazón le dio un mameyazo». (Viene de mamey, fruta cubana y tropical.) *Darle a alguien un mameyazo el motor.* Tener un ataque al corazón. «El motor le dio anoche un mameyazo». *Dispararle a alguien un mameyazo.* Darle un golpe fuerte. «Pedro le disparó un mameyazo a Antonio». Ver: *Tarrazo.*

MAMEYES. No. «Dame cinco pesos. —Mameyes». *A la hora de los mameyes.* A la hora crucial. «A la hora de los mameyes no hizo nada». *Hasta los mameyes.* Mucho. «La quiero hasta los mameyes». *La hora de los mameyes.* La hora de la decisión. «A la hora de los mameyes perdió el tino».

MAMONCILLO. *Descubrir el mamoncillo.* 1. Darse cuenta de todo. «Así que con respecto a él, ¿hoy vienes a descubrir el mamoncillo?» 2. Descubrir el quid de la cosa. «Ahora vienes a descubrir el mamoncillo». También, «descubrir el misterio». «En esa novela ahora vienes a descubrir el mamoncillo». El mamoncillo es una de las frutas más populares de Cuba. Muchos lo prefieren comer dándose un baño de mar pues es más sabroso aún, cuando se liga con la sal. Ver: *Camarones.*

MAN. Ver: *Steik.*

MÁNACHER. *Mánacher de manigua.* Se dice de todo el que habla lo que no sabe. «En política, tú eres un mánacher de manigua». (El mánacher de manigua en pelota, o base-ball, es el que opina de la misma sin saber. «Mánacher» es como el cubano pronuncia la voz inglesa «manager» o «administrador».)

MANAGUA. *Ser de Managua una mujer.* Tener senos grandes. «Esa mujer es de Managua». (Las Lomas de Managua, en la provincia de La Habana, semejan senos grandes. De aquí el cubanismo.) Ver: *Loma. Panetela.*

MANATÍ. Látigo. «Me dio, en la cara, con el manatí».

MANCHA. *Tener la mancha de plátano.* 1. Seguir siendo un campesino. «Tiene todavía la mancha de plátano». 2. Tener la marca de familia, parecerse a la familia. «El hijo tiene la mancha de plátano del padre». *Una mancha de petróleo.* Un grupo de personas de la raza de color. «Mira que mancha de petróleo hay en la esquina».

MANCO. *Manco de abajo.* Impotente. «El es manco de abajo». *Ser manco mental.* No tener inteligencia. «¿Ves sus opiniones? Es un manco mental».

MANCOMUNIO. Arreglo. «Ese mancomunio se dará».

MANCUERDA. Soga con pieza de metal. «No le pongas al perro la mancuerda».

MANCUNCHÉVERE. Ver: *Chévere.*

MANDADO. (El) El pene. «Se sacó el mandado en plena reunión. Es un enfermo». Sinónimo: *Barilla. Tener más mandados que un bodeguero.* Mandar mucho. «Juan tiene más mandados que un bodeguero». (El bodeguero en Cuba es el que regentea una bodega, un expendio de mercancías de primera necesidad. Los mandados son los pedidos de los vecinos. El cubanismo es un juego de palabras entre «mandar» y «mandados».)

MANDAR. Atreverse. «Se mandó conmigo y me dio un parón».

MANDARRIA. *Dar mandarria.* Fornicar. «Esta noche le voy a dar mandarria a quien tú sabes». *Descargarle a alguien la mandarria.* Darle muy duro con los puños. «Le descargué la mandarria y se echó a llorar. Le dolió duro».

MANDARRIAZO. Suceso grande. «El lograr el primer lugar fue un mandarriazo». Sinónimo: *Ser algo un piñazo.*

MANDARSE. Tragarse. «Se mandó toda la comida en un santiamén». *Mandarse a correr.* Escandalizarse. «Estos precios son para mandarse a correr». Ponerse nervioso. «Con esta situación me he mandado a correr».

MANDE. (Un) Una apuesta. «El mande es de cinco pesos».

MANDINGA. Que pertenece a una raza negra llamada Mandinga. «Él es un mandinga».

MANDOLINA. *Cada uno sabe la mandolina que toca.* Cada uno se conoce. «Dile que no te venga con excusas, cada uno sabe la mandolina que toca».

MANDRAKE. Ver: *Dinero. Mago.*

MANDULEY. (El) El pene. Sinónimo: *Barilla.*

MANENGUE. 1. Politicastro. «Éste es un país de manengues». «Ese senador es un manengue». 2. Político que no cumple lo que promete; de baja condición moral. «Ése no es un político, ése es un manengue». *Manengue intelectual.* Intelectual que no vale nada. «Ese es un manengue intelectual».

MANENGUISMO. Politiquería. «Ésta es la tierra del manenguismo».

MANGA. *Estar más arrancado que la manga de un chaleco.* No tener dinero. «Juan está más arrancado que la manga de un chaleco». Sinónimos: *Estar arrancado. Estar en carne. Estar en la fuácata. Estar hecho polvo y ceniza. Estar hecho tierra (o estar tan hecho tierra que si le echan agua se convierte en fango.) Estar en el peladero. Estar en la prángana. Estar en la tea. Estar en la tea incendiaria. Manga de viento.* Tornado. «En el campo hubo una manga de viento». Ver: *Chaleco.*

MANGADERA. Malversación. «La mangadera en este país es extraordinaria». *Estar en la mangadera.* Estar malversando. «Ese ministro está en la mangadera». También recibiendo prebendas. «Es amigo del gobierno y está en la mangadera».

MANGANZÓN. Persona de corpulencia física que es muy vago. «Muchacho, ¡qué manganzón eres!»

MANGAR. 1. Engañar. «Te mangaron en este negocio». 2. Lograr que un hombre se enamore, o una mujer. «Juana lo mangó con su coquetería».

MANGLAR. *Ir al manglar de los curros.* Estar dispuesto a todo. «Ése dice que si no saca el examen va para el Manglar de los curros». (Cubanismo que viene desde el siglo XIX. «En el Manglar», en extramuros de La Habana, vivían los negros curros. El sitio era refugio de delincuentes. El cubanismo se oye sólo entre algunos ancianos.)

MANGO. Fruta tropical. *A buena hora mangos verdes.* Ya es muy tarde, ya no hay solución. «Ahora me vienes con el dinero. A buena hora mangos verdes». Sinónimo: *¿Ya para qué, Mariana? Acabar con la quinta y con los mangos.* Arrasar. «Pasó el ciclón y acabó con la quinta y con los mangos». *A como quiera van los mangos.* Como quiera está bien. «Te recojo a la cinco de la mañana y a como quiera van los mangos». *Coger alguien los mangos bajitos.* 1. Abusar de alguien. «Como el hombre está pequeñín, él cogió los mangos bajitos». 2. Lograr algo fácilmente. «En ese negocio, cogí los mangos bajitos». *Conocer al mango en la mata.* Conocer como es alguien con sólo verlo. «Ése es un hombre malo. —Pero ¿cómo dices eso sin conocerlo? —Yo conozco al mango en la mata». *Formarse un arroz con mango.* Ver: *Arroz. La suerte es la mata de mango.* Menos mal que hubo ayuda; que apareció un refugio. «Estábamos ya para naufragar pero apareció el barco. La suerte es la mata de mango». *Haber mucho mango.* Haber mucha miseria. «Estos son tiempos de mucho mango». (Es cubanismo de origen campesino.) *Le zumba el mango.* ¡Qué cosa! Lo he oído también en Puerto Rico.[44] Sinónimos: *Le zumba la berenjena. Le zumba la manigueta. Le zumba el merequetén. Mango, manguito, mangüé.* Pregón del vendedor de mangos. *Parecer alguien una semilla de mango chupado.* Ser muy feo. «Antonio parece una semilla de mango chupado». *Poner a alguien a vender mangos.* Derrotarlo. «No pudo conmigo. Lo puse a vender mangos». Se dice también: *Sentirlo hasta donde dice «trade mark».* (Se refiere al «mango» de un cuchillo.) *Ser algo como los mangos.* Darle tiempo a todo. «Ya los derrotaremos, esos son como los mangos». (Alude al hecho de que los mangos se maduran y caen de la mata.) *Tener cara de mango macho.* 1. Estar enojado. «Hoy tiene cara de mango macho». 2. Ser muy feo. «Nació con cara de mango macho». Sinónimos: *Tener cara de yuca, o de yuca agria. Traquearle a alguien o algo el mango.* Es fenomenal. «A Juan en matemáticas le traquetea el mango». «A ese aparato le traquetea el mango sacando copias». «Le traquetea el mango que diga eso». Sinónimos: *Hay que tener bemoles. Le roncan los cojones, el tubo o la ziguaraya. Le zumba el mango. Le zumba el merengue, o el mereguerén, o el merequetén.* Ver: *Aparato. Cara. Mata. Merequetén. Mujer.*

MANGRINO. Hombre de campo. «Por ahí viene ese mangrino después de trabajar la tierra». (Ver: Víctor Vega Ceballos. *«La Tierra como base de la cultura Camagüeyana», Diario Las Américas,* 19 de Junio de 1977. Pág. 5B.) Sinónimo: *Marcos Pérez. Montero.*

MANGÚA. Dinero. «Necesito urgentemente mangúa». «Tengo aquí para ti el mangúa». Sinónimos: *Bille. Maní. Mangúa morondo.* Dinero en efectivo. «Aquello es mangúa morondo». (Son voces africanas que nos han indicado el maestro Fernando Ortiz.)

---

[44] *Le zumba el mango* decimos en Cuba significando: «¡Qué barbaridad!» «Le zumba el mango lo que has hecho». También significa asombro, en grande. «Ganó las elecciones sin dinero. Le zumba el mango». En España lo he oído: *Le zumba la marimba.* Sinónimo: *Le zumba la carabina,* o *la carabina de Ambrosio,* para hacer el superlativo.

MANGÜÉ. Interjección que usan los vendedores de mangos al anunciar su mercancía, al pregonarla. «Llevo mango, manguito y mangüé». Algunas veces dicen: *Mangüí. Llegó mangüé.* Llegué yo. Sinónimo: *Mangüí.* «Llegó mangüí».

MANGUEAR. Señalar. «Me mangueó al que había hecho la cosa».

MANGUERA. (La) El pene. Sinónimo: *Barilla. Dar manguera.* Fornicar. «Ya le estoy dando manguera a esa mujer». Sinónimos: *Dar barilla. Dar con el cabo del hacha. Dar un cuerazo. Dar goma. Goma. De ninguna manguera.* De ninguna manera. «Eso yo no lo hago de ninguna manguera». (Cubanismo de tipo jocoso.) *Estar siempre con la manguera en la mano.* Estar siempre orinando. Sinónimo: *Tener angurria.*

MANGUERO. *Andar hecho un manguero.* Andar mal vestido. «Juan está hecho un manguero. ¿Por qué no cuida su vestir?» («Manguero» es el vendedor de mangos, siempre, gente humilde y mal vestida. De aquí el cubanismo.) *Ser una manguero.* Ser una persona que no vale nada. «Ese individuo es un manguero».

MANÍ. Dinero. Sinónimo: *Bille.* «Hoy fui al trabajo a recoger el maní de la semana». *Estar alguien como el maní.* Estar loco. «Juan, el pobrecito, está como el maní». (El maní es tostado. El que está «tostado» está loco. De aquí el cubanismo.) *Quedarse el maní en cáscara.* Fracasar. «Con ése, el maní se queda en cáscara». (Es cubanismo del exilio que nació por los fracasos del Presidente norteamericano Jimmy Carter.) Ver: *Cubano.*

MANIFESTACIÓN. *Una manifestación a la Polar con Marcelino.* Un grupo de gentes de las clases sociales más bajas que iban a bailar a los salones sociales de la Cervecería «La Polar». «Ésa es una manifestación a la Polar con Marcelino». (Es forma de hablar del cubano. «Marcelino» era el sastre del chuchero, un personaje de la más baja categoría social. A todo el de esta categoría se le decía chuchero. Ver: *Chuchero.*)

MANIGUA. *Botarse para la manigua.* Hacerse el guapo. «Con el policía, se botó para la manigua y se lo llevaron preso». *De manigua.* De baja calidad. «Él es un abogado de manigua». Ver: *Cao. Viejo.*

MANIGUAL. *Manigual de agua.* Mucha lluvia. «Hace días está cayendo un manigual de agua».

MANIGÜERO. Malo; que no sirve para nada. «Ese libro que escribiste es manigüero». «Esas son poesías manigüeras». *Ser un manigüero.* Se dice de la persona que hace las cosas mal. «Pedro es un manigüero. No se le puede encargar ningún trabajo».

MANIGUETA. *Dar manigueta.* Incitar. «Pedro mató a su mujer porque le dio manigueta». Sinónimo: *Dar cranque. Dar quinina.* Ver: *Fonógrafo.*

MANIGÜITI. *Hacer manigüiti.* Robar. «Pedro hizo manigüiti». *Manigüiti o manigüiki un peo.* Sinónimo: *Manigüiti un peo.* (Los niños cuando juegan a las bolas, hay veces que uno de ellos, por broma, se las roba. Al recogerlas, sale corriendo y gritando: «Manigüiti o manigüiki un peo». «Cogió las bolas el hijo de Juana, y gritó: Manigüiti un peo».)

MANISERO. (El) El Presidente de los Estados Unidos Jimmy Carter. «Va a hablar hoy el manisero». (Es un cubanismo que se usa en forma despectiva para decir que el presidente es un vendedor de maní, o sea, que no vale nada, cosa que en Cuba era un oficio de gente de muy bajo extracto social. Da la casualidad que el Presidente

Carter tiene un negocio de maní.) *Cantar el Manisero.* Morirse. «Mi padre, el pobrecito, cantó el Manisero». Sinónimos: *Cantar el manisero sin acompañamiento de orquesta.* Morir súbitamente. «Estaba bien, pero cantó *El Manisero*, sin acompañamiento de orquesta». («Cantar el Manisero» es «morir». *El Manisero* es una famosa canción cubana.) *Guardar. Guardar el carro. Ñampiarse. Ponerse el chaquetón de pino tea. Poner a alguien a cantar el Manisero.* Derrotarlo. «Yo lo puse a cantar el Manisero». (En Cuba, «morirse» es «cantar el Manisero». De aquí el cubanismo.)

MANJAR. *Manjar oriental.* Boniatillo. «En el establecimiento de la esquina venden manjar oriental».

MANJATA. Es una blusa tipo camisa. «Me compré dos manjatas». (Viene de Manhattan, palabra inglesa. El cubano lo pronuncia como se ha escrito.)

MANO. *Dejársela en la mano.* 1. No cumplir lo que se debía o lo que se prometió. «Ése me la dejó en la mano». (El cubanismo viene del juego de la pelota o base-ball. Hay veces que el corredor se embasa y el que cogió la pelota no puede tirar. Se dice entonces que *se la dejó en la mano.*) Sinónimo: *Dejársela en la cutícula.* 2. No cumplir en algo con otro. «Me esperaba a las seis de la tarde pero se la dejé en la mano». (No asistí a la cita.) *Estar en cueros y con las manos en los bolsillos.* 1. Estar en una situación económica difícil. «Estoy en cueros y con las manos en los bolsillos. No tengo ni un centavo». 2. No tener ni un centavo. «En estos días estoy en cueros y con las manos en los bolsillos». Se dice, además, de una fiesta de hombres y mujeres en que todos se encuentran y no hay trabas morales. «Anoche fui a una fiesta en cueros y con las manos en los bolsillos». Sinónimo: *Cable. Comerse un cable. Estar una mujer por la mano.* Ser muy bella. «Esa mujer está indiscutiblemente por la mano». *La mano del garabato.* La mano izquierda. «Cuando llegues a la encrucijada voltea a la mano del garabato». (Es lenguaje campesino.) *Mano muerta.* Se dice del que toca disimuladamente a una mujer. «No te acerques que es mano muerta». *Manos tenemos todos, pero no tocamos el piano.* Cada uno nace para algo determinado. «Tú no puedes pintar. Manos tenemos todos, pero no tocamos el piano». *Meter mano.* Acostarse con una mujer. *Meterle la mano a Manuela.* Masturbarse. «En la cárcel todo el mundo le mete la mano a Manuela». *Meterle mano hasta a una gata ruina.* Tener mucho deseo sexual. «Estoy que le meto mano hasta a una gata ruina». *No meter la mano en la candela por nadie.* No comprometerse con nadie. «Yo no meto la mano en la candela por nadie». *Ponérsela en la mano.* Se dice cuando se trata, fuertemente de fornicar a una mujer. «En cuanto la vi, se la puse en la mano». *Pónme la mano aquí, Macorina.* Se le dice a una persona. Es el título de la poesía del poeta asturiano-cubano, Alfonso Camín. Significa: «Ponme la mano aquí». «Ponme la mano aquí, Macorina, en el muslo». *Quedar por la mano.* Fracasar. «En esto has quedado por la mano». *Saca la mano que te pica el bicho.* Cuidado. «Muchacho, en eso, saca la mano que te pica el bicho». Sinónimo: *Saca la mano que te pica el gallo. Ser alguien de mano muerta.* Ser homosexual. «Elio y Julio son de mano muerta». Sinónimo: *Tener alguien boquita de chopa.* «Julio tiene boquita de chopa». Sinónimo: *Tener una yegüita dormida.* «Elio tiene una yegüita dormida». Sinónimos: *Ser una yegüita trotona. Tener boca de trompetica china. Sin temblarle la mano, como Lola Puñales.* En forma decisiva.

«Lo hizo sin temblarle la mano, como Lola Puñales». *Tener a alguien comiendo en la mano tití.* Tenerlo dominado. «Esa mujer lo tiene en la mano comiendo tití». Sinónimo: *Tenerlo en la mano tomando agua del manantial. Tener mantequilla en las manos.* Se dice del que se le cae todo lo que coge. «Tú tienes mantequilla en las manos». *Tengo la mano caliente, Antero.* No tenerle miedo a nada. «Conmigo puedes cantar; tengo la mano caliente, Antero». (Viene de una canción, el hombre tiene la mano caliente porque toca el bongó y le ha pegado mucho.) *Tengo la mano caliente, Antero, Sumbarará.* 1. Darle un golpe a cualquiera. «Mi hijo me respeta. El sabe que tengo la mano caliente». 2. Vamos a divertirnos. «¿Vamos al baile? Tengo la mano caliente, Antero, Sumbarará». (Viene de la letra de una canción del popular cantante cubano Abelardo Barroso.) *Traigo la mano caliente, acere, Sumbarará.* Se dice cuando se hace algo bien. Se usa, principalmente, cuando se toca un instrumento musical. «Oye, cómo suena. Traigo la mano caliente, acere, Sumbarará». «Oye, qué bien saliste en matemáticas. —Es que la traigo la mano caliente, acere, Sumbarará». (Viene de una canción del Trío Matamoros, que era un trío famoso en Cuba. «Acere» es «amigo» en chuchero. Ver: *Chuchero.*) Ver: *Berrinche. Bomba. Cadena. Decálogo. Disparo. Dos. Garabato. Jabón. Ojo. Queso. Yuca.*

MANOLO. Ver: *Emular.*

MANOLÓN. Ver: *Bigote.*

MANTECA. 1. Dinero. «Eso, además de honores, incluye manteca». Sinónimo: *Harina.* 2. Marihuana. «La manteca esta está muy dura; es de Méjico». Sinónimo: *Prajo. Cayo Manteca.* Lugar a donde se fuma marihuana. «Vamos a hacer una redada en Cayo Manteca». *Darle a alguien manteca.* Darle celos. «Yo, a ese muchacho, le doy manteca y está más enamorado que nunca, por eso». *Equili manteca.* Bien. «Te vendo eso en cien pesos. —Equili manteca». *Gustarle a alguien la manteca de cerdo.* Gustarle las mujeres gordas. «A Pedrito le gusta la manteca de cerdo». *La manteca.* La marihuana. «Dame la manteca antes de que te vea la policía». Sinónimos: *Chicharrita. Emiliano Zapata. Joe Louis. Pito. Plutarco Elías Calle. No ocurrírsele ni al que asó la manteca.* Tiene cada cosa que da grima. «Eso no se le ocurre ni al que asó la manteca». *Ser peor que manteca.* Se le dice al que pierde muchos botones. «¡Otro más! Tú eres peor que manteca». (Este personaje de la tiras cómicas —muñequitos— de Jorge, el Piloto, perdía los botones por ser gordo, y se los comían las gallinas. He oído, también: «Es peor que Manteca, el de Jorge, el Piloto». Ver: *Panza.*

MANTECADO. *El mantecado.* Las partes pudendas de la mujer. *Estar como el mantecado.* Estar helado. «Dame un abrigo que estoy como el mantecado». (Es cubanismo del exilio.) *Estar mal el mantecado.* Estar la situación difícil. «En Francia está malo el mantecado». *Gustar algo más que el mantecado.* Gustar algo mucho. «Eso me gusta más que el mantecado». *Gustarle a alguien el mantecado.* Ser homosexual. «Fíjate como se menea. Se ve que le gusta el mantecado». También gustarle a una mujer acostarse con los hombres. «A ésa le gusta el mantecado. Lo sé de buena tinta». También ser la mujer liviana de cascos. «Basta ver la actitud para darse cuenta uno que a esa mujer le gusta el mantecado». *Ponerse malo el mantecado.* Ponerse la cosa mala. «Juan sabe que en su casa se está poniendo malo el mantecado». Sinónimo: *Ponerse malo el mambo. Ser algo más rico que el mantecado de a kilo.* Ser muy rico. «Esta comida es más rica que el mantecado de a kilo». *Tener a alguien como el mantecado.* Hacer de él lo que se quiere. «Yo tengo a mi jefe como el mantecado». (El mantecado se tiene en la punta del barquillo y cuando uno quiere lo chupa. De ahí el cubanismo.) Ver: *Malo. Potro. Rica. Tortonis.*

MANTECOSO. Billete de a peso. «Tengo sólo dos mantecosos». Sinónimo: *Baro.*

MANTENGO. *Darle a una mujer el mantengo puertorriqueño.* Vivir con ella. «Pedro le está dando a Juana mantengo puertorriqueño». (Cubanismo del exilio.) *Echarse arriba un mantengo.* Echarse arriba una carga. «Contigo me he echado un mantengo». (El cubanismo nació con los cubanos que están actualmente en Puerto Rico.)

MANTEQUILLA. *Si se le da mantequilla, resbala.* Si se le ataca suavemente, pierde. «No es tan difícil. Si se le da mantequilla, resbala». *Tener mantequilla en las manos.* Ver: *Mano.*

MANTILLA. Ver: *Guagüero.*

MANUBRIO. Ver: *Bicicleta. Bigote.*

MANUELA. 1. Hacerse la paja; masturbación. «De niño se hacía muchas Manuelas». Sinónimo: *Cafiroleta.*

MANZANUTE. *Ser alguien un Manzanute.* Ser bugarrón. «Cuidado que es un Manzanute. No le des la espalda». («Manzanute» fue un conocido bugarrón cubano.)

MAÑANA. *Dar a alguien el mañana.* Echarlo a cajas destempladas. «En el trabajo le dieron el mañana». Ver: *Producto.*

MAO. Ver: *China.*

MAPIANGO. Se dice del que no tiene habilidades. «En la pelota tu amigo es un mapiango». *Ser un mapiango.* Ser malo en algo. Por ejemplo: En matemáticas, como pintor, etc. «Ese pintor es un mapiango».

MAQUETAZO. Golpe. «Le dio un maquetazo y cayó al suelo». Sinónimo: *Mameyazo.*

MAQUILLETA. *Ser maquilleta.* Ser un hipócrita. «Es un maquilleta que da asco».

MÁQUINA. Automóvil. «Me compré una máquina azul, marca Ford». *Correr una máquina.* Burlarse de alguien. «Le corrieron una máquina y no se dio cuenta de nada». *Dar máquina.* Incitar. «Le dio máquina y lo desgració por lo que recomendó». Sinónimo: *Dar cranque. No quedar una máquina sin bailar.* No quedar nada por hacer. «No quedó una máquina sin bailar, pero fracasamos». (Se usa también en el diminutivo: *maquinita.*) *Pasar a alguien por la máquina de hacer picadillo.* Derrotar completamente. «Al candidato del gobierno lo pasaron por la máquina de hacer picadillo». Se extiende a otras áreas dando la conversación el resultado. «Perteneciendo a esa revolución, pasó su vida por la máquina de picadillo». (Lo arruinó moralmente, etc.) *Ser alguien como las máquinas «Moró» de una sola aguja.* Ser honesta. «Esa mujer es como la máquina «Moró» de una sola aguja». («Moró» es como el cubano pronuncia la marca de las máquinas de coser de una sola aguja norteamericana, «Marrow».) *Ser alguien una máquina o maquinita.* Reaccionar mecánicamente. «Ese hombre es una máquina. Está automatizado». Ver: *Apretadito.*

MAR. *Ser del mar.* Ser una esponja. «Cogiste otra enfermedad. Eres el mar». (Es decir, «eres una esponja que lo recoge todo».) *Un mar y tierra.* Se le llama a un plato culinario que consiste en carne y langosta. «Dame hoy un mar y tierra». Ver: *Nuevitas.*

MARABÚ. *Darse silvestre como el marabú.* Sobreabundar. «Ese tipo de persona se da silvestre como el marabú». Ver: *Verdolaga.*

MARABUNTERA. Lesbiana.

MARACA. Dinero. «Dame cinco maracas». Sinónimos: *Bolos. Guano. Yira. Esa maraca siempre tiene que sonar.* Hay que estar siempre en todo. «Yo te digo que esta maraca siempre tiene que sonar. Es el camino del exilio». *Tener una maraca en el cerebro.* Ser muy inteligente. «Pedro sacó siempre sobresaliente, porque tiene una maraca en el cerebro».

MARAÑA. 1. Grande. «Esto es una maraña de libro. ¡Mil páginas!» 2. Trampa. «Eso es una maraña».

MARAÑEAO. Lleno de trampas. «Ese negocio está marañeao».

MARAÑERO. El que hace marañas. «Con él no te confíes porque es un marañero».

MARAÑÓN. *Apretar a una mujer como el marañón.* Acariciarla libidinosamente. «Voy a apretarla como al marañón». (El marañón es una fruta cubana. Cuando se come, aprieta la boca. De aquí el cubanismo.) *Estar a punto de explotar el marañón (o el aguacate.)* Estar a punto de producirse una cosa. «Tengo noticias fidedignas sobre el golpe de estado. Está a punto de explotar el marañón». *Ponerse con el marañón azul.* Dar el dinero. «Para entrar en este negocio no basten las palabras sino que hay que ponerse con el marañón azul». Ver: *Boca. Jipío. Parne.*

MARAÑONES. *Estar alguien en los marañones de la finca.* Estar en las nubes. «Juan está siempre en los marañones de la finca».

MARATÓN. *Estar en el maratón.* Huyendo desesperadamente. «El ladrón está en el maratón». *Meterse en tremendo maratón.* Meterse en tremendo lío. «Conmigo la cosa es diferente. Si se me dice eso a mí se me mete en tremendo maratón». (Cubanismo del exilio.)

MARAVILLA. *Ser algo las Maravillas de Arcaño.* Ser muy bueno. «Ese matemático es las Maravillas de Arcaño». *Ser algo o alguien las Maravillas de Arcaño con Chapotín y sus estrellas.* Ser algo nunca visto; o ser alguien o algo genial. «Ese hombre es las Maravillas de Arcaño con Chapotín y sus estrellas». (Es genial.) «Ese libro es las Maravillas de Arcaño con Chapotín y sus estrellas». (Algo nunca visto; algo genial. El cubanismo combina el nombre de las dos orquestas más famosas de Cuba que tocaban muy bien: «*Chapotín y sus estrellas*», y «*Arcaño y sus Maravillas*».) *Ser la flor de la maravilla.* Tener alzas y bajas una persona. «El nunca está en terreno firme. Es la flor de la maravilla». Ver: *Arcaño.*

MARCA. Ver: *Película.*

MARCELINO. Ver: *Manifestación.*

MARCHITA. *Estar en la marchita.* Estar en lo mismo. «¿Cómo estás hoy? —En la marchita». Sinónimo: *Estar afilando la misma piedra.*

MARCHITARSE. 1. Irse. «En unos momentos me voy a marchitar». 2. Marcharse. «Señores, me marchito dentro de un rato». Ver: *Guajiros.*

MARCO. *Hay muchos Marcos Pérez en Buenavista.* 1. Hay mucha gente de la misma condición. «Te digo que es muy bueno y salió un bandido. —Mira, chico, hay muchos Marcos Pérez en Buenavista». 2. Hay mucha gente igual. «Te lo hizo porque tú no te das cuenta de que hay muchos Marcos Pérez en Buenavista». (Buenavista es un barrio de La Habana.) Sinónimo: *No es sólo Bonachea quien hace los capuchinos. Ser un Marcos Pérez en Buenavista.* No valer nada. «¿Casarte con él? Si no es un Marcos Pérez en Buenavista». Ver: *Mangrino. Montuno.*

MARFILADA. Error. «Eso que haces es una marfilada». (Viene del juego de pelota o base-ball.)

MARGARITA. En plural significa senos pequeños. Ver: *Celia.*

MARÍA. *A María Belén Chacón.* A cualquiera. «Él agarra por el pescuezo a María Belén Chacón». «Esa enfermedad se le pega a María Belén Chacón». (María Belén Chacón es el personaje principal de ficción de una zarzuela cubana y de poesías.) *Agarrar por el pescuezo a María Belén Chacón.* Agarrar a cualquiera por el pescuezo, o sea, enojarse con cualquiera. *Creerse María Cristina.* Querer una persona gobernar a otra. «Mi mamá se cree María Cristina». *Le echa hasta María Belén Chacón.* Ataca a cualquiera. «Ese hombre, por el periódico, le echa hasta María Belén Chacón». *Lo discuto hasta con María Belén Chacón.* Lo discuto con cualquiera. Frase rotunda que se dice para expresar lo indicado. «Esta teoría la discuto hasta con María Belén Chacón». (María Belén chacón es un personaje de una zarzuela, como se ha dicho, del maestro cubano Lecuona.) *Mandar para María Belén Chacón.* Mandar para el carajo. «Mándalo para María Belén Chacón». (Es simplemente un eufemismo lingüístico, ya que María Belén Chacón es la heroína de una famosa zarzuela cubana y de poesías.) *Ser alguien María Cristina.* No dejar gobernar. «El Congreso de los Estados Unidos es María Cristina». (Viene de una canción que dice: «*María Cristina no me deja gobernar*»...) *Ser María Antonieta Pons.* 1. Mover mucho las caderas. 2. Ser muy activa una mujer. (La conversación da el significado.) «¡Qué caderas las de esa mujer! Es María Antonieta Pons». «No se está quieta un minuto. Es María Antonieta Pons». *Si fuera mujer le llamarían María Antonieta Pons.* Se dice del que riega mucho. (María Antonieta Pons era una artista cubana que movía mucho las caderas al bailar la rumba y a la que llamaban «*El ciclón antillano*». El que riega mucho es un ciclón. De ahí el cubanismo.) Ver: *Dulce. Choce. Jesús. Noche.*

MARIALIZADO. Corrompido. «Ése está marializado». (Debido al mal elemento que envió Castro, el dictador comunista cubano, en el puente marítimo de 1980, Mariel-Cayo Hueso, se creó en el exilio este cubanismo injusto.)

MARIANA. *Para qué Mariana, ya me caí en la palangana.* Ya es tarde. «Te van a dar lo que pediste. —Para qué Mariana, ya me caí en la palangana». *¿Ya para qué, Mariana?* Ya no hay nada que hacer. «Me das ahora la noticia. ¿Ya para qué, Mariana?» Sinónimo: *A buena hora mangos verdes.*

MARIANAO. *Estar una mujer como Marianao.* Tener mucho seno y ningún fondillo. (Marianao tiene el barrio «Buenavista», por delante y la «Lisa», por detrás. De aquí el cubanismo. Lo he oído mayormente así: «Esa mujer está como Marianao: Buenavista por delante y la Lisa por detrás».) *Estar una mujer como Marianao: Buena Vista por delante y la Lisa por detrás.* Tener una mujer muchos senos y poco culo. «Esa mujer está como Marianao: Buena Vista por delante y la Lisa por detrás». (Marianao, Buena Vista y la Lisa son barrios en La Habana. De aquí el cubanismo.) Ver: *Cubana.*

MARICÓN. Malo. «¡Qué maricón! No le da comida al gato». *Cagarse el maricón.* Acobardarse una persona o un grupo. «Con la llegada de la policía se cagó el maricón». *Maricón de castañuelas.* Homosexual completo; que no lo puede negar. «Ése es un maricón de castañuelas». También el homosexual que va por la calle moviéndose exageradamente. «Ése es un maricón de castañuelas, como ves por sus movimientos». *Maricón de closet.* Homosexual que esconde su homosexualidad. «Ese calvo es maricón de closet». *Maricón de La Escala de Milán.* Maricón que acentúa los gestos homosexuales. «Ese es un maricón de La Escala de Milán». (Cubanismo culto.) *No es maricón pero cuando orina en vez de abrirse la portañuela se baja los pantalones.* (Forma de hablar del cubano donde se aprecia su ligereza lingüística. La mujer se baja los pantalones —las bragas— para orinar.) *No estar para maricones.* No estar de buen humor. «Hoy tengo un problema con cualquiera. No estoy para maricones». *No seas maricón.* 1. No me hagas eso. «Oye, Juan, no dejes de incluirme en el programa. No seas maricón». 2. No seas así. «No seas maricón y préstame esos cinco dólares». *Ser alguien maricón con trenzas.* Ser un maricón en sumo grado, que no puede disimular. «Elio es maricón con trenzas». *Ser maricón de culo.* Ser un marica redomado. *Ser maricón de culo y de carcañal.* Ser un homosexual completo. Se dice de esos homosexuales ostentosos. «Ése, no me engañó, es maricón de culo y de carcañal». *Ser un maricón del carajo.* Ser mala persona. «¿Cómo no te iba a hacer eso si es un maricón del carajo?» *Ser un maricón que camina entoyado.* Se dice del que al caminar lo hace con gestos notoriamente homosexuales. «Lo conocí ayer. Imagínate, es un maricón que camina entoyado». *Ser un recio maricón.* Se dice de un homosexual que actúa como tal, sin inhibiciones. «Elio, como se ve, es un recio maricón». *Tener un maricón bostezando.* Se dice de la persona a la que se le ve inclinación homosexual. «Elio tuvo toda la vida un maricón bostezando». Ver: *Gallo. Homosexual. Scate.*

MARICONERÍA. 1. Cobardía. «Su mariconería es esencial. Por eso entregó la presidencia de la asociación». 2. Trastada. «No se puede confiar en él. En lo que te hablé me hizo una mariconería». *¿Cuál es tu mariconería?* ¿Cuál es tu problema? «No me quería dar el dinero y le pregunté: ¿Cuál es tu mariconería, Juan?»

MARIDO. *A buscar marido a otro lado.* Al diablo. «Me enojé y le dije: a buscar marido a otro lado». *Bailarle el marido a otra.* Andar en amores con el marido de otra. «A ésa le están bailando el marido y no se da cuenta». *Dar el marido la hora.* Cumplir sexualmente con la mujer. «Mi marido da la hora». *Dar el marido la hora pero a veces se atrasa.* Cumplir sexualmente con la mujer pero fallar de cuando en cuando. «Mi marido da la hora pero ella dice, que se atrasa a veces». *Llevar al marido como el «escoar» de la pelota.* Vigilarlo a cada minuto. «A los maridos hay que llevarlos como el «escoar» de la pelota». («Escoar» es la forma en que el cubano pronuncia la palabra inglesa «score», o sea, «llevar jugada por jugada». De aquí el cubanismo.) *Mi marido anuncia detergentes: Ace lavando, y yo descansando.* Yo no trabajo. «Como te digo, mi marido anuncia detergentes: ¡Ace lavando y yo descansando!» («Ace» era un detergente de lavar en Cuba. Se anunciaba con el lema: *¡Ace lavando y yo descansando!*) *Mi marido se cree que soy una computadora y me pasa toda la data.* Mi marido me fornica cuando no tengo ganas. «La vida matrimonial es terrible. Mi marido se cree que soy una computadora y me pasa toda la data». («Pasar la data» es fornicar. Considerar a una mujer como una computadora, es como si ella fuera una máquina automática.) *Tener alguien al marido apambechado.* Tenerlo dominado. «Ella siempre ha tenido al marido apambechado». (Viene el cubanismo de un «merengue dominicano», —música típica de la República Dominicana— titulado: «*El negrito del batey*».)

MARIELAZO. *Dar un marielazo.* Matar. «A Juan en la esquina le dieron un marielazo». (El cubanismo nacido en el exilio se deriva de la palabra Mariel, puerto de Cuba del que salieron en 1980 hacia Estados Unidos, más de ciento cincuenta mil cubanos. Mezcló entre ellos, el gobierno castrista cubano, refugiados honestos a unos cinco mil delincuentes que han robado por las calles de Miami con total impunidad, y han cometido muchas fechorías. De ahí el cubanismo.)

MARIELERO. Se dice del cubano que llegó a Estados Unidos en el éxodo del Mariel. Son los cubanos llegados al exilio en 1980, en el puente marítimo Mariel-Cayo Hueso. «¿Tienes en tu casa a algún marielero?» Sinónimos: *Marielito. Mosquitero.* (Por el campamento, junto al Mariel. Estaba el campamento hecho con una carpa grande en la playa del Mosquito de la que tomó el nombre. Los cubanos le llamaban el mosquitero. De ahí el cubanismo.) Sinónimo: *Mosquito.*

MARIELITO. (Los) *Ser un marielito en el trabajo.* No ser cumplidor. «No le des el trabajo que es un marielito». (Entre los llegados al exilio por el puente marítimo Mariel-Cayo Hueso, había una «minoría» que no querían trabajar. De aquí el cubanismo.) Ver: *Los Mosquiteros. Marielero.*

MARIELIZAR. Echarse a perder. «Castro marielizó a Cuba». (El cubanismo surgió con motivo de la fechorías de los cientos de delicuentes que Castro envió a Estados Unidos cuando el puente marítimo Mariel-Cayo Hueso en 1980. Aunque la mayoría de los refugiados eran gentes honradas, la mala impresión creada por los delincuentes creó el verbo.)

MARIHUANERO. *Marihuanero del muelle.* El tipo más bajo entre los marihuaneros. «Humberto es un marihuanero del muelle». (El marihuanero es el que fuma marihuana.)

MARIMÁNAGER. (El) El marido que vive de la mujer. «Él es el marimánager en ese matrimonio». (Es palabra compuesta por la voces «marido» y «manager» —voz inglesa que significa «administrador, en español».— Es cubanismo del exilio.)

MARIMAÑA. 1. Lío. «No me gusta está marimaña». (Lenguaje del chuchero. Ver: *chuchero.*) 2. Maraña. «¿Entiendes la marimaña que se ha formado, Juan?»

MARIMBA. *Tocar la marimba.* Fumar marihuana. «A mí me parece que él toca la marimba». (Cubanismo del exilio.) Ver: *Palo.*

MARÍN. Ver: *Gustavo.*

MARINA. *Tener que ver cómo está Marina.* Tener deseos de fornicar y apresurarse a hacerlo. «Me duelen los testículos. Tengo que ver cómo está Marina». (La Casa Marina era un célebre prostíbulo en Cuba. De aquí el cubanismo.) Ver: *Brisa. Ola.*

MARINERO. *¿Cuánto me das marinero?* 1. ¿Qué me das si te lo digo? «Dime lo que te dijo mi hermano. —¿Cuánto me das marinero?» (El cubanismo viene de un canto infantil castizo que dice así: «*¿Cuánto me das marinero? ¿Cuánto me das marinero, porque te saque del agua? Sí, sí*»...) 2. Se le pregunta a una persona que le pide a uno un favor. «Regálame ese disco. —¿Cuánto me das marinero?» *Vestirse de* *marinero.* Hacerse el niño. «Siempre está vestido de marinero. Es un tonto». Ver: *Nudo. Soga.*

MARINOVIO. Amante. «Dicen que es el novio, pero yo sé que es el marinovio».

MARIONETAS. *Gustarle a alguien las marionetas.* Ser un infantil. «¡Pero si le gustan las marionetas!» *Gustarle las marionetas y quedarse con el guiñol.* Ver algo que le gusta y apropiarlo. «A esa gente si le gustan las marionetas se quedan con el guiñol».

MARIPOSA. (La) 1. La cuenta. «No sabemos cuánto será la mariposa de Josefa. Estuvo veinte días en el hospital». 2. Le llaman en Cuba a los cubanos del exilio que se van de visita a Cuba. «Hoy llegan los mariposas». (Cubanismo de la Cuba de hoy. Viene de la canción: «*Hoy somos gusanos y mañana mariposas*». En Cuba a los que se iban del país por no estar de acuerdo con el gobierno castrista les llamaban «gusanos». De aquí el cubanismo.) *A otra cosa, mariposa.* 1. Al diablo todo. 2. Vamos a cambiar el tema. (La conversación da el significado.) «Me enfurecí y le dije: a otra cosa, mariposa y me marché. No volví más». (Al diablo todo.) «Como decía, el asunto fue muy desagradable, pero para seguir hablando, a otra cosa, mariposa». (Vamos a cambiar el tema.)

MARIPOSÓN. Viejo verde. «Ese hombre, tan mayor, y es un mariposón».

MARIQUITA. 1. Homosexual. 2. Rodajas o rueditas de plátano verde fritas. «Me gustan las mariquitas». Ver: *Aceite. Chicharrita.*

MARISCO. Ver: *Chez.*

MARIVOLA. (La) Mariposa. «Eso es una marivola».

MAROMAS. *Estar en veinte maromas.* Estar haciendo muchas cosas a la vez. «Estoy tratando de vivir, estoy en veinte maromas». *Y maromas.* 1. Más. «Este aparador cuesta veinte y maromas». 2. Y algo más. «Ese hombre tiene sesenta años y maroma». Sinónimo: *Y cordeles.* Ver: *Ocho.*

MAROMERO. Ver: *Grillo.*

MARQUÉS. *Estar como el marqués.* Es muy tarde para arrepentirse. «Te oigo pero estás como el marqués». (Viene de la canción española, popular en Cuba que dice: «*Tarde llegaste marqués/aunque estés arrepentido*».) Ver: *Canción.*

MARSELLESA. *Y yo, cantando la Marsellesa.* Y yo feliz. «Se formó el lío y yo, cantando la Marsellesa».

MARSOPA. Persona poco activa. «Juan es una marsopa. Y no es principalmente por la gordura».

MARTÍ. *Como lo soñó Martí.* Ser lo mejor. «Eso que me acabas de decir es como lo soñó Martí». (El cubanismo alude al patriota cubano y Apóstol de Cuba: José Martí.) *Tener algo como lo soñó Martí.* Cumplir uno su sueño. «Ya yo tengo mi carrera como lo soñó Martí». (El cubanismo viene de la frase que se aplica a las cosas de Cuba: «*Como lo soñó Martí*», es decir, el Apóstol de la Independencia cubana: José Martí.) *Un Martí sin sombrero.* Un billete cubano de a peso. «Dame un Martí sin sombrero».

MARTILLA. *Creerse la martilla.* Creerse muy importante. «Ése se cree la martilla y no vale, en realidad, nada».

MARTILLAZOS. *Estar hecho alguien a martillazos.* Hecho con esfuerzo propio. «Ése está hecho a martillazos».

MARTILLO. *Darle a algo, martillo y clavo.* Trabajarlo sin cesar. «No te desanimes. Insiste y triunfarás. Dale a eso martillo y clavo». *Ser una cabeza de martillo.* 1. No ser inteligente. «Tú siempre has tenido una cabeza de martillo». 2. Parecer un indio. «Yo no sé si el padre es indio pero él tiene cabeza de martillo». Sinónimo: *Tener un chayote en la cabeza.*

MARTINA. Ver: *Cucarachita.*

MARTIRIO. Ver: *Potro.*

MARUGA. Persona que no paga sus deudas. «No le fíes que es maruga».

MASA. Se dice de una persona sin vida. «Ese candidato es una masa boba. No puede salir. No hace campaña». *Coger masa.* Aprovechar. «No sé cómo se las arregla que siempre coge masa». *Juan Masa.* Tonto, idiota. «No es más que un Juan Masa». Sinónimo: *Ser un Daniel Seso Hueco. ¡Masa del centro!* Cosa buena. «¡Qué masa del centro esa!» *Masa limpia y de primera.* Se dice de algo que es de primera, bello, interesante. «Esta mujer es masa limpia y de primera». (Bella.) O «leal» si la conversación va por ese camino. Se aplica, pues, en múltiples casos. *Tener que llevar una masa de perejil.* Se dice cuando se va a ver a alguien que habla mucho. «¿Vas a ver a Pedro? Tienes que llevar una masa de perejil».

MASA REAL. Dulce cubano muy popular. Es una especie de panetela. «¡Cómo me gusta el masa real!» «¡Qué rico es este masa real!» Ver: *Guanábana.*

MASACRE. 1. Acción de tocarse y besarse una pareja. «Esa gente están en medio de la masacre. ¡Cómo se tocan!» Sinónimo: *Mate.* 2. Apodo que se le da a un asesino. «A ése le dicen masacre. Ha matado como a diez». *Dar masacre.* Hacer trabajar a alguien mucho. «En ese trabajo me dan masacre todos los días». Sinónimo: *Masacreo.*

MASACREAR. Acariciar o tocar libidiosamente a una mujer. «Está masacrando a la novia. Obsérvalo». «Vamos a masacrearnos, amor». «¡Cómo se masacreó esa pareja en el portal!»

MASACREO. *Darle a una mujer un masacreo.* Tocarla mucho, libidinosamente. «Juan le dio a la vecina de al lado, anoche, un masacreo». Ver: *Masacre.*

MASAJEAR. Descansar. «Voy a mi finca a masajear un poco».

MASAMBA. Acto lesbiano. «A esa gente le gusta mucho la masamba».

MASCADA. *Mascada de tabaco.* Pedazo de tabaco que se pone en la boca para masticar. «Dame una mascada de tabaco».

MÁSCARA. *Aunque vengas disfrazado te conozco máscara (o mascarita.)* Yo sé muy bien lo que eres. «Trató de engañarme pero le dije: aunque vengas disfrazado te conozco máscara (o mascarita.)» (El cubanismo está tomado de un chiste.) *Date un viajecito a Las Máscaras.* No finjas más. «Se cree que porque habla bonito engaña, pero yo no pude más y le dije: Date un viajecito a Las Máscaras». (Es un cubanismo que se oye en el exilio siempre en el imperativo.) *No ser de las máscaras.* Ser sincero. «Yo lo que te digo lo siento. No soy de las máscaras». (*Las Máscaras* es un grupo teatral de Miami. El que es de «Las Máscaras» es artista. Los artistas fingen. De aquí el cubanismo nacido en el exilio.)

MASCÓN. *Ser algo o alguien un mascón.* Estar arrugado. «Ese hombre es un mascón. Debe de tener más de ochenta años».

MASCOTÍN. *Ponerse un mascotín de primera en la pinga.* Ponerse un preservativo de mala calidad. «Aquello era malísimo. Es que me puse un mascotín de primera en la pinga». («Pinga» es «pene». El mascotín de primera es muy grueso. De aquí el cubanismo.)

MASONES. *Poner a dormir a alguien como los masones.* Sacarlo de una rol activo y ponerlo en un rol pasivo, pero unido a la organización. «Los norteamericanos a sus agentes extranjeros algunas veces los ponen a dormir como los masones». (Cubanismo del exilio. Me explican que el masón que no está activo se dice que «está durmiendo». De aquí el cubanismo.)

MASONGO. Grande. «El individuo está masongo».

MASTER. Ver: *Niño.*

MASTERCHAR. *Tener una mujer un masterchar entre las piernas.* Tener algo que produce mucho en sus partes pudendas. «Yo no me muero de hambre porque tengo un masterchar entre las piernas». (Cubanismo nacido en el exilio. El «master charge» es la tarjeta de crédito. El cubanismo implica que con sus encantos una mujer produce lo que quiere. El cubano pronuncia «masterchar».)

MASTICAR. 1. Entender. «Eso yo lo mastico». 2. Fornicar. «No tengas miedo, mastícala cuando vayas a su casa». *Masticar un poquito.* Mejorar. «¿Cómo estás de situación económica? —Ya empiezo a masticar un poquito».

MASTURBACIÓN. *Masturbación de bombillito.* Forma de masturbarse con la palma de la mano y los dedos abiertos. «¿Te acuerdas que los niños nos masturbábamos de bombillito?»

MASTURBADOR.ES. *Masturbadores del mundo, uníos.* 1. Se dice cuando se ve a una mujer muy bella. «Por ahí viene Sarita. Masturbadores del mundo, uníos». Se dice en forma de broma entre un grupo de amigos cuando una mujer bella pasa. (Cubanismo nacido en el exilio, creado por Bernardo Martínez Niebla. Sigue en forma burlesca, lo que escribió Marx: «*Trabajadores del mundo, uníos*».)

MATA. En imperatico como «mata» quiere decir, «hazlo ahora». «¿Lo cojo? —Mata sin problemas». El «mata» se aplica a muchas situaciones; por ejemplo, he visto decirle a alguien para que ponche una tarjeta: «Mata aquí, Juan». *Caerse de la mata.* Ser obvio. «Eso se cae de la mata». *Estar debajo de la mata de mango.* Agacharse en el dominó, o sea, guardar una ficha para sorprender con ella. «Vigílalo, que está debajo de la mata de mango». *La suerte es la mata de mango.* Ver: *Mango. Necesitar alguien mata de aloe para que se le pare el palo.* Ser muy viejo. «Te digo, que ahí a donde tú lo ves, no necesita mata de aloe para que se le pare el palo». («Palo» es «pene».) *Tener que subir mata de corojo desnudo.* Ser algo muy difícil de lograr. «Para lograr ese puesto hay que subir mata de corojo desnudo». (El corojo desnudo es una mata que tiene un tronco muy espinoso. De aquí el cubanismo de origen campesino. El campesino dice «desnú», a «desnudo».)

MATACOMPAÑERO. Tipo de escopeta de un sólo tiro que suele reventar cuando se acciona el gatillo, procedente de los países socialistas. «Cuidado con esa, es una matacompañero». (Cubanismo de la Cuba de hoy.)

MATADA. Caída. «Esta herida es de la matada que me di». «¡Qué matada se ha dado ese niño!»

MATADOR.A. 1. Insoportable, insufrible. «Ese olor es matador». 2. Malo. «Tengo el inglés matador». *Estar algo o alguien matador.* Estar muy feo. «Yo no me casaría con tu primo. Está matador». «Esa película está matadora».

MATADURAS. Achaques. «A mi edad ya se ven las mataduras».

MATAGAITO. Ver: *Matagallego.*

MATAGALLEGO. Dulce cuya ingestión llena mucho. (Como lo comían los emigrantes de la Madre Patria llegados a Cuba, el dulce tomó ese nombre.) «Con un matagallegos tienes para el almuerzo». Sinónimos: *Matahombre. Matagaito.*

MATAHAMBRE. Ver: *Matagallego.*

MATALATOGO. *Ser matalatogo.* Ser malo. «Ese hombre es matalatogo».

MATAMOSCAS. *Tener alguien siempre el matamoscas en la mano.* Estar criticando para destruir. «Ese individuo no puede ser amigo mío porque siempre tiene el matamoscas en la mano».

MATANCERA. Ver: *Orquestaje.*

MATANDILE. 1. Asesinar. «Al pobre hombre le dieron matandile». 2. Hombre que besa y acaricia a una mujer con miras deshonestas. «En la fiesta había un matandile en cada cuarto». (Hemos oído, asimismo, un matandile y Matarile.) *Estar matandile dilendó.* Estar tocando libidinosamente a una mujer. «Ayer lo vi matandile dilendó». (Matarse es, en cubano, «toquetearse libidinosamente las parejas». Luego el cubanismo es un juego de palabras con «matandile», la letra de una canción infantil.) También, no trabajar. «El jefe se cree que me explota, pero yo estoy de matandile dilendó». (Es un juego de palabras entre «matar», o sea, «no hacer nada», y la letra de una canción infantil.) *Matandile dilen do.* Se acabó. «Y te lo repito, eso, matandile dilen do». (Viene el cubanismo de un juego de niños. En este caso se dice también: *Matandile dile don.*)

MATANDO. *Matando y salando.* Inmediatamente. «Esto lo hago yo matando y salando».

MATAO. *Ni a matao.* De ninguna manera. «Ni a matao voy yo a esa fiesta». (Es «matado» pero el cubano aspira la «d».)

MATAPERRERÍAS. Travesuras malas. «Se pasa el día haciendo mataperrerías. Por eso lo castigo tanto».

MATAPERRO. Muchacho callejero. «No quiero que seas un mataperro. No me sales de la casa».

MATAR. Acabar algo. «Espérame que este trabajo lo mato en un minuto». *A mí me matan pero yo gozo.* 1. Hago lo que me venga en ganas. «No digas eso. —A mí me matan pero yo gozo». 2. Yo gozo la vida en grande sin importarle las consecuencias. «Tomo, juego... y ¿qué? A mí me matan pero yo gozo». *Estar mal matadas pero bien muertas.* Se contesta cuando se dice por ejemplo: «Ese bandolero está mal matado debieron haberlo presentado a los tribunales». Se contesta rápido: «Sí, está mal matado, pero bien muerto». (Dicen que la frase es del Presidente cubano José Miguel Gómez, cuando la rebelión de Estenoz e Ivonet.) *Las mata callando.* Se dice del que finge lo que no es. «No creas que no engaña a la mujer. Ése las mata callando». *Lo que no mata engorda.* Equivale al otro que dice: *No hay mal que por bien no venga. Matar a alguien en la Rigola.* Perecer por insistir. «A ése lo mataron en la Rigola». (Está el cubanismo basado en la canción cubana: «*A la Rigola yo no* *vuelvo más/porque matan a los hombres a palo y pedrá*». («Pedrá» es «pedrada», pero el cubano aspira la «d».)

MATARIFE. Se dice de la mujer que le gusta que un hombre la bese y la abrace con miras deshonestas. «A esa mujer le dicen matarife».

MATARSE. Toquetearse sin escrúpulos un hombre y una mujer. «¡Cómo se matan Juan y Pedro!» Sinónimo: *Estar en el mate o en el cliché.* Ver: *Repillarse.*

MATAVACA. Cuchillo grande. «Dicen que la policía le ocupó un matavaca».

MATE. Acción de besarse y tocarse una mujer y un hombre. «¡Qué mate se dan en frente de todos!» Cuando lo hacen a todo vapor se dice: *mate en grande o masacre.* Ver: *Repello. Retrueque.*

MATEMÁTICAS. *Odiar las matemáticas.* No hacerle número a nadie. «Yo no voy a ese recital de Luis porque yo odio las matemáticas».

MATEO. *¿Mateo, Mateo, dónde estás que no te veo?* Se le dice al pene pequeño. «¿Puedes creer que cuando vio al marido la primera noche, le gritó: ¿Dónde estás, Mateo, Mateo, que no te veo?»

MATER. Ver: *Alma.*

MATERIAL. (Un) 1. Mujer bonita. «¿Si ves el material con que se casó?» 2. Un grupo de mujeres. «Tengo un buen material para divertirnos esta noche en el baile». *Ser una mujer un material conciencísimo.* Ser una mujer bellísima. «Tu prima es una material conciencísimo». *Ser una mujer un material horizontal.* Ser una prostituta. «Me dicen que esa mujer es material horizontal». Ver: *Concretera. Descranearse.*

MATERVA. *Estar alguien materva.* Ser muy feo; tener fea figura. «Esa mujer está materva». *Ser alguien materva.* Ser malo. «Esa mujer es materva». (La «materva» es un refresco cubano.) Ver: *Jinete.*

MATÍAS. *Hay que ver a Matías.* Qué mala suerte tenemos. «No podemos seguir así, hay que llamar a Matías». (Matías era un espiritista famoso en Cuba. De aquí el cubanismo.) *Hay que traer a Matías, el Espiritista.* ¡Qué mala está la situación! «Yo te lo digo, aquí hay que traer a Matías, el Espiritista». *Llamen a Matías.* Se dice cuando las gentes están hablando de enfermedades y muerte. «¡Por Dios, llamen a Matías!» (Matías, como se ha dicho anteriormente, es un espiritista cubano. El lema de los espiritistas es «*Luz y Progreso*». De aquí el cubanismo.) *Volar como Matías Pérez.* Desaparecer. «No lo he visto más. Voló como Matías Pérez». (Este personaje hizo una ascensión en un globo en La Habana y no se supo más de él.)

MATICA. Ver: *Guizapo.*

MATINÉ. *Anunciarse más que la matiné.* Anunciarse mucho. «De nuevo en el periódico. Se anuncia más que la matiné». Sinónimo: *Ser el niño Kodak. Es una matiné de la víbora.* Están poniendo una nueva película de aventuras. «En el Gables es una matiné de la víbora». (El cubanismo del exilio surgió cuando empezaron a exhibir en los cines, en los Estados Unidos, en el exilio, las películas de aventuras que protagoniza Indiana Jones.) *Ser algo de matiné.* Ser muy bueno. «Este libro es de matiné». (Las películas que exhibían en los cines en Cuba, en las «matinés», al medio día eran muy buenas. De aquí el cubanismo.) Se dice también de algo que es ficticio. «Chica, eso que me cuentas parece de matiné».

MATO GROSO. Aparato sexual de la mujer que es muy tupido. «Lo de esa mujer, te lo digo yo, es un Mato Groso». (El vocablo parece haberse originado por comentarios de gente culta sobre relaciones sexuales con mujeres de aparato sexual muy tupido de pelos. Se oye más entre las clases altas. El Mato Groso es una montaña del Brasil.)

MATRACA. 1. Lío. «La matraca es el número de violaciones que hay en la ciudad». 2. Problema. «¿Cuál es tu matraca, para resolverlo?» *Conocer la matraca de algo.* Estar en el quid de la cosa. «Yo te digo que conozco la matraca del boxeo». *Conocer la matraca del trombón.* Conocer algo a fondo. «Conmigo no se juega en este negocio. No ves que conozco la matraca del trombón». *Entrar en la matraca.* Entrar en la buena vida. «Desde que cambié de giro entré en la matraca». *Estar en la matraca.* Estar en la felicidad. «Yo no me puedo quejar; siempre he estado en la matraca». *Estar muy dura la matraca.* Es muy difícil vivir. «Te digo que en estos días está muy dura la matraca». *Formarse la matraca.* Formarse un lío. «Todo iba de lo mejor y de pronto se formó la matraca». *La matraca del trompón.* La cosa. «Para triunfar hay que conocer la matraca del trompón». *Ponérsele a alguien muy dura la matraca.* Encontrar serios escollos. «Todo iba bien, pero de pronto, se me ha puesto dura la matraca».

MATRAQUERO. 1. El que engaña a cualquiera. «Juan es un matraquero». 2. Persona en la que no se puede confiar porque engaña. «Yo no hago negocio con él. Es un matraquero».

MATRAQUILLA. 1. Idea que obsesiona. «Esa matraquilla lo llevará a la tumba». 2. Insistencia. «No aguanto más tu matraquilla». *Tener una matraquilla.* Tener una obsesión con algo. «Tiene matraquilla con el cáncer».

MATRAQUILLOSO. Que tiene matraquilla. Ver: *Matraquilla.*

MATRERO. Tramposo. «Ese campesino es un matrero». *Estar de matrero en la calle.* Estar luchando con la vida usando la picardía para sobrevivir. «Ese hombre para vivir tiene que estar de matrero en la calle». *Ser alguien matrero.* Muy vivo. «No se le puede engañar. Es un matrero». También el que vive fuera de la ley haciendo pequeñas violaciones y no se deja coger por ser vivo. «No me gusta su amistad. Es simpático pero es un matrero». *Ser matrero.* Ser pícaro. «Él es un matrero». Se dice igualmente del que le sabe dar las vueltas a las cosas. «No lo podrán procesar por eso, él es muy matrero». *Ser un matrero.* Tener mucha habilidad. «Cuídate de él que es un matrero».

MATRES. *Mamarse alguien el «matres».* Estar siempre acostado. «Juan siempre se está mamando el matres». (Cubanismo del exilio. «Matress» es «colchón», en inglés.)

MATRIMONIO. *Matrimonio y mortaja del cielo bajan si en la tierra se trabajan.* Matrimonio y mortaja del cielo bajan. La muerte si se hace una vida mala y el matrimonio si hace por casarse la mujer. «Se casó Juana ¡tan fea! —Matrimonio y mortaja del cielo bajan si en la tierra se trabajan». (Es refrán castizo al que se le ha añadido: «*Si en la tierra se trabajan*».) *Matrimonio que vive por telegrafía.* Matrimonio separado. «Ese matrimonio vive por telegrafía». *Pasar más que un matrimonio mal llevado.* Pasar las de Caín. «Paso más que un matrimonio mal llevado». *Ser el matrimonio como el flamboyán.* Es decir, que al principio va bien y después mal. El refrán dice: «*El matrimonio es como el flamboyán, primero flores y después vainas*». («Vainas» es un americanismo que significa problema.[45]

MATRONA. Ver: *Cuerpo.*

MATULES. Bultos, equipajes. «Son muy grandes esos matules para mandarlos por correo». (Bultos.) «Perdí mis matules en el avión. Eran varias maletas». (Equipaje.)

MATUNGO. Enfermizo. «Estoy matungo». (Como se ve aquí el castizo cambia el significado.) *Estar medio matungo.* Estar medio malo. «Yo estoy medio matungo últimamente».

MATUNGUERO. *Ser un matunguero callejero.* Ser un pillete, un golfo. «Tu hijo es un matunguero callejero».

MATUSALÉN. Ver: *Adentro.*

MAU. *Ser mau mau.* Ser un ripiera. «Ése es un mau, mau. Ten cuidado». (Viene de los Mau, Mau, los guerrilleros africanos que no eran ripieras, pero un humorista cubano, hizo un chiste con ellos, poniéndolos como ripiera y quedó el cubanismo.)

MAVÍ. *Cambiar de Maví para Para Mí.* Cambiar de mujer. «Ése se pasa la vida de Maví para Para Mí». («Maví» y «Para Mí», son dos talcos. De ahí el cubanismo. Este cubanismo se explica por lo que se dice del otro cubanismo *por el talquito.*) Ver: *Talquito.*

MAXIMÓN. (El) El jefe. «Es el maximón de esta familia».

MAYA. *Fuego a la Maya y al Tinguao.* Ver: *Fuego. Se quema la Maya.* Si se mueven en contra de mí, arrazo. «Se los digo, no se muevan, se quema la Maya».

MAYAL. *Meterse en un mayal.* Meterse en líos. «Con ese amigo me metí en un mayal». (Es cubanismo procedente del campesino cubano. Se oye principalmente en las villas del interior de la República.) Sinónimo: *Meterse en piña de ratón.* (Tanto el mayal, variante de la piña de ratón, como ésta, son muy espinosas. De aquí el cubanismo.)

MAYÉ. *Ser un mayé cualquiera.* Tener un hombre una quijada muy débil, (como el boxeador cubano Wilfrido Mayet.) «Le tocaron en la quijada y se cayó. Es un mayé cualquiera». (El cubano dice «mayé» en vez de «Mayet».)

MAYEYA. *Ser Mayeya huevo e toro.* Se dice del que camina con las piernas abiertas como si tuviera una gran hernia en los testículos. «No camines así. Eres Mayeya huevo e toro». (Mayeya, huevo e toro, era un personaje cubano que tenía una hernia gigantesca en los testículos y caminaba con las piernas abiertas. «E» es «de» pero el cubano aspira la «d». De aquí el cubanismo.)

MAYIMBE. (El) 1. Amigo. «Oye, mayimbe, decídete». (Es palabra africana llevada por los esclavos a Cuba.) 2. El jefe. «Juan es el mayimbe de este grupo». (Es voz de origen africano.) 3.El mejor. «Yo aquí soy el mayimbe». Sinónimos: *El dueño de los caballitos. El dueño del bate, el guante y la pelota. El que más mea.* Ver: *Palero. Pincho.*

---

[45] Dice una copla colombiana: «*El árbol de los amores/es el árbol de las guanas/primero flores y flores/y después vainas y vainas*». En Antonio Forero Otero en «*Aproximación a Juan de Castellanos*», Págs. 19-21, No. 144 del 1o de enero de 1973, de las *Noticias Culturales* del Instituto Caro y Cuervo.

MAYO. *Caer algo como un Veinte de Mayo.* 1. Caer bien. «Este dinero me cae como un veinte de mayo». 2. Caer de sorpresa. «Juan llegó y me cayó un veinte de mayo». *En Mayo, cuando no llueve te parte un rayo.* Refrán campesino que indica que no se puede escapar de lo que Dios tiene preparado para uno. «Déjalo que huya que en Mayo cuando no llueve te parte un rayo». Sinónimo: *Como quiera que te pongas tienes que llorar. Ni el veinte de mayo.* Nunca. «No me hago amigo de él ni el veinte de mayo». *Ser tan aburrido como un veinte de mayo.* Ser muy aburrido. «Eres más aburrido que un veinte de mayo». Ver: *Veinte.*

MAYOMBE. *Jugar mayombe.* Echar brujería. «¿Ves que débil está Pedro? Le jugaron mayombe». *Tener mayombe.* Tener brujería algo. En el caso de una mujer tener una atracción tal, que los hombres se mueren por ella. «Ella tiene mayombe, no hay hombre que no la quiera». (De aquí la canción de Rolando Laserie: «*Amalia Batista/Amalia mayombe/ ¿qué tiene esa negra que amarra a los hombres?*")

MAYÓN. *No jamar alguien ni el mayón.* Ser poco inteligente alguien. «Ese señor no jama ni el mayón». (El mayón es el dominó chino.)

MAYOR. Jefe de la galera en prisión. «Ahí viene el mayor». También forma de saludo en que se halaga al que se saluda. «¿Cómo estás Mayor?» Ver: *Trompetero.*

MAYORAL. *Ahí viene el mayoral, sonando el cuero.* 1. A portarse bien. «No alboroten que ahí viene el mayoral, sonando el cuero». 2. Por ahí viene la policía. «Huyamos que ahí viene el mayoral sonando el cuero». (Este es otro significado no dado anteriormente, del lema que usaba el partido conservador del Presidente Mario García Menocal, al que le llamaban «*El Majoral*». El cubano aplica el cubanismo a cualquier situación. «Vacúnate que ahí viene el mayoral sonando el cuero». Por ejemplo si hay una epidemia de gripe.) *Es un Mayoral.* Se dice del que manda mucho. «Tu marido es un mayoral».

MAYOREAR. Dominar. «Los rusos están mayoreando en Cuba». (Viene del dominó. El que tiene un data buena se dice que está mayoreando el juego o que mayorea.)

MAYUMBAR. Rezar al Santo en las religiones africanas vigentes en Cuba. «Vamos a mayumbar todos». *Hay que mayumbar.* ¡Qué mal está todo! «En Cuba hay que mayumbar».

MAYÚSCULAS. Ver: *Jaiba.*

MAZAMBITA. Juego de los niños cubanos. «El niño está en la esquina, señora, jugando a la mazambita».

MAZANTÍN. *Hasta Mazantín, el torero.* A cualquiera. «Estafa hasta Mazantín, el torero».

MAZO. *Al mazo.* Seguro. «Ése es homosexual, al mazo». *Escupir como mazo de tabaco.* Escupir sucio. «Lo llevé al médico porque escupió como mazo de tabaco». (Del color pardo del mazo de tabaco.)

MAZORCA. *Comerse la mazorca.* Equivocarse; cometer un error. «Contigo, te confieso, me comí la mazorca». *De esa mazorca, ni un grano.* 1. Nada. «Dame algo. —De esa mazorca, ni un grano». 2. No está. «¿Está por ahí Pedro? —De esa mazorca, ni un grano».

MAZORRA. *Estar de Mazorra.* Estar loco. «Ése está de Mazorra». («Mazorra» era el hospital donde en Cuba se recluían a los locos.) *Mazorra pide loco.* Se dice cuando uno ve a una persona que cree está loca. «Yo lo vi y en cuanto habló en la reunión grité: Mazorra pide loco». También lo he oído así: *Mazorra pide locos y a ..... le falta poco.* Queriendo decir que a alguien le falta poco para volverse loco. (Este cubanismo casi siempre se oye entre niños.)

MAZZANTIN. *Hasta Mazzantin el torero.* Todo el mundo. «Eso lo hace hasta Mazzantin el torero». *No creer ni en Mazzantin el torero.* No creer en nadie. «Yo no firmo si no es con un abogado. Yo no creo ni en Mazzantin el torero».[46]

MEAO. *Ser alguien meao.* Ser persona de baja condición social. «Ese individuo es meao. No me equivoqué al juzgarlo». *Ser alguien meao de la cochinilla.* Ser alguien que no vale nada. «Ese individuo que parece una zorrilla es meao de cochinilla». *Ser alguien meao de aura.* Ser persona de baja calidad. «Juan es meao de auras». (El aura es un ave de rapiña cuyo «orina» o «meao» para el cubano, es muy desagradable. De aquí el cubanismo.) *Ser alguien más malo que el meao de cotorra.* No valer nada. «Elio es más malo que el meao de cotorra». (Lenguaje de la Cuba de hoy.) *Ser alguien meao de gato.* No valer nada. «Te digo yo que él es meao de gato». (El meao de gato a lo que le cae lo liquida por el ácido. De ahí el cubanismo.) *Ser meao de gato envuelto en paño de conejo.* Ser una persona que no vale absolutamente nada, pero que no lo muestra, lo oculta. «Oscar es meao de gato envuelto en paño de conejo». (Es el superlativo formado a través del uso de una oración que en cubano tiene significado de lo más innoble: «Ser meado».) *Ser meao de cochinilla viuda.* No valer nada. «Elio es un meao de cochinilla viuda». Sinónimo: *Chicho pan de gloria. Tirarle a alguien el tibor del meao.* Romper la relación con esa persona. «Le tiré a mi socio el tibor del meao». (Es «meado» pero el cubano aspira la «d».) Ver: *Cucaracha. Jicotea.*

MEAR. Ver: *Timbero.*

MECA. Experto. «Juan es la meca arreglando televisores».

MECÁNICA. Problema. «¿Cuál es tu mecánica?» Sinónimos: *Matraca. Trova.*

MECANOGRAFÍA. *Saber mecanografía comercial.* Se dice del que toca a todas las mujeres. «Es un descarado. Sabe mucha mecanografía comercial».

MECHA. Trabajo. «He tenido una gran mecha estos días». 2. Traje. «Esa mecha te queda muy bonita». *Darle a alguien una mecha.* Darle mucho trabajo. «Me han dado mucha mecha». *De mecha.* Del carajo. «Lo tuyo es de mecha. ¡Cómo molestas!» *Encontrarse la mecha y el alcohol.* Encontrarse dos personas de temperamento violento y opuesto. «Aquello fue terrible. Hubo un muerto. Se encontraron la mecha y el alcohol». He oído también: «*Se encontraron la mecha y el alcohol y a rayar el fósforo*». Se encontraron dos personas de temperamento violento y vamos a buscar que peleen. «Mira a Pedro y Juan. Se encontraron la mecha y el alcohol, y a rayar el fósforo». *¡Qué mecha!* ¡Qué trabajo! «¡Qué mecha hoy!» Ver: *Caña. Reverbero. Tren.*

MECHADO. *Ser un mechado.* Ser un homosexual. «Ese individuo es un mechado». (El cubanismo compara al pene dentro de los dulces de guayaba que se mechan, se les pone en el medio, por ejemplo «jalea».) Sinónimo: *Estar mechado como el dulce de guayaba.* Ver: *Dulce.* Estudiante que estudia mucho. «Ese muchacho sacó

---

[46] Lo he oído en la Península.

sobresaliente en todo. Es un mechao». (Cubanismo de la Cuba de hoy. Es «mechado» pero el cubano aspira la «d».)

MECHASARSE. Hacer ejercicios fuertes. «Yo me mecho todos los días cinco horas».

MECHAZO. *Meterse un mechazo.* Trabajar mucho. «Hoy me metí un mechazo». (Viene del castizo: *¡Qué mecha!* Que significa: que mucho trabajo.)

MEDALLA. *Darle a alguien la medalla del mondongo.* Se dice del que hace una cosa malísima. «A esa señora, por el libro de poesía, le dieron la medalla del mondongo». (El común es: *Darle la botella del mondongo.*) Ver: *Botones. Veterana.*

MEDIAS. *Coger alguien hasta medias de hoyos.* Ser muy egoísta. «Ése coge hasta medias de hoyos».

MEDICINA. *Estar como la medicina.* Hacer las cosas dos veces al día. «Yo, en mis labores caseras, estoy como la medicina». (La medicina se toma en ocasiones dos veces al día. De ahí el cubanismo.)

MÉDICO. *Estar una mujer [o un hombre] como me lo recetó el médico. Médico de casa de socorro.* Médico malo. «Ése es un médico de casa de socorro». Sinónimo: *Médico manigüero. Médico de parqueo.* Médico que no sirve para nada. «Ése es un médico de parqueo. No vayas a verlo». *Médico instantáneo.* Se le llaman a los médicos que estudiaron bajo el régimen castrista. El cubanismo indica que no son médicos en los absoluto. «Ése ni me pone una inyección. Es un médico instantáneo». (Se les llama «instantáneos» porque los gradúan en dos o tres años y sin estudiar apenas.) *No lo salva ni el médico chino.* Estar perdida una persona o una situación. «A ese paciente no lo salva ni el médico chino». Ver: *Trueno.*

MEDIO. (Un) Moneda de cinco centavos. «Esto vale un medio». Sinónimo: *Un níquel. Ese medio que cantaletea.* Ése está a punto de ser homosexual, o tiene inclinaciones homosexuales. «Ése medio que cantaletea». *Estar de medio lado.* Estar malhumorado. «Hoy me levanté de medio lado». *Guapear de medio tiempo.* 1. Creer una mujer de setenta años que tiene unos cincuenta años y actuar como tal cuando el físico no la acompaña. «María hace el ridículo. No sabe que no puede guapear de medio tiempo». 2. Tener una mujer sesentona cara y cuerpo de cincuenta. «No se envejece, aún guapea de medio tiempo». *No ser medio sino real.* Ser verdadero en conversaciones como éstas. «Él es medio bobo, no real». (Es un juego de palabras con «medio», cinco centavos en cubano y «real» diez centavos en Cuba.) *Querer mucho pan por medio.* Querer mucho por nada. «Tú fracasas porque se te ve la ambición. Quieres mucho pan por medio». Se dice también: *Querer mucho ajonjolí por medio. Ver a alguien medio y convertirlo en real.* Ganarle, destruirlo, aniquilarlo. «Se enfrentó conmigo. Lo vi medio y lo convertí en real». «En la competencia lo vi medio y lo convertí en real». Ver: *Cinco. Dos. Tiñosa.*

MÉDULA. *Salírsele a alguien la médula oblonga cuando habla.* Acalorarse. «A ése se le sale la médula oblonga cuando habla. Parece que se va a reventar».

MEJICANO. *Hacer como el mejicano.* Hacer lo imposible. «Ése está haciendo como el mejicano». (Se basa en el chiste entre el policía y el mejicano.) *Los mejicanos bailan el mambo como los cubanos.* Los mejicanos están haciendo lo mismo que los cubanos hicieron. «Los mejicanos bailan el mambo como los cubanos». (Lo he oído con motivo de la malversación en las altas esferas del gobierno mejicano.) *Ser como el mejicano.* Hacer una cosa, por la real gana, aunque esté prohibido. «A mí no me importa, así que no me digas nada. Yo soy como el mejicano». «Yo en todo soy como el mejicano». (El cubanismo se basa en el chiste del mejicano que estaba en el parque orinando y un policía le dijo: «¿Usted no sabe que no puede orinar aquí?» Y el mejicano contestó: «¿Y cómo es que estoy pudiendo?") *Ser mejicano.* Tirarse vientos sonoros. «¡Qué sucio! Es mejicano». (Me explican que este cubanismo culto surgió porque hay un chiste muy popular en que el mejicano es de Sonora. Y se hace el juego de palabras entre «Sonora», [el pueblo mejicano] y «sonar».)

MEJORAL. *Dar mejoral.* Hacer una cosa muy bien hecha. (Lo he oído en frases similares a estas: «Me acosté con ella y le di mejoral».) *Mejoral con Sello Lazo.* Se le grita al que canta mal. «Tuvo vergüenza y dejó de cantar cuando le gritaron: Mejoral con Sello Lazo». (El que canta lo hace tan mal, que parece que lo que está haciendo es retorciéndose del dolor. Por eso le dicen que tome dos aspirinas cubanas: Mejoral y Sello Lazo.)

MELADO. *Caerle a alguien melado.* Caerle gente pegajosa. «Al pobre Juan le cayó melado. No sabe cómo deshacerse de ellos». (Se oye también «melao» propio de la pronunciación de las clases bajas cubanas que aspiran la «d».) *Ser como el melao de caña.* Ser muy dulce en su trato. «La cubana es melao de caña». (Es «melado» pero el cubano aspira la «d».)

MELANINA. Ver: *Complejo.*

MELCOCHA. Ver: *Cerebro.*

MELCOCHITA. *Coger melcochita santa.* 1. Coger mercedes. 2. Que le den a uno cosas buenas en todo sentido. «Con este presidente estoy cogiendo melcochita santa».

MELENA. Así se le llama a los calvos. «Melena es un hombre instruido». *Dejarle a alguien la melena a la malanguita.* Arruinarlo. «Le dejó Laura la melena a la malanguita a Pedro». («La malanguita», es un pelado que se les hace a los niños. Se les deja sólo un mechoncito de pelo hacia la frente y el resto de la cabeza se les pela a rape. De aquí el cubanismo.)

MELENUDOS. Los creadores de la música clásica. «Hoy voy a oír a los melenudos». *Darle a alguien por los melenudos.* Darle por oír música clásica. «A mi marido hay días que le da por los melenudos».

MELOCOTÓN. *Y melocotón con queso.* Y algo más. «Aquello era de asesinatos, robos y melocotón con queso».

MELODÍA. *Deja la melodía.* Deja de hablar. «Fernando, ¡por Dios!, deja la melodía». *No ser lo mismo melodía que melodia.* No es lo mismo ni se escribe igual. «Como esa gente se equivocaba yo les hablé como tenía que ser y ya saben que en el asunto no es lo mismo melodía que melodia». Ver: *Guitarra. Melodia. Piano.*

MELÓN. *Explotarle una mujer a un hombre el melón.* Gustarle mucho. «Ella le explotó a Elio el melón». («Melón es «cerebro».) *Melón de agua.* Sandía. «¡Cómo me gusta el melón de agua!» (M. H. Menker, en su obra clásica: *The American Language*, Nueva York, Alfred A. Knopp, 1937, pág. 650, dice que es una traducción de la voz inglesa: *water melon*, en inglés, «sandía» en español.)

MEMBRANA. *Tener floja la membrana.* Estar loco. «Ése, desde niño, tiene la membrana floja».

MEMORIA. *Tener memoria de gallo viejo.* Tener mucha memoria. «Juan tiene memoria de gallo viejo». *Tener la memoria de un gallo.* Tener mala memoria. «Tú no pasarás de la primaria porque tienes la memoria de un gallo».

MEMORÓ. *Ser memoró iyamba.* Ser importante. «Ése que por ahí viene es memoró iyamba». (Es palabra africana. El que pertenece a una cofradía africana es memoró iyamba.)

MENACITOS. (Los) Zapatos de plomos que usaban en el G2, policía represiva de la Cuba de Castro, para torturar. «Le pusieron los menacitos y tuvo que cantar».

MENCÍA. *Mencía regala la mercancía.* Conmigo no hay problemas. «Yo siempre te lo digo. Con él, Mencía regala la mercancía». (Nació el cubanismo en el exilio. Es el lema de una casa comercial.)

MENDA. Yo. «Menda va esta noche al cine». (Lenguaje del chuchero. Ver: *Chuchero.* Aunque se cree cubanismo es en realidad calé. El chuchero cubano usaba mucho el calé.)

MENDIGO. *De mendigo hubiera sido millonario.* Se dice del que siempre está pidiendo algo: papel, dinero, etc. «Ya volvió a pedirme. De mendigo hubiera sido millonario».

MENDO. *No hay mendo.* Equivale a la expresión castiza de: «no hay cojones», o sea, no atreverse alguien a hacer algo por ser cobarde. «No han hecho nada por nosotros porque no hay mendo».

MENEAJE. Actuación de una persona dirigida en cierto sentido. «Yo estoy vigilando el meneaje que se trae».

MENEÍTO. (Un) Bebida compuesta de aguardiente, azúcar, limón y ginebra. «Dame un meneíto que tengo calor». *Ser algo un meneíto.* Que no tiene fuerza o influencia. «Tú aquí eres un meneíto». (Surgió con motivo de la formación de un Partido Cubano llamado «El Meneíto» por todo el mundo, sin fuerza en la opinión pública.)

MENEN. Ver: *Talco.*

MENEO. *Liquidar con dos meneos.* Hacer algo rápido. «Liquidé lo del motor en dos meneos». *No creer en meneos.* No creer en cuentos. «Haz las cosas que tienen que hacer. Yo no creo en meneos».

MENSAJE. *Darle el mensaje a García.* Avisar. «Yo le di el mensaje a García». *Recibir alguien el mensaje de García.* Ser advertido. «Ya no se mete conmigo. Recibió el mensaje de García». (El cubanismo viene de un célebre mensaje que durante la guerra hispanoamericana los americanos enviaron al General Cubano Calixto García. En clave se llamó, «*El Mensaje García*». De aquí el cubanismo.)

MENSAJERO. *Ser un cochino sin mensajero.* Ser una persona sucia de por sí. «Es un cochino sin mensajero». Se aplica a otras situaciones: «*Ser inteligente sin mensajero*»; «*ser gracioso sin mensajero*». En el aumentativo lo he oído de esta manera: «*Ser un inteligente sin mensajero y con el cable directo*», o sea, ser inteligentísimo. Las palabras «*con cable directo*» dan el aumentativo. Éste es uno de esos casos en que el cubanismo forma el aumentativo con palabras. Es un cubanismo nacido en el exilio.)

MENTAL. Ver: *Manco. Paja.*

MENTALIDAD. *Tener alguien mentalidad de muñequito.* Ser muy poco inteligente. «Juan tiene mentalidad de muñequito». *Tener mentalidad de Mister «uan sen».*

Tener mentalidad sumisa. (Las palabras inglesas «one cent» que el cubano pronuncia como se ha escrito significa «un centavo».) *Tener mentalidad de vedette.* Bailar según la música que le toquen. «Los cubanos jamás tendremos mentalidad de vedette». Ver: *Perro.*

MENTIRA. *Dime algo, aunque sea mentira.* Dame una noticia. «Chico, ya no me comunicas nada. Dime algo aunque sea mentira». *¡Mentira muchacho, o muchacha!* No. «¿Dicen que vas a comprar una casa? —Mentira, muchacha». (Este es un latiguillo lingüístico en la conversación del cubano tomado de un programa radial muy popular cubano: el de «*Chicharito y Sopeira*». De aquí el cubanismo.) «¿Vas al cine? —Mentira muchacho». *Mentirita.* Ron con coca cola. (Antes le llamaban Cuba Libre, pero ahora el chiste dice que se llama Mentiritas, porque Cuba no es libre.)

MENTIRITA. *De mentirita me hicieron a mí.* Contestación que se da cuando le dice a uno: «Eso es mentira». «Eso es mentira. —¡Sí,! de mentirita me hicieron a mí». También se oye: «De mentira me hicieron a mí».

MENUDEAR. Robar a alguien el menudo. «Lo menudearon en el autobús».

MENUDO. *Tener más menudo que un pollo.* Tener mucha moneda fraccionaria. «En casa tengo más menudo que un pollo». (Es un juego de palabras entre «moneda» y los «menudos» del pollo.)

MEQUITO. *Mequito para el carajo.* Irse. «Me quito para el carajo en esta cosa». (El origen del cubanismo se deba al tío del humorista Álvaro de Villa que era hijo de Meca y él se decía Mequito. Él lo popularizó.)

MERCANCÍA. (La) Se dice del pene, cuando el hombre lo exhibe. *Enseñar la mercancía.* Se dice de la mujer que muestra sus encantos. «Esa mujer se pasa el día enseñando la mercancía». *Sacar la mercancía.* Enseñar el pene.

MERCAR. Trabajar. «Estoy mercando seis horas al día».

MERCEDES. *Meterse a Mercedes Pinto.* Dar consejos. «Últimamente le ha dado por meterse a Mercedes Pinto». (Mercedes Pinto es una dama cubana-española que daba consejos por radio en Cuba.) *Ser Mercedes Pino.* Dar consejos. «Esta es Mercedes Pino corregida y aumentada». (Mercedes Pino era una señora que daba consejos en el periódico *El Mundo* de La Habana.)

MERCURIO. *Tener alguien el mercurio subido.* Estar enojado. «Cuando yo le veo el mercurio subido no digo ni esta boca es mía». (Es cubanismo de gente culta.)

MERENGUE. Nombre que se le grita al que está vestido de blanco de pies a cabeza. *Durar lo que el merengue en la puerta de un colegio.* Durar poco. «Ese espectáculo dura lo que un merengue en la puerta de un colegio». *El Noveno merengue.* Ver: *Noveno. Ganar para merengue y buenas noches.* Ganar poco. «Voy a dejar el negocio, pues sólo gano para merengue y buenas noches». *Hacer merengues.* Hacer aspavientos. «Cuando yo hablo, tú haces unos merengues que me irritan».

MERENGUITO. Se dice en Cuba al cubano al que han permitido volver a Cuba, de visita, después de llevar años en el exilio. «Mira como hay merenguitos por las calles». (Les llaman «merenguitos» porque los tratan como tal. No hay quien los toque, quien los moleste. Por necesitar el régimen cubano su dinero. De ahí el cubanismo.) *Los merenguitos.* Los cubanos que visitan a Cuba porque nadie se atreve a meterse con ellos porque son portadores de dólares. «Muchacho, en Cuba eres un merenguito». (Es cubanismo de la Cuba de hoy.) Sinónimo: *La Comunidad.* Todos los cubanos del exilio se engloban en el nombre genérico de *La Comunidad* en Cuba.

MEREQUETÉN. *Zumbarle una fiesta el merequetén.* Ser de altura. «A esa fiesta le zumba el merequetén». *Le zumba el merequetén* es una exclamación que se usa cuando alguien hace algo chocante. «¿Así que te pregunta por mí después de lo que le dije? Le zumba el merequetén». Sinónimos: *Le romca el tubo. Le zumba el mango.* Ver: *Aparato. Cañandonga. Mango.*

MERI. *Hacerlo a alguien como a Meri Popins.* Eliminarlo drásticamente. «En el trabajo le hicieron como a Meri Popins». (En una película de televisión, a la artista americana, Mary Poppins- el cubano pronuncia Meri Popins, salía con una sombrilla y volaba hasta desaparecer. De aquí el cubanismo.)

MERIENDITA. Dulce de guayaba y queso entre dos galleticas dulces. «¿Le diste la meriendita al niño?» (Cubanismo del exilio.)

MERMERLADA. Ver: *Piropo.*

MEROFIA. (La) La policía. «Cuidado con la merofia. Patrulla esta zona». Sinónimo: *Jara.*

MESA. *La mesa está puesta.* Llegó la hora de la decisión. «Bueno, la mesa está puesta. ¿Qué vamos a hacer?» *Poner la mesa.* Ponerse a disposición de alguien. «Yo, como era amigo tuyo, le puse la mesa». (Aquí, como se ve, el castizo toma otra significación.) *Ponerle a alguien la mesa.* Retarlo. «En cuanto lo vi le puse la mesa». «Le puse la mesa pero no hizo nada».

METE. *Tener un mete.* Estar enamorado de una mujer. «Tiene un mete con Lola». Se aplica a las relaciones que no son comunes en la vida cuando un hombre, por ejemplo, tiene una gran admiración por otro de índole no pecaminosa. «Nada más que pone a Juan porque tiene un mete con él».

METECABEZA. El que trata de progresar de cualquier manera. «¡Cómo lucha! Es un metecabeza».

METEDOR. Ver: *Cranquero.*

MÉTELE. Adelante. «¿Hago el libro? —Métele».

METER. Dominar algo. «Juan le mete muy bien a las espinelas». *Meter caña.* Esforzarse. «En el estudio voy a meter caña para terminar lo antes posible». *Meter la cabeza en un cubo.* Avergonzarse. «Después de lo que hizo metió la cabeza en un cubo». *Meter mano.* 1. Acostarse con una mujer. «A Juana logré meterle mano anoche». 2. Castigar a un niño físicamente. «Le metió mano al hijo por las nalgas». *Meter o poner marcha atrás.* Retractarse. «Yo cuando vi lo que había hecho metí marcha atrás». *Meterle miedo al susto.* Ser muy feo. «Ése le mete miedo al susto». Sinónimo: *Feo. Metérsela a alguien con pez rubia.* Tratarlo sin contemplaciones. «Yo no le tuve respeto y se la metí con pez rubia». *Metérsela con vaselina.* Engañarlo con disimulo. «Para llevarlo allí se la metió con vaselina». (En general, indica conseguir algo con disimulo.)

METERSE. *Meterse a algo o alguien.* Soportarlo, a pesar de que se le rechaza. «Tuve que meterme a Elio toda la noche». «Meterse esa asignatura fue terrible».

METIDO. Entrometido. «Muchacho, ¡qué metido eres!» *Estar metido.* Estar enamorado».Juan está metido contigo». (El cubano dice, algunas veces, «metío» aspirando la «d».) «Estoy metido con Lola». *Estar metido en la piña.* Estar preocupado. «Con ese dolor estoy metido en la piña». *Estar metido hasta los tuétanos.* Estar muy enamorado de una mujer. «Estoy metido contigo, hasta los tuétanos». («Estar metido» quiere decir enamorado. «Hasta los tuétanos» es el superlativo. El cubanismo como siempre, acude a las palabras para formarlo, y no a las terminaciones propias del mismo.) También, comprometido. «En esa situación está metido hasta los tuétanos».

METIMIENTO. Enamoramiento bobo. «Nunca he visto un metimiento como ése». *Tener un metimiento.* Estar hondamente enamorado. «¡Qué metimiento tiene Juan contigo!»

METRAJE. *Ser algo de largo metraje.* 1. Ser muy largo. «Mi operación fue de largo metraje». (Es cubanismo tomado del cine. Una película larga es una de largo metraje.) 2. Ser una persona muy larga, en el sentido de astuta. «Te engaña con eso. Él es de largo metraje». *Tener alguien un gran metraje.* Ser persona hipócrita. «Ese socio tuyo tiene un gran metraje. A lo mejor tienes problemas con él en la empresa».

METRALLA. *Meter metralla con chichipó.* Disfrazar una cosa mala para hacerla apetecible. «En este asunto me metieron metralla con chichipó». («Chichipó» es fornicación en cubano.) *Ser metralla.* Ser mala persona. «Tú eres metralla, Pedro».

METRALLETA. 1. Que habla mucho. «Es una metralleta hablando». 2. Pequeño. «Es una metralleta; casi enano».

METRO. *El león de la Metro.* (*La Metro* es la compañía de películas americana. Sus películas comienza siempre enseñando el lema de la Compañía: Un león que ruge. De aquí el cubanismo.) *Escríbele a la Metro Golden Mayer.* ¡Qué artista eres tratando de engañar! Cuando alguien se justifica acompañado de gestos teatrales se le grita. «Escríbele a la Metro Golden Mayer». («*La Metro Goldyn Mayer*», que el cubano pronuncia como se ha escrito, es una compañía de películas norteamericanas cuyo lema es un león, que aparece en la pantalla. De ahí el cubanismo.) *No es lo mismo un metro de encaje negro que un negro te encaje un metro.* No es lo mismo ni se escribe igual. «Yo creo que el fracaso de ustedes se debe a que no han comprendido que no es lo mismo un metro de encaje negro que un negro te encaje un metro». (Es cubanismo que los cubanos con sus amigos dicen entre sí, los hombres. Lo dicen en forma chistosa. Este tipo de chiste llamado «no es lo mismo» fue muy popular en Cuba.) Ver: *León.*

METROREIL. Se le dice así a la persona que no cumple, que le falla a uno continuamente. «Yo sabía que no venía, es metroreil». (El metrorail, que el cubano pronuncia como se ha escrito, es un sistema de transporte existente en Miami que siempre tiene fallas. De aquí el cubanismo nacido en el exilio.)

MEZCLA. *Poner la mezcla y no dar nombre al edificio.* Tener un hijo y no ponerle el nombre de uno. «Juan puso la mezcla y no le dio nombre al edificio». *Ser alguien una mezcla de «Preparación Q» con «Alka Seltzer».* (La «Preparación Q» y «Alka Seltzer» son dos medicinas. El cubano dice «selser».) Ser muy poco simpático. «Él es una mezcla de Preparación Q con Alka Seltzer». Ver: *Albañiles.*

MÍ. *A mí me la mu sun lai.* 1. A mí no me importa. «Dicen que se va a acabar el mundo. —A mí me la mu sun lai». 2. A mí no hay quién me derrote. «Dicen que te gana en la carrera. —A mí me la mu sun lai». (Es derivado de algo groserísimo: «A mí me lo maman».)

MIAJA. *Tener alguien la miaja floja.* Estar ya vencido por la vida. «Yo me doy cuenta de que tengo la miaja floja. Me canso mucho».

MIAPANGO. *Ser un Miapango.* Ser una persona que no vale nada. «Ése es un miapango. ¡No me lo defiendas!»

MICROBRIGADA. Se le dice en la Cuba de hoy a los trabajadores de una brigada pequeña. «Espero que llegue pronto la microbrigada». También: edificio pequeño. «Lo que han construido es una microbrigada». (Lenguaje llegado al exilio por el puente marítimo Mariel-Cayo Hueso en 1980.)

MIEDO. *El que tenga miedo que se compre un perro.* Frase que se dice en momentos cruciales. *Meterle miedo al miedo.* Ser muy feo. «Ese le mete miedo al miedo». Sinónimo: *Federico, no tengas miedo que yo estoy temblando.* (Frase jocosa que se dice en ciertas ocasiones cruciales.) Ver: *Trueno.*

MIEL. *Ser miel de abeja, el que lo prueba no la deja.* Ser muy dulce. «Ella es miel de abeja, el que la prueba no la deja». Ver: *Caramelo. Güiro.*

MIÉRCOLES. Se dice de alguien que siempre está en el camino de otro. Estorbando. Sinónimo: *Ser un clavo de línea. Ser un polín. Estar alguien como el miércoles.* Estorbar. «Juan siempre está como el miércoles».

MIERDA. *Cambiado por mierda se pierde el envase.* No hacer nada. «Ese hombre, cambiado por mierda se pierde el envase». Sinónimo: *Cambiado por globo se pierde el envase. Comiendo mierda y gastando zapatos.* Haciendo algo inútil. «Aquí me tienes comiendo mierda y gastando zapatos». (Así se decía despectivamente de los ejercicios militares que hacían los milicianos en la Cuba de Castro.) *Estar comiendo mierda.* Estar ido. «Se enfermó y ha estado todo este tiempo comiendo mierda, pero ahora empieza a reponerse». Sinónimos: *Estar en la luna. Estar en la luna de Valencia. Estar en esa mierda.* Hacer algo que es muy bajo. «Ya te digo que yo no te delaté. Yo no estoy en esa mierda. Él es de tus enemigos. Él está en esa mierda». *Estar la mierda como la cachimba de San Juan.* Tener mal olor. «Esa mierda que pisaste está como la cachimba de San Juan». (Viene de la canción del famoso trío cubanos el Trío Matamoros: «*La cachimba de San Juan*», tenía según la canción picadura perfumada. La mierda huele mal, está perfumada. De aquí el cubanismo. He oído, asimismo, en vez de cachimba, «picadura».) *Hablar tanta mierda que hasta huele.* Todo lo que dice carece de substancia. «Mi amigo habla mierda que hasta huele». *Hablar tanta mierda tiene peste.* Hablar tonterías en extremo. «Ese político habla tanta mierda que hasta tiene peste». *La mierda cuando se la revuelve, apesta.* Es mejor dejar las cosas como están. *La misma mierda.* Igual. «¿Cómo están las cosas? —La misma mierda». Sinónimo: El mismo mojón. *No comas más mierda que te quito el tibor.* No te lances conmigo, no te atrevas conmigo. «Era guapo hasta que le dije: No comas más mierda que te quito el tibor». *No estar en esa mierda.* No participar en algo degradante. «Tú puedes estar seguro de que yo no estoy en esa mierda». *No quiero ser mierda y menos olerla.* No quiero ser alguien que no vale nada. «Nunca he querido ser mierda y menos olerla». *Ser alguien mierda.* Lo he oído aplicar a los que defecan a menudo. «¡Cómo va al servicio! Es mierda». *Ser alguien mierda a pulso.* No valer absolutamente nada. «Elio es mierda a pulso». *Ser alguien* *mierda en polvo.* No valer nada. «Ese señor es mierda en polvo. Nunca cumple su palabra». Sinónimos: *Ser mierdulina. Ser mierdulina con benjuí. Ser mierda seca. Ser alguien una mierda.* No valer nada. «Ese primo tuyo es un mierda. ¿Viste lo que me hizo?» *Si la mierda se vendiera tú serías capitalista.* Se le dice a una persona sin valores. «¿Así que me has hecho la misma trastada? Mira, si la mierda se vendiera, tú serías capitalista». *Sigue comiendo mierda que en cualquier momento te regalo un tibor.* Se le dice al que hace algo muy tonto. «Siguió enamorado de ella, así que le dije: sigue comiendo mierda que en cualquier momento te regalo un tibor». (En realidad quiere decir: «Eres un tonto de marca mayor».) *Tirar a mierda.* 1. Despreciar. «Juan me ha tirado a mierda siempre. Lo odio». 2. Menospreciar. «A ése lo tiré a mierda». Ver: *Codazo. Color. Esprei. Extraño. Flor de Caballo. Monopolio. Pancha. Tibor.*

MIERDAZA. Mierda. «Yo no leo esa mierdaza».

MIERDECES. *Hacer mierdeces.* Hacerle a alguien pequeñas traiciones; portarse mal con alguien. Es sinónimo de hacerle una porquería a alguien. La conversación da el significado. «Me ha hecho dos o tres mierdeces en el trabajo, a pesar de que yo lo coloqué allí». (Se ha portado mal.) «Me ha hecho dos o tres mierdeces. Él es traicionero por naturaleza». (Ha hecho pequeñas traiciones.)

MIERDERICA.O. *Ser un mierderico.* No valer nada. «Juan es un mierderico». (Es eufemismo de mierda.) Sinónimo: *Ser mierludina. Tan mierderica.* Tan mierda, que no vale nada. «Elio es tan mierderica».

MIERDULINA. Ver: *Mierda. Mierderico.*

MIGAJA. *No dar migaja sino flauta.* Se dice del que en el acto sexual trata de dejar satisfecha a la mujer recurriendo a todo. «Él no da migaja sino flauta. Si lo sabré yo, Matilde». («Migaja» y «flauta» son términos de panadería refiriéndose al pan.)

MIGUEL. *Vamos a ver cómo baila Miguel.* Vamos a ver qué pasa aquí. «Pedro, vamos a ver cómo baila Miguel». Ver: *Ciro.*

MIJITO. Mi hijo. «¿Cómo estás, mijito?»

MIL. *Estar a mil por hora.* Estar sumamente nervioso. «Yo estoy a mil por hora». *Traer a alguien a mil.* Apurar a alguien desmesuradamente. «El jefe me tiene a mil». Sinónimo: *Traer a alguien a paso de conga y sin tumbadora.* Ver: *Ocho.*

MILÁN. Ver: *Maricón.*

MILCHEIK. *Hacer el milcheik.* Fornicar. «Yo estoy seguro, que esos dos, están haciendo el milcheik». («Milk Shake», que el cubano pronuncia «milcheik», es un «batido de leche». «Leche» en cubano es «semen». De aquí este cubanismo nacido en el exilio.)

MILITANTE. *Ser militante de retaguardia.* Ser homosexual. «Pedro es militante de retaguardia como ves».

MILLA. Ver: *Cuarto.*

MILLAJE. *Tener una mujer mucho millaje.* Tener mucha experiencia con los hombres. «Esa mujer tiene mucho millaje».

MILLÁS. *Estar como Millás.* Estar observando. «A mí mi marido no se me enamora de otra. Yo estoy como Millás». (Millás era el director del Observatorio Nacional de Cuba. Estaba siempre observando los elementos. De aquí el cubanismo.) *Ser alguien Millás.* 1. Se dice del que siempre está dando «partes» de cualquier tipo. «No para.

Es Millás». 2. Ser un observatorio. «Puedes confiar en lo que te digo del tiempo. Él es Millás». (Millás era el director del Observatorio Nacional de Cuba. Un comandante, gran metereologista cubano, daba todos los días el reporte, o «partes» del tiempo. De aquí el cubanismo.) *Tener alguien muchas millas de vuelo.* Tener mucha experiencia. «No lo quiero de enamorado tuyo porque tiene muchas millas».

MILLO. *Comerse el millo.* 1. Equivocarse. «Conmigo tú te comiste el millo». «Yo creía que era buena persona pero confieso que me comí el millo». 2. Fracasar. «Yo, con este negocio, me comí el millo». 3. Hacerse el tonto. «Yo contigo, me comí el millo». También hacer una tontería. «Con ese discurso te comiste el millo». Ver: *Escoba.*

MILLÓN. *El millón catorce.* Muchos. «¿Se ahogaron muchos? —El millón catorce». Ver: *Vals.*

MILLONARIO.A. Ver: *Mendigo.*

MILLONES. Ver: *Danza. Zafra.*

MINFA. Familia. «¿Cómo está tu minfa?» «¿Qué dice mi minfa?»

MINGO. *Coger a alguien de mingo.* Tener a alguien de arriba para abajo. «Me le rebelé porque me cogió de mingo».

MINÍN. *Sacar a Minín Bujones de la televisión.* Lavar mucho. «Yo saqué a Minín Bujones de la televisión». (Anunciaba esta locutora el detergente **FAB**. Este es un cubanismo de «ocasión» y ya ha desaparecido.)

MINISTERIO. *Dejar el ministerio y pasar a la alcaldía.* Volverse un pastor protestante un calavera. «Ése dejó el ministerio y pasó a la alcaldía». (En general se aplica a todo el mundo que de una vida seria se mete a calavera.) *El Ministerio de Recuperación.* En Cuba fue un organismo creado con el pretexto de recobrar las riquezas malversadas por los gobernantes anteriores a Castro. Sirvió para confiscar de sus bienes a todo el mundo, como instrumento de confiscación del Partido Comunista. En el exilio es la «siesta». «No hay como el Ministerio de Recuperación para sentirse bien. Te da nueva energía». *Estar, alguien, en el Ministerio de Recuperación.* Estar recuperándose de una enfermedad, de un descalabro. «Por poco me muero, pero ya estoy en el ministerio de recuperación». (Cubanismo que ya apenas se oye. Surgió cuando en 1957 se creó en Cuba el Ministerio de Recuperación de Bienes Malversados, como ya se explicara anteriormente.) Ver: *Peiof.*

MINUSIA. Cosa pequeña. «Lo que le falta a ella para estar loca es una minusia».

MINUTA. *Hacerse algo minuta.* Hacerse añicos. «El avión se cayó y se hizo minuta».

MINUTO. Ver: *Cantante. Comercial. Mac.*

MIÑO. *Ser una mujer accionista del Miño.* Ser una prostituta. «Esas que viven en frente son accionistas del Miño». (El Miño era una fábrica de chorizos en Cuba. «Chorizo» es «pene» en cubano. De aquí el cubanismo.) Ver: *Chorizo.*

MIQUI. *Poner a alguien como Miqui Maus.* Se dice del que escribe poesías que no se entienden, y que son muy malas al mismo tiempo. «A esa poetisa hay que ponerla con Miqui Maus». (Mickey Mouse, que el cubano pronuncia como se ha escrito, el Ratón Miguelito o Miquito, personaje de las tiras cómicas —muñequitos. Cubanismo del exilio.)

MIQUITO. *Ser un miquito.* Ser pequeño, delgado y tener una nariz como la del Ratón Miquito. (Mickey Mouse.) «¡Qué feo es! ¡Es un Miquito!» Sinónimo: *Ser un fiquito.*

MIRA. *Tener en la mira telescópica a alguien.* Vigilar. «Tengo a Juan y al trabajo en la mira telescópica».

MIRAGUANO. Tipo de hoja con que se hacen almohadas. «Esa almohada es de miraguano».

MIRANDO. *Mirando y dejando.* No meterse en nada. «En este asunto yo estoy mirando y dejando».

MIRAR. *Estar de mírame y no me toques.* Estar de mal humor. «Desde que lo conozco hace diez años está de mírame y no me toques». *Mirando y dejando.* Latiguillo lingüístico que quiere decir: dejar que las cosas sigan su curso. «Aquí estoy como siempre, cuando se presentan estas cosas en política: mirando y dejando». Se usa, preferentemente, en la conversación cuando le preguntan a uno: «¿Cómo estás?» Se responde: «Mirando y dejando», es decir, dejando las cosas como están. Es actitud pasiva. Sin meterme en nada. *Mirar con cara de carnero degollado.* Mirar con cara para inspirar lástima. «Aunque me mires con cara de carnero degollado te digo que no». *Mirar virando los ojos más que Beti Bú.* Hacer payasadas. «El individuo no me gusta, pues vira los ojos al mirar más que Beti Bú». Lo he visto aplicado también a la persona aspavientosa. (Betty Boop, era una muñequita de las tiras cómicas, o muñequitos, norteamericanos, que tenía los ojos botados y hacía muchas payasadas.) *No me mires con cara de chinche que yo no soy colombina.* No me mires con mala cara. Sinónimo: *No me mires con cara de puerco que no soy salcocho. ¡Qué miras, que la nariz se te estira!* (Frase que usan los niños cuando son mirados fijamente por sus compañeros.) *Y no miran para atrás.* No les importa. «Te pelan al moñito y no miran para atrás». («Pelar al moñito» es «matar».)

MIRRINGA. Cosa de nada. «Lo que comí es una mirringa».

MISA. *No servir alguien ni para misa de difunto.* No servir para nada. «Ese tío tuyo no sirve ni para misa de difunto». Sinónimo: *Ser mierdulina.*

MISAGUASAN. Ver: *Yenica.*

MISERABLE. Ver: *Dinero.*

MISERABLEZA. Acción de ser miserable. «Le pedí cinco pesos y no me los dio. ¡Qué miserableza!»

MÍSTER. *Llamarse a alguien Míster «Klinex».* Se dice del que llora mucho por el «klinex», o sea, las toallitas para secarse el catarro, las lágrimas, o los ojos. «No le grites que le dicen Míster Klinex». (Es cubanismo del exilio. El Kleenex, que el cubano pronuncia como se ha escrito, es una famosa marca norteamericana de toallitas de papel suave que se usa cuando se tiene catarro, o para quitarse el maquillaje, etc. «Mister» es «señor» en inglés.) Ver: *Mentalidad.*

MISTERIO. *El misterio Suizo.* El reloj. «Bacílame este misterio suizo». («Bacilar» es «gozar». Es lenguaje del chuchero. Ver: *Chuchero.*) *Descifrar los misterios de la Charada China.* Hacer o tratar de hacer algo que es dificilísimo. «Eso que piensas hacer es como descifrar los misterios de la Charada China». («La Charada China» es un juego de azar. Se representa a un chino con números en cada parte del cuerpo.)

MITAD. Ver: *Tabaco.*

MITIN. *Estar siempre dando mitin.* Se dice del que se pasa la vida dando consejos. «Mi padre está siempre dando mitin». *Meter un mitin.* Dar un berrinche. «Lo vi en la esquina metiéndole un mitin a la novia». («Mitin» es la pronunciación que el cubano da a la palabra inglesa «meeting».)

MIURA. Ver: *Torear.*

MIXTIFICACIÓN. *Mixtificación sublime del árbol líquido de la consorte del toro.* La leche. «Voy a tomar la mixtificación sublime del árbol líquido de la consorte del toro». (Es cubanismo de tono jocoso.)

MOCASÍN. Culo. «Esa mujer tiene un bello mocasín». Sinónimo: *Culeco. Tener el mocasín alborotado.* Menear mucho las caderas. «La mujer de enfrente tiene el mocasín alborotado». Sinónimo: *Bola.*

MOCHA. Machete ancho y corto con que se corta la caña. *Dale mocha.* Olvídate de eso. «Como me duele que ella me lo dijera. —Dale mocha». (La mocha es un machete pequeño.) *Dar mocha.* 1. Despedir gente. «La mocha en el ministerio fue total». 2. Sacar algo de un escrito. «A esa novela hay que darle mocha». 3. Saltar de un escrito páginas enteras. «Di mocha para terminar el libro». *Dar mocha hasta soltar la caña.* Trabajar duro. «Hoy tuve que dar mocha hasta soltar la caña». *Terminar algo como la fiesta de la mocha.* Ver: *Fiesta.* Sinónimo: *Terminar algo como la fiesta del Guatao.*

MOCHAZO. *De un mochazo.* De una vez. «Le pagué lo que le debía de un mochazo».

MOCHE. Ver: *Troche.*

MOCHITO. Pedazo pequeño de algo. «De ese lápiz sólo queda un mochito». Ver: *Lápiz.*

MOCO. 1. Fuerza en el brazo. «¡Qué moco tiene ese lanzador en el brazo!» 2. Mujer fea. «Esa mujer es un moco». Sinónimo: *Estar para el tigre fleje. ¿Cómo vas a empanizar el moco?* Se le dice al que se le ve con el dedo en la nariz, sacándose los mocos. «¿Qué, Genaro, cómo vas a empanizar el moco?» *No saberse si alguien se está sacando un moco o arrancándose el cerebro.* Se dice del que se hurga en la nariz violentamente. «Mira, no se sabe si se está sacando un moco o arrancándose el cerebro». *Tener el moco caído.* 1. El clítoris. 2. Estar desanimado. «Hoy me he levando con el moco caído».

MODELO. *Ser un modelo del Príncipe.* Ser un delincuente. «Es un modelo, pero del Príncipe». (El Príncipe es la cárcel de La Habana. Es un juego de palabras entre modelo —persona modelo, buena, sin faltas— y modelo, muestra.)

MODERNA. *Tener la Moderna Poesía arriba.* Llevar muchas plumas. «Tú tienes la Moderna Poesía arriba». («*La Moderna Poesía*», era la casa de venta de libros y efectos de escritorio más famosa que había en Cuba, ahora en el exilio.)

MOFETA. *Ser algo o alguien un mofeta.* Oler mal. «Echate desodorante que eres un mofeta». «Juan es un mofeta». Sinónimo: *Oler a chino.*

MOFETARÍA. Se dice de la persona que huele mal. «Ése es una mofetaría».

MOFONGO. Ver: *Colo.*

MOFORUMBALE. Ofrecimiento a un santo de la religión africana. (Vigentes aún en Cuba.) «Con ese mofurumbale a Changó [deidad del santoral de la religión africana en Cuba] no te olvidará». *Dar moforumbales.* Saludar a los santos. «Ahora que no hay nadie en casa voy a dar moforumbales». (Es una ceremonia africana que consiste en convocar, para saludarlos, a los santos africanos, en Cuba, con una campana.)

MOFUCO. Bebida alcohólica de pésima calidad hecha de alcohol puro con otros ingredientes. «El que toma mofuco se queda ciego».

MOFUQUERO. Se dice de la persona que está alcoholizada. «Ese mendigo, es además, un mofuquero». Sinónimo: *Palmolivero.*

MOGO. Bolas de plátano. Ver: *Plátano.*

MOGOLLÓN. *Ser alguien un mogollón.* 1. No tener luces ningunas. 2. Persona sin luces. «Es un mogollón». 3. Ser un acémila. «Él es muy inteligente, pero el hermano es un mogollón». En tiempos de la colonia era un policía al servicio de España. «Hubo muchos mogollones entre la gente pobre en aquella época. La miseria es mala consejera».

MOHOSO. *Estar alguien mohoso.* Estar viejo. «Ese hombre ya está mohoso interiormente».

MOICHEPIPI. (Los) Los israelitas. «En Cuba habían muchos Moichepipi». (Es que en Cuba había un restaurante israelí-cubano llamado el Moishe Pipi. De aquí el cubanismo.)

MOJAR. Sobornar. «Hay que mojar al secretario para conseguir la contrata». *Tener que mojarse el culo o las nalgas.* Tener que pasar dificultades. «Ganarán las elecciones pero tienen que mojarse el culo otra vez».

MOJINJE. *No estar alguien para mojinjes.* No estar dispuesto a aguantar la mínima tontería. «Si dice algo le contesto porque no estoy para mojinjes».

MOJITO. 1. Bebida alcohólica a base de ron, limón y yerbabuena. 2. Poco. «Me tiene un mojito de tirria». Ver: *Sal.*

MOJO. Especie de adobo o aderezo a base de naranja agria y ajo que se le echa para sazonar varios platos cubanos. «A ese puerco échale mucho mojo». «Ese mojo es inmejorable». (El diccionario «*El Pequeño Larousse*», lo da como americanismo.)

MOJÓN. 1. Persona pequeña. «Está un mojón. No tiene ni cinco pies». 2. Persona que no vale nada. «Cállese, usted es un mojón». *A un mojón poca atención y a un bagazo poco caso.* Se le dice a quien se dirige a uno con algo impertinente. «El policía me llamó la atención en mala forma y yo le dije: A un mojón poca atención y a un bagazo poco caso». *A un bagazo, poco caso y a un mojón, poca atención.* Se dice esto de la opinión o del pronunciamiento de una persona que uno considera que no vale nada. *Comerse el mojón de la noche.* Hacer el ridículo. «En la fiesta tú te comiste el mojón de la noche». *Cotizarse el mojón a mil pesos.* Se dice cuando hay una situación de pánico que todo el mundo está acobardado. «Sonaron los tiros, pusieron el toque de queda y el mojón se cotizaba a mil pesos». *El mismo mojón de siempre.* 1. Contestación que se da para indicar la misma mediocridad de siempre. «¿Cómo está ahí todo? —El mismo mojón de siempre». 2. Nada cambia. «Esto es el mismo mojón de siempre». Se oye más en contestación a las preguntas: ¿Cómo está? «¿Cómo estás, Pedro? —El mismo mojón de siempre». *Estar montado en un mojón.* Darse alguien pisto porque se cree la gran cosa. «Ni lo mires. Está montado en un mojón hace tiempo. Se cree poeta». *Mojón de negro.* Especie de dulce de coco. «Vámonos a comer ese mojón de negro». *Mojón niquelado.* Se dice de la persona que aparenta valer mucho y en el fondo no es nada. «Ese supuesto dirigente no es más que un mojón niquelado». *Ser alguien mojón de guayaba.* Ser pecoso. «Mi hermano, de pequeño, era mojón de guayaba». *Ser alguien un mojón con pelo.* Ser lo más imbécil del mundo. (Es la oración despectivísima.) «Ese cabezón es un mojón con pelo». *Ser alguien un mojón perfumado.* Se dice de la persona pequeña y amanerada. «Ese compañero tuyo, perdóname, es un mojón perfumado». *Ser alguien un mojón niquelado.* No valer nada. «Ese político es un mojón niquelado». (Es decir: brilla por fuera, pero es mierda [no valer nada] por dentro.) *Ser un mojón.* 1. No valer nada como persona. «Yo no lo trato. Es un mojón». 2. Ser chiquitico. «No levanta cinco pies del suelo. Ese hombre es un mojón». (Lo he oído aplicado sólo a personas.) 3. Ser estúpido. «Ese hombre es un mojón. No sabe nada». *Tener un mojón en el disparadero.* Tener ganas de hacer de cuerpo. (Es en forma grosera que lo dicen los niños por hacerse los graciosos.) *Trabajar el mojón.* Defecar leyendo. «Déjame coger el periódico que voy a trabajar el mojón». *Tragarse el mojón.* Ser un tonto. «Ese señor se tragó el mojón. ¡Qué aires tiene sin embargo!» Ver: *Caña. Duro. Mierda.*

MOJONADA. Tontería. «¡Qué clase de mojonada!» También: cosa mal hecha, espectáculo que no sirve. «Ese plato es una mojonada». (Mal hecho.) «Esa conferencia es una mojonada». (No sirve.) *Hacer alguien una mojonada o mojonadas.* 1. Hacer una tontería. «Hizo una mojonada en plena fiesta y tuvimos que irnos». Sinónimo: *Hacer de Cuca mona.* 2. Portarse como un cafre. «Eso que me hiciste es una mojonada».

MOJONCITO. *Ser un mojoncito.* Ser un hombre chiquitico. «Ese hombre es un mojoncito». (Lo he oído aplicado sólo a personas, no a cosas.)

MOJONEAR. Hablar tonterías. «Nunca he visto mayor aptitud para mojonear».

MOJONEO. Conversación intrascendente. «Ese mojoneo no hay quién lo resista».

MOJONES. *Atracarse de mojones.* Decir tonterías. «Se pasa el tiempo atracándose de mojones». Ver: *Atraque.*

MOJOTEAR. Meterse en lo que no le importa a alguien. «Su mojotear es impertinente». (Me explican que viene de «mojo» ese aderezo que llevan el lechón y otros platos cubanos. El que mojotea es aquel que está siempre mojando en la salsa del mojo.)

MOLIENDA. *Ya comenzó la molienda.* Cubanismo que se aplica a muchas situaciones. 1. Alguien entra en acción. «Mira la policía con los palos. Ya comenzó la molienda». 2. Empezar a trabajar duro. «Ahí viene el jefe. Se acabó la vagancia y comenzó la molienda». (Es cubanismo que viene del campo azucarero. Cuando la zafra comienza en Cuba se dice: «Comenzó la molienda».)

MOLINILLO. *Tener el molinillo.* Tener barrenillo. «Ese tipo tiene el molinillo. Y no sabe lo que le afecta la salud».

MOLLEJA. *Encontrar molleja.* Encontrar basura, mierda. «En esa novela sólo encuentras molleja».

MOLLEJITAS. Senos pequeños. «Por la trusa se le salían las mollejitas».

MOMENTO. *Vivir el momento.* Disfrutar de lo que se tiene en el instante. «Mira, vive el momento y despreocúpate de lo demás».

MOMIA. Persona muy vieja y apergaminada. «Pedro es una momia». *Morir como las momias.* Morir alguien erecto y muy delgado. «Juan murió como las momias».

MONA. *Cagarse la mona.* Fastidiarse la cosa. «Si ellos se enteran de todo, se caga la mona». (Es cubanismo de la Cuba de hoy.) *Cásate con Mona Bell.* Se le dice al que no se explica bien, al que su mensaje no llega, porque Mona Bell cantaba una canción muy famosa llamada: «*Comunicando*». «A ese político hay que decirle: Cásate con Mona Bell». *Convertirse en la mona de la gallería.* Ser el hazmereir de todos. «Se convirtió, con su conducta, en la mona de la gallería». *Estar la cosa de cuando la mona no carga al hijo.* Estar la cosa muy mala. «En este momento la situación aquí está de cuando la mona no carga al hijo». Sinónimo: *Cotizarse el mojón duro a mil pesos. Hacer de Cuca Mona.* 1. Estar de arriba para abajo. «Siempre está de Cuca Mona. No se detiene un minuto». 2. Hacer tonterías. «No hagas de Cuca Mona». Sinónimo: *Hacer mojonadas. Llevarse la mona.* Ganar. «Los cubanos, aquí, nos hemos ganado la mona». *Ser algo la mona.* Ser muy simpático. «Eso que me dices es la mona». *Ser la mona de la gallería.* Ser el que recibe todos los golpes, o sea, todo lo que le cae encima. «Elio es la mona de la gallería. ¡Pobrecito!» *Tallar hasta la mona Chita.* Hablar con cualquiera para lograr beneficios. «Esa gente talla hasta con la mona Chita». (La Mona Chita es la compañera de Tarzán.) Ver: *Baraja. Carijo.*

MONA LISA. Aparato sexual de la mujer vieja.

MONADA. *De eso nada, monada.* No. «De eso nada, monada. No te lo presto. No me convences». (Se da como cubanismo pues persiste en Cuba pero lo he oído en Extremadura.)

MONCADA. Ver: *Guillermón.*

MONCHI MONCHI. *El monchi monchi.* La fornicación. «A ella le gusta mucho el monchi monchi».

MONDONGO. 1. No valer nada. «Humberto toda la vida fue mondongo». 2. Pene. «Ya de niño tenía tremendo mondongo». *Dispararle a una mujer el mondongo.* Fornicar. «Logré dispararle a Eva el mondongo». *Sacarse la botella de mondongo.* Hacer algo mal hecho. «Con esa conducta te sacaste la botella de mondongo». «Con esa opinión que diste te sacaste la botella de mondongo». (Metiste la pata al dar una opinión equivocada.) Se aplica indefinidamente siempre que de «fracaso» se trate. *Ser algo o alguien mondongo.* No valer nada. «Eso que escribiste es mondongo». *Ser una persona mondongo frito.* No valer nada. «Ese amigo tuyo es mondongo frito». *Ser un mondongo.* Ser un antipático. «Juan es un mondongo». *Tener un pene de mondongo.* No ponerse el pene bien en erección; quedarse flojo en la erección. «Desde que tomo la pastilla tengo un pene de mondongo». *Tirar a alguien a mondongo.* No prestarle atención; no guardarle la debida consideración. «Me tiró a mondongo en presencia de todo el mundo». *Tomarse la botella de mondongo.* Fracasar. «Con ese discurso me tomé la botella de mondongo». Cuando alguien fracasa dice: *Recibí la botella de mondongo*, o se le señala: *Te sacaste la botella de mondongo.* Ver: *Botella. Medalla. Rabo.*

MONDONGÓN. *Ser alguien un mondongón.* Ser muy poco inteligente. «Pedrito es un mondongón».

MONEAJE. Dinero. «Tengo mucho moneaje». Sinónimo: *Baros.* «Tengo un sin número de baros». *Aviñar el moneaje.* Dar el dinero. «Avíñame el moneaje enseguida».

MONEDA. *Tener la moneda trabada.* Tener un rencor acumulado. «Tiene la moneda trabada en contra tuya».

MONGO. Ver: *Niño.*

MONGÓLICO. Loco. «¿Viste lo que hizo? Se arruinó. Es un mongólico». Se aplica, igualmente, a un tonto. «¡Cómo no iba a fracasar. Es un mongólico!» Ver: *Niño.*

MONINA. Amigo. «¿Cómo estás monina?»

MONITO. *Decirle a alguien como el monito a la jirafa.* Indicarle a alguien que se va a triunfar. «Cuando lo vi tan excéptico, le dije como el monito a la jirafa». (Está basado en un cuento en que un monito está teniendo amores carnales con una jirafa.) *Estar como el monito y la palma real.* Se dice de una pareja en que el uno es más pequeño y el otro más grande. «Esa gene está como el monito y la palma real. ¡Qué desproporcionados!» *Pasarle a alguien como al monito.* No poder fornicar bien con una mujer. «Con ella me pasa como al monito». (Está basado en el cuento del monito y la jirafa que ya se mencionara anteriormente. Cuando el monito iba a fornicarla, ella le pedía un besito y él tenía que subir toda la distancia.) Ver: *Mirar.*

MONJA. Billete de cinco pesos. «Yo tengo monja en el bolsillo». *Faltar una monja para presidente.* Faltar cinco minutos para las diez. (Lenguaje del chuchero. Ver: *Chuchero.*) *Tocar con una monja.* Darle a alguien cinco pesos. «La camarera se portó muy bien porque la toqué con monja». (El cubanismo viene de un juego de azar cubano llamado Charada, el más popular de Cuba y del que se dice que es de origen chino, en el cual a cada número corresponde una palabra: el uno es caballo, el dos mariposa, el cinco es monja. De aquí estos cubanismos.)

MONJE. *Conmigo no hay monje duro. Yo enseguida le doy un benedictino y se derrite.* Se le dice al que trata de avasallarlo a uno en cualquier sentido. «Oyelo bien, Juan: conmigo no hay monje duro. Yo enseguida le doy un benedictino y se derrite». (Es cubanismo que sólo he oído entre gente culta. Los monjes hacen el licor benedictino. De aquí el cubanismo.)

MONO. *A ver si sopla el mono.* Si por casualidad. «Voy a comprar el billete a ver si sopla el mono y me saco la lotería». *Bailar el mono.* Estar contento. «Hoy, el mono está bailando». *Cambiar el mono por cuatro hierbas del paraíso.* Cambiar una cosa buena por otra que no vale nada. «Eso que propones es cambiar el mono por cuatro hierbas del paraíso». (El mono es el aparato sexual de la mujer. Es más rico que el paraíso. El cubano culto, llama a las partes pudendas de la mujer también el paraíso.) Sinónimo: *Cambiar la vaca por la chiva. Con la muerte del mono se jodió la jaula.* Todo termina con la muerte del dirigente. «Ya esa compañía se desploma. Con la muerte del mono se jodió la jaula». *Cuando veas al mono tranquilo no le hales la cadena.* No provoques. «Yo te lo he dicho: cuando veas al mono tranquilo no le hales la cadena. Ahora sufres las consecuencias». *Chiflar el mono.* Hacer frío. «Hace unos días que chifla duro el mono». *Estar alguien pintando monos en la pared.* Estar enamorado. «Juan está pintando monos en la pared con Lola». *Esto es una pelea de león suelto a mono amarrado.* 1. Eso no se puede ganar. 2. Ser algo imposible. «Eso es imposible. Es una pelea de león suelto a mono amarrado». *Hacer como el mono.* Yo no hago eso. «No me engañas. Me habló pero yo hice como el mono». *Jugar con los monos hasta llenarse de pulgas.* Equivale a: *el que busca peligro en él perece. Mientras más se agacha el mono más se le ve el culo.* Mientras más se le humilla a uno más débil es. «Hay que darse su lugar porque mientras más se agacha el mono más se le ve el culo». *Mientras más sube el mono más enseña el rabo. Monosabio.*

Sabio. «No seas tan monosabio, que eres pedante». *Ser al mono del poker.* Se dice del que liga con todo el mundo; del que se lleva bien con todo el mundo. «Ese muchacho es como el mono del poker». (El mono, en el juego de la baraja del «Poker» liga con cualquier combinación. Es cubanismo que sólo se oye entre la gente muy mayor.) *No tener alguien los monos muy tranquilos.* No estar de muy bien humor. «Ése no tiene hoy los monos muy tranquilos». *Oler alguien a mono cuqueado.* Oler mal. «Tú hueles a mono cuqueado». Sinónimos: *Oler a Aguila y Malecón. Oler a cojón de oso. Oler a portañuela de veterano. Parecer un hombre el mono del zoológico.* Tener los testículos pelados. «Ese hombre parece el mono del zoológico». *Ser alguien el último mono.* Ser el más vivo, el más inteligente. «Yo, en todo esto, soy el último mono». *Ser mono ve, mono hace.* Ser un imitador. «Ése es un mono ve, mono hace. No lo aguanto por fresco». *Subírsele el mono a una mujer.* Enfurecerse. «Cuando vio al ex-marido, se le subió el mono». *Tener alguien el mono que canta.* Oler mal. «Oye, báñate, que tienes el mono que canta». *Tener las mujeres un mono dispuesto a hacer gracia.* Estar dispuesta a fornicar con cualquiera. «Ella tiene un mono dispuesto a hacer la gracia». Ver: *Cintura. Chiflar. Color. Jeta. Pariente. Paz. Tarzán.*

MONONO. Mi amorcito. «¡Cómo te quiero, monono!»

MONOPOLIO. *Jugar al monopolio.* Hacer el tonto. «Te pasas el día jugando al monopolio». Sinónimo: *Comer mierda.*

MONSTRILLO. *Oye monstrillo.* Forma de saludar en que se alaba al saludarlo. «Oye, monstrillo, ¿cómo estás?»

MONSTRUO. 1. Forma de saludo. «¿Cómo tú estás, monstruo?» Sinónimo: *¿Cómo tú estás, tigre?* 2. Inteligente. «Juan es un monstruo». (Si es inteligentísimo se dice: *el monstruo de las siete pelucas.*, siendo éste otro caso que con palabras que indican cantidad como «siete» el cubanismo forma el aumentativo.) 3. Mujer bella. «¡Qué clase de monstruo!» Sinónimo: *El filete que camina. ¿Cómo estás monstruo?* ¿Cómo estás hombre (grande)? Forma de saludar que conlleva un halago. «¿Cómo estás monstruo? ¿Sigues sacando sobresaliente?» Sinónimo: *Monstruo. Estar monstruo.* Estar fuerte. «Pedro ha hecho pesas y está monstruo». Sinónimo: *Monstruo.* (Es monstruo con acento.) También saber mucho de algo. «En matemáticas Pedro es un monstruo». *Ser el monstruo de las siete pelucas y, además, el dueño de la peluquería.* Se aplica a varias situaciones pero en todas la persona está en primer lugar; ya se trate de inteligencia, de arquitectura, etc. «Triunfó en el negocio porque es el monstruo de las siete pelucas y, además, el dueño de la peluquería». (¡Qué clase de administrador! Entre los administradores no hay quién le ponga un pie delante. No hay quién lo supere.) «¡Cómo toca a Chopin! Es el monstruo de las siete pelucas y además, el dueño de la peluquería». (Es una pianista completa o es el mejor intérprete de Chopin en el mundo.) Sinónimo: *Ser el papaupa. Ser un monstruo.* Estar muy fuerte. «Juan es un monstruo». *Ser un monstruo en matemáticas o en algo.* Saber mucha matemática. «Juan es un monstruo en matemáticas». *Ser un monstruo en un arte o ciencia.* Ser inteligentísimo. «Es un monstruo en filosofía».

MONTAJE. *Haber un montaje.* Haber un acuerdo. «Hubo un montaje para defender a Fidel».

MONTAÑA. *Miami está lleno de montañas venimos.* Miami está lleno de campesinos. «Yo te digo que hay muy pocos habaneros. Miami está lleno de montañas venimos». (Es un cubanismo que se ha oído entre los cubanos que han vivido en Puerto Rico, debido a que hay una canción campesina, de navidad, puertorriqueña, que comienza así: «*De las montañas venimos*».) Ver: *Fuifio.*

MONTAR. *Montarse el bonito.* Maquillarse. «Yo siempre para salir me monto el bonito». *Montársele a alguien.* Dominarlo. «Me le monté arriba e hice lo que quise». *Tener a alguien montado a caballito.* Tener a alguien arriba de uno importunándolo. «Siempre tengo a ese montado a caballito».

MONTE. *Coger monte.* Enfurecerse. «Cuando le di la noticia cogió monte». Sinónimos: *Empingarse. Ponerse a mil. De ese monte ni un cuje.* 1. No. «Dame el dinero. De ese monte ni un cuje». Sinónimo: *De esa mazorca ni un grano.* 2. No está. «Llama a Juan. —Juan, Juan. Pedro, de ese monte ni un cuje». *En lo tocante al monte ni un bejuco.* En lo que respecta a eso no cedo. *Vete al monte a coger bejuco.* Vete al diablo. Ver: *Chinche.*

MONTEAR. Averiguar. «Él está monteando a ver si descubre quién lo hizo».

MONTERÍA. Resto del puerco que se come el día veinte y cuatro de diciembre, cuando en Cuba se celebraba la Nochebuena. «Esta montería está deliciosa».

MONTERO. *Ser alguien montero.* Gustarle el campo. «Él es montero». Sinónimo: *Gustarle el verde.* Ver: *Papá.*

MONTÓN. *Querer el montón, pila, burujón, paquete.* Querer mucho. «Yo a ti te quiero el montón, pila, burujón, paquete». Sinónimos: *Llevar como el chino a la canasta. Llevar de campana a campana. Llevar de contén a contén. Llevar de rama en rama como Tarzán lleva a Juana.*

MONTUNO. Hombre de campo en Camagüey. «Por ahí viene ese montuno». Sinónimos: *Mangrino. Marco Pérez. Jíbaro.* Ver: Víctor Vega Ceballos, «*La tierra como base de la cultura camagüeyana*», *Diario de Las Américas*, 19 de Junio de 1977, pág. 5B. Canción que se origina en Cuba entre los hombre del monte. «¿Quién no se alegra con ese montuno?» *Irse uno cuando está empezando el montuno.* Dejar las cosas a medio hacer. «Tú te vas siempre cuando está empezando el montuno». *Son montuno.* Pieza musical típica del monte de Cuba. *Tener alguien un montuno que no para.* Trabajar sin parar. «Juan no tiene un montuno que no para». Sinónimo: *Escribir danzones o danzón.* El montuno es también una de las partes en que se dividen algunas de las piezas musicales típicas cubanas como el son o la guaracha.

MONTURA. Ver: *Caballo.*

MONUMENTO. *Ser, una mujer, un monumento.* Ser muy bella. «Esa mujer es un monumento. Es preciosa». Sinónimo: *Monstruo.*

MOÑA. 1. Discusión. «Tuve tremenda moña con el jefe. Nos dijimos horrores». 2. Lío. 3. Problema. «¡Mira que salirme la moña ésa!» *Andar en una moña.* Andar en algo que no es legal. «Vigílalo, porque ése anda en una moña». *Eso va a traer moña, moñinga y moñiguilla.* Esto va a traer lío. «Yo se lo dije sin cortapisas: eso va a traer moña, moñita y moñguilla». (Es un cubanismo que combina por la afinidad fonética, moña: lío con mierda: moñinga y moñinguilla.) *Sacar moña.* 1. Pelear. «Saqué moña con él por lo del dinero». Sinónimo: *Sacar una chaqueta.* 2. Tener un lío. *Tener algo* *moña.* Tener algo escondido. «Yo creo que este automóvil tiene moña. No lo compres». *Traer moña.* Traer lío. «Eso que has hecho trae moña».

MOÑINGA. Ver: *Moña.*

MOÑINGO. Mierda. «Eso es moñingo de caballo». *Moñingo de caballo.* Defecación del caballo. «¡Cuidado! Esto está lleno de moñingo de caballo».

MOÑINQUILLA. Ver: *Moña.*

MOÑITO. *Pelar al moñito con la máquina de cero.* 1. Arruinar completamente. «En el negocio lo pelaron al moñito con la máquina de cero». 2. Matar. «Al sereno lo pelaron al moñito». Ver: *Guizandogue.*

MOÑO. *Bailarle a alguien el moño.* Matarla. «A Juan le bailaron anoche el moño en una discusión». *Estar con (o tener) el moño virado.* Estar de mal humor. «No sé lo que me pasa. Hoy estoy con el moño virado». Sinónimo: *Tener el moño subido. Perder el moño una mujer.* Fornicar mucho. «Esa dama, me dicen, ha perdido el moño». (El moño es el aparato sexual de la mujer. Se le ha quedado sin pelo por el roce. He oído también, «perder el moño una mujer y ser la gran cosa del «jearpis», —así pronuncia el cubano la palabra inglesa «hairpiece», o sea, millones de pelos falsos o postizos que se ponen entre el natural. Es cubanismo del exilio.)

MOQUILLO. *Caerle a alguien moquillo.* Sobrevenirle un contratiempo. «Cuando todo parecía que lo lograba, me cayó moquillo». *Tener alguien moquillo.* No tener posibilidades. «Él no debe presentarse al certamen. Tiene moquillo».

MORA. *Tener a una mujer como a una mora.* Tenerla cubierta de joyas. «Yo tengo a mi mujer como a una mora».

MORAL. *Tener alguien más moral que Moralitos.* Ser muy moral. «Él tiene más moral que Moralitos». Sinónimo: *Tener más moral que el pico turquino. Tener alguien moral de vaquería.* No tener moral alguna. «Esa mujer tiene moral de vaquería». (Se tiene moral de semen, una porquería. (Estos cubanismos son un juego de palabras con «moral» y «moralitos», una marca de leche de vaca que había en Cuba.)

MORALITO. *Dar Moralito entero.* Eyacular mucho en el acto sexual. «Ella me dio Moralito entero».

MORALITOS. *Acabarse Moralitos.* Fornicar enormemente. «Ayer se acabó Moralitos». *Convertirse en Moralitos.* En la fornicación tener un gran espasmo la mujer, o eyección el hombre. «Con esa me convertí en Moralitos». *Llegar convertido en Moralitos.* Dicen las mujeres de los maridos que después de la separación, por cualquier causa, fornican mucho. «Estuvimos separados quince días y llegó convertido en Moralitos». *No hay Moralitos que dé abastos.* ¡Qué bella es esa mujer! «Cuando la vi dije: No hay Moralitos que dé abastos». (Es que la mujer es tan bella que pide fornicar con ella continuamente. De aquí el cubanismo.) *No tener Moralitos.* No tener semen. «Ese viejecito no tiene Moralitos». *No tener Moralitos para algo.* No poder alguien vivir con dos o más mujeres. «Tú no tienes Moralitos para eso». *Se le posicionó Moralitos.* ¡Cómo fornica! «A mi marido los primeros días de la luna de miel se le posesionó Moralitos». *Ser Moralitos.* Se dice del que fornica mucho. «Dicen que el marido es Moralitos». *Si la ve Moralitos, la ordeña.* Se dice de una mujer que tiene los senos grandes. «A Juana Rosa, si la ve Moralitos, la ordeña». *Vendérsela a Moralitos.* Se dice por la mujer al que insiste en fornicarla. «Déjame quieta. Véndesela a Moralitos». («Moralitos» era una lechería de La

Habana. Vendía leche. «Leche» en cubano es «semen». Se acabó la leche fornicando, o sea, el semen. De aquí estos cubanismos.)

MORDER. 1. Aceptar. «Muerde sin pena». 2. Conocer. «A ese individuo lo muerdo yo bien». 3. Saber. «Esa asignatura la muerdo yo bien». 4. Trabajar. «Hay que morder duro hoy». Sinónimo: *Pinchar. Morder con Julia, con cualquier mujer.* Casarse. «Pedro mordió con Julia». *Morder el cordobán.* Tener que someterse. «No quería aceptar las reglas pero le hice morder el cordobán». Sinónimo: *Entrar por el aro. Morder un tipo con la boca amarrada.* Ser muy valiente. «Ése que fusilaron, mordía con la boca amarrada». *Muerde y huye.* Guerrillero. «Eso es obra de los muerde y huye». *Se la muerde a cualquiera.* Se contesta cuando alguien se la da de guapo. «Como me diga algo ya verá. —Sí, yo sé que tú la muerdes con cualquiera». *Tener que morder.* Tener que aceptar. «Él tiene que morder. Ahí no permiten ausencias». *Tener que morder con ella (con él.)* No poder dejarlo. «Odia a su mujer pero tiene que morder con ella».

MORÉ. Ver: *Beni.*

MORENO. *Un moreno lecheado.* Un mulato casi blanco. «Él es un moreno lecheado». Sinónimos: *Mulato blanconazo. Mulato guayabuó.* (Es «guayabudo» pero el cubano aspira la «d».) *Mulato pasado por la pared.*

MORERA. Ver: *Moscatel.*

MORIR. *A cualquiera se le muere un tío.* Eso le pasa a cualquiera. «Eso es normal. A cualquiera se le muere un tío». *Aquí lo que hay es que no morirse.* Equivale a: *el muerto al hoyo y el vivo al pollo. Morir a plazos.* Sufrir. «Con la enfermedad de ella estoy muriendo a plazos». *Morir al pie del cañón.* Morir luchando por la vida. «Yo moriré al pie del cañón». *Morir como Cafú o Cafunga.* Morir por hablador. «Vas a morir como Cafunga. Cállate». *Nadie se muere la víspera.* Todo el mundo se muere cuando le llega la hora. *Para morir nada más hace falta estar vivo.* No hay forma de escapar de la muerte.

MORIRSE. *Lo que hay es que no morirse.* Latiguillo lingüístico que usa el cubano para cerrar una conversación en que se habla de desgracias; de posibles acontecimientos catastróficos. «Dicen que van a echarnos a todos del trabajo. —Lo que hay es que no morirse».

MORO. *Moros y cristianos.* Arroz con frijoles negros. «Hoy voy a comer moros y cristianos».[47] Ver: *Cangrejo.*

MOROCO. Corruptela de moropo. *No tener moroco.* No ser inteligente. «Juan no tiene moroco».

MORÓN. *Quedar como el gallo de morón.* Perderlo todo. «Si sigues compitiendo con él, vas a quedar como el gallo de morón». (El cubanismo viene de un chiste que dice: «*Quedar como el Gallo de Morón, sin plumas y cacareando*». De aquí el cubanismo. «Morón» es un pueblo de una de las provincias de Cuba.) *Ser de Morón.* 1. Ser tonto. «Tú eres un de morón». 2. Ser vago. «Él es de morón». (Es un juego de

---

[47] Denota la influencia del cubanismo en el habla de España, pues ha sido como fajarse —pelear— importado por Asturias. De ahí que Joaquín Entrambasaguas afirmase, en su clase de filosofía, que encontró asturianos hablando en Asturias, con «s» cubana.

palabras entre la ciudad cubana «Morón y «de morón», es decir, lento en el pensar.) Ver: *Tortica.*

MORONDÓ. Dinero. «Tráeme morondó».

MOROPO. Cabeza. «Me duele el moropo». Sinónimos: *Coco. Güiro. Pent-house.* (Que el cubano pronuncia «pentjaus».) *¡Cómo manda por el moropo!* ¡Cómo sabe! «¡Cómo el maestro de matemáticas manda por el moropo!» *Tener el moropo firme.* No confundirse. «Mi abuela a los ochenta años tiene el moropo firme». («Moropo» es «cabeza» en cubano.) Ver: *Moroco.*

MORRAL. *Comer y cagarse en el morral.* Ser muy mal agradecido. «Ése es de los que come y se caga en el morral».

MORRO. *Es de cuando el Morro era de guano.* Eso es muy viejo. «El automóvil ése es de cuando el Morro era de guano». (El Morro es la fortaleza colonial que guarda la entrada de la bahía de La Habana.) *Eso es tirarle piedras al Morro desde la Punta.* Eso es inútil. «No hagas eso. Es tirar piedras al Morro desde la Punta». (El más oído es: *Tirar piedras al Morro.*) *Ser algo del Morro Castel.* Ser muy viejo. «Tu amigo es del Morro Castel». («El Morro Castle» que el cubano pronuncia como indico, por el año veinte se hundió frente a la bahía de La Habana. De aquí el cubanismo.) *Untarle a alguien los morros.* Pegarle.

MORROCOTUDO. *Ser algo morrocotudo.* Ser algo bueno. «Eso es morrocotudo».

MORRONGA. No. «Me pidió dinero. —¿Y qué le contestaste? —Morronga». Se usa más en forma enfática y sin que medie conversación como respuesta a una orden. «Tenme eso para mañana. —Morronga». *Fajarle a la morronga como la chopa al mojón.* Se dice de un homosexual o de una mujer que trata de conquistar a un hombre para que se acueste con él, o tenga relaciones —caso del homosexual contra natura. («Morronga» es una cubanismo que quiere decir «pene». «La chopa» es una pez que cuando ve excremento en el agua —mojones— se los come.)

MORRONGONATO. *Morrongonato de sodio.* No. «Dame cinco pesos. —Morrongo—nato de sodio». Sinónimo: *Morronga. Pinga.* («Morrongonato» es palabra derivada de la voz «morronga», o sea, «pene».) Ver: *Refrescar.*

MORRONGUERO. Malo. «Eso es un poma morronguero».

MORTAL. *Estar una mujer mortal.* Ser bellísima. «De cara y cuerpo esa mujer está mortal». (Es cubanismo de la Cuba de hoy.) *Mortal por necesidad.* Perogrullada que quiere decir que algo es mortal. «Tu enfermedad es mortal por necesidad».

MORTALÓN. Se dice de la persona sin vida. «Juan es un mortalón».

MORTIFICAR. *El no mortifica, jode.* El fastidia mucho. «Ese bebé no mortifica, jode». (Es oración que se usa, por lo regular cuando dice alguien: «¡Cómo mortifica!» Y se le contesta con este cubanismo.)

MORTUORIOS. *El Gunschanguear del mortorio.* Así le llaman los cubanos, con este cubanismo del exilio, a un sistema de funerarias norteamericanas que consiste en poner al muerto en una urna de cristal dando a la calle. La gente no se baja del automóvil. Lo ve, firma un libro que está afuera del edificio junto al muerto y sigue.) «¿Has visto el gunschanguear del mortorio?» («Wash and wear», que el cubano pronuncia como se ha escrito, es un sistema por el cual se lava la ropa y no hay que plancharla. Es un sistema hecho para la «rapidez». De aquí el cubanismo.) *No asistir* *a mortuorios.* No aceptar que le vengan a uno con tragedias. «Si me viene con ese cuento, lo despido a cajas destempladas. Yo no asisto a mortuorios».

MOSCABOBA. *Ser una moscaboba.* Se dice del que siempre está dándole vueltas a un asunto y molestando. «Pedro es un moscaboba».

MOSCAS. *Estar como las moscas de queque en queque.* Ser muy mujeriego. «El matrimonio fracasó. Él está como las moscas de queque en queque». *No poder comprar ni una mosca muerta.* No tener dinero. «Estoy tan apretado que no puedo comprar ni una mosca muerta».

MOSCATEL. *Ser algo o alguien Moscatel Paladar de las Bodegas Morera.* Ser muy bueno. «Ese libro (o ese muchacho) es Moscatel Paladar de las Bodegas Morera». (El Moscatel Paladar de las Bodegas Morera era un vino cubano de gran sabor. De aquí el cubanismo.)

MOSQUEADO. *Estar algo mosqueado.* Estar fracasando. «Este negocio está mosqueado».

MOSQUITA.O.S. (La, Lo, Los) 1. El bigote pequeño. «Él sólo tiene una mosquita». 2. Los llegados a Estados Unidos procedentes del Mariel, Cuba, en el éxodo de Cuba hacia Estados Unidos. «En mi casa alojé a cinco mosquitos». (Reciben ese nombre porque en el campamento donde estaban antes de salir para Estados Unidos, en el Mariel, se llamaba: «Los Mosquitos». Nombre que le dieron los que se iban por la cantidad de mosquitos que había allí. Otros me dice que el nombre se debe por haber estado estas personas alojadas en carpas, que semejaban a un gran mosquitero.) Sinónimos: *Los marieleros. Los Marielitos.* 3. Persona pequeña. «Juan es un mosquito». *Caerle a alguien o a algo vestido de mosquito.* Insistentemente. «Le he caído al ministro vestido de mosquito». *Estar alguien como el mosquito.* Se dice del que tiene muchos hijos ilegítimos. «No tiene consciencia. Está como el mosquito». (Es decir picando y dejando «larvas»; o hijos.) *Hacer algo en menos de lo que pestañea un mosquito.* Hacerlo en un abrir y cerrar de ojos. «Hizo la poesía en menos de lo que pestañea un mosquito». *Matar mosquitos con pistolas y elefantes con serpentinas.* Perder perspectiva. «Tú andas mal en esto. Tú estás matando mosquitos con pistolas y elefantes con serpentinas». *No aguantar ni un mosquito parado.* No tener paciencia. «Ya tú sabes cómo yo soy. Yo no aguanto ni un mosquito parado». Sinónimo: *No aguantar ni el zumbido de un mosquito. No creer que porque los mosquitos vuelan sean aeroplanos.* 1. No tener escrúpulos. «Ése hace lo que tiene que hacer. No cree que porque los mosquitos vuelan sean aeroplanos». 2. No tener miedo. «Yo no creo que porque los mosquitos vuelen sean aeroplanos. Enfrentaré a Juan». *Ser algo la picada de un mosquito.* No molestar. «Yo no le hago caso. Eso es la picada de un mosquito». Ver: *Colonia. Nata.*

MOSQUITEREO. Grupo de cubanos llegados de Cuba a Estados Unidos por el puente marítimo Mariel-Cayo Hueso en 1980. Los tenían en Cuba, antes de llegar a Estados Unidos en un campamento de carpas infectado de mosquitos. De aquí el cubanismo. «No para el mosquitereo ése».

MOSQUITEROS. (Los) Los llegados por el puente marítimo Mariel-Cayo Hueso en 1980, debido a que los pusieron en Cuba a vivir bajo carpas que parecían mosquiteros. «Han llegado miles de mosquiteros». Sinónimo: *Los Marielitos.*

MOSQUITO. *Andar alguien como el mosquito.* Andar de arriba para abajo. «Ese hombre anda como el mosquito». También se dice del que es «prestamista» porque, como el mosquito, le saca la sangre a la gente. «Pedro es como el mosquito. Vive de eso». *Ser alguien un mosquito de playa.* Se dice del que fastidia o molesta con su insistencia. «Le compré el boleto porque es un mosquito de playa». A veces se oye: *Ser peor que un mosquito de playa.* «Tu hermano es peor que un mosquito de playa. ¡Cómo molesta!»

MOSTRADOR. *Pedir alguien mostrador.* Parecer un gallego. «Tu amigo pide mostrador». (Los gallegos en Cuba estaban detrás de los mostradores, ya en bares o en establecimientos de ventas al por mayor de mercancías de primera necesidad. Las llamadas bodegas. De aquí el cubanismo.)

MOTA. Cantidad de pelo a ambos lados de la cabeza. «Ése tiene una mota inmensa». *A mí no me pasan mota ni con talco.* A mí no hay quién me engañe. «Estate seguro de que a mí no me pasan mota ni con talco». *Cultivar la mota.* 1. Dejarse crecer el pelo en los costados de la cabeza. (Al bulto de pelo, entre los chucheros, le llaman mota. Ver: *Chuchero.*) «Voy a cultivar la mota». 2. Se dice del hombre que se pasa la vida pasándose el peine por el pelo —o mota en cubano— que tiene a ambos lados de la cabeza. «Los chucheros se pasaban el día cultivándose la mota». *Para pasarme a mí la mota tiene que ser con mucho talco.* No dejarse alguien engañar fácilmente. «Yo soy muy difícil de engañar. Agradezco tu consejo, pero no te olvides que para pasarme a mí la mota tiene que ser con mucho talco». *Pasar a alguien la mota.* Engañar. «Se creyó que me estaba pasando la mota». *Pasarle a alguien la mota y el cepillo.* Engañarlo en grande. «A Pedro le han pasado con este matrimonio la mota y el cepillo». («Pasar la mota» es castizo. El cubano, para formar el cubanismo y el aumentativo, añade: «y el cepillo».)

MOTEMBO. *No ser alguien motembo.* No ser fino, no tener educación. «Yo no me caso con alguien que sea motembo». (Viene del hecho de que en Cuba los pozos de Jaraguá-Motembo daban gasolina extrafina. No había que refinarla.)

MOTICA. Ver: *Muchachita.*

MOTIVITO. *Motivito familiar.* Pequeña fiesta familiar. «Todo lo que vamos a tener en casa es un motivito familiar». *Tener personalidad de motivito.* Gustarle mucho retratarse en el periódico. «Esa gente tiene personalidad de motivito». («El motivito» es una pequeña reunión social.)

MOTOR. *Calentar los motores.* Empezar a prepararse para hacer algo. Se aplica a cualquier situación en la vida. «¿Vas a echar el discurso? —Sí, estoy calentando los motores». «Como mi mujer viene hoy de Londres estoy calentado los motores». (Preparándose para tener relaciones sexuales.) «¿Vas de viaje? —¿No me ves calentando los motores?» «Mañana doy la conferencia. Estoy calentando los motores». (Viene el cubanismo del campo de la aviación.) *El motor de arranque.* El pene. (Cubanismo creado por el autor Armando Couto en las novelas que publica en la *Revista Réplica* de Miami. Sinónimo: *Barilla. Tener alguien los motores calientes.* Estar listo para hacer algo. «Empezamos enseguida porque ya tengo los motores calientes». (Viene el cubanismo del campo de la aviación.) *Tener el motor acelerado.* Ser muy impaciente. «Cálmate. Tienes el motor acelerado». Sinónimo: *Ser alguien un acelerado. Ser ají guaguao. Tener un motor que camina pa'alante y* *otro que camina pa' atrás.* Cambiar constantemente de opinión. «No le creas. Tiene un motor que camina pa' alante y otro que camina pa' atrás». (El cubanismo viene de la canción titulada: «*La ola marina*». «Pa'» es «para» pero el cubano aspira la «d».) Ver: *Mameyazo. Voltaje. Andar con tres motores.* Se dice del enfermo que está en reposo. «Después del infarto ando con tres motores». (Es cubanismo proveniente de la aviación.)

MOTORIZADO. *Estar motorizado.* Tener automóvil. «Yo estoy motorizado y te llevo al campo». «Vamos que te llevo a tu casa. Estoy motorizado». (Acepción distinta a la aceptada por la Real Academia.)

MOTORIZARSE. Comprar un automóvil. «Pronto me motorizo». (El cubanismo nació en el exilio cubano en Miami. Tiene acepción distinta a la aceptada por la Real Academia.)

MOVIMIENTO. *Haber movimiento en el «bull pen».* Estar sucediendo algo. «Los que conocen a esa gente a fondo dicen que hay movimiento en el bull pen». *Haber un nuevo movimiento en el «bull pen».* Surgir algo nuevo. «Todo estaba como tú sabes pero hubo que tomar medidas porque hubo un nuevo movimiento en el bull pen». (El término viene del juego de pelota o base-ball. Cuando hay cambios, como por ejemplo, cuando van a cambiar al lanzador, se dice que hay movimientos en el «bull pen». Si es en forma interrogativa significa: ¿Cómo va la cosa? «Cuando entró nos preguntó: ¿Hay movimiento en el bull pen?» De aquí los cubanismos anteriores.) *El movimiento se demuestra andando.* Corresponde al refrán «*obras son amores y no buenas razones*». *Ser el inventor del movimiento.* Ser muy inteligente. «Ese muchacho es el primero en la clase. Es el inventor del movimiento».

MOVÍO. Pequeñito. «Esto está muy movío». *Fruta movía.* Fruta muy tierna. «Cómala, que es fruta movía».

MOZAMBERO. Homosexual. «Es un mozambero». Sinónimo: *Aceite.*

MUCHACHITA. *Criar a alguien muchachita de motica.* Es mal criada. «Es muy mal criada. La criaron como muchachita de motica». Sinónimo: *Criarla como perrita Fifí.*

MUCHACHO. *Muchacho fulú.* Maricón. «Ése es un muchacho fulú desde que nació». *Ser un muchacho de la bragueta alegre.* Ser homosexual. «Él es un muchacho de la bragueta alegre para fatalidad de la familia». Sinónimo: *Gitano.* Ver: *Aceite. Mentira. Es como los muchachos chiquitos, donde se para se caga.* Se dice del que mete la «pata» continuamente. «Tiene sesenta años y es como los muchachos chiquitos, donde se para se caga». («Meter la pata» es «cometer un error» para los cubanos.) *Estar como los muchachos con piñata.* Ser un infantil. «No se puede confiar en él. Es bueno, pero está como los muchachos con piñata». *Estar como los muchachos en Cuaresma.* Estar triunfando. «Mi hermano está como los muchachos en Cuaresma». (En Cuaresma los muchachos empinan papalotes. «Empinar el papalote» es un cubanismo que entre otras cosas quiere decir «triunfar». De aquí el cubanismo.)

MUCHACHÓN. *Ser alguien un muchachón de Sport Ilustrado.* Tener un hombre mucho músculo y poco seso. «Ése es un muchachón de Sport Ilustrado». (La revista *Sport Illustrated*, es una revista de deportes que exhibe hombres musculosos, levantadores de peso.)

MUCHILANGA. *¿Quién persiguió a Muchilanga?* ¿Quién lo hizo? «Voy a escribir un artículo titulado: «*¿Quién persiguió a Muchilanga?*» (Hay una canción de Celia Cruz, famosa cantante-guarachera cubana, que dice así: «*¡...le pegó a Muchilanga, Muchilanga le pegó a Burundanga!*» De ella está tomado este cubanismo.)

MÚCURA. (La) 1. Culo. «Tiene una múcura grande». Sinónimo: *Cajón.* (Nace de la interpretación maliciosa de la canción colombiana que dice: «*La múcura está en el suelo/mamá no puedo con ella*». En diminutivo: *mucurita*, se refiere a las divisiones que se ponían en el medio de las calles de Cuba que eran redondas y de concreto. «Tropecé con una mucurita y se me rompió una goma del automóvil».) 2. El trasero. «¡Qué múcura más grande tiene esa mujer!» *No poder una mujer con la múcura.* «Clarita, no puede con su múcura». Sinónimo: *Culeco.*

MUCURITA. Ver: *Múcura.*

MUDA. *Muda de ropa.* Se dice de la mujer que lleva puesta poca ropa. «Ésa está muda de ropa».

MUDAR. Robarle a alguien todo. «A ese pobre lo mudaron en una noche».

MUÉ. (La) La boca. «Me hice la herida en la mué».

MUELA. Músculos. «Tiene en los brazos unas muelas terribles». *Bajar muela.* Enamorar. «En cuanto la vio le bajó muela». (Lenguaje de la Cuba de hoy.) *Caérsele a alguien las muelas.* 1. No poder con una cosa. «Si no se lo explicas bien, se le caen las muelas». «Si no le das masticado el conocimiento se le caen las muelas». 2. Perder garra. «Con la edad se le cayeron las muelas». *Caérsele a alguien una muela.* 1. Caérsele un gran beneficio. «Si quitan de la televisión los anuncios de la cerveza, se le cae una muela a la industria de la televisión». 2. Perder un contacto. «Al morir Juan se me cayó una muela en el gobierno». *Dar muela.* Hablar. «Se pasa el día dando muela». «¡Cómo da muela ese muchacho!» Sinónimo: *Dar pico. Darle a alguien muela.* 1. Arrullarlo con la palabra. 2. Hablarle muy cariñosamente y con mucha labia para conseguir algo de él. «Si le das muela, te da el dinero». Sinónimo: *Comerle a alguien el cerebro. Ser algo cuestión de mucha muela.* Ser algo cuestión de mucho hablar. «El conseguir eso es cuestión de mucha muela». (Lenguaje de los cubanos llegado a Estados Unidos por el puente marítimo Mariel-Cayo Hueso en 1980.) *Ser víctima de una muela.* Ser víctima de un chisme. «Él fue, desafortunadamente, víctima de la muela». («Dar muela» en cubano es «hablar».)

MUELERO. 1. Hablador. «Es un muelero terrible. Lo cansa a uno». 2. Individuo que habla mucho. «Ése es un muelero. Te vuelve loco con tanto que habla».

MUELLE. *Atraca al muelle barón.* Sí. «¿Me llevas a mi casa? —Atraca al muelle barón». *Faltarle a alguien un muelle.* Faltarle una pierna. «A Pedro le falta un muelle». *Nacer acostado en un muelle.* Tener una reacción pronta de mal humor. «No se le puede hablar, pues nació acostado en un muelle». *Tener un muelle una mujer entre las piernas.* Acostarse con cualquiera. «La vecina de enfrente tiene un muelle entre las piernas». (Es decir que atracan todos los barcos. De ahí el cubanismo.) Ver: *Marihuanero.*

MUENGO. Se dice del que le falta una oreja. «Mi primo es muengo y oye mal».

MUERDE. Aceptar. «Muerde. La vida es así». *Muerde y huye.* Guerrillero.

MUERIVIVES. Víveres. «Voy a comprar los muerivives». (Es la combinación de las palabras «víveres» y «morir». Es un cubanismo nacido en el exilio que se basa en lo mucho que cuestan los víveres por la inflación. Comprar víveres es morirse por los precios. De aquí el cubanismo.)

MUERTA. Ver: *Mano.*

MUERTE. *Caerle a uno arriba la muerte cruzando el Niágara en bicicleta.* Se aplica a varias situaciones. 1. Caerle a uno arriba una gran desgracia. «Con la muerte de mami me ha caído arriba la muerte cruzando el Niágara en bicicleta». 2. Caerle a uno arriba un antipático. «Vino a visitarme Juan. Me cayó arriba la muerte cruzando el Niágara en bicicleta». 3. Enfermarse uno con una enfermedad molesta. «Con esta asma que no se me quita me cayó arriba la muerte cruzando el Niágara en bicicleta». Se aplica a infinidad de situaciones dando la conversación el significado. «Tomó posesión. —Pues me cayó la muerte cruzando el Niágara en bicicleta».*La muerte, mi hermano.* Horrible. «Se enfermó Juan. —La muerte, mi hermano». *Ser alguien la muerte.* Ser peligroso. «No le des la espalda que ese individuo es la muerte». Se dice, asimismo: *Ser la mismísima muerte. Ser algo la muerte en bicicleta.* Ser algo malo. «Eso es la muerte en bicicleta». Se dice además: *la muerte en cueros cruzando el Niágara en bicicleta.* Puede significar también difícil. «Llegar a la luna es la muerte en cueros cruzando el Niágara en bicicleta». Sinónimo: *Ser la muerte en calzoncillos, en pelotas, en trusa. Ser alguien la muerte en cueros cruzando el Niágara en bicicleta* o *Ser* sólo *la muerte en cueros.* 1. Ser buenísimo en algo. Como algo fenomenal. «¡Qué comida más rica! La cocinera que la prepara es la muerte en cueros». «¡Qué libro más cautivador! Es la muerte en cueros». «Ese hombre es la muerte en cueros cruzando el Niágara en bicicleta». «Se abalanzó sobre el ladrón. Es la muerte en cueros cruzando el Niágara en bicicleta». (Osadísimo es un superlativo, este cubanismo, formado con palabras en vez de terminaciones. Es usual en los cubanismos.) 2. Ser de malísima calidad. «Los que cayeron en esa ciudad son la muerte en cueros... ¡Qué tipo más repulsivos tienen!» *Ser una mujer la muerte.* Estar muy bella. «Esa mujer es la muerte». También, *la muerte*, se usa como: ¡Qué cosa más grande, más terrible! Se usa como exclamación para indicar algo importante. «Se volvió a postular Pedro. —La muerte». Sinónimos: *La muerte en cueros cruzando el Niágara en bicicleta.* O sólo: *La muerte en cueros.* Ver: *Patria.*

MUERTO. *A cualquiera le sale un muerto en la carretera.* A cualquiera le sucede cualquier cosa. «Yo no sé por qué eso te parece tan extraño si a cualquiera le sale un muerto en la carretera». *Caminar para el muerto.* Ser valiente. «No te metas con él que camina para el muerto». *Coger hasta caja de muerto.* Ser muy egoísta. «Ese amigo mío coge hasta caja de muerto. Es igual que muchos». *Desenterrar los muertos.* Recordar. «Está saliendo de la enfermedad. Está empezando a desenterrar los muertos». *Echar el muerto.* Culpar. «Yo se lo dije. A mí tú no me echas el muerto». *El muerto alante y la gritería atrás.* Me pagas ahora. «Te pago mañana. —No señor, el muerto alante y la gritería atrás». Se dice igualmente: *saliendo el muerto y formándose la gritería o detrás del muerto la gritería. Saliendo el muerto pero mal tratado.* Forma jocosa de referirse a alguien que fue ultimado y se discute si fue justo o no que lo mataran. *El muerto se fue de rumba.* No hay nadie aquí. «Oye, ¿y Pedro? —El muerto se fue de rumba». (El cubanismo nace con una canción.) *Estar alguien bien muerto pero mal matado.* Se dice cuando matan a alguien que no es buena gente. «Mataron a Perico. ¿Qué te parece? —Que está bien muerto pero mal matado». *Haber muerto grande.* Haberse muerto una persona importante. «Mira cuánta gente hay en la funeraria. Hay muerto grande». *Hacerse alguien el muerto para ver el entierro que le hacen.* Hacerse el desentendido para saber más de lo que se trama. «Ten con él cuidado porque se hace el muerto para ver el entierro que le hacen». *Hay muertos que no hacen ruido porque andan en alpargatas.* 1. Uno nunca debe de estar desprevenido. «Ten los ojos bien abiertos que hay muertos que no hacen ruido porque andan en alpargatas (o en bicicleta.)» 2. Se dice del que es muy solapado. «Ganó porque hay muertos que no hacen ruido porque andan en alpargatas». *No levantar una mujer a un muerto.* Estar muy fea; tener un cuerpo feísimo. «No creo que la hermana de él levante un muerto». *Muerto el perro, se acabó la rabia.* Eliminando la causa, se acabó el problema. «Yo te lo he dicho: muerto el perro se acabó la rabia». *Ser del solar del muerto parado.* Ser de baja escala social. «Ese amigo nuestro es del solar del muerto parado». *Se hace el muerto pero camina.* De bobo no tiene un pelo. «No te engañes, él se hace el muerto, pero camina». (El cubanismo contempla el castizo: *Hacerse el muerto.*) *Sopa que levanta un muerto.* Sopa sustanciosa. «Me sentía mal pero tomé la sopa que levanta un muerto». Ver: *Central. Jeringa. Matar. Paso. Sábana. Velorio.*

MUI. (La) La boca. «Le di un beso en la mui». (Es lengueja del chuchero. Ver: *Chuchero.*)

MUJER. *A esa mujer si se poncha le dan servicio gratis.* ¡Qué bella es esa mujer! «Vi a la hermana de Pedro. Si se poncha le dan servicio gratis». («Poncharse» es «pincharse una goma», o sea, quedarse sin aire. Es lenguaje que se usa en las estaciones de gasolina: el servicio gratis, por ejemplo, que dan a los clientes, algunas veces, aquí se aplica a la mujer.) *El que tiene una mujer singa, el que no se hace la paja.* Fastídiate. «¿Que no puedes venir? Ya tú lo sabes: el que tiene mujer singa, el que no se hace la paja». («Singar» es «fornicar». «Paja» es «masturbación».) *Estar alguien como la mujer que si se la meten grita y si se la sacan llora.* Se dice del que se queja de todo. «Por tu madre, ¡no te resisto! Estás como la mujer que si se la meten grita y si se la sacan llora». *Estar una mujer como la Guel Fargo.* Llevar mucha ropa arriba. (Estar blindada como los carros de la Wells Fargo, una compañía norteamericana que recoge el dinero en los bancos y en los grandes comercios, y que el cubano pronuncia como se ha escrito.) «Esa mujer es una ridícula. Siempre está como la Guel Fargo». *Estar una mujer como me la recetó el médico.* Estar bellísima de carnes. «Juana está como me la recetó el médico». Sinónimo: *Meter una mujer un mojón* (abajo.) *Estar una mujer muy cucarachita Martina.* Tener mucho polvo puesto. «Juana está muy cucarachita Martina». (En el cuento clásico infantil de «*La Cucarachita Martina*», ésta se empolvaba mucho.) *Ir una mujer con la escalera.* Se dice de la mujer que anda con muchos hijos a cuesta. «Por ahí viene esa mujer con la escalera». (Es cubanismo de origen campesino.) *La mujer de Mandrake el Mago.* Se dice de la que trabaja mucho y está bonita siempre. «Ésa es la mujer de Mandrake el Mago. Siempre peinada a pesar de lo que trabaja». *Las mujeres son como las guaguas, si la de alante viene llena la de atrás viene vacía.* Contestación que se da al que se queja de que lo ha dejado su mujer. *Llorárselo a una mujer más que los gatos.* Enamorar a una mujer mucho, insistentemente, sin tregua. «Pepe se lo llora a Juana más que a los gatos». («Se lo llora» se refiere al sexo de la mujer. Los gatos, además, enamoran llorando. De ahí el cubanismo.) *Mandar una mujer una clase de Ebó.* Tener mucho culo. «¡Qué clase de Ebó manda esa mujer!» Sinónimo de Ebó: *Culeco. Más tira una mujer que un caballo de seis torones.* Lo más poderoso en el mundo es la mujer. «Cómo no lo iba a conquistar. Más tira una mujer que un caballo de seis torones». Sinónimo: *Más alan un par te tetas que un par de bueyes.* (Refrán campesino.) *Meter una mujer un mojón en una lata de salchichas.* Este groserísimo cubanismo se refiere al hecho de que la mujer es muy bella. Sinónimos: *Romper una mujer de un peo un corojo. Ser un cacho de mujer. Ser un tronco de mujer. Mujer que paga en especies.* Se dice de la mujer de la vida. «Esa mujer a todo el mundo le paga lo que le debe en especies». *No tener la mujer con qué sentarse.* No tener nada de culo. «Esa mujer, a diferencia del resto de su familia, no tiene con qué sentarse». Sinónimo: *Ser una mujer planchada. Quedarse una mujer como retirada del armi.* Quedarle de mayor muchos encantos. «Está feliz pues se ha quedad como retirada del armi». («Army» es el ejército americano y que el cubano pronuncia como se ha escrito. Sus retirados tienen muy buenas pensiones.) *Salir una mujer a la calle de listera.* Salir a buscar hombres de posición. «Ella sale todos los días a la calle de listera. Hasta ahora nada ha conseguido». *Ser como la mujer de la diligencia.* Tener un clítoris muy grande. «Dice que no le gusta porque ella es como la mujer de la diligencia». (Se basa en el siguiente cuento popular en Cuba: Unos ladrones asaltan una diligencia. El padre va con una niña y una cartera llena de joyas. Cuando ve llegar a los ladrones le dice a la niña: «Mete éste anillo de bodas en el pipí». La niña lo hace. Los ladrones se llevan la cartera llena de dinero. El padre se queda muy compungido. La niña le dice: «Pero papá, no estés triste, si salvaste ese anillo de bodas que tanto quieres». «Sí, hija, pero si hubiera venido tu madre hubiéramos salvado la maleta».) *Ser la mujer como un perro de pelea.* «Todas las mujeres son perros de peleas». (Se dice que las mujeres son como perros de peleas, es decir, que después de casarse van dominando poco a poco al marido. El cubanismo se basa en el hecho de que el perro de pelea, cuando muerde mejora la mordida, es decir, aprieta más.) *Ser la mujer de un chino.* Ser de baja posición social. «Esa es la mujer de un chino. Se nota en los modales bajos». *Ser una mujer alborotadita.* Que le gusta la coquetería con los hombres y algo más. «Ella era una mujer alborotadita. Después de mayor ha cambiado». *Ser una mujer como la bandera.* Ser libre y soberana. «El marido no podrá con mi hija porque ella es como la bandera». (La bandera de Cuba es libre y soberana, de aquí este cubanismo culto.) *Ser una mujer como una rana con sal.* No ser una mujer que sirva. «Esa mujer es una rana con sal». (Es lenguaje campesino.) *Ser una mujer de vitrina.* Que le gusta que la miren pero no que la toquen. «Es coqueta, pero al mismo tiempo es una mujer de vitrina». *Ser una mujer una invitación al vals.* Ser muy bella. «Esa mujer es una invitación al vals». («*Invitación al Vals*» es el título de una película.) *Ser una mujer un cascabel.* Ser aún bella. «Yo todavía soy un cascabel». (El cubanismo se basa en el hecho de que la mujer suena y «algo que suena» es que vale.) *Ser una mujer un chino viandero.* Ser una prostituta. «Esa mujer es un chivo viandero». (El palo en que el chivo lleva colgado la canasta de las viandas se llama «pinga». «Pinga» es «pene» en cubano. La puta como el chino, tiene la pinga en la mano. De aquí el cubanismo.) *Ser una mujer un central azucarero.* Acostarse con muchos hombres. «Tu vecina de enfrente es un central azucarero». (Porque como el central, muele.) *Ser una mujer un central azucarero que sólo muele bagazo.* Acostarse con hombres que no valen nada. «La vecina es un central azucarero que sólo muele bagazo». (*Ser bagazo* es un cubanismo que quiere decir no valer nada. El bagazo es lo que queda de la caña en los tachos. Es como una paja seca. De aquí el cubanismo.) *Ser una mujer como los plátanos.* Parecer una mujer buena y ser mala. «Esa mujer es como los plátanos. ¡Cómo engaña!» (El plátano tiene la masa blanda y el corazón duro. De ahí el cubanismo.) *Ser una mujer «top chois».* Ser una mujer muy bella, muy inteligente, etc. «¡Cómo no iba a quedar la primera en el concurso de inglés si ella es top chois!» (Inteligente.) «Me volví loco con ella. ¡Qué cuerpo! Ella es top chois». (Bella.) También lo he oído, a este cubanismo del exilio, de esta forma: *Ser en el Departamento de Carnicería, una mujer «Top Chois».* Ser muy bella. «Mi hermana, en el Departamento de Carnicería, es top chois». (La carne «top choice», —que el cubano pronuncia «chois», — es de primera.) *Ser una mujer un mango biscochuelo.* Ser muy bella de cara y cuerpo. «Es mujer es un mango biscochuelo. ¡Cómo me gusta!» (El mango biscochuelo es una de las variedades más ricas del mango cubano. La mujer, como el mango, está para comérsela. De aquí el cubanismo.) *Ser una mujer de tiempo doble.* Ser una mujer de una gran caja de cuerpo. «Ella es una mujer de tiempo doble. Cuando sea mayor va a ser muy gorda». Sinónimo: *Ser una mujer multiplicada. Templarse a una mujer en el filo de un machete.* Oración exclamativa que se usa para indicar que una mujer es muy hermosa. «Mira a la nueva vecina. Me la tiemplo en el filo de un machete». («Templar» es un cubanismo que significa «fornicar». «Anoche templé con ella».) *Tener una mujer una goma de repuesto.* Tener otro marido. «Esa mujer tiene otra goma de repuesto. ¡Qué descarada!» *Tener una mujer un culo internacional.* Estar muy bella y por lo tanto gustarle a todo el mundo. «Esa mujer tiene un culo internacional». *Tener una mujer el rabo bajo tierra.* Ser viuda. «Esa mujer tiene el rabo bajo tierra». *Tener una mujer puesta la luz roja.* Tener la regla. «Mi mujer tiene puesta hoy la luz roja». *Tener una mujer un «Kadilac» detrás.* Tener un trasero prominente. «Esa mujer tiene un Kadilac detrá». (El «Cadillac» es un automóvil norteamericano de lujo. El mejor de todos y el más caro.) Sinónimo: *Tener tremenda batea. Tener una mujer un marido oficial y también su cabito.* Tener un querido. «Esa mujer tiene su marido oficial y también su cabito». (Es el cubanismo un juego de palabras, entre «oficial» —del ejército— y «cabo» [en diminutivo] también del ejército.) *Tener una mujer un tipo que pide una escoba, un balde y el delantal.* Tener un tipo muy poco distinguido. «Es mujer tiene un tipo que pide la escoba, el balde y el delantal». Ver: *Enfermedad. Halloween. Plata.*

MUJERANGA. Se dice en la Cuba de hoy, con preferencia, de la mujer que está con la cúspide del poder comunista. «Ésa es una mujer mujeranga». Se usaba y se usa en el exilio como despectivo y no como en la Cuba de hoy. «Esa vecina es una mujeranga, yo no la saludo».

MULA.O. *Ahí fue donde la mula tumbó a Genaro.* Además de lo dicho en el cuerpo de este escrito significa, este cubanismo de origen campesino, que ocurre algo inesperado. «Todo iba bien pero llegó su mamá, y ahí fue donde la mula tumbó a Genaro». *Como una mula.* Mucho. «Gritó como una mula (o un mulo.)» *Espantar* *la mula.* Huir corriendo a todo lo que se da. «En cuanto vio que lo venían a buscar espantó la mula». «Robo aquí y espanto la mula seguido por la policía». *La mula que corcovea no sirve para carretón.* 1. El que no tiene organización fracasa. «No hagas eso así a la ligera. La mula que corcovea no sirve para carretón». 2. No confíes en el que no tiene opiniones firmes. «Yo con él no voy a ningún lado. La mula que corcovea no sirve para carretón». *Ser mulo de carretón.* Ser muy bruto. «Tú no entiendes esto. Tú eres mulo de carretón». *Si no es mula come en lata.* Ten la seguridad de que es un homosexual. «Parece mentira que tú seas tan tonto. El hermano de Juan si no es mula come en lata». *Si no es mula sabe dónde esta el cubo.* Ser maricón. «Ése si no es mula sabe dónde está el cubo». Sinónimo: *Si no come gofio sabe dónde está el barril. Sudar como una mula vieja.* Sudar mucho. «Juan suda como una mula vieja». *Tener algo como mula de feria.* Muy arreglado. «Tiene a la querida como mula de feria». Ver: *Anormal.*

MULAÑE. Mulata.o. «Ella es una mulañe. Mira junto al nacimiento del pelo». «Te digo que es mulañe». (Tiene tono despectivo.)

MULATA. *Moverse una mulata más que una mulata sandunguera.* Caminar moviendo rítmicamente la cintura. «Me encanta como camina esa mulata, se mueve más que una mulata sandunguera». *Mulata guayabúa.* Mulata de pelo rojizo. «Ésa a pesar del color del pelo es una mulata guayabúa». *Mulata india.* Mulata de pelo lacio. «Ésa es una bellísima mulata india». *Mulata javá bien lavá.* Mulata casi blanca. «Yo te diría que no es blanca, pero sí es mulata javá bien lavá». (Es «javada» y «lavada» pero el cubano aspira la «d».)

MULENGUE. *Dar mulengue.* Hablar mucho para convencer a alguien. «A Pedro, para que te dé la comida, hay que darle mucho mulengue». (Es lenguaje de los cubanos llegados en 1980 a Miami, por el puente marítimo Mariel-Miami.) Sinónimo: *Dar muela.*

MULETA. *El andoba de las muletas.* Ver: *Andoba. Las muletas de San Lázaro me ayudaron.* Se dice cuando se saca uno con el número diecisiete. (San Lázaro, en el juego del azar llamado Bolita, otro es la Charada, es el diecisiete.) «Acerté. Las muletas de San Lázaro me ayudaron». *Tener una muleta entre las patas.* Tener un pene grande. *Viaje muleta.* Así le llaman los cubanos en Miami a los viajes que llegaban de Cuba con gente que se quedaban, pues llegaban cargados de ancianos. «Esto no es más que un viaje muleta». Ver: *Cuarterona.*

MULTIPLICADA.O. *Estar alguien multiplicado.* Ser muy inteligente. «Él está multiplicado». *Ser multiplicado.* Ser gordo, de mucha caja de cuerpo. «Ella es una mujer multiplicada».

MULTITUD. Ver: *Cuarto.*

MUNDIAL. *Esa es la mundial.* Ésa es la mejor del mundo. «Esa cerveza es la mundial». «Eso que me dices es la mundial». (Es el lenguaje de los marielitos, o sea, de los cubanos llegados a Estados Unidos por el puente marítimo Mariel-Cayo Hueso, en 1980.)

MUNDO. *El mundo colorado.* Exclamación admirativa. «Juan se casa con Josefa. —El mundo colorado». *Entrar todo el mundo a bailar.* Compartir algo. «No lo podemos dejar afuera, es un abuso. Aquí todo el mundo entró a bailar». *Llegar al mundo en son de protesta.* Llegar llorando. «Todos llegamos al mundo en son de protesta». (Es forma de hablar del cubano que denota su genio lingüístico.) *¡Qué daño le he hecho yo al mundo, caballero!* Exclamación jocosa que se usa cuando le sucede algo a uno que no es de mucha importancia o doloroso. «Oye, llega tu primo. —Pero, ¡qué daño le he hecho yo al mundo, caballero!» *Tener alguien Mundo y País.* Saber mucho, ser muy culto. «Juan tiene Mundo y País». («*El Mundo*» y «*El País*» eran dos periódicos cubanos.) Ver: *Masturbador. Zapatería.*

MUNICIÓN. Dinero. «Dale a Juan munición extra». Sinónimos: *Bille. Mangúa. Maní. Se le acabaron las municiones a los patines.* Cuando alguien queda impotente ante una situación en general, se dice este cubanismo. «Él nada hará. Se le acabaron las municiones a los patines». (Ya no tiene con qué pelear.) También lo ha oído referido a que no tiene ánimo. «Antes tenía un gran espíritu, pero ya, de viejo, se le acabaron las municiones a los patines». También se aplica a quien fue fuerte y ya no lo es: «No sé por qué me temo que a ese país se le acabaron las municiones a los patines». Se aplica, pues en una gran gama de situaciones, incluyendo a la pérdida de la belleza de una mujer. «Ya no hay quien la enamore. Se le acabaron las municiones a los patines. Mírale la cara». (La conversación da el significado que se expresa.) Quedarse sin argumento, sin nada que poder decir: «El nuevo partido se acabó. Se le acabaron al dirigente principal las municiones a los patines». «Cuando lo rebatí, se quedó sin municiones en los patines». (Las ruedas de los patines llevan municiones. De aquí el cubanismo.)

MUÑECA. *Irse de muñeca.* Excederse. «Me parece que te fuiste de muñeca». (Equivale al castizo: *Irse de rosca.*) *Jugar a las muñecas.* Se dice de las gentes que hacen muchas cosas que no valen nada, sin calidad, para tratar de hacer ver que son muy importantes. «En el colegio, como siempre, los maestros juegan a las muñecas». (Quieren hacer ver que están haciendo cosas, que todo el mundo sabe que no tienen sustancia, que no valen mucho.) *Tener la muñeca prohibida.* Ser muy forzudo. «No pelees con él que tiene la muñeca prohibida». Ver: *Muchachas.*

MUÑECO. *Bailar al muñeco.* Fornicar. Sinónimos: *Barilla. Dar un barillazo. Cuando tengo un muñeco lo bailo de verdad.* Cuando hago una cosa la hago de verdad. «Fumo así, porque cuando tengo un muñeco lo bailo de verdad». *Envolver al muñeco.* Disfrazar la cosa. «Lo despidieron sin razón y ahora está disfrazando al muñeco». *Ese muñeco no baila.* Se usa en situaciones diversas. Un ejemplo: «La mujer se divorció de él porque ese muñecón no baila». (Es impotente.) «Si piensas que te puedo ayudar, te recuerdo que ese muñecón no baila». (No tiene influencia.) Etc. *Ponerle precio al muñeco.* 1. Decir cuánto vale una cosa. «Pónmele precio al muñeco éste. Me gusta este libro». 2. Fijar el valor de algo. «A él lo cogen porque le puso precio al muñeco».

MUÑECÓN. 1. Forma de saludar. «¿Cómo estás, muñecón?» Se le dice al que no hace nada, pero vive la gran vida. «Oye, muñecón, conmigo hay que trabajar». Sinónimo: *Vive bien. Estar de muñecón.* No trabajar. «Desde que nació está de muñecón». *Parecer un muñecón.* Ser muy buen tipo. «Él parece un muñecón». *Ser un muñecón.* Se dice de estas personas buenos tipos que se pasan la vida exhibiéndose y no trabajan. «Cuando se casó le dije que él era un muñecón».

MUÑECONA. *Estar de muñecona.* Una mujer que está sin hacer nada. «Desde que se casó está de muñecona».

MUÑEQUEAR. Apretar a alguien. «En el trabajo me muñequeó». «El dictador muñequeó al pueblo».

MUÑEQUITA. *Ser muñequita de cristal.* 1. Quejarse mucho. «Chica, no te quejes más que eres muñequita de cristal». (Es decir, muy frágil, como dice la letra de una canción: *Muñequita de cristal.*) 2. Ser muy poco fuerte. «No le des un trabajo duro que es una muñequita de cristal».

MUÑEQUITO. Tiras cómicas. «Me encantan los muñequitos del periódico». «No lo ponen ni en los muñequitos». *Estar de muñequito de Domingo.* Ver: *Domingo. Estar alguien parado como los muñequitos de cuerda.* Estar muy erecto. «Ese viejito está parado como lo muñequitos de cuerda». *Leer sólo los muñequitos del domingo.* Se dice de una persona que no tiene cultura. «Míralo opinando, cuando lee sólo los muñequitos del domingo». *Ser algo de muñequitos.* 1. Ser algo poco serio. «Eso que tú haces es de muñequitos. Me da pena verte». 2. Es una cosa de ficción. «Eso que me cuentas es algo de muñequitos». Ver: *Gato. Mentalidad. Ultima.*

MUÑIGA. Mierda. «Pisé muñiga». Sinónimos: *Mierdulina. Vidrio inglés.*

MUÑO. (El) El que hace todo tipo de servilismos para conseguir algo. «¡Qué asqueroso ese muño!»

MURALLA. *Llevar arriba la calle Muralla.* Se dice del que se pone ropa de baja calidad. «Parece un payaso. Lleva arriba la calle Muralla». *Traje de la calle Muralla.* Traje barato. «Ese traje es de la calle Muralla». (En la calle Muralla en Cuba se vendían muchas mercancías baratas. De ahí el cubanismo.) Sinónimo: *Apéame uno.*

MURIA. Pared en bable.

MURO. *El muro de las lamentaciones.* Le llaman así los exiliados cubanos al Café La Calesura de Madrid, porque allí se reúnen y se lamentan de sus penas. «Vamos a tomas café al muro de las lamentaciones».

MURRIÑOSO. Agarrado. «Él siempre fue un murriñoso». Sinónimo: *Estreñido.*

MUS. Ver: *Ropa.*

MUSARAÑA. *Tener la cabeza envuelta en musarañas.* Ser poco inteligente. «Ese tipo tiene la cabeza envuelta en musarañas».

MUSEO. *Abrieron el museo de cera*, o, *Llegó el museo de cera.* Frase que se oye en una reunión cuando llega gente ya muy mayor. «Íbamos por la mitad del proyecto y en eso abrieron el museo de cera». *Ser algo el museo de cera.* Ser una reunión de gente vieja. «Esto es el museo de cera». (Cubanismo nacido en el exilio.)

MÚSICA. *Acabarse la música.* No tener más que decir. «Al orador se le acabó la música». Se dice también: *Se le acabó la cuerda. Echarle a alguien música.* Caerle a tiros. «Los bandidos le echaron música a la policía». *Ir con la música a otra parte o a otro lado.* Largarse y dejar de molestar. «Gracias a Dios que se fue con la música a otro lado». *Ponerle a algo música.* Darle vida. «En cuanto él llegó le puso música a la discusión». *Ser alguien el que inventó la música.* Se dice del que da muchas órdenes. «Ése es el que inventó la música. ¡Qué mandón!» (El cubanismo relaciona la música con el director de orquesta, quien manda o dirige.) *Ser una música: Matandili (o Matandili dilen do.)* Ser muy bueno para restregarse, en un baile, un hombre y una mujer. «Esta música que están tocando es matandili (o matandili dilen do.)» («Matarse» en cubano, es restregarse o tocarse libidinosamente un hombre y una mujer. «*Matandile dilen do*» es la letra de una canción infantil española. Por su semejanza fonética con mate ha sido escogida por el cubano.) Ver: *Loca. Loco.*

MUSICAL. Ver: *Disco. Persona.*

MÚSICO. *¡Qué clase de músico!* ¡Qué clase de vivo! «¡Cómo engañó al policía! ¡Qué clase de músico!»

MUSIQUITA. *Te veo después de la musiquita.* Me voy a dormir. (Es lenguaje de la Cuba de hoy. En Isla de Pinos, en la cárcel, tocaban una musiquita. De aquí el cubanismo.)

MUSLO. Ver: *Oreja.*

MUSULUNGO.A. Tonto. «Elio es un musulungo». (Se usa preferiblemente en casos como éste. No es ofensivo.) Ver: Bugarrón.

NA. Nada. «No quiero que me des na'». (La palabra «nada», al ser mal pronunciada, se ha quedado en «na'» formando otra palabra o un cubanismo.) *No estar un hombre en «na'».* No tener atractivos físicos. «Ese hombre con quien se casó tu prima no está en na'».

NABO. (El) El pene. Sinónimos: *Barilla. Barra. Clavo de Línea. Supositorio de carne. Tener el nabo encendido.* Tener muchos deseos de fornicar. «Hoy tengo el nabo encendido». («Nabo» es «pene».)

NACAR. Ver: *Hacha.*

NACER. Ver: *Derecho.*

NACIDO. Grano. «Tengo un nacido en la nariz».

NACIÓN. Ver: *Negro.*

NADA. *De eso nada, de eso cero.* No. «¿Crees que puedas prestarme el libro? —De eso nada, de eso cero». Sinónimos: *De eso nalgas. De eso nada, monada. No estar en nada.* No saber nada de algo. «¿No sabes que ella mató al marido? No estás en nada». En general no estar enterado. «No le preguntes, no está en nada».*No llevar nada en el cerebro.* Ser muy poco inteligente. «Mi primo nunca ha llevado nada en el cerebro».] *No somos nada.* Latiguillo lingüístico que repite continuamente el cubano en forma cómica, y que viene del programa radial de Garrido y Piñeiro, un programa cómico cubano donde se personificaban a dos personajes criollos: al gallego y al negrito. «Mi novia se peleó conmigo. —No somos nada». Ver: *Carecer. Enseñar.*

NADADOR. *Meterse a nadador.* Estar a punto de emprender una acción. «Estoy al meterme a nadador». (O sea, «tirarse al agua», hacer una acción.) Sinónimos: *Estar a punto del trampolín. Hacer en cualquier momento un «daiven».* (El cubano pronuncia «daiven» la palabra inglesa «diving», o sea, tirarse del trampolín.)

NADIE. *Por ahí viene el nadie sabe.* Por ahí viene ese loco. «¡Qué fastidio! Por ahí viene el nadie sabe». (Este cubanismo a penas se oye. Sólo lo usa la generación de sesenta años o más. Viene de un programa titulado: *El Monje Loco*, anterior al año cuarenta. El programa comenzaba con el monje loco diciendo: *«Nadie sabe la verdad del horripilante caso de»*... De aquí el cubanismo.)

NAFTALINA. *Oler a naftalina.* Oler a muerto. (En forma de amenaza.) «Cuídate. Conmigo que hueles a naftalina».

NAGÜE. Amigo. «¿Cómo estás nagüe?» Sinónimo: *Acere.*

NALGA. *Dar las nalgas.* Regalar la mercancía. «Al vendértelo tan barato estoy dando las nalgas». *Enseñar las nalgas.* Mostrar debilidad. «Como le enseñes las nalgas a una mujer, te destruye». «Enseñó las nalgas y nadie lo respeta». *Entregar las nalgas.* Darlo todo por nada. «En ese negocio estás entregando las nalgas». Sinónimo: *Dar el culo. De eso, nalgas.* De eso nada. «¿Me das el dinero? —De eso nalgas». *Poner a cantar a alguien como Sergio Fiallo, de nalgas a la luna.* Derrotarlo. «A ése lo puse a cantar como Sergio Fiallo, de nalgas a la luna». (El cubanismo nació en el exilio.) *Ser una nalga boba.* Ser un homosexual. «Sólo con ver cómo camina se sabe que es un nalga boba». *Tener que mojarse las nalgas (o el culo.)* Tener que afrontar dificultades. «Esta vez ganarán, pero tendrán que mojarse las nalgas». *Una nalga.* Un homosexual. Se dice también, *nalga pálida.* Sinónimo: *Aceite.* Ver: *Jeta.*

NALGOBOLÚ. *Ser un nalgobolú fambó.* Ser homosexual. «Elio, aunque no lo parece, es, en el fondo, nalgobolú fambó». (Es lenguaje llevados por los esclavos africanos a Cuba, que ha quedado.) Sinónimo: *Nalgabolu.*

NANA. *Año de la nana.* Hace mucho tiempo. «Eso sucedió en el año de la nana». Sinónimo: *En tiempos de ñaña seré.* Ver: *Tiempo.*

NANAÍNA. Nada. «De eso nanaína». (Se usa más para contestar algo: «¿Quieres vino? —Nanaína».

NANANINA. *Nananina jabón Candado.* No. «A eso que me pides, te contesto: Nananina jabón Candado». (El jabón Candado era un jabón de lavar en Cuba.)

NANI. Ver: *Orfa.*

NANKIN. *Seguir en Nankin con el chino en puntillas.* Seguir en mala situación económica. «Yo, desgraciadamente, sigo en Nankin con el chino en puntillas». Sinónimos: *Cable. Comerse un cable.*

NARANJA. *No ser naranja.* No dejarse explotar (o sacar el jugo.) «Le dije a mi jefe que yo no soy naranja». *Ser algo naranja de china.* Sin importancia. «Matarlo es lo principal, lo demás es naranja de china». *Ser extracto de naranja agria.* Estar siempre de mal humor. «Ella es extracto de naranja agria». Sinónimo: *Ser extracto de limón.* Ver *orejones.*

NARANJO. *Ser Naranjo y Lucas.* Ser dos buenos amigos. «Ellos son Naranjo y Lucas». Se aplica a dos que viven juntos, felices: «Esa pareja son Naranjo y Lucas». (Viene el cubanismo de una canción popular.)

NARIGÓN. *Llevar a alguien por el narigón.* Tenerlo controlado. «A ése yo lo llevo por el narigón». (El narigón es la argolla de hierro que se les pone en la nariz a los bueyes.) Se dice, también: *Tener a alguien agarrado por el narigón.* Tenerlo controlado. «A ése yo lo tengo agarrado por el narigón». (Es término campesino.)

NARIZ. *Dar un pase de nariz.* Oler cocaína. «Mira aquél dando un pase de nariz». *Ir a empolvarse la nariz.* Ir a orinar. «Perdonen, pero voy a empolvarme la nariz». Sinónimo: *Cambiarle el agua a los pececitos. Nariz con premio.* Narizudo. «A ése le dicen nariz con premio». *Sacarle el agua al tamal o al tasajo. Sangrar por la* *nariz.* Tener abierta la portañuela. «Oye, estás sangrando por la nariz». Sinónimo: *Tener abierta la botica. Tener alguien nariz de Pomponio.* Tener una nariz grandota e hinchada, de tipo redondo. «Él es muy feo; tiene nariz hinchada de Pomponio». (Pomponio es un personaje de las tiras cómicas, muñequitos, que tenía ese tipo de nariz.) *Tener nariz de picoloro.* Tener nariz en forma de pico de loro. «Tú tienes una nariz de picoloro».

NARIZÓN. 1. Judío. «Ése es un narizón». 2. Porfiado. «¡Qué narizón eres!»

NARRA. Chino. «En el Siglo XIX llegaron muchos narras a Cuba». «El narra es persona decente». «Oye, narra, ¿tú eres Cantón?» (Lenguaje del chuchero. Ver: *chuchero.*) *El narra está hecho un pagano.* Se dice del que paga a una querida mientras otro la disfruta. «Sabrás de Antonio, el narra está hecho un pagano».

NASA. *Date de baja de la Nasa.* No te tires más peos. «¡Asqueroso! Date de baja de la Nasa». *Estar igualito a la NASA con el Challenger.* No decidirse. «Tú estás igualito a la NASA con el Challenger». («El Challenger» era uno de los cohetes espaciales lanzados por la Nasa. Después de la destrucción de un cohete en el aire, la Nasa titubea en lanzar otro. De aquí el cubanismo.) *Estar la Nasa en acción.* Se dice cuando alguien se tira muchos gases. «¿Oíste? Está la Nasa en acción». *La Nasa en acción.* Se dice cuando alguien se tira un gas sonado. «Óyelo. La Nasa en acción». *Llevar la Nasa entre las piernas.* Tirarse muchos gases. «¡Qué asqueroso! Lleva la Nasa entre las piernas». *Seguir en la Nasa.* Seguir alguien tirándose gases, (peos.) «Óyelo, sigue en la Nasa». *Tener alguien la Nasa alborotada.* Tirarse muchos peos o gases. «Juan tiene hoy la Nasa alborotada». *Tener alguien la Nasa atravesada.* Estar tirándose continuamente gases. «Juan tiene la Nasa atravesada. Comió judías». *Tener la Nasa endiablada.* Tirarse muchos gases. «Tienes la Nasa endiablada». *Tener la Nasa entre las nalgas.* Tirarse muchos gases. «Ése tiene la Nasa entre las nalgas». *Tener la Nasa revuelta.* Tirarse muchos peos. «Pedro tiene la Nasa revuelta». (La Nasa es la agencia espacial norteamericana. Usa gases para los vuelos espaciales. Cohetes son peos. Los peos son gases. De aquí el cubanismo.)

NATA. *Estar como la nata sobre la leche.* Estar muy bien económicamente. «Él con las construcciones está como la nata sobre la leche». *Nadar entre nata.* Estar entre mierda (o sea, gente que no vale nada.) «Con Oscar y otros nadas entre nata». *Ser como la nata de leche.* Se dice del individuo que canpea todas las situaciones. «Ése es como la nata de leche: nunca se hunde». Sinónimo: *Insumergible.*

NATACIÓN. *Ser una mujer campeona de natación.* No tener pechos ni culo. «Es muy bonita pero es campeona de natación». (Es que no tiene nada por delante ni nada por detrás. Y el cubanismo usa el juego de palabras.)

NATILLA. *Hacerse natilla para que lo rocíen de canela.* Darse a querer. «¿Cómo no lo voy a amar a mi marido si se hace natilla para que lo rocíen de canela?» *Gustarle a alguien la natilla con canela.* Gustarle cohabitar con una mulata. «A ese hombre le gusta mucho la natilla —el acto sexual— con canela —mulata—». Sinónimos: *Gustarle a alguien la natilla. Gustarle a alguien el majarete.* «Tú no sabes lo que a mí me gusta la natilla». Ver: *Paila.*

NATURAL. *Tener un Frankenstein al natural.* Ser muy feo. «Ése tiene un Frankenstein al natural». (El cubano dice Frankestein.) Sinónimo: *Feo.*

NAVAJA. *Conocerle a alguien las navajas.* Conocerle las malas intenciones. «Yo a todos les conozco las navajas». Ver: *Filo. Pedro. Pepe.*

NAVEGANDO. *Está navegando.* Está ida. «Está enferma, ¿no ves que está navegando?»

NAVIDAD. *Querer carnavales de Oriente en Navidad.* Ver: *Carnavales. Raja.*

NAZARENOS. *Cogerlo a uno los nazarenos.* Atrasarse. «Empieza ese trabajo que te van a coger los nazarenos».

NECESIDAD. *La necesidad hace parir mulatos.* Si uno tiene necesidad cualquier cosa se hace. «Él lo hará. La necesidad hace parir mulatos».

NÉCTAR. *El néctar negro de los dioses blancos.* El café. «Dame un poco del néctar negro de los dioses blancos».

NEGATIVO. No. «¿Tienes dinero? —Negativo». Ver: *Comunista.*

NEGRA. *Ser una negra tita.* Ser muy fea una negra. «Esa muchacha es una negra tita. Qué lástima porque su hermana es preciosa». *Tamizar a una negra.* Acostarse con ella para blanquear la prole. «¡Cómo les gusta a los españoles tamizar a las negras!» Ver: *Culo.*

NEGRINO. *Estar negrino.* Se dice del que vive en desorden como alguna gente de color que por falta de fondos tenían y tienen que vivir en cuartos llenos de mugre y de desorden en Cuba. «Juan, arregla tus cosas que estás negrino. Tu cuarto está desordenado».

NEGRITA. (La) La criada. «Aún no ha llegado la negrita». *La negrita eléctrica.* La lavadora de platos eléctrica. «Voy a poner la negrita eléctrica». (Cubanismo nacido en el exilio.) *Negrita atrasá.* Que no ha blanqueado. «Ésa no es mulata. Es una negrita atrasá». (Es atrasada pero el cubano aspira la «d».) *Ser una mujer una negrita de cubo y trapeador.* Ser muy chusma. «Ella es una negrita de cubo y trapeador. ¡Qué modales!»

NEGRITILLO. (El) 1. El negro. «El negritillo me cae muy simpático». 2. Forma despectiva y discriminatoria de negrito. «Vino a verme el negritillo ése».

NEGRITO. *Estar como el negrito de la guaracha: jaleo para aquí, jaleo para allá.* Tener que trabajar mucho. «Últimamente estoy como el negrito de la guaracha: jaleo para aquí, jaleo para allá». *Hablar como el Negrito Garrido.* Hablar mal. «Elio habla el español como el Negrito Garrido». (Garrido y Piñeiro, dos actores cubanos, tenían un programa radial folklórico conocido como: «*El Negrito y el Gallego*». Garrido hacía del negrito y hablaba como un hombre de pueblo. De aquí el cubanismo.) *Negrito del quinto patio.* Negro de baja condición social. «Ése es un negrito del quinto patio». *Pasarle a alguien como al negrito del batey.* Morir por hablar demasiado. «A ése le pasó como al negrito del batey. No se callaba sus opiniones». (Se dice que el negrito del batey murió por bembón. «Bembón» es un cubanismo que quiere decir «hablar mucho».) *Ser alguien como el negrito del batey.* Ser vago. «Juan es como el negrito del batey». (Hay una canción titulada: *El Negrito del Batey*, donde éste dice que está peleado con el trabajo. De aquí el cubanismo.) *Un negrito con zapatos blancos.* Un automóvil con el techo negro y la carrocería blanca. «Me compré un negrito con zapatos blancos». Ver: *Escuela.*

NEGRO. (El) 1. El bugarrón. «Ése anda con su negro». (El cubanismo se basa en la creencia en que los negros tiene un pene muy desarrollado.) 2. Mi amigo. «¿Cómo estás mi negro?» (Se usa mucho también el diminutivo: *negrito.*) Sinónimos: *Babún. Nichardo. niche. Estar alguien como el negro.* Hablando demasiado. «Estás como el negro y la vas a pasar mal». (Se basa en un cuento cubano sobre un negro bembón. «Bembón», para el cubano es la persona que habla mucho. «Eres muy bembón, por eso te equivocas tanto». También contestón: «¡No seas bembón niño!") *Lo dice el negro congo.* Para darle visos de verosimilitud a algo que se dice, se añade. «Lo dice el negro congo». (Frase tomada de los cuentos de negros brujos en Cuba.) «Tiene dinero. Lo dice el negro congo». *Negro bien surtido.* Bugarrón. Sinónimos: *Buganvil. Buganviliar. Negro catedrático.* Negro que se hace el culto. «Ése se cree que es un negro catedrático». (Éste es un tipo especial de la gente de la raza de color que se dice en Cuba.) *Negro con canas, viejo con ganas.* Un hombre de color, canoso, que es muy viejo. «Tiene ochenta años por lo menos. Recuerda que negro con canas, viejo con ganas». *Negro de nación.* Negro o esclavo nacido en África. «Ése no nació aquí. Es negro de nación». «Mi bisabuelo tuvo negros de nación». *Negro endrigo.* Negro africano puro. «Ése es un negro endrigo». *Negro integral.* Negro que no tiene mezcla de otra raza. «Ése es un negro integral». *Ponerse un hombre de color cenizo de frío.* Tener mucho frío. «Ese hombre de color está cenizo de frío». *Quedar por no acordarse del negro.* Hablar imprudentemente. «Ése quedó por no acordarse del negro». (El negro «quedó» —murió— en el chiste cubano, por «bembón», o sea, por hablar demasiado. De aquí el cubanismo.) *Ser un negro.* 1. Se dice del que vive en condiciones de suciedad. «Ese individuo es un negro. No quiero nada con él. ¡Qué suciedad!» 2. Ser una persona que riega mucho. «Mi marido es un negro». (El cubanismo se basa en la pobre condición social de muchos hombres de color y obligados por ella a vivir en sitios míseros.) *Trabajar como un negro viejo.* Trabajar mucho. «Yo trabajo como un negro viejo». (Al castizo, trabajar como un negro, el cubano le ha añadido la palabra «viejo».) *Tropezar con un negro de espaldas llevando el baúl abierto.* Se dice del homosexual. «Ése tropieza con un negro de espaldas llevando el baúl abierto». *Vete a buscar a un negro.* Vete al carajo. (Frase que se dice con tono ofensivo o en broma.) Sinónimo: *Vete a buscar marido a otra parte.* Ver: *Cañas. Comida. Hueso. El néctar negro de los dioses blancos. Machete. Metro. Néctar.* Ver: *Necesidad.*

NELSON. *Ponerle a alguien la Nelson.* Inmovilizarlo. «En el negocio le puse la Nelson». (Se aplica a cualquier terreno.) «Al candidato contrario a representante, le puso la Nelson». Se dice también: «Ponerle la doble Nelson». («La Nelson» y «La Doble Nelson» son llaves de la lucha libre, que inmovilizan al que se las ponen. De aquí el cubanismo.)

NENA. *Ser una mujer como Nena Capitolio.* Ser muy bella. «Ella es como Nena Capitolio». (Fue Nena Capitolio una cubana muy bella protagonista de un juicio famoso.) Ver: *Caballona. Taburete.*

NENE. *¿Quién te lo dijo Nene?* ¿Quién te lo dijo? Latiguillo lingüístico —que el cubano usa continuamente— que es la letra de una canción. Cuando uno no quiere decir quién lo dijo, se contesta con la letra de la misma canción: «*Me lo dijo Adela*».

NEURONAS. *Tener las neuronas llenas de grasas.* Haber comido mucho. «Hoy tengo las neuronas, después de esta cena, llena de grasas». (Es cubanismo culto, de gente culta, nacido en el exilio.) Ver: *Grasa. Retórica.*

NEUTRAL. Ver: *Esquina.*

NIÁGARA. *Como el Niágara.* A torrentes. «Lo quiero como el Niágara». (Este cubanismo se oye sólo entre gente de alta posición social.) *Pasar el Niágara en bicicleta. Ser algo del Niágara.* Ser difícil. «Eso es del Niágara. Tardaremos en resolverlo». (Se basa en otro cubanismo más común: «Cruzar el Niágara en bicicleta». Se oye también: «Oye, ¡el Niágara!» para referirse a algo que es muy difícil.) Ver: *Bicicleta. Muerte.*

NICANOR. *Abórdale un Nicanor.* Pídele cinco centavos. «A Pedro, abórdale un Nicanor». (Es lenguaje del chuchero. Ver: *Chuchero.* «Nicanor» son cinco centavos.) *Nicanor del campo.* Moneda de cinco centavos. «Dame un Nicanor del Campo». (Este cubanismo, al igual que el anterior, son un juego de palabras con «nickel», cubanismo que significa cinco centavos, y un reparto de La Habana, Nicanor del Campo.) Sinónimo: *Nicanor Martínez. Nicolás Fernández.* (A la moneda de cinco centavos se le dice, igualmente: *Nicolá. Nicasio.*) *Un nicanor.* Una moneda de cinco centavos. «Me dio un nicanor». Sinónimos: *Un Nicasio.* Un níquel. (De la palabra inglesa: «Nickel».) *Un nicanor del campo.* (Toma el nombre de un reparto de La Habana. Nicanor es un juego de palabras con «Níquel», forma en que el cubano pronuncia la palabra inglesa «Nickel», o sea, moneda americana de cinco centavos.)

NICASIO. 1. Cinco centavos. «Dame un nicasio». Sinónimo: *Nickel.* (De «nickel», moneda americana de cinco centavos que circulaba en Cuba.) 2. Níquel. «Dame un nicasio, mi amigo». Ver: *Nicanor.*

NICHARDEN. *Aflorársele a alguien el Nicharden.* Tener sangre africana. «A Oscar le aflora el Nicharden».

NICHARDO. Negro.

NICHE. Negro.

NICHITA. Mujer de color. «Esa nichita es muy bonita».

NICO. 1. Nada. 2. Ni cojones. «¿Me das cinco dólares? —Nico». «Dame eso, Nico». Sinónimos: *Nicomedes. Nicomedes Paniagua.* Ver: *Nicotina.*

NICOJONES. Ver: *Nicotina.*

NÍCOLA. Moneda de cinco centavos. «Sólo tengo un nícola». Sinónimo: *Nicanor.*

NICOMEDES. No. «Siempre que me pide algo le digo Nicomedes». (Se dice también: *Nicomedes Paniagua.*) Ver: *Nico.*

NIDO. *Caerse del nido.* Ser un tonto. «Él se cayó del nido, por eso lo estafaron». *Nido de bijiritas.* Reunión de maricas. «Eso es un nido de bijiritas». *Ser algo un nido de pollos.* Estar algo muy regado. «La gaveta de mi marido es un nido de pollos». Ver: *Pájaro.*

NIEVE. Ver: *Chucherías. Francés. Yeri. Blanca.*

NIJAI. Nada. «Estoy cansada de decirle cuando me pide algo: Nijai». (Nijai es el nombre de un refresco en Cuba.)

NIKELODIUM. Vitrola de echar níkeles. (Moneda de cinco centavos en Cuba.) «Está bello ese nikelodium».

NIKO. No. «Dame cinco pesos. —Niko». (Es un eufemismo de nicojones.) Sinónimos: *Nicomedes. Nicomedes Paniagua.* «Dámelo. —Nicomedes». (O Nicomedes Paniagua.)

NILO. *Ser Nilo Zuaznabar.* Ser el único. «En este juego yo soy Nilo Zuaznabar». (Nilo Zuaznabar era un concejal de La Habana que en los pasquines electorales ponía debajo de su retrato: El Único.)

NINGA. No. «Dame dinero. —Ninga».

NIÑA. *Estar de niña Fifí.* Estar de niña presumida. «Ahí la tienes con sesenta años. Pues desde que nació está de niña Fifí».

NIÑO. *Cagarse en el niño de la Beneficencia.* Tener mala suerte. «Me cago en el niño de la Beneficencia. Me torcí un tobillo». (El niño de la Beneficencia es el que canta la lotería y cantó una mala suerte. De aquí el cubanismo.) *Cantar más que un niño de la lotería.* Se dice del que atrapado por la policía delata a todo el mundo. «Cuando lo agarraron cantó más que un niño de la lotería». (Los niños de la Beneficencia cantaban la lotería en Cuba. De aquí el cubanismo.) *El que con niños se acuesta amanece cagado.* El que hace tratos con un muchacho siempre fracasa. *Estar como el niño de París.* Estar en una situación difícil. «Juan está como el niño de París». (El Niño de París viene en el pico de la cigüeña. De ahí el cubanismo.) *Estar como el niño Valdés.* Estar fuerte. «Ese muchacho está como el niño Valdés». (El Niño Valdés es un pugilista cubano que se retrataba diciendo que él estaba muy fuerte. De aquí el cubanismo.) Sinónimo: *Estar hecho un trinquete. Estar el niño como el plátano.* Estar pasado, o sea, tiene sueño. «Tu niño está como el plátano». *Los niños hablan cuando las gallinas mean.* 1. Cuando las personas mayores hablan, los niños se callan. 2. Los niños no hablan nunca. «Me metí en la conversación y me dijeron: Los niños hablan cuando las gallinas mean». (La gallinas nunca orinan. Mear es orinar en cubano. De aquí el cubanismo.) *Niño de encargo.* Mala persona. «Ese abogado es un niño de encargo». *Niño fisto.* Equivale al castizo: *Niño bitongo.* Sinónimo: *Niño de casa particular. Oír alguien la lotería de los niños de la Beneficencia y todo.* Se le dice a la persona a la que se le va a zurrar. «Como no te portes bien, vas a oír la lotería de los niños de la Beneficencia y todo». (Los niños de la Beneficencia, el Hospicio en Cuba, eran los que cantaban los números de la Lotería Nacional que se jugaba en Cuba, cada sábado.) *Oye, los niños de la Beneficencia no cantan.* No vengas con bravatas. (Frase que se dice al que tira bravata. O sea, tú no tienes boca para decir el número. Tú no eres capaz de sostener esas bravatas. Los niños de la Casa de Beneficencia cantaban los números de la lotería todos los sábados en el radio en Cuba.) *Ser alguien un niño cantor de Viena.* Ser un delator. «Estos amigos tuyos son los niños cantores de Viena». (Cubanismo de gente culta nacido en el exilio.) Sinónimo: *Ser alguien el «master» de la coral.* «Juan es el «master» de la coral». (Cubanismo nacido en el exilio. Lo he oído como usual entre la gente culta.) *Ser el niño de la fuente.* Se dice del que orina mucho. «Muchacho, eres el niño de la fuente». (Por la estatua del niño de la fuente siempre sale agua, siempre está orinando. De ahí el cubanismo.) *Ser un niño Kodak.* Se dice de al que le gusta retratarse continuamente. «Esa muchacha es un niño Kodak». («Kodak» es la compañía de productos fotográficos.) *Ser un niño mongo.* Ser un tonto. «Tú eres un niño mongo». Sinónimo: *Ser un mongólico. Ser un niño popsicle.* Gustarle el aire acondicionado. (El popsicle es un helado.) «Juan es el niño popsicle». (Es cubanismo del exilio.) *Tener un niño entre las piernas.* Tener un pene grande. «Ese muchacho tiene un niño entre las piernas». Sinónimo: *Cañón.* Ver: *Alma. Cable. Coca. Gavilán. Güin. Limpieza. Matiné. Punta. Suaritos. Tigre.*

NIPLE. Bomba. «Explotó un niple en la esquina». (Viene del inglés: *Nipple.*)

NÍQUEL. Moneda de cinco centavos. «Dame un níquel». (Viene de la palabra inglesa: *Nickel.*) Ver: *Nicanor.*

NIRVANA. *Vivir en un nirvana de concreto.* Se dice del que arrastra el pie sobre el concreto de la acera al caminar. «Míralo cómo camina. Vive en un nirvana de concreto». (Es un cubanismo culto.)

NITRÓGENO. *No tener el nitrógeno la llama tan viva.* No ser tanto para lo que pretende. «No te dejes impresionar, que el nitrógeno no tiene la llama tan viva».

NITRÓN. *Dar nitrón.* Matar. «A ese hombre le dieron nitrón». *Tener nitrón en la bola.* Lanzarla bien. *Tener nitrón en la cabeza.* Ser muy inteligente. «Ese maestro tiene nitrón en la cabeza». Sinónimo: *Ser nitrón.* (Con la palabra nitrón se forma infinidad de cubanismos.) *Tener nitrón en los pies.* Bailar bien.

NIVEL. *Ser algo a nivel de escuelita Chichí.* No valer nada. «Eso es a nivel de escuelita Chichí. ¡Rompe ese cuento!» (Había en Cuba un personaje de un programa de televisión que era un viejito y se llamaba «*Chuchí*». Cubanismo culto.) *Tener un Ford del sesenta y ocho a nivel de presidente.* Tener un carro del sesenta y ocho en muy malas condiciones. «Ya lo vi. Tienes un Ford del '68, a nivel de presidente». (Se juega con las palabras Ford, presidente de los Estados Unidos, y la marca de automóviles norteamericana del mismo nombre. De aquí el cubanismo.) *Tener un carro a nivel de presidente.* Tener un automóvil Ford malo. «Yo tengo un carro a nivel de presidente». (El cubanismo nació en el exilio durante la jefatura del Presidente americano Gerald Ford.) *Vivir a nivel de sociolismo.* Vivir logrando lo que se puede, en la Cuba de hoy, por el contacto con los amigos. «Hoy, en Cuba, hay que vivir a nivel de sociolismo». (Socio-lismo. Es un juego de palabras con Socialismo. Es socio, o sea, amigo. Lenguaje de la Cuba de hoy.)

NOCAUT. *Ser una mujer un nocaut.* Ser muy bella. «Esa mujer es un nocaut». (Viene de la palabra inglesa: «Knock-out», que el cubano pronuncia de la forma que se ha escrito.) (Viene del campo del boxeo. Cuando le dan un golpe muy fuerte a un boxeador éste pierde el conocimiento o el sentido. La mujer bella hace perder el sentido a cualquiera. De aquí el cubanismo.)

NOCHE. *Ésta es la noche/éste es el día/éste es el culo de María García.* Se dice en forma graciosa cuando se ve a una mujer con mucho trasero. «Mira, ésta es la noche, éste es el día, éste es el culo de María García». Ver: *Historia. Salamamdra. Ultima.*

NOKEL. *Tirarle a alguien un «nokel bol».* Prepararle una celada. «Yo lo he estado vigilando y le tiré un «nokel bol» a ver si cae». (La «knucle ball» es un lanzamiento, en el juego de pelota, base-ball, muy lento y que es muy difícil de batear. El cubanismo alude a la lentitud y lo compara, por eso, con una celada que se basa en el tiempo.)

NOMBRE. *Cambiarle a alguien el nombre para Caballero.* Ser muy trágico. «Óyelo hablar. Hay que cambiarle el nombre para Caballero». (Caballero es el nombre de una funeraria muy famosa que había en Cuba y que hay en el exilio. De aquí el cubanismo.) *Estar el nombre de alguien como papel de toilet.* Estar por el suelo. «El nombre de ese político está como papel de toilet». (Está en todos los inodoros el papel de toilet, o sea, higiénico. De aquí el cubanismo.) *Gastarle el nombre a uno.* Llamarlo mucho. «Ése me va a gastar el nombre». *Perder el nombre y llamarse Ambrosía.* Tener mucha hambre. «Yo ya no puedo más. He perdido el nombre y me llamo Ambrosía». Sinónimo: *Tener mucha Ambrosía.* Ver: *Mezcla.*

NÓMINA. *Nómina viajera.* Se dice de una nómina que se oculta y donde se ponen los cheques que dan y que provienen de un fondo que también se esconde. «Esos cheques son de la nómina viajera». Sinónimo: *La viajera.*

NOQUEAR. Derribar inconsciente de un golpe. «Lo noqueó de un derechazo».

NORMA. *Ponerse alguien bien al final de la Norma.* Al final de la norma esto se pondrá bien. (Es un cubanismo chistoso de los intelectuales cubanos basados en la novela: *El final de Norma.* Se oye entre los universitarios de ayer de la facultad de Filosofía y Letras.) *Ser algo el final de Norma.* No tener miedo. «Tu expulsión de la Universidad es el final de Norma». (El cubanismo está tomado del título de una novela, como se explicó anteriormente.)

NORTE. *El Norte.* El frío. «Hoy llegó el norte». *Entrar el norte.* Llegar el frío. «Hoy entró el primer norte». Ver: *Patada.*

NOTA. *Estar en nota.* Estar medio tomado. «¿No ves que está en nota?» *Ser alguien una nota discordante en la sinfonía de la vida.* Ser un inadaptado. «Mi pobre hermano es una nota discordante en la sinfonía de la vida». Sinónimo: *Ser un antipático.*

NOTICIA. *Cagarse en la noticia.* No importarle algo. «Me dijo que no lo hiciera, pero yo me cagué en la noticia». *Cágate en la noticia.* No le prestes atención. «Cágate en la noticia, que él no sabe lo que dice». Ver: *Pinga.*

NOTICIARIO. *Ser el noticiario «Eso».* Estar, en todo, al día. «Ese hombre es el noticiario *Eso*». (El cubanismo viene del lema del noticiario *Esso* —firma petrolera norteamericana—. El lema era: «*El noticiario Esso: el primero con la última*».) Sinónimo: *Estar en la última. Estar en la ultimilla.*

NOTICIERO. *Ser como un noticiero.* Se dice del que está alerta a todo. «Ese abogado le gana al fiscal porque es como el noticiero». (Había un noticiero en Cuba *El Movientone*, cuyo lema era: «*Ojos y oídos del mundo*». De aquí el cubanismo.)

NOVATADA. *Pagar la novatada.* 1. Carecer de experiencia. «Le divorcian en ese matrimonio. Pagó la novatada». 2. Pagar la inexperiencia. «Ése pagó la novatada. Las cosas necesitan tiempo». 3. Sufrir un descalabro por la inexperiencia. «En aquel asunto yo pagué la novatada».

NOVEDAD. *Sin novedad en el frente.* Sin problemas. «Estoy sin novedad en el frente». Algunas veces se usa en caso de que alguien se queje de algo que se hace. «No busques nada. No hay novedad en el frente». (Indica: Ni te preocupes, no hay problemas. Es cubanismo culto.)

NOVELA. *Escribir una novela mejor que el Collar de Lágrimas.* Protagonizar un suceso pasional. «La mató de tres tiros porque lo despreciaba. Escribió una novela mejor que el Collar de Lágrimas». *No meterse una novela.* Así se le contesta al que le viene a contar a uno una tragedia. «Cállate que yo no me meto esa novela». *Ser algo la novela «Palmolive».* Ser algo muy trágico. «Eso que me dices es la novela Palmolive». Sinónimo: *Ser el folletín Hiel de Vaca.* (*La Novela Palmolive* era un programa que se pasaba por la radio en Cuba.) *Ser algo una novela más larga que*

Dallas. Ser larguísima. «Eso que me cuentas es una novela más larga que Dallas». (Cubanismo del exilio. «*Dallas*» es una serie novelesca norteamericana.) *Ser una novela como Pepita y su perro.* Ser pornográfica. «Esta es una novela como Pepita y su perro». (Era el título de una novelita pronográfica de la Cuba de ayer. De aquí el cubanismo.)

NOVELERÍA. Moda nueva. «Ahora anda con esa novelería de la televisión». También, fantasía. «No me vengas con esa novelería».

NOVELERO. 1. Fantasioso. «¡Qué novelero eres! ¿De dónde sacaste eso?» 2. Irresponsable. «¡Que no se casen! Es un novelero». 3. Que se aficiona a lo nuevo aunque no esté aún establecido. «Está en ese grupo. Es un novelero».

NOVELITA. *Esa novelita se la vendes a Vanidades.* Se le contesta al que nos viene con un cuento de camino, con algo que no es cierto. «Te he oído con calma. Esa novelita se la vendes a Vanidades». (*Vanidades* es una revista muy popular que se vende en el exilio y en toda América. Se publicaba en Cuba antes del Castro-comunismo.) *No me escribas novelitas.* Se dice del que hace el trágico. «Te lo digo, no me escribas novelitas». *Ponerle a alguien una novelita de televisión.* Hacerle un cuento que no hay quien lo crea. «Ése trató de engañarme. Me puso una novelita de televisión». (Las cosas que cuentan las novelas de televisión son increíbles, de aquí este cubanismo del exilio.) *Ponme la novelita ésa en otro canal.* A otro con ese hueso. «Chico, ¿con quién tú crees que hablas? Ponme la novelita ésa en otro canal». Ver: *Doctorado.*

NOVENA. *Batear en la misma novena.* 1. Ser compinche. 2. Tener la mismo opinión que otra persona, los mismos gustos, etc. (La conversación da el significado uno o dos, por ejemplo: «Ellos dos bateaban en la misma novena en ese crimen». [Ser compinches.]) *En esa novena hay que jugar.* Hay que apoyarlos. No queda más remedio. No se puede ir en contra de ellos en ésa. «Yo sé que es muy doloroso para ti, pero en esa novena hay que jugar». *Jugar contra una novena que tiene diecisiete files y la cerca corrida.* No haber posibilidad de nada. «Como vamos a poder hacer algo si estamos jugando contra la novena que tiene diecisiete files y una cerca corrida». (El cubano pronuncia la voz inglesa «fields» como «files». El cubanismo viene del campo de la pelota o base-ball. Un equipo de pelota tiene sólo tres «files». De ahí el cubanismo. El bateador nunca puede hacer nada con tantos files.) *Jugar en dos novenas.* No comprometerse. «Ése juega en dos novenas al mismo tiempo. Es muy inteligente». *Jugar en otra novena.* Ser homosexual. «Julio juega en otra novena». También tener diferente opinión. «Ésa es tu opinión pero yo juego en otra novena». *No jugar en una novena.* No estar de acuerdo con algo. «Yo no juego en esa novena».

NOVENO. *Ser el noveno merengue.* Ser muy antipático. «Él es el noveno merengue». (El cubanismo se basa en que el noveno merengue no hay quien lo pueda tragar, y no poder tragar a alguien, es ser antipático. Es acepción castiza.) Sinónimo: *Ser el doble nueve.* (El cubanismo viene del dominó.)

NOVIA. *Quedarse una mujer como la novia de Pacheco.* Quedarse plantada. «Ésa se quedó como la novia de Pacheco».

NOVILLA. Ver: *Hueso.*

NOVILLO. *¡Qué clase de novillo!* ¡Qué clase de hijo de puta! «Ese Oscar, ¡qué clase de novillo!»

NUBE. *Bájate de esa nube.* No te creas eso; no me vengas con esos cuentos; no tengas esas ilusiones. (El cubanismo se aplica a diferentes situaciones.) «Yo soy un personaje importante. —Bájate de esa nube». *Los días de rabo de nube.* Se dice de los días que uno está nervioso. «No resisto estos días de rabo de nube». (El cubanismo está asociado a la creencia de que los rabos de nube producen trastornos nerviosos.)

NUDO. *Prepararle a alguien un nudo.* Prepararle una emboscada, una dificultad. «Él cree que todo le va a salir muy bien, pero le estoy preparando un nudo.) *Tener amarrado, a alguien con nudo de marinero.* Tenerlo controlado en forma tal que no se puede mover. «Juana tiene amarrado a Pedro con nudo de marinero». «Tengo amarrado el negocio futuro con nudo de marinero». (Los nudos que hacen los marineros son firmísimos.) Ver: *Arriba. Soga.*

NUERA. *Ser una nuera de vaivén.* Son las que van continuamente a casa del matrimonio. «Pobre de ti si te cae una nuera de vaivén». (Es un juego de palabras entre «vaivén», y «va» y «ven».)

NUEVA. *Nueva York.* Ver: *Automático.*

NUEVA YORK. Ver: *Automático.*

NUEVE. *A mí nadie me da nueve ceros.* A mí nadie me derrota. «Yo siempre estoy preparado contra toda eventualidad. A mí nadie me da nueve ceros». (Es término que viene de la pelota o base-ball. Al equipo que le dan nueve ceros lo derrotan ignominiosamente.) *Darle a alguien nueve escones.* Hacerlo fracasar totalmente. «En el examen le dieron nueve escones». (Viene del juego de pelota, base-ball. Cuando el equipo no anota carrera en nueve entradas se dice que le dieron nueve «scones». El cubano lo pronuncia como se ha escrito.) *Jugar los nueve «inins».* Ser muy competente. «Ese amigo mío en astronomía juega los nueve inins». *Ser un doble nueve.* Ser antipático. *Tener los nueve puntos.* Estar muy enojado. «Él tiene hoy los nueve puntos». (Viene el cubanismo del campo de los tranvías. Cuando estos iban a máxima velocidad iban a nueve puntos.) Ver: *Cañonazos. Doble. Noveno.*

NUEVITAS. *Nuevitas, puerto de mar.* El nueve en el dominó.

NUEVO. *No ser nuevo.* No ser joven. «Él ya no es nuevo». *Poner a uno nuevo.* Equivale al castizo: *Ponerlo de oro y azul.*

NÚMERO. *Estar en el número.* Estar en la cosa. «Yo sé lo que hago. Estoy en el número». *Echar alguien más números que una contadora.* Servir muchos años en un lugar o tener que cumplir una larga condena en la cárcel. «En ese trabajo echó más números que una contadora antes de retirarse». (Servir muchos años en un trabajo.) «El juez lo mandó a la cárcel a servir más años que una contadora». (A cumplir una sentencia larga.) *Hacerle a alguien un número ocho.* Engañarlo, meterlo en un lío. «A Pedro, su propio hermano, le hizo un número ocho». *Tener alguien o algo más números que un billetero.* Tener mucho dinero. «Ese anuncio tiene más números que un billetero».

NUNCA. *Nunca anguila.* Aléjame el mal de ojo. (Voz de origen africano. Su sentido africano se ha cambiado por el pueblo.)

¡SI COCINAS, COMO CAMINAS...
ME COMO HASTA LA RASPITA!
SE TIÑEN
BIGOTES.
NEHEN
DEZ

"EL BARBERO"

ÑAERO. Cochino. «Voy a la plaza a comprar ñaeros».

ÑAGUE. *Ñague que son kiñón abesucaño suavesí ayanyú.* Ésta persona es buena. «Te lo digo, ñague que son kiñón suavesí ayanyú». (Ésta es una de las frases de la secta ñañiga formada por los negros africanos y que admitía blancos escogidos, fundada en la Colonia y que tenía fama de ser una asociación de delincuentes. La secta a un subsiste y a legado infinidad de palabras y expresiones al lenguaje popular.)

ÑAMABA. *Se ñamaba.* Murió. «Se ñamaba Juan. Apareció hoy muerto en el placer». (El cubanismo nació con un programa radial: El de Garrido y Piñeiro.) Ver: *Llamaba.*

ÑAMES. (Los) Se llaman así a los pies grandes. «¡Qué ñames tiene ese hombre!» *Ser un ñame.* 1. No tener inteligencia. «Pedro siempre ha sido un ñame». 2. Ser muy bruto. «Te he dicho muchas veces que él es un ñame». Sinónimos: *Cebollón. Ser un ñame con corbata.*

ÑAMPEARSE. Morirse. «Ése se ñampió ayer». Sinónimos: *Cantar el manicero. Colgar los guantes. Entregar el equipo. Guardar. Guardar el carro. Ponerse el chaquetón de pino tea.*

ÑAMPÍO. Cosa vieja. «Ese automóvil está ñampío».

ÑAMPITI. *Ñampiti gorrión.* Murió. «Antonio ñampiti gorrión».

ÑANGA. *Ñanga balú efo.* Homosexual. (Voz de origen africano.) Ver: *Aceite.*

ÑANGAR. 1. Desfigurar. «Él ñangueó estos papeles». 2. Morir. «Ayer ñanguió». (Voz africana llevada por los esclavos a Cuba.)

ÑÁNGARA. Comunista. «Esos ñángaras son terribles».

ÑANGARIZARSE. Comunizarse. «Él se ha ñangarizado sin saberlo».

ÑANGAZO. *Dar un ñangazo.* Dar un golpe. «Él me dio un ñangazo cuando estaba desprevenido».

ÑANGÜE. *Hasta que ñangüe monina.* Hasta que se acabe. «Yo estoy ahí hasta que ñangüe monina».

ÑANGUETA. Nombre que se le da al que está jorobado. «Por ahí viene ñangueta».

ÑANGUETEADO. *Salir algo ñangueteado.* Salir mal. «Este artículo salió algo ñangueteado». («Ñangueteado» es también «estar jorobado». «Él nació ñangueteado». «Juan es un ñangueteado».)

ÑANGUETEARSE. Jorobarse. «Me ñanguetié y esquivé el tiro».

ÑAÑA. *Ñaña Seré. En los tiempos de Ñaña seré.* Hace ya muchos años. «Eso sucedió en los tiempos de Ñaña Seré». Ver: *Nana.*

ÑÁÑARA. Roncha. «Tengo una ñáñara en el pie».

ÑÁÑIGO. 1. Miembro de una secta negra, secreta, muy belicosa y temida, formada por los esclavos africanos. «Dicen que él es ñáñigo».

ÑAÑIGUISMO. Conjunto de creencias en que creen los ñáñigos. «El ñañiguismo es muy interesante». ver: *Ñáñigo.*

ÑAO. *Tener ñao.* Tener miedo. «Desde pequeñita tiene mucho ñao a esas cosas». *Tenerle ñao a alguien.* Tenerle miedo. «Le tienen ñao a la policía». (Es una voz africana que llegó con los esclavos a Cuba.)

ÑAPA. Pequeño regalo de alimentos que se acostumbra a hacer con la compra general. «Oye, no me das la ñapa». Sinónimos: *La Contra y Dame la contra del chicharrón.* (Se origina en New Orleans.)

ÑAQUE. Ver: *Salagente.*

ÑASA. *Caer alguien en la ñasa.* Ser sorprendido. «Le puse la trampa y cayó en la ñasa».

ÑATA. (La) *La ñata.* La nariz. «Le dieron un golpe por la ñata». «Tengo un grano en la ñata». (Lenguaje chuchero. Ver: *chuchero.*)

ÑATE. *Tener ñate.* Se dice del que se pone una bola en una mano entre el dedo gordo y el del medio y la lanza con el dedo gordo hacia otra y siempre le da. «De niño yo tenía mucho ñate». A esta forma de ponerse la bola le llaman: «ñate oriental». En la vida, el que siempre triunfa, «tiene mucho ñate». «Se ha hecho millonario. Siempre tuvo mucho ñate». (Es decir, siempre tuvo decisiones acertadas.)

ÑATO. *Dejar a alguien ñato.* Castigar, derrotar. «Niño, cállate o te dejo ñato». (Castigar.) «Los soldados dejaron a los del alzamiento ñatos». (Derrotar.) *No importa que sea ñato con tal que respire, o el caso es que respire.* 1. Lo importante es salir adelante. «Yo triunfé. No importa que sea ñato, el caso es que respire». 2. No importa defecticos, si en su totalidad es grande. «Ámalo. No importa que sea ñato con tal de que respire». (Se aplica a muchas situaciones.) «Sal con él. No importa que sea ñato con tal de que respire». *Ser alguien ñato.* Aspirar a todo. «Ése es ñato. Lo mismo le da por la consejalía que por la presidencia». («Ñato» es castizo, pero en Cuba se le tiene por cubanismo.)

ÑEQUE. Persona que trae mala suerte. «Juan es un ñeque». Ver: *Pava.*

ÑICO. Ver: *Acelera.*

ÑINGA. Mierda. «Eso es ñinga». Sinónimo: *Vidrio inglés.*

ÑOCO. Persona que no es inteligente. «Él es un ñoco. Se veía desde el primer grado».

ÑOFA. La nariz. «¡Qué ñofa más pequeña tú tienes!» (Lenguaje del chuchero. Ver: *chuchero.*) Sinónimo: *Ñata.*

ÑONGAR. Ejercitar el acto sexual. «Me la ñogué anoche». Sinónimos: *Dar serrucho. Serruchar. Singar. Templar.*

ÑONGO. Persona poco inteligente. «Él es ñongo». «Juan siempre fue ñongo, desde primer grado». *Hasta el ñongo.* Hasta la almendra. «Soy cubano hasta el ñongo». *Llegar hasta ñongo.* Llegar hasta el alma. «Su desprecio me llegó hasta el ñongo». *Ser del ñongo.* Ser del campo. «Juan es del ñongo». Sinónimo: *Ser del verde.*

ÑOO. Coño. «¡Ñoo! ¡Qué libro más interesante!» (Cubanismo popularizado por el actor Guillermo Álvarez Guedes.)

ÑUENCO. Se dice del que le falta una oreja o la tiene sin desarrollar. «Ese señor es ñuenco».

ÑUSA. Bebida. «Dame una ñusa, cantinero».

¡ESTÁ PÁ EL TIGRE!

O. Ver: *Redondo.*

OBISPO. Predicador. «Ya está ése de obispo molestando a todo el mundo y anunciando el fin del mundo».

OBONECUÉ. Ver: *Abanacué.*

OBRA. Ver: *Caballero.*

OBRERA. *Obrerita del colchón.* Prostituta. Sinónimos: *Flete. Fletera.*

OCAMBA. 1. Madre. «¿Cómo está mi ocamba querida?» 2. Mujer vieja. «Estás hecha una ocamba». (Es palabra de procedencia chuchera. Ver: *chuchero.*) Sinónimo: *Ocamburria.*

OCAMBIDAD. Vejez. «Ya llegaste a la ocambidad». *Estar en la ocambidad viril.* Estar viejo, pero aún poder fornicar. «Está ya mi abuelo en la ocambidad viril». «¡Qué mala es la ocambidad!» (Es lenguaje del chuchero. Ver: *chuchero.*)

OCAMBO. 1. Padre. «Amo a mi ocambo». 2. Viejo. «Está hecho un ocambo para su edad». Sinónimos: *Ocambuco. Ocamburrio.*

OCAMBUCA. *Ponerse ocambuca.* Envejecer. «Ponte cremas en la cara que te estás poniendo ocambuca». Ver: *Ocamba.*

OCHO. *Estar siempre en ocho mil maromas.* Estar siempre trabajando. «Yo siempre estoy, en ocho mil maromas». *Hacer un número ocho.* Hacer una trastada. «Ese individuo me hizo un número ocho». Ver: *Seis.*

OCHOA. El número ocho en el dominó. «Voy a poner a Ochoa». (Cuando se juega la ficha el jugador grita: «Ochoa».)

ODIO. *No poderle coger a alguien ni odio.* Ser muy mezquino. «A tu primo no se le puede coger ni odio». *Tener odio africano a alguien.* Tenerle mucho odio. «No sabe el odio africano que le tengo». *Tenerle a alguien odio a la Laserie.* Odiarlo para siempre. «A ese señor le tendré siempre odio a la Laserie». («Laserie» es un cantante cubano muy popular. El cubanismo está tomado de una canción que él canta.) Ver: *Ojos; Ojos verdes.*

ODORONO. *Ponle Odorono en el fondillo.* Se dice del que va mucho al baño. (El Odonoro es una marca de desodorante. Cubanismo del exilio.) «¿Vas de nuevo al servicio? Ponle Odonoro».

OEA. (La) Así se llaman en Miami a una tertulia que se formaba los domingos en la Cafetería Casablanca de la Calle Ocho. «Me voy para la OEA». (La **O.E.A.** son las siglas de La Organización de Estados Americanos.)

OESTE. Ver: *Patada.*

OFELIA. Ver: *Plato.*

OFICIAL. Sí. «¿Lo matas? Oficial». *No pasar alguien de oficial clase quinta.* Ser mediocre. «Ese filósofo no pasa de oficial clase quinta». («Oficial clase quinta» era un escalafón muy bajo en la jerarquía de empleados públicos durante la República de Cuba.) Sinónimo: *Culo. Ser algo Oficial de katanga.* Ser muy cierto. «Esto que te cuento es oficial de Katanga». Ver: *Sueldo.*

OGÚN. Ver: *Tabaco.*

OÍDO. *Estar cagando por los oídos.* Ser un viejo decrépito. «Todavía esa gente da opiniones sin darse cuenta de que están cagando por los oídos». *Hablar de oído.* No saber lo que se dice, hablar sin fundamento, hablar tonterías. «Todos lo sabemos, que a pesar de su fama, habla de oído». *Ser oído y chiva.* Soplón. «Ése es un oído y chiva. Cuídate de él». *Tener oído de tuberculoso.* Oír muy bien. «Ten cuidado con lo que dices que él tiene oídos de tuberculoso».

OJAL. *El ojal de cuero.* El ojo del culo. «Me duele el ojal de cuero». Ver: *Tela.*

OJALÁ. *Ojalá que te coja la aplanadora y que se rompa el cilindro.* Que tengas la peor desgracia del mundo. «Tengo miedo me dijo así: «Ojalá que te coja la aplanadora y que se rompa el cilindro». (Es una forma de hablar del cubano que muestra su genio lingüístico. La base son las llamadas «Venganzas Gitanas», muy populares en Cuba: «Ojalá que te coja un ciempiés y que te duelan los callos». «Que te den tantas puñaladas como merengazos hacen falta para tumbar la torre de la Giralda».)

OJALATERÍAS. Esperanzas falsas. «No se puede vivir de ojalaterías». (Viene de: «Ojalá suceda esto». «Ojalá suceda aquello».)

OJALATERO. Se dice del que todo lo fía al acaso. «Ojalá que llueva mañana».

OJALES. *Abrirle a alguien los ojales y sacarle los botones.* Dominarlo. «Tú sabes que el tiene mal humor pero yo le abro los ojales y le saco los botones».

OJEDA. Ver: *Laúd.*

OJEROSO. *Estar ojeroso.* Estar de mal humor. «Deja la cosa para mañana que hoy estoy ojeroso». (El castizo, como se ve, toma distinto significado.)

OJETE. (El) El culo. Sinónimo: *Culeco.*[48] *Ojal de cuero.*

OJITO. *Darse un ojito a mano.* Masturbarse. «Ya me di un ojito a mano». (El cubanismo viene de un chiste: El padre y la madre no se hablaban y se comunicaban a través del hijo. Señaló el padre al hijo: «Ve y dile a tu madre que quiero pasar el semáforo». (fornicar.) El hijo regresó y le informó: «Dice mamá que tiene puesta la luz roja». (tenía la regla.) El padre insistió varias veces y la madre siempre contestó

---

[48] Jaime Martín, *Diccionario de expresiones malsonantes del español,* Madrid, 1974, pág. 279, lo da como castizo.

lo mismo hasta que un día se arrepintió y le dijo al chico: «Indícale a tu padre que el semáforo tiene la luz verde». (que puede venir a fornicar.) El regresó y le dijo: «Mamá, papá dice que gracias, pero que ya le dio un ojito a mano».

OJO. *Hacer uno lo que le sale del ojo del cuello de la camisa.* Hacer lo que le venga en ganas. (Es un eufemismo para no decir: *Hacer lo que me sale del ojo del culo.*) *Mucho ojo con sello rojo.* Cuidado. «Si vas a la feria, mucho ojo con sello rojo». (El cubanismo está tomado de un reclamo comercial de un arroz que se anunciaba en Cuba.) *Ojo con el vice.* Presta atención. «Ojo con el vice que te voy a dar instrucciones». (El cubanismo fue creado por el comentarista radial José Pardo Llada atacando al Dr. Guillermo Alonso Pujol que estaba postulado para Vicepresidente de la República.) *Ojo de buey.* Un peso. «Tengo cinco ojos de buey en el bolsillo». *Ojos de gato valen por cuatro.* Contestación que dan las mujeres cuando se les dice que tienen ojos que se parecen a los de los gatos. *Ponérsele a alguien los ojos de cucubao.* Ponérsele los ojos pequeñitos. «Cuando bebe se le ponen los ojos de cucubao». *Tener los ojos del babalao de arriba.* Tener mala suerte. «Yo tengo continuamente, lo sé, los ojos del babalao de arriba. Nada me sale bien». («Babalao» en cubano es: 1. Brujo. 2. Sacerdote de las religiones africanas.) *Tener ojo de cernícalo.* Tener ojo zahorí. «Ese hombre tiene ojo de cernícalo». (El cernícalo, desde gran altura, lo ve todo. De aquí este cubanismo campesino avecinado en las villas rurales cubanas.) *Tener ojos de pescado frito.* Tener ojos saltones. «Mi abuela tiene ojos de pescado frito». *Tener ojos que funden bombillos y tumban cocos.* Se refiere al hecho de tener una mujer unos ojos muy bellos. «Esa mujer tiene ojos que funden bombillos y tumban cocos». *Tener un ojo abachao.* Se dice del que se le cae un párpado sobre el ojo. «Juan tiene un ojo abachao». *Tener un ojo entretenido y el otro comiendo mierda.* Ser bizco. «Nació con un ojo entretenido y el otro comiendo mierda». *Tocar un hombre lo mismo el ojo que el cuello.* Ser muy libidinoso. «Tienes que cuidarte, porque lo mismo te toca el ojo que el cuello». (Es decir: Lo mismo te toca el «ojo del culo», que el «cuello del útero».) *Uno y en el ojo.* Sólo una vez me lo hace. «No me mandó el pasaje y yo te digo: Uno y en el ojo». Ver: *Baro. Oyú. Piedra. Piedra Fina. Rubia.*

OJOS. *Costarle, algo, a alguien, los tres ojos.* 1. Conseguirlo con una dificultad extrema. «Llegar a esa posición le costó los tres ojos». 2. Costar algo mucho dinero. «Ese piano me costó los tres ojos». (El castizo dice: *Costar los dos ojos de la cara.* El cubano añade el tercer ojo: el del ano.) *Matando con los ojos.* Mirando. «Aquí me tienes matando con los ojos». (Es cubanismo de la Cuba de hoy llegado al exilio con los marielitos por el puente marítimo Mariel-Cayo Hueso, en 1980.) *Mirar con ojos cubanozos.* Mirar con perspectiva de cubano. «Todo esto del exilio hay que mirarlo con ojos cubanozos». *No me mires con ojos de chinche que si me convierto en catre te como.* No me mires así que no te tolero. «Y se lo dije bien claro: No me mires con ojos de chinche que si me convierto en catre te como». *Ojos verdes de odio.* Harina de maíz con aguacate. «Hoy comí ojos verdes de odio». *Pasar los ojos y ser panavisión.* Verlo todo. «Yo sabía en lo que estaba. Yo donde paso los ojos es panavisión». *Sacarle a alguien las espinillas del ojo del culo.* Quererlo mucho. «Juan me saca si es necesario las espinillas del ojo del culo». *Tener alguien ojos de pescado de tarima de plaza.* Tener los ojos vidriosos. «No lo puedo mirar. Tiene los ojos de pescado de tarima de plaza». *Tener los ojos cogidos con palitos de tendedera.* Tener mucho sueño. «Tengo los ojos cogidos con palitos de tendedera». *Tener los ojos más colorados que una guacaica.* Tener los ojos coloradísimos. «Estás borracho y tienes los ojos más colorados que una guacaica». (La guacaica, un ave, tiene los ojos muy rojos. Éste es un lenguaje campesino avecinado en las villas y ciudades de las zonas rurales cubanas.) *Tener en los ojos más luces que la farola del mundo.* Vigilar. *Tener ojos rayados.* Tener ojos chinos. «Esa muchacha tiene ojos rayados». Ver: *Años. Pedazo. Tasajo.*

OJOTENDIDO. *Estar ojotendido.* Estar muerto de sueño. «Luis está ojotendido».

OKEY. Sí. «—¿Aceptas? —Okey». (Es palabra del inglés que quedó en Cuba debido a las dos ocupaciones norteamericanas a la isla y que el cubano usa continuamente. Por ser forma del hablar del cubano, se incluye en este diccionario.)

OL. *Ol de guei con pikel y todo.* Completo, con todos los atributos. «Ése es homosexual, ol de guei con pikel y todo». (El cubano exiliado usa mucho la expresión anglosajona «all the way», que pronuncia como se indica anteriormente. Se popularizo a la hora de pedir una «hamburguesa». Si se le agrega «all the way», se indica que se le quiere con todos los ingredientes que la acompañan.)

OLA. *Caballero no hagan olas.* No empujen. (El cubanismo está tomado de un chiste.) *Hacer ola.* 1. Abundancia, mucho. «Está el chisme que hace olas». «Están las publicaciones que hacen ola». 2. Destacarse, ser muy envidiado. «Con esas nuevas pinturas estás haciendo mucha ola». *Hacer alguien olas.* Hacer notar su presencia. «A donde quiera que va hace olas». *Ser como la ola marina.* Estar siempre indeciso. «No lo creas. Es como la ola marina». (El cubanismo está tomado de una canción que decía: que «la ola marina tenía un motorcito que caminaba hacia atrás y otro hacia delante». *Vamos a ver la ola marina, vamos a ver la vuleta que da.* Vamos a ver qué sucede. «No te acongojes. Vamos a ver la ola marina. Vamos a ver la vuelta que da». (Viene de la canción: *La ola marina.* Casi siempre se entona cuando no se sabe el resultado de algo que está pasando.) *Vestirse de ola marina.* Cambiar de opinión continuamente. «Ese político está vestido de la ola marina». *Tirar a alguien de ola.* Abandonarlo sin compasión. «Después de quince años de casados, la mujer lo tiró de ola». Sinónimo: *Tirar de rastrandilla.*

OLAFI. Ver: *Bendición.*

OLÉ. *Ser algo como el Olé.* 1. No tener explicación. «Eso que me cuentas es como el Olé». (Es cubanismo de gente culta y se refiere a que no se sabe el origen del «Olé», que gritan los españoles.) 2. Ser incomprensible. «Eso que me dices es como el olé».

OLER. Acto de aspirar cocaína. «Ese hombre es un malvado. Está oliendo». *¿Estás oliéndola?* ¿Estar loco? «—Te cobro cien dólares por el arreglo del carro. —¿Estás oliéndola?» Sinónimo: *Estás fumándola.* (Se refiere a la cocaína, como se menciona anteriormente, cuando dice «oliéndola» y a la marihuana cuando se dice «fumándola».) *Oler a cojón de oso.* Oler mal. «Ese hombre huele a cojón de oso». Sinónimos: *Oler a mono. Oler a portañuela de veterano.* Se le pregunta igualmente al que habla tonterías. «¿Qué dices? ¿Ya estás oliendo?» «—Oye lo que habla. Ya está oliendo». (Se refiere a oler cocaína. Es cubanismo del exilio.)

OLIMPIADA. *Ganar los olimpiadas del sueño.* Dormir mucho. «Muchacho, has ganado las olimpiadas del sueño». (Es cubanismo culto.) Ver: *Compañía. Pasito.*

OLÍMPICO. Ver: *Trainin.*

OLIVA. Ver: *Peste.*

OLLA. *Por un frijol no se pierde una olla.* Nadie es importante. «Que se vaya si quiere. Por un frijol no se pierde la olla».

OLLITA. *Tener ollita.* No tener salvación. «No se le puede hablar, tiene ollita».

OLOR. *Tener algo olor a baño de bar.* Oler a orines fuertemente. «Eso tiene olor a baño de bar».

OLOSÍ. *Ser hijo de Olosí.* Ser mala persona. «Ese hombre es hijo de Olosí». («Olosí», en la religión africana que se practica en Cuba, es el diablo.)

OLVIDA. Latiguillo lingüístico que el cubano repite continuamente. Es forma de hablar. «Olvida el tango y canta un bolero». «—No puedo prestarte el dinero. Olvídate». «No puedo ir contigo. Olvídate».

OMBLIGO. *Coger a alguien en el ombligo.* Herirlo espiritualmente donde más lo siente. «Al tocar el punto lo cogí en el ombligo». *Coger hasta que el ombligo se haga tela.* Comer a reventar. «Me gusta tanto esta comida que voy a comer hasta que el ombligo se haga tela». (Es originario este cubanismo de la provincia de Camagüey.) *Cortarle a alguien la tripa del ombligo.* Subyugarlo. «Ese niño me ha cortado la tripa del ombligo». «Juan me ha cortado la tripa del ombligo. Hago por él lo que quiera». *Dolerle a uno hasta el ombligo de trabajar.* Haber trabajado mucho. «Ayer me dolía hasta el ombligo cuando regresé a mi casa del trabajo». *Pellizcarse el ombligo.* Creerse alguien que es la gran cosa. «¡Esa tonta siempre está pellizcándose el ombligo y es analfabeta». Sinónimo: *Darse cranque en el ombligo. Tener telas de arañas en el ombligo.* Estar pasando mucha hambre. «Esa familia tiene telas de araña en el ombligo». Ver: *Señorita.* Otro sinónimo: *Comerse un cable.*

OMI. Ver: *Socu.*

ONDA. *Agarrar la onda.* Enterarse. «Estuvieron a punto de triunfar pero yo agarré la onda». (Aceptado por la Real Academia como: *Captar la onda.*) *Coger onda.* Oyendo. «Estuvo toda la noche vigilándote y cogiendo onda». *¿En qué onda estás?* Tiene distintas aplicaciones, como ¿qué haces?, ¿en qué andas?, ¿qué te traes entre manos?, ¿a qué organización perteneces? «¿Será demócrata?, ¿En qué onda está?» «Ayer lo vi por aquí, ¿en qué onda está?» *Equivocarse de onda.* Estar equivocado. «En eso que dices te equivocaste de onda». *Estar en la onda.* Estar en el quid de la cosa. «En eso que me dices estoy en la onda». *Estar en la onda de la alegría.* Estar feliz. «Yo estoy en la onda de la alegría». (El cubanismo está tomado del lema de la estación radial cubana, Radio Progreso, que se anunciaba como la «*Onda de la alegría*».) *Estar fuera de onda.* 1. Estar fuera de una corriente filosófica, artística, etc. «No triunfa en su arte porque está fuera de onda». 2. Estar loco. «Es hereditario. Está fuera de onda, hay que recluirlo». 3. No estar enterado. «En eso que tú hablas estás fuera de onda». «Ese está fuera de onda». *Funcionar en otra onda.* Tener otras conductas, otros conceptos, etc. «Tú te hubieras divorciado porque estás en otra onda». *Hacer ondas.* Causar molestias. «Tú haces onda. Por eso no quiero verte ni por los alrededores de mi casa». *Mira mi onda.* Fíjate que estoy a la moda; con lo último de la misma. «Mira mi onda. ¿No te gusta?» *No gustar una onda.* No gustar lo que le informan. «Todo eso que me cuentas es muy raro. No me gusta esa onda». *No transmitir dos personas en la misma onda.* No entenderse. «Se divorciaron porque no transmitían en la misma onda». *Poner a alguien en onda.* Enterarlo. «No lo sorprendieron porque lo puse en onda». Ver: *Jíbaro. Ponerse en onda.* Infórmame. «Ponme en onda que estoy loco por saber lo que está pasando por ahí». *Transmitir alguien en la misma onda que otro.* Hablar su mismo lenguaje, comprenderse. «Yo siempre me he entendido con mi mujer porque transmite en la misma onda que yo». (Alusión al radio que transmite por frecuencias y ondas hertzianas.)

OP. Ver: *Laín.*

ÓPERA. *Estar alguien como las sopoperas.* Se dice del que todo lo que habla resulta trágico. (Cubanismo del exilio. En los Estados Unidos se transmiten novelas televisadas, interminables, donde suceden muchas tragedias y que en inglés se llaman: *Soap-operas.*) *Meterse alguien a cantador de ópera.* Morirse. «El dueño del periódico se metió a cantador de ópera». (Se oye entre la gente culta de Miami. Parece que lo basan en que el cantor de ópera canta el «*Adiós a la vida*» de Tosca.) *Si empieza a cantar se oye la ópera enseguida.* Cuando hablan no paran. (Es frase que se aplica por los abogados a los delincuentes que ante las autoridades lo confesaron todo de un tirón. «Tengo que apurarme para ver a mi defendido. Ése es de los que si empiezan a cantar se oye la ópera enseguida». *Tener una «soup ópera» puesta.* (El cubano pronuncia «soup» ópera.) Contar tragedias. «Ése tiene una soap ópera puesta».

OPERACIÓN. *Operación cartucho.* Ponerle la almohada o una sábana en la cara, durante el acto sexual, a una mujer de cuerpo muy bello, pero de cara fea. «Con esa mujer, la operación cartucho». Sinónimo: *La operación cebolla.* (En este caso, se dice de broma, que se le mete a la mujer la cabeza en la funda de la almohada y se hace un lazo en la almohada. Pero poner sólo la almohada es también operación cebolla.) *Operación Tumbe.* Tinglado montado para estafar. «No compres eso que ofrecen por correo. No ves que es operación tumbe».

OPINIÓN. Ver: *Cafetería.*

ORATE. Ver: *Capricho.*

ÓRBITA. *Coger alguien órbita.* Enfadarse. «Cuando se lo dije, cogió órbita». *Estar fuera de órbita.* No darse cuenta de lo que pasa; no estar al tanto de algo. «En ese negocio tú estás fuera de órbita». *Poner a alguien en órbita.* 1. Ponerlo a hacer lo que debe. «Él es un vago, pero cuando me hice cargo del negocio lo puse en órbita». 2. Sacarlo de quicio. «Cuando le dije lo que sabía, lo puse en órbita». Se dice también: *Poner en órbita sin cohetes. Poner en órbita sin cohete y sin la CBS.* (En este caso el cubanismo nació en el exilio. La «CBS» es una estación de televisión.) Ver: *Punto.*

ORDALA. 1. Bueno. «Ese hombre es ordala». (Lenguaje del chuchero. Ver: *chuchero.*) 2. Gente buena. «Dime, ordala, ¿cómo estás?»

ORDEN. *Pertenecer alguien a la orden de los Templarios.* Gustarle mucho el acostarse con mujeres. «El pobre marido la hace sufrir mucho porque la engaña. Figúrate, que pertenece a la orden de los Templarios». («Templar» es «fornicar» en cubano. Es cubanismo culto.) Ver: *Guayabo. Relajo.*

ORDEÑO. *Empezar con el ordeño.* Ordenar. «Tengo la casa regada. Voy a empezar con el ordeño».

ORÉGANO. *Estar en el orégano.* Tener mucho dinero. «Yo estoy en el orégano». (Orégano, la especia, es un juego de palabras con «oro». Es lenguaje del chuchero. Ver: *chuchero.*) Sinónimo: *Si le cae una descarga eléctrica, muere electrocutado.*

OREJA. Soplón. «Oscar es oreja». *Con una oreja en cada muslo y la lengua donde caiga.* 1. Estar dispuesto sexualmente a todo. «Yo, con esa mujer, con una oreja en cada muslo y la lengua a donde caiga». 2. Este cubanismo de mal gusto se aplica también como admiración, para indicar que una mujer es bellísima. «¡Con Nena, con una oreja en cada muslo y la lengua a donde caiga!» 3. Succionar las partes pudendas de la mujer. «Es un asqueroso. Siempre dice: Una oreja en cada muslo y la lengua a donde caiga». *Orejas con espiker.* Orejas grandísimas. «Ese individuo tiene orejas con espiker. ¡Qué feo es!» (El «speaker» que el cubano pronuncia como se ha escrito, es un amplificador. Casi siempre son enormes. De ahí el cubanismo del exilio.) *Parar la oreja.* Escuchar. «Paré la oreja y lo oí todo». *Tener alguien orejas con espikers.* Tener un oído muy fino. «Ten cuidado con lo que hablas que Juan tiene orejas con espikers». («Espikers», fonética de la palabra inglesa «speakers», que significa «amplificadores».) *Tener orejas de coliflor.* Tener las orejas aplastadas como los pugilistas que han recibido golpes en ellas. «Ése tiene orejas de coliflor». (El cubanismo viene del boxeo.) *Tener orejas de tres carrilones.* Tener orejas grandes. «Él es muy feo. Tiene orejas de tres carrilones».

OREJITA. *Estar de orejita.* Ser un soplón. «Yo creo que él está de orejita».

OREJONES. Tipo de helado chino hecho con vainilla y pasas. «Me encantan los orejones». Se llama así igualmente las tajadas de naranja; lo que se conoce en Cuba como «cascos de naranja». Ver *Naranja.*

ORFAN. *Ser alguien, Orfan Ani en el exilio.* Hacerse la sufrida. «Me cae muy mal porque se da de Orfan Ani». («Orphan Annie» que el cubano pronuncia como lo he escrito, es un personaje que es muy infeliz, de los muñequitos, o tiras cómicas. Éste es un cubanismo del exilio.) *Vestirse de Orfan Ani.* Hacerse alguien el infeliz. «Cuando vio lo que le caía arriba, se vistió de Orfan Ani». (Es cubanismo muy antiguo, pues «Orfan» es la traducción de la palabra inglesa «Orphan» que significa «Huérfano». He oído más a menudo: «Vestirse de Anita la Huérfanita». Este es el título con que estas tiras cómicas aparecían en los periódicos de Cuba.)

ORFELINATO. *Tener tipo de orfelinato.* Estar muy delgado. «Ese niño tiene tipo de orfelinato».

ORGANIZAR. *Organízate.* Compórtate bien. «Ya te lo dije: Si quieres vivir en paz conmigo, organízate».

ORGULLO. *Más fuerte que el orgullo.* 1. No poder hacer algo. «Quiso que volviera con ella, pero le dije: es más fuerte que el orgullo». «—¿Tú crees que me dé el dinero? —No eso es para él más fuerte que el orgullo». (El cubanismo es el título de la película «*Más fuerte que el orgullo*».) 2. Imposible de erradicar. «Su odio hacia él es más fuerte que el orgullo».

ORIBACÚA. (El) El culo. «Tiene un oribacúa bellísimo». (Es lenguaje del chuchero. Ver: *chuchero.*) Lo he oído también como recto. «Le encontraron un tumor en la obscuridad del oribacúa». (Algunos me han dicho que es africanismo, palabra que llevaron los negros esclavos a Cuba.)

ORIBAMBA. El culo. Sinónimo: *Culeco. Oricagua.*

ORICAHÚA. Ver: *Oribamba.*

ORIENTAL. Ver: *Ñate.*

ORIENTE. *Ver los carnavales de Oriente.* Ver las estrellas. «Si te sigues portando mal, vas a ver los carnavales de Oriente».

ORIFICIO. Ver: *Ano.* «Le dieron un tiro en el orificio». *Perder el orificio.* Ser homosexual. «De niño perdió el orificio».

ORILLA. *Tanto nadar para morir en la orilla.* Trabajar tanto para al final no coger nada. «Ya tú ves, he trabajado toda mi vida. ¿Y para qué? Tanto nadar para morir en la orilla».

ORINARSE. Irse. «Bueno, hasta mañana, me orino». (Es decir: «Me voy».)

ORINOCO. *Orinar el Orinoco.* (El Cauto...) Orinar mucho. «Ese hombre orina el Orinoco. (El Cauto...)» (Se basa en el chiste español que se contaba en Cuba sobre la exageración portuguesa. Cuentan en el ejército, no por soldados, sino por piernas, duplicando así a la tropa. Se dice, en el chiste, que una vez llegó el pequeño barquito portugués, «El Terror du Mares», a Galicia, a Vigo, una de las bahías de más calado en el mundo y que mandaron un telegrama al práctico que rezaba: «¿Hay caladú para el Terror du Mares?» Los gallegos, ante la exageración contestaron: «No hay calado, pero todos los gallegos van a mear en la bahía para que suba la marea».) Sinónimo: *Ponerle calado al Terror du Mares.*

ORLOGIO. El reloj. «Mi orlogio está enchapado en oro». (Lenguaje del chuchero. Ver: *chuchero.*)

ORO. *Ganarse un disco de oro.* Triunfar en algo. «Pedro se ha ganado un disco de oro». (Al que venda miles de copias del disco que haya grabado, se le da un disco de oro por el triunfo. De aquí este cubanismo nacido en el exilio.) *Oro, del que cagó el moro.* Oro falso. «El oro de tus joyas es del que cagó el moro». (El castizo dice: «El oro y el moro».) *Ser algo o alguien oro molido y pan de Caracas.* Ser muy bueno. «Pedro es oro molido y pan de Caracas». «Este hombre es oro molido y pan de Caracas». («El Pan de Caracas» era un pan muy sabroso que se hacía en Cuba. Se convierte en cubanismo el castizo: *«Ser oro molido»* al añadírsele: «Pan de Caracas».) *Ser alguien de oro con pasador y todo.* Ser muy buena persona. «Luis es de oro con pasador y todo». (Otro caso en que el añadido: «con pasador y todo», lo convierte del castizo en cubanismo.) Ver: *Baño. Cinturón. Codazo. Cheque. Dos. Lazo.*

ORQUESTA. *A toda orquesta.* A todo lo que da. «La batalla en la asamblea era a toda orquesta». *Cada uno tiene su orquesta propia y toca su violín.* Cada uno es como es. «No trates de cambiarlo. Cada uno tiene su propia orquesta y toca su violín». *Hacerse cargo de la orquesta.* 1. Casarse con una mujer con hijos. «Nada, que me enamoré de ella y me hice cargo de la orquesta». 2. Hacerse cargo de la familia. «Me muero, Pepe. Hazte cargo de la orquesta». (Ver la estampa de Eladio Secades: *El Chusma* en Hortensia Ruiz del Vizo, *Antología del costumbrismo cubano*, Miami, Florida, 1975.) Ver: *Director. Hombre. Manisero.*

ORQUESTAJE. *Vivir del orquestaje.* Vivir del cuento. «Ese individuo vive del orquestaje». Sinónimo: *Tener una Sonora Matancera arriba.* («La Sonora Matancera» era una orquesta cubana. De ahí el cubanismo.)

ORULA. Ver: *Mano.*

OSCAR. *No ver ni a Oscar ni a Amanda.* No ver la televisión. (El cubanismo, de reciente factura, surgió en el exilio. La gente ya no pueden ver el programa donde entregan «El Oscar», el premio norteamericano a su mejor artista de cine por estar cansada por el excesivo trabajo del exilio cubano. Es factura, de las clases altas de Miami, el cubanismo.) *Tener a Oscar arriba de la cama de uno, etc.* Llevar mucha ropa. «Con el calor que hace y tienes a Oscar encima». («Oscar « era una sastrería muy famosa en Cuba. De ahí el cubanismo.)

OSCURIDAD. Nombre que se le da a la gente de la raza de color. «El barrio se está llenando de oscuridad». Sinónimos: *Charolito espirituano. Chocolate. Fósforo. Niche.*

OSCURO. *Esto está oscuro y huele a queso.* La situación está fea. «Yo te digo que esto está oscuro y huele a queso. Va a haber guerra».

OSO. *Botarse de oso.* Hacerse de guapo. «Se botó de oso conmigo pero lo paré enseguida». *El hombre es como el oso, mientras más feo, más hermoso.* Contestación que da un hombre cuando se le dice que es feo. *El oso.* El aparato sexual de la mujer. «¡Qué bello el oso de Lola!» *Oso lavando y yo descansando.* ¡Que otro trabaje por mí! «Yo aquí sin hacer nada. Oso lavando y yo descansando». (El cubanismo es el lema del jabón cubano: «Oso».) *Poner a alguien como un oso hormiguero.* Ponerlo a trabajar. «A Juan, que es un vago, lo puse como un oso hormiguero». *Ser el oso de la pata pelúa.* Ser el malo. «Yo sabía que en todo este asunto tú eras el oso de la pata pelúa». *Ser un oso.* 1. Se dice del que rompe mucho las cosas con las manos. «Tú eres un oso. ¡Qué poca habilidad tienes!» (Es cubanismo culto.) 2. Ser un hombre de presa. «Pedro es un oso. Es peligrosísimo». *Un oso polar.* Una cerveza polar. «Hazme el favor de servirme un oso polar en dos vasos». («La Polar» era una marca de cerveza cubana que tenía un oso en la etiqueta. Lenguaje del chuchero. Ver: *chuchero.*) Ver: *Careta.*

OSTERAIZER. *Tener una mujer una «osteraizer».* Mover mucho el trasero. «Esa mujer es muy bella y tiene una «osteraizer». (El cubanismo nace con la marca de batidoras: «Osterizer». El cubano lo pronuncia como lo he escrito.) Ver: *Faraona.*

OSVALDO. *Estar una mujer como Osvaldo Farrés.* Tener cinco hijos. «La mujer de Enrique está como Osvaldo Farrés». (Osvaldo Farrés, compositor cubano de fama internacional, es el autor de la canción: «*Mis Cinco Hijos*».)

OTOÑO. *Otoño te visto de primavera cuando quieras.* Le dice una mujer joven a un hombre otoñal. Quiere decir: Te voy a rejuvenecer. «Oye otoño, te visto de primavera cuando quieras».

OUT. *Ser un out, vestido de pelotero.* Se aplica a muchas situaciones de la vida. Por ejemplo: Una persona que ya no se vale por sí misma, es un «out, vestido de pelotero». «Tiene arteriosclerosis. Es un out, vestido de pelotero». Un presidente que se está cayendo, «es un out, vestido de pelotero». «No llega el presidente a mañana. Es un out, vestido de pelotero». Lo mismo se aplica a alguien que se está muriendo. «Tiene cáncer. Es un out, vestido de pelotero». (El pelotero malo, es «un out, vestido de pelotero», en el juego de pelota. De aquí el cubanismo.) (Comúnmente el cubano dice «out»; pronunciación inglesa.)

OVÁRICA. *Ser ovárica.* 1. Cambiar alguien de opinión continuamente. «Ayer decía una cosa y hoy otra. Es una mujer ovárica». 2. Estar siempre de mal humor. «No se le puede hablar. Es ovárica».

OVARIOS. *Dolerle a una mujer los ovarios de echar pa'lante.* Trabajar muy duro para avanzar en la vida. «A mí me duelen los ovarios de echar pa'lante». («Pa'lante» quiere decir «para adelante».)

OVEJO. *Estar arrinconado como ovejo con gusano.* Estar deprimido. «Roberto, tienes una cara que estás arrinconado como ovejo con gusano». (Es cubanismo del campo cubano. El ovejo cuando se agusana porque lo muerde el perro se echa tristón en un rincón.)

OVERJOL. *Hacerle a alguien un overjol y dejarlo como nuevo.* Operación quirúrgica. «A María le quitaron las arrugas, le hicieron un tremendo overjol en la cara». «A Miguel le extirparon el cáncer, pero también le hicieron un overjol y lo han dejado como nuevo». (Del inglés: *overhaul*, reparación, siempre en alusión a las que se le hacen a los automóviles.)

OVERTAIN. *Hacer dinero con el «overtain» del sudor de sus caderas.* Ser una prostituta que no para de trabajar. «Desde que llegó aquí, hace dinero con el «overtain» del sudor de sus caderas». («Overtain» es la forma en que el cubano pronuncia la palabra inglesa «Overtime», o sea, «trabajar más del tiempo fijado».)

OXIDADO. Un viejo. «Ése es un oxidado. Tiene noventa años».

OXIGENADA. Ver: *Agua.*

OXÍGENO. Ver: *Balón. Ballena.*

OYÚ. Ojos. «Abre bien los oyú». (Es una palabra africana llevada a Cuba por los esclavos.) Ver: *Socú.*

PA'ALANTE. *Pa'lante y pa'lante.* Adelante. «En esta empresa hay que seguir pa'lante y pa'lante». («Pa'» es «para».)

PACA. Ver: *Huaca.*

PACHANGA. *Acabarse la pachanga.* Acabarse la buena vida. «De hoy en adelante se te acabó la pachanga». *Querer pachanga.* Querer problema. «Tú, lo que quieres es pachanga». Sinónimo: *Querer alguien pachanga é, pachanga á.* Estar alguien en busca de un problema. «Estaba mortificándome y yo le dije: `tú quieres pachanga é, pachanga á. Y tuvimos un problema». («Pachanga» puede ser asimismo «fiesta».) «En casa de Juan hubo una pachanga. ¡Cómo nos divertimos!» O lío. «Se formó una pachanga con muertos y heridos». O cosa hecha sin seriedad. «Ese presupuesto es una pachanga». O andar de fiesta; se dice entonces: «Andar [o estar] de pachanga». «Anoche estuvimos de pachanga».

PACHANGADA. *Hacer alguien una pachangada.* 1. Hacerle a alguien una cochinada. «A mi familia los Suárez le hicieron una pachangada». 2. Quedar mal. «Juan me hizo una pachangada y yo no escarmiento».

PACHECO. 1. Mi amigo. «¿Cómo estás, Pacheco?» 2. Mi querido amigo. «Óyeme, Pacheco, ¿tienes dinero?» «¿Vienes conmigo, Pacheco?» Sinónimos: *¿Cómo estás mi tierra? ¿Cómo estás mi sangres? ¿Cómo estás Moriña?* (Es lenguaje del chuchero. Ver: *chuchero*.) Óyeme Pacheco. Óyeme bruto. «Óyeme Pacheco, tienes que calmarte». (Se usa el cubanismo cuando alguien está «fuera de sí», o no «entiende lo que se le dice».)

PACHÍN. *Que si pachín que si pachón.* Que si sí que si no. «Estaba con que si pachín que si pachón y no pude soportarlo y vino el problema».

PACHOCA. Flema. «Parece un inglés. ¡Qué pachoca tiene!»

PACHOTÁ. *Salir con una pachotá.* Decir una grosería. «Me salió con una pachotá cuando le hablé del asunto».

PACIENCIA. *Paciencia y engurrúñate.* Mucha paciencia. «Vieja no puedo aguantar tanto trabajo. —Paciencia y engurrúñate».

PACÍFICA. (La) La requisa. «Ahí viene la pacífica». (Es lenguaje del actual presidio cubano. Es cubanismo irónico porque las requisas son a la fuerza.)

PACÍFICO. (Los) Así llamaban a los que cooperaban con el ejército cubano (ejército Mambí) en la guerra de independencia. «Todavía gente aquí recuerda a los pacíficos». (En Camagüey le llamaban «Los Cuandos».) *Vestir de pacífico.* Vestir de civil. «Hoy es mi día libre y visto de pacífico».

PACO. *Paco, Perico y Avelino, el trío embullo.* Ver: *Avelino.*

PADRAJÓN. *Tener un hombre padrajón.* Ser fértil. «El problema es de ella. El es padrajón».

PADRE. *A mi padre le llamaban hogaza y en mi casa pasábamos hambre.* Se le dice al que sin tener nada presume de riquezas. «Te oigo y te digo que a mi padre le llamaban hogazas y en mi casa pasábamos hambre». (Ver: Víctor Vega Ceballos, *Valores del refranero*, en el *Diario Las Américas*, de Miami.) *De mi padre lo aprendí.* Yo sigo la tradición. «Eso que hago de mi padre lo aprendí». (El cubanismo es el lema de un producto comercial.) *Ser el padre Sebastián.* Se dice del que da consejos. «Ese muchacho no es más que el padre Sebastián. ¡Cómo molesta!» *Ser un toro padre.* Se dice de la persona que tiene muchos hijos. «Tiene diez hijos. Es un toro padre». Sinónimo: *Ser un semental.* Ver: *Chévere. Madre.*

PADREJÓN. Indigestión. «Tengo un padrejón grande». *Padrejón macho.* Indigestión de enormes proporciones. «Juan se muere, tiene un padrejón macho». (Es cubanismo de origen campesino.)

PADRINO. *Estar las cosas en casa del padrino.* Tener las cosas en el Montepío o Monte de Piedad. «Tengo todas mis prendas en casa del padrino».

PAGANINI. Se dice de la persona que sostiene a un amante que le engaña. «Mi primo siempre ha sido un Paganini». (El cubanismo es un juego de palabras con el famoso violinista Paganini.) Sinónimo: *Ser un pagano.*

PAGAR. *Pagar al cachete.* Pagar al contado. «Yo siempre pago al cachete». (El cubanismo viene de la voz inglesa «cash» y que significa «al contado» o «en efectivo».)

PAILA. (La) El estómago. «Hoy me duele la paila». Sinónimo: *Furnia. Tremenda paila de natilla.* Unas caderas anchas. «Tremenda paila de natilla la de esa mujer». (Se oye así como exclamación ante la belleza de las caderas anchas que se mueven rítmicamente.)

PAILERO. 1. Bisexual. (Es decir que lo mismo tiene relaciones sexuales con hombres que con mujeres.) «Parece anormal pero es pailero». 2. Hombre y homosexual al mismo tiempo. «Elio es pailero». Sinónimo: *Ser de los que apuntan y banquean.* 3. Homosexual. Sinónimo: *Aceite.* (Esto viene de las llamadas «apuntaciones» en Cuba; es decir, apostar un número en una lotería clandestina cubana. El que apunta es el que juega al número. El banquero es el que paga la apuesta. Sinónimo: *Ser alguien de los que «quechea» y «pichea» al mismo tiempo.* [Esto viene del juego de pelota o baseball. «Quecher» viene de «catcher» palabra inglesa. Es el que coge las pelotas lanzadas por el «pitcher» —el cubano dice «picher», —el lanzador.])

PAIRO. *Estar al pairo.* Estar a la expectativa. «En esto estoy al pairo». Sinónimo: *Estar abollado y con carga eléctrica. Ponte al pairo.* Escucha. «Ponte al pairo Pedro que te voy a hablar». (Estos cubanismos «al pairo» vienen del campo náutico.)

PAÍS. *El país de la Bachata.* Cuba. «Este es el país de la Bachata». Sinónimos: *El país de la siguaraya. La isla del corcho. En qué país vivimos. El país de los viceversa.* Cuba. «Aquí todo sale mal porque estamos en el país de los viceversa». (Ya apenas se oye, sino entre gente vieja. Fue popularizado por un periódico político: *La Semana Cómica.*) *Sin azúcar no hay país.* Dame el dinero. «Yo lo siento. Págame. Sin azúcar no hay país». (El cubanismo es el lema de la industria azucarera en Cuba.) Ver: *Pies.*

PAISA. Chino. «Por ahí viene ese paisa». Al chino se le dice también «paisano». De aquí «paisa». Es la tendencia que tiene el cubano de cortar palabras.

PAISAJE. *Y lo demás es paisaje.* Lo demás es cuento de caminos, tonterías. «Esto es así, como te lo digo, y lo demás es paisaje».

PAISANO. Ver: *Hijo.*

PAJA. *Hacerse la paja.*[49] 1. Estar distraído. «Me caí por estar haciéndome la paja». Sinónimo: *Estar comiendo mierda.* 2. Masturbarse. Sinónimos: *Hacerse una cafiroleta. Hacerse una manuela. Hacerse una yuca. Darle un ojito a mano.* En frases como «aquí me tienes haciéndome la paja», significa no estar haciendo nada. *Estar a paja seca.* Llevar mucho tiempo sin mujer. «Tú hace tiempo que estás a paja seca». («Paja» es una «masturbación».) *Ser algo una paja mental.* Ser una tontería. «Eso que me dices es una paja mental». *Ser una paja mental.* Ser una cosa que no vale nada. «Lo que dices es una paja mental». *Ser una mujer una paja viva.* Ser muy bella. «Es mujer es una paja viva». *Tener una paja mental.* Ser muy bruto. «Ése en la cabeza tiene una paja mental». *Una paja a tiempo salva una vida.* Se dice cuando se ve a un homosexual. «¡Qué lástima! Pues una paja a tiempo salva una vida». («Paja» es «masturbación».) *Vivir en una paja.* Vivir en una utopía. En la fantasía. «Con eso que me cuentas me demuestras que vives en una paja». (Paja es castizo. «Hacerse la paja» es masturbarse. El que se masturba la hace soñado que se fornica a una mujer: imaginando cosas. De aquí el cubanismo.) Ver: *Mujer.*

PAJAREAR. *Irse a pajarear.* 1. Ir de un lado para otro. «Se pasa el día pajareando». 2. Irse a perder el tiempo. «Mi mujer se iba a pajarear por ahí y no cocinaba».

PAJARERA. 1. Apartamento alto. «Yo vivo en la pajarera. Tienes que tomar el elevador». 2. Apartamento con todas las comodidades, pero en alto y completamente cerrado por tener aire acondicionado. «Yo vivo en la pajarera esa».

PAJARITO. 1. Homosexual. Sinónimo: *Aceite.* 2. Las partes pudendas de la mujer. *Déjame limpiarme el pajarito que si no comienza la Traviata.* Déjeme limpiarme las partes pudendas. «Espérame, déjame limpiarme el pajarito que si no comienza la Traviata». (El pajarito son las partes pudendas de la mujer. Cuando huele mal se dice: en Cubano que canta. La Traviata es un canto. De aquí el cubanismo culto.) *El pajarito.* El aparato sexual de la mujer. «Si ves qué pajarito más bello tiene Lola». *Tener una mujer el pajarito muerto.* Olerle las partes pudendas. «Dicen que tiene el pajarito muerto».

---

[49] Aparece en la poesía erótica de España y, por lo tanto, muchos me afirman que es castizo.

PÁJARO. Homosexual. Sinónimo: *Aceite. Conocer al pájaro por la cagada.* Conocer a la persona por la forma de ser. «Los campesinos son muy inteligentes y conocen al pájaro por la cagada». (Este cubanismo es refrán campesino.) *¿Desde cuándo el pájaro le tira a la escopeta?* Desde cuándo el inferior le falta al superior; desde cuándo el pequeño se mete con el grande. «Yo se lo dije claramente para que estuviera advertido: `desde cuándo los pájaros le tiran a las escopetas». *Ese pájaro canta sin necesitar amplificador.* Ese clítoris tiene un mal olor horrible. «Te digo que ese pájaro canta sin necesidad de amplificador». («El pájaro» es el «clítoris». He oído decir también: «Ese totí canta sin necesitar amplificación». «Totí» es «clítoris». Forma de hablar del cubano que muestra su talento lingüístico.) *Estar hecho un pájaro.* Ser un picador. «No pidas más dinero. Está hecho un pájaro». *Estar como los pájaros en el nido.* Estar siempre dispuesto a recibir beneficios sin trabajar. (Los pájaros en el nido siempre tienen la boca abierta para coger alimentos.) «Ese individuo me cae muy mal. Siempre está como los pájaros en el nido». *Ser un pájaro carpintero.* 1. Hablar mucho. «Cállate, ya que eres un pájaro carpintero». 2. Ser muy insistente. «No me deja quieto con el pedimento. Es un pájaro carpintero». *Todos los pájaros comen arroz y el totí paga la culpa.* Siempre hay quién paga las culpas de otro. «Lo colgaron. Yo te lo dije: `todos los pájaros comen arroz y el totí paga la culpa». (El refrán es de origen campesino. El totí es un pájaro negro cubano.)

PAJARRACO. Mariconazo. «Por ahí viene el pajarraco ese».

PAJEADO. *Estar pajeado.* Se le dice al que contesta incoherentemente o deja caer algo al piso, etc. «Chico, estás derramando el café. Estás pajeado». («Paja» es «masturbación». Antes se creía que el que se «masturbaba» se debilitaba. De aquí el cubanismo.)

PAJEARSE. Masturbarse. Sinónimo: *Hacerse la paja.*

PAJERO. Se dice del que se masturba con frecuencia.

PAJITA. Ver: *Astronduta.*

PAJUATO. 1. Aburrido. «Juan es un pajuato. Prefiero morirme a salir con él. 2. Tímido. «No te enamora porque es un pajuato».

PALA. Engaño. «Ésa es la pala». *Ésa es la pala.* Eso es lo bueno. «Eso que dices es la pala». *Estar de pala.* Se dice del que sientan en las mesas de juego, pagado por la casa, para que juegue como si fuera un jugador pero que no es. De esta forma atrae a otros. *Recoger a alguien con pala.* Destruirlo. «Te digo que fue tal la caída que había que recogerlo con pala».

PALABRA. *El jotero de la palabra.* Se dice del que escribe muy bien. «Ese escritor es sin lugar a dudas el jotero de la palabra». *Ser una palabra bárbara.* Tener una gran fuerza emotiva. «Esa palabra que le dijiste para calmarla es bárbara». *Ser palabras de cubierta.* Para cubrirse. «Lo que te dijo son palabras de cubierta».

PALADAR. Ver: *Moscatel.*

PALANCA. *Tener palanca.* Tener influencia. «Juan tiene mucha palanca en el gobierno». Manejar alguien más palancas que Arquímedes. Tener mucha influencia. «Juan tiene más palancas que Arquímedes». (Es cubanismo culto. Sinónimo. *Tener una palanca ni la de Arquímedes.* El griego Arquímedes dijo: «*Dadme una palanca y moveré el mundo*». De aquí el cubanismo.) Ver. *Chicharrón.*

PALANGANA. Culo grande. «¡Qué palangana tiene esa mujer, Perico!» Sinónimo: *Cajón. Tirarle a alguien la palangana y darle con el guapachá.* Enojarse con algo. «Todo iba bien, pero de pronto, me tiró la palangana y me dio con el guapachá». (El cubanismo es la letra de una canción.) Ver: *Colores. Mariana.*

PALANGÓN. Automóvil grande y viejo. «No te compres ese palangón».

PALANGRE. *Usar el palangre de cien anzuelos.* Ir, en algo, al seguro. «En este asunto hay que usar el palangre de cien anzuelos». (Es lenguaje proveniente de la pesca avecinado a la ciudad. Es el aumentativo, pues he oído decir mucho: «usar el palangre». «De cien anzuelos», repito, es el aumentativo, formado, como hace el cubano, con palabras y no con sus terminaciones propias.)

PALANQUEAR. Apadrinar. «Él fue el que me palanqueó para el puesto».

PALANTE. *Palante y palante y al que no le guste que tome un purgante.* Hacer lo que sea necesario sin importar a quién se lleva por delante. «Así que palante y palante y al que no le guste que tome un purgante».

PALERO. 1. Brujo. «Yo le temo porque es palero». «Témese. Es un palero». 2. Que pertenece a una cofradía africanas de las existentes en Cuba. «Es palero. El cree en eso». 3. Se dice del que sirve de pala. «Ése no juega. Es un palero». (Es lenguaje de las religiones africanas vigentes en Cuba.) *El palero mayor.* El jefe. «Aquí es él, el palero mayor». (El «palero» en las religiones africanas vigentes en Cuba, con motivo de la esclavitud, es el «brujo». De aquí el cubanismo.) Sinónimos: *El dueño de los caballitos. El caballo. El dueño del guante, el bate y la pelota. El dueño de la papeleta. El mayimbe.* (Este último, es cubanismo de la Cuba de hoy.) Ver: *Pala.*

PALETA. *Gustarle a alguien la paleta.* Ser homosexual. «A él le gusta la paleta». Sinónimo: *Ser pintor.* «Ése que ves allí, lo apuesto, es pintor». (El pintor siempre está con la paleta —el pene— en la mano. De aquí el cubanismo.)

PALETAZO. *Echar un paletazo.* Fornicar en grande. «Tú no sabes qué clase de paletazo le eché a esa mujer anoche». Sinónimo: *Dar barilla.*

PALETUDO. 1. De buena calidad. «Ese mueble está paletudo». 2. Quedar un trabajo muy bien. «Ese trabajo te quedó paletudo».

PALILLO. *Ni un palillo de dientes.* Entre el elemento de baja estofa cuando un hombre le decía a una mujer: `te voy a echar un palo,' o sea, `te voy a fornicar,' la mujer le contestaba: `ni un palillo de dientes,' o sea, `no te hagas ilusiones.' «Ofelia, te voy a echar un palo, [o un palito.] —Nicanor, ni un palillo de dientes». *Ser alguien un palillo de dientes.* Ser muy delgado. «Él es un palillo de dientes. Pesa muy poco». Sinónimo: *Ser un palitroque. Ser un palillo parado.* Ser muy delgado. «Tu primo es un palillo parado».

PALITO. *Dar a alguien palito.* Fusilarlo. «A Pedro, por amar la libertad, le van a dar palito». (Cubanismo de la Cuba de hoy.) *Vete a jugar con tierra y un palito.* «Vete a jugar con tierra y un palito. Me tienes cansada».

PALITROQUE. *Aguantar todo el palitroque.* Aguantar el palique, lo que dice (que no es interesante.) «Yo le aguanté todo el palitroque. Habló por una hora». Se dice también de la mujer que fornica sin problema con alguien de pene prominente. «Esa prostituta le aguantó todo el palique —pene— ¡Qué bárbara!» Ver: *Palillo.*

PALMA. *¿Tú no has visto cuando a la palma le cae un rayo?* Te voy a destruir. «Prepárate. ¿Tú no has visto cuando a la palma le cae un rayo?»

PALMACRISTI. *Dar palmacristi.* Callar. «A ése le dieron palmacristi. No habló más». (Hubo una época en Cuba en que el gobierno silenciaba a los opositores políticos dándoles palmacristi. Fue a la raíz de la caída del Presidente Machado y ejerciendo el poder de facto Fulgencio Batista y Zaldívar.)

PALMAR. *Ser más viejo que el palmar de Amaro.* Ser muy viejo. «Tú eres más viejo que el palmar de Amaro, que yo te conozco bien». (Cubanismo de tipo campesino.) Ver: *Viejo.*

PALMARITO. *«¡Ay, Palmarito!»...* ¡Ay, amigo!... «¡Ay, Palmarito! ¡Qué mal te veo!»

PALMOLIVE. Alcohol puro con azúcar que toman los alcohólicos. «Ése toma palmolive». Sinónimo: *Mofuco. Meterle al palmolive.* Tomar palmolive. «En esta esquina le meten al palmolive». Ver: *Novela.*

PALMOLIVERO. Persona alcoholizada que toma palmolive. «Mi primo terminó en palmolivero». Sinónimo: *Mofuquero.* Ver: *Palmolive.*

PALO. 1. Fornicación. 2. Muebles. «Compra un buen juego de palos». (Lenguaje del chuchero. Ver: *chuchero.*) *A la buena el palo.* No dejes pasar la oportunidad. Te lo digo, a la buena el palo». (Es lenguaje que viene del juego de pelota. Una bola fácil de darle por el bateador, se dice que es una bola buena.) *Cada palo que aguante su vela.* Cada persona que haga lo suyo. «Le digo y lo vuelvo a repetir: cada palo que aguante su vela». *Caérsele a alguien el palo de la machina.* Quedarse impotente. «Dicen que desde joven se le cayó el palo de la machina». (El «palo de la machina» es una grúa que había frente al muelle de La Machina en el Puerto de La Habana.) Sinónimo: *Pasarle a alguien como al palo de la machina.* (El palo de la machina del que se habla arriba fue derribado.) *Cambiar de palo para rumba.* Cambiar dramáticamente. «El cambió últimamente, en su carácter, de palo para rumba». *Cazar un palo.* Hacer una conquista femenina para fornicar. «Para esta noche, tengo cazado un palo». Estar alguien como el palo. Estar muy gordo. «Cuídate que ya estás como el palo». (Es un juego de palabras entre «cebado», gordo y el «palo encebado».) *Como palo.* 1. Estar seguro. «Te apuesto que como palo se casa con ella». 2. Seguro. «Eso es como palo». *Dar el palo.* 1. Adelantarse. «El periodista al descubrirlo todo dio un palo». 2. Quebrar fraudulentamente. «Dio un palo en Francia. Se llevó todo el dinero de los accionistas». (Viene el cubanismo del juego de pelota.) *Dar un palo con la marimba.* Vender cocaína una vez y hacerse rico y no venderla más. «Puso el restaurante con un palo que dio con la marimba». («La marimba» es la cocaína. Cubanismo del exilio.) Busca otro palo donde rascarte. Conmigo no cuentes. «Seremos primos pero busca otro palo donde rascarte». *Echar un buen palo.* Fornicar a gusto. «Anoche eché un buen palo». ¡Qué clase de palo! Se dice de una mujer que fornica bien. «¡Qué clase de palo es esa mujer!» También, triunfo de pelota, la bola que recorre una gran cantidad de terreno o se lleva la cerca es un «gran palo». De aquí este cubanismo último. *Echar un palo de escoba.* Ser una fornicación mala. «Dice la mujer que no se acuesta más con él. Que le echó un palo de escoba». («Palo» es el acto de fornicar.) *Echar un palo a lo tigre.* Hacer algo muy difícil. «Ése lo logró pero tuvo que echar un palo de tigre». (El cubanismo viene de un chiste de tipo sexual por lo que no se incluye aquí el mismo.) *Echar un palo ruso.* Es el acto sexual en que se pone el pene entre los senos de la mujer. «A ella le echa el palo ruso». *El palo de la lechuguita.* Al hacer el sexo el hombre le ponía la saya a la mujer como si fuera una lechuga. De aquí el cubanismo. «Voy a echarle el palo de lechuguita». *El palo tiene curujey.* 1. Eso no sirve; eso está viejo; eso está de moda. La conversación da una significación u otro. Por ejemplo: «El palo tiene curujey. Ya nada se puede hacer con eso». (No sirve.) «¿Cómo te vas a casar con él? ese palo tiene curujey». (Está vieja la persona.) 2. Estar impotente alguien. «El palo (pene) de ese señor tiene curujey». (El cubanismo es la letra de una canción.) *El puerco sabe al palo en que se rasca.* Ése sabe con quien se mete. «A mí no me atacará. El puerco sabe el palo en que se rasca». (Ese refrán es campesino.) *Encajarse o tragarse alguien el palo de la hervidura.* Se dice de la persona que se da tono. (Como estas personas caminan muy tiesas el cubanismo supone que tiene metido dentro el palo con que se le da vuelta al almidón que está en una paila en la operación de lavar.) «Ese tonto se tragó el palo de la hervidura». *Estar detrás del palo.* 1. Estar atrasado. «Este pueblo está detrás del palo». (Es de procedencia campesina el cubanismo.) 2. Estar mal informado. «Tú siempre estás detrás del palo». 3. Estar vigilando. «Cuídate que él está detrás del palo». Sinónimo: Estar detrás del guayabo. 4. Ponerle a alguien palo en la rueda. 5. Ponerle dificultades. «Siempre está poniéndome palos en la rueda». (Cubanismo de la Cuba de hoy. En la Cuba de ayer, «estar detrás del palo», indicaba vigilar.) «Ése no sabe que yo estoy detrás del palo». *Estar rayado el palo.* Ser un hombre malo. «Cuídate del que está rayando el palo». Sinónimo: *Estar en la cazuela de Kimbia.* (Ambos cubanismos proceden de las religiones africanas que se practican en Cuba.) *Fajarse por los palos.* Batallar fuertemente. «A mí no me derrotan. Yo me estoy fajando por los palos». *Medio palo.* 1. Bajo de estatura. «El chiquito le salió medio palo». 2. Estar medio borracho. «Hoy está medio palo». Sinónimo: *Estar en tono. Tener un tono. Tener un medio tono.* 3. La mitad de una copita cuando se toma bebida. «Dame hoy un medio palo de ron». *Fajarse a los palos.* Batallar. «En esa competencia está fajándose por los palos». También echar el alma en algo. «Mira qué agotado está. Se está fajando por los palos». (Aquí la conversación indica que está la persona «echando el alma».) «Toda mi vida he estado fajándome a los palos». *Jurar un palo.* Se dice del que se inicia en una potencia o sea una cofradía africana. A la potencia o cofradía la llaman palo, así que jurar un palo es haber hecho juramento de pertenecer a la potencia y cumplir sus leyes. «Yo soy creyente y por lo tanto juré un palo». Sinónimo: *Ser palo de monte. Palo de caballete; de la guitarra; palo a lo que mira quien viene; palo del amolador de tijera;* son diferentes posiciones en el acto sexual. *Llevar a alguien con la pinga de palo.* Tratarlo rudamente. «A ése no queda otro remedio que llevarlo con la pinga de palo». *Mientras el palo va y viene.* En el ínterin. «Hago esto mientras el palo va y viene». *Ni a palo.* De ninguna manera. «No lo dejamos ir ni a palo». *Palo porque bogas y palos porque no bogas.* No importa lo que hagas, siempre te criticarán. (El refrán lo utilizó y lo hizo popular en general Fulgencio Batista y Zaldívar, aspirante a la presidencia de Cuba en una entrevista.)[50] *Perder el almidón y el palo de la hervidura.* Hacer un mal negocio. «Con ese paso has perdido el almidón y el palo de la hervidura». *Ser algo un palo.* Ser un éxito

---

[50] Está en duda que sea cubanismo. Se afirma, por muchos, que es castizo.

grande. «Ese libro es un palo». Sinónimos: *Ser un piñazo. Ser un puñetazo.* (El cubanismo viene del juego de pelota.) *Ser alguien un palo en cañada.* Ser alguien que le hace la vida imposible a otro. «El hijo es un palo en cañada». (El palo en cañada es un palo atravesado. «Un atravesado» es alguien que fastidia. De aquí el cubanismo.) *Ser el palo del año.* Ser lo mejor del año. «Ese reportaje es el palo del año». *Ser gente tras del palo.* Ser gente que no ve la realidad. «Eso ya se sabía. Ustedes son gente tras del palo». Se dice, asimismo, del que no tiene visión del futuro: «Fracasó por ser gente tras del palo. Ya se sabía que ese negocio no daba». (Es cubanismo de los campesinos cubanos.) *Ser alguien o algo palo duro de rayar.* Ser una persona difícil en cualquier sentido; de vencer, de convencer, etc. «Mira que le he hablado para que me dé el puesto pero tu hermano es palo duro de rayar». *Ser un palo quiebrahacha.* Ser muy fuerte espiritualmente de manera que nada le hiere. «Yo, desde pequeño, me acostumbré en el colegio a ser un palo quiebrahacha». (A la quiebrahacha no le entra el hacha. De aquí el cubanismo.) *Tener el palo curujey.* Estar una persona enferma por dentro. «Está muy flaco. Ese palo tiene curujey». (El cubanismo es la letra de una canción.) *Tener el palo jutía.* Estar la situación peligrosa. «Yo sé lo que te digo: ese palo tiene jutía». *Tomarse o darse un palo.* Tomarse una copa o trago. «Me tomé un palo de anís». *Traer a alguien de palo (o palito) barquillero.* Tenerlo para arriba y para abajo. «Tuve que quejarme al jefe porque me tenía de palito barquillero». Ver: Amarre. Cobiar. Ensalada. Jan. Jutía. Mata.

PALOMA. (La) 1. Casa pequeña. «Esa casa es una paloma». 2. Descubrir una cosa. «Por tu precipitación levantaste la paloma». (Es término que viene del campo cinegético.) 3. El pene. «Me tocó la paloma». (Lenguaje de la Cuba de hoy.) 4. El traje de dril cien. «Qué bien te queda la paloma». *Hacer la paloma.* Tener sólo el traje que se lleva y tener que mandarlo a lavar. «Allí me quedé en cueros: hice la paloma». *Paloma mensajera.* Boleta electoral con la que se vota varias veces. Sinónimo: *Mensajera. Ser alguien una mansa paloma.* Ser muy bueno. Equivale al castizo: «Ser una paloma sin hiel». «Juan es una mansa paloma. ¡Qué virtudes tiene ese muchacho!» *Ser una paloma.* Se dice de la persona que es engañada fácilmente. «Juan es una paloma. ¿Viste cómo le quitaron el dinero?»

PALOMILLA. Ver: *Cubano.*

PALOMO. Se dice del que está siempre vestido de blanco. «Juan es un palomo».

PALOMÓN. En el juego de la pelota cuando el bateador la pone en el aire pero los contrarios la cogen fácilmente. «Bateó un palomón». *Palomón al cuadro.* Cosa fácil. «Eso no es difícil. Eso es palomón al cuadro». (Cubanismo que viene del campo de la pelota, o base-ball.) *Ser alguien un Palomón al cuadro.* 1. Ser un tipo al que todo el mundo derrota, engaña. Se aplica a diferentes situaciones dando el significado la conversación. «No mandes a tu hermano a hacer un negocio porque pierdes el dinero. Él es un palomón al cuadro». (Es fácil de engañar.) «Si tengo que competir con él, gano. Él es un palomón al cuadro». (Es un contrario muy fácil.) «Tu marido es un palomón al cuadro». (Es fácil de dominar.) *Ser algo un palomón al cuadro.* Ser fácil. «Ese examen es un palomón al cuadro». «Eso es un palomón al cuadro. Lo hago en dos minutos». (El cubanismo viene, repito, del juego de la pelota. Cuando la bola está en el aire en la zona que no es la de los «jardineros», es muy fácil de coger y se llama palomón al cuadro.) Ver: *Jardinero.*

PALOTES. *Hacer cuatro palotes.* Escribir. «Me senté en la mesa y le hice cuatro palotes». «No te olvides de hacerme cuatro palotes». (Lenguaje del chuchero. Ver: *chuchero.*)

PALUCHA. 1. Charla sin substancia. «Eso es palucha». Sinónimo: *Bagazo.* 2. Falsedad, fingimiento. «Lo que hace es palucha». *Gustarle la palucha.* 1. Alarde mezclado con hablar sin substancia. «¡Cómo gusta en el exilio la palucha!» 2. Cosa sin substancia. «¡Cómo hablas palucha!» *Hablar palucha.* Hablar tonterías. «Todo lo que habla es palucha». Sinónimos: *Hablar cáscara o cascarita de caña. Hablar mierda. Tirar palucha.* Hacer alardes. «Ahí lo tienen de nuevo tirando palucha».

PALUCHEAR. 1. Acción de hablar palucha. Sinónimos: *Mojonear. Hablar de lo que pica el pollo. Lilayar.* 2. Acción de fingir lo que no es. «Cómo le gusta paluchear».

PALUCHERO. 1. El que habla tonterías. «Ése es un paluchero». 2. El que presume de lo que no es. «Ése dice que es rico. Es un paluchero». 3. Que hace alardes que no cumple. «Mira que ese Luis es paluchero». *Ser un paluchero.* Uno que alardea hablando cosas sin substancia. «Ése no es más que un paluchero».

PAMPER. Ver: *Caja.*

PAN. *Acabarse el pan de piquito.* No haber solución. «Ahí todo está perdido. Se acabó el pan de piquito». *Cualquiera pica un pan o un «cake».* (El cubano pronuncia correctamente la voz inglesa: «keik».) Cualquiera hace cualquier cosa. «A mí nada me extraña. Cualquiera pica un pan». *El pan polaco es de piquito.* Yo soy muy inteligente. «Él siempre se lo dice a la gente: `El pan polaco es de piquito'». *Formarse el pan de a piquito y llegar a coscorrones.* Formarse un lío. «En casa se formó el pan de a piquito y llegó a coscorrones». *La caja del pan.* El estómago. «Le operan la caja del pan». *Pan con pan.* Lesbiana. «Ésa es un pan con pan». «Juana es pan con pan». Se dice, aunque mucho menos, del homosexual. *Pan con timba.* Pan y dulce de guayaba. «Me comí un pan con timba grande». *Pan con timba y guayaba no.* A otra cosa. «Mira, quiero explicarte: Pan con timba y guayaba no». Sinónimo: *A otra cosa, mariposa. Pan de patín.* Tipo de pan cubano que tiene una separación en el medio. «Cómete sólo una parte de ese pan de patín». *Pan de piquito.* Cigarro de marihuana. Sinónimos: *Chicharrita. Emiliano Zapata. Joe Louis.* (El cubano pronuncia «choe».) *Pito. Plutarco Elías Calle. Querer mucho pan por medio.* 1. Aspirar a mucho. «Ése no tiene méritos y quiere mucho pan por medio». 2. Querer mucho sin dar nada. «Esa gente siempre está pidiendo. Piden mucho pan por medio». («Medio» son cinco centavos en cubano.) Ver: *Cachirulo. Chicho. Fuerte. Gallego.*

PANA. Ver: *Gallego.*

PANADERÍA. Ver: *Beikeri.*

PANAL. *Alborotarse el panal.* Formarse el lío. «En casa de Petra se alborotó el panal».

PANAMÁ. *Panamá plástica.* La playa. «Vamos al Panamá plástica». (Cubanismo del exilio.)

PANAVISIÓN. Ver: *Ojo.*

PANCHITA. *Irse alguien con cualquier Panchita Jabón Candado, con bulto o sin bulto.* Se dice del que está harto de la mujer que tiene y se va con cualquiera. «Se va, cualquier día, con cualquier Panchita Jabón Candado, con bulto o sin bulto». («Con bulto o sin bulto» indica que se va con cualquier mujer por fea que sea. Lo mismo el que sea Panchita Jabón Candado, una negra de cara muy bondadosa, pero muy gorda y bajita. A una mujer muy gorda y bajita se le dice: «Panchita Jabón Candado».) *Ser Panchita Jabón Candado.* Se le dice a la persona de la raza de color que es bajita y gorda. «Mira, mamá, es Panchita Jabón Candado la vecina de enfrente». *¿Tú crees que estás hablando con Panchita Jabón Candado?* Respétame. «¡Cuidado! ¿Tú crees que estás hablando con Panchita Jabón Candado?» (El cubanismo alude a la mujer de color de pueblo, que aparece lavando en los afiches de propaganda del «Jabón Candado», un jabón de lavar cubano y cuya figura era muy popular en Cuba.) *Yo no soy Panchita Jabón Candado.* Contestación que se da cuando alguien lo manda a uno mucho como si fuera el criado. «Se lo grité sin miedo: `Profesor, yo no soy Panchita Jabón Candado'». Ver: *Jabón.*

PANCHO. *El Pancho.* 1. El aparato sexual de la mujer. 2. Las partes pudendas de la mujer. *Aquí estuvo Pancho Segueta, el rey de la Viboreta.* Frase jocosa que se dice al despedirse. «Bueno, me voy, y no se olviden que aquí estuvo Pancho Segueta, el rey de la Viboreta». *Formarse la de Pancho Alday.* Formarse un lío de marca mayor. «En la reunión se formó la de Pancho Alday». «En plena fiesta se formó la de Pancho Alday». «Se formó la de Pancho Alday». Sinónimos: *Formarse el pan de piquito y llegar a coscorrones. Formarse la cámara húngara. Lavar el Pancho.* Lavarse la mujer las partes pudendas. Sinónimo: *Lavarse el Caruso.* (Enrico Caruso cantaba. Cuando las partes pudendas de la mujer huelen mal se dice que cantan. De aquí el cubanismo.) *No alcanzar a alguien ni Pancho el largo.* Se dice del que se le corre mucho a la mujer. «Al vecino de enfrente no lo alcanza ni Pancho el largo». (Pancho el largo, es un personaje de las tiras cómicas o muñequitos en Cuba que corría mucho. El que engaña a su mujer se corre. De ahí el cubanismo.) *Pancho Blanco sobre potro negro.* Café con leche. Sinónimo: *Sube y baja. Pancho tuvo que pagar lo que rompió Rafael.* Tener que pagar lo que no se hace. «Está, por el crimen, en la cárcel. Pancho tuvo que pagar lo que rompió Rafael». (El cubanismo es la letra de una canción.) *Ser un Pancho Miseria.* Se le dice a la persona de rostro sufrido. «Ese hombre es un Pancho Miseria». Sinónimo: *Ser el cesante. Volverse una mujer Pancho y Ramona.* Ponerse fuerte con el marido, dominarlo. «Ella de pronto se volvió Pancho y Ramona». (En las tiras cómicas en Cuba —los muñequitos— de Pancho y Ramona, ésta le pega a Pancho continuamente con un rodillo. De aquí el cubanismo.) Ver: *Bollo. Rodillo.*

PANDERETA. Ver: *Tres. Cañandonga.*

PANDERO. Ver: *Capa.*

PANDONGA. Jamo pequeño. «No pude encontrar la pandonga así que no fui a pescar». («Jamo» red en forma de manga.)

PANETELA. *Panetela borracha.* Dulce cubano. «¡Qué rica está la panetela borracha!» *Ser alguien panetela o panetela borracha.* 1. Ser buena gente. «Mi maestro de matemáticas es panetela borracha». 2. Ser muy buena persona. «Ese amigo mío es panetela borracha». Sinónimo: *Ser crema de Managua.*

PANORAMA. *Creer el panorama.* Creer en cuentos que a uno le hacen con ribetes mágicos. «Creí el panorama que me contó y le di diez dólares». *El panorama.* La situación. «¿Cómo está el panorama?»

PANQUELERO. Vendedor de panqués. «Por ahí viene el panquelero».

PANTALLA. *Estar alguien en la pantalla.* Estar en pose. «Ése está en la pantalla». (El cubanismo viene del cine y se relaciona con la forma en que salen los artistas en la pantalla.) *No te pongas en la pantalla.* No te hagas propaganda; no salgas a la palestra pública. «Por ahora no te pongas en la pantalla». *Salir corrido en la pantalla.* Cometer un error. «Lo cogí porque salí corrido en la pantalla». (En el cine algunas veces se corre la pantalla y se pone borrosa. De ahí el cubanismo.) *Ser algo pantalla.* 1. Ser fingido. «No le creas. Eso es pantalla». 2. Ser mentira. «Eso que te dijo es una pantalla». *Ser algo una pantalla.* Tratar de encubrir algo. «Eso es pantalla. Hay que averiguar la verdad». *Tener alguien algo puesto en la pantalla.* Recordar algo. «Sí, creo recordar. Algo tengo puesto en la pantalla. *Tirar pantalla.* 1. Alardear de algo que no se tiene. «Siempre está tirando pantalla». «Jamás viajó el mundo. Te tiró una pantalla». 2. Hacer alarde. «No me tires pantalla que yo te conozco». (Es el andalucismo que también se oye en Cuba y se tiene como cubanismo: *Tirar faroles o farolear.*) *Vivir en una pantalla.* Vivir en una mentira, fingiendo. «Esa gente no tiene dinero. Viven en una pantalla».

PANTALLITA. *Ponerle a alguien una pantallita.* Engañarlo. «En ese asunto el mala persona me puso una pantallita».

PANTALLOSO. 1. Que alardea. «No le creas ni la mitad de lo que dice. Fausto es un pantalloso». 2. Que se da pisto. «Ese señor es un pantalloso. Me cae muy mal». *Hacerse el pantalloso.* Presumido. «Era humilde, ahora se hace el pantalloso». *Ser un pantalloso.* Hacer alguien alarde de lo que no tiene. «¡Cómo me desagrada! Es un pantalloso».

PANTALÓN. *Estar ancho como pantalón de chino.* Vivir muy bien. «Él está ancho como pantalón de chino». *Pantalón de tubo.* Pantalón que usaba el chuchero. Ancho arriba y estrecho en los tobillos. «Ése usa pantalones de tubo». *Sacarle al pantalón filo, contrafilo y punta.* Dejarlo bien planchado. «Sácame a este pantalón, filo, contrafilo y punta». *Ser algo ancho como pantalón de chino.* Ser muy ancho. «Esa sábana sirve porque es ancha como pantalón de chino». Ver: *Gallego. Maricón. Caérsele a alguien los pantalones.* Acobardarse. «Cuando me vio, se le cayeron los pantalones». *Pantalones pistolita.* Pantalones que quedan cortos. «No me gusta usar pantalones pistolitas».

PANTUFLAR. Divertido. *Es un libro pantuflar.* Está basado en el título de un libro del gran humorista cubano, Miguel de Marcos, titulado: *Cuentos Pantuflares.* (Es cubanismo culto.)

PANZA. *Ser algo una panza.* Ser muy fácil. «Eso es una panza». *Tener la panza de manteca.* Tener un estómago grande. «Deja de comer ya. Tienes la panza de manteca». (Manteca es el personaje de las tituladas tiras cómicas, —muñequitos—: Jorge, el piloto. Tiene una barriga enorme. De aquí el cubanismo.) *Vivir de panza.* Vivir sin trabajar. «Yo vivo de panza».

PANZABURRO. Sombrero de alas grandes y casi siempre de piel de chivo que usaba el chuchero. «Ése es un sombrero chuchero. Un panzaburro sin lugar a dudas».

PANZADA. *Darse una panzada.* Comer mucho. «Se dio una panzada de helado».

PAÑO. *Pasar el paño.* Alabar a alguien servilmente. «Se pasa la vida pasándole el paño al candidato». (El cubanismo viene del campo de dar lustre a los zapatos.)

PAÑUELO. *Todo el mundo coge el pañuelo colorado.* A todo el mundo voy a castigar. «En este examen todo el mundo coge el pañuelo colorado».

PAO. Amigo. «¿Cómo estás, Pao?» Sinónimos: *Mi sangre. Mi tierra. Papá. Monina. Monstruo. Tigre.*

PAPA. (La) La comida. «Me encanta la papa que hay para hoy». *Darle a la papa.* Comer. «¿Cuándo aquí se le da a la papa?» Sinónimos: *Darle a las grasas. Darle a los víveres. Dejar a alguien con la papa caliente.* Dejarle a alguien un problema. «Lo que me dejó en la mano fue una papa caliente». *El que en vida fue, Papá Montero.* 1. Ya la fama de ese pasó. 2. Ya nadie lo mira. «—Sí, es Rock Hudson, el gran artista. —Sí, el que en vida fue, Papá Montero». Sinónimos: *Se llamaba o Se Ñamaba.* (El cubanismo se basa en la letra de una canción.) *Estar como la papa en el barril.* Parecer que uno tiene una buena salud pero no ser así. «Ése, a pesar de lo grande que es, está como la papa en el barril». (El cubanismo viene del hecho de que la papa en el barril por fuera no se le ve la picada que tiene por dentro.) *Estar en la papa.* Vivir sin trabajar. «Mi primo está en la papa». Sinónimos: *Vivir de panza. Vivir sin disparar un chícharo. Llegó el hijo de Papá Montero.* Llegó el jefe. «Cállate que llegó el hijo de Papá Montero». *Morirse alguien como Papá Montero.* Morirse de una borrachera. «Mi abuelo se murió como Papá Montero». *Para que sepa quién es Papá Montero.* Para que aprendas la lección. «Eso es, para que sepas quién es Papá Montero». (Papá Montero es el personaje de una canción.) *¡Pégame, papá!* Acaríciame mi amor. «No te pongas bravo. ¡Pégame, papá!» *Sentirse término medio con papa frita.* No sentirse bien. «Hoy me siento término medio con papa frita». (El cubanismo toma la forma en que uno pide el bistec en un restaurante: «Tráemelo término medio —no muy cocinado— con papas fritas.) *Ser algo una papa caliente.* Ser un problema. «Eso es una papa caliente». *Ser algo una papa suave.* Ser algo muy fácil; de poco trabajo. «Esto es una papa suave». *Tener una mujer de todo, papa, papaya y boniato dulce.* Ser muy bella. «Esa mujer tiene de todo, papa, papaya y boniato dulce». («La papaya» y el «boniato dulce» son en cubano, las partes pudendas de la mujer.) Ver: *Papo. Compañía.*

PAPACHÚA. 1. Mujer valiente. «Ésa es una papachúa». 2. Persona que se cree que se lo merece todo. «Míralo como está. Es un papachúa». Sinónimo: *Chechón.*

PAPACITO. *Así no, papacito, así no.* Así no. «Se lo dije cuando quiso ganarme a la fuerza: `Así no, papacito, así no'».

PAPADENO. Testigo de Jehová. (Secta religiosa que afirma que el fin del mundo está al producirse. Se dice también *papadeo.*) «Ése es un papadeno. Es muy religioso».

PAPADEO. Jefe. «Mi hermano sigue de papadeo en la fábrica. Lleva cinco años en el puesto».

PAPADEU. *Estar como los papadeu.* Estar alerta. «Yo soy como los papadeu: con la torre de Vigía; alerta». («Los papadeu» son los Testigos de Jehová en cubano. Tienen una Revista: *Atalaya.* De ahí el cubanismo.) Sinónimo: *Papadeno.*

PAPALAZERO. (Un) El que hace papelazos. «Ese hombre, pobrecito, es un papalazero». (Lenguaje de la Cuba de hoy.)

PAPALLÓN. Que se cree que todo lo merece. «No es más que un papallón». *Gordo papallón.* Persona gorda que no se apura por nada. «Ése es un gordo papallón. Hasta camina lento». «Hay que empujarlo. Es un papallón». Sinónimo: *Aguachencha.*

PAPALOTE. Escrito; discurso; carta larga. (Se puede aplicar a muchas situaciones.) «Eso que me lees es un papalote». *A bolina el papalote.* No hagas más esfuerzo. «Está a bolina el papalote». (Cuando el papalote se le va a uno de la mano y se pierde en el espacio es cuando se dice que está a bolina.) *Baja ese papalote.* Ríndete, entrégate, deja de venir con ésa. «Ya te oí bastante. Baja ese papalote». *Empinando papalote.* Fornicando. «Pasé toda la noche empinando papalote». *Empinar el papalote.* 1. Baile en el que se imita el acto de volar una cometa. «Anda, Juan, no te hagas de rogar, y empina el papalote». 2. Eufemismo para decir: poner el pene en erección. «Mami, prepárate que voy a empinar el papalote». 3. Parar el pene. «Me costó mucho tiempo empinar el papalote anoche». 4. Triunfar. «Desde que es joven ha estado empinando el papalote». *Esos son otros cinco papalotes.* Eso es otra cosa. «Como yo te decía mi hermano: esos son otros cinco papalotes». *Estar alguien como el papalote.* Estar dominado. «Juan está con su mujer como el papalote». (Uno hace lo que quiera con el papalote cuando lo vuela. De aquí el cubanismo.) *Estar empinando el papalote.* Estar en la luna de Valencia. «Te pasas la vida empinando el papalote. Por eso no aprendes». *Estar volando como un papalote.* 1. Estar en el aire. «En esto yo te digo que estoy muy nervioso. Estoy volando como un papalote». (Papalote es cometa en cubano.) 2. Estar viviendo con recursos magros. «No consigo trabajo y estoy volando como un papalote». *Hacer a alguien un papalote.* Empapelarlo. «Le hizo al policía un papalote». Sinónimos: *Hacerle un número ocho. Hacerle un paquete. No ser papalote de nadie.* Nadie lo monea; nadie hace de uno lo que quiere. (Como el papalote, lo sube y lo baja.) «Te lo digo, para que no se te olvide más; no soy papalote de nadie». (El papalote es una cometa que se vuela.) También, una mentira grande. «Me dijo tremendo papalote». *Recobrar el papalote por los frenillos.* 1. Salvarse de milagro. «Si no es por ti no recobro el papalote por los frenillos». (Los frenillos son los hilos del papalote en forma de triángulo donde se amarra aquél con el que se eleva.) *Recoger el papalote.* Moderarse. Se usa casi siempre en imperativo. «No me vengas con cuentos y recoge el papalote». *Ser algo un papalote con aire.* No ser una cosa firme. «Eso que me dices es un papalote con aire». (Algunas veces el papalote —al cometa— le da aire que lo infla y al poco rato lo hace irse a tierra. De aquí el cubanismo.) *Ser alguien un papalote a bolina.* 1. Estar alguien o una firma quebrada. «No hagas nada con esa compañía, negocio, porque es un papalote a bolina». 2. Ser muy escurridizo. «No vas a poder cogerlo nunca pues es un papalote a bolina». *Ser alguien un papalote sin «güin».* No tener ya poder. «No le temo. Perdió el puesto y es un papalote sin güin». Se aplica a muchas situaciones, indica que se carece de algo que se tenía. «Bailaba bien el joven. Hoy es un papalote sin güin». *Ser algo o alguien un papalote sin frenillo.* Se aplica esta frase a cualquier exceso. Si una persona canta mal es un papalote sin frenillo; si habla mucho es un papalote sin frenillo; si algo es muy largo, por ejemplo, una película, se dice que es un papalote sin frenillo. «Cómo habla esa mujer. Es un papalote sin frenillo». ¡Qué fea es! Es un papalote sin frenillo». «¡Qué película más larga! Es un papalote sin frenillo». «Es muy alto. Es un papalote sin frenillos». (El papalote si no tiene frenillo se va de control. De ahí el cubanismo.) *Ser una persona un papalote.* Ser muy débil. «Pedro es un papalote». *Tener el papalote montado en casa del carajo.* Tener una buena situación económica. «Ése tiene el papalote montado en casa del carajo». *Tener un papalote formado.* Lío. «La mujer tenía un papalote formado en la esquina». *Usar la técnica del papalote.* Atacar y retirse y volver a atacar. «Los polacos de Solidaridad están utilizando la técnica del papalote». (En el papalote uno le da hilo y luego lo recoge. De aquí el cubanismo.) Ver: *Frenillo.*

PAPALOTERO. Mentiroso. «¡Qué papalotero eres! ¡Cállate!»

PAPAROLITAS. Tonterías. «No hagas más paparolitas». Sinónimo: *Papinolas.* (Ambas palabras, expresan, asimismo, cosas tontas que se escriben.)

PAPARRUZA. (La) El aparato sexual de la mujer. «Tiene una paparruza bellísima». *Hacer una paparruza.* Hacer una tontería. «Lo que me hiciste es una paparruza».

PAPARRUZÓN. Tonto en demasía. «No eres más que un paparruzón. Ya es hora de que lo sepas».

PAPAS. *Regular con papas.* Regular. «¿Cómo están las poesías de tu amigo? —Regular con papas».

PAPAUPA. Jefe. «Por ahí viene el papaupa. Atención». (Se aplica a cualquiera sobresaliente en algo.) «Ese en matemáticas es el papaupa». *Ser el papaupa.* Ser el jefe. «En esta misión yo soy el papaupa». Ver: *Monstruo.*

PAPAYA. 1. Aparato sexual de la mujer. 2. Partes pudendas de la mujer. (El cubanismo no se usa en la provincia de Oriente.) Sinónimo: *Bollo.* 2. Fruta cubana. «La papaya es muy buena para el estómago». *Morir por una papaya, con semilla y todo.* Estar enamoradísimo de una mujer. «Ése muere por una papaya, con semilla y todo». («Papaya» es el órgano sexual de la mujer.) *Papaya Pauer.* Así le llama el cubano al movimiento de liberación femenina. «Hoy tiene una reunión el Papaya Pauer». («Papaya» es el aparato sexual de la mujer y «Poguer» es la forma en que el cubano pronuncia la voz inglesa «power», o sea, «poder».) *Repartidora de papaya.* Mujer que se acuesta con cualquiera. «En mi familia no hay ninguna repartidora de papaya». *Repartir papaya.* Acostarse una mujer con cualquiera. «Esa mujer reparte papaya a diestra y siniestra. Es peor que una prostituta». («Papaya» en la provincia de La Habana y no en muchas partes de la Isla de Cuba es el aparato sexual de la mujer.) Ver: *Bollo. Cara. Pajarito. Pancho. Papa. Papo. Refresco.*

PAPAYABOMBA. Persona sin gracia. Pesadísima. «Tú eres un papayabomba».

PAPAYÓN. Ver: *Papo.*

PAPAYÚA. 1. Mujer de armas tomar. «¿Viste lo que hizo esa papayúa? Me cogió la oficina». 2. Valiente. «Ella es la papayuá del grupo». «Juana es una papayúa». (Viene de papaya el aparato sexual de la mujer. Así como hay cojonudo en castizo que quiere decir que un hombre es valiente, hay papayúa en cubano para la mujer.) Ver: *Blumes.*

PAPEAR. Comer. «Me llegó la hora de papear». «Voy a papear, contigo, a las cinco». *Papiar sin frenos.* Comer sin tasa ni medida. «Está tan gordo porque papea sin frenos». Ver: *Papa.*

PAPEL. *Agarrársela con papel de china.* Se dice del que se trata de hacer muy fino (fingido y afectado.) «Ese tonto se la agarra con papel de china». *Agarrarla con* *papel de china.* Se dice de las mujeres que se hacen las muy modositas. «Ésa la agarra con papel de china». («Agarra la pinga o pene».) *Cogérsela con papel de china.* Se dice de la persona que es muy susceptible. «Por todo se ofende. Se la coge con papel de china». Se aplica a la persona cogida con pinzas. «Ni hables con él que es un idiota: se la coge con papel de china». *Cuidar a alguien con papel tisú.* Cuidarlo mucho. «La madre la cuida con papel tisú». (El papel tisú es muy delicado. De aquí el cubanismo.) Estar más arrugado que un papel crepé. Estar arrugadísimo. «Juan está más arrugado que un papel crepé». *Gastar alguien papel de inodoro.* Hablar tonterías. «Ése todos los días gasta papel de inodoro». (Es decir, habla mierda.) *Llegar el papel verde.* Ganar dinero. «Me está llegando el papel verde». (Lenguaje del chuchero. Ver: *chuchero.*) *Papel verde.* Billete de banco. *Mojársele a alguien los papeles.* Perder influencia; prestigio; desacreditarse. (La conversación da el significado.) «Todo el mundo creía que era una persona decente pero desde que le descubrieron aquello se le mojaron los papeles». (Perder prestigio.) *Papel (o papelito) jabla lengua.* Las palabras vuelan y lo escrito queda. (El cubanismo se ha tomado de la forma en que se expresan los chinos en Cuba.) «Conmigo eso no es así. Papelito jabla lengua». *Poder venderse a alguien como papel de lija.* Se dice del que siempre está en pose. «Siempre sacando la quijada. Se le puede vender como papel de lija». (*Darse lija* en cubano es estar en pose, en aires. De aquí el cubanismo.) *Recibir alguien papel de lija.* Recibir una mala contesta. «Ayer recibí de mi tía papel de lija». *Ser alguien el papel arrugado.* No volver a ser nunca más lo que fue. «Juan, el pobre, es un papel arrugado». (El papel arrugado nunca vuelve a ser lo que fue aunque lo planchen.) *Ser alguien un papel de lija.* Ser arisco. «Mi segundo hijo es papel de lija». *Ser una persona un papel secante.* 1. Se dice de la persona a la que le caen arriba todas las enfermedades o desgracias. «Ella es un papel secante. ¡Qué lástima!» 2. Ser muy absorbente. «Mi madre toda la vida fue un papel secante». 3. Tener un temperamento muy seco. «No me gusta su trato porque el es un papel secante». *Ser un reporte de papel de china.* Tratar con cuidado a una persona para no perjudicarlo. «Ese reporte no sirve. Es reporte de papel de china». *Tratar a alguien con papel de china.* 1. Tratarlo con muchos miramientos. «Me quiere mucho. Siempre que me ve me trata con papel de china». 2. Tratarlo muy bien. «A él hay que tratarlo con papel de china si no se pone molesto». Antónimo: *Tratar con papel de lija. Un papel.* Un peso. Sinónimo: *Barilla.* Ver: *Caramelos. Piedra. Producto. Tigre.*

PAPELAZO. *Hacer un papelazo.* Hacer un ridículo. «Hoy en el banquete volviste a hacer un papelazo».

PAPELES. (Los) El dinero. «Tengo en el banco, cinco mil papeles». *Entrar en los papeles.* 1. Ganar dinero. «Últimamente he tenido suerte y estoy entrando en los papeles». Sinónimo: *Entrar en los billetes.*

PAPELETA. *Adivinar la papeleta.* Salirle a uno bien las cosas. «Yo no sé, con lo poco inteligente que es, cómo adivinó la papeleta». *Jugarse la papeleta.* Ser osado. «No lo tientes que se juega la papeleta». Sinónimo: *Jugarse la calavera. Gozar la papeleta.* Divertirse. «Yo tengo el corazón malo pero sigo gozando la papeleta». (Gozar la papeleta indica que se está en una feria, que se compró una papeleta y que se divierte uno con ella.) *Ser el dueño de la papeleta.* Ser el jefe. «Aquí yo soy el jefe de la papeleta». Sinónimos: *Ser el dueño de los caballitos. Ser el dueño del guante, el bate y la pelota. Ser el papaúpa. Ser el que más mea. Tirar la papeleta.* Sobrevivir. «Yo hace tiempo que estoy tirando la papeleta». (Hay quien para vivir rifa algo y vende papeletas. A eso se refiere el cubanismo.) *Venderle la papeleta a alguien.* 1. Conlleva la idea de irse o de huir. Por ejemplo, si uno se va del trabajo, se dice: «No me aumentaron el sueldo y les vendí la papeleta». 2. Irse. 3. Huir. «Me mandaron a buscar y les vendí la papeleta». *Venderle la papeleta al dueño de los caballitos.* Cometer un error. «Lo que hice fue vender la papeleta al dueño de los caballitos. Ahí perdí». Ver: *Palero.*

PAPELILLOS. *Te peinas o te haces papelillos.* ¿Te decides? «Ya te dije que en esto o te peinas o te haces papelillos».

PAPILLÓN. Marica. (El cubanismo está tomado del libro *Papillón*, o sea, «Mariposa».) Sinónimo: *Aceite.*

PAPILONIO. Se le llama a las personas obesas. «Por ahí viene Papilonio». (Papilonio es un personaje muy obeso de las tiras cómicas o muñequitos.)

PAPINOLAS. Ver: *Papirotazo.*

PÁPIRO. (El) El periódico. «Voy a comprar el pápiro». (Algunas veces se dice papircapiro. Es lenguaje del chuchero. Ver: *Chuchero.* En plural significa el dinero.) «Tengo los pápiros que no me caben en el bolsillo». Sinónimos: *Manguá. Maní.*

PAPIROS. (Los) 1. Dinero. «¡Cómo tiene papiros en el banco!» 2. Los billetes del banco. «Los papiros están difíciles de conseguir en estos días». *Empatarse con los papiros.* Ganar dinero. «¡Qué trabajo me ha costado empatarme con los papiros!»

PAPIROTAZO. Ver: *Paparolitas.*

PAPITO. Amor. «¿Cómo estás papito?»

PAPO. (El) 1. El aparato sexual de la mujer. «Mi querida siempre tuvo un papo bonito». 2. Las partes pudendas de la mujer.[51] Sinónimos: *Bollo. El chocho. El pajarito. Pancho. Papaya. Por mi papo.* Por mis cojones. Es decir, porque me da la gana. «Es como dicen las mujeres. Por mi papo lo hago». *Ser alguien el papo en algo.* Ser el que más sabe. «Él es el papo en esa materia». Sinónimo: *Papaupa. Tener el papo en tiempo y forma.* Tener una mujer un aparato sexual muy bello. «Le vi el papo y lo tiene en tiempo y forma». (Es cubanismo de los abogados.) *Tener un papo americano.* Tener un clítoris grande. («Papo» es «clítoris».) «Esta mujer tiene un papo americano». (Un papo americano es un «papayón». Es un juego de palabras con «papa» y «John» [papayón.] El cubano pronuncia «yón». Papayón es un clítoris grande. El cubanismo como se ve, es un juego de palabras.) *Los papos*. Son zapatos. «Me voy a comprar unos papos tremendos». (Es lenguaje del chuchero. Ver: *chuchero.*)

PAPUJA. *Tener cara de papuja.* Tener una cara gorda. «Esa niña tiene cara de papuja».

PAPUJITA. Chupado. «Ella es joven pero tiene una cara papujita». Se aplica a la cara.

PAPUJOS. *Tener papujos.* Estar pasando apuros. «Ese tiene unos papujos que no sé cómo puede».

---

[51] Aparece en la poesía erótica de España. (Consúltese, *Poesía Erótica, Siglos XVI-XX.*) Ediciones Siro, S.A., Madrid, 1977, págs. 117-119.

PAPURRIA. (La) La comida. «¿A qué hora es la papurria?»

PAQUETE. *Esperar a alguien un paquete con moñita y todo.* Esperarle algo muy pesado: Lío, persona desagradable. «Si vas a ver a Rosa, el paquete que te espera es con moñita y todo. ¡Dios te coja confesado!» Recoger a alguien en entrega por paquete. Recogerlo de cuando en cuando. «Él no viene de cuando en cuando. Él me recoge en entrega por paquete». *Eso es un paquete de tres avenidas de galletas dulce.* 1. Mentira que se adorna con zalamerías. «Eso que me dices es un paquete de tres avenidas de galletas dulces». 2. Negocio ilícito bien preparado. «Eso es un paquete de tres avenidas de galletas dulces». *Estar de paquete.* Estar muy bien de salud. «Fui al médico y estoy de paquete». Aplicado a objetos quiere decir nuevo. «Con esos arreglos, la casa está de paquete». *Meterle un paquete a alguien.* Meter una mentira; aburrirlo. (La conversación da el significado de lo uno o de lo otro.) «Me metió un paquete. No tenía tal trabajo». (Mentir.) «Me metió un paquete de dos horas». (Me aburrió por dos horas.) Sinónimo: *Meter una descarga. Meterle a alguien el paquete de carne.* Ser alguien homosexual. «A ése le meten el paquete de carne». Sinónimos: *Darle con el cabo del hacha. Darle un mandarriazo o con la mandarria. Querer el montón pila burujón paquete.* Querer mucho. «Yo te quiero el montón pila burujón paquete». Sinónimos: *Llevar de campana a campana. Llevar de contén a contén. Llevar de rama en rama como Tarzán lleva a Juana. Ser algo un paquete.* Ser una mentira. «Eso es un paquete. No lo creo». *Ser alguien un paquete.* Ser antipático. «Ese nuevo amigo tuyo es un paquete». Se dice, asimismo, *un paquete mal envuelto.* Ver: *Cordelito.*

PAQUETEAR. Decir mentiras. «No me paquetees más, mi hijito».

PAQUETERO. Embustero. «Embustero. «Eres muchacho muy paquetero».

PAQUETÓN. Fatuo, orgulloso. «Conmigo no puede ese paquetón. Ni lo miro».

PAQUETONES. (Los) Los que se creen la gran cosa y adoptan posturas sacando el pecho y la guijada. «No aguanto los paquetones». Sinónimo: *Los empacados.*

PARACAÍDA. *Caer de paracaídas.* Presentarse de súbito. «Cayó de paracaídas». *Conmigo es como el paracaídas.* Solamente admite un fallo una vez, una cosa mal hecha una vez. «Yo fui muy estricto con mis hijos. Conmigo es como el paracaídas». (El paracaídas sólo admite un fallo. Si falla, se mata la persona.) *Estar la cosa de Arango y paracaídas.* Estar difícil. «Aquí la situación está de Arango y paracaídas». Ver: *Profesor. Salto.*

PARACAIDISTA. Ver: *Condíaco.*

PARADE. Ver: *Hit.*

PARADERO. *Ser alguien del Paradero.* Ser de baja clase social. «No andes con ese muchacho, él es del paradero». (El Paradero de la Víbora —barrio habanero— era frequentado por gente buenísima, pero de baja clase social. De aquí el cubanismo.) *Hablar como si se estuviera en el Paradero de la Víbora.* Hablar sin modales. «Ése habla como si estuviera en el paradero de la Víbora». (En el Paradero de tranvías y autobuses de la Víbora —Barrio habanero— se reunía mucha gente sin modales.)

PARAGUAS. *Descubrir el paraguas.* Descubrir la cuadratura del círculo. «Ése se cree que descubrió el paraguas». Sinónimo: *Creerse el inventor del movimiento continuo. Estar paraguas.* Manejar mal. «Con ese carro estás paraguas». Sinónimo: *Estar paragüero. Ser alguien aceite de cabo de paraguas.* Ser tacaño. «El es aceite de cabo de paraguas». Sinónimo: *Estreñido. Trabársele a alguien el paraguas.* Terminársele la suerte. «Iba muy bien pero se le trabó el paraguas». Sinónimos: *Rompérsele la catalina o Rompérsele la catalina a la bicicleta.* Trabársele a uno el paraguas. Olvidarse de algo. «Se me trabó el paraguas en medio del discurso».

PARAGUAYO. Machete. «Ya no se usan los paraguayos». Sinónimo: *Guayabo.*

PARAGÜERO. Se dice del que maneja mal. «Es tan paragüero que choca continuamente». Ver: *Paraguas.*

PARAGÜITA. *Conocer el paragüita.* Haber tenido gonorrea. «Toda esa generación conoció el paragüita». (Antes de la penicilina introducían, para curar la gonorrea, un aparatico en el pene lleno de cuchillitas que se abrían dentro del mismo. Tenía una forma de paragüita pequeño.)

PARAÍSO. (El) Las partes pudendas de la mujer. «Eso que ves en Juana es el paraíso». Sinónimo: *La cueva de hormigas.* (Cubanismo culto.) Ver: *Mono.*

PARALÍTICA. Ver: *Tiñosa.*

PARAMAUN. *Tener la Paramaun en acción.* Vigilar. «A mí no me engañan porque tengo la Paramaun en acción». (*La Paramount* es una compañía peliculera norteamericana, y el cubano lo pronuncia como se ha escrito. Me dicen que tenía un noticiero que tenía el lema: «*Ojos y oídos del mundo*». Hay evidentemente una confusión; el lema era de un noticiero en inglés en Cuba. El cubanismo se basa, sin embargo, en la confusión.)

PARAR. *Parar en seco.* Reprender. «Me contestó y lo paré en seco». (A pesar de tener la misma estructura lingüística que el castizo el significado es diferente.) *Parar una mujer el tráfico.* Ser muy bella. «Esa mujer para el tráfico». *Pararle la carreta (o la jaca) a alguien.* Suspenderle el exceso de confianza. «No me quedó más remedio que parale la carreta. Se propasaba». *Pararse de bonito.* Reclamar los derechos. «Me paré de bonito y le dije que no estaba dispuesto a aguantar aquello».

PARCELA. *En la parcela de mi corazón tú eres el terreno que hace esquina.* Tú eres siempre la primera y única. «Anoche, él me dijo: `En la parcela de mi corazón tú eres el terreno que hace esquina'». (Es forma de hablar del cubano que demuestra su genio lingüístico.)

PARCHE. *Parche pegado.* Se dice del que siempre está detrás de otro. «Ése es un parche pegado al jefe». Sinónimo: *Ser un chichí. Ponerse el parche antes de que salga el grano.* Protegerse antes de que aflore algo que se ha hecho y haya que afrontar las consecuencias. «Él sabe mucho. Y se puso el parche antes de que salga el grano». Se dice algunas veces: *Ponerse un parche más grande que la Cruz Roja.*

PARCHI. Ver: *Casa.*

PARCÍA. (El) 1. Amigo. «¿Cómo está mi parcía hoy?» 2. El jefe. «El parcía me ascendió». (Lenguaje del chuchero. Ver: *chuchero.*) Sinónimos: *Mi sangre. Mi tierra. Monina. Monstruo. Tigre.*

PARDIÑA. *Ser una mujer pardiña y cachinegrete.* Tener sangre de negro la mujer. «Esa mujer es pardiña y cachinegrete». (Nunca lo he oído aplicado a los hombres.)

PARED. *Estar pintado en la pared.* Ser una persona con la que nadie cuenta; una figura decorativa. «Él está en su casa pintado en la pared». Sinónimo: *Estar de muñequito de domingo.* Ver: *Domingo. Mulato.*

PAREGÓRICO. Ver: *Elixir.*

PAREID. Mucho. «Tengo un «hit pareid de discos». (Cubanismo del exilio. Viene de «parade» en inglés, o sea, «parada o desfile».)

PAREJA. *Andar una pareja en el sucu sucu.* Andar en cosas prohibidas o no morales. «Esa pareja anda en el sucu sucu». *Venir por parejas como los guardias rurales.* Las desgracias nunca vienen solas. «Eso es así como viene lo malo; viene por parejas como los guardias rurales».

PAREJERÍA. 1. Frescura. «Conmigo, muchacho, te dejas de parejería». 2. Hacer gracias delante de la gente para que lo celebren. «Eso son parejerías». *Lanzarse en una parejería.* Alardear. «Mi mujer, después que le puse los puntos sobre las íes no se lanzó en ninguna parejería». *Tirarse en una parejería.* Propasarse. «No se te ocurra tirarte conmigo en una parejería».

PAREJERO. 1. Atrevido. «Es un parejero. Por eso lo reprendí». 2. Fresco. «¡Qué parejero eres Pedro!» 3. Que habla lo que no sabe y con autoridad. «Tú no sabes eso. ¡Eres un parejero!»

PAREJO. *Tumbar parejo.* Trabajar en las mismas condiciones. «Yo no permito que apliquen aquí otras reglas. Conmigo hay que tumbar parejo».

PARES. Ver: *Tres. Trompones.*

PARGO. Homosexual. «Él es un pargo». *Estar el pargo que llega a tiburón.* Haber muchos homosexuales reunidos. «Mira para allá. Ahí está el pargo que llega a tiburón». («Pargo» es «homosexual» en cubano.) *Pargo con espina.* Homosexual al máximo. «Ése es un pargo con espinas». (Es el superlativo que el cubanismo forma no con las terminaciones propias del mismo, sino con palabras.) Ver: *Aceite.*

PARGUELA. Ver: *Pargo.*

PARIENTE. *Ser alguien pariente de los Maceos.* Oler mal. «Ese hombre es un cochino. Es pariente de los Maceos». (Es un juego de palabras entre «grajo», —cubanismo para el mal olor producido por el sudor— y el apellido del héroe de la independencia de Cuba: Grajales. Es irreverente.) *Ser pariente de Chivago.* Ser vago. «Juan es pariente de Chivago». (El «*Dr. Chivago*», es una novela del escritor ruso Boris Pasternak. El cubano descompone el nombre «Shivago» en «chi vago», o sea, «sí, vago».) *Ser pariente directo del mono.* Ser muy feo. «Él es pariente directo del mono».

PARIPÉ. *Hacer el paripé.* Hacer el papel de algo o alguien cuando no se es o puede ser lo que finge el individuo por no tener cualidades o virtudes. «¡Míralo que falso! Haciendo el paripé de gran señor».

PARIR. *Poner al parir.* Herir malamente. «Le di una paliza y lo puse al parir. Lo mandé dos semanas para el hospital».

PARÍS. Ver: *Niño.*

PARLÉ. *Ligar el parlé.* 1. Lograr una cosa muy buena. «Me caso con ella. Ligué el parlé». («Ligar el parlé» es apostar en las loterías clandestinas a dos números a la vez y acertar.) Sinónimo: *Hacer bingo.* 2. Tener muy buena suerte. «Con esa obra ligué el parlé». Puede indicar también mala suerte. «Con la llegada de mi primo ligué el parlé». También fracasar. «En esa empresa ligué el parlé. Me fui a la ruina».

PARNÉ. *Meterle a alguien el parné en marañón.* 1. Aguantarle a alguien un dinero que se le debe. «No me metas el parné en marañón. Dámelo inmediatamente». (Como el marañón es una fruta que pega, tiene pegado el dinero, el individuo que no lo quiere dar. De ahí el cubanismo. «Parné» es «dinero» en calé, lenguaje de los gitanos.) 2. Invertir el dinero en negocios riesgosos. «Lo que tuve que sacar como administrador porque me metió el parné en marañón». (El marañón es una fruta pegajosa. De ahí el cubanismo.)

PARODIA. *Meter una parodia.* Contar una tragedia. «Me cogió en la fiesta y me metió una parodia». Sinónimo: *Meter una trova.*

PARQUE. *Creerse alguien que está en el Parque Trillo.* Hablar como si estuviera pronunciando un discurso. «Óyelo, se cree que está en el Parque Trillo». (El Parque Trillo era un sitio en La Habana donde daban casi todas las concentraciones políticas.) *Cualquier figurín duerme en el parque.* Ver: *Figurín.* Levantarse alguien de Parque Trillo. Levantarse hablador. «Juan se levantó de Parque Trillo». *Meterle a alguien un Parque Trillo.* Aburrirlo con una perorata política. «Me metió, en cuanto me vio, un Parque Trillo». (En el Parque Trillo, en La Habana, se daban mítines o reuniones políticas. De aquí el cubanismo.) *No necesitar ni el parque Trillo.* Se dice del que se pone a predicar en cualquier lado. «Ése no necesita ni el Parque Trillo». (En el Parque Trillo, en La Habana, se celebraban en Cuba grandes fiestas políticas en las que hablaban los oradores. De aquí el cubanismo.) *No tener alguien parque.* No tener inteligencia. «Oscar no tiene parque». «Parque» en castizo es «munición». Es lenguaje del chuchero. Ver: *chuchero.*)

PARQUEADA. *Estar parqueado.* Llevar mucho tiempo en un lugar. «La policía ha estado parqueada frente a mi casa por horas».

PARRA. *Ir a la parra.* Ir a la cama. «Estoy muy cansado. Me voy a la parra». Sinónimo: *Emparrillarse. Ir a la parrilla.*

PARRI. Cama. «Me voy al parri». (Parilla.) El cubano tiende mucho a cortar las palabras como evidencia de un gran poder de síntesis. Ver: *Parrilla.*

PARRILLA. (La) La cama. «¡Qué rica es la parrilla cuando se está cansado!» Ver: *Cama.*

PARTAGÁS. *Tener que encontrarse con Partagás.* Tener alguien que ponerse una dentadura nueva. «Chico, tienes que encontrarte con Partagás». (A la caja de cigarrillos le llama el cubano «cajetilla». «Cajetilla» es también para el cubano «dentadura». «Partagás» es la marca de unos cigarros cubanos. De aquí el cubanismo.)

PARTE. (La) La cosa. Se usa en frases como esta: «Lo siento pero ya tú sabes cómo es la parte». Se usa también en otros casos: *Hablar de la parte del sentimiento.* 1. Hablar del dinero. «Todo lo que me dices está bien. Pero vamos a hablar de la parte del sentimiento. ¿Cuánto a mí me toca?» 2. Hablar de lo que me concierne. «Vamos a hablar en esto de la parte del sentimiento, de lo que a mí me interesa». *Ser algo parte de la molienda.* Ser algo parte del conjunto. «Esa tuerca déjala aquí que es parte de la molienda». Ver: *Guapería.*

PARTIDITO. *Partidito cachandinga.* Cosa sin importancia. «Lo que me dices es un partidito cachandinga». (Viene del juego de poker. Un partidito donde se juega poco dinero es un partidito cachandinga.)

PARTIDO. 1. Homosexual. «Es un partido». 2. Tener alguien mucha hambre. «Me dicen que Luis tiene mucha hambre. ¡Qué gestos!» Sinónimo: *Aceite. Estar partido.* Ser un homosexual. «Está bastante partido. Lo sé». Sinónimo: *Aceite. No poder ser* *alguien partido del gobierno.* Se dice del que se opone a todo. «Así que no quieres ir a la playa. Tú no puedes ser partido del gobierno». (Es decir, estar siempre en la oposición.) *Quitarle el yoyo a alguien y entregárselo partido.* Derrotarlo. «Yo te quité el yoyo y te lo entregué partido». También, fornicar a una mujer virgen. «Dicen que antes de casarse, le quitó el yoyo y se lo entregó partido». *Ser alguien presidente del Partido Laboral.* Trabajar mucho. «Yo no paro. Soy presidente del Partido Laboral». (Es un juego de palabras con Partido Liberal, un partido cubano y «laboral», o sea, «trabajar».) *Ser una mujer del Partido Liberal.* 1. Ser de la vida alegre. Ser fácil. La conversación da el significado. «Ésa es del Partido Liberal; de dos pesos». (Prostituta.) «Se te entrega fácilmente, pues es del Partido Liberal». Ver: *Yoyo.*

PARTIDURA. Ver: *Partitura.*

PARTIR. *La partiste.* Has hecho una gran cosa. «Con la contestación que le diste, la partiste». *Lo voy a partir.* Latiguillo lingüístico que usa continuamente el cubano para decir que va a derrotar a alguien, que lo va a aniquilar. «Como me siga molestando lo voy a partir». (Voy a tomar medidas para hacerlo cisco.) *Partir a alguien.* Matarlo. «Lo partieron llegando a su casa». *Partir el brazo a alguien.* Aceptarle la proposición. «En cuanto me lo ofreció le partí el brazo». Sinónimo: *Arrascarle el brazo.*

PARTIRLA. 1. Acertar. «—¿Sabes quién se murió? —Pedro. —La partiste». También hacer algo muy sonado. «Con esas palabras se batieron en retirada. Es que la partiste». 2. Hacer algo muy bien. «En esto la partiste». Sinónimo: *Comérsela.*

PARTIRSE. 1. Afeminarse. «Mira cómo se parte cuando habla». 2. Morirse. «Ayer se partió Juan».

PARTITURA. *Darle a alguien una partitura.* Matarlo. «Déjamelo a mí que le voy a dar una partitura». Sinónimo: *Partir a alguien. Darle a alguien una partitura que ni Betoven.* Darle tremenda lata; tremenda tabarra. «Me encontró en el concierto y me dio una partitura que ni Betoven». (Es cubanismo culto, hace un juego de palabras entre «partitura» y «partir» [fastidiar.] «Betoven» es «Beethoven» el compositor clásico.)

PARTO. *Estar fuera de parto una mujer.* Quedarse para vestir santo. «Esa mujer está fuera de parto».

PASA. *Tener una pasa corrida.* Tener un pelo, una persona de color, muy malo. Completamente como el de los negros. (En Cuba, al pelo del negro se le llama «pasa».) «Ese hombre tiene un pasa corrida». Ver: *Ciruela.*

PASABOLA. Ver: *Doblete.*

PASADO. *No pertenecer al pasado sino al podrido.* Ser demasiado conservador. «Ese orador no pertenece al pasado sino al podrido». (Es el cubanismo un juego de palabras entre «pasado» —el ayer— y algo pasado, como una fruta, que está ya podrida.)

PASAJARROS. El que se pasa el día haciendo colectas. «Ése es un pasajarros. Vive de eso».

PASANA. Chino. «El pasana me va a poner cola a los muebles». «Oye, pasana, dame un helado de vainilla». Se usa lo mismo en masculino que en femenino. «Oye pasana, Lorenzo Wong, dame un helado de vainilla». Pero se oye más el femenino «Pasana». «Pasano» es como el chino pronuncia «paisano y paisana».

PASAR. *Pasar la mota.* Engañar. «A mí no hay quien me pase la mota». *Pasarse.* Excederse. «Te pasaste con ese castigo». *Pasarse de rosca.* Extralimitarse. «En el discurso se pasó de rosca». *Pasarse para la «yunai».* Efectuar cualquier tipo de cambio. «Yo en la política era demócrata. Pero me pasé para la «yunai». (El cubanismo viene de una canción. «Yunai» es la forma jocosa en que el cubano pronuncia la voz inglesa «United States», o sea, «Estados Unidos».) Sinónimos: *Estar en el permanente renuevo. Pasarse para la mil diez. Que se pasó.* «Tiene una inteligencia que se pasó». *Se pasó.* 1. Éxito. «Con ese experimento se pasó». 2. Hacer algo notorio. «Con el espectáculo incivil que dio en esa fiesta se pasó». (Es un latiguillo lingüístico que el cubano usa continuamente.) «Tiene un trasero que se pasó». (Tiene un fondillo grande.)

PASBOL. *Cometer un pasbol.* Cometer un error en algo que iba muy bien. «Parecía que ganaba, pero cometió un pasbol». (Viene del juego de pelota o «base-ball». Cuando al receptor se le escapa la pelota lanzada por el lanzador se dice que comete un pasbol. [Pass the ball.])

PASE. (Un) 1. Cosa. «Ese pase en casa de Juana no me gusta». 2. Golpeadura. «¿Qué pase le dieron al pobre Cirilo?» 3. Hacer trabajar mucho. «¡Qué pase le di en el trabajo! Sudaba la gota gorda». 4. Insinuársele a una mujer. «Me dio un pase el muy descarado». 5. Derrotar. «Se creía seguro, pero le di un buen pase en la competencia». En general, derrotar. «Qué pase le di en el dominó». «Qué pase le di en el examen». *Coger el pase en la bolita.* Poder aún pelear, tener todavía oportunidad. «¿Que cómo me fue? Cogí el pase de la bolita». *Dar un pase.* Dar una golpeadura. «El pase que le dieron a Juan fue terrible». Sinónimo: *Darse un pase de albahaca.* Bañarse con albahaca para quitarse la mala suerte. «Hoy me di un pase de albahaca». (Es creencia de los adeptos de las religiones africanas vigentes en Cuba.) *Dar a alguien un pase de chancleta.* Hacerlo caminar mucho. «Mi marido anoche me dio un pase de chancleta. ¡Cómo me dolió el tobillo!» *Darle a alguien un pase de culo.* Ser homosexual. «Puedes creer que él, tan serio que parece, y me dio un pase de culo». *Darle un pase de Jabón Candado.* Adoctrinar a profundidad para borrar el pasado. «Los partidos políticos están dando un pase de Jabón Candado». (El lema del Jabón Candado era que dejaba la ropa blanquísima. La devolvía al estado original. Esta oración que contiene el cubanismo muestra muy bien lo que pretende: borrarlo todo, incluyendo algo nuevo. De aquí el cubanismo nacido en el exilio.) También matar. «La policía le dio un pase de Jabón Candado». *Estar en el pase.* Estar enamorado. «Está en el pase con Silvita». *Necesitar alguien un pase de gallinas.* Necesitar quitarse la mala suerte. «Tú lo que necesitas es un pase de gallinas». (Según las religiones africanas vigentes en Cuba, al que tiene mala suerte se le pasa una gallina prieta por el cuerpo.) *Tener alguien un pase a tierra.* Estar loco. «El pobrecito tiene un pase a tierra». Sinónimos: *Cable. Tener los cables cruzados. Tener un pase.* Estar loco. «No le hagas caso. Tiene un pase». *Ver a alguien en un pase.* 1. Verlo haciendo algo raro. «Lo vi en un pase». 2. Verlo en una situación rara. «Lo vi en un pase y te digo, que no es muy hombre que digamos».

PASEO. *Ser algo un paseo.* Ser una cosa muy fácil. «Lo haré. Eso es un paseo». «Eso es un paseo. Lo hago en diez minutos». Ver: *Limpieza.*

PASIFLORA. *Darle a alguien pasiflora (o pasiflorina.)* 1. Calmarlo. «Cuando lo vi tan excitado le di pasiflora». 2. Tranquilizarlo. «Cuando lo vieron tan nervioso le dieron pasiflora». (La Pasiflora calma los nervios. De ahí el cubanismo.) Sinónimos: *Pasiflorina. Sedanita. Darle pasiflora (o pasiflorita.)* En el imperativo significa: cálmate. «A eso, muchacho, dale pasiflora». Sinónimo: *Dale sedanita.*

PASIFLORINA. Ver: *Pasiflora.*

PASIÓN. *Tener alguien encendida la pasión (o la «blak» [black,] o, envenenada la pasión, o la «blak» [black.])* Tener el pelo muy rizado. «Ése tiene la pasión muy encendida». (Con respecto a la gente de color quiere decir que tienen el pelo sin peinar. El cubanismo es un juego de palabras entre «pasa», —pelo de los negros— y «pasión».) *Tener pasión con la Florida Pauer.* Tener siempre las luces encendidas. «Apapa que cuesta mucho. Tú tienes pasión con la Florida Pauer». (La Florida Power, y que el cubano pronuncia como se ha escrito, es la compañía de electricidad de la Florida. Es cubanismo nacido en el exilio.) *Tener la pasión alborotada.* Estar despeinado. «Juan tiene la pasión alborotada». Sinónimo: *Tener la pasión encendida.* (Casi siempre el cubanismo se refiere a alguien de la raza de color pero lo he oído aplicado a los blancos.) Ver: *Pasión.*

PASITA. *Ser alguien como la pasita.* Ser seco de carácter. «Él es bueno, pero seco como la pasita. ¡Qué lástima!» (Lo he oído, también, con «estar como la pasita».)

PASITO. *No estar algo de pasito chino.* Ser urgente. «Muévete, que esto no está de pasito chino». (Las mujeres chinas caminaban muy lentamente. De aquí el cubanismo.) *No necesitarse un pasito chino sino una olimpíada.* Necesitarse el trabajar a todo tren. «Para limpiar este almacén no se necesita un pasito chino sino una olimpíada». (Cubanismo del exilio. El pasito chino es un paso corto. Los chinos caminan muy despacio.) *Pasito alante varón.* 1. Dejen espacio. (Es cubanismo que surgió con los conductores de guaguas. Cuando ésta va muy llena para que los viajeros hagan espacio el conductor grita: «Pasito, alante, varón».) 2. Tratarlo con consideración. «Pasito alante, varón, estamos muy apretados». (El cubanismo se decía en los autobuses cuando iban muy llenos.) También significa no te desanimes. «Vaya hombre qué contrariedad. —Pasito alante, varón».

PASMADO. *Estar pasmado.* No tener dinero. «¿Cómo no me dijiste que estabas pasmado? No hubiéramos venido».

PASMADOR. Que pasma. Ver: *Pasmar.*

PASMAR. Se dice cuando uno ve a una pareja que está besándose y no le quita la vista de encima. Se usa casi siempre en el imperativo. «Oye, no pasmes». *El noveno mandamiento de la ley de Dios es no pasmar.* Tiene el significado anterior de «pasmar». Se dice cuando uno está «pasmando» a una pareja, es decir, mirando cómo se besan.

PASO. *Cambia el paso, Cheché.* 1. Cambia de actitud. «Yo te lo digo firmemente. Vas mal. Cambia el paso, Cheché». 2. Haz otra cosa; habla de otra cosa; cállate; etc. «Yo te digo que el gobierno... —Cambia el paso, Cheché». (Habla de otra cosa.) «Voy a decirle cuatro cosas... —Cambia el paso, Cheché». Se aplica a muchas situaciones. «Dame cinco pesos. —Cambia el paso, Cheché». (El cubanismo viene de una canción. *Cambia el paso* es castizo pero tiene un significado diferente en el cubanismo.) *El paso del elefante es lento pero aplastante.* Yo hago las cosas poco a poco pero triunfo. (El cubanismo está tomado del lema de un equipo de pelota en Cuba, el Cienfuegos.) «Yo no me preocupo. No te olvides que el paso del elefante es lento pero aplastante». *Hacer algo a paso de conga.* Hacerlo rápido. «Hice eso a paso de conga». *Llevar a alguien a paso de bosanova.* Tratarlo con consideración. «El siempre me ha llevado a mí a paso de bosanova». (El paso de la música de bosanova es suavecito. De aquí el cubanismo. También, no hacer a alguien trabajar rudamente, sino todo lo contrario, dejarlo que trabaje a su paso.) «En el trabajo me lleva a paso de bosanova». *Llevar a alguien a paso de conga.* 1. Hacerlo trabajar mucho. «A mí me llevan a paso de conga». «En el trabajo me lleva a paso de conga». «Por ocho horas me ha llevado a paso de conga, haciéndome levantar miles de cajas». 2. Ser alguien muy fuerte. «Lleva a su hijo a paso de conga». 3. Ser rudo con alguien en cualquier sentido. «Siempre lo tratas rudamente. Lo llevas a paso de conga». (Se aplica a muchas situaciones. La conversación da el sentido.) Sinónimos: *Llevar a alguien a buchito de café y a patada por el culo. Llevarlo a toque de corneta. No salir del paso y quedarse en la contradanza.* No terminar algo. «Es inútil que lo apures. Él no sale del paso y se queda en la contradanza». (La contradanza se baila muy lentamente. De ahí el cubanismo.) *Paso del perrito.* Paso de baile en que el bailador levanta la pierna y la lleva hacia la pared imitando a un perrito que orina. *Un paso en falso le cuesta la vida al artista.* 1. Hay que tener cuidado. «En esto de conspirar hay que darse cuenta de que un paso en falso le cuesta la vida al artista». 2. Una decisión en falso arruina una vida. «Voy a dejar el trabajo. Cuidado, un paso en falso le cuesta la vida al artista». (Es cubanismo de la zona de Güines. En los circos cubanos cuando anunciaban el acto de la cuerda floja, pedían silencio antes del acto, y añadía el dueño del circo diciendo las palabras del hoy cubanismo nacional, o sea, «un paso en falso le cuesta la vida al artista». De aquí el cubanismo.) Ver: *Barrigón. Papalote. (Empinando el papalote.) Pelota. (Jugando a la pelota.) Tranvía. (Manejando el tranvía.)*

PASODOBLE. *Romperle a alguien el pasodoble.* 1. Impedirle que continúe con algo que estaba haciendo. 2. Impedirle que haga algo que estaba planeando. «Oye, en las elecciones me rompiste el pasodoble. Por eso no pude salir».

PASTA. *Tener pasta.* Tener flema. «¡Mira que tú tienes pasta!» Ver: *Cursi.*

PASTEL. *Arreglar el pastel.* Tratar de componer la situación. «Trató de arreglar el pastel pero ya era muy tarde». *Comerse el pastel sin mancharse la boca.* Ver: *Boca. Desbaratar el pastel.* Hacer las cosas mal. «Con tu actitud desbarataste el pastel».

PASTELERO. *Me quito como el pastelero.* Yo no intervengo en eso. «Yo te lo dije claro, en esa situación, me quito como el pastelero».

PASTILLA. *Si no te vas a bañar no me saques la pastilla.* Si no vas a hacer la cosa no me vengas con cuentos de caminos. «Oye, dime sí o no. Si no te vas a bañar no me saques la pastilla. Está bueno ya de historias». *Tomarse una pastilla de «don quear» y «beibi oil».* («Don't care» en inglés, «no importar» y «baby oil», «aceite infantil».) No importarle a uno nada. «No me vengas con tus llantos. Me he tomado una pastilla de don quear y beibi oil». (El cubanismo nació en el exilio e indica que al que escucha o la persona de la que se habla todo le resbala sin dejarle huellas. El «baby oil» cuando se echa en el cuerpo hace resbalar, como es natural, la mano.)

PASTILLAZO. *Estar alguien «redi» para el pastillazo.* Tener alguien la muerte rondándolo. «Se metió en este negocito y está «redi» para el pastillazo». (Es un cubanismo nacido en el exilio. Por eso usa la palabra inglesa «ready», y que el cubano pronuncia como se ha escrito, significando «estar listo».) Sinónimo: *Estar alguien listo para la toma de la Bastilla.* (El cubanismo está basado en un chiste, que dice: se levanta el telón y se aparece un polaco tomándose una pastilla con agua. Cae el telón. ¿Cómo se llama el drama? Respuesta: «*La Toma de la Bastilla*». Al judío le dicen «polaco» en Cuba, pronuncia «pastilla» en vez de «Bastilla».)

PASTILLERA. 1. Persona adicta a la droga. «Hoy detuvieron a cien pastilleros para curarlos». 2. Se dice de la persona que toma muchas pastillas. «Ella es una pastillera».

PASTORA. (La) El dinero. «¿No me vas a dar la pastora?» Sinónimos: *Magua. Maní. Tantanes.*

PASTOREAR. Maniobrar. «Supo pastorear y se alzó con el dinero». *Pastorear a alguien.* Engañarlo. «Me pastoreó y me cogió el dinero».

PATA. Tanto. «Tengo cinco patas en las siete y media». (Se oye, preferentemente, en el juego del cubilete.) *Abrirse de patas alguien.* Acobardarse. «Ese hombre se abrió de patas cuando vio el revólver». *Alzar (o levantar) la pata.* 1. No volver uno a un sitio. «No me explico por qué ha levantado la pata de aquí». 2. Orinar. «Voy a alzar la pata en estos matorrales». *Apúntame esa pata.* Dame crédito. «Lo que dije sucedió. Apúntame esa pata». *Comerse a alguien por una pata.* Arruinarlo. «Ese hijo se está comiendo al padre por una pata». *Comerse algo a uno por la pata.* Afectarlo económicamente mucho. «El alquiler me come por la pata». *De pata y salida.* De entrada. «De pata y salida te digo que no permitiré lo que piensas hacer». *Enredarse en la pata de los caballos.* Complicarse algo. «No gastes más dinero que te vas a enredar en la pata de los caballos». *Enredársele a alguien las patas en el alambre.* Presentarse dificultades. «Iba muy bien pero se le enredaron las patas en el alambre». (Es cubanismo de origen campesino.) *Ir alguien con las dos patas pa'alante.* Haber fallecido. «Él fue con las dos patas pa'alante». (Se basa en el castizo «estirar la pata». «Pa'alante» es «para adelante».) Sinónimos: *Cantar el manisero. Guardar. Guardar el carro. Morderle la pata al coronel.* Comer pollo frito. «Hoy voy a morderle la pata al coronel». (Este cubanismo nació en el exilio. Hay una cadena de restaurantes que venden pollo frito y se llaman Kentucky Fried Chicken que fue fundada por un coronel. En sus anuncios se ve al coronel. De ahí el cubanismo.) *Pata caliente.* Persona que en vez de estar en su casa siempre está en la calle. «Ese amigo tuyo es una pata caliente de marca mayor». Sinónimos: *No parar la pata. Tener la pata encendida. Pata de perro. Pata de puerco.* Persona sin valor. «Ése es un pata de puerco». *Pedirle permiso a una pata para levantar la otra.* Ser muy vago. «Lo despidieron porque le pide permiso a una pata para levantar la otra». *Ponerse el chaquetón de pinotea. Ser la pata del diablo.* Ser muy sagaz. «Juan es la pata del diablo». *Ser un pata e plancha.* Se dice de la persona que camina lentamente. «Apúrate. Eres un pata e plancha». *Soltar la pata.* No apretar a alguien o en algo. «Ya soltó la pata en los intereses». (Lenguaje que viene del sector automovilístico.

«Soltar la pata», es «levantar la pata», o sea, quitarla del acelerador.) *Tener podridas las patas de la silla turca.* Estar loco. «Él tiene podridas las patas de la silla turca». (Cubanismo culto.) *Tener que empezar con una mujer por la pata de la cama.* Estar bellísima. «Con esa mujer hay que empezar por la pata de la cama». *Tener una mujer una pata de palo.* Ser liviana de cascos. «No hay que extrañarse de que se le haya ido al marido porque todo el mundo sabía que ella tenía una pata de palo». (Es decir, cojeaba. El «cojea» se dice en castizo cuando se habla de un defecto de alguien; cuando alguien no es trigo limpio. De ahí el cubanismo.) *Tumbarle la pata.* Ganarle. «En todo le tumbé la pata a Pedro». Ver: *Banco. Cuatro. Grillo. Grulla. Oso. Pata. Salpullido. Tibor.*

PATADA. *Caerle a alguien como una patada en la vejiga.* Le caí muy mal. «Le caí al jefe, desde que me vio, como una patada en la vejiga». (La vejiga es la zona de los caballos entre los dos testículos.) *Dar una patada entre campana y campana.* Dar una patada entre los dos testículos. «Le dio una patada entre campana y campana y cayó al piso». *Darle a alguien una patada en el culo con hemorroides.* Hacerle algo que le llegue al alma. «Ha quedado muy apesadumbrado con lo que le hizo la mujer; le dio una patada en el culo con hemorroides». *Darle a alguien una patada entre oeste y este para que pierda el norte.* Darle una patada en el medio de los testículos. «A ese hombre le dieron una patada entre el oeste y el este para que pierda el norte». *Darle la patada a la lata.* Morirse. «Ése, en dos o tres días, le da la patada a la lata». Sinónimos: *Ir alguien con las dos patas pa'alante. Pata. Darle la patada al cubo.* Fracasar. «Con esa declaración le diste la patada al cubo». *Darle a alguien una patada que se va a morir de hambre en el aire.* Darle una patada muy fuerte. «Se dio una patada que se va a morir de hambre en el aire». *Darle a alguien una retreta de patadas.* Darle muchas patadas. «Le dio una retreta de patadas al amigo cuando riñeron». *Darse alguien muchas patadas por el culo.* Darse pisto, aire. «Ese tonto se da muchas patadas por el culo». (Es cubanismo de origen campesino.) *Darse patadas.* 1. Creerse que uno vale mucho. 2. Ser muy orgulloso. (La conversación da el significado uno o dos.) «Se da una patada tremenda porque es rico». (Es muy orgulloso.) «Se da una patada porque se cree poeta». (Creerse que vale mucho.) Sinónimos: *Pellizcarse el ombligo. Darse cranque en el ombligo. Patada de yegua no mata caballo.* No hiere lo que otro haga. «No me importa lo que digas o hagas. Patada de yegua no mata caballo». (Las yeguas, en el juego del amor, le dan de patadas al caballo, pero no le hacen daño. De aquí el cubanismo de origen campesino.) *Ser algo una patada en el hígado.* Ser algo totalmente falto de gracia. «Ese chiste es una patada en el hígado». *Ser una bebida una patada en el cerebro.* (Se oye mucho «patá», el cubano aspira la «d».) Ser malísima. «Esta bebida es una patá en el cerebro». También lo he oído aplicado a una bebida muy fuerte. «Te marea, este ron es una patá en el cerebro». Ver: *Punto. Señorita. Vaca.*

PATAJOROBÁ. *Ser un patajorobada.* Tener alguien mala suerte. «Ése es un patajorobá».

PATALEO. *Estar en el pataleo.* 1. Desahogo. 2. Estar casi muriendo. «Ya está en el pataleo». 3. Estar terminando un mandato. «El presidente está en el pataleo. ¿Cuántos meses más?» 4. Quejándose por haber perdido. «Tienes que dejarlo estar en el pataleo. Después de todo ya no puede competir más». En general, el cubano lo aplica a muchas situaciones.

PATAS. *Estar alguien parado en dos patas.* Estar en una actitud de dureza. «No te perdonará. Está parado en dos patas». *Partirle las patas a alguien.* 1. Derrotarlo. «Creyó que me ganaba pero le partí las patas». 2. No poder resistir. «La situación era muy tensa y a él se le partieron las patas». Sinónimos: *Partirle el carapacho. Partirle la siquitrilla. Partirle la ventrecha. Partirle el esternón.*

PATATO. Pequeño. «Ese niño es un patato». Sinónimo: *Ser un remache.*

PATATUMBA. *Ser alguien un patatumba.* Ser un tipo flojo. «Chico, tú eres un patatumba». (Viene de la pelea de gallo. El gallo patatumba se cae, de aquí el cubanismo.)

PATEAR. Vencer. «El equipo nuestro lo pateó». (Aquí el castizo toma otro significado.)

PATENTE. Ver: *Perro.*

PATÉTICA. *Ser lo más parecido a la Patética.* Se dice del que siempre tiene cara de tragedia, y está hablando de tragedia. «El marido es lo más parecido a la Patética». (Es cubanismo culto. «*La Patética*» es la famosa sinfonía de Beethoven.)

PATICAS. *Paticas, ¿pa' qué te quiero?* A correr. «Un tiro. —Paticas, ¿pa' qué te quiero?» («Pa'» es «para».)

PATICO. Ver: *Pollo.*

PATICRUZADO. Marca de un ron que terminó identificándose con la palabra ron en lenguaje popular cubano. «Dame un paticruzado». *Roncar paticruzao.* Dormir una borrachera de ron. «Pedro está roncando paticruzao». (El paticruzao, —que el cubano aspira la «d»— era un ron cubano barato.)

PATILLA. Ver: *Zancudo.*

PATÍN. *Dar patín.* 1. Manejar. «Llevo ocho horas dando patín al timón de este auto». 2. Trabajar. «Cómo he dado patín limpiando esta casa hoy». *En el primer patín que pierda, la rueda queda.* Paga en el primer fallo que cometa. «Te lo digo, en el primer patín que pierda, la rueda queda». *Estar en un patín.* Estar apurado. «Desde ayer estoy en un patín». *Estar en patines.* Estar muy ocupado. «No te escribí antes porque estoy en patines». *Estar montado en un patín.* Trabajar duro. «Juan está, hace veinticuatro horas, montado en un patín». *Irsele a alguien el patín.* Perder el control. «Se le fue el patín en la reunión». *Montarse en patines.* Huir. «Cuando divisaron a los soldados se montaron en patines». (El cubanismo viene del campo del boxeo. El boxeador que huye ante el ataque del contrincante se monta en patines.) Sinónimos: *Chaquetear. Echar un entomillón.*[52] *Echar un pie. Echar una llanta. Montarse en un patín.* Huir. «Cuando llegó la policía se montó en un patín». *Soltar las ruedas del patín.* Trabajar mucho. «Te juro que en ese banco estoy soltando las ruedas del patín». *Tener los patines engrasados.* Estar listo para correr. «Juan tiene los patines siempre engrasados por si hay un lío». Ver: *Municiones. Pan.* Tener a alguien en un patín. Hacerlo trabajar mucho. «Ese maestro me tiene en un patín». Sinónimo. *Llevar a la marcheré. Llevar a paso de conga y buchitos de café.*

---

[52] También «entomiñón».

PATINAR. *Estar alguien patinando.* 1. Cometer errores. «Está patinando muy a menudo. Yo creo que le falla la memoria». 2. Estar teniendo dificultades. «No hay dudas de que él está patinando en la editorial». (Lo he oído una vez en Madrid con este significado de dificultades.) *Estar patinando del coco.* Estar volviéndose loco. «Él está patinando del coco hace tiempo».

PATIÑERO. *Formar un patiñero.* Formar un fanguero. «Me vas a formar un patiñero». *Ser algo un patiñero.* 1. Se dice cuando alguien, con los pies llenos de lodo, deja su huella en el piso de un lugar. «Mira este patiñero que causó tu hermano». 2. Sitio de la casa, casi siempre a la entrada, donde se han dejado las huellas de los pies fangosos. «Voy a limpiar ese patiñero antes de que llegue mamá».

PATIÑO. *Ser como Patiño.* Tener testículos grandes. «Ese muchacho es como Patiño». (Se basa en el cuento de Patiño, que se puso alitas para entrar en el limbo, adonde no lo dejó ir San Pedro, pues Patiño era un enano. Cuando San Pedro lo vio volando más tarde, en dirección al limbo disfrazado de angelito, le gritó: `Baja, Patiño, que esos cojones no son de niño.')

PATIO. *Estar alguien pidiendo patio.* Ser de modales de baja estofa. «Cómo voy a dejar que Juana se case con mi hijo si ella está pidiendo patio». (El cubanismo se refiere a los patios de los solares, antiguas residencias coloniales en las que, en su amplitud, vivían, en cuartos obscuros y malolientes, muchos cubanos pobres. Tenían y tienen un patio central donde el problema entre vecinos y los malos modales estaban a la orden del día.) *Negrito del quinto patio.* Ver: *Negro.*

PATITO. *Largar a alguien como un patito.* Dejarlo casi muerto. Desmadejado. «A ese americano lo forniqué, y lo dejé como a un patito».

PATO. Homosexual. Sinónimo: *Aceite. Si no es pato es gallareta.* Es lo uno o lo otro. «Ya resolveremos la cuestión; si no es pato es gallareta». (Refrán campesino.) *Sin cola van los patos.* El número dos en el dominó. Ver: *Tripa.*

PATÓN.A. Se dice del que baila mal. «Juan nunca tuvo ritmo. Siempre fue un patón».

PATRIA. *Comer patria o muerte.* Ser comunista. «En Cuba comía patria o muerte». (Éste era el lema del 26 de Julio, movimiento fundado por F. Castro.) *Estar de patria o muerte.* Apoyar incondicionalmente al régimen comunista cubano. «Juan está de patria o muerte». *Hacer por la patria.* Comer. «Perdonen, pero tengo que ir a hacer por la patria». *Hacer patria.* Tener hijos. «Juan está haciendo patria continuamente. Van cinco». *Hacer una patria nueva.* Divorciarse de viejo, casarse y empezar a tener hijos. «Tú puedes creer que a los sesenta empezó a hacer una patria nueva». *Ser alguien patria o muerte.* Estar en el comunismo cubano. «Se quedó allá y es patria o muerte». (Cuando es un militante se dice «estar de patria o muerte».) «En Cuba está de patria o muerte». *Un patria o muerte.* Alguien que está con el régimen comunista de Cuba. «Ten cuidado que es un patria o muerte».

PATRILL. Dar marcha atrás. «Patrill que viene la policía».

PATRIOTA. Billete de a dólar o de a peso. «Tengo cinco patriotas en el bolsillo». Sinónimo: *Baro. Estar los patriotas a caballo.* Estar escaso el dinero. «Qué dura es la vida. Están los patriotas a caballo». (Me dice el Dr. Leonardo Gabriel, una autoridad en estas cosas, que como cada billete tiene un patriota cubano, el cubanismo dice que éste ha cogido un caballo y está corriendo, por lo que no se puede uno acercar.) *Nuestros patriotas de hoy son del agua Perrié.* Que suben como la espuma, inflados por el periódico, pero que no valen nada. Son burbujas como las de agua mineral Perrié. «Ése es un patriota del agua Perrié». Ver: *Caballo.*

PATÚA. *Haber un patúa.* Haber mezcla. «En esa familia siempre hubo un patúa. Y están orgullosos de ello». (Es cubanismo del exilio.)

PATUJEAR. Caminar de manera insegura. «¡Cómo patujea ese muchacho! Debe de tener algo en la planta del pie».

PATULEA. *Y patulea.* Y todas las demás. «Están contentos allí Juan, Pedro y patulea».

PATÚO. Persona que no es inteligente. «Él siempre ha sido un patúo, desde el colegio».

PAUER. Ver: *Pasión.*

PAUSA. *Ser alguien la pausa que refresca.* Se dice de la persona que habla muy despacio y hace pausas en la conversación. «A ese profesor le dicen la pausa que refresca». Ver: *Pepsicola.*

PAVA. *Tener la pava.* Tener mala suerte. «Ese individuo tiene la pava». Sinónimo: *Tener ñeque.*

PAVIMENTO. Ver: *Lea.*

PAVO. Engreído. «Ése es un pavo». (Lo hemos oído, asimismo, como chulo. Se basa en el castizo *pavonearse.*) «Ése es un pavo que vive de las mujeres». *Botar el pavo real.* Salir algo muy bueno. «En esos versos, botaste el pavo real». (El Pavo Real era una fábrica de fósforos en Cuba.) Sinónimo: *Botar fósforo. Estar de pavo.* Estar en buena situación económica. «Pedro está de pavo». Sinónimo: *Estar de abuti.* (Lenguaje del chuchero. Ver: *Chuchero.*) *Pavo real.* Se dice de un hombre que es muy buen tipo pero que cuando habla dice tonterías. «Te defraudará. Es muy buen tipo pero es un pavo real». *Tragarse un pavo con plumas y todo.* Tragarse una mentira grande. «Es tan bobo que se tragó el pavo con plumas y todo».

PAYASERÍA. *Lanzarse en una payasería.* 1. Alardear alguien. «Le tuvo que pegar porque se tiró con una payasería». 2. Ser alguien un atrevido. «Se lanzó en una payasería conmigo y lo recriminé de mala manera».

PAZ. *Llamarse alguien la paz.* Se dice de la persona que tira un gas. «Ése se llama la paz». (La Paz era una gaseosa cubana. La gaseosas tiene gases. De aquí el cubanismo.) *No me alteres la paz que hago de gaseosa.* No me provoques que me altero. «Se lo dije y bien clarito: `No me alteres la paz que hago gaseosa'». (Es una juego de palabras con la marca de la gaseosa «La Paz», una gaseosa cubana.) Sinónimo: *Cuando ves al mono quieto, no le jales el rabo.*

PECECITOS. Ver: *Demonios.*

PECERA. (La) Sala de espera. «Me hicieron esperar cuatro horas en la pecera». (Así le llamaban los cubanos al sitio donde los metían antes de salir de Cuba por ser un cuarto con cuatro paredes de cristal.)

PECHADOR. Osado. «Compró los terrenos sin saber si el banco le daba el dinero. Es un pechador». *Ser un pechador.* Estafador. «Es un pechador. Ha estado preso por dar cheques falsos».

PECHAZO. Acción de apostar sin tener dinero. «¡Qué pechazo dio en la pelota!» *Dar un pechazo.* Hacer un atraco grande. «Dio un pechazo con el cheque de un millón de dólares».

PECHO. *Dar algo al pecho.* Haber abundancia. «En esta ciudad las cosas mal hechas dan al pecho». *Estar el radio a to' pecho.* Estar sintonizado muy alto. «Apaga ese radio que está a to' pecho». («To'» es «todo» pero el cubano aspira la «d».) *Hacer las cosas a pecho.* 1. Hacer las cosas descaradamente. «Dio las palabras a pecho». 2. No tener cobertura. «Hizo el negocio a pecho». *Limpiarse el pecho.* Se aplica a muchas situaciones. 1. Acallar la consciencia. «No me lo dio todo, pero lo conozco tanto que sé que con lo poco que me dio se limpió el pecho». 2. Fornicar. «Ayer me limpié el pecho en el prostíbulo de la esquina». 3. Quitarse un cargo de consciencia. «Se creyó que al ver a la madre una vez, se limpiaba el pecho». 4. Resolver una situación, un problema. «Con ese trabajo me limpié el pecho». «Con cinco mil dólares se limpió el pecho». 5. Terminar un trabajo y quedar liquidado el agobio que daba. «Con esta carta me limpio el pecho». (En general, es quitarse una carga, por pequeña que sea, de encima.) «Me dio cinco pesos y cree que con eso se limpió el pecho, ¡mal amigo!»

PECHUGA. Senos. *Carpetearse la pechuga.* Buscarse en el bolsillo de dentro del saco. «Me carpetié la pechuga pero no encontré nada». (Lenguaje del chuchero. Ver: *Chuchero.*)

PECTORAL. Cigarro fuerte. «A mí me gusta fumarme un pectoral».

PECUÑA. Moneda de veinte centavos. «Dame una pecuña para ir al cine». «Hoy sólo gané una pecuña». Sinónimo: *Guaña. Tirarle una pecuña.* Darle a alguien veinte centavos. «De propina le tiré una pecuña». Ver: *Piedra.*

PEDACITO. *Cogerle a alguien un pedacito de domingo.* Disfrutar. «A este país yo le cogí un pedacito de domingo».

PEDAZO. Fracción de un billete de lotería. «Voy a comprar un pedazo de billete de lotería». *Comerse alguien un pedazo de ají picante.* Se dice del que siempre tiene cara de pocos amigos, o contesta de mal humor. *Haber comprado alguien todos los pedazos de la lotería.* Se les dice a los niños que se portan mal para indicar que se les va a castigar. «Muchacho, compórtate. Ya te lo dije: Haz comprado todos los pedazos de la lotería». *Recoger a alguien en pedazos.* Darle de golpes. «Como se sigan metiendo conmigo lo van a recoger a pedazos». *Ser una persona un pedazo de tasajo con ojos.* 1. Equivale al castizo: «Ser una paloma sin hiel». O sea, ser muy bueno. «Mi hermana es un pedazo de tasajo con ojos». 2. Ser muy buena persona. «Juan es un pedazo de tasajo con ojos».

PEDIR. *Pedir permiso a una pierna (o pata) para mover la otra.* Ver: *Pata.*

PEDRADA. *Ser una pedrada en el hígado.* Se dice de la bebida fuerte. «Esa bebida es una pedrada en el hígado».

PEDRO. *Estar como Pedro Navaja.* Estar viviendo de chulo; es decir, recogiendo beneficios sin hacer nada. «La mayoría de los políticos en el exilio están como Pedro Navaja». (Es cubanismo del exilio. Pedro Navaja es una canción y el personaje es un chulo.) *Ser un Pedro Harapos.* Estar muy mal vestido. «Él no es más que un Pedro Harapos». (Pedro Harapos es una personaje de las tiras cómicas o muñequitos. De ahí el cubanismo.) Ver: *Agua.*

PEGA. 1. Juego de niños. «Ese niño sabe muchas pegas». 2. Trabajo. «Hay pocas pegas disponibles en estos días». *Pujar la pega.* 1. Buscar trabajo duramente. «Está pujando la pega todos los días».

PEGAO. *Al que le gane al pegao lo fusila.* 1. No permite opinión en contra. «Es tan dictador que al que le gane al pegado lo fusila». 2. ¡Qué ego tiene! «Ése al que le gane al pegao lo fusila». *Vamos a jugar al pegao.* Vamos a fornicar. «Acuéstate y vamos a jugar al pegao». (El pegao, que es pegado pero que el cubano aspira la «d», es un juego de niños que consiste en tirar unas chapitas de refrescos en contra de la pared o una línea, gana el que queda más pegado.)

PEGAR. 1. Estudiar. «Voy a pegar duro». 2. Sorprender un niño a otro con una especie de juego llamado pega. «Hoy tú me pegas, Juan». 3. Trabajar. «Voy a pegar hoy todo el día». *No poder pegar a alguien ni con «escoch teip».* (Pronunciación cubana de la voz inglesa «Scotch Tape», o sea, «tira adhesiva».) Darle a alguien una paliza de tal categoría que no podrá recobrarse de ella». (Como sigas con eso no te van a poder pegar ni con «escoch teip». Sinónimo: *Recogerlo en pedacitos. Si pego me convierten en sello.* Negarse a trabajar alguien para que no abusen de él y no le den descanso. «¿Vas a manejar? —No, porque si pego me convierto en sello». («Pegar» en cubano es «trabajar», es decir, lo hacen manejar sin darle descanso. Por eso se niega a manejar.)

PEGARSE. Ponerse a estudiar o a trabajar duro. (La conversación da el significado de lo uno o de lo otro.) «Voy a pegarme para sacar el examen». (Estudiar.) «Voy a pegarme para terminar el muro». (Trabajar.)

PEGOJO. Persona que siempre está encima de uno con recriminaciones. «Ese jefe es un pegojo». *Ser un pegojo.* 1. Andar siempre pegándose a alguien una persona, ya para que le haga compañía, o para cogerle algo. «Yo no lo soporto, no trabaja y quiere que lo mantenga. Es un pegojo». (Es de los que quiere vivir de otros sin trabajar.) «Siempre tuvo miedo y no anda solo. Es un pegojo». 2. No tener personalidad. «Es la sombra del otro. Es un pegojo». Sinónimo: *Ser una pejiguera.*

PEGÓN. Persona que estudia mucho. «Juan es un pegón». Sinónimo: *Filomático.*

PEGUETA. *De pegueta.* De trabajo. «Ya llevo dos días de pegueta».

PEGUITA. Trabajo. «Tengo una peguita buena».

PEI OF. *Le voy a dar un pei of que no hay ministro de trabajo que lo reponga.* Echar a alguien a cajas destempladas. «Me ha amargado tanto la vida que le voy a dar un pei of que no hay ministro de trabajo que lo reponga». (Es cubanismo del exilio. «Pei of» es la manera en que el cubano pronuncia la voz inglesa: «Pay-off».)

PEINADO. *Peinado de llovíznita.* Se dice del peinado en que se corta el cabello de modo que parezca escaso y el cabello cae sobre la frente, no en grupo, sino en cabellos paralelos y escasos. «A mí no me gusta el peinado de lloviznita».

PEINAR. *Peinar alto para hacer a alguien los crespos.* Dar mucho dinero para controlar a alguien. «Peina, Pedro, peina alto, que hay que hacerle los crespos al ministro». (Dame dinero Pedro para sobornar al ministro.)

PEINARSE. *¿O te peinas o te haces papelillos?* Decídete. «Bueno, ¿o te peinas o te haces papelillos?»

PEINE. *Meterle a alguien el peine completo con el cepillo de dientes.* Descargarle la pistola. «Fue un asesinato terrible. Le metieron el peine completo con el cepillo de dientes». *Pasar el peine.* Fornicar. «A él le gusta pasar el peine».

PEINETA. Se le llama así a las uñas de los dedos gordos de los pies cuando están muy crecidas por las formas que toman. «Cuando yo le corté las uñas vi que tenía dos peinetas». *¡Le ronca la peinera!* ¡Qué osadía! «Dice que es amigo tuyo. —¡Le ronca la peineta!»

PEÍTO. Se le llama así a una mujer echada para atrás, orgullosa. «Ésa es un peíto». También fea. «Qué fea esa mujer. Es un peíto».

PEITÓN. *Ser un lugar peor que Peitón Pleis.* 1. Haber mucho chisme. «Ahí tienes a esas comadres sacando la tira del pellejo a la gente. Este lugar es peor que Peitón Pleis». 2. Ser un sitio inmoral. «En esta cuadra dos mujeres engañan a sus maridos. Es peor que Peitón Pleis». (*Peyton Place* es una famosa novela de sobre una población llena de chismes e inmoralidades. La llevaron al cine, la radio y la televisión. Fue popular en Cuba debido al cine. De aquí el cubanismo.)

PEJE. *¡Qué peje cayó en el jamo!* Mira quién llegó. «Fíjate, Juan, ¡qué peje cayó en el jamo!»

PEJERO. Individuo de baja calidad social. «Es una familia de pejeros».

PEJIGUERA. Insistencia. «Ya está bueno de tú pejiguera». *Ser alguien una pejiguera.* Ser muy insistente y por lo tanto molesto. «Prefiero darle el puesto al verlo. Es una pejiguera».

PELADERO. *Estar en el peladero.* Ver: *Manga.*

PELADO. Solo. «En la lotería salió el cinco pelado». *Estar alguien pelado como un plátano.* No tener un centavo. «El gobierno está pelado como un plátano». Sinónimos: *Cable. Comerse un cable.*

PELAMBRERA. *Afeitarle a una mujer la pelambrera.* Fornicarla. «A mi vecina le voy a afeitar la pelambrera». Sinónimo: *Convertirse en barbero de una mujer.*

PELANDRUJA. Mujer de baja categoría social. «Esa mujer es una pelandruja».

PELAR. 1. Despojar de todo. «Esa gente han pelado a todo el mundo». 2. Matar. «Lo pelaron anoche cerca de la casa». Sinónimo: *Pelar al moñito. Pelar a la malanguita.* Especie de corte de pelo que se le hace a los niños, consistente en toda la cabeza rapada y un mechón sobre la frente. *Pelar al moñito.* Matar. «A Juan lo pelaron al moñito». Ver: *Guizopo. Mirar.*

PELEA. *Echar una pelea limpia sin codazos ni cabezazos.* Actuar honestamente. «Yo siempre echo una pelea limpia sin codazos ni cabezazos». (El cubanismo es la letra de una canción.) *Estar en la pelea.* Conservar posibilidades. «Yo, todavía, en el concurso, estoy en la pelea». *Pelear con el cocinero.* Disgustarse con el que lo decide todo. «¿Cómo tú te vas a pelear con el cocinero?» Sinónimo: *Pelearse con el que tiene la llave de los truenos. Ser una pelea de león suelto contra mono amarrado.* No haber posibilidad. «Esto es, sin lugar a dudas, una pelea de león suelto contra mono amarrado».

PELENCHO. *¡Ave María Pelencho, qué bien me siento!* Grito de satisfacción que se da cuando uno está muy feliz o pasándola muy bien. (Es el lema del ron Bacardí, un ron cubano.)

PELEÓN. Ver: *Ron.*

PELETERÍA. En Cuba se llama así a las tiendas de zapatos. «¡Qué zapatos más bellos en esta peletería!»

PELÍCULA. *De película.* Cosa increíble. «Tu conducta es de película». *El bueno de la película.* Una persona decente. «Éste es el bueno de la película». *El malo de la película.* Persona de malos sentimientos. «Ése es el malo de la película. Por eso fracasamos». *Ella es de película y nunca le cierran el rollo.* No reprender a una persona que se porta mal. «Ella hace todo eso porque es de película y nadie le cierra el rollo». *Esa película yo la vi.* Es una historia repetida. «Esa película yo la vi María. No me vengas con cuentos de caminos». *Estar algo de película de Drácula.* Malísimo. «La noche está de película de Drácula». *¿Qué película están pasando?* ¿De qué están hablando? «Pregunta el que llega: `¿Qué película están pasando?'» *Ser algo eterno como la película.* «Nuestro amor es eterno como la película». (La película a que se refiere es: «*De aquí a la eternidad*». Es cubanismo muy poco usual.) *Ser de película de largo metraje.* Ser una calavera de marca mayor. «En su juventud fue de película de largo metraje». (De largo metraje da el aumentativo. De nuevo el cubanismo recurre a palabras y no a las terminaciones propias del caso. Se aplica este cubanismo a muchas situaciones: si se trata de un tramposo, que no cumple se dice: «No le prestes dinero que es de película de largo metraje». Si es un estafador: «No le cojas un cheque que él es de película de largo metraje».) *Ponerle a alguien una película que no está filmada.* Tratarlo de engañar con un truco que no sirve. «Yo lo conozco bien, pues me puso, el año pasado, una película que no está filmada». Ver: *Avance. Laserie. Machazo. Tarzán.*

PELICULEY. *De Peliculey Increíble.* «Lo que me cuesta es de Peliculey». Se usa principalmente como exclamación. «¡Qué vestuario! ¡De Peliculey!» Sinónimo: *De película.* También fuera de lo natural. «¡Qué mujer más bella! ¡De Peliculey!»

PELLEJITOS. Dólares. «Hoy gané cien pellejitos».

PELLEJO. (Un) Mujer fea. «Esa mujer es un pellejo». Sinónimos: *Estar para el tigre. Ser un casco. Ser un fleje. Ser un penco. Ser una penca de tasajo. Ser nada más que hueso y pellejo.* Estar uno muy delgado. «Esa mujer es sólo hueso y pellejo».

PELO. *Cogerle el pelo, a la salud, a la suerte, etc., a alguien, luz y progreso.* Mejorar extraordinariamente. «El pelo te cogió luz y progreso». «La salud te cogió luz y progreso». (Los espiritistas en Cuba, se decían, para despedirse: «Luz y progreso, hermano». De aquí el cubanismo.) *Echar a pelo.* 1. Fornicar sin preservativo. «Cogió sífilis por echar a pelo». 2. Tener relaciones sexuales con una mujer sin usar preservativo. «Ten cuidado de no echar a pelo y coger una enfermedad venérea». *Montar a pelo.* Fornicar sin preservativo. «Cogió la enfermedad por montar a pelo». *Parecer el pelo de alguien (el cabello) una escoba ripiada.* Tener poco pelo. «Termina calvo. Su pelo parece una escoba ripiada». *Parecer el pelo un techo de guano corrido por un ciclón.* Tener el pelo en desorden. «Fue a la reunión con el pelo que parecía un techo de guano corrido por un ciclón». *Plancharle a alguien el pelo.* Se dice del que se le fastidia o derrota. «Se pasa el día planchándose el pelo». (Fastidia.) «Nuestro equipo le plancha el pelo a esa gente». (Derrota.) *Por un pelo.* Por una pizca. «No lo mataron por un pelo». *Si algún pelo va, es de la misma ubre.* Ni te preocupes, mira, haz las cosas como te parezca. «Si algún pelo va es de la misma ubre». (Es cubanismo de origen campesino.) *Tener el pelo como bollo de puesto chino.* Tener mucha grasa en el pelo. «Tú tienes el pelo como bollo de puesto chino». (El bollo, o bollito, era una bola de harina frita. Era muy grasosa, de aquí el cubanismo.) *Tener el pelo como guizazo de caballo.* Se dice del pelo que está muy enredado o enmarañado. «Es tan rizado que tiene el pelo como guizazo de caballo». (Es cubanismo del campo cubano.) *Tener pelo de penca de coco.* Tener un pelo feo.

«Ése tiene pelo de penca de coco». Ver: *Audífono. Escoba. Española. Guanajo. Mojón.*

PELONA. (La) La muerte. «¿Puedes creer que cuando estaba mejor se lo llevó la pelona?» Ver: *China.*

PELOTA. *Botar la pelota.* 1. Hacer algo muy osado. «Con ese discurso botó la pelota». (En el lenguaje de la pelota, o base-ball, botar la pelota es sacar las pelotas por encima del parque donde se juega. Es la jugada más grande del juego. A esto se llama igualmente lo que es sinónimo de lo anterior: *Llevarse la cerca.*) 2. Hacer algo muy sonado. «Con ese escrito botaste la pelota». 3. Meter la pata. «Con lo que dijiste botaste la pelota». *Devolverle a alguien la pelota.* Virarle el argumento. «Me vino con aquello, pero le devolví la pelota». *En la pelota no le pasan la bola.* No le dan un chance, una oportunidad. «Al pobre hombre lo tienen donde tú lo ves. En la pelota no le pasan la bola». («Pasar la bola», en la pelota, es lanzarla suavemente para que el lanzador pueda darle. De aquí el cubanismo.) *Estar en pelotas.* Estar en cueros. «Ella estaba en pelotas». *Formarse una pelota.* Formarse un lío. «Allí se formó primero una discusión y después una pelota». *Habla de pelota.* Habla de otra cosa. «Por ahí viene él. Habla de pelota». (Se usa casi siempre en imperativo.) *Hay que jugar la pelota que te tiran.* Hay que actuar de acuerdo con las circunstancias. «Fracasate, porque hay que jugar la pelota que te tiran». *Irse con la pelota.* Dejarse engañar. «Hablaba tan bien que me fui con la pelota y me cogió un cheque». *Jugar con pelota de poli.* Ser la cosa de verdad. «No te engañes. Estamos jugando con pelota de poli». (La pelota de poli es la pelota dura con la que se juega a la pelota. Aquí se contrasta con la blanda que usan los niños.) Sinónimo: *Jugar al duro. Meter la misma pelota dos veces.* Repetir. «En esto ha metido la pelota dos veces». (Se utiliza el lenguaje del baloncesto, o basket-ball.) *No darle la pelota a alguien.* No hacerle caso. «A ése no le doy la pelota». *No poner la pelota en el bate.* No saber algo. «Juan no pone la pelota en el bate nunca». *No se puede jugar con esa pelota.* Eso no se debe de hacer. «Él se puso a tener malos amigos y mira cómo terminó. No se puede jugar con esa pelota». *Poner la pelota a alguien para que la batee.* Tratarlo suavemente. «No quise tratarlo duro. Y le puse la pelota para que la bateara». (Es lenguaje de la pelota o base-ball.) *Ser la muerte en pelotas.* Ser algo horrible. «Esa gripe es la muerte en pelotas». *Ser el dueño del guante, el bate y la pelota. Ser la pelota de o tener una pelota con.* Ser el preferido. «Juan es mi pelota». o «Yo tengo una pelota con Juan». *Tirar buenas pelotas.* Hacer buenas preguntas. «Ese hombre tiró buenas pelotas». (Viene del juego de pelota, o base-ball. Cuando el lanzador es bueno, o está en su día, «tira buenas pelotas».) *Tirarle alguien a cualquier pelota.* Ser un despistado. «Siempre fracasó porque le tira a cualquier pelota». Se dice, también, del «arribista» que no tiene opinión. «Con tal de subir, ella le tira a cualquier pelota». Ver: *Juego. Guante. Marido. Palero. Timbero.*

PELOTERA. Muchos. «Tengo una pelotera de problemas». *Una pelotera de hijos.* Muchos hijos. «Ese matrimonio tiene una pelotera de hijos». Ver: *Aut.*

PELOTERO. Se llama pelotero al integrante de los equipos en el juego de pelota. Al que forma parte del equipo que juega. «Juan es pelotero en la Asociación Almendares». *Creerse pelotero y no saber tirarse.* Creerse lo que no es. «Ese tonto se cree pelotero y no sabe tirarse». (Es lenguaje que viene de la pelota, o base-ball.

No sabe «deslizarse en las bases», que es una jugada en el juego de pelota.) *Ser pelotero y necesitar pisar «jon».* Necesitar lograr un éxito en su profesión para triunfar. «No puedo más, yo soy pelotero y necesito pisar «jon». («Jon» es la forma en que el cubano pronuncia la voz inglesa «home», o sea, «base». Es la base más importante en el juego de pelota, en lo que se basa el cubano para decir: «tener éxito».) «Siempre pisa «jon» con las mujeres». *Ser un out vestido de pelotero.* Ser un fracaso. «Ése es un out vestido de pelotero». (El cubano pronuncia «aut» la voz inglesa «out» que significa «fuera».)

PELÚA. Mujer que es una cualquiera, que no vale nada. «Ésa es una pelúa. No te quiero ver con ella». «Es una pelúa». (Es «peluda» pero el cubano aspira la «d».) *Ser una persona una «pelúa».* Ser de baja calidad social por la manera de comportarse. «Esa mujer es una pelúa». Sinónimo: *Chusma.*

PELUCA. *El monstruo de las siete pelucas.* Se dice del que es muy inteligente. «Ese hombre es el monstruo de las siete pelucas».

PELUCE. (Un) Un chuchero. «Ése, en su juventud, fue un peluce». Ver: *chuchero.*

PELUDO. *Peludo, pélate, que eso no se cae sólo.* Grito que le dan los niños al que tiene mucho pelo. (Es la letra de una canción.)

PELUQUERO. *Ser alguien peluquero de güira y de camino vecinal.* Ser un peluquero muy malo. «El que te hizo ese peinado es un peluquero de güira y de camino vecinal».

PELUSA. (La) 1. El aparato sexual de la mujer. Sinónimo: *Bollo.* 2. La policía. «Por la esquina está doblando la pelusa».

PELUSETA. Especie de polvo. «La casa está llena de peluseta».

PENCO. 1. Homosexual. «Ése es un penco». «Juan es un penco». «Yo sé que es un penco». 2. Maricón. «Ese hombre es un penco». 3. Mujer fea. «Es un penco esa mujer. No hay quien se case con ella». 4. También caballo sin clase. «Ahí sólo alquilan pencos». Sinónimo: *Aceite.* (Como «penco» es un caballo malo, el cubanismo se basa en que el hombre de verdad es un «caballo de altura» y el maricón rebaja, como el penco, esa categoría.) *Ser una mujer un penco.* Ser una mujer fea. «Tu novia es un penco». Sinónimos: *Ser una mujer un casco. Estar en el tigre.* Antónimo: *Estar como me la recetó el médico. Ser un penco.* Ser un homosexual. «Ése es un penco». Ver: *Pellejo. Perica.*

PENDEJAMENTE. Poco a poco. «El agua bajaba pendejamente».

PENDEJÍSIMA. Cosa pequeña, del tamaño de un pendejo. «Esa aguja es pendejísima».

PENDEJITIS. Cobardía. «El sufre de pendijitis aguda».

PENDEJO. En Cuba, cobarde. (La palabra se usa en América Hispana con otras connotaciones.) *Por un pendejo de bola.* Por una pizca. «Por un pendejo de bola Chucho no conquistó a Raquel». (Es expresión que viene del billar. Cuando hay que darle a la bola muy poco se dice «pendejo de bola».)

PENE. *Tener el pene como Elsa Valladares.* Tenerlo en erección. «Yo lo tengo como Elsa Valladares siempre que veo a esa mujer». (El cubanismo se basa en una canción de la vedette cubana Elsa Valladares que dice así: «*Tin tan que está duro el helado/tin tan que lo tengo parado*».)

PENIGÜEY. *Ser una mujer mi medio penigüey.* Ser la media naranja. «Te presentó a mi medio penigüey». (Es cubanismo del exilio. Nacido en la joyería. «Penny» es «centavo» en inglés.)

PÉNJAMO. Ver: *Sacramento.*

PEÑALVER. *No estar en Desamparados, sino en Peñalver.* No estar desamparado. «Se lo dije con firmeza, ni te atrevas, yo no estoy en Desamparados, sino en Peñalver». (El cubanismo es un juego de palabras con dos calles de La Habana: Desamparados y Peñalver. «Peñalver», es «peña», o sea, «duro».)

PEO. 1. Borrachera. «¡Qué peo cogí anoche!» Sinónimos: *Curda. Juma. Ventolera.* 2. Lío. «En casa de Juan se formó un peo». *A cuenta de peo.* Rápido. «Hizo el trabajo a cuenta de peo». Sinónimos: *A la velocidad de un peo. A la velocidad de un rayo. Como un peo. El peo es el desahogo del culo.* Así dice el cubano para justificar cuando alguien se tira una gas. «No le riñas que el peo es el desahogo del culo». *Estar de medio peo.* Estar medio borracho. «Él está de medio peo». *Estar algo de peo.* Ponerse muy difícil la situación. «Esta inflación está de peo». *Estar alguien hecho un peo.* Apurado. «Él siempre está hecho un peo». *No ser un peo sino una bomba atómica.* Se dice de un gas muy sonado. «Eso no fue un peo sino una bomba atómica». *No valer alguien un peo.* No valer nada. «Ese amigo tuyo no vale un peo». Equivale al castizo: *No valer algo o alguien un carajo.* Sinónimo: *No lo ponen ni en los muñequitos.* «A él no lo ponen ni en los muñequitos». *Peo de clarinete.* Gas largo. «Se tiró, y en público, un peo de clarinete». *Peo flautista.* Peo largo. «Eso es un peo flautista». *Ponerse alguien de peo.* Ponerse impertinente. «En cuanto toma se pone de peo». *Romper una mujer de un peo un corojo.* Ser muy bella. Sinónimos: *Estar que corta. Ser el filete que camina. Ser un trueno. Ser un peo (alguien.)* Ser rápido. «Pedro es un peo». *Ser alguien del peo de la condesa.* Se dice a la persona que cuando alguien se tira un gas señala: «Te tiraste un peo, (un gas)» en vez de hacerse la que no ha oído nada como mandan los manuales de urbanidad, para señalarle que no tiene modales, pues debe de hacerse la desentendida. «Te tiraste un peo. —Tú no tienes modales, Juana, (habla un tercero.) —Tú eres del peo de la condesa». (Está basado en un chiste. Un cubano fue de diplomático a un país y le dijeron que hiciera lo que los demás diplomáticos hacían. Estaban en una reunión en casa de una condesa y ésta se tiró un peo, (un gas.) Se levantó el embajador francés y dijo en francés: «Hasta luego». Al poco rato la condesa se tiró otro gas y se levantó el diplomático norteamericano y dijo en inglés: «Hasta luego». Volvió la condesa a lanzar otro gas y se levantó el diplomático alemán y dijo en alemán: «Adiós». El cubano no pudo más y gritó: «Señores, el próximo peo de la condesa va por mí».) *Ser alguien un peo.* Ser muy rápido. «Él lo hizo enseguida. Es un peo». *Ser un peo atravesado.* Se dice de la persona que está siempre interrumpiendo. «Tú eres un peo atravesado». Sinónimos: *Ser un clavo de línea. Ser un polín.* (Como el polín está atravesado en la línea del tren surgió el cubanismo.) *Ser un peo de la Filarmónica.* Ser un gas largo con sonido de flauta. «Es tan sucio que se tiró un peo de la Filarmónica». (La Filarmónica es la orquesta Sinfónica Nacional de La Habana. El cubanismo se originó entre los concurrentes a los conciertos. No se oye en las clases bajas.) *Ser un peo en tinieblas.* Ser muy feo. «Tu hermano es un peo en tinieblas». *Tener un peo.* 1. Estar borracho. «Juan tiene un peo que se cae». 2. Gustarle algo mucho. «Tiene un peo contigo mi primo». Sinónimos: *Tener un pujo con. Tener una pelota o pelotas con. Tener un peo atravesado.* Se dice del que está de mal humor. «Chico, sonríete, ¿qué, tienes un peo atravesado?» Se dice igualmente al que hace poesía atravesada. «Juan tiene un peo atravesado, ¡qué libro más horrible!» (En realidad se aplica a muchos casos.) *Tirarse alguien un peo por el cuello.* Creerse alguien que vale mucho. «Él se tira los peos por el cuello». Sinónimos: *Tirarse el peo más alto que el culo. Largarse los vientos una vara más alta que el orificio. Tirarse unos peos que son un viento de galera.* Tirarse unos gases muy explosivos. «Juan se tira unos peos que son un viento de galera». (Cubanismo culto. Viene de cuando anunciaban un ciclón en Cuba. Decían que tenía vientos de galera.) *Un peo de corneta.* Gas largo y sostenido. «¿Oíste ese peo de corneta?» *Un peo de cornetín chino.* Largo y sonado. «Ese lanzó un peo de cornetín chino». *Valer más peo que culo.* No tener condiciones para triunfar. «Tú vales más peo que culo, Oscar». Ver: *Comemierda. Feo. Huevo. Maniguiti. Tibor.*

PEÓN. *Es un peón de La Habana dok.* Peo explosivo. «En plena fiesta se tiró un peón de La Habana dok». (La Habana dock, eran unos muelles de La Habana, regenteados por la compañía del mismo nombre. Los trabajadores, «peones» de los muelles, son muy fuertes. El cubano hace un juego de palabras entre «peón», trabajador fuerte, y el aumentativo de «peo», o gas.)

PEOR. *Ser algo o alguien peor que una novela de Félix B. Caignet.* Ser malísimo. «Tú eres peor que una novela de Félix B. Caignet». (Caignet, novelista cubano, hacía unas novelas populares cuyo fin era sólo atraer audiencia. Era sin embargo un gran poeta y un gran autor musical. Su poema a la mulata y sus *Flores del Caney*, la clásica canción cubana, lo demuestran.) Sinónimo del exilio: *Ser peor algo o alguien que una novela de televisión norteamericana. Ser algo peor que salir de Cuba por la Embajada del Perú.* Ser lo peor del mundo. «Eso que tú haces es peor que salir de Cuba por la Embajada del Perú». (Cubanismo nacido en el exilio. En la Embajada del Perú, en Cuba, se asilaron once mil personas que pasaron trabajos inimaginables. De ahí el cubanismo.) *Ser alguien peor que María Antonieta Pons.* Destruirlo todo. «Ése es peor que María Antonieta Pons. Por donde pasa no deja nada en pie». (María Antonieta Pons es una artista que por mover mucho las caderas cuando baila le dicen el «*ciclón antillano*». De ahí el cubanismo.) *Ser peor que Yimi Carter.* No servir para nada. «Ese plomero es peor que Yimi Carter». (Es cubanismo del exilio. Los cubanos consideran a Jimmy Carter, —ex-presidente de los Estados Unidos, y que el cubano pronuncia «Yimi"— una nulidad.) Ver: *Pleitón.*

PEOSO. Engreído. «Ése no es más que un peoso».

PEPA. *Tener una mujer la pepa (o la pepita) de cristal.* Se dice de la mujer que camina despacio y con las piernas juntas. «Ésa tiene la pepa de cristal». (La pepa es el clítoris.)

PEPE. *Como «Comepepe» el del cuento.* Tonto. «Aunque es alto y buen mozo para ella es como el «Comepepe» del cuento». *Ser alguien Pepe Machete.* Tener un pene grande. «Desde niño le dicen Pepe Machete». *Ser Pepe Navaja.* Ser chulo. «Ése es Pepe Navaja, ¡qué canalla!» («Pepe Navaja» es el personaje de la canción de mismo título. Es un chulo.) *Ser un Pepe Aguilucho.* Ser muy valiente. «Es nuestro enemigo, pero es un Pepe Aguilucho». (Viene de las tiras cómicas —muñequitos en Cuba— de Aguilucho, que aparecían en Cuba.) Ver: *Culillo. Juan. Pepe Culillo.*

PEPILLAR. Conducta del adolescente inmaduro. «A los cincuenta años aún está pepillando».

PEPILLITO. Ver: *Pepillo.*

PEPILLO. 1. Adolescente inmaduro. «A los cincuenta años es todavía un pepillo». 2. Persona joven sin madurez. «¿Cómo te vas a casar con ese pepillo?»

PEPINO. (El) 1. La corbata. «Me gusta ese pepino que llevas». (Lenguaje del chuchero. Ver: *chuchero.*) 2. Pene. Sinónimo: *Barilla. Conservarse como el pepino en pomo.* No envejecer. (Conservarse bien.) «Tú te conservas como el pepino en pomo». *Donde le amarga el pepino.* Donde le duele. «Ahí es donde le amarga el pepino».

PEPITA. (La) El clítoris. Sinónimo: *Perilla. Tener una mujer pepita de cristal.* Caminar despacio. «Mira a esa muchacha, tiene pepita de cristal». (La pepita es el clítoris de la mujer.) Ver: *Novela. Pepa.*

PEPITO. *Llamarse Pepito Regalado.* Vivir muy bien. «Tú nunca trabajas y siempre tienes dinero. Tú te llamas Pepito Regalado». He oído: *Ser Pepito Regalado.* Con interrogación quiere decir: «¿Quién eres tú que te lo crees merecer todo? Yo se lo dije sin miedo: ¿Tú crees que tú eres Pepito Regalado?".

PEPSI-COLA. *Ser alguien pepsi-Cola.* Hablar despacio y con pausas en la conversación. «Juan es una Pepsi-Cola». (El lema de la Pepsi-Cola en Cuba, era «Pepsi-Cola: la pausa que refresca». De ahí el cubanismo.) *También ser alguien como la Pepsi-Cola.* Ser muy generoso. «Tú eres alguien como la Pepsi-Cola». (Viene del anuncio de la Pepsi-Cola en Cuba. Se anunciaba que por cinco centavos daban «doble cantidad de refresco».) Ver: *Pausa. Ultima.*

PEPSICOLOGÍA. *Jugar pepsicologia.* Ser psicólogo. «Con él jugué pepsicología y supe de qué se trataba». (El cubanismo es un juego de palabras con «psicología» y un refresco, la Pepsi-Cola.)

PERALTOSO. Borracho. «El peraltoso ése es insoportable». «Ése es un peraltoso». (El Ron Peralta era un ron cubano baratísimo y muy fuerte. De ahí el cubanismo.)

PERCHA. 1. Añadidura o aditamento que se le pone a una ley y que no tiene que ver con ella. «¿Viste que percha más canallesca e inmoral le pusieron a esa ley?» 2. Mala persona. «Qué percha ese individuo. Todo el mundo me lo ha dicho». 3. Traje. «Me compré una percha azul».

PERCHAZO. *Colarse de perchazo.* Llegar a la casa de los familiares para que lo mantengan. «Les regresó el hijo. Se le coló de perchazo». *Dar un perchazo.* Estafar. «Le dio un perchazo a Pedro». Ver: *Pechazo.*

PERCHERO. 1. Persona flaca con los hombros, el esternón y la clavícula en forma de perchero. «Desde niño le dicen perchero». 2. Se le dice al hombre muy alto de hombros rectos. «Tú eres un perchero». *Estar de perchero.* Llevar el mismo traje siempre. «Hace tres meses que está de perchero». *Ser alguien perchero.* Ser muy flaco. «Es un perchero. No pesa nada». *Tener perchero.* Ser buen tipo. «Hazme un bigote como el tuyo. No puedo, para eso hay que tener perchero». *Tener a alguien de perchero.* Estar siempre dependiendo de él. (Estar siempre colgado de él.) «No lo dejo. Lo tiene de perchero al Juan desde que se levanta». *Vivir de perchero.* Vivir de los demás, o sea, como el perchero, colgado.) «¡Qué descarado! Viene a pasar unos días. Vive como el perchero».

PERCHITA. *Ser algo perchita y apasa.* Ser pequeño. «Esto es perchita y apasa». La perchita es también un pajarito pequeño. «¡Cómo me gusta esa perchita!» También lo he oído sin «apasa». «Déjame pegarle, que es una perchita».

PERDER. 1. En el reflexivo *perderse* significa aficionarse mucho a una cosa. «Yo era un perdido en el juego de naipes». 2. Irse. «Se perdió cuando llegó la hora de pagar». *El que pestapierde ñea.* Forma de decir: *El que pestañea pierde.* (Nació en un programa en que el actor principal todo lo pronunciaba mal.) Sinónimo: *Camarón que se duerme se lo lleva la corriente.*

PERDERSE. Equivocarse. «Yo te digo que ganaremos. Yo nunca me pierdo».

PERDIGACIÓN. Abundancia. «En la fiesta había una perdigación de maricas».

PERDOMO. *Pasarle como a Perdomo.* Morirse al tener un gran éxito. «A ése le pasó como a Perdomo. Cogiendo el premio se murió». (Perdomo era un maestro de Güines, un pueblo en la provincia de La Habana.)

PERDÓN. *Perdón, creí que era Margot.* Excúseme. (El cubanismo nació en un programa de radio.)

PEREJIL. *Comer perejil.* A pesar de lo difícil de una situación hay que jugarse el todo por el todo. «Yo sé que es duro pero no queda más remedio que comer perejil». *Darle a alguien perejil.* Matarlo. «A ése, los bandidos lo secuestraron y le dieron perejil». (Estos cubanismos se basan en el hecho de que cuando una cotorra come perejil se muere.) Ver: *Batido. Masa.*

PERENDEQUE. *Darle a alguien el perendeque.* Darle un ataque de nervios, o de cualquier otro tipo, de rabia, etc. «Hablaba cuando le dio el perendeque». «Le dio un perendeque y atacó a la madre».

PÉREZ. Ver: *Angela. Maderera. Marcos. Silverio. Sirope.*

PERFECTA. *Encontrar la perfecta.* Encontrar la fórmula para vivir del cuento. «Él, aquí en los Estados Unidos, encontró la perfecta». *Estar en la perfecta.* 1. Estar haciendo lo que se debe. «Nosotros estamos en la perfecta». 2. Estar en el mejor de los mundos. «Con ese trabajo estoy en la perfecta». *Ser la perfecta.* Ser lo que conviene. «Ese puesto es la perfecta».

PERFECTO. *Perfecto Lacoste.* 1. Bien. «Hice lo que me dijiste. —Perfecto Lacoste». 2. Perfecto. «Ya hice el trabajo Perfecto Lacoste». (El cubanismo es el nombre de una persona.)

PERFO. Perfecto. «Eso está perfo». (El cubanismo sigue aquí le tendencia generalizada en el habla cubana de acortar las palabras.)

PERFUMADOR. El revólver. «El policía sacó el perfumador y abatió a los bandidos». Sinónimos: *Fuca. Hierro. Tener un perfumador de garbazo en el tubo de escape.* Tirarse unos vientos muy apestosos. «Él tiene un perfumador de garbanzo en el tubo de escape».

PERFUME. *Lo quieres con perfume o sin perfume.* Se le dice al que habla cosas sin substancia para indicarle que lo que dice no vale nada. «Cuando el orador terminó le dije: `Lo quieres con perfume o sin perfume'». (Es decir, que se va a tirar un peo al orador, de desprecio.) *Ser un perfume de betivé.* Ser algo barato y malo. «Te engañaron, eso no es perfume francés, es perfume de betivé». (El perfume de Betivé era un perfume barato y malo. De aquí el cubanismo.)

PERICA. Mujer. (Forma despectiva de hablar de ella.) «Por ahí va esa perica». Sinónimo: *Madama.* (Es lenguaje del chuchero. Ver: *chuchero.*) «¿Ya hablaste con la perica ésa?» *Ser una mujer una perica.* Ser una mujer que es de baja categoría social, o que vale personalmente poco. «Es lo que se llama una perica, mira los modales». «Viene de buena familia pero es una perica». Sinónimo: *Penco. Ser una perica.* Ser muy habladora una mujer. «Mi hija es una perica». (El cubanismo viene del perico, que es un ave que repite palabras.) Sinónimo: *Hablar más que un loro macho. Una perica.* Una mujer. «Por ahí viene esa perica que tan mala fama tiene».

PERICO. (El) 1. Cigarro de marihuana. «Dame un perico Pedro». Sinónimos: *Chicharrita. Emiliano Zapata. Joe Luis.* (Que el cubano pronuncia «Choe Luis».) *Pichón. Pito. Plutarco Elías Calle. Prajo.* 2. Cocaína. «Están vendiendo perico en la esquina». 3. Persona que habla mucho. *A correr liberales del Perico.* A huir. (Frase histórica que en una reunión del Partido Liberal en Cuba dijeron algunos cuando empezaron a sonar los tiros. El Perico es un pueblo de Cuba en la provincia de Matanzas.) *¡Cómo Dios pintó a Perico!* Sin un centavo. «Préstame cinco pesos. Estoy como Dios pintó a Perico». (Esta expresión castiza quiere decir estar en cueros. El que no tiene dinero está en cueros. De ahí el cubanismo.) *Darle al perico.* Fumar marihuana o coger cocaína. (La conversación da el significado.) *El perico está llorando.* Se dice de Castro en la Cuba de hoy cuando habla de las agresiones que dice que le hace los Estados Unidos. «Habla de una posible invasión de los Estados Unidos. —El Perico está llorando». (Al que habla mucho en Cuba se le llama Perico.) *Estar como el perico en la estaca.* Estar inquieto. «Tú estás, no sé por qué, como el perico en la estaca». (Lo he oído también, referido al individuo que le gusta que lo retraten, salir en los periódicos, exhibirse.) «Ése está como el perico en la estaca. De nuevo en el periódico». (Lenguaje campesino avecinado en las ciudades.) *Estar en el perico.* Estar cogiendo cocaína. «Ese grupo de la esquina está en el perico». («Perico» es «cocaína».) *Nacer alguien para Perico.* Gustarle estar siempre encaramado. «Tu hijo nació para Perico». *Ser perico.* Ser uno de los viejos militantes comunistas en Cuba. «Ése es un perico y por eso ocupa una gran posición en el gobierno». (Cubanismo de la Cuba de hoy.) *Ser un perico Trastueque.* 1. Hablarlo todo en forma ininteligible. «Ese político es Perico Trastueque. No se sabe lo que dice». 2. Se dice del que se equivoca continuamente. «Tú eres Perico Trastueque. Deja eso o incendias la casa». (Lo he oído también como «hablar como Perico Trastueque». «Perico Trastueque» era un personaje de la televisión en Cuba que hablaba trastocado.) *Suprimir el perico.* Dejar de hablar. «Por su madre, suspendan el perico». (Lo he oído casi siempre como imperativo. El perico habla mucho. De aquí el cubanismo.) Ver: *Boca. Romanza. Perica. Periquín.*

PERICÓN. (El) La cocaína. «Lo cogieron vendiendo pericón». Sinónimo: *Perico.*

PERILLA. Clítoris. *Coger una perilla.* Enojarse. «Cogió una perilla conmigo que me puso nerviosa». *Ser perilla una niña.* Ser una mujer antes de tiempo en su forma de ser. «Debían de llamarle la atención. Es perilla y eso es muy feo en una niña de trece años». Ver: *Periqueta.*

PERILLAZO. *Darle a una mujer un perillazo.* Fornicar con ella. «Le dio a Juana un perillazo. Lo sé bien».

PERILLITA. *Ser una mujer muy perillita.* Ser muy presumida. «Desde niña fue muy perillita».

PERINQUIN. Cocaína. «Lo cogieron con perinquin». Sinónimo: *Perico.*

PERIÓDICO. *Estar en el periódico lleno de Salfumán y Tinta rápida.* Estar lleno de suicidios. «Hoy no se puede leer el periódico. Está lleno de Salfumán y Tinta rápida». (El «Salfumán» o la «tinta rápida» eran usados mucho por las mujeres para suicidarse. De aquí el cubanismo.) *Publicar un periódico hasta la muerte de Malanga.* No ser serios. «Yo no los leo, aquí los periódicos publican hasta la muerte de malanga». (Se dice «malanga» a cualquier persona que es de muy bajo extracto social. También alguien poco inteligente es llamado «malanga».) «Oye malanga, cállate».

PERIODIQUITO. Periódico que tira el cubano en el exilio. Existen innumerables de ellos. «Este periodiquito mantiene la fe en nuestra causa». (Es cubanismo del exilio. Por ser periódicos modestos, se les llama, en plural y en diminutivo, *los periodiquitos.*)

PERÍODO. *Llegarle a alguien el período en seco.* Volverse loco. «A ése le llegó de pronto el período en seco. Lo recluyeron». (El cubanismo se asocia al hecho de que la menstruación afecta el sistema nervioso de muchas mujeres.) *Tener período sin dolores de parto.* Se dice de la persona de modales afeminados. *¿Tienes el período?* Se le pregunta al que está de mal humor o tiene un estado depresivo. «Chico, ¿qué te pasa? Habla. ¿Tienes el período?»

PERIPE. Ver: *Cigarro.*

PERIPLO. *Hacer el periplo de la chusmería.* Ir a Miami. «Mañana pienso hacer el periplo de la chusmería». (Surgió este cubanismo injusto debido a la llegada de los cubanos por el puente marítimo Mariel-Cayo Hueso. Llegó mucha gente de baja condición social. De aquí el cubanismo.)

PERIQUEAR. Hablar. «Deja de periquear muchacho».

PERIQUERO. Cocainómano. «Ése es un periquero conocido».

PERIQUETA. *Prenderse a la periqueta.* Succionar un hombre las partes pudendas de la mujer. Sinónimo: *Bajar al pozo. Bucear. Convertirse en buzo. Disfrazarse de carnaval. Prenderse a la perilla. Ponerse la careta de pelo.*

PERIQUETE. (Un) 1. Enseguida. «Lo resolvió en un periquete». 2. Una moña. «Se hizo un periquete en la cabeza». *En un periquete.* En un minuto. «Lo hizo en un periquete».

PERIQUITO. En plural significa detalles. «No te olvides de ponerle todos esos periquitos al trabajo». *Andar de periquito en flor.* Se dice del hombre que hoy está con una mujer y mañana con otra. «Mi hermano no se casa. Anda de periquito en flor». *Portarse como Periquito con ellas.* Coquetear un hombre. «En la fiesta de anoche te portaste como Periquito entre ellas». (Se oye más en la provincia de Camagüey, en el centro de Cuba.) Ver: *Jaula para Periquito.*

PERISCOPIO. *Parecer al periscopio de un submarino.* Estar siempre vigilando. «Tú pareces un periscopio de un submarino». (Cubanismo culto.) Ver: *Submarino.*

PERMANENTE. *Estar en el permanente renuevo.* Estar cambiando continuamente de opinión, de partido, etc. «Yo no me estanco. Yo estoy en el permanente renuevo». (La frase se debe a un político cubano, el Dr. Guillermo Alonso Pujol.)

PERMISO. *Pedirle permiso a una pierna (o pata) para mover la otra.* Ver: *Pata.*

PERMITIR. *Permíteme que me sonría.* No me hagas cuento. «Chico, permíteme que me sonría». Sinónimos: *Permíteme que me carcajee. Permite que me carcajadee.*

PERPENDICULAR. *Tenerlos perpendiculares y con encajes.* Ser muy osado. «Al hacer eso te digo que él los tiene perpendiculares y con encajes». (Se refiere a «los testículos», signo de virilidad en la cultura española.)

PERRA. *Estar alguien como la perra.* Estar de malhumor, nervioso. «Juan está hoy como la perra. No se le puede hablar». (Es decir, estar descompuesto. Como la perra está descompuesta, se hace un juego de palabras y surge el cubanismo.) *Estar alguien siempre agachado como las perras.* Ser maricón. «Juan siempre está agachado como las perras». Sinónimo: *Ser un penco. Ser un pichón que da brinquitos.*

PERRITA. *Ser una mujer una perrita Fifí.* Ser muy delicada. «Siempre Juanita está enferma. Es una perrita Fifí». *Un perrito de raza.* Un hot dog —perro caliente— de calidad. «Voy a comerme un perrito de raza». (Cubanismo del exilio.)

PERRO. *A la larga o a la corta el perro coge el venado.* No hay forma de escapar. «No me apresures en eso. A la larga o a la corta el perro coge el venado». (Es un refrán de tipo campesino.) *Cuidado con el perro que muerde.* Cuidado que te enamoras de esa mujer. Frase que se dice cuando se ve a una mujer con trasero prominente. *Darle al perro en el mismo hocico.* Hacer las cosas bien. «En el examen le di al perro en el mismo hocico». Sinónimo: *Darle a la pelota en la misma costura. Darle a alguien un perro muerto.* Que no sirve nada. «Me llamó para el trabajo y lo que me dio es un perro muerto». *Echarse un perro muerto.* Casarse con un viejo. «Esa muchacha está loca. Se acaba de echar un perro muerto». *El perro.* 1. Como adjetivo quiere decir grande. «¡Qué perro plato de alubias te estás comiendo!» 2. El culo. Sinónimo: *Culeco.* «Esa mujer tiene un perro tremendo». 3. Persona que en una cacería de palomas hace las veces de perro y recoge las piezas. «Hoy traigo a mi primo de perro porque le gusta mucho recoger las palomas». *En cojera de perros y lágrimas de mujer nunca se debe creer.* Refrán campesino. *Es el perro de la Víctor, le dan cuerda y habla.* Es un incondicional. «Te dije que no tenía carácter. Es el perro de la Víctor, le dan cuerda y habla». *Estar alguien como los perros cuando los sacan a mear.* Cogido por la correa, sin poderse mover. «Mi marido no me puede engañar porque está como los perros cuando los sacan a mear». *Estar como perro con bicho.* Estar ansioso. «Déjala hablar primero por teléfono porque está como perro con bicho». *Estar como perro sato.* Estar enamorado. «Él está como perro sato». (El perro sato es un perro que no es de marcha o raza fina pero es muy cariñoso. De aquí el cubanismo.) *Estar más desorejado que un perro.* Tener el ánimo caído. «Últimamente hay que estar más desorejado que un perro». Sinónimo: *Tener las orejas más caídas que un perro de agua. Más ligero que un perro jíbaro.* Muy ligero. «Es más ligero que un perro jíbaro». (Es cubanismo del campo, avecinado a la ciudad.) *Parecer una mujer a un perro de agua.* 1. Tener pellejos colgando en la cara debido a una dieta. «Juan parece un perro de agua». (Se oye sólo entre gente culta.) 2. Tener un peinado que le cae sobre la cara y se la tapa. «Esa mujer parece un perro de agua». *Perro no come perro.* Estamos de igual a igual. «No me amenaces que perro no come perro». *Perro sato.* Perro que no es fino. «Ese perro es sato». *¿Qué perro te mordió?* ¿Cuál es tu problema? «¿Por qué está así, chico? ¿Qué perro te mordió?» *Ser alguien el perro de la R.C.A. Víctor.* Hablar mucho. «Ése es el perro de la R.C.A. Víctor. No para de hablar». (El cubanismo se basa en que el perro de la R.C.A. Víctor está siempre en el mismo disco.) *Ser alguien como los perros.* Dormirse donde sea. «Yo no tengo problemas, soy como los perros». (Los perros se echan en cualquier lugar y dormitan.) *Ser el mismo perro con diferente tramojo.* Copia casi literalmente, este refrán campesino, al castizo: «*Ser el mismo perro con diferente collar*». *Ser el perro de la R.C.A. Víctor y tener patente y todo.* ¡Cómo habla! ¡Por horas y sin parar! «¡Ése es el perro de la R.C.A. Víctor y tiene patente y todo!» (La R.C.A. Víctor era una casa comercial en que vendían los discos de esta compañía de discos [R.C.A.] Los discos tienen un perro al lado. Es el superlativo formado, como lo hace el cubanismo, con palabras y no con las terminaciones propias del mismo.) *Ser como los perros.* Ser una persona muy dormilona. «Federica es como los perros». (Los perros se pasan casi todo el día echados y durmiendo. De ahí el cubanismo.) *Ser una pata de perro. Ser un perro limpia nío.* Ser un perro que no sirve para nada. «Lo eché al camino porque es un perro limpia nío». (El perro limpia nío, o sea, que limpia nidos, es el que come los huevos de los nidos. Cuando se acostumbra a eso no sirve para más nada; no presta ningún servicio. «Nío» es «nido», pero el cubano aspira la «d».) *Tener a alguien como a los perros.* Tenerlo entrenado. «Tiene a su marido como a los perros». *Tener un perro mentalidad de foca.* 1. Andar siempre jugando con una pelota. «Ese perro tiene mentalidad de foca». 2. Coger sólo pelotas. «No enseñes a ese perro a hacer otra cosa. Tiene mentalidad de foca». (Forma de hablar del cubano que muestra su genio lingüístico.) 3. También culo. «¡Qué perro más grande tiene!» *Tener un perro que parece bulto de ropa sucia.* Tener un culo inmenso. «Tiene un perro que parece un bulto de ropa sucia». (Es lenguaje del chuchero. Ver: *Chuchero.*) *Vivir como el perro de la R.C.A. Víctor.* Se dice cuando se vive con alguien que se queja mucho. «Vivir con Juan es vivir con el perro de la R.C.A. Víctor». (El perro de la R.C.A. Víctor es el que aparece en esos productos como marca distintiva. Me dicen que el disco con el perro se pasa cantando el día entero. De aquí el cubanismo.) Ver: *Agua. Alegría. Bemba. Calamidad. Culo. Dos. Novela. Pata. Picha. Sangre.*

PERSA. Ver: *Gato.*

PERSEGUIDORA. 1. Automóvil, carro o coche de la policía. «La policía compró nuevas perseguidoras». Sinónimo: *Toña, la negra.* (Toña, la negra, es una cantante mejicana.) 2. Mujer que persigue a un hombre porque está enamorada de él. «Yo les digo que esa mujer es una perseguidora».

PERSONA. *Ser dos personas como disco musical.* No entenderse. «Ese matrimonio es como disco musical». (Es decir que como es un disco musical cantan en diferentes tonos.) *Ser una persona como Longines.* 1. Ser muy exacta en los actos de su vida. «Es como Longines. Fíjate, come todos los días a las ocho». (Longines es la marca de un reloj muy preciso.) 2. Ser una persona a quien nadie saca de sus cabales. «No importa lo que se le diga, no se enfada. Es Longines».

PERSONALIDAD. Ver: *Motivito.*

PERTENECE. *Duerme que te pertenece.* Te mereces un descanso. «Ha trabajado tanto que le dije: `Duerme que te pertenece'».

PERUCHO. *Estar en el plan de Perucho.* Se usa el cubanismo en el sentido de estar muy bien alguien; de vivir regalado; de llevar una vida regia. «Vive como nadie porque está en el plan de Perucho». (He oído asimismo: «Estar en el plan de Perucho: comer poco y singar mucho». «Singar» es «fornicar» en cubano.)

PERVERSITA. Se dice de la mujer a quien en el acto sexual le gustan todas las depravaciones. «Se ve por la cara que es una perversita». Sinónimo: *Enfermita.*

PESADITO. *Me está cayendo un poco pesadito.* Es una frase que repite constantemente el cubano cuando alguien se pasa de medida. «¿Te está enamorando? —Sí, ya me está cayendo bastante pesadito». «Sale en televisión todos los días. —Ya me está cayendo bastante pesadito».

PESADO. *Batear de cuatrocientos en la liga de los pesados.* Ser muy antipático. «Ese batea de cuatrocientos en la liga de los pesados». (El cubanismo viene del campo de la pelota o base-ball. El jugador que tiene un promedio de trescientos es un gran jugador; el que lo tiene de cuatrocientos es excepcional. El cubanismo compara al antipático con el jugador.) *Cargue con su pesado.* También, no mortifique. «Cállese, cargue con su pesado». *Ser más pesado que Tinigrifi.* Ser muy antipático. «Ese individuo es más pesado que Tinigrifi». («Tini Grifi», que el cubano pronuncia como se ha escrito, era una artista norteamericana gordísima. De aquí el cubanismo.)

PESCADITO. *Comer el pescadito.* Fornicar a una mujer. «Dicen que Juan le comió el pescadito». *Comerse un pescado con espinas y todo.* Acostarse con una mujer feísima y además flaca y alargada. «Él se comió un pescadito con espina y todo, yo la vi con ella». (Es el superlativo que el cubano forma, como es su costumbre, con palabras y no con las terminaciones propias del mismo.) *Cómetela pescadito.* Ver: *Comer. El pescadito metió la mano y acabó.* El hombre fornicó a la mujer. «Los vi juntos y te digo que el pescadito metió la mano y acabó». (Viene del cubanismo, «cómetela, pescadito». Que es cuando un hombre y una mujer se tocan libidinosamente se les grita: `Cómetela, pescadito'.)

PESCADO. Mujer muy flaca y fea. «Es un pescado pero muy simpática». Sinónimos: *Espátula. Fleje. Coger pescado grande.* Lograr algo fenomenal. «Con ese premio cogí pescado grande». *Comer pescado con espina y todo.* Ser un osado. «Él come pescado con espina y todo». *El pescado se pudre por la cabeza.* Los gobiernos, las organizaciones fracasan porque el jefe máximo fracasa. «Él llevó a esa organización al fracaso, con tan buena base que tenía. Es que el pescado se pudre por la cabeza». *Estar alguien como un pescado podrido de la tarima de la plaza.* Estar a punto de perder el puesto, el poder, etc. «Se mantuvo de presidente de la compañía por mucho tiempo pero está como pescado podrido de la tarima de la plaza». (Es cubanismo del exilio. Lo he oído mucho aplicado al gobierno de Cuba.) «Castro está como un pescado podrido de la tarima de la plaza». (Está al perder el poder.) *Estar hecho un pescado.* Estar muy delgado. «Tú estás hecho un pescado». *Gustarle a alguien el pescado.* Ser una mujer fácil o un homosexual, si se trata de un hombre. «A Juana le gusta el pescado». («Pescado» es «pene».) *Ni pescao frito.* Nada. «Aquí, de lo que buscamos no hay ni pescao frito». (Es «pescado» pero el cubano aspira la «d».) *No* *decir ni pescado frito.* No hablar. «En esa reunión no dijo ni pescado frito». *Pasarle a alguien como al pescado.* Morir por la boca. «Él murió como el pescado, era muy indiscreto». *Para hablar y comer pescado hay que tener mucho cuidado.* Equivale al castizo: *En bocas cerradas no entran moscas.* Sinónimo del cubano: *Por la boca muere el pez. Poner el pescado en la tarima.* Decir las cosas como son; mostrar las cartas. «Yo enseguida, para que no se equivocara, le puse el pescado en la tarima y él me lo agradeció». *Quedarse como el pescado.* Sólo en espinas, es decir, muy delgado. «Con esa enfermedad se quedó como el pescado». También congelado, no avanzar más. «En su carrera se quedó como el pescado». *Ser alguien un pescado podrido.* Estar a punto de ser eliminado alguien. «Ese hombre es un pescado podrido». (Al pescado podrido se le bota, de ahí el cubanismo. Lo he oído varias veces con respecto a Fidel Castro con motivo de éxodo del Mariel y los asilados en la Embajada del Perú en La Habana, en esta forma: «Para los rusos Fidel es un pescado podrido». O sea, que van a eliminar a Fidel.) *Ser una mujer un pescado.* Ser muy fea, además de flaca y alargada. *Si me pides el pescado te lo doy.* 1. Por ti hago cualquier cosa. «Ya te dije que si me pides el pescado te lo doy». 2. Si quieres algo pídelo que está concedido. «Yo a mis amigos siempre les digo: `Si me pides el pescado te lo doy'». (Casi siempre tiene un tinte sexual. Quiere decir que si te gusto me acuesto contigo. El cubanismo viene de la letra de una canción.) «Ella se me insinuó y se lo dije: `Si me pides el pescado te lo doy'». *Tener un ojo de pescado.* Verlo todo. «Ese individuo tiene un ojo de pescado». Ver: *Ojos.*

PESCUEZO. *Convertirle a alguien el pescuezo en tornillo.* Darle un sopapo en la cara grande. «Discutieron y ella le convirtió el pescuezo en tornillo». *Ser una cosa de arranca pescuezo.* Ser muy drástica. «Lo que me propones es de arranca pescuezo».

PESETA. Ver: *Piedra.*

PESETERO. Persona que no vale nada. «Ése es un pesetero».

PESO. *Es tan agarrado que para no darme el peso completo le quita la puntica.* Ser tacañísimo. «¡Darte dinero! Si es tan agarrado que para no dar el peso completo le quita la puntica». (Es forma del aumentativo que usan los cubanismos, el que se forma con palabras y no con terminaciones.) *Esos son otros cinco pesos.* Eso es otra cosa. «Bueno, eso cambia todo. Esos son otros cinco pesos». *No ser peso pluma.* No dejar de comer bien. «Yo como de todo, yo no soy peso pluma». Ver: *Guanábana.*

PESÓMETRO. *Volarle a alguien el pesómetro.* Enfurecerlo. «Me pregunta tanto que me voló el pesómetro».

PESTAÑA. *Darle alguien a la pestaña.* Dormir. «Ayer le di once horas a la pestaña». *Echar una pestaña.* 1. Dormir un poco. «Me hace falta echar una pestaña». «Voy a echar una pestaña enseguida». (He oído, también, *echar una pestañita.*) 2. Huir. «En cuanto oyó la voz, echó una pestaña». Sinónimos: *Chaquetear. Echar un entomillón.*[53] *Echar un patín. Echar un pie. Echar una llanta. Ser algo pestaña de Maibellini.* Ser algo falso. «Eso que te dice es pestaña de Maibellini». (El «Maybelline», que el cubano pronuncia como se ha escrito, es una marca de cosméticos que se usa en las pestañas norteamericana.)

---

[53] O «entomiñón».

PESTAÑAR. *En menos de lo que pestañea un mosquito.* Muy rápido. «Lo hizo en menos de lo que pestañea un mosquito».

PESTE. *Confundir la peste con el mal olor.* No darse exacta cuenta de la cosa. «Ése confunde la peste con el mal olor». *Tener peste a cojón de oso.* Oler mal. «Ése tiene peste a cojón de oso». Sinónimo: *Oler a portañuela de veterano.* Ver: *Mierda. Sosa.*

PESTÍFERO. El que come mucho. «Tú eres un pestífero». (Es lenguaje de la cárcel de la Cuba de hoy.)

PESTILLO. *Írsele el pestillo a alguien.* 1. Enfurecerse de pronto. «Me dijo aquellas palabras ofensivas y se me fue el pestillo. Lo puse nuevo». 2. Hacer algo sin querer. «No lo reprendas por la palabrota, que se le fue el pestillo».

PESTONIT. Ver: *Descendiente.*

PETARDERO. Jugador que le da fuerte a la pelota en el juego de pelota (base-ball.) «Ese jugador es un petardero. El lanzador tiene que tener mucho cuidado con él».

PETARDO. 1. Individuo poco simpático. «No hay dudas de que tienes razón: el escritor es un petardo». Sinónimos: *Chorro de plomo. Plomo.* (Seco dice que es madrileñismo.) 2. Película mala. «Esa película es un petardo». Sinónimos: *Clavicordio. Clavo.* 3. Tabaco que huele mal. «Ese puro es un petardo». *Ponerle a alguien el petardo bueno.* Engañarlo con algo bien preparado. «Lo derrotó porque, como tú sabes, le puso el petardo bueno».

PETATE. *Dar el petate.* 1. Causar sorpresa. «Juan dio el petate. Se casó». 2. Informar. «Él fue el que dio el petate de que aquí las cosas estaban malas». *Ponerle a alguien el petate.* Darle la letra, informarle de algo. «Lo supo porque él le puso el petate». *Tener un petate.* Se dice del hombre que tiene una joroba en la espalda por no caminar derecho. «Tiene un petate por no hacer ejercicios». Sinónimo: *Maletudo.*

PETICIONES. Ver: *Pliego.*

PETROLERO. Así se llamaban a los ciudadanos cubanos que cuando la segunda guerra mundial se inscribieron para ir a pelear contra el eje. «Yo soy de los petroleros que quedan». «Yo tengo muchos amigos que son petroleros». *Petróleo fino.* Negra bonita. «Eso es petróleo fino». *Quemar petróleo.* Tener relaciones carnales o sexuales con una negra o un negro. *Ser una mujer de color, petróleo fino.* Ser muy bonita. «Ella es petróleo fino». Ver: *Mancha.*

PETROLIZADORES. Empleados del municipio que iban de casa en casa echando petróleo en las aguas contra los mosquitos. «¡Qué gorrita más mona usan los petrolizadores!»

PETROLIZAR. Matar los mosquitos con petróleo. «Petrolizaron y no quedó ni uno».

PEZ. *Metérsela a alguien envuelta en pez rubia.* 1. Atacarlo sin tomar precauciones. 2. Derrotarlo sin tomar precauciones. «A mí no me importó y se la metí con pez rubia». (La conversación y las circunstancias dan uno o dos.) 3. No tener consideración con él. «En la columna, Pedro se la metió a Juan, envuelta con pez rubia». He oído, asimismo: «Lo atacó sin compasión. Pedro lo dejó sin un centavo. Se la metió envuelta en pez rubia». (Lo arruinó.) Sinónimo: *Envuelta en alambres de púas.*

PEZUÑA. Uñas grandes. «Como tiene pestañas lo cogieron preso. Son del tipo que usan los carteristas». (Lenguaje del chuchero. Ver: *Chuchero.*) *Plantar la pezuña.* Tomarse las huellas digitales. «En la estación de policía tuve que plantar la pezuña».

PIANISTA. *Si fueran pianistas, tocan a dúo.* Se dice cuando se ve a alguien reunido con un homosexual para indicar que también lo es. «¿Tú crees que Juan sea homosexual como Pedro? —Si fueran pianistas tocan a dúo».

PIANO. *Caerle a alguien el piano en la cabeza.* Sufrir un gran descalabro. «En esa empresa me cayó el piano en la cabeza». *Caerle a alguien un beibi piano.* Haber envejecido poco. «A ti sólo te ha caído un beibi piano». (Cuando se ha envejecido «algo» el cubano dice: «A Juan la cayó un beibi (Baby) cola». (Es un piano pequeño. «Baby» es «niño» en inglés y el cubano lo pronuncia como se ha escrito.) *Caerle a alguien un piano.* Estar muy viejo. «Vi a Juan, te digo que le cayó un piano. Parece que tiene cien años». Se aplica a otras muchas situaciones: caerle a alguien una desgracia. «Iba muy bien y le cayó un piano con la hija». «Iba muy bien en el negocio y le cayó un piano. Tuvo que cerrar». (Algo fue mal en el negocio.) Incluimos aquí un cubanismo nacido en el exilio y relacionado con éste cuando a la vejez se refiere.) *Caerle a alguien un piano encima.* 1. Estar alguien muy viejo. «A Pedro le ha caído un piano encima. Cuánto lo siento». 2. Haber envejecido mucho. «A ese amigo tuyo le ha caído un piano encima». *Caerle cinco pianos encima.* (Es el aumentativo de todo lo anterior.) *Caerle un piano de cola.* Envejecer mucho. «Le cayó un piano de cola». *Cierra el piano que está desafinado.* Cállate. «Se lo dije sin miedo: `Cierra el piano que está desafinado'». (Se usa en el imperativo.) *Gustarle a alguien tocar el piano.* Ser homosexual. «A Juan le gusta tocar el piano». Sinónimo: *Aceite. Hay que sonar el piano antes de morirse.* Hay que vivir la vida. «Se murió joven. Yo siempre he dicho que hay que sonar el piano antes de morirse». *Le tocaron el piano y no tiene melodía.* Le fingieron. «Él creyó que lo querían porque le tocaron el piano, y no tiene melodía». *Sonarle a una mujer el piano.* Fornicarla. «Anoche le soné el piano. Se resistió, como tú sabes, por mucho tiempo». *Tócame el piano Fundora.* 1. Expresión de gozo que se dice cuando alguien ha tenido un gran triunfo. «Logré la beca. Tócame el piano Fundora». 2. No juegues conmigo. «Tócame el piano Fundora y haz lo que te digo». *Tócame el piano Fundora, pero tócamelo sin demora.* Hazme eso ahora mismo. *Tocar el piano.* Lavar la ropa. «Estoy remojando. Ahora me toca tocar el piano». Ver: *Cabeza. Manos.*

PIAR. Ver: *Cao.*

PICA. *Por eso me pica aquí y me voy a rascar allá.* Eso no me da ni frío ni calor. «Se murió Juan. —Por eso me pica aquí y me voy a rascar allá». (El cubanismo es la letra de una canción.) *Tener pica pica.* Tener ganas de fornicar. «Ella tiene pica pica». He oído igualmente: *Tener pica pica en el bollo.* (El bollo es el aparato sexual de la mujer.) *Tener alguien pica pica.* Tener ganas de practicar el coito. «Ese hombre tiene hoy pica pica». *Tener la mujer pica pica en el bollo.* Acostarse con cualquiera. «Esa mujer tiene pica pica en el bollo». («Bollo» es el aparato sexual de la mujer.) *Tener pica pica en el culo.* No estarse tranquilo. «Qué hombre más inquieto. Tiene pica pica en el culo». Sinónimo: *Tener ajíbobito en el culo.* («Ajíbobito» es un tipo de ají picante.)

PICACULISMO. Insistencia. «Su picaculismo es proverbial».

PICADA. Pedir un dinero que no se va a pagar. «Él me dio una picada». *Caer en picada.* Caer súbitamente. «El jefe cayó en picada». (Es cubanismo tomado de la aviación.) *De picada de mosquito.* Poco. «Ese dolor es de picada de mosquito».

Lanzarse en picada. Hacer algo súbitamente. «En lo del puesto se lanzó en picada y fracasó». (Cubanismo que viene de la aviación.) *Volver por la picada.* Repetir. «Volvió por la picada pero le dije que no podía ser».

PICADILLO. *Hacer a alguien picadillo.* Matarlo. «Si lo cojo lo hago picadillo». Sinónimos: *Hacer fufú de plátano. Hacer machuquillo. Hacer sancocho. Saboreando el picadillo.* Estar viviendo bien. «¿Cómo estás? —Saboreando el picadillo». *Saborear el picadillo.* 1. Gozar mucho en algo. «Con esa pieza teatral saborié el picadillo». 2. Gustar del acto sexual. «A esa mulata le gusta mucho saborear el picadillo según me han dicho». *Ser algo como el picadillo.* Ser algo aburrido. «Ese hombre es como el picadillo». (El picadillo es una comida cubana que si se sirve tanto aburre. De ahí el cubanismo.) Sinónimo: *Ser algo como el arroz. Ser algo picadillo de la última joroba del camello.* No valer nada. «Ese cuadro es picadillo de la última joroba del camello». Ver: *Coco. Máquina. Recoco.*

PICADO. *Estar picado.* 1. Estar borracho. «No lo mires. Está picado». 2. Estar tuberculoso. «Juan está picado. Se lo dijo el médico». *Pasarse de picado.* Excederse. «Con ese pedimento se fue de picado». (El cubanismo viene del campo del billar. Hay veces que se pica demasiado al mingo y a eso se le llama «irse de picado».)

PICADOR. Pedigüeño. «Es un vulgar picador».

PICANDO. Llegando. «Está picando los ochenta». (Lo he oído siempre aplicado a los años.)

PICAR. *¡Ya te pica!* No puedes hacerlo mejor que yo. «¿Que me vas a ganar en la competencia de matemáticas? Ya te pica». Ver: *Ahora.*

PICARSE. Tuberculizarse. «Él se picó por no comer bien». *El que se pica es porque ají come.* El que se da por aludido es porque tiene la culpa. «Ya se lo dije con toda sinceridad: `el que se pica es porque ají come'».

PICHA. *Ser alguien una picha de perro.* 1. No valer nada. «Mi hermano es un picha de perro». 2. Ser muy insistente. «Dale lo que lo que te pide que es una picha de perro». («Picha» es un cubanismo que indica «pene», es castizo.)

PICHANDO. *Aguanta, que están pichando duro.* Aguanta, que nos están atacando fuerte. «¿Viste en el periódico lo que te dicen? —Aguanta, que están pichando duro». (Viene del juego de pelota. «Pichar» es un verbo formado con el verbo americano «to pitch», o sea, «lanzar». Es cubanismo que utiliza un término del juego de pelota, o base-ball.)

PICHAR. Hablar en términos fuertes. «Anoche pichó en la reunión». (El cubanismo viene del campo de la pelota o base-ball y que se ha tomado de la voz inglesa «to pitch», o sea, «lanzar».) Hemos pichado más para allá, que él para acá. Forma del hablar cubano. Quiere decir los hemos favorecido más a ellos, que ellos a nosotros. *Pichar hasta que se le canse a alguien el brazo.* Hacer algo hasta que no pueda más. «En este trabajo picheo hasta que se me canse el brazo». (El cubanismo viene del juego de pelota.)

PICHARDITO. Muchacho. «No sé qué hacer con este pichardito».

PICHEAR. *Pichear hasta que se le caiga el brazo.* Hacer algo hasta el final. «No me cansaré, yo, picheo hasta que se me caiga el brazo». (Viene del juego de pelota. «Pichar» es un verbo formado con el verbo americano «to pitch», o sea, «lanzar». Se aplica a muchas situaciones.) Por ejemplo: si alguien nos dice: «No pagues, que es muy caro y tú no ganas mucho». Se contesta: «Picheo hasta que se me caiga el brazo. No te preocupes». (Pago hasta que se me acabe el dinero.)

PICHEO. 1. En los camiones grandes el vaivén del chofer del camión. «El picheo del conductor en estos camiones grandes es muy desagradable». 2. Término de la pelota que indica que el que lanza la bola, el lanzador, lo hace muy bien. «Su picheo es maravilloso. Por eso siempre gana». *Conocer el picheo de alguien.* Saber cómo piensa. «No te preocupes. Todo saldrá bien. Le conozco su picheo». (Viene del juego de pelota en voz derivada del inglés «to pitch» o «lanzar».) *Estar alguien en el picheo.* Ser el que manda. «Desde ayer en el trabajo estoy en el picheo». Sinónimo: *Estar pichando. Tener un buen picheo.* 1. Lanzar bien en el juego de la pelota o base-ball. «Él siempre tiene un buen picheo, gane o pierda». 2. Ser muy competente en el área. «Deja que te haga el trabajo eléctrico de la casa. El ahí tiene un gran picheo».

PÍCHER. *El pícher es zurdo y se vira.* Cuidado que te sorprende sin tú saber cómo. «Tú, yo, me cuidaba, que el pícher es zurdo y se vira». (Lenguaje del juego de pelota.) *Meterle a alguien pícher suplente.* Sacarlo. «Si no das la talla en el trabajo, te meten un pícher suplente». («Pícher» es «pitcher», o sea, «lanzador» en el juego de pelota, de aquí el cubanismo.) Meterle a una mujer un pícher suplente. Engañarla. «Tanta familiaridad con Olga. El marido le mete pronto a Lolita, de pícher suplente». (Viene de la palabra inglesa «pitcher», que quiere decir «lanzador», en el juego de pelota o base-ball. El cubano lo pronuncia como se ha escrito.) *No estar el pícher en su forma.* No estar alguien en posesión de todas sus facultades. «Oye a ese orador. El pícher no está en su forma». *Ser un pícher de grandes ligas.* Ser alguien grande en algo. «En matemáticas él es un pícher de grandes ligas». *Ser un pícher «tapón».* Se dice del que resuelve situaciones difíciles cuando nadie ha podido hacerlo. «Vino y triunfó. Es un pícher tapón». (El pícher tapón es el que sustituye en el juego de pelota o base-ball al lanzador en aprietos.) Ver: *Quechear.*

PICHICATO. Fornicación. «¿A quién no le gusta el pichicato?»

PICHINGUERA. Mala. «Ésa es una sinfonía pichinguera».

PICHINGUERO. Que no vale nada. «Éste es un pichinguero».

PICHINGUITA.O. Cosa que no vale nada. «Ése es un escrito pichinguito».

PICHIRRE. *Ser alguien pichirre.* Ser agarrado. «Ése no es más que un pichirre». Ver: *Estreñido.*

PICHÓN. Cigarro de marihuana. «Lo cogieron con un pichón y lo condenaron a muchos años». Sinónimos: *Chicharra. Choe (Joe.) Luis. Emiliano Zapata. Plutarco Elías Calle. Estar como los pichones con el pico abierto.* Se dice del que siempre está comiendo. «Mi hijo siempre está como los pichones con el pico abierto». *Pichón de tártaro.* Un calavera en potencia. «Él es un pichón de tártaro». («Tártaro» es «calavera».) *Ser alguien un pichón de querequeté.* 1. Ser feísimo. «Elio es un pichón de querequeté». 2. Ser muy feo. «Este hombre es un pichón de queretė». (El queretė es un pájaros cuyos pichones son muy feos. El hombre también lo es. Para el aumentativo, el cubano dice: *Es un queretė sin plumas.* O sea, feísimo.) *Ser un pichón de querequeté.* Ser muy feo. «Ese muchacho es un pichón de querequeté». (El querequeté es un ave cubana muy fea.) Sinónimo: *Feo. Ser un pichón que da brinquitos.* Ser homosexual. «Ése es un pichón que da brinquitos». Se dice asimismo, *dar brinquitos.* Sinónimos: *Estar siempre agachado. Perra. Ser una pichona de barrio.* Ser una chismosa. «Ésa no es más que una pichona de barrio». Ver: *Perico.*

PICNIC. *Prepararse para el picnic.* Estar una mujer lista para la fornicación. «Ya Juana está preparada, Pedro, para el picnic». (Nace el cubanismo con un chiste: «Oye, me voy al picnic con Juana. —¿Y qué es eso? —Yo no sé pero por lo pronto me lo lavé».)

PICO. *Echarle a alguien al pico.* Matarlo. «Él lo midió y se lo echó al pico». *Estar en el pico del aura.* Estar a punto de perderse. «Eso está en el pico del aura». Sinónimo: *Estar en la punta del bote. Hincar el pico.* Morirse. «Juan hincó el pico». *Limpiarle el pico.* Matarlo. «Habló y le limpiaron el pico». *Ponerle algo en el pico a una persona.* Decirle algo sabiendo que lo va a pregonar. «Para que se entere todo el mundo, ponle eso en el pico». *Ser pico de aura no de sinsonte.* Esta oración se usa cuando alguien dice que tiene tantos años y pico. Si es muy viejo se dice que es «pico de aura pero no de sinsonte», ya que el aura, una ave de rapiña cubana, tiene el pico largo, lo contrario del sinsonte que lo tiene muy pequeño. «¿Cuántos años tiene Pedro? —Yo creo que sesenta y pico. El pico es de aura no de sinsonte».

PICOP. *Dale picop.* Anímale. «La noto muy caída. Dale picop». (El automóvil que arranca rápido tiene «pick up». El cubano lo pronuncia como se ha escrito. De ahí este cubanismo nacido en el exilio.) *Tener picop.* Actuar con prontitud. «Ganó y es que tiene picop».

PICÚA. (Una.) Un papalote. «Voy a volar la picúa». *Abolina la picúa.* 1. Corresponde a: «Y al carajo». «Hago esto y abolina la picúa». 2. Después de mí, el diluvio. «No me vengas con consejos, después de mí, abolina la picúa». 3. Se acabó el mundo. «Si se atacan atómicamente, abolina la picúa». (Se aplica a muchas situaciones dando la conversación el significado. «Picúa» es un tipo de papalote. El cubanismo se oye más frecuentemente como se ha escrito.)

PICUERÍA. Cursilería. «¡Cómo hacen picuerías!»

PICÚO. Cursi. «Es lo más picúo que he visto en mi vida».

PIE. *Aquí vamos, con el pie en la pierna.* Se le contesta al que le pregunta a uno: ¿Cómo estamos? «¿Cómo estás Pedro? —Aquí vamos, con el pie en la pierna». *Bailar en un solo pie.* Emborracharse. «Después de dos copas bailaron ambos en un solo pie». *Echar un pie.* Bailar. «Esta noche voy al casino a echar un pie». Sinónimos: *Echar un tobillo. Menear el esqueleto. Entra los pies, que se te salen de la sábana.* No te extralimites. «Conmigo ándate con cuidado. Entra los pies, que se te salen de la sábana». Sinónimo: *No se te ocurra un Avance que te dejo sin País.* (Es un juego de palabras con los títulos de dos periódicos cubanos: «*El Avance*» y «*El País*». Legislar por los pies. Bailar muy bien. «Ella legisla por los pies». *Pedirle permiso a un pie para levantar el otro.* Sinónimo: *Pedirle permiso a una pata para levantar la otra. Tener alguien pies planos.* No poder avanzar en la vida por sus cualidades. «Nunca llegará a nada porque tiene los pies planos». Ver: *Apearse. Dedo. Pata. Victoria.*

PIEDAD. *¡Piedad para el que sufre!* Latiguillo lingüístico. Quiere decir: «Ten piedad de mí». Viene de una canción de María Greber con la letra del latiguillo. «Lo vi y me seguía contando el problema con su mujer y le dije: `¡Piedad para el que sufre!'»

PIEDRA. (Una) 1. El anillo. «Déjame ver una piedra de las grandes». «¡Qué piedra tiene en el dedo del medio!» 2. Ojos. «Las piedras de ése son verdes». 3. Una peseta cubana. Moneda de veinte centavos. «Dame una piedra». Sinónimo: *Pecuña.* (Es lenguaje del chuchero. Ver: *Chuchero.*) *Afilar dos personas o más la misma piedra.* Coincidir. «Chico, hemos transitado por los mismos lugares y afilado la misma piedra». *Afilar en la misma piedra.* Hacer siempre lo mismo. «Estoy, hace años, afilando la misma piedra». *Comerse la piedra calladito.* Pasar hambre sin decírselo a nadie. «Ellos se están comiendo la piedra calladitos». Sinónimos: *Cable. Comerse un cable. Le dicen piedra pómez.* Se dice de la gente áspera. «Le dicen Piedra Pómez al hermano». Sinónimo: *Le dicen papel de lija. El desquite lo da Piedra.* Ya me desquitaré. «No importa, bobo, el desquite lo de Piedra». (Es un lema comercial de los puros [Tabaco en cubano] José L. Piedra.) Sinónimo: *La revancha la da cancha.* (Lema comercial.) *Eliminar a alguien con piedra pómez.* 1. Eliminar a alguien bruscamente. «Lo eliminó con piedra pómez». 2. Olvidarse de él como si no hubiera existido. «Es un malvado. Eliminó al hermano con piedra pómez». Sinónimo: *Tachar con caca de gato. Estar nada más que en la piedra de moler y el cuchillo.* Estar acabando con los demás siempre, para obtener beneficios. «Tú no tienes valores. Tú siempre estás con la piedra de moler y el cuchillo». *Pasar por la piedra.* Vencer. «A él en la competencia de caligrafía lo pasaron por la piedra». *Piedra o piedra fina.* 1. Anillo fino. «Me compré una piedra fina». 2. El número veinticinco en el juego del azar llamado charada. 3. Ojos. «Me duelen las piedras, tengo que ir al oculista». «Me duelen las piedras finas». (Lenguaje del chuchero. Ver: *Chuchero.*) *Poner una piedra.* Hacer labor celestinesca. «Con Juan Pedro me está poniendo una piedra». Sinónimo: *Poner una segunda. Poner una piedra a alguien.* Obstaculizarlo. «Yo le puse una piedra a Pedro». Sinónimo: *Ponerle una cáscara de plátano. Ponerle a alguien la piedra.* Mirarlo. «Ése te puso la piedra fina». *Ponerle a alguien las piedras.* Mirarlo. «Ése te ha puesto las piedras encima hace rato». (Lenguaje del chuchero. Ver: *Chuchero.*) Sinónimo: *Campanear. Ponerse piedra.* No conmoverse. «Antes sus ruegos me puse piedra». *Sal de abajo de la piedra.* Se le dice al que en el dominó se agacha; es decir, que teniendo una ficha, la aguanta. «Oye, sal de abajo de la piedra, yo sé lo que tú tienes». Sinónimo: *Te voy a sacar como la cherna de abajo de la piedra.* (Lenguaje del dominó. En el lenguaje común del cubano, quiere decir: descubrir.) «Yo sé lo que está haciendo y te voy a sacar como la cherna de abajo de la piedra». *Ser alguien piedra de pilar.* Ser muy fuerte. «Mírale los músculos, Juan es piedra de pilar». *Tirarle piedras al Morro.* Hacer algo inefectivo. «Eso que haces para resolver el problema de tu hijo es tirarle piedras al Morro». (El Morro es una fortaleza colonial cubana.) Ver: *Bulla. Cigarros. Desquite. Pasarse. Río.*

PIEL. *Tener piel de toalla Telva.* Tener la piel suave. «Tú tienes la piel de toalla Telva, Reina». (Las toallas Telva eran de felpa muy suave. De ahí el cubanismo.)

PIERNA. *Aflojársele a alguien las piernas.* Acobardarse. «Cuando me vio se le aflojaron las piernas». Sinónimo: *Aflojársele las volantas. Saber estirar las piernas.* Saber cuál es el límite. «Tú no te preocupes que yo sé estirar las piernas». *Ser alguien flojo de piernas.* 1. Ser homosexual. «Jaime es flojo de piernas». 2. Ser un cobarde. «No cuentes con él que es flojo de piernas». Ver: *Niño. Reverbero. Túnel.*

PIERRILE. Pies. «Me duelen los pierriles». *A pierril.* A pie. «Él se fue a pierrile». *Legislar por los pierriles.* Bailar. «Esta noche, en esa sociedad, voy a legislar por los pierriles». (Es lenguaje del chuchero. Ver: *Chuchero.*)

PIEZA. Pene. «¡Qué clase de pieza tiene ese niño!» *Dársela de pieza sin ser retazo.* Presumir de lo que no se tiene. «Ése se da de pieza sin ser retazo». (Se oye, este refrán, en la provincia de Camagüey.) *Tener una pieza.* Tener un amante. «Tengo la pieza en la otra cuadra. Voy a verla ahora».

PIJIRIGUA. *Ser de pijirigua.* 1. Persona insignificante. «Tú eres un pijirigua». 2. Ser campesino. «Pedro es de Pijirigua».

PIJOTA. *A pijota.* Poco a poco. «Te pago a pijota». (Es cubanismo guajiro.)

PILA. *Ser una mujer una pila de agua bendita.* Ser una mujer fácil. «Esa mujer es una pila de agua bendita». (Se basa el cubanismo en que todo el mundo la toca. Como al agua.) *Querer el montón pila, burujón, paquete.* Querer mucho. «Yo te quiero el montón pila, burujón, paquete». Sinónimos: *Llevar de campana a campana. Llevar de contén a contén. Llevar de rama en rama como Tarzán lleva a Juana.*

PÍLDORAS. *Tenerla (se refiere al pene) como las píldoras Carter.* Tenerla pequeña y ser puntual fornicando a la mujer. «Dice la mujer que él la tiene como las píldoras Carter». (Este cubanismo está desapareciendo, pero se basa en la propaganda de unas píldoras que se vendían en Cuba para el estreñimiento. Me dicen que eran muy pequeñas y que había que tomarlas puntualmente. De aquí el cubanismo.)

PILDOROSA. (La) La ametralladora. «Le ocuparon una pildorosa».

PILLAR. 1. No ver bien. «Ése no pilla bien. Necesita gafas». 2. Vigilando. «Mira cómo la policía está pillando». (Es lenguaje del chuchero. Ver: *Chuchero.*) *Pillar de albutín.* Comprender enseguida. «Él sabe tanto que pilla de albutín». (Es lenguaje legado por los africanos. Proviene del que hablaban los esclavos africanos llegados a Cuba.)

PILLOS. *Criar carne para que se la coman los pillos.* Ver: *Criar.*

PILÓN. Mucho. «Tengo un pilón de cosas que hacer». *Caer en el pilón de otro.* Caer en sus manos. «Él cayó en mi pilón». *Ser un pollo criado a pilón.* Haber sido criado alguien con todos los mimos. «Él es un pollo criado a pilón». *Tener a alguien comiendo en pilón.* Tenerlo dominado. «Tengo a ése comiendo en pilón».

PILOTO. Ver: *Manteca.*

PILTRAFA. 1. Mujer fea. «Ella es una piltrafa». 2. Persona con el físico destruido. «Ese hombre es una piltrafa humana». Se dice piltrafa humana o viviente para distinguirlo del cubanismo. *Ser alguien una piltrafa.* No valer nada. «Ése es una piltrafa. No quiero nada con él».

PIMENTOSO. Activo. «Él es muy pimentoso». Sinónimo: *Ser pimienta. Regar pimienta (o regar pimienta de Guinea.)* Formar un lío. «Allí regaron pimienta de Guinea». (Según las religiones afrocubanas la guinea atrae la discordia.)

PIMIENTA. *¡Qué pimienta!* ¡Qué ánimo! «Aún trabajando a las seis de la mañana. ¡Qué pimienta!» *Tener pimienta.* Ser muy activo. «Él tiene pimienta. Me encanta».

PIMPINELA. *Ser algo como Pimpinela Escarlata.* Ser algo que cambia. «Esa enfermedad `SIDA' es Pimpinela Escarlata». (Pimpinela Escarlata es un personaje de ficción que se disfrazada continuamente como el SIDA.)

PIMPONA. Gorda. «Ésa es una vieja pimpona».

PIN. *Hacer algo de pin pan pun.* En un instante. «Se comió el pan de pin pan pun». *El pin pin.* El acto sexual. «No me gustó el pin pin con ella».

PIN PAN PUN. Catre. «Me compré un pin pan pun». *Hacer algo de pin pan pun.* Hacerlo rápido. «Hizo la novela de pin pan pun».

PIN PON. *Cheque pin pon.* Cheque sin fondo. «Me dio un cheque pin pon». (Pin pon es como el cubano pronuncia el juego del «ping pong». El cheque, como la pelota de ese juego, rebota. De ahí el cubanismo.) Sinónimo: *Cheque Canguro.*

PINCAO. Mujer fea. «Tu prima es un pincao». (Lenguaje del chuchero. Ver: *Chuchero.*) Sinónimo: *Cáncamo. Casco. Fleje.*

PINCHA. (La) El trabajo. «Voy para la pincha». *Meterle a la pincha.* Trabajar. «Le metí a la pincha de sol a sol».

PINCHAR. 1. Trabajar. «Estoy pinchando duro». Lo hemos oído también en el sentido de «oír». «Pinchas lo que dice».

PINCHAZO. *Meterle a alguien un pinchazo y no soltar ni sangre.* Pedirle algo a alguien y recibir una negativa. «Le metí un pinchazo ayer por la mañana y no soltó ni sangre».

PINCHE. Trabajo. «En pinche somos muy buenos». *Ser la candela en materia de pinche.* Trabajar duro. «En materia de pinche somos la candela y donde haya un trabajo lo cogemos».

PINCHERAR. Mirar. «Estoy pincherando a la señorita». (Lenguaje del chuchero. Ver: *Chuchero*.)

PINCHO. (El) 1. El militar de altísima graduación en Cuba. En general, de la «élite» dirigente. «Ese militar es pincho». 2. Los dientes. «Voy al dentista a sacarme los pinchos». Jefe en la Cuba comunista. «Él es familiar de un pincho. Por eso está bien». *Pincho grande.* Todo el que es de Coronel para arriba en la Cuba castrista. «Yo no sé el grado, pero en el ejército es pincho grande». *Un pincho.* Personaje de altura en el régimen comunista cubano. «Juan es un pincho en Cuba». Sinónimo: *Un mayimbe.* Ver: *Palero.*

PINGA. Palo con que los chinos sostienen las canastas, una por cada extremo. La palabra pinga puede tener diferentes acepciones como: 1. Mentira. «Juan se casa con Pedro. —Pinga». 2. Mierda. «Dame el dinero. —Pinga». 3. No. «Haz lo que te digo. —Ya te contesté que ni pinga». *A la pinga.* Al carajo. «No hay más que discutir. A la pinga». («Pinga» es «pene». Es castizo pero el cubano lo cree cubanismo.) Sinónimo: *Cágate en la noticia. Cara de pinga.* Cara donde se ve el enojo. «Traía una cara de pinga». *Con la punta de la pinga.* Fácilmente. «Eso lo hago con la punta de la pinga».*De pinga.* Lo mismo bueno que malo, dependiendo de la situación. Si vemos, por ejemplo, un automóvil muy bello decimos: «Este automóvil está de pinga». Y si es muy malo y se para de repente, exclamamos: «A ese automóvil hay que botarlo, está de pinga». *Estar algo de pinga.* Estar muy difícil la situación. «Esto está de pinga». *Estar de pinga.* 1. Ser algo difícil de conseguir. «Está de pinga entrar ahí. ¡Qué clase de cola!» 2. Ser una persona de carácter difícil. «Siempre está de pinga Pedro». Se aplica muchas situaciones. Si una mujer es fea se dice: «Está de pinga la cara de esa mujer». Si los zapatos aprietan se dice: «Están de pinga estos zapatos». (Algunas veces dependiendo del tono de voz cambia el sentido. Por ejemplo: «Está de pinga la cara de esa mujer», puede ser que indique que es muy bonita. El que habla pone un tono de admiración, o puede añadir: «es un portento», o «es una venus».) *Fatal es el que se cae para atrás y se le parte la pinga en tres.* (Contestación que se da al que dice que él es una persona fatal.) *Llevar a alguien con la pinga de palo.* Ser duro con él. «A mí me llevan con la pinga de palo». *Mandar pinga.* Mucho. «Tengo un dolor de cabeza que manda pinga». *Pararle a uno la pinga una mujer de sólo verla.* Ser muy bella. «Esa mujer, de sólo verla, me para la pinga». («Pinga» es «pene». Es castizo caído en desuso. Es arcaísmo.) *Pinga en escabeche.* Sinónimo: *Pinga frita.* Persona que no vale nada. «No eres más que un pinga frita». *Pinga y cepillo.* 1. Al carajo. «Dicen que se va. —Pues pinga y cepillo». 2. No. «Dame el dinero. —Pinga y cepillo». «Se lo dijo cuando trató de sonsacarme: `Pinga y Cepillo`». (La palabra «pinga» se ha perdido como voz en España. En algunos lugares, como Cataluña, se oye su homónimo: *picha.*) *Poner la pinga.* Fornicar. «No sabes qué ganas tengo de ponerle la pinga». *¡Que manda pinga!* Mucho. «Hoy tengo un dolor de cabeza que manda pinga». Equivale al castizo: *¡Que manda huevo!* («Pinga» es palabra castiza. Se incluye «que manda pinga», por ser un latiguillo constante en la lengua del cubano. Es groserísimo.) *Ser un tabaco como pinga de negro.* Ser grande. «Ése es un tabaco como pinga de negro». (El cubanismo se basa en la idea de que los negros tienen un pene grande. Tabaco es puro.) *Tener una cara de pinga.* Tener una cara fea. «Esa mujer tiene cara de pinga». Ver: *Cabeza. Diamante. Morrongonato. Pinga y Cepillo.*

PINGAZO. 1. Coito. 2. Golpe. «Qué pingazo le dieron al automóvil». 3. Quiebra fraudulenta. «Dio un pingazo y ganó millones». Sinónimo: *Dar un palo. Darle a alguien un pingazo.* 1. Darle un golpe. «Le dio un pingazo en el automóvil». 2. Estafa. «Qué pingazo dio. Le roba el dinero a cualquiera». 3. Éxito grande. «Dio un pingazo en el negocio». 4. Fornicarla. «Por fin le di un pingazo a Laura. ¡Qué trabajo me costó!» *Darle un pingazo.* Fornicar. «A esa mujer le di un pingazo». (Viene de pinga o pene. Se aplica a muchas situaciones. Por ejemplo: «El ejército le dio un pingazo al presidente». [Le dio un golpe de estado.]) *Meter un pingazo.* Hacer una estafa o un acto delictivo donde se va el sujeto activo del mismo con el dinero. «En la imprenta metió un pingazo de medio millón de dólares en cheques falsos». «Fue a la bancarrota y metió un pingazo de medio millón de dólares». (Pingazo viene de pinga, que es pene. Es castizo pero el cubano cree que la palabra, ya desaparecida en el castizo, es cubanismo.)

PINGUDO. Valiente. «Juan es un pingudo. Atacó fieramente a su oponente».

PINGUERO. Homosexual. «Él es el pinguero mayor de todo el grupo ese. Debe dolerle». (Se refiere a que se introduce el mayor pene, o pinga.) Ver: *Timbero.*

PINGUINAL. Ver: *Refrescar.*

PINIJIGUA. Persona que no vale nada. «Este hombre es un pinijigua».

PINKI. Mulato. «Ése es un pinki». (El cubanismo viene de una película.) *Dale piki.* Apúrate. «Juan, llegamos tarde. Dale piki». (Cubanismo del exilio. «Piki» viene de «pickup», o sea, del recorrido rápido que hace un automóvil al ser arrancado.) Ver: *Carne.*

PINKIGÜEY. Acción de picar un cigarro, dinero, etc. «Ese individuo siempre está en el pinkigüey». (Viene de las palabras inglesas: pinking y way. Con la pronunciación de ambas el cubano ha formado una palabra.)

PINO. *Estar listón de pino tea.* Estar en mala situación económica. «Estoy, hace unos días, listón de pino tea». Sinónimo: *Ser aserrín de pino tea. Ponerse el chaquetón de pino tea.* Morirse. «Anoche se puso el chaquetón de pino tea». Sinónimos: *Cantar el manisero. Guardar. Guardar el carro. Viajar en el carro de la lechuza.* Ver: *Listón.*

PINOTEA. Ver: *Alquitrán.*

PINTA. *Estar siempre con la misma pinta.* Con el mismo traje. «No se cambia. Está siempre con la misma pinta». *Tener alguien una pinta firme.* Ser de la raza negra. «No me discutas. Él tiene una pinta firme». Sinónimos: *Babún. Fósforo. Nichardo. Niche. Carbón. Charolito espirituano. Chocolate. Tener una pita de Félix B. Caignet con el Collar de Lágrimas.* Si se aplica a una persona, quiere decir que es muy trágica; si se aplica a una obra, cuadro, etc., que es de tipo fúnebre. «Esa mujer tiene una pinta de Félix B. Caignet con el *Collar de Lágrimas*». (Félix B. Caignet escribía novelas trágicas. *El Collar de Lágrimas* es una de ellas.) Ver: *Escribiente.*

PINTADO. *Hasta el más pintado.* A todo el mundo. «Ponen en la calle hasta el más pintado».

PINTAFIESTA. *Estar de pintafiesta.* Estar enamorando a todas las mujeres. «En el baile has estado de pintafiesta».

PINTAR. Dar en el clavo. «Lo pintaste. Oscar es agente de allá». *Píntalo que es tuyo.* Eso es tuyo. «No te preocupes: píntalo que es tuyo». *Pintar Cocacolas en el aire.* Hacer milagros para vivir. «Estoy en estos días pintando Cocacolas en el aire». Sinónimo: *Sacar chispas de la humedad. Pintar un cuadro.* Describir con tintes trágicos una situación que no existe para conseguir algo. «Él me pintó un cuadro pero nada le di».

PIÑA. *Al final, piña, mamey y zapote.* Nada. «En eso, al final, piña, mamey y zapote». *Meterse en la piña.* Estar intrigado. «Con lo que me dices estoy metido en la piña». *Ni jugo de piña.* Nada. «No te doy ni jugo de piña». *Piña, mamey y zapote.* No. «Me das el dinero. —Piña, mamey y zapote». *Resbalar con una cáscara de piña.* 1. Cometer un error. «Él resbaló con una cáscara de piña. ¡Qué error cometió!» Se dice también *resbalar con una cáscara de plátano. Tener un coco que sabe a piña.* 1. Sentirse muy enamorado de una mujer. «Yo tengo en estos días un coco que sabe a piña». 2. Tener una mente muy ágil. «Él llegará a la solución porque tiene un coco que sabe a piña». (*Tener un coco* es estar enamorado. Por eso «al saber a piña el coco», el hombre se siente muy bien. De ahí el cubanismo.) Ver: *Cáscara. Mayal. Muchachos.*

PIÑASERA. *Formarse la piñasera.* Formarse la pelea a golpes. «En cuanto presentó la moción, se formó la piñasera».

PIÑAZO. Golpe. «Me dio un piñazo que me dolió». Sinónimos: *Mameyazo. Tarrayazo. Caerle a alguien a piñazo.* Darle de golpes. «Me contestó y le caí a piñazos». *Ser un piñazo.* Ser algo muy bueno. Se dice, asimismo, *ser una cañonazo*, o, *ser el cañonazo de las nueve.* Sinónimo: *Ser un tiro.* Ver: *Mandarriazo.*

PÍO. Peor. (Corruptela de la lengua del campesino que por gracia imita el culto.) «Ayer estábamos mal. El interés subió y hoy... pió». *Decir en cualquier momento pío pío.* Morirse. «En cualquier momento dice pío pío, está muy grave». (Se basa en el cuento de *Fritz and Hans*, un cuento alemán y pesado. Hans estaba manejando y

Fritz repetía continuamente, pío pío. Hans le preguntó por qué y Fritz le respondió: «Porque no quiero que digan que morí sin decir pío».) *Pío taim.* Forma en que los niños piden en sus juegos un receso. «Eh, para, Pedrito pidió pío taim». («Taim» es la forma en que el cubano pronuncia la voz inglesa «time», o sea, «tiempo».) *Un pío pío.* Los sitios de venta de pollos en Estados Unidos, como el «Kentucky Fried Chicken». «Aquí hay un pío pío». (Este cubanismo del exilio surgió con los cubanos que en 1980 llegaron a los Estados Unidos por el puente marítimo Mariel-Cayo Hueso.)

PIOJITOS. *Sacar los piojitos a alguien.* Chimear. «Estuvo anoche y le sacó los piojitos a Juan».

PIOJO. *Hincar el piojo.* Morirse. «Anoche, mi profesor, hincó el piojo». *Ser un piojo pegado.* 1. Estar una persona pegada a otra continuamente. «Viejo, tú eres un piojo pegado». 2. Se dice de la persona que siempre está al lado de otra. «Muchacho, déjame vivir. Tú eres un piojo pegado». Sinónimos: *Ser un arete. Ser un chichí. Soltar el piojo.* 1. Arruinarse. «En esa empresa tú sueltas el piojo». 2. Trabajar mucho. «En la fábrica sueltas el piojo». También estar en las últimas en algo, estar exhalando el último suspiro. «Pedro está soltando el piojo». (Se aplica a muchas situaciones.)

PIOLO. 1. Especie de dulce. «Voy a comprar piolos». 2. Que niega su raza. «La madre es negra. Joaquín no salió a ella, es un piolo».

PIONERO. Se llama así a una comida consistente con un poco de chocolate con gofio. «Tuvimos en el desayuno, pionero». (El pionero es un niño que pertenece a la primera asociación de base comunista desde las que se asciende a otras superiores. Con el cubanismo el cubano hace mofa de él.) *Vestirse de pionero.* Se dice de esos niños que llevan en las manos ramos de flores. «Ahí están esos vestidos de pioneros». (Así llaman a los niños en Cuba y a la agrupación juvenil a que pertenecen todos. Cuando llega un visitante oficial los saludan con un ramo de flores en la mano. De aquí el cubanismo nacido en el exilio.)

PIPA. Estómago. «Tienes que ponerte a dieta, tiene mucha pipa». Sinónimos: *Caja de pan. Furnia.*

PIPIOLO. Jovencito. «Tú eres un pipiolo para mí».

PIPISIGALLO. Sunsuncorda. «Le hablé al pipisigallo del asunto». *Hasta el pipisigallo.* Todo el mundo. «En la reunión estaba hasta el pipisigallo».

PIPISÓN. *Meter un pipisón.* Orinar mucho. «Antes de salir metí un pipisón».

PIPIZITA. *Echar una pipizita.* Orinar. «Antes de salir voy a echar una pipizita».

PIPIZONGO. *Echar un pipizongo.* Orinar. «Voy a echar un pipizongo». *Estar en el pipizongo.* Estar orinando. «¿Oyes? Está en el pipizongo».

PIPÓN. Barrigón. «Te estás poniendo pipón».

PIQUE. (Un) Una fiesta. «Vámonos al pique esta noche en casa de Pedro». (Cubanismo de la Cuba actual. Es una fiestecita que se da pidiéndoles a las amistades que contribuyan con una parte de la cuota de alimentos que reciben.)

PIQUERA. Aparcamiento o estacionamiento de coches o automóviles de alquiler. «Llamé a la piquera para que me manden un carro». *Hacer una mujer piquera.* Ser una prostituta. «Yo sabía que esa mujer hacía piquera».

PIQUETE. *Tremendo piquete.* Qué equipo más bueno (de baloncesto, de investigación, etc.) «Esos investigadores del Banco Nacional son tremendo piquete». También, despectivamente, como gente mala: «¡Esos policías! ¡Tremendo piquete!» Sinónimo: *Pitén.*

PIQUI. *Ser piqui.* Ser insistente. «Él es muy piqui».

PIQUININI. Pequeño. Sinónimo: *Ser una bijirita.*

PIQUIPIQUI. *Ser piquipiqui.* Ser puntilloso. «Ese alumno es muy piquipiqui en sus cosas».

PIQUITO. *Darse el piquito.* Besarse como los pajaritos. «Ahí están esos enamorados dándose el piquito».

PIRA. *Darle a alguien la pira.* Echarlo. «El patrón me dio la pira». *Darse a la pira.* Fugarse; no esperar por alguien. «El preso se dio a la pira». «Mi amigo se dio a la pira porque llegué cinco minutos tarde». (Es lenguaje del chuchero. Ver: *Chuchero.*)

PIRAGUA. *Estar al borde de la piragua.* Estar algo a punto de perderse. «Tu asunto está a punto de la piragua». Sinónimos: *Estar en el pico del aura. Estar en la punta del bote. Estar montado en la piragua.* Estar a punto de sufrir un descalabro. «Quiero que tú sepas que conmigo, mi marido está montado en la piragua».

PIRAÑAR. Vivir difícilmente consiguiendo algo aquí y algo allá para sustentarse. «Ese hombre nunca tiene puesto fijo. Se pasa la vida pirañando».

PIRAR. 1. Marcharse. «Hay que pirar que viene la policía». (Lenguaje del chuchero. Ver: *Chuchero.*) Morirse. «El hombre piró antes de que lo viera el médico». Sinónimos: *Cantar el manisero. Guardar. Guardar el carro. Partirse. Ponerse el chaquetón de pino tea.*

PIRAVEAR. Fornicar. «Me pasé la noche piraviando». (Es lenguaje del chuchero. Ver: *Chuchero.*)

PIREY. *Dar pirey a alguien (o pirey con fuerza blanca.)* Despedirlo; echarlo. «En el trabajo le dieron pirey (o pirey con fuerza blanca.)» Lo hemos oído también en el sentido de matar. *Darle pirey a algo.* 1. Botar. «Le di pirey a los periódicos». Lleva siempre la significación de «echar de»... 2. Despedir. «La novia le dio pirey». (Rompió con él.) Si la cosa fuera «despedir», «botar», «echar de..»., a cajas destempladas, el aumentativo se forma añadiendo «fuerza blanca». «La novia le dio pirey y fuerza blanca». (Éste es otro caso en que el aumentativo no se forma con sus terminaciones propias sino añadiendo otra palabra. Es el lema del jabón cubano que decía que contenía «pirey» y que el jabón le daba a la ropa «pirey y fuerza blanca» para limpiarla.)

PIRINOLA. (La) El pene. «En el cine ella me tocó la pirinola».

PIRITINGO. (Un) Un pito. «Cómprale una piritingo a los muchachos».

PIRRELE. Los pies. «Voy a pararle los pirreles a ese fresco». (Es un gitanismo-andalucismo aclimatado en Cuba. El cubano cree que es cubanismo.) *Dar pirrele.* Caminar. «Hoy me pasé el día dando pirrele». (Lenguaje chuchero. Ver: *Chuchero.*)

PIROPO. *Convertirse alguien con el piropo en mermelada de guayaba.* Ablandarse. «Estaba muy duro, pero se convirtió con el piropo en mermelada de guayaba».

PIRUJA. Una mujer que no vale nada. «¡Cómo te vas a casar con esa piruja!»

PIRULÍ. (El) El pene. Sinónimo: *Barilla. Ser flaco como un pirulí.* Ser muy flaco. «Él es flaco como un pirulí». (El pirulí es un caramelo largo y flaco. De ahí el cubanismo.)

PISABONITO. Se dice de la mujer que se menea mucho al caminar. «Ahí va pisabonito».

PISADO. *Tener a alguien pisado con zapatacones.* Ser durísimo con él. «Me tienes pisado con zapatacones». (Los zapatacones son unos zapatos con enormes suelas, toscos, cuya punta parece la superficie de una bola. Estuvieron de moda por un tiempo. El cubanismo general es: *Tener pisado a alguien.* En este caso es el aumentativo, porque zapatacón pisa duro.)

PISAJO. Látigo hecho con el pene del buey. «¡Qué grande ese pisajo!» Sinónimo: *Bicho de buey.*

PISAR. Fornicar. *Ni pisar el jon.* Tener mala suerte. «Yo, por mucho que me empeño, no piso ni el jon». (Es la pronunciación de la palabra inglesa «home», o sea, «base o casa».) *Písala y arranca.* Fornica con ella y vete. «Mi consejo con esa mujer es: písala y arranca». (Viene el cubanismo del lema comercial de los acumuladores Lazo: **písalos y arrancan**.)

PISCINA. *Tirarse en una piscina de Materva.* Tocarse libidinosamente con una mujer. «Ayer, con Juana, se tiró en una piscina de Materva». (La Materva es un refresco cubano hecho a base de mate. «Mate» para el cubano es la acción de tocar libidinosamente a una mujer. De aquí el cubanismo.) *Tirarse en una piscina sin agua.* No calcular bien las cosas. «Se tiró conmigo en una piscina sin agua. El fracaso fue total». Ver: *Agua.*

PISO. *Pulir el piso.* Bailar. «Vamos a pulir el piso». Sinónimo: *Echar un entomillón.*[54] *Echar un pie. Echar un tobillo. Menear el esqueleto.*

PISTA. *La pista está fangosa.* La situación está difícil. «Yo tú sería precavido porque la pista está fangosa». (Es un cubanismo tomado de las carreras de caballo.) *Patinar en todas las pistas.* Conocer todo. «Yo sé lo que hago. Yo he patinado en todas las pistas». También fracasar varias veces. «Éste es un descalabro más. Yo he patinado, sin embargo, en todas las pistas y me levantaré de nuevo». *Pedir alguien pista.* Estar ya al borde de la muerte. «Mis tíos están pidiendo pista». Ver: *Cabeza.*

PISTOLA. *Tener pistola pero no tener municiones.* Tener deseos de hacer algo pero no tener medios de hacerlo. «Yo, como tú sabes, tengo pistola pero no tengo municiones». Ver: *Mosquitos.*

PISTOLITA. *Pantalones pistolitas.* Pantalones que quedan cortos. «Mamá siempre me compra pantalones pistolitas». *Ser una pistolita de «ten cen».* Ser muy barato, no valer nada. «Eso que me enseñas es una pistolita de «ten cen». (Es forma de pronunciar del cubano la voz inglesa «ten cent», que significa «diez centavos», o sea, una cadena de establecimientos norteamericanos de la compañía Woolworth. De aquí el cubanismo.) También pene pequeño. «Tiene una pistolita de ten cen».

PITA. Se llama así a la persona delgada. «Esa niña es una pita». *Dar pita.* 1. Dar largas. «No me paga. Me está dando pita». 2. Maniobrar para que el contrincante quede en

---

[54] También «entomiñón».

una posición donde puede ser fácilmente derrotado. «Le estoy dando pita antes de atacarlo». Sinónimo: *Dar curricán. Enredársele a alguien la pita.* Complicarse. «Se le enredó la pita y ahora no sabe qué hacer». Sinónimo: *Enredarse o meterse en la pata de los caballos. Estar jodiendo la pita.* Molestar. «Ya con sus chistes está jodiendo la pita». *Joder la pita.* Molestar. «Qué ganas tengo que se vaya. Se pasa la vida jodiendo la pita». *Inventar la pita del trompo.* 1. Hacer maravillas. «Con ése puedes hablar porque es el que inventó la pita del trompo». 2. En frases como: «Yo soy el que inventó la pita del trompo», indica: «Yo soy muy inteligente, muy bueno». *Necesitarse con alguien una pita muy larga.* Tener que saber mucho para poder lidiar con alguien. «Yo te digo que con él se necesita una pita muy larga». *Pita Arcaño y dale Dermo.* Empieza. «Oye, tú, pita Arcaño y dale Dermo». (El cubanismo es la frase que decía el locutor para que el programa del jabón Dermo empezará a tocar la «Orquesta Arcaño».) *Pita camión, anota Flora.* Ver: *Camión. Pita que da cabulla.* Cosa que atrae. «Esa pita da cabulla, ¡qué cuerpo tiene!» *Recoger la pita.* Dar marcha atrás en algo. «Cuando vio que no le aceptaban la opinión, recogió la pita». *Recoger pita.* Empezar a negar palabras o actitudes. «En cuanto lo increpé, recogió pita». (El cubanismo viene del campo de la pesca.) *Seguirle la pita al trompo.* 1. Hacer todo lo que la otra persona a la que se está ligada con lazos afectivos —el marido, con respecto a la esposa, por ejemplo— hace. «Yo no sé cómo puede con el marido pero le sigue bien la pita al trompo». 2. Oír con atención a alguien. «Lo oí completo. Le seguí toda la pita al trompo». *Ser pita.* Persona delgada. «Es una pita». Sinónimo: *Lombriz solitaria.* «Juan es una lombriz solitaria». *Tener pita para bailar todos los trompos.* Saber adaptarse a todas las situaciones. «Él tiene pita para bailar todos los trompos. Es muy sagaz». *Tener una pita muy gorda para un yoyo estrecho.* Creerse alguien más de lo que es. «La señorita López tiene la pita muy gorda para un yoyo estrecho». Ver: *Trompo. Yoyo.*

PITÁGORAS. Se le dice al que recogía las apuestas en los juegos de azar de Cuba. «Ése es un pitágoras. Trabaja con Castillo». (Castillo era un banquero de uno de los juegos ilegales de azar.)

PITAZO. *Dar el pitazo.* 1. Comunicar algo. «Pude escapar porque me dio el pitazo de que me iban a detener». Sinónimo: *Dar el petate.* 2. Quebrar una firma comercial. «Esa firma comercial dio el pitazo».

PITÉN. 1. Equipo que forman los muchachos para sus juegos. «Con ese pitén podemos jugar pelota». 2. Grupo. «Tenemos un buen pitén para jugar la pelota». *Caerle a alguien en «pitén».* Atacarlo en grupo. «A ese infeliz, le cayeron, esos cobardes, en `pitén'». *¡Qué pitén!* ¡Qué grupo de gente! «Mira a ese grupo de sabios, ¡qué pitén!» (Pitén es grupo o equipo. Si se trata de gente buena o mala depende de la entonación de la voz.)

PITERA. Hueco. «Hay una pitera en el medio de la calle».

PITERO. Fumador de marihuana. «Está preso por pitero». *Pitero gordo.* Se le dice al fumador de marihuana que la fuma sin parar. «Ése es un pitero gordo. Puedes verlo por su cara».

PITIRRE. *Caerle a alguien peor que el pitirre al aura.* Caerle a alguien arriba con tremenda insistencia. «No aguanto a esa mujer, me cayó arriba peor que el pitirre al aura». *Ser un pitirre.* Ser muy insistente. «Muchacho, déjame ya. Eres un pitirre».

(El pitirre, un pájaro cubano, persigue, ataca al aura tiñosa y le pica la cabeza sin parar. De ahí el cubanismo de los campesinos, avecinado a las villas y ciudades cubanas.) Ver: *Aura.*

PITO. Cigarro de marihuana. Sinónimo: *Perico.* El pito de auxilio es también un dulce. *Convertirse en pito de auxilio.* Trabajar mucho. «Me paso la vida convertido en pito de auxilio». *Pito de auxilio.* 1. Apodo que se le da a una persona muy delgada. «Por ahí viene Pito de Auxilio». 2. Comida china en Cuba. «Ayer comí un pito de auxilio maravilloso». 3. Tente en pie. «Si no es por ese pito de auxilio desfallezco». *Ser alguien un pito de auxilio.* Ser muy delgado. «Ése es un pito de auxilio». Sinónimo: *Ser un pirulí. Ser una pita. Poner el pito.* Fornicar. «Voy a poner el pito». *Tener el pito encangrejado.* No fornicar bien; tener problemas con la erección. «Dice el médico que tiene le pito encangrejado. Tiene ahora que ir al psiquiatra». («Pito» es «pene» en cubano.) Ver: *Grifa. Taburete.*

PITOCHA. *A mí, pitocha.* Equivale al castizo: «a mi plin», o sea, «a mí no me interesa». «Me dijeron que me quiere, pero a mí, pitocha».

PITOJERA.O. *Ser una persona pitojera.* Que da el dinero poco a poco. «Nunca paga completo, es muy pitojero». (La vaca pitojera da la leche a chorritos. De aquí este cubanismo campesino avecinado a la ciudad.)

PITUITA. *Ser una pituita.* Se dice de la persona persistente. «Tú eres una pituita». Sinónimo: *Ser una ladilla.* (Éste es un cubanismo grosero y de gente baja.) Ver: *Salpullido.*

PITUKA. *Ser pituka.* Ser melindrosa. «Esa mujer de tu hermano es una pituka».

PIZARRA. *Borrarse de la pizarra.* Se fue, no existe. «Ya el mundo de ayer se borró de la pizarra». (Cubanismo del exilio.) *Ser algo de pizarra.* Ser algo que se olvida. «Hay tantas cosas de pizarra en la vida». (En la pizarra se borra. Borrar es como olvidar. De aquí el cubanismo.)

PLACER. Solar yermo en zona urbana. «Han tirado arena en el placer de la esquina». Ver: *Gato.*

PLAN. *Plan de machete.* Golpear. *El plan R.* El plan de arrancar cabezas. «El gobierno puso en práctica el plan R». *Poner a alguien en el plan ve.* Ponerlo a trabajar diciéndole continuamente: «Ve a la bodega; ve a la iglesia con mamá; ve al parque con el niño; etc». «Yo no me quedo en mi casa porque mi mujer me pone en el plan ve». (Cubanismo de la Cuba de hoy).

PLANAZO. *Dar un planazo.* Fornicar. *Darse un planazo.* Tomarse una copa de licor. «Se emborrachó porque se metió varios planazos». *Ser algo un planazo.* Ser muy bueno. «Ese negocio es un planazo». *Ser una mujer un planazo.* Estar muy bella. «Esa mujer es un planazo».

PLANCHA. *Estar alguien como las planchas.* Se dice del que sabe mantenerse firme; que no cede. «No lo convences. ¿No ves que está como las planchas?» (Las planchas tienen resistencia. De aquí el cubanismo.) *Plancha de miembro.* Certificado de que se es miembro de una organización. «Dame mi plancha de miembro». Ver: *Pie. Resistencia.*

PLANCHADA. *Estar una mujer planchada.* No tener trasero. «Juana tiene una cara bonita pero está planchada».

PLANCHADO. (Un) 1. Alguien que han eliminado en Cuba de alguna posición del gobierno. «Siempre tuvo suerte. Pero ahora, cayó en desgracia, y es un planchado». 2. Purgado. «El Ministro de Hacienda ha sido planchado». («Es cubanismo de la Cuba de hoy».)

PLANCHAR. *Planchar a alguien.* Liquidarlo. «A Oscar yo lo planché. Supe lo malvado que era». (Cubanismo de la Cuba de hoy.) Ver: *Arrugar.*

PLANETA. *Estar en otro planeta.* Estar completamente ido de la mente. «Mi pobre amiga está ya en otro planeta».

PLANETARIUM. *Si nace planetarium es el eje.* Que orgulloso es. «Mira cómo camina. Si nace planetarium es el eje». (Es cubanismo culto del exilio originado por el «planetarium» de Miami.)

PLANO. *Estar en un plano atrás.* No meterse. «Yo estaba en un plano atrás. Todo el mundo lo sabe».

PLANTA. *Dar planta del pie.* Caminar mucho. «Hoy he dado mucha planta del pie». *Identificar la planta para pasar mi comercial.* Déjame hablar. «Por tu madre, identifica la planta para pasar mi comercial». *Tener la planta del pie gastada.* Haber caminado un horror. «Me siento cansadísimo. Tengo la planta del pie gastada».

PLANTACIÓN. *Ir a la plantación a arrancar tabaco.* Trabajar durísimo. «Bueno, me voy para la plantación a arrancar tabaco». (Es lenguaje del exilio.)

PLANTE. 1. Grupo de madera para hacer carbón. «Ya tenemos el plante preparado para el horno». (Cubanismo de la Ciénaga de Zapata y sitios aledaños.) 2. Motín en la cárcel. «El plante fue grandísimo. Murieron muchos presos». 3. Número de sacos de carbón. «El plante esta noche es grande». (Cubanismo que se usa en la Ciénaga de Zapata, en Cuba, y zonas aledañas.) 4. Traje. «Ese lleva arriba un buen plante». Sinónimos: *Flus. Majagua. Darse plante.* Darse pisto. «¡Qué plante te das!» *Tener buen plante.* 1. Ser un hombre buen mozo. «Él entró, y ella dijo: ¡Qué plante tiene ese hombre!» 2. Tener buena apariencia. «Esto tiene buen plante». *Tirar un plante.* Alardear. «Lo que hizo fue tirar un plante». «Tiró el plante de que me iba a dar cinco pesos por cada hora de trabajo».

PLANTEICHON. *Ir a la planteichon.* Ir al trabajo a donde lo explotan a uno y lo hace sudar la gota gorda. «Me voy a la planteichon». (Cubanismo del exilio. Viene de la voz inglesa «plantation», o sea, «plantación. La forma en que se ha escrito es la pronunciación del cubano.)

PLANTILLA. *Estar alguien de plantilla y media.* Esta en mala situación económica. «Ése está, se le ve, de plantilla y media». Sinónimos: *Cable. Comerse un cable.*

PLANTILLERO. 1. El que tira plantes, o sea, alardea. 2. Se dice del que alardea de lo que no tiene. «No te creas lo de sus riquezas. Es un plantillero». Ver: *Plante. Plantista.*

PLANTISTA. El que tira plantes. «Juan es un plantista». Sinónimo: *Plantillero.*

PLASENCIA. Ver: *Análisis.*

PLÁSTICO. *Ser un plástico.* No valer nada. «Elio es un plástico». (Es cubanismo del exilio. A las tarjetas de crédito en los Estados Unidos, se les dice dinero plástico. De aquí el cubanismo.)

PLASTILINA. *Ser plastilina.* No valer nada. «Juan es plastilina». (La plastilina viene de plasta, o sea, mierda.)

PLATA. *Apunchuchar plata.* Ahorrar mucho dinero. «Estás apunchuchando plata». *Entrar en plata.* Cobrar. «Hoy entré en plata. Me entregaron el cheque». Sinónimo: *Entrar en el guanajo. Ser como OK Gómez Plata una mujer.* Ser muy bella. «Esa mujer es como OK Gómez Plata». Sinónimos: *Estar una mujer como me la recetó el médico. Médico.*

PLATANAL. *Adiós, platanal frondoso.* No hay futuro, el futuro es malo. «Si esto sigue como va, adiós, platanal frondoso». Sinónimo: *Adiós, Lola.* (Este último [el sinónimo] es lenguaje citadino y no del campesinado avecinado a las villas como el anterior.) *Camina para el platanal.* Vamos a fornicar. «Yo se lo dije: `Camina para el platanal'. Y fue». (Es lenguaje del campesinado cubano.) *Váyase para el platanal de Bartolo.* Váyase para el carajo; para el diablo. «No me molestes más. Váyase para el platanal de Bartolo».

PLATANERO. Ver: *Viento.*

PLÁTANO. *Estar como plátano para sinsonte.* 1. Estar una mujer muy bella. «Esa mujer está como plátano para sinsonte». 2. Estar una cosa madura. «Ese negocio está como plátano para sinsonte». *Estar una mujer como plátano para sinsonte.* Ser muy bella. «Ella está como plátano para sinsonte». (Cubanismo de origen campesino.) Sinónimo: *Plata. Plátano hecho mogo.* Plátano en bolas. «En Oriente se come el plátano hecho mogo». Plátano en tentación. Comida cubana hecha de plátano maduro salcochado y canela. «Hoy hay plátano en tentación. ¡Sabrosísimo!» *Poner a uno una cáscara de plátano.* Tenderle una trampa. «Le puse una cáscara de plátano. Ya caerá». Sinónimo: *Poner una cáscara de piña. Ser alguien como el plátano.* Ser sonrisa por fuera pero de carácter duro por dentro. «Él te despista porque es como el plátano». (El plátano tiene buena cara con la corteza, en la cáscara, pero la masa está dura.) *Ser un plátano macho.* Ser muy estúpido. «Nunca llegó a nada, siempre fue un plátano macho». *Tener a alguien como al plátano verde.* Tenerlo aplastado. «Tiene a todos los miembros de su familia como al plátano verde». (El plátano verde se corta y se aplasta y se hace lo que en Cuba llaman «Mariquitas». De aquí el cubanismo.) Ver: *Banina. Galletica.s. Fufú. Mancha. Niño.*

PLATEAO. Cubano que ayudaba a los españoles en las guerras de independencia. «Es familia de plateao». (Está prácticamente desaparecido.)

PLATICO. *Hacerle a alguien platico aparte.* Distinguirlo. «Yo a él siempre le hago platico aparte».

PLATO. *Pagar uno el plato roto.* Equivale al castizo: *Pagar el pato.* «Yo no voy a pagar el plato roto. Busquen al culpable». *Pasarla por encima del plato.* Hacer o decir algo perfecto. «La pasaste, con ese trabajo, por encima del plato». (El «plato» equivale al «home», o sea, base, donde se para el que da a la bola, bateador, en el juego de pelota o base-ball. El lanzador con control bueno «lanza la pelota por encima del plato». De aquí viene el cubanismo. Del juego de pelota.) *Ponerle a alguien un plato con yerba.* Alabarlo. «Ponle un plato con yerba para que te ayude». (A los «santos» de las religiones africanas vigentes en Cuba, se les ponen platos con yerbas para homenajearlos. De aquí el cubanismo.) *Ser la vida como un plato.* Ser una vida sin problemas. «Chico, mi vida siempre ha sido como un plato». (Es decir, ha sido llana, [sin problemas,] como el plato llano. De ahí el cubanismo.)

PLAYA. *Haber una playa de algo.* Haber mucho. «Había una playa de mujeres en la reunión». *No poder ir una mujer a la playa.* Ser querida y no poder darlo a conocer. «Esa pobre mujer no puede ir a la playa». (Me dicen que la mujer no puede ir a la playa. Que tiene, como la querida, que estar a la sombra siempre. De aquí el cubanismo.) *Playa de poliéster.* Se dice de una playa artificial. «Yo no me baño ahí. Es una playa de poliéster». (El poliéster es una fibra sintética.) Ver: *Mosquito. Sol.*

PLAZA. Ver: *Chino. Delincuente. Ojos.*

PLEIN. Ver: *Negrito.*

PLEITO. *Comprarse un pleito.* Meterse en un lío. «Me compré un pleito sin motivo».

PLIEGO. *Parecer algo un pliego de peticiones de un sindicato.* Ser largo. «Eso que me traes, recórtalo. Parece el pliego de las peticiones de un sindicato».

PLIEGUE. *Conocer alguien hasta el último pliegue del culo.* Conocerlo muy bien. «Te digo que yo sé que es malo. Si le conozco hasta el último pliegue del culo». Ver: *Joroba.*

PLOMERÍA. (La) Las venas y las arterias del cuerpo humano. «Mi hijo nació con la plomería cambiada. Hay que operarlo».

PLOMO. *Echar plomo.* Disparar. «Le echó plomo a todo el mundo». *Ser un plomo.* Ser muy antipático. Es tenido por cubanismo pero aparece en el *Guzmán de Alfareche.* «Ese muchacho es un plomo». Sinónimo: *Ser un chorro de plomo.*

PLUMA. *Cogerle las plumas al guanajo.* Coger todo lo que le ofrezcan a uno. «Yo no digo que no y le cojo las plumas al guanajo». *Mojar la pluma.* Fornicar. *No juegues con las plumas que te entran los cañones.* No andes con homosexuales que te vas a convertir en uno de ellos. «¿Qué haces siempre con esa gente? No juegues con las plumas que te entran los cañones». *No tener plumas pero sí cañones.* Se dice cuando alguien no parece ser homosexual pero se está seguro de que lo es. «Mira, no es hombre. Si no tiene plumas, por lo menos tiene cañones». *¡Qué cantidad de plumas!* ¡Cuántos homosexuales! «¡Qué cantidad de plumas hay en esa reunión!» *Tener alguien su pluma.* Ser homosexual. «Juan tiene su pluma». Ver: *Fábrica. Gavilán. Guanajo. Peso. Pavo.*

PLUMAR. Gastar. «El negro plumó el dinero».

PLUMERO. Aparato sexual de la mujer, frondoso. *Menear el plumero.* Mover una mujer el trasero. «Juana, al caminar, menea mucho el plumero».

PLUMÍFERO. Homosexual. «Ése es un plumífero según mi padre». Sinónimo: *Aceite.*

PLUMITA. Ver: *Pollo.*

PLUMONES. Ver: *Cañones.*

POBRE. *Ser algo más largo que la esperanza de un pobre.* Ser muy largo. «Eso que me cuentas es más largo que la esperanza de un pobre».

POCO. *Apriete un poco.* Se dice cuando alguien se tira un viento. «Señor, está en público, apriete un poco».

PODEROSO. *Estar poderoso.* Tener dinero. «En Cuba era muy pobre, pero aquí está poderoso».

PODRIDA. *Tirarle a alguien con la podrida.* Decirle o hacerle algo que le hiere, le perjudica o le hace difícil la situación. La conversación dice si se trata de «perjuicio», de «dificultad», o de «herir». «Mira, tú y yo nos conocemos. No te invitaron al baile porque tú ofendiste a esa gente hace tiempo. —Tú ves, me tiraste con la podrida». (Herir.) Ver: *Podrido.*

PODRIDO. *Estar podrido.* Tener mucho catarro. «Hace dos o tres días que estoy podrido. No tengo para pañuelos». «Hoy estoy podrido». *Tirar con un tomate podrido.* No me trates mal. «Tú la verdad, que te has portado muy mal. Mi amigo, no me tires con ese tomate podrido». Ver: *Pasado.*

PODRIR. Convencer. «Le hablé y le hablé, y lo podrí. Ya estoy trabajando allí». *Podrirle a alguien la cabeza.* Convencerlo. «A él le podrí la cabeza y me dio el dinero».

POESÍA. Ver: *Carbonel. Moderna.*

POETA. *Llamarse un poeta Víctor Hugo.* Ser muy malo. «Leí su libro. Ese poeta se llama Víctor Hugo». (Porque lo que escribe es «miserable». Es un juego de palabras entre *Les Miserables*, la famosa novela de Víctor Hugo. Cubanismo culto.) *Ser un poeta del domingo y del portal de la tarde.* Ser un poeta malo. «Ese poeta es de domingo y del portar de la tarde. Leí sus composiciones».

POKER. Ver: *Mono.*

POLACA. *Parecer alguien una polaca.* 1. Llevar muchos paquetes. «Parece una polaca tu mamá. Compró la tienda». 2. Trabajar en varios puestos, en varios lugares a la vez. «Estoy vieja, hecho una polaca: De un trabajo para otro».

POLACO. 1. Idioma hebreo, el yiddish. «Mi hermana está aprendiendo polaco». (En Cuba, a los hebreos o judíos se les ha llamado siempre polacos.) 2. Nombre que recibe todo judío en Cuba. «Él es polaco. Nació en Jerusalem». Sinónimo: *Polacurrio. Estar de polaco.* Estar lleno de matules. «Hoy estás de polaco. ¿A dónde vas?» *Ser un polaco.* Que trabaja mucho. «¿Para qué eres un polaco?» (El polaco, [así le llamaban en Cuba a los judíos,] trabaja mucho. De aquí el cubanismo.) Ver: *Tienda.*

POLACURRIO. Polaco. «Por ahí viene el polacurrio».

POLAQUERÍA. Venta de baratijas y mercancía de baja calidad. «Eso es una polaquería».

POLAQUITA. Tipo de transporte. «Por ahí viene la polaquita». (Así le llaman actualmente en Cuba a un tipo de transporte de personas.)

POLAQUITO. Pecoso. «Tu hijo es un polaquito».

POLAR. *Ponerle a alguien, la Polar, con edificio y todo.* Tratarlo con extrema frialdad. «Me puso la Polar con edificio y todo». (En vez de la Polar he oído la Tropical que son cervecerías y fábricas de hielo cubanas. Es superlativo. De aquí el cubanismo.)

POLAROI. *Sacar de alguien una «Polaroid».* Retratar con una opinión a alguien. «Oscar es un canalla. Saqué de él una Polaroid cuando me habló». (La Polaroid es una cámara fotográfica, o una máquina de fotografiar.)

POLEA. *Poner la polea.* Tener relaciones sexuales. «Yo pongo la polea frecuentemente. Por eso estoy tan flaco». Sinónimos: *Singar. Templar.*

POLI. Pelota dura que se usa en Cuba en el juego de pelota o base-ball. «Esta poli es de primera». *Poli con poli.* Pegado. «Juan y María bailaron toda la noche poli con poli».

POLICHINELA. *Tener una polichinela en la gaveta.* Tener preparada una sorpresa. «Gracias por el regalo. Tú siempre tienes una polichinela en la gaveta».

POLICHUPA. *Ser alguien un polichupa.* Ser un homosexual. «Juan es un polichupa». (El cubanismo se compone de «poli», «varios», y «chupa» «succionar». Es decir que el polichupa succiona varios penes. Es cubanismo de gente culta.)

POLICÍA. *Acostarse policía y levantarse en la Cabaña.* Cambiarte la suerte drásticamente. «El pobre Pedro se arruinó. Se acostó policía y se levantó en la Cabaña». (Surgió el cubanismo en los primeros días de la revolución Castrista. A la Cabaña, —fortaleza colonial cubana, convertida en prisión— llevaban a los presos.) *Jugar a los policías y ladrones.* Se dice cuando alguien usa un vestido, con cuadritos arriba y abajo. «Esa mujer está jugando a los policías y ladrones». *Se vistió de policía y le quitó la chapa.* Se hizo el guapo y le hicieron pagar las consecuencias de tal actitud. «Él se vistió de policía y el vecino le quitó la chapa». «Se vistió de policía con la mujer y ésta le quitó la chapa». (Lo dominó. No le permitió que la dominara. Lo puso en su lugar.) *Ser una mujer la policía montada del Canadá.* Se dice de la que vigila continuamente al marido. «No sé cómo la resiste, si su mujer es la policía montada del Canadá». (Es cubanismo del exilio.) Sinónimo: *La Perseguidora.* Ver: *Carro.*

POLIGOR. Payaso. «Tú eres un poligor». *Andar de poligor.* Andar mal vestido. «No me gusta que te pongas esa ropa y andes de poligor».

POLILLA. Estudioso. «Sacó cien porque es una polilla». Sinónimo: *Filomático. No ser polilla sino guasasa.* No saber mucho, sino muchísimo. «Ése no es polilla sin guasasa». (La «guasasa» es un insecto cubano.)

POLÍN. 1. Se dice del que está siempre en el medio, en el camino de alguien. «Tú eres un polín». Sinónimo: *Ser un clavo de línea. Ser un poste de línea.* 2. Pan blanco. «Voy a comer polín con mantequilla».

POLINES. Ver: *Café.*

POLISARIO. *Meterse un frente polisario.* Estar pasando una mala y difícil situación. «Aquí en España me estoy metiendo un frente polisario». (Cubanismo nacido entre los cubanos que en España esperan pasar para los Estados Unidos. El frente polisario es una guerrilla saharaui muy organizada que combate por la independencia de su tierra.)

POLÍTICA. *Hacer política al nivel del barrio de San Leopoldo.* Ejercitar en forma de ínfima calidad el arte de la política. «Ese tipo es peligroso porque hace política al nivel del barrio de San Leopoldo». (El barrio de San Leopoldo está en La Habana.)

POLÍTICO. Ver: *Ideal.*

POLITIQUERO. *Ser un politiquero peor que los del Parque Trillo.* Ser un político que jamás cumple nada de lo prometido. «Mi hermano salió un politiquero peor que los del Parque Trillo». («El Parque Trillo» era un sitio, en La Habana, de concentraciones políticas donde los políticos hacían muchas promesas al pueblo.)

PÓLIZA. *Parecer alguien una póliza de seguros.* Se dice del que trata de cubrirse contra todo siempre. «No me des excusas. Pareces una póliza de seguros. Afronta tu responsabilidad».

POLLERO. *Ser algo plumas pollero.* Ser falso. «Esa barba de ese señor es plumas pollero». (En los primeros tiempos del triunfo de Castro Ruz en Cuba, muchos arribistas se dejaron crecer las barbas. Y se le decía así. Es cubanismo proveniente del campesinado. El campesino, con la expresión que citamos, quiere decir que las barbas fueron echas en la casa, no en el monte.)

POLO. *Recoger el polo.* Recoger los abrigos. «Hay que recoger los polos, no se olviden». (Es cubanismo del exilio.)

POLONIA. *Quedarse en Polonia.* Quedarse en babia. «Me quedé en Polonia con lo que me dijo. No entendí nada».

POLVO. *Estar hecho polvo y ceniza. Ser más fino que los polvos Para Mí que flotan en el aire.* Ser de modales muy depurados. «Mi maestro es más fino que los polvos Para Mí que flotan en el aire». (El cubanismo viene del lema comercial de los polvos «**Para mí**», que según el mismo, son tan finos, que flotan en el aire.) *Ser polvo de estrellas.* Ser muy inteligente. «Ese ajedrecista es polvo de estrellas». *Volverse polvo y paja.* Corresponde al castizo: *volverse sal y agua.* Ver: *Manga. Traje.*

POLLITO. Mujer muy joven de bella figura. «Tu hija es un pollito. observa cómo la miran los jovencitos». «Ella es un pollito». *Pollito correcto.* Mujer joven y bellísima. «Ella es un pollito correcto». (Aquí el cubanismo vuelve a hacer el aumentativo con la palabra «correcto», y no con la terminación propia del mismo.)

POLLO. Mujer de bella figura. «Juanita es un pollo». *¿A quién no le gusta el pollo?* ¿A quién no le gusta lo bueno? «¡Cómo no voy a ir! ¿A quién no le gusta el pollo?» (Es el lema de un anuncio de una marca de pollos que salía por la televisión donde la locutora era muy bella —un pollo— y esto era lo simpático del anuncio.) *Coger del pollo una plumita.* Buscar, un hombre maduro, que una mujer joven le haga alguna concesión cuando la enamora. «Él está tratando de coger del pollo una plumita». *Comer de lo que pica el pollo.* Decir tonterías. «El problema tuyo es que comes mucho de lo que pica el pollo». *Comerse un pollo vestido de tostenemos.* Comerse un guineo. «Me comí un pollo vestido de tostenemos». (Tostenemos era una tela de cuadritos con los colores de una especie de ave, o pollo, el guineo.) *Criar un pollo a rollón balanceado.* Criar a alguien con todos los mimos. «Mi hija está criada con rollón balanceado». (Este cubanismo también indica que la muchacha es muy bonita porque se le ha dado muy buen alimento, pues el rollón balanceado es un alimento que se les da a los pollos para que crezcan.) Sinónimo: *Pollo criado a pilón. Darle un pase al pollo.* Enamorar a una mujer joven una persona madura. «Le dio, delante de mí, un pase al pollo». *Largar a alguien como al pollo.* Destruirlo. «Esa mujer largó al marido como al pollo». También lo he oído: «largarlo como a un patico». *Guindar el pollo.* Morirse. «Juan guindó el pollo». Sinónimos: *Cantar el manisero. Guardar. Guardar el carro. Partirse. Ponerse el chaquetón de pino tea. Romperse. Viajar en el carro de la lechuza. Largar a alguien como a un pollo.* Matarlo. «A mi tío lo largaron como a un pollo». (El cubanismo se basa en el hecho de que cuando se mata a un pollo se le aprieta el cuello y se le tira para un rincón para que se muera.) *Morirse como un pollo.* Morirse sin agonía. «Se me murió en los brazos. Sin agonía. Como un pollo». *Parecer alguien un pollo comiendo maíz.* Tener un pescuezo muy alargado. «Él parece pollo comiendo maíz». *Pollo pelón.* Mujer con manos calientes. «Estela es un pollo pelón». *Salir un pollo caminando.* Arrojar alguien un gargajo grande. «¿Viste? Salió un pollo caminando». *Ser algo un pollo.* Ser fácil. «Eso es un pollo, yo lo resuelvo enseguida». *Ser alguien un pollo con moquillo.* Ser una persona madura. «No hay joven que se case contigo porque tú eres un pollo con moquillo». *Ser como el pollo.* Ser persistente. «Juan no fracasará porque es como el pollo». (El pollo es persistente arriba de los granos de maíz cuando los ve, hasta comerlos todos. De ahí el cubanismo.) *Si es pollo, camina.* Se dice cuando el gargajo es muy grande. «¡Oye, si es pollo, camina!» (Al gargajo se le dice pollo. De aquí el cubanismo.) Sinónimo: *Un pollo con cría.* «Es un asqueroso. Mira qué pollo con cría acaba de expectorar». *Un pollo que canta.* Un gargajo grande. «Ése es un pollo grande que canta». He oído también: «Ese pollo, un poco más, canta en el cuarto». *Un pollo que come gente.* Se dice de una mujer muy bella. «Ésa es un pollo que come gente». Ver: *Boca. Caporal. Gofio. Maíz. Nido. Pollito.*

POLLONA. *Dar una pollona.* En el juego del dominó, no dejar que el contrario gane una data. «Todos los días le damos una pollona».

POMADA. *Creerse la pomada divina.* Creerse un portento. «Ella se cree la pomada divina».

PÓMEZ. Ver: *Piedra.*

POMITO. *Darle a alguien pomito de Vetivé.* Botarlo; echarlo. «En el trabajo le dieron pomito de Vetivé». (El Vetivé es una yerba con una gran fragancia. Y un perfume muy barato que usaba la gente humilde. Lo he visto escrito: «Vetiver».)

POMO. (Un) Cocaína. «Ayer compré un pomo». «Hoy me metí un pomo». «¿Cuánto vale ese pomo?» *Breve como un pomo.* Pequeño. «Ése es breve como un pomo». *El pomo.* La cocaína. *Le esencia [o perfume] bueno viene en pomo pequeño [o chiquito.]* Contestación que se da cuando alguien le dice a uno que es bajito. El cubanismo lo usan con preferencia los niños. *Meterle mano a un pomo.* Oler cocaína. «Ayer, delante de mí, le metió mano a un pomo». *Oler tres pomos.* Oler tres pomos de cocaína. *Pomo de leche.* Se dice de la mujer que es de piel muy blanca. «Ahí viene mi amiga, pomo de leche». «Por ahí viene el pomo de leche». *Ponerle la tapa al pomo.* Hacer algo definitivo y sonado. «Con eso que has hecho le pusiste la tapa al pomo». «Con el discurso le puso la tapa al pomo». *Ser un feto en pomo.* Ser muy feo. «Él es un feto en pomo». *Ser retama de Guayacol en pomo chato, o ser retama de Guayacol.* Ser mala persona. «En esa familia todos son retama de Guayacol en pomo chato». Ver: *Cintura. Feo. Tapa.*

POMPEYA. Se dice de un perfume barato y malo. «Ésa, usa Pompeya». Sinónimos: *Ser un perfume de Sarrá; o de puta; o de Zanja. Siete potencia.* Ver: *Agua. Baño.*

POMPORÉ. Ver: *Señorita.*

PON. *Tomar del agua del Pon.* Haberse, un emigrante, quedado en Cuba entizado por su belleza. «Yo vine de España de quince años y tomé del agua del pon». (Es un cubanismo que se oye, solamente, en la provincia de Matanzas, en Cuba.) Ver: *Llega.*

PONCHADO. Tirarse muchos peos. «¡Qué mal olor! Tú estás ponchado». *Estarse ponchado.* 1. Estarse matando. «Con ese trabajo me estoy ponchando». 2. Estarse volviendo loco. «Esos arrebatos indican que se está ponchando». *Estar ponchado alguien.* Estar loco. «Está ponchado según el médico». «Juan está ponchado». (Es un término de la pelota o base-ball. El que está ponchado es el que en tres ocasiones falla al tirarle la pelota». Sinónimos: *Cable. Estar fundido. Estar quemado. Estar tostado. Tener los cables cruzados.*

PONCHADOR. *Tener un ponchador entre las piernas.* Acostarse una mujer con todo el mundo. «Esa mujer lo que tiene entre las piernas es un ponchador».

PONCHAR. 1. Cocinar. «Te voy a ponchar el pollo». (Cubanismo del exilio. Las cocinas son eléctricas y de botones. Apretar el botón el cubano lo llama ponchar.) 2. Derrotar. «Lo ponché en la contienda de matemáticas». 3. Suspender una asignatura. «Lo poncharon en inglés». (Se puede aplicar a otras situaciones como negocios, certámenes, etc.) *Ponchar a alguien en el examen.* Sorprenderlo. «Lo poncharon en el examen. Cayó preso».

PONCHE. *Ponche de leche.* Se dice del que asiste a todo. «¡Tú aquí! Eres un ponche de leche».

PONER. En el negativo, *no poner una*, significa no trabajar. «Ése hace años que no pone una». Sinónimo: *Ser Daniel Santo.* También significa «no acertar». «En lo que va de año en los trabajos no pone una». *Como quiera que te pongas tienes que llorar.* No hay remedio a tu situación. «Yo lo siento. No puedo hacer nada. Como quiera que te pongas tienes que llorar». *No dejar a alguien poner una.* No dejarlo hablar. «En toda la conversación no me dejaron poner una». *No poner nada.* 1. No lograr nada. «No pongo una. ¡Qué mala suerte!» 2. Ser alguien muy vago. «Ése no pone una». No debe confundirse este cubanismo con *no me deja poner una*, o sea, que no da oportunidad, que no deja hablar. «Cuando él está en el uso de la palabra no deja poner una». *No poner una.* 1. No acertar nunca. «Volviste a fallar. No pones una». 2. No hacer nada. «Juan no pone una». *Poner la lengua de alfombra roja.* Humillarse. «Con el jefe pone la lengua de alfombra roja». *Poner el oso a trabajar.* Ponerse a pensar. «Yo lo resuelvo. Yo puse el oso a trabajar». *Ponerla en China.* Presentársele a alguien una dificultad casi insuperable. «Se la puse en China. Está temblando». Hemos oído también: *Se la puse en Nankín.* Sinónimo: *Ponérsela muy dura.* (Cubanismo tomado del juego de pelota o base-ball.) *Ponerle precio al muñeco.* Ver: *Muñeco. Ponerse a tiro.* Estar en actitud razonable. «Él se puso a tiro después que le hablé». *Ponerse alguien para su número.* Se oye mayormente en el sentido de pagar. «Él se puso para su número. Ya me pagó». Pero algunas veces se usa en otra áreas como colaborar. «Por fin se puso para su número e ingresó en el grupo».

PONGO. *¿Dónde me pongo?* Es una expresión chistosa que fue copiada de un programa cómico televisado, el de *Dick y Biondi.* Biondi, en medio del programa, se paraba y decía poniéndose un brazo en las caderas: `¿Dónde me pongo?' Queriendo decir: ¿Qué hago? De ahí el cubanismo.)

PONI. *Estar una muchachita de «poni teil».* Tener trenzas largas. «Desde que la conozco ha estado de «poni teil». (Es un cubanismo del exilio. El cubano pronuncia como se han escrito las voces inglesas «pony», ["caballito»,] y «tail», ["rabo».] En el slang americano un «pony» es una mujer joven.)

PONINA. *Hacer una ponina.* Hacer una colecta. «Hoy le hacemos la ponina».

POP. *Ser una mujer pop-corn.* Tener los cascos ligeros. «Yo tú no llegaba a nada serio. Ella es un pop-corn». (Es cubanismo del exilio. El pop-corn, las bolitas de maíz, cuando se tuestan, saltan o brincan. En cubano, una mujer ligera de cascos es «brincadora», de aquí el cubanismo.)

POPA. *Ser una Popa cualquiera.* Ser una despistada. «Tú te equivocaste de nuevo. Eres una Popa cualquiera». (Popa era un personaje de televisión, que era muy despistada. De ahí el cubanismo.)

POPSICLE. Persona larga y flaca. «Tu marido es un popsicle». *Convertirse alguien en popsicle.* Hacer mucho frío. «Dentro de poco nos convertimos aquí en popsicle». (El «popsicle» es una helado congelado, largo, que tiene un palo o paleta en el medio.)

POPULAR. *Es un cigarro popular cubano.* Que no hay quien lo aguante. «Ese discurso es un cigarro popular». *Esa mujer es un cigarro popular.* No sirve para nada sexualmente; no atrae. «Su prima es un cigarro popular». (Es decir: está infumable. El cigarro Popular es una marca de cigarros malísimos en la Cuba de hoy. No hay quién los fume. Está como la mujer, infumable. De aquí el cubanismo de la Cuba de hoy.)

POQUIRRITICO. Poquitico. «Tengo hoy un poquirritico de catarro».

PORRA. Organización represiva del tiempo del presidente cubano Gerardo Machado y Morales. Aún se usa el cubanismo aplicándolo al presente. «La porra hoy está muy activa».

PORRIQUITÍN. Poquitín. «Me dio un porriquitín de agua».

PORRISTA. Policía agresivo del tiempo del Presidente Machado. «Ese policía actúa como los porristas de ayer».

PORSACOL. *Tomar porsacol.* 1. Eufemismo que quiere decir: «tomar por saco». «Los abogados cubanos están tomando porsacol». (Es cubanismo nacido en el exilio.) 2. Se le dice al que está siendo derrotado. «Juan toma porsacol». Sinónimo: *Le dieron porsacol.*

PORSIACA. Contracción de por si acaso. «Porsiaca le cogí el dinero antes». «Por siaca yo compraré estos bonos».

PORTAAVIONES. Sombrero. «Hoy me puse mi mejor portaaviones». Sinónimo: *Panzaburro.* (Lenguaje del chuchero. Ver: *Chuchero.*)

PORTALES. *Vete a singar a los portales.* Véte para el carajo. «Mira, no me vengas con esa. Vete a singar a los portales». («Singar» es un cubanismo que quiere decir: «fornicar».)

PORTORRO. Puertorriqueño. «Los portorros son un pueblo fabuloso». «¡Qué buena gente son los portorros!»

PORTÚA. Portarse. «Ése se portúa bien». (Lenguaje del chuchero. Ver: *chuchero.*)

PORTUÑUELAS. Ver: *Maricón.*

POSE. *Estar en pose.* Actitud que se adopta para hacerse pasar por rico o por fino, o forma de pararse para llamar la atención. «¡Mira cómo se para! Está en pose». (Forma de pararse.) «¡Ahí está en pose haciéndose el rico!» «¡Mira cómo bebe vino! Ahí está en pose para que se crean que es importante».

POSICIÓN. *Estar alguien en posición anotadora.* Estar preparado para triunfar en algo. «El presidente de la sección de finanzas va a renunciar y yo estoy en posición anotadora». (El cubanismo viene del juego de pelota o base-ball.) *Jugar todas la posiciones.* Ser muy inteligente. «El juega todas las posiciones». (Cubanismo que viene del juego de pelota o base-ball.)

POSTA. *Hacer posta.* Pasarse alguien en una esquina vigilando o esperando a alguien. «Llevo cuatro horas haciéndole posta a la muchachita de la esquina». (Al recorrido de una zona que tiene la policía en Cuba se le llama posta. De ahí el cubanismo.) *Montarle a alguien una posta.* Vigilarlo. «Le he montado a Juan una posta que no escapará». Ver: *Caballo.*

POSTALITA. 1. Se dice del que anda en pose. También significa presuntuoso, vanidoso. «Míralo cómo se viste y cómo se para. Es un postalita». (El cubanismo viene de las poses en que se retratan los artistas o modelos en las postales.) *Ser postalita.* El que se da de gran cosa y adopta poses. «Es un postalita. Mira cómo se la da de fino». Ver: *Pose.*

POSTE. *El poste de la muerte.* Poste en que murieron varias personas que se colgaban de la parte de afuera de las guaguas (autobús.) «Murió en el poste de la muerte». *Encendérsele a alguien el poste de la luz.* Tener todavía erección en el pene. «A ése todavía se le enciende el poste de la luz». *Ser un poste de línea.* Estar siempre en el camino de alguien. Sinónimos: *Ser un clavo de línea. Ser un polín. Tropezar una mujer con un poste.* Salir embarazada. «Dicen que Charo tropezó con un poste».

POSTILLITA. *Hacerle a alguien una postillita.* Atacarlo levemente. «No es así, él con sus palabras sólo le hizo una postillita».

POSTIZO. Ver: *Dientes.*

POSTURA. *Ser una postura de gallina.* Ser idéntico a... «Tú eres una postura de gallina de tu madre».

POTABLE. *Estar algo potable.* 1. Bello. «Esa mujer está potable». 2. Buen tipo. «Ese hombre está potable». 3. Bueno. «Ese libro está potable».

POTAJE. 1. Lío. «¿De qué potaje están hablando?» 2. Problema. «¿Cuál es tu potaje aquí?» *Formarse el potaje.* Formarse el lío. «Como a la media noche se formó el potaje». *Ser alguien un potaje de garbanzos.* Tener muchos granos. «Ese individuo es un potaje de garbanzos». Ver: *Chorizo.*

POTALA. Persona antipática. «Él es una potala. No lo resisto». Sinónimo: *Ser un plomo. Ser un chorro de plomo. Ser alguien una potala.* 1. Se dice del que es antipático. «Es una potala tu amigo». 2. También del que lo hace todo lentamente. «Ese hombre es una potala caminando».

POTAZA. Ver: *Sosa.*

POTENCIA. Cofradía de las religiones africanas existentes en Cuba. «¿A qué potencias perteneces tú?» *A la n potencia.* Al infinito. «Lo hizo a la n potencia. Qué estúpido». (Viene del campo estudiantil.) Ver: *Devoto.*

POTENTÍSIMA. *Ser una hembra potentísima.* Tener un cuerpo bellísimo. «Ella, como puedes apreciar, es una hembra potentísima».

POTOTO. *Estar como Pototo con la vieja.* Prohibir la inmigración. «Los americanos están a punto de estar como Pototo con la vieja». (En un programa de radio: *Pototo y Filomeno*, aquél le decía a la mamá: la vieja: «Mamá, no llames a más gente que rompen la colombina». De aquí el cubanismo.) *Suéltame Pototo.* Déjame tranquilo. «No me pidas nada. Suéltame Pototo». (Viene de un programa de radio, primero y después de televisión: *Pototo y Filomeno.* Filomeno le decía como el cubanismo a Pototo. Algunas veces decía: «*Suéltame Pototo, que Filomeno no te ha hecho nada*».) Sinónimo: *Pototo, deja quieto a Filomeno que no te ha hecho nada.* No te metas conmigo. «Se lo dije para que lo entendiera: `Pototo, deja quieto a Filomeno que no te ha hecho nada'». (Algunas veces se oye solamente: *Pototo, deja quieto a Filomeno.*) Ver: *Filomeno.*

POTRERO. *En todo potrero hay siempre un burro.* En todas partes hay un incapacitado. «Perdimos por él. En todo potrero hay siempre un burro». *Estar alguien en el potrero.* No tener modales, ser un imbécil. «Pedro está en el potrero. ¡Y de tan buena familia!» *Ser algo como el potrero de Don Pío.* Ser inmenso. «Su deuda es como el potrero de Don Pío».

POTRICO. *Comer más que un potrico huérfano.* Comer mucho. «Ese muchacho come más que un potrico huérfano». (El cubanismo es de origen campesino.) *Estar alguien como un potrico huérfano.* Estar muy barrigón. «Ponte a dieta. Estás como un potrico huérfano». (Es cubanismo campesino asentado a la ciudad.) Ver: *Yegua.*

POTRO. *Amarre al potro en la güira y venga a tomar café.* Cálmese. «Bueno, ya me lo contó todo. Ahora, amarre al potro en la güira y venga a tomar café». (Cubanismo campesino.) *El potro del martirio.* La presidencia de la República de Cuba. «Estoy en el potro del martirio». (Así le llamaba un presidente de Cuba a la presidencia.) Sinónimo: *El jamón. Estar en el potro del martirio sin disfrutar del mantecado.* Estar pocas horas en la presidencia de Cuba. «El Ingeniero Hevia, estuvo en el potro del martirio sin disfrutar del mantecado». (El potro del martirio es la presidencia. Así le llamó un presidente cubano.) *Pancho Blanco montado sobre potro negro.* Café con leche. Sinónimo: *Sube y baja.*

POZO. *Bajar al pozo.* Volver la lengua a su lugar de origen. Sinónimo: *Bucear. Ponerle la careta de pelo. Vestirse de carnaval.* Ver: *Agua.*

PRÁCTICO. *Estar alguien con el práctico a bordo.* Estar para morir. «Lo dejé en la clínica con el práctico a bordo». *Tener el práctico a bordo.* Estar para morirse. «Lo vi y tiene el práctico a bordo».

PRADO. Ver: *Guayabera.*

PRAJO. Cigarro de marihuana. «¡Qué rico huele ese prajo!» Sinónimos: *Chicharra. Chicharrita. Pichón.*

PRÁNGANA. *Estar en la prángana.* No tener dinero; no tener un centavo. «Hoy estoy en la prángana». «No te lo presto porque estoy en la prángana». Sinónimo: *Estar en carne.*

PRANGANAYAZO. Trago de bebida. «Dame un pranganayazo de coñac».

PRANGANIYAZO. Tomarse un copetín. «Ayer me tomé un pranganiyazo de coñac muy temprano».

PRE. Cigarrillo. «No me gusta ese pre».

PRECIO. *Ser precio de pulguero.* Ser precio bajo. «Esto tiene precio de pulguero». (El pulguero es un mercado de precios bajos. Es la traducción de la voz inglesa «Flea Market», o sea, el «Mercado de las Pulgas». Cubanismo del exilio.) Ver: *Inodoro.*

PRECIPITADA. *Darse a la precipitada.* Salir huyendo. «Cuando oyó el ruido del ladrón se dio a la precipitada».

PRECIPITADO. *Ser un precipitado.* Se dice del que todo lo hace rápido, o lo quiere todo rápido. «Chico, tú eres un precipitado. Cálmate».

PRECISA. (La) Una comida completa en un sólo plato, es decir, por ejemplo: arroz, huevo, carne. Sinónimo: *La completa. Ponerle a alguien la precisa.* Precisarlo. «Cuando lo vi le puse la precisa sobre lo tuyo, Agustín».

PRECURSOR. *Ser alguien el precursor del caterpillar.* (Caterpillar es en inglés.) Se dice del que es muy descuidado y todo lo destroza. «Mi hermano, como puedes ver, es el precursor del caterpillar».

PREGUNTAR. Ver: *Decir.*

PRELUDIO. *No me toques el preludio.* Ya sé por qué vienes. «No me toques el preludio. Pierdes el tiempo».

PREMIADO. *Estar premiado.* 1. Estar embarazada una mujer. También estar alguien con sífilis. (Es castizo.) 2. Tener sífilis. «Él está premiado».

PREMIO. *Sacarse el premio gordo.* Tener una desgracia. «Con ese hijo se sacó el premio gordo». (Diferente significado que el castizo.) Ver: *Nariz.*

PRENDE. *Prende bien, o prende fácil.* Pastillas que se ponían entre el carbón para que prendiera. Allí pasó a la «bencedrina», que usan los estudiantes para no dormir en época de exámenes. «Con prende bien (o prende fácil) puedes estudiar horas enteras».

PRENDIDO. *Estar prendido.* Estar trabajando o estudiando mucho. («La conversación da el significado».) «Estoy prendido para el examen de mañana». «Hace cuatro días que estoy prendido para terminar el mueble». (Trabajar.) Sinónimo: *Estar pegado. Estar algo prendido.* Estar muy malo. «Con tanto crimen esta ciudad está prendida». Estar prendido es, también, si se refiere a una persona, estar dedicado a algo mañana, tarde y noche: «Juan está prendido con los libros y su amigo Elio». *Estar prendido al bollo o al chocho.* 1. Estar muy enamorado. «Está prendido al bollo o al chocho de esa mujer desde que la vio». 2. Succionar las partes pudendas de la mujer. «Estoy prendido al bollo o al chocho».

PRENSA. *Apretar alguien más que una prensa.* Ser exigentísimo. «El capataz aprieta más que una prensa». (Es lenguaje de imprenta.)

PREPARAO. Brebaje que hacen los brujos para matar o dominar a una persona. «Le dieron un preparao para algo y se volvió loco».

PRESENTES. *Sin desdorar a los presentes.* Sin rebajar el mérito a los presentes. «Él es inteligentísimo, sin desdorar a los presentes». (Es cubanismo que viene del campesinado.)

PRESERVATIVO. *Tener una mujer un preservativo en la frente.* Ser una prostituta. «Esa mujer tiene un preservativo en la frente».

PRESIDENTE. *Estar como los presidentes.* Estar eyaculando. «Yo entré, cuando él estaba como los presidentes». (Viene del chiste. Se levanta el telón y se ve al Presidente Estrada Palma eyaculando —en cubano viniéndose. Así sucesivamente hasta que se nombran a cinco presidentes. Entonces se pregunta cómo se llama el drama: «*La Quinta Avenida*». Lo que es un juego de palabras con una avenida muy popular en La Habana del mismo nombre. De aquí el cubanismo. *Ser presidente del Caguama Club.* Ser muy gorda. «Esa poetiza es la presidenta del Caguama Club». (Ser Caguama es ser gordo. El cubanismo es un juego de palabras con Caguama, una tortuga grande, y el «Caguama Club», un Club cubano en la Playa de Varadero.) Ver: *Bollobán. Monja.*

PRESIDIO. *Buscarse un presidio.* Tener un lío. «Por culpa de él me busqué un presidio». (Lenguaje del chuchero. Ver: *Chuchero.*) *Déjese de ese presidio conmigo.* No me venga con esas cosas.

PRESO. *Al preso, libertad.* Se le dice a la persona que levanta el trasero, para tirarse un gas. «Yo no me anduve con chiquitas y le dije: `al preso, libertad,' al muy indecente». Ver: *Libertad.*

PRIETA. Mulata. «¿Cómo está esa prieta?»

PRIMATEX. *Ponerse un primatex de cherna.* Ponerse una inyección afrodisíaca. «Yo ya estoy viejo y tengo que ponerme para tener relaciones sexuales un primatex de cherna». (El «Primatex» es una marca de inyecciones en Cuba. La cherna es un pescado cubano y se dice que el pescado tiene propiedades afrodisíacas.)

PRIMAVERA. *Ser (alguien) como la primavera.* Ser inolvidable. «Él es para mí como la primavera». «Tú eres como la primavera para mí». (Había una canción en Cuba, muy popular, cuya letra decía: «*Inolvidable primavera*»... De ahí el cubanismo.)

PRIMERA. *A la primera de cambio me la llevo en claro.* «En cuanto tenga una oportunidad me deshago de ella». *Coger a alguien entre primera y segunda.* Sorprenderlo. «Me lo confesó todo porque lo cogí entre primera y segunda». Sinónimo: *Cogerlo fuera de base.* (Estos cubanismo vienen del juego de pelota o base-ball.) *Jugar alguien la primera, la segunda, y la tercera.* Ser completísimo. «Puedes confiar en tus conocimientos, pues juegas la primera, la segunda y la tercera». (El cubanismo se refiere a las bases del juego de pelota o base-ball. El que puede jugar esas tres bases en el juego de pelota es un jugador completísimo.) *Llegar a primera.* Tener un inicio, un comienzo. «Hoy, sin dinero uno llega a primera». (Viene del juego de pelota. En este llegar a primera base es el inicio de todo para ganar. De aquí el cubanismo.) *No llegar (alguien) ni a la primera.* 1. No haber podido dar ni los primeros pasos. «No llegó ni a primera. Antes, fue sorprendido por el profesor con el papel en la mano». 2. No tener el mínimo chance de éxito. «Con ese invento no llega ni a la primera». (Es lenguaje de la pelota o base-ball.) *Te llegan a primera y después te llenan las bases.* 1. Lo copian todo. «Tienes que tener cuidado, te llegan a primera y después te llenan las bases». 2. Te ganan. «Hay que tener cuidado con estos porque te llegan a primera y te llenan las bases». (Es lenguaje que viene de la pelota o base-ball. «Llegar a primera» así como «llenar las bases», son situaciones formidables, ganadoras para un equipo. También he oído decir: «Te batean de «hit» [en inglés] y te llenan las bases».) *Tocar por primera.* Sorprender. «El ladrón tocó por primera y se escapó». (Es lenguaje de la pelota o base-ball.) Ver: *Bolerito. Mascotín. Sueldo.*

PRIMERO. *El primero que me la sacude hoy.* Se dice al que nos da la mano, en tono de broma. «Choca esos cinco. Eres el primero que me la sacude hoy». Ver: *Ultimo.*

PRINCIPAL. *El Principal de la Comedia.* Así le decían a la cárcel de La Habana, Cuba, conocida también como «**El Príncipe**», o «**El Castillo del Príncipe**». «El juez lo remitió al Principal de la Comedia». «Lo mandaron, los magistrados, veinte años en el Principal de la Comedia». (Éste era un teatro famoso en Cuba.) Sinónimo: *El Príncipe.*

PRÍNCIPE. (El) La cárcel. «Está cumpliendo en el príncipe». (La cárcel en Cuba está en el castillo colonial llamado «**El Príncipe**».) Sinónimos: *Cielito lindo. Invero. La loma.* (Estar en el invero; en Cielito Lindo; en La Loma.) *Estar una mujer esperando por el Príncipe Valiente.* Estar esperando por el príncipe soñado, o sea, el príncipe azul. «Juana está esperando por el Príncipe Valiente». («*El Príncipe Valiente*» es un personaje de las tiras cómicas o muñequitos.) Ver: *Modelo.*

PRÍO. *Prío delante y el pueblo atrás.* Voy de triunfo en triunfo. «¿Cómo estás? —Prío delante y el pueblo atrás». (El cubanismo está tomado de la campaña electoral para la presidencia de la República de Cuba del Dr. Carlos Prío Socarrás: «Ahí viene la aplanadora con Prío delante y el pueblo atrás») Ver: *Aspiazo.*

PRITA. *Tanto prita prita que el negrito revienta.* «Tanto apretar que el negrito revienta». Se dice, en forma de broma, al que nos da mucho trabajo. «El lo tomó bien. Le cayó en gracia que le dijera: `Tanto prita prita que el negrito revienta.' Me daba mucho trabajo».

PRIVILEGIO. *Tener alguien privilegio de luz.* Ser el único que puede encenderse, o sea, ponerse bravo, o enojarse. «¡Cállate! Aquí sólo yo tengo el privilegio de luz». (Cubanismo culto.)

PROA. *Ponerle a alguien la proa.* Obstaculizar a alguien. «A mi primo le pusieron la proa en el trabajo».

PROBLEMA. *El problema no es que sea ñato sino que respire.* Como sea, no importa, lo importante es que exista. «Va a ser difícil lo del puesto. —Mira, el problema no es que sea ñato sino que respire». *Ser algo o alguien un gran problema con balcón a la calle.* Ser un gran problema. «Juan es un gran problema con balcón a la calle». «Este rollo no anda de nuevo. Es un gran problema con balcón a la calle». *Tener problemas espirituales.* Tener problemas, por tener a los dioses africanos en contra. «Tenemos muchos problemas espirituales en la familia en estos momentos». (Es lenguaje de las religiones africanas que en Cuba subsisten y que fueron traídas a la isla por los esclavos.) *Un problema hecho con harina Royal.* Que crece. «Ese problema ha sido hecho con harina Royal». (La harina Royal era un producto cubano. La harina crece. De aquí el cubanismo.)

PROCEDIMIENTO. *Aplicar el procedimiento del hielo a una persona.* Tratarlo muy indiferentemente. «Le voy a aplicar el procedimiento del hielo a Juan». El cubanismo, para llegar al aumentativo, añade la palabra seco. «Le voy a aplicar a Juan el procedimiento del hielo seco».

PROCESO. *Tener que ser pasada una persona por el proceso de remoja, exprima y tienda.* Se dice de la persona estirada que siempre tiene la nariz parada. «¡Qué tonto! ¡Cómo camina! La verdad que hay que pasarlo por el proceso de remoja, exprima y tienda». O sea, hay que hacerlo gente sencilla.

PROCONSULAR. Acción llevada a cabo por el procónsul norteamericano en Cuba. «Está como siempre, proconsuliando su excelencia y eso los cubanos no lo toleramos».

PROCONSULIDAD. *A través de la proconsulidad.* Con el apoyo norteamericano. «Aquí, hay gentes en el exilio que quieren ser presidente, en Cuba, a través de la proconsulidad». (Cuando la intervención norteamericana, al gobernador norteamericano, en Cuba, le llamaban «el procónsul». Igualmente, en algunos tiempos de la República, al embajador. «Proconsulidad», viene de «procónsul». Es cubanismo del exilio.)

PRODUCCIÓN. *Darle a alguien producción de grocery.* Hacerlo trabajar mucho. «Estoy flaquísimo. Mi mujer me da producción de grocery». (El cubanismo nació en el exilio. El cubano compara su trabajo con el movimiento que hay que hacer en un almacén —grocery.) Ver: *Departamento.*

PRODUCTO. *Ser algo producto de Emiliano.* Ser producido bajo el efecto de la marihuana. «Ese libro es tan malo porque es un producto de Emiliano». (Un Emiliano Zapata, es un cigarro de marihuana fuertísimo.) *Ser alguien producto de ferretería.* Ser muy poco cariñoso. «No le hagas caso. No es malo, pero es un producto de ferretería». (En las ferreterías venden el papel de lija, que es áspero. De aquí el cubanismo.) Sinónimo: *Ser alguien papel de lija. Ser alguien producto de un palo de compromiso a las siete de la mañana.* Ser muy feo. «¡Cómo no va a tener esa cara si es producto de un palo de compromiso a las siete de la mañana!» («Palo» en cubano, es fornicar.) *Ser un producto.* Anunciarse mucho. «Tu marido es un producto. Lo veo todos los días en el periódico».

PROFESIONAL. *Ser un profesional Tino Dentino.* (Médico, dentista.) Ser un mal profesional. «Ése es un dentista Tino Dentino». (Tino Dentino era un personaje cómico de la televisión. Al compararlo con el profesional, quiere decir que el profesional es de categoría del cómico.) Sinónimo: *Ser un profesional de relajo.*

PROFESOR. *Ser profesor de paracaídas.* Trabajar para poder vivir pero sin tener amor por lo que hace. «Yo fui abogado hasta que me sacaron de Cuba, ahora soy profesor de paracaídas». (Cubanismo del exilio.)

PROFILAXIS. *Tener profilaxis colgada en la frente.* Ser una puta. «Tiene profilaxis colgada en la frente». (Cubanismo culto del exilio.)

PROGRAMA. *Estar en el programa de Dick y Biondi.* No saber qué hacer. «Después de la muerte de mi esposo yo entré en el programa de Dick y Biondi». (Programa cubano de televisión.) *Pon el programa de Clavelito.* Se le dice al que siempre habla de tragedias. «Pedro, mira, te digo, pon el programa de Clavelito». (Clavelito, tenía un programa de radio, y se decía que le quitaba a uno los problemas de arriba. De aquí el cubanismo.) Ver: *Punto.*

PROGRESO. *Progreso y Playitas.* Suerte. «Te deseo Progreso y Playitas». (El cubanismo es un juego de palabras entre «Progreso y Playitas», nombres de unos balnearios en Cuba.) Ver: *Luz.*

PROMETEO. *El prometeo.* Las promesas. «El prometeo de mi novio ya me tiene cansada».

PROPAGANDA. *Hacerle la propaganda a Moralitos.* Beber mucha leche. «Ése le hace la propaganda a Moralitos». (Moralitos era una lechería cubana.)

PROPELA. Ver: *Rabo.*

PROPIEDAD. *Hablar con propiedad y derechos reales.* Yo siempre hablo con propiedad y derechos reales. (Es un cubanismo de los estudiantes de derecho. Propiedad y derechos reales es una asignatura de la carrera de derecho. Hoy lo usa algún abogado en el exilio.)

PROSTITUCIÓN. *Tener prostitución cerebral.* Se dice de la persona a quien le gusta hacer cosas raras en el acto sexual. «Ella tiene prostitución cerebral». Sinónimos: *Ser una enfermita o un enfermito.*

PROTESTA. Ver: *Son.*

PROTOCOLO. *Andar alguien siempre en el protocolo.* Darse pisto. «Ése anda siempre en el protocolo». (Es cubanismo culto.)

PRU. Refresco casero de la provincia de Oriente en Cuba. «Voy a tomar PRU».

PRUDENCIO. *Hacer algo Prudencio Pérez.* Hacerlo con prudencia. «En esa fonda sirven Prudencio Pérez».

PRUEBA. *Pasar la prueba del cabito.* Pasar la prueba de calidad más difícil. «Conmigo tú sabes que no hay problema. Yo paso la prueba del cabito. Soy bueno». (Viene de un anuncio de un cigarro cubano.)

PSICOTERAPIA. *Darle a alguien psicoterapia en la lengua para que se calle.* ¡Cómo habla sin parar! «Al orador hay que darle psicoterapia en la lengua para que se calle». (Es cubanismo del exilio de gente culta.)

PUCHA. Ramillete de flores. «Dame una pucha de flores». *Las puchas y los puchos.* Las gentes de baja condición social. «Ése es un baile de las puchas y los puchos».

PUCHERAZO. *Haber un pucherazo.* Haber muerto el marido y la mujer al mismo tiempo (asesinados, en un accidente..., etc.) «Ayer, entre los sucesos, hubo un pucherazo». (Se basa en el caso de un señor llamado Pucho, que en Miami mató a su señora, Pucha y luego se mató él. Es cubanismo del exilio.)

PUCHERITOS. Ver: *Boquita.*

PUCHIMBÁ. *Ser un puchimbá.* Recibir todos los embates de la vida. «Se le murió otro hijo. Es un puchimbá». (Viene de la voz inglesa «punching bag», o sea, el saco donde los pugilistas se entrenan dando golpes. El cubano lo pronuncia como se ha escrito.)

PUCHINDRÚM.[55] *Estar puchindrúm.* Estar lelo. «Él está puchindrum». (El cubanismo viene del boxeo y se forma con las voces inglesas «punch» y «drunk», que significan estar borracho, atontado por los golpes.) *Estar puchindrum sin haber boxeado.* Estar medio loco por haberse enfermado. «Él está puchindrum sin haber boxeado». Se dice, en general, del que tiene una conducta rara, irresponsable. «Chico, tú estás puchindrum sin haber boxeado». (Se dice así en inglés al boxeador que el exceso de golpes le ha afectado sus facultades.)

PUCHINGUITA. Ver: *Puchinga.*

PUCHOP. *Estar hecho un puchop.* Se dice del que está siempre apurando a otros. «No te pongas nervioso, yo termino. Estás hecho un puchop». Se aplica igualmente al que trata de escalar posiciones alabando servilmente a los demás. «Ése, con el ministro, está hecho un puchop». (Es cubanismo del exilio. La voz inglesa es «push up», que el cubano pronuncia como se ha escrito y que quiere decir «apurar» o «empujar».)

PUCHUNGA. Amor. «¿Cómo está mi puchunga hoy?» Se usa mucho en diminutivo: *Puchinguita.*

PUDÍN. *Echarse un pudín.* Comer. «Me acabo de echar un pudín». Sinónimo: *Afeitar un pudín.* (Es lenguaje de la Cuba de hoy.)

PUDRICIÓN. *Tener una pudrición.* Tener mucho catarro. «¡Qué pudrición tienes!»

PUDRIR. *Pudrir a una mujer.* Incitarla mediante la acción sexual a caer en las más bajas degradaciones del sexo. «Esa mujer hace lo que yo quiero cuando tenemos relaciones sexuales y la pudro». Viene de podrir.

---

[55] He oído asimismo: «*punchindrum*».

PUENTE. *Cruzar el puente.* Acto por el que la lengua retorna a su lugar de origen y va hasta el trasero. Sinónimo: *Pagar el hilo del puente.* (El cubanismo se basa en que de Marianao a La Habana, había un puente y para cruzarlo el tranvía había que pagar un centavo, [hilo.]) *Llamarle a alguien puente roto.* Ser muy antipático. «A ése le llaman puente roto». (El puente roto nadie lo cruza. De ahí el cubanismo.) *Ser alguien un puente roto.* Un odioso. «Esa poetisa es un puente roto». (Nadie lo pasa, a un puente roto, ni a un odioso. De ahí el cubanismo.) *Tener alguien un puente aéreo.* Llevar y traer chismes. «Carmela tiene un puente aéreo». *Tener dos personas un puente aéreo.* Ser muy chismosos. «Esos dos son de temer: tienen un puente aéreo».

PUERCA. *Ahí es donde la puerca (no) tuerce el rabo.* 1. Ahí es donde no hay nada que hacer. «No podemos ni intentarlo. Ahí es donde la puerca no tuerce el rabo». 2. Ése es el final. «Me encanta lo que me dices. Ahí es donde la puerca tuerce el rabo». (Refrán de origen campesino.) *Estar alguien como la puerca, con la mazorca en la boca.* Estar satisfecho. «Ella está encantada, como la puerca con la mazorca en la boca». Ver: *Rabo.*

PUERCO. *El puerco que se separa del trozo se lo come el jíbaro.* El que anda solo está perdido. «Yo siempre te lo digo y no me haces caso: `el puerco que se separa del trozo se lo come el jíbaro'». *Ser exportador de carne de puerco para el exterior.* Ser homosexual. Ver: *Aceite. Chulo.*

PUERTA. *Pedir más que el jorobado de la puerta del Frontón.* Pedir mucho. «Tú pides más que el jorobado de la puerta del Frontón». (En la puerta del Frontón Jai Alai de Cuba había un jorobado, limosnero, que era muy insistente en el pedir. De ahí el cubanismo.) *Viejo, ¿por qué no te paras en la puerta del frontón?* Se le dice al que siempre tiene un pedimento que hacer. «Chico, viejo, ¿por qué no te paras en la puerta del frontón?» (En la puerta del Frontón en Cuba se paraban muchos mendigos a pedir. De aquí el cubanismo.)

PUERTO. *Nuevitas, puerto de mar.* El nueve en el dominó.

PUESTO. *Estar más apolismado que el aguacate del puesto de chino.* 1. Estar cansado. «Ha trabajado tanto que está más apolismado que el aguacate del puesto de chino». 2. Estar en difícil situación económica. «No tiene para comer. Está más apolismado que el aguacate del puesto de chino». Sinónimos: *Cable. Comerse un cable. Estar puesto ya.* Estar listo en casos como éste: «Te invito a almorzar. —Estoy puesto ya». Ver: *Escritor. Pelo. Uan.*

PUGILATEAR. Luchar por la vida. «Estoy pugilateando duro a ver si puedo vivir mejor». Sinónimo: *Estar en el pugilateo.*

PUGILATEO. Acción de pugilatear. Ver: *Pugilatear.*

PUJAR. *Pujar gracias.* Tratar de hacerse el gracioso forzando la situación. «No pujes más gracias, por favor». Ver: *Intestinos.*

PUJO. *Darse pujos o tener pujos.* Creerse la gran cosa. «Ése se da unos pujos que se ríe uno conociendo lo que él es». *Ser algo un pujo.* No valer para nada. «Esa película es un pujo». (Lenguaje de la Cuba de hoy.) *Tener cara de pujo.* Tener cara fea. «Tú tienes cara de pujo». *Tener un pujo con.* Sinónimos: *Peo. Tener un peo con...*

PULGA. *Arrancar pulgas al tres.* Tocar el tres. «Voy a arrancar pulgas al tres». (Viene de unos versos cubanos de Emilio Ballagas.) *Buscarle la pulguita en el camisón.* Ser un buscador de desgracias. «Chica, tú no estás nunca contenta con lo que tienes. Tú te buscas la pulguita en el camisón». *Estar algo de pulga.* Estar escaso. «Aquí la comida está de pulga». *Estar algo al salto de una pulga.* Estar cerca. «Eso está al salto de una pulga». *Ponerle a alguien la pulga detrás de la oreja.* Meterle los monos en el cuerpo. «Con lo que le dijiste, le pusiste la pulga detrás de la oreja». *Tener alguien pulgas.* Estar ya viejo. «No andes enamorando a esa mujer que tú ya tienes pulgas. Es muy joven para ti».

PULGUERO. Ver: *Precio.*

PULIDOR. *Estar vestido de pulidor.* Con colores brillantes y parecer un payaso. En otras palabras: estar vestido muy ridículo. «Si lo ves, está vestido de pulidor». (*Pulidor* era el payaso de un circo cubano: «*El Santo y Artigas*».) Sinónimo: *No faltarle nada más que el elefante para el circo.*

PULIR. *Pulirla o pulirla fino.* Trabajar mucho. «En este país para vivir hay que pulirla».

PULIRLA. Trabajar duro. «Yo, para vivir, tengo que pulirla».

PULLA. El número uno en el dominó.

PULMÓN. *Directo al pulmón.* Se dice de algo contundente. «La pregunta que le hice fue directa al pulmón». Sinónimo: *Duro y a la cabeza. Para soplársela hay que tener un pulmón de acero.* ¡Qué fea es esa mujer! ¡No hay quién se acueste con ella! «Ella será muy buena pero para soplársela hay que tener un pulmón de cero». Ver: *Soplo. Partirle el pulmón a la cama.* Dormir mucho. «Anoche le partí el pulmón a la cama. Hoy estoy descansado». *Pulmón abasí.* Mucha agua. «Está cayendo pulmón abasí». (Es cubanismo de origen africano.)

PULPITO. Se le dice al que toca a todas las mujeres. «Ahí está ese pulpito». *Estar de pulpito.* Estar dedicado a tocar a las mujeres. «Un día la policía se lo lleva preso porque está de pulpito». Sinónimo: *Estar de mano muerta.*

PUNCH. *Tener punch.* Tener influencia. «Él tiene un gran punch en el gobierno». «Él tiene punch con el gobierno». «Él tiene punch con el ministro». (Es lenguaje que viene del boxeo. Punch en inglés significa la fuerza que tiene el pugilista en la pegada y derriba. Es cubanismo que se usó siempre en Cuba.)

PUNTA. *Afilar la punta del lápiz.* Sinónimos: *Afilar el lápiz. Lápiz. Arrancar en punta.* Coger ventaja. «Va a ser difícil ganarle porque arrancó en punta». (El cubanismo viene de las carreras de caballo.) *Cogerla con la punta del guante.* Entender algo en el último momento. «Eso lo cogiste con la punta del guante». (Viene del juego de pelota o base-ball. Hay veces que se coge la pelota con la punta del guante. Casi se cae.) *Estar con la punta del güin.* Estar en una situación muy difícil. «Yo estoy en la punta del güin». Sinónimos: *Estar en la punta del aura. Estar como el niño de París. Irse con una punta de esquina.* Fracasar. «Yo sabía que a la larga él se iba con una punta de esquina». (El cubanismo viene del juego de pelota o base-ball. En el juego de la pelota cuando el lanzador lanza una punta de esquina, es muy difícil darle con el bate. De aquí el cubanismo.) *Mojarse en el mar algo nada más que la punta de los huevos.* Saber muy poco de esa materia. «En el mar de la filosofía él se moja nada más que la punta de los huevos». *Pa' cogerme a mí la punta de la soga, cuesta trabajo, compay.* No se equivoque conmigo que yo soy difícil. «Se lo digo, pa' cogerme a mí la punta de la soga, cuesta trabajo, compay». (Es cubanismo campesino. «Pa'» es «para».) *Tener algo filo, contrafilo y punta.* Ver: *Punta. Tengo algo en la punta del güin.* Tener algo a punto de realizarse. «¿Cómo vas a ir ahora, si tienes el negocio en la punta del güin?» Ver: *Chino. Huevo. Lea. Morro. Güin.*

PUNTILLA. *Darle a algo la puntilla.* Tiene distinto significado que el castizo. Quiere decir, hacer las cosas bien. «A todo le da puntilla. Es perfecto».

PUNTILLITA. *No ser ni puntillita.* Pasar inadvertido. «Juan no es ni puntillita».

PUNTO. Calavera. «Juan es un punto». (En España se le tiene como de allá.) *Coger los nueve puntos.* Enfadarse. «Le bastó leer la noticia y cogió los nueve puntos». (El cubanismo viene de los tranvías que cuando corrían al máximo se decía que cogían los nueve puntos.) *Coger un punto.* Emborracharse. «Ayer cogió un punto con ginebra, terrible». *Coger un punto «isi».* Coger un mareo que no es peligroso, bebiendo alcohol. «Ayer, en la reunión cogí un punto isi». («Isi» es la forma en que el cubano pronuncia la voz inglesa «easy», o sea, «fácil». Cubanismo del exilio.) *Dar punto y raya.* Dar ventaja. «En todo, a ése, yo le doy punto y raya». *Estar a punto de recibir una patada en el trasero.* Estar a punto de recibir una gran reprimenda. «Tú estás a punto de entrar en el programa espacial». (El cubanismo del exilio que juega con estos: «Te voy a dar una patada y te voy a poner en órbita». «Te voy a dar una patada que te vas a morir de hambre en el aire». De aquí el cubanismo. El programa espacial es el de los Estados Unidos.) *Ser un punto furile.* Ser un punto filipino. Sinónimos: *Punto rongola. Ser un punto muerto.* (Viene el cubanismo del campo automovilístico. Se llama punto muerto al punto de que parten todas las velocidades y en el cual el automóvil no camina.) *Tener a alguien en el punto de mira.* Tenerlo vigilado. «A él lo tengo en el punto de mira». Estar alguien a punto de entrar en el programa espacial. *Tener el punto parado.* Tener algo a medio hacer. «En esto tengo el punto parado». *Un punto de malanga.* Un sembrado de malanga. «Aquí hay un buen punto de malanga». Ver: *Acento. Cien. Nadador.*

PUNZADA. *Estar como el tipo de la punzada.* Quejándose. «Tú siempre estás como el tipo de la punzada». (En el programa de televisión Dick y Biondi, dos cómicos, Biondi decía de gracioso: ¡Ay! ¡La punzada! De aquí el cubanismo.) *Darle la punzada.* Ponerse majadero. «A Juan le dio la punzada». *Estar con la punzada.* Estar majadero. «Mi hijo está con la punzada». *Estar en la edad de la punzada.* Estar un muchacho en la edad en que se es antipático. «Mi hijo está ahora en la edad de la punzada». *Ser alguien una punzada de clavo.* Ser muy antipático. «Ese hombre es una punzada de clavo».

PUÑALADA. *Darle a una mujer una puñalada trapera.* Tener relaciones sexuales contra natura.

PUPA. *Hacer alguien pupa.* Destruirlo. «Lo hice pupa a golpe limpio». «Lo hice pupa en las conferencias de dialectología. Se creía un sabio y no lo pude aguantar».

PUPILA. *Dar pupila dilatada.* Mirar con insistencia. «Ayer le di al manuscrito pupila dilatada».

PURA. Madre. «Yo quiero mucho a mi pura». (Lenguaje del chuchero. Ver: *Chuchero.*) Sinónimo: *Ocamba.*

PURETA. (La) La madre. «Mi pureta cumplió ochenta años».

PURETO. 1. Padre. «Yo adoro a mi pureto». Sinónimos: *Ocambo. Puro.* 2. Viejo. «Ese hombre ya está pureto». *El Pureto del Chamuyo.* Don Miguel de Cervantes y

Saavedra. «Voy a leer al Pureto de Chamuyo». (Lenguaje del chuchero. Ver: *Chuchero.*)[56]

PURGANTE. *Pa'lante y pa'lante y al que no le guste que tome purgante.* Al carajo. («Pa'» es «para».) *Ser alguien un purgante.* No ser simpático. «Mi amigo, te digo, que el guía es un purgante». Referido a una cosa indica que es repulsiva, que no gusta. «Esa novela es un purgante». *Tener a alguien como si hubiera tomado purgante.* Tenerlo de corre corre. [«El jefe me tiene como si hubiera tomado purgante».]

PURGANTICO. (Los) Los varones. «Prefiero las hembras a los purganticos».

PURO. Ver: *Disparo.*

PUTA. *Al carajo puta que no me llamo Lucas.* Al carajo. «Ella se me acercó en la calle y le dije: `Al carajo puta que no me llamo Lucas.'» *Estar como las putas.* Trabajar mucho. «Vieja, estoy como las putas: soltando el alma». (Las putas están de la casa al sitio del trabajo, y del sitio del trabajo a la casa.) *Ser puta por andar alegre.* Ser puta por viciosa. «Esa es puta por andar alegre». *Ser más puta que las gallinas.* Ser muy puta. «Esa mujer es más puta que las gallinas». *Ser una mujer más puta que las ventanas para ciclones.* Ser putísima. «La prima es más puta que una ventana para ciclones». (A una ventana para el ciclón se le ponen trancas. «Tranca» es «pene» en cubano. De aquí el cubanismo.) *Ser una puta desorejada. Ser una puta mala.* Se dice del hombre que a todo dice que sí, que no tiene carácter para decir no. «Esos líos te pasan por ser una puta mala». Ver: *Hijo. Pompeya.*

PUTEO. 1. Acción de putear. «El puteo en esta cuadra es tremendo». 2. Coqueteo exagerado. «Tiene un puteo encima que la hace graciosa».

PUTERÍA. *Correr la putería en seco.* Se dice de la mujer que actúa como prostituta sin llegar a tener contacto carnal. «La hermana del jefe corre la putería en seco». (En general, con «se» se forman cubanismos como «matarse en seco», es decir, soñar que se toca libidinosamente a una mujer, etc.) *Putería en seco.* Adoptar una mujer posiciones de coquetería extrema. «Ahí la tienes, a Estrella, con su putería en seco».

PUTO. 1. Hombre que hace lo mismo que una mujer coqueta. «Mira que eres puto, muchacho». 2. Que se le insinúa a las mujeres. «¡Qué puto eres!» (El cubano hace un masculino del femenino *puta.*)

PUTÓMETRO. *Romper el putómetro.* Ser un completo hijo de puta, o sea, ser mala persona. «No se ocupa de sus hijos. Rompió el putómetro». Sinónimo: *Ser un hijo de puta horizontal y vertical.*

PUYA. Poco. «Dame una puya de café». (Es término del campo cubano.) *Puya de ácana.* Insinuación fuerte. «Eso es una puya de ácana». (El ácana es una madera muy dura.) *Tirar una puya.* Zaherir. «Se pasó la noche tirándole puyas». Sinónimo: *Tirar un fotutazo.*

---

[56] Se dice también que es calé. Se oye en Venezuela, tal vez por la influencia cubana. Ver: C. Bashleigh, *The Criollo Way*, Caracas, Venezuela, 2a. Edición, pág. 66. Las relaciones entre el habla venezolana y la cubana son numerosas.

QUALITY. *No ser qualiti control de nadie.* No tener derecho a corregir a nadie. «Yo, cuando me mandó a callar le dije: Tú no eres qualiti control de nadie». (El «quality control» es el que revisa la calidad de la mercancía en las fábricas norteamericanas, de ahí este cubanismo del exilio.) *Vivir en el Qualiti In.* Vivir de lo mejor, vivir regalado. «Siempre ha vivido en el quality in». (El «Quality Inn» —que el cubano pronuncia como lo escribo— es una cadena de moteles: Moteles de Calidad. Es cubanismo del exilio.)

QUÉ. *¿Qué hay?* Forma de saludar. «¿Qué hay, Alfredo?»

QUEBRADO. *Estar quebrado.* Tener un testículo muy grande debido a una hernia. «Juan está quebrado».

QUECHEAR. *Quechear alguien y pichar al mismo tiempo.* Ser homosexual. «Ése quechea y pichea al mismo tiempo. Es horrible». (Son voces derivadas de las inglesas, «To catch», «coger» y «to pitch», «lanzar». Provienen del juego de la pelota: el receptor —el cubano le llama asimismo, «quecher"— es el que recibe las pelotas que lanza el lanzador o «pitcher».)

QUÉCHER. Ver: *Quechear.*

QUEDAR. 1. Fracasar. «Ese trabajo era mucho para mí y quedé». 2. Morir. «Quedó en la página dos». *¿En qué quedarnos por fin: me quieres o no me quieres?* Decídete. Sinónimos: *¿Te peinas o te haces cepillo? ¿Te peinas o te haces papelillos? Eso no se queda así, eso se hincha.* Eso va a tener consecuencias. «Eso que hiciste no se queda así, eso se hincha». *No quedar títere con cabeza.* Arrasar. «Pasó el hombre y no quedó títere con cabeza». *Quedar portentúo.* Fracasar por obstinado. «No oye consejos y en el trabajo quedó portentúo». *Quedarse en una muela.* Ser escaso. «La comida se me quedó en una muela». *Sin que me quede nada por dentro.* Con franqueza. «Te digo esto sin que me quede nada por dentro».

QUEMA. *Estar en otra quema.* Estar en otra cosa. «Él hace días que está en otra quema». *Ser alguien bueno para la quema.* No servir para nada alguien. Esta frase se usa cuando alguien dice, por ejemplo, «Juan es bueno». Se le contesta: «Bueno para la quema», o sea, «para matarlo».

QUEMADO. *Estar alguien quemado.* 1. Estar loco. «Juan está quemado. Hay que recluirlo». Sinónimos: *Estar tostado. Tener un cable cruzado. Tener los cables cruzados.* «Pedro está quemado». 2. Haber tenido muy mala experiencia con algo y por lo tanto tener mucha experiencia. «No hay quien le haga cuentos en los negocios, porque lo han quemado mucho». (O está muy quemado.) 3. Persona que por saberse que no actúa bien, no tiene credibilidad. «Cómo vas a mandar de representante a Pedro. Está quemado con esa gente». 4. Se dice de la persona que por haber sido utilizada en una misión revolucionaria es muy conocida. «No la utilices en esa misión que está quemada». (Es lenguaje que se usa cuando hay revolución.) *Haber quemado a alguien mucho.* Haberle pedido muchas veces algo, favores, dinero, etc. «No puedo tocar más a esa puerta. Me he quemado mucho. Tengo que quebrar». (Pedirle dinero.) «No puedo verlo para eso pues lo he quemado mucho. Mi hija no obtendrá el puesto». (Pedir el favor de que dé un puesto.) *Jugar al quemado.* Ponerse en situaciones peligrosas. «Conmigo estás jugando al quemado». («El quemado» es un juego de niños en que estos se tiran la pelota hasta darse.) Sinónimo: *Jugar al te pegué.*

QUEMAR. 1. Castigar. «No hagas eso que tu padre te va a quemar». 2. Dar algo muy barato perdiendo dinero. «En esa peletería queman la mercancía». 3. Engañar, estafar. «Me quemó en el negocio». 4. Liquidar algo. «Quemó el carro por correrlo tan a menudo a cien millas». 5. Resultar perjudicado. «En ese negocio lo quemaron». 6. Liquidarse uno. «Se quemó por exhibirse tanto». 7. Utilizar mucho. «Ya no lo pueden mandar a ninguna conferencia, porque lo han quemado mucho». *Quemar a alguien.* Cogerle dinero a alguien y no pagárselo. «Me quemó ayer. No veo ese dinero nunca más».

QUEMARSE. 1. Perder todas las oportunidades. «Cantaste las mismas cosas tantas veces que te quemaste». 2. Volverse loco. «Si sigues estudiando tanto vas a quemarte». Sinónimos, ver: *Quemado. Estar alguien quemado.*

QUEME. Locura. «Oscar tiene queme. Es un canalla». *Dar un queme.* 1. Castigar. «La madre le dio un queme al hijo». 2. Estafar. «Me hizo un cuento y me dio un queme con un cheque falso». *Tener queme de altura.* Estar completamente loco. «Ese pobre hombre tiene un queme de altura». *Tener un queme.* Estar loco. «¡Qué queme tiene tu hermano!» Sinónimo, ver: *Quemado. Estar alguien quemado.*

QUEQUE. Ver: *Moscas.* Tipo de galleta dulce.

QUERELLA. *Formarle a alguien una querella.* Atacarlo. «Esa gente me formó una querella». (Es, sobretodo, un cubanismo del campesino cubano.)

QUEREQUETÉ. *Darle a alguien el querequeté.* Tener un ataque de furia. «Si te da el querequeté no me ves más en tu vida». *Ser un pichón de querequeté.* Ser muy feo. «Juan es un pichón de querequeté». Ver: *Bembé. Feo y Pichón.*

QUERER. *Querer y quedarse chort.* Querer mucho. «Yo a ti te quiero y me quedo chort». («Chort», es «short». El cubanismo lo popularizó el actor Rosendo Rosell, desde su columna del *Diario de las Américas.*)

QUERIDA. *Estar la timba querida.* Estar el juego de azar muy extendido. «La timba en esta cuadra está querida». («Timba» es el cubanismo para el juego de azar.)

QUERIDO. *Estar querido.* Estar resuelto. «Eso que me pides está querido. No te preocupes». (Cubanismos del exilio.)

QUERINGANDEO. *Acción de tener muchas queridas.* «Su queringandeo es un escándalo».

QUERINGANDERO. Se dice del que tiene muchas queridas. «Es un queringandero terrible».

QUESO. *Andar con queso crema.* Andar con una mujer fea. «Siempre anda con queso crema». (A las mujeres feas, en cubano, se les dicen: *cascos.* Los «cascos» son también tajadas de dulces en conservas —guayaba, naranja, toronja, etc.— que el cubano acompaña al comer con queso crema.) *Poner a alguien como queso gruyere.* Llenarlo de tiros. «A Juan lo pusieron como queso gruyere». (El «queso Gruyère» está lleno de huecos. De ahí el cubanismo.) *Queso de bola.* Queso popular en Cuba que viene en forma de una bola. «Me encanta el queso de bola». *Queso de mano.* Tipo de queso popular en Cuba. «Yo tengo que comprar queso de mano». *Ser un queso crema.* Se dice del hombre que anda siempre con mujeres feas. «Él es un queso crema». (A la mujer fea se le dice en cubano «casco». El casco de guayaba, etc. está siempre rodeado de queso crema y así se come. De aquí el cubanismo, que como se ve, es un juego de palabras entre «casco» o «mujer fea» y «casco» de dulce: «tajada».) *Tener un queso gruyère.* Hacer mucho que no se practica el acto sexual y tener muchas ganas de eyacular. «Estuve un año preso. Tengo queso gruyere». *Tener una mujer un queso de bola.* Tener un trasero redondo. «Esa mujer tiene un queso de bola». Ver: *Casco.*

QUIEBRAHACHA. *Ser alguien palo quiebrahacha.* 1. No dar su brazo a torcer. «No importa lo que tú me digas; yo soy palo quiebrahacha». 2. Soportar todas las desgracias de la vida. «Yo he sufrido mucho, pero soy palo quiebrahacha». (La «quiebrahacha» es madera durísima, como indica el nombre. De ahí el cubanismo.)

QUIETO. *Estar alguien más quieto que estáte quieto.* Estarse quietísimo. «Cuando le hablé se quedó más quieto que estáte quieto».

QUIJADA. *Ser más vago que la quijada de arriba.* Ser vaguísimo. «Ese hombre es más vago que la quijada de arriba».

QÜIKIE. *Tener un qüikie.* Hacer el sexo de manera apresurada y veleidosa, sin compromiso. (**Qüikie** voz fonética por «quickie», del inglés.) «Ella quería tener un qüikie conmigo pero yo no tenía ni ese tiempo». (Cubanismo del exilio.)

QUILLA. Pedazo. «Dame una quilla de helado». *Quedarle a alguien solamente la quilla del barco.* Se dice del que ya está muy viejo. «A mi padre ya le queda solamente la quilla del barco».

QUIMBO. El machete. «Cuando llegó cogí el quimbo y salió huyendo». (Cubanismo campesino.)

QUIMBUMBA. Ver: *Tole.*

QUIMBUMBIA. Ver: *Chaleco. Tole.*

QUINCALLA. *Parecer una quincalla.* Llevar muchas cosas encima. «Esa mujer parece una quincalla». Sinónimo: *Parecer un gitano señorío.* (El sinónimo viene de una canción española.)

QUINCE. *Dar quince y salida.* Dar ventaja. «A ése le doy quince y salida». Sinónimos: *Bombillo. Dos. Tipo.*

QUININA. *Dar quinina.* Incitar. «A esos hermanos les dieron quinina y mataron al amigo». Sinónimos: *Dar cranque.*

QUINQUÉ. Estar mal de la cabeza. «Juan está mal del quinqué». (El «quinqué» alumbra. Y ya no le alumbra. De ahí el cubanismo.)

QUINTA. Ver. *Oficial. Estar alguien en las quintas.* Estar distraído. «El profesor me llamó la atención porque estaba en las quintas».

QUINTETO. *Quinteto Habanero.* El cinco en el dominó. «Puso Quinteto Habanero». (El *Quinteto Habanero* era una orquesta famosa en Cuba.)

QUINTÍN. *Ser Don Quintín el Amargado.* Ser muy amargado. «Ése es Don Quintín el Amargado. ¡Qué cara tiene!»

QUINTO. *Coger un quinto.* Coger un descanso. «Voy a coger un quinto». *Echar un quinto.* 1. Correr. «Voy a echar un quinto que ahí viene ella». 2. Huir. «Vio al gendarme y echó un quinto». Sinónimo: *Echar una pesuña. Echar un pie. Echar un quinto al piano.* Tocar muy bien el piano. «Ése echa un quinto al piano». (Lenguaje de la Cuba de hoy, y por lo tanto, de los Marielitos, los cubanos llegados a Miami, Florida, Estados Unidos, en 1980, por el puente marítimo Mariel-Cayo Hueso. Este cubanismo se aplica a infinidad de situaciones como por ejemplo: «echar un quinto al baile», «en la pelota», etc.)

QUIQUI. (Un) Un poco. «Dame un quiqui de azúcar». (Lenguaje de la Cuba de hoy.)

QUIQUIRIBÚ. *Quiquiribú mandinaga.* 1. Y nada sucedió. «Le di cinco pesos y quiquiribú mandinga». 2. ¡Y se acabó! «Dale esto y quiquiribú mandinga».

QUIRINO. *Ni Quirino con sus tres.* Nadie. «A mí no me toca ni Quirino con sus tres». (Este es un latiguillo lingüístico, algo que el cubano usa mucho. «Quirino» era un gran músico. Le llamaban: «El Mago del saxofón». De él se hizo una canción. De aquí el cubanismo.)

QUISQUILLA. *Buscar quisquilla.* Buscar lío. «Siempre anda buscando quisquilla».

QUITE. *Darle un quite a alguien.* 1. Despedirlo. «El jefe me dio el quite». 2. Quitárselo de arriba. «Me pidió dinero, pero le pude dar un quite». (Es lenguaje del chuchero. Lenguaje de los llegados del Mariel.) Ver: *Chuchero. Embarajar.*

QUIUVO. Forma en que el cubano dice: ¿qué hubo? «¿Quiuvo, mi amigo?"

R C A. Ver: *Perro.*

RÁBANO. Pene pequeño. «Tú lo que tienes es un rábano».

RABEL. *Ni Rabel escribió boleros como los que se escriben en Cuba.* A los cubanos no hay quien nos gane. Hemos triunfado porque somos el fenómeno. «Ni Rabel escribió boleros somo se escriben en Cuba». (El compositor francés, Rabel, escribió el famoso «*Bolero*». De aquí el cubanismo culto que compara la composición con los boleros —composiciones musicales— cubanos.)

RABIA. *Tener rabia en el tablero.* 1. Ser inteligente. «Sacó sobresaliente. Tiene rabia en el tablero». 2. Ser una mujer muy sexual. «Vive con tres hombres porque tiene rabia en el tablero». *Tener una cosa rabia en el tablero.* 1. Ser difícil. «Ese problema de matemáticas tiene rabia en el tablero». 2. Ser increíble. «Eso que me dices tiene rabia en el tablero». Lo hemos oído también de «ser algo muy serio».

RABIORCAO. Persona que no sabe llevar con distinción el traje de etiqueta. «Ése es un rabiorcao. Siempre lo ha sido».

RABIZQUIENTO. *Ser muy rabizquiento.* Ser muy irritable. «Él es un rabizquiento».

RABO. Pene. Sinónimo: *Barilla. Ahí donde la puerca no tuerce el rabo. Crecer como el rabo de la vaca.* 1. Contestación que se da cuando uno le dice a alguien: «Oye, estás creciendo mucho. —Sí, estoy creciendo como el rabo de la vaca». Es decir; no estoy creciendo. Se aplica no sólo a la estatura, sino a la vida en general. «Oye, como estás creciendo en tu carrera de abogado. —Sí, estoy creciendo como el rabo de la vaca». (En los casos como éste que no son de estatura, significa lo contrario. Significa que la cosa no va bien. Que no se está creciendo, sino todo lo contrario, fracasando.) 2. No progresar. «Ése crece como el rabo de la vaca». *Chupar el rabo a la jutía.* Beber bebidas alcohólicas. «Ése es un borracho. ¡Cómo le chupa el rabo a la jutía!» *Dar rabo.* Fornicar. «He dado mucho rabo últimamente». («Rabo» es «pene».) *Haber rabo encendido para muchos.* En esta frase: «Ahora habrá rabo encendido para muchos», indica que van a tomar medidas represivas. «Se cayó la dictadura. Ahora habrá rabo encendido para muchos». («El Rabo Encendido» es una comida cubana, pero «rabo» es asimismo «pene». Con el «pene encendido», o sea, «parado», dice el cubanismo, les van a dar a muchos por el trasero. El cubanismo es un juego de palabras entre «rabo encendido», pene en erección y «Rabo Encendido», la comida.) *Hacerlo con la punta del rabo.* Hacerlo fácilmente. «Eso lo hice con la punta del rabo». (Lo hemos oído como la punta de la pinga.) *Los días de rabo de nube.* Ver: *Nube. Llevar alguien rabo encendido.* Correr como alma que lleva el diablo. «Cuando pasó por aquí, llevaba rabo encendido». Ver: *Paz. Ofrecerle a alguien un rabo de mondongo en palangana.* Lo que usted acaba de decir o hacer es una porquería. «Cuando terminó el discurso me le acerqué y le dije: `Te ofrezco un Rabo de Mondongo en palangana.'» *Pasarse para el rabo de la vaca.* Hacer en cualquier sentido algo excepcional. «Por eso se pasó para el rabo de la vaca». *Poner el rabo.* Fornicar. «¿Así que le puso el rabo a la prima?» Sinónimos: *Dar barra. Dar barilla. Dar con el cabo del hacha. Dar cuero. Dar mandarria. Echar un cuerazo. Ponerle a uno rabo.* Engañarlo. «A ti siempre te ponen rabo». Sinónimos: *Pasar la mota. Ser alguien un rabo de lagartija.* Ser muy delgado. «Esa mujer es un rabo de lagartija». *Tener el rabo encendido.* Tener muchos deseos de fornicar. «Hoy tengo el rabo encendido». (Es un juego de palabras con una comida española. —«¡Qué rico está este rabo encendido que me preparaste!»— y rabo, —el pene.) *Tener alguien el rabo encendido.* Ser muy viril. «Ella quedó muy satisfecha, porque yo tenía el rabo encendido». (El cubanismo apela a lo chistoso, porque hay una comida cubana que se llama: «rabo encendido». De ahí que lo opuesto de este cubanismo sea: *Tener el rabo apagado.*) Sinónimo: *Tener una propela en el tolete. Torcer el rabo a la puerca.* Hacer algo difícil. «La situación estaba violenta pero salí adelante porque le torcí el rabo a la puerca». *Un rabo de nube.* Un lío o un problema pasajero. «Con él lo que ha venido es un rabo de nube». (El rabo de nube es una especie de tornado que se forma en el campo cubano pero que casi nunca causa daño. Así que es un lío o problema pasajero. De ahí el cubanismo.) Ver: *Mono. Tuerca.*

RABONES. Ver: *Cola.*

RABUJA. Boniato pequeño. «Sólo hemos cosechado rabujas». Por antonomasia se aplica a la persona que no sirve para nada. «Mi hermano resultó un rabuja».

RACIÓN. *Necesitar un hombre una ración de testivital y de ostiones de Sagua.* Ser muy viejo para realizar el acto sexual. «Se casa con una muchachita joven, cuando lo que necesita es una ración de testivital y de ostiones de Sagua». («El Testivital» era un producto farmacéutico para la virilidad, y los ostiones de Sagua son el producto marino que se da con mayor abundancia en Sagua la Grande, en la provincia de Las Villa, Cuba. Se dice que el ostión tiene propiedades afrodisíacas.) Sinónimo: *Necesitar una sopa de cherna.*

RADAR. (Los) Los ojos. «Ese hombre nos tiene puesto encima los radares».

RADIADOR. *Tener un «likin» en el radiador.* Orinar mucho. «Ése tiene un likin en el radiador». («Likin» es como el cubano pronuncia la palabra inglesa «leaking» o sea, «goteo». Es cubanismo nacido en el exilio.) Sinónimo: *Tener angurria.*

RADIO. *Parecer radio reló.* Se dice del que siempre está dando noticias. «Ese hombre parece radio reló». («*Radio Reló*» era una estación de radio en Cuba que daba noticias continuamente.) *Radio Bemba.* Chisme continuado. «En esa casa la radio bemba es cosa que nunca acaba». *Radio Rafael del Junco.* Así llamaban en el exilio al principio a «*Radio Martí*», la emisora cubana de «*La Voz de Las Américas*», porque no salía al aire. «Yo creo que *Radio Rafael del Junco* está muerta». Sinónimo: *Radio «Jelén Keler»*. (Hellen Keller, que el cubano pronuncia en la forma expuesta, era sorda y muda. De aquí el cubanismo.) *Recibir un radio pero no transmitir*. Entender inglés pero no hablarlo. «El radio mío, como tú sabes, recibe pero no transmite. Por eso no encuentro trabajo». (Cubanismo nacido en el exilio.) *Tener la radio y la televisión de servicio público.* Sintonizarlas muy alto. «En esa casa tienen la radio y la televisión de servicio público». (Es cubanismo del exilio.)

RADIOACTIVO. *Estar alguien radioactivo.* Estar de mal humor. «Hoy te has levantado radioactivo. No se te puede hablar». Sinónimo: *Estar paciflora. Estar sedanita.*

RADIOBEMBA. 1. Chismosa. «Todo lo que le digas lo cuenta. Es una radiobemba». 2. Persona que conoce todos los detalles de un barrio, etc. «Con ella te puedes informar porque es radiobemba». 3. Rumor. «Eso que me dices es radiobemba. No le hagas caso».

RAFAEL. *Pancho tuvo que pagar lo que rompió Rafael.* Tener que pagar alguien por las culpas de otro. «En esto Pancho tiene que pagar lo que rompió Rafael». (El cubanismo es la letra de una canción que empieza: «*Ofelia tenía un platico que era de lo más hermoso*»...) *Ser como Rafael del Junco.* No soltar prenda. «Mi hermano es serio, es como Rafael del Junco». «Puedes confiarle cualquier cosa. Juan es como Rafael del Junco». (Rafael del Junco es el personaje de la novela cubana del escritor Félix B. Caignet titulada: «*El Derecho de Nacer*», cuando la radiaban, todo el mundo estaba a la expectativa, a ver si hablaba y revelaba el secreto, pero no lo hizo hasta el final de la novela. No hablaba porque estaba enfermo. De aquí el cubanismo.) *Ya don Rafael del Junco habló, o Ya Don Rafael habló.* Ya, a Dios gracias, no hay problema; solucionaremos algo. «¿Cómo sigue tu hermano? Ya Don Rafael del Junco habló, está de vuelta en la casa». Ver: *Radio.*

RAFLES. Ladrón hábil. «Ese ladrón es Rafles». (El cubanismo nació con un programa radial: «*Rafles, el ladrón de las manos de seda*».) *Ser el Rafles del amor.* Se dice del que tiene un amante. Y no hay forma de descubrirlo. «Mi marido es el Rafles del amor». («Rafles», es el ladrón de las manos de seda. Es un personaje de ficción.) Sinónimo: *Ser un cover up.* Es sinónimo que se usa en el exilio cubano. Se usa la palabra inglesa «cover up»; encubrir sin dejar huellas. «Él es un `cover up' lo hace todo perfecto. No deja huellas». *Tener como Rafles, las manos de seda.* Ser muy suave en el trato. «Juan tiene como Rafles las manos de seda».

RAID. *Coger un raid o raquí.* Este cubanismo del exilio se aplica a innumerables situaciones. En inglés: «To give a ride», es llevar a alguien en el automóvil de uno hasta donde va. *Coger un raid* (o raquí) significa lo mismo en cubano, pero también que una mujer le conceda a uno el acostarse con ella una vez. «Ella me dio un raid (o un raquí.)» «Anda, bella, dame un raid, (o raquí.)» Siempre que se disfruta por una sola vez, momentáneamente, de algo «se coge un raid o raquí». («Ride» es la palabra inglesa que el cubano pronuncia «raid», y que ya se ha explicado el significado anteriormente.)

RAÍL. *Aunque caigan raíles de punta.* Pase lo que pase. «Lo haremos aunque caigan raíles de punta». *Moder el rail del tren.* Estar pasando una difícil situación económica. «Nosotros estamos mordiendo el rail del tren». Sinónimos: *Cable. Comerse un cable. El látigo de tus desprecios resbala sobre los raíles de mi indiferencia.* Ver: *Indiferencia.*

RAÍZ. *Conocer a alguien desde la raíz del ombligo.* Conocerlo muy bien. «A ése yo lo conozco cada paso que da. Lo conozco desde la raíz del ombligo». Ver: *Higuera.*

RAJA. 1. Aparato sexual de la mujer. 2. Clítoris en cubano. *Tener una mujer la raja como una alcancía de Navidad.* Tener sus partes pudendas de gran tamaño. «Me acuerdo de aquella prostituta que tenía la raja como una alcancía de Navidad». *Yo hago con mi raja lo que quiera.* Grosería enorme que se oye en boca de mujeres de la más baja calidad social, para indicar que ellas se acuestan con el hombre que les venga en gana. «Le grité: yo hago con mi raja lo que yo quiero». (La raja, es el aparato sexual de la mujer: «Cuando se levantó el vestido, todos le vieron la raja». Ver: *Bollo.*

RAJAI. *Ése rajai a cualquiera.* Ése te mata. «Con cuidado con él. ¡Ése rajai a cualquiera!» («El rajai» en Irán, es persona importante del actual gobierno.)

RAJAR. Huir. «En cuanto oyó la sirena, rajó». Sinónimos: *Chaquetear. Echar un entomiñón. Echar un pie. Echar una alpargata. Echar una llanta. Rajarse.* Ponerse a. «Él se rajó a gritar las cosas que nadie debía saber».

RAMA. *Llevar de rama en rama como Tarzán lleva a Juana.* Querer mucho. «Yo a ella la llevo de rama en rama como Tarzán lleva a Juana». Ver: *Contén. Tarzán.*

RAMALAZO. *Darle un ramalazo.* Atacar. «En el periódico me dio un ramalazo».

RAMONA. Ver: *Pancho. Rodillo.*

RAMPÁN. *Hacer algo de rampán.* Hacerlo con descuido. «Él lo hizo de rampán. Por eso salió mal».

RAMPLÁN. *De ramplán.* De entrada. «Me lo dijeron de ramplán».

RANA. Cobarde. «Eres un rana». *Andar como las ranas.* Andar despacio, a brinquitos. «Ella anda como las ranas, ¡qué feo!» También: ser cauteloso. «Triunfará porque anda como las ranas». *Criar rana para jubo.* Trabajar para que otra persona se lleve los beneficios. «Ése está criando rana para jubo». (Es refrán campesino.) Sinónimo: *Trabajar para el inglés. Criar rana pa'jobo.* Hacer uno un trabajo y disfrutar otro de los beneficios. «Yo te digo, en ese trabajo estás criando rana pa'jobo». («Pa'» es «para».) Sinónimo: *Criar carne para que se la coman los pillos. No es lo mismo una rana que un sapo toro y los dos son batracios.* Equivale a: *No es lo mismo ni se escribe igual. Ser algo como las ranas.* Gustarle el agua. «Mira que contento está. Es como las ranas». *Ser igualitos que las ranas.* Alborotarse. Se dice de las personas que como las ranas se alborotan cuando llueve. «Juan es igual que las ranas. ¡Qué ganas tengo de que pare de llover!» *Volverse ranas.* Se dice cuando está lloviendo mucho. «Si seguimos así nos vamos a volver ranas».

RANCÁ. *Estar rancá.* Estar sin dinero. «Yo estoy hace días, rancá» Viene de la mala pronunciación de «arrancado».

RANCHO VELOZ. *Ahí viene rancho veloz.* Se dice de alguien que es muy rápido en buscar lo que desea. «Le prometí el mueble y ahí viene el rancho veloz». («Rancho Veloz» es un pueblo cubano. De ahí el cubanismo.) *Ser rancho veloz.* Ser muy rápido. «¡Cómo corre! Es rancho veloz». *Ser rancho veloz para el dinero.* Gustarle mucho el dinero. «Ese muchacho es rancho veloz para el dinero». (Es cubanismo del exilio.) Sinónimo: *Ahí viene Rancho Veloz.* También se ha oído que se usa como algo que se pasa muy rápido, casi siempre como un chiste. «Pasé como por Rancho Veloz: sin darme cuenta por lo pequeño que era el pueblo. Ver: *Royo.*

RANFA.[57] *Hacer ranfa moñuda.* Aniquilar. «El bandido hizo ranfa moñuda con todos».

RANGO. *Ser de rango, nango, bolongo.* Creerse la gran cosa. «Ése es de rango, nango, bolongo. ¡Tonto!»

RANQUERA. *Tener ranquera.* No tener un centavo. «Hace mucho tiempo que tengo esta ranquera».

RANURA. (La) 1. El ojo del culo. 2. Pito.

RÁPIDO. *Más rápido que entierro de pobre.* Muy rápido. «Esto va más rápido que entierro de pobre».

RAREZA. Ver: *Fresco.*

RARICÓN. Maricón. Homosexual. «Elio es un raricón». (El cubanismo es un juego de palabras entre «maricón» y «raricón», de raro.)

RARO. *Moverse raro.* Estar en un negocio ilícito. «Juan, tú te estás moviendo hoy raro». (Lenguaje de los cubanos llegados a Estados Unidos por el puente marítimo Mariel-Cayo Hueso en 1980.)

RASCABUCHEAR. Mirar a una mujer disimuladamente para verle los encantos. «Se pasa el día rascabucheando a las mujeres».

RASCARSE. *Nadie se rasca para afuera sino para adentro.* Todo el mundo arrima la brasa a su sardina. «Tú debes de saber que en la vida nadie se rasca para afuera sino para adentro». Ver: *Ahora.*

RASPA. *Tirar a alguien a raspa.* No prestarle atención. «Me tiró a raspa en la reunión». Ver: *Cazuela.*

RASPADORA. Lesbiana. Sinónimos: *Pan con pan. Torti.*

RASPAPOLVO. Reprimenda. «Me echó un raspapolvo».

RASPE. *¡Qué raspe!* ¡Lo que te han hecho! ¡Qué acción más mala te han hecho! «No me pagó el dinero. —¡Qué raspe!» (Cubanismo de la Cuba de hoy.)

RASPITA. 1. Parte del arroz pegado a la cazuela. «Cómete la raspita del arroz». 2. Residuo. «Tienes que limpiar esa raspita». *Comerse hasta la raspita.* No dejar nada de la comida. «Tiene tanto apetito que se come hasta la raspita». *Llegar a la raspita.* Averiguarlo todo. «El detective llegó a la raspita». *Si tú cocinas como caminas, me como hasta la raspita.* Piropo que se dice a una mujer muy bella. (En Santo Domingo existe el mismo dicho. A la raspita le llaman pegado.)

RASPÓN. Rasponazo. «Me dio un raspón con la puerta».

RASPONAZO. Trago fuerte. «Yo nada más que bebo tres rasponazos».

RASTRANDILLA. *Lanzar a alguien de rastrandilla.* Hacer cisco. «A ése en el trabajo lo lanzaron a rastrandilla».

RASTRAPELUSA. *Ser un rastrapelusa.* Ser un individuo de baja estofa. «Ése es un rastrapelusa. No sé cómo se atreve a venir a este lugar».

---

[57] También se usa como «ranfla».

RASTRILLADO. *Estar rastrillado.* Estar enamorando a varias mujeres al mismo tiempo. «Lo único que hace es estar rastrillado». (Es cubanismo del exilio. Se refiere a la acción de rastrillar, las hojas que caen de los árboles en el otoño.)

RASTRO. *Echar en el rastro del olvido.* Olvidar algo. «Eso se me pasó. Bueno, creo que lo eché en el rastro del olvido». (El cubanismo viene de un programa cubano de radio: «*El Rastro del Olvido*».) *Llevar para la casa un rastro.* Se usa por las mujeres cuando el marido toma y se emborracha y se pone en un estado deplorable. «Si toma bebida lo que lleva para la casa es un rastro». *Seguirle a alguien el rastro al revés.* Ser una persona de pasado honorable. «A Juan se le puede seguir el rastro al revés». (Es frase que se usa en Pinar del Río, según el Dr. Mariano M. Díaz, que se la oyó al Ex-Alcalde de La Habana Justo Luis del Pozo y a otras personas de la provincia.)

RASTROJITO. *Estar alguien rastrojito.* Estar alguien chiquitico. «Pedro está rastrojito».

RASTROJO. *Tirar a alguien a rastrojo.* Ponerlo siempre al final. «No le mando un artículo más para publicar. Siempre me tira a rastrojo». *Traer el rastrojo.* Traer lo último que queda de algo. «El partido ése trae el rastrojo del partido que se disolvió».

RATA. *Matarrata.* Ron de pésima calidad. «Esto es matarrata. Voy a ver si consigo un buen ron». (Cubanismo nacido en la Cuba actual.) *Parecer alguien una rata de almacén vacío.* Estar alguien muy delgado. «Con decirte que parece una rata de almacén vacío». *Ser una rata.* Ser un canalla. «Esa persona es una rata».

RATO. *Querer un rato largo.* Querer mucho. «Lo quiero un rato largo».

RATÓN.ES. Cobarde. «¡Qué ratón eres!» *Hacer ratón y queso.* 1. Esperar a alguien por mucho tiempo. «Lo esperé ratón y queso». Simplemente esperar. «Llevo aquí en esta esquina ratón y queso. No sé cuándo llegará». 2. Hacer tiempo. «Aquí estoy haciendo ratón y queso». 3. Llevar mucho tiempo en el empleo. «El sereno no lleva aquí ratón y queso». *Estar como el ratón.* 1. Estar atrapado. «En este asunto estoy como el ratón». (Al ratón, a la larga, siempre lo atrapan. De aquí el cubanismo.) 2. Se dice de la mujer que se echa mucha grasa en la cara para no envejecer. «Esa mujer está como el ratón». También: Estar husmeando. «Cuídate de ese hombre, es como el ratón». *Estar una mujer como ratón de almacén.* Estar muy maquillada. «Esa mujer está como ratón de almacén». (El ratón de almacén está siempre engrasado con la «mantequilla» y la «manteca» del almacén. De aquí el cubanismo.) *Pasarle a alguien como al ratón.* Morir por hablar mucho (por la boca.) «A Pedro le pasó como al ratón». Ver: *Mayal.*

RATONERA.O. 1. Persona que le gusta mucho el queso. «Mi hijo se indigestó porque es un ratonero». 2. Sitio de mal aspecto y escondido. «Ese local es una ratonera». *Ser algo ratonero.* Que no sirve, de baja calidad. «Eso es un concierto ratonero». «Esa música es ratonera».

RAYAR. Multar. «La policía lo rayó». *Rayar el guayo.* Divertirse. «Por el ruido se ve que están rayando el guayo». *Rayar un palo.* Ceremonia religiosa en el monte de los negros cubanos. «Mañana ella raya el palo».

RAYITAS. Ver: *Ticher.*

RAYO. *Caer una persona como el rayo.* Caer mal. «Esa mujer cae como el rayo». *Echar como el rayo.* Atacar. «Él me echó con el rayo». *Ser más fea que el rayo.* Ser muy fea. «Ella es más fea que un rayo». Ver: *Mayo. Palma.*

RAZA. Ver: *Ganado.*

REAGAN. Ver: *Sellito.*

REAL. Moneda de diez centavos. «Préstame un real para comprar el periódico». *El que nace para real no llega nunca a peseta.* Refrán que quiere decir que nadie puede huir de su destino. *Parecer algo un real de tripa.* Ser algo. «Esta lección parece un real de tripa». *Tener más hambre que un real de tripa.* Tener mucha hambre. «Ése tiene más hambre que un real de tripa». Sinónimo: *Tener el estómago pegado al espinazo. Tener telarañas en el estómago. Tener un real esteit metido dentro.* Se dice del que siempre dice: esto es mío. «Es muy egoísta. Tiene un real esteit metido dentro». («Real esteit» es como el cubano pronuncia la palabra inglesa «Real Estate», o sea, «Bienes Raíces».) Ver: *Fósforo. Medio.*

REBAMBARAMBA. 1. Confusión. 2. Desorden. 3. Lío. «En esa casa se formó la rebambaramba». «¡Qué rebambaramba cuando llegó!»

REBATIÑA. Acción de arrebatar. «¡Qué rebatiña hay ahí!» (He oído: Arrebatiña.) *Entrar en la rebatiña.* Ser parte del reparto. «Lo condenaron porque él entró en la rebatiña del dinero».

REBENCÚO. Rebelde. «No seas rebencúo y acepta lo que se te dice».

REBORICO. *Formarse el reborico.* El lío. «De pronto se formó el reborico». Sinónimo: *Retrove.*

REBOTE. *Tener alguien un gran rebote.* Ser muy peligroso. «Ése tiene un gran rebote. Cuando piensas que está perdido, te ataca duramente». *Tener mejor rebote que Guillermo.* Quitarse las cosas de encima. «Pedro sabe mucho. Nada le preocupa. Tiene mejor rebote que Guillermo». (Estos cubanismos son lenguaje tomados del Jai-Alai. Guillermo, uno de los mejores delanteros de todos los tiempos en el deporte de pelota vasca, tenía un gran rebote.) Sinónimo: *Ser una cancha del frontón.*

RECÁMARA. *Ser alguien recámara y bayoneta.* Ser homosexual y hombre al mismo tiempo. «Juan es recámara y bayoneta». (Lo he oído, asimismo, con la definición, exclusivamente, de homosexual.)

RECARIJO. *Ser del recarijo.* Es del carajo para arriba. «Esto de su llegada es del recarijo».

RECHOLATA. Bullicio. «¡Qué recholata están formando en esa fiesta!» Sinónimo: *Recholateo.*

RECHOLATEO. Ver: *Recholata.*

RECIO. Legítimo. «Ése es un recio marica». *Llevar a alguien recio.* 1. No darle oportunidades. 2. Ser muy exigente o muy enérgico con alguien. «No he podido avanzar en el negocio porque me lleva recio». (No darle oportunidades.) «Esa madre lleva a ese niño recio». (La conversación dice si se refiere al hecho de que le exige mucho, por ejemplo en los exámenes, o que es muy autoritaria con él.)

RECOCO. *Hacer de alguien recoco.* Destruirlo. «De ese canalla voy a hacer recoco». (El «recoco» es un tipo de arcilla pulverizada.) Sinónimo: *Hacer picadillo. Ser algo recoco.* Buenísimo. «Esta joya es recoco».

RECOGERSE. *Recogerse al buen vivir.* Dejar la vida disipada. «Se arrepintió y se recogió al buen vivir».

RECORTADA. *Tirar a alguien con la recortada.* Atacarlo. «Le tiró con la recortada». Sinónimo: *Echar con el rayo. Echar con todos los hierros. Tirar con la recortada.* Atacar fuertemente a alguien. «Con ese artículo me tiró con la recortada». («La recortada» es la escopeta a la que se le ha cortado el cañón.)

RECORTE. *Coger recorte.* Imitar. «De cualquier cosa que hago coge recorte». *Dulce de recorte.* Dulce que se hace con pedazos de otro. «El dulce de recorte es muy barato».

RECOSTARSE. Hacer que otro haga por uno el trabajo. «Nunca hace nada. Siempre se recuesta». *Vivir recostado.* Vivir a costa de otro. «Siempre ha vivido recostado».

RECTA. *Estar en la recta final.* Estar terminando. «Él está en la recta final».

RECUERDOS. *Ser algo recuerdos tristes de Ipacaraí.* Ser muy triste. «Todo lo que me cuentas son recuerdos tristes del Iparacaí». (Cubanismo de la letra de una canción.)

RECURSO. *Quedar el recurso del pataleo.* Tener uno el derecho de quejarse aunque sin posibilidades. «No cogió la contrata y está formando el lío. Le queda el recurso del pataleo».

RED. *Ser alguien Red Butler.* Haber pasado de moda, su tiempo. «A los políticos cubanos le dicen Red Butler». (Rhett Butler es el personaje principal de la película: «*Gone with the Wind*», o sea, «*Lo que el viento se llevó*».)

REDONDA. *La pelota es redonda y viene en caja cuadrada.* Todo es posible. «Sí, ya sé que parece imposible. Pero la pelota es redonda y viene en caja cuadrada».

REDONDITO. Ver: *Redondo.*

REDONDO. *Tener a alguien redondo como la «o».* Tenerlo convencido. «Pedro está redondo como la o».

REFISTOLERÍA. Orgullo, vanidad. «Fracasa por su refistolería».

REFISTOLERO. 1. Entrometido.[58] «No te metas. No seas refistolero». Sinónimo: *Cazuelero.* 2. Fresco. «Mira que eres refistolero. ¡Respeta!» También lo he oído aplicado al que hace alarde. «Me dijo que tenía cien mil pesos, ¡Qué refistolero es!» 3. Orgulloso. «Mira como se pavonea. Es un refistolero».

REFORMA. *La Reforma Agraria va, va.* 1. Cambio. «En esta compañía la Reforma Agraria va, va. Hay que mejorar». 2. Esto se hace seguro. «La Reforma Agraria va, va, aunque me maten». 3. Lo hago de cualquier manera. «La Reforma Agraria va y afronto las consecuencias». (Este cubanismo se aplica a muchas situaciones. Por ejemplo: 1. En lo del tabaco la Reforma Agraria va, va. 2. Voy a dejar de fumar. Cubanismo de los primeros años de la Revolución Castrista, en 1960, cuando la Ley de Reforma Agraria en Cuba. Nacido al socaire del lema del régimen comunista: «La Reforma Agraria Va».)

REFRESCAR. Se dice de la acción que por el trasero el Bugarrón ejecuta en el homosexual. «Ése es el que refresca a Elio». *Refrescar a un hombre.* Tener con él —agente pasivo— relaciones sexuales. «A Elio lo refrescaron hace tiempo».

---

[58] En Galdós aparece «refitolero» significando entrometido. Ver: Manuel Lassaleta, *Aportaciones al estudio del lenguaje coloquial galosiano*, 1974, pág. 68.

Refrescar a un hombre con morrongonato de sodio. Es sinónimo del anterior. Otros sinónimos: *Refrescarlo con agua pingüinal. Refrescarlo vía aniculi traseral con aguja internargal.* («Pingüinal» viene de «pinga» castizo que quiere decir pene y que en Cuba se tiene como cubanismo. El último cubanismo es culto.)

REFRESCO. *Un refresco buscabulla.* Un refresco de frutabomba. «Dame un refresco buscabulla». (A la frutabomba el dicen en Oriente —provincia de Cuba— papaya. En otras provincias de Cuba, la «papaya» es el aparato sexual de la mujer. Se le dice en general al aparato sexual de la mujer buscabulla porque todos los hombres quieren pelear con él. De ahí el cubanismo.)

REFRIGERADOR. *Tener algo en el refrigerador.* Tener algo oculto. «No le des la espalda que tiene algo en el refrigerador». *Tener el juego en el refrigerador.* Haber ganado ya. «No te preocupes. Ese juego tú lo tienes en el refrigerador». (El cubanismo viene del campo de pelota.)

REFRITO. Artículo periodístico en que se repite algo ya conocido. «Tu último artículo es un refrito».

REFUGIO. *Estar vestido de refugio.* Llevar un traje de baja calidad. «Él está vestido de refugio». («El refugio» en Miami era un sitio donde prestaban ayuda a los que llegaban exiliados de Cuba. El ropero era de una ropa usada.)

REGAJERO. 1. Desorden. «No me gusta el regajero que hay en esta casa». 2. Reguero. «No soporto el regajero ese». Ver: *Regazó.*

REGALADO. *Estar algo regalado.* Abundante. «Esto está aquí regalado». *Regalado se murió.* Aquí no se fía.

REGALARSE. 1. Dársele una mujer fácilmente a un hombre. «Esa mujer se me regaló». 2. Jugarse la vida. «Ese hombre se regala siempre. Va a morir joven».

REGALÍAS. *Eso es pedirle a Regalías que no tenga Cuño.* Eso es algo imposible. «Juan, no seas desobediente. Juan, eso es pedirle a Regalías que no tenga el Cuño». *Lo mío es Regalías el Cuño, superfino.* Lo mío es buenísimo. «Mis poemas son Regalías el Cuño, superfino». (Regalías el Cuño —superfino— eran unos cigarros cubanos. De aquí los cubanismos.)

REGAO. Desafecto en Cuba. Que no está con el régimen castrista. «Desde que me acuerdo, él es un regao». (Es lo contrario de «integrao». «Regao» es cubanismo de la Cuba de hoy. «Regao» es «regado» e «integrao» es «integrado» pero en ambos casos el cubano aspira la «d».) Ver: *Integrao.*

REGAZÓN. Reguero grande. «¡Qué regazón hay en esta casa!» «Mira la regazón que has hecho». Sinónimo: *Regajero.*

REGISTRAR. Averiguar el futuro. «Voy a registrarme a ver qué me depara el futuro». (Los devotos de las religiones africanas en Cuba van a los «babalaos», —sacerdotes— para que los registren —les lean el futuro—. Esto se hace con caracoles, arena, pedazos de coco, etc.) Sinónimo: *Tirarse los caracoles.*

REGLA. *Estar hecho algo una Regla Burujón.* Se dice del que afirma que no quiere pero quiere. Equivale a *no quiero, no quiero échamelo en el sombrero.* «Chico, tú no nos engañas. Estás hecho una Regla Burujón cualquiera». (El cubanismo se oye preferentemente en el pueblo de Regla, en Cuba.) *No hay Regla sin Guanabacoa.* No hay regla sin excepción. (Regla y Guanabacoa son ciudades vecinas de la provincia de La Habana.) *Ser aut por regla.* No haber salvación. «Ese enfermo es 'aut' por regla». («Aut» es la forma en que el cubano pronuncia la palabra inglesa «out», o sea, «quedar fuera».) *Tener alguien la regla en seco.* Estar de mal humor. «Se pasa el día con la regla en seco. No se le puede hablar».

REGOLETEARSE. Gozar. «¿Cómo te regoleteaste en España?»

REGUILETE. *Ser una persona un reguilete.* Ser muy activo. «Él es, desde niño un reguilete». *Tener alguien un reguilete en el culo.* Ser muy nervioso. «Ese hombre tiene un reguilete en el culo».

REGULADORA. *Ser alguien como la Reguladora.* Ser muy organizado. «Has escrito tantos libros que eres como la Reguladora». (La Reguladora fue un famoso restaurante de Cuba. Es un juego de palabra entre «regular una cosa» y «Reguladora».)

REGULAR. Se usa para contestar un saludo indicando que no se está ni bien ni mal. Corresponde al castizo: «ni fu ni fa». «¿Cómo estás? —Regular». *No ser alguien ni regular.* Ser mala persona. «Ése no es ni regular».

REIMBÓ. *Tener un «reimbó» de chequeras.* Tener varias cuentas bancarias en el exilio. «Juan tiene un reimbó de chequeras». (La palabra «reimbó» es la pronunciación del cubano de la palabra inglesa «rainbow», o sea, «arco iris». De ahí el cubanismo. «Reimbó» equivale a muchas cosas y se usa en muchas situaciones; tiene un «reimbó» de pecas; tiene un «reimbó» de buenas cualidades...)

REINA. *Ser en algo una mujer la reina del Edén.* Ser la que más sabe. «En matemáticas yo soy la reina del Edén». Se aplica a varias situaciones. «En esa organización, yo soy la reina del Edén: doy las órdenes». (Ser la líder. Viene de una canción que dice: «*La cubana es la reina del Edén*».) *Ser la cubana la reina del Edén.* Ser una mujer preciosa. «Yo viajo y te lo digo: La Cubana es la Reina del Edén». (Es la letra de una canción.)

REÍR. *Reír desmollejado.* Reír a mandíbula batiente. «Aquí con tus chistes, reímos desmollejados». (Lenguaje de la Cuba de hoy.) Ver: *Labio.*

REJA. *Tras la reja.* Aquí. «¿Dónde estás tú, Pedro? —Tras la reja». (El cubanismo nace en el programa radial de Pototo y Filomeno.)

REJO. *A todo rejo.* Con mucha libertad. «Ese niño ha sido criado con mucho rejo». (El rejo es la soga con la que se sujeta el ternero a la vaca durante el ordeño.)

RELACIONES. *Las relaciones públicas.* Los senos. «¡Qué buenas relaciones públicas tiene esa mujer!» Sinónimo: *Los flotantes.*

RELAJEAR. Bromear. «No le hagas caso que te está relajeando».

RELAJO. Falta de seriedad. «Con ese relajo quién cree en ustedes». *Hacer relajo.* 1. Adoptar posiciones raras en el acto sexual. «A mí no me gusta hacer relajo, va en contra de la naturaleza». 2. Fornicar. «Estuve haciendo relajo toda la noche». «La policía lo sorprendió haciendo relajo». (En Canarias se usa relajo como choteo pero no como fornicación.) *Que el relajo sea con orden.* 1. A comportarse bien. «Señores, calma, que el relajo sea con orden». 2. Divirtámonos pero no perdamos el control. «Vamos a la fiesta y que allí el relajo sea con orden». (Es latiguillo lingüístico que el cubano aplica a innumerables situaciones: «Si el relajo fuera con orden no me importaría pero el gobierno no tiene controles». «En esa casa el relajo es con orden. El padre sabe lo que hace». El padre da libertad pero mantiene el control.) *Se acabó el relajo.* Para ya. «Oye, se acabó el relajo. No lo voy a hacer». (Es un latiguillo lingüístico, es decir, el cubano lo repite constantemente.) Ver: *Bonche. Changai. Profesional.*

RELAMBÍA. *Ser relambía.* Ser coqueta exagerada. «Tú eres, mi hija, relambía». Sinónimo: *Ser una sata.* «Tú eres muy sata, niña».

RELAMBÍO. 1. Atrevido. «¡Mira que tú eres relambío!» 2. Descarado. «Ése es un relambío».

RELOCALIZADO. *Estar relocalizado.* Estar en casa de la amante. «Dejé a Paquita, estoy relocalizado». (Este cubanismo surgió con motivo de la «*Relocalización*», un programa norteamericano para llevar cubanos a vivir fuera de Miami.) Ver: *Cubano.*

RELOJ. *Reloj que rompe la hora.* Reloj bueno. «Ése que tienes puesto es un reloj que rompe la hora». *Ser como el reloj Longines.* No equivocarse nunca. «Él es como el reloj Longines». (Los relojes Longines tienen fama de nunca atrasarse.) *Ser un cucu de un reloj.* Hablar mucho. «Tu marido es el cucu de un reloj». Sinónimo: *No tener precio para cucu de reloj.* «Ése, para cucu de reloj no tiene precio». Ver Radio.

REMACHE. Persona de poca estatura. «Ese individuo es un remache». Ver: *Ley.*

REMANDINGO. Reguero. «Yo no aguanto el remandingo de esta casa».

REMANGANAGUAS. *Quedar en Remanganaguas.* Quedar muy lejos. «Eso queda en Remanganaguas». *Vivir en Remanganaguas.* Vivir muy lejos. «Ése vive en Remanganaguas». Sinónimos de ambos cubanismos: *Quedar en casa de las Quimbambas. Quedar en los remates de Guane.* Ver: *Guajiro.*

REMATADO. *Estar rematado.* Se dice cuando se tiene un dolor muy grande. «De la pierna estoy rematado».

REMATES. *De los remates de Guane.* De un sitio lejos. «Él nació en los remates de Guane». Se aplica también a un fracasado. «Un abogado de estos, de los remates de Guane, ayer, y hoy quiere dárselas de alguien». (Guane era un pueblo muy progresista de la Provincia de Pinar del Río, en Cuba. Quedaba muy lejos. Antes de la gran era del progreso en Cuba surgieron los cubanismos.) Ver: *Remanganaguas.*

REMEDIO. *Ser algo el remedio de la cotorra.* Ser algo que mata. «Ese purgante acaba con la fibra intestinal. ¡Cuidado! Es el remedio de la cotorra». (Es decir, es como si se comiera perejil, que mata a la cotorra.)

REMEDIÓN. Remedio. «Ese remedión es buenísimo para el catarro».

REMIENDO. *No hay más remiendo.* No hay más remedio. (El cubanismo es un juego de palabras en forma de broma.)

REMO. (El) El brazo. «Tengo reuma en el remo». *Halar un remo espeso.* Trabajar duro. «Mi pobre hermano está halando un remo espeso». *Tirarle un remo a alguien.* Ponerlo en una situación que no quiera estar, o sea, «embarcarlo». «Ese descarado me tiró un remo».

REMOJAR. *Remoja, exprima y tienda.* 1. Hacer el trabajo completo. «Esto está a medio hacer. Remoja, exprima y tienda». 2. Hacer el trabajo rápido. «Este mecanógrafo, remoja, exprime y tiende». 3. Hazlo todo de una vez. «En ese negocio remoja, exprima y tienda. No deje nada para mañana». (El cubanismo es el lema comercial de un jabón de lavar.)

REMOJO. *Tener a alguien en remojo.* Tenerlo vigilado para castigarlo. «A Juan lo tengo en remojo. Si hace algo me va a oír».

REMOLINO. *Tirar a alguien con el remolino.* No tenerle ninguna consideración. «El jefe siempre le tira con el remolino».

REMOQUETE. (Un) 1. Algo que se lleva cargado. «No sé cómo puede con el remoquete de la familia». 2. Nombrete. «Ese remoquete no le viene bien».

REMOS. (Los) Los brazos. «Como me duelen los remos». (Lenguaje del chuchero. Ver: *Chuchero.*) *No poner alguien los dos remos al mismo tiempo.* Estar loco. «El pobre Pedro no pone los dos remos al mismo tiempo». *Sacar los remos.* Se grita al que maneja cacharros. «Chofer, saca los remos».

REMOSQUEO. Lío. «En esas elecciones hubo mucho remosqueo».

RENACIMIENTO. *Estar alguien en un Renacimiento que lo va a llevar a Fin de Siglo.* Estar un marido haciendo trastadas y saberlo la mujer que lo va a parar de mala manera. «Mi marido está en un Renacimiento que lo va a llevar a Fin de Siglo». (Es cubanismo culto. El Fin de Siglo es un juego de palabras con una tienda de La Habana del mismo nombre, muy famosa.)

RENACUAJO. 1. Persona de pequeña estatura y extraordinariamente delgado. «El niño es un renacuajo. Necesita vitaminas». 2. Persona que no vale nada. «Ese hombre es un renacuajo».

RENDIJA. Ver: *Carne.*

RENDIR. *Rendir mucho.* Se dice del que fastidia mucho. «Como rinde ese muchacho».

RENDIVÚ. *Hacer rendivú.* Rendir pleitesía. «No le hago rendivú a nadie». (Parece ser un mal uso de la palabra francesa: «Rendez-vous».)

RENOVACIÓN. *Arte y renovación.* Tipo de peinado que usaban los chucheros con mucho pelo a los lados y el corte recto en el cuello. «En esa barbería hacen arte y renovación». Ver: *Chuchero.*

RENTA. *Vivir de la renta.* Vivir de vago. «Ése vive de la renta».

RENTE. *Cortar a rente.* Cortar al ras. «Lo cortó a rente».

RENUEVO. *Estar en el permanente renuevo.* Estar cambiando siempre de opinión. «Yo no me estanco. Estoy siempre en el permanente renuevo». (El cubanismo es tomado del Dr. Guillermo Alonso Pujol, Vicepresidente de Cuba, cuyo lema era «*el permanente renuevo*».

RENUNCIAR. *Renunciar a alguien.* Cesantearlo. «Esos me renunciaron».

REPARTIDORA. Ver: *Papaya.*

REPARTO. *Ser alguien como los repartos: tener un leiter divelopment.* Venir a desarrollar sus facultades, su musculatura, etc., tarde. «Se ha puesto fuertísimo a los cuarenta. Es como los repartos: tiene un leiter divelopment». (Es cubanismo del exilio. «Tener un later development», que el cubano pronuncia como se ha escrito, significa «tener un desarrollo tardío». De aquí el cubanismo.)

REPELLARSE. Tocarse libidinosamente una pareja. «Mira como se repellan aquellos».

REPELLO. *Dar repello.* Tocar a una mujer libidinosamente con su consentimiento. «A ella le dio repello». «Anoche en el cine Juan daba repello». Sinónimo: *Matarse. Gustarle a alguien el repello.* Gustarle el tocar a la mujer libidinosamente. «A Pedro le gusta mucho el repello». Sinónimo: *Dar jamón. Gustarle a una mujer el repello.* Gustarle que la toquen libidinosamente. «Yo estoy seguro de que a Cuquita le gusta el repello». *Ser un baile nada más que repello.* Estar muy juntas las parejas y restregarse libidinosamente. «Ese baile es sólo repello».

REPETIR. *Repite, porque el que repite gana, y ganando son vacas.* Frase que viene del juego de dominó y se dice cuando alguien pregunta el por qué se machaca algo. La frase se aplica cuando la repetición lleva a algo productivo, por ejemplo: «¿Por qué repite Juan tanto el argumento? —Repite, porque el que repite gana, y ganando son vacas».

REPORTE. *Darle a alguien el reporte completo. «Cibies» con «Dan Rader».* Ser un delator total. «Ese muchacho le dio a mi madre el reporte completo «Cibies» con «Dan Rader». (Cubanismo del exilio. La *C.B.S.* [el cubano pronuncia como en inglés: «Ci», «Bi», «Es».] es una cadena de televisión que da un noticieron cuyo locutor es Dan Rather; [el cubano pronuncia «Rader».])

REPOSO. Ver: *Cansao.*

REPUGNANCIA. *¿Repugnancia con el dulce, después que te lo comiste?* Se le dice al que después que hizo algo quiere negarlo o no repetirlo. «Así que no quieres estar en esa comisión. Repugnancia con el dulce después que te lo comiste».

REQUERAJAL. *Leer un requerajal.* Leer una gran cantidad. «Anoche leí un requerajal». (Es eufemismo, «requerajal», por «carajal».)

REQUETRAQUETEAR. *Le requetraquetea.* Le zumba. «A eso le requetraquetea».

RESACA. *A según sea la resaca.* Vamos a ver. «Hago eso a según sea la resaca». (El cubanismo que gramaticalmente es una incorrección, viene del campesino cubano y lo usa mucha gente en broma.)

RESBALANDO. Irse sin que nadie se dé cuenta. «Me fui resbalando».

RESBALAR. *Dejarse resbalar con una mujer.* Insinuarse. «Yo siempre me dejo resbalar con las mujeres». Sinónimo: *Ser alguien que se resbala con las mujeres. Resbalar con una cáscara de plátano.* Cometer un error. «Le iba todo bien hasta que resbaló con una cáscara de plátano».

RESBALÓN. *Dar un resbalón una mujer.* Quedar embarazada. «Mi prima dio un resbalón». *Estar en el resbalón.* Estar alguien fracasado. «Yo te digo que él está en el resbalón».

RESBALOSO. *Ser alguien resbaloso.* Ser persona en la que no se puede confiar. «Con ese ni hablo porque es resbaloso». Sinónimo: *Guabina.*

RESCABUCHADOR. El que mira furtivamente a las mujeres para verles las partes pudendas. «Cierra los pies que es un rescabuchador». También el que mira a casas ajenas para ver lo que se hace en ellas. «Ha puesto un telescopio en su azotea para mirar nuestra casa. Es un rescabuchador». (Pero en la mayoría de los casos se conecta con lo sexual: «El rescabuchador es un enfermo sexual».)

RESCABUCHEAR. Acto de mirar furtivamente las partes pudendas de la mujer. «Abrí un hueco en la pared para rascabuchearla».

RESCABUCHEO. Ver: *Rescabucheador.*

RESENTIMIENTO. *Ser el resentimiento como el callo.* Que no muere. «Tú no creas esos cantos de sirena. El fue muy resentido y el resentimiento es como el callo». (El callo, aunque uno se lo corte, crece.)

RESINGA. *Resinga por el culo, hijo de puta.* Al carajo. Improperios de la peor calidad. («Resinga» es «resingada», o sea, «fornicada por partida doble». «Singar» es «fornicar».)

RESINGACIÓN. Resignación. Hay que tener mucha resingación. Es un juego de palabras en que interviene la palabra: «Singar», cubanismo que quiere decir: «fornicar» y «resignarse».

RESINGADO. *Estar resingado.* Equivale al castizo: Estar jodido. «¡Qué resingado últimamente!»

RESINGAÍSIMA.O. *Me cago en la resingaísima de tu madre.* Me cago en la fornicada de tu madre. Forma que el cubano usa para mentar a la madre. «Singar», es «fornicar». «Resingar» es «fornicar dos veces», una mujer que ha sido fornicada varias veces.)

RESINGAR. Renunciar para hacer un daño. «Resingué a las cinco y media». (Es decir, presenté mi renuncia y los fastidié. «Resingar» es «fastidiar, derrotar». «Singar es «fornicar».) «¡Qué resingada le diste!»

RESISTENCIA. *Tener alguien más resistencia que una plancha.* Tener mucho aguante. «Como soporta a la novia. Tiene más resistencia que una plancha». *Tener más resistencia que un cordón de electricidad.* Aguantar mucho una persona. «Yo con mi mujer, tengo más resistencia que un cordón de electricidad». *Tener más resistencia que un cable de alta tensión.* Tener mucha resistencia. «No sé cómo aguantas a tu hijo. Tienes más resistencia que un cable de alta tensión».

RESISTERIO. Brillo del sol. «He aguantado el resisterio del sol todo el día».

RESPETO. *Perderle el respeto al dinero.* No importarle el dinero. «Tiene tanto que le ha perdido el respeto al dinero».

RESPIRAR. *Respirar por la herida.* Dícese del que se defiende de algo de lo que no se le acusa directamente. «Tú debes ser el culpable pues respiras por la herida».

RESPUTO. *A ti te resputo.* Se contesta cuando alguien dice: «A mí hay que respetarme». «A mí hay que respetarme. —A ti te resputo». *Tratar a alguien con resputo.* Tratarlo malamente. «Lo trataron al pobre hombre con resputo». («Resputo» se forma con la palabra «puto», de puta, o sea, ¿cómo te voy a respetar a ti que no vales nada? No vales un comino.)

RESTAR. Orinar. «Voy a restar. Tengo muchas ganas». Sinónimo: *Sacarle el agua al tasajo.*

RESTAURANTE. *Ser alguien como los restaurantes de lujo.* Ser reservado en muchas cosas. «Yo no confío en él. Es como los restaurantes de lujo». (Los restaurantes de lujo tienen reservados. De ahí el cubanismo.) *Tener una mujer un buen restaurante.* Ser una mujer de senos grandes. «Esa mujer tiene un buen restaurante». Sinónimo: *Pertenecer una mujer al Sindicato Gastronómico.* También, gustarle a un hombre una mujer, por sus senos grandes. «Se casó con ella por ser del Sindicato Gastronómico».

RESTO. *Echar el resto.* Creo que es castizo.

RESUMEN. *Echar un pequeño resumen.* Comer un tente en pie. «En ese restaurante vamos a echar un pequeño resumen».

RETACERA. Se dice de la mujer que usa muchos colores cuando se viste. «¿Viste qué retacera es?» (Compra retazos, es decir, pequeños cortes de tela. De aquí el cubanismo.)

RETACO. Persona muy pequeña. «Juan es un retaco». *Ser un retaco.* Pequeñísimo. «El segundo hijo es un retaco».

RETAHÍLA. *Hacer algo a retahíla.* Hacerlo poco a poco. «Esto es tan largo que lo hago por retahílas».

RETAMA. *Ser alguien retama de guayacol.* Ser muy malo. «Mi primo es retama de guayacol». (Si se añade: «en pomo chato», tenemos el aumentativo. Éste es uno de los casos en que el cubanismo en vez de la terminación del aumentativo se vale de palabras para formarlo.) Sinónimos: *Ser diente de perro. Ser rinquincaya.*

RETAZO. Ver: *Pieza.*

RETIRADA. *Estar de retirada como el tranvía.* Estar alguien muy viejo. «Ya no hace nada; está de retirada como el tranvía». (Los tranvías, en Cuba, llevaban un letrero que decía: «De retirada», para indicar, que iban para el paradero y no recogían pasaje. De aquí el cubanismo.)

RETÓRICA. *Tener la retórica de la neurona.* Ser un genio. «Él tiene la retórica de la neurona». (Cubanismo culto.)

RETRANCA. *Dar retranca.* Dar marcha atrás en lo que se ha hecho. «Cuando vio que no me gustaban sus aplicaciones, dio retranca». *Ha dado una retranca que por poco vira al tren.* Parar en algo que se dice súbitamente. «Dio una retranca en esa opinión que por poco vira al tren». (Viene del lenguaje ferroviario. «Parar al tren» es «ponerle retranca».) *Poner retranca.* Parar. «Cuando lo miré me puso retranca». También: controlar a alguien. «Le puse retranca en el discurso, pues habla mucha tontería». *Tener una persona retranca.* 1. Se dice del que no se decide. «Nunca se logra nada con él porque tiene retranca». 2. Se dice del que «se echa para atrás», después de haber tomado una decisión, o convenido en algo. «Fracasamos. Él tiene la retranca siempre».

RETRETA. *Darle a alguien una retreta de patadas.* Darle muchas patadas. «Le dio una retreta de patadas».

RETROVE. (El) 1. Lío. «Vino la policía porque él formó un retrove». 2. Se le dice al contacto sexual. *Formar un retrove.* Formar un lío. «Él, con lo de ayer, formó un retrove». Sinónimos: *Formarse un roberico. Formarse un sal pa' fuera.* («Pa'» es «para».)

RETRUCO. *Tirar un retruco.* Poner a alguien en una posición difícil. «Le tiré un retruco y creo que lo hago perder». (El cubanismo viene del billar.)

RETRUEQUE. *Estar en el retrueque.* Estar tocando a una mujer con fines libidinosos. «Juan está con su novia en el retrueque». Sinónimo: *Estar en el mate.*

REUMA. *Tener reuma en el brazo.* Ser agarrado. «Ese amigo tuyo tiene reuma en el brazo». Sinónimo: *Aserrín.*

REVEJÍO. Se dice de la persona flaca y pequeña. «Está revejío, no crece». También tacaño. «Con el dinero es un revejío».

REVENCÚO. *Ser revencúo.* 1. El que nunca da su brazo a torcer. «No hay forma de convencerlo. Es un revencúo». 2. Que no se deja querer. «No lo acaricies. ¿No lo ves? Es un revencúo».

REVENTADO. *Estar reventado.* Tener mucha suerte. «Hoy estoy reventado». «Hoy estoy reventado. Me saqué la lotería». Sinónimos: *Estar desparramado. Ser lechero. Tener mucha leche.*

REVENTAO. *Ser un reventao.* Se dice del que pierde el control y se pone hecho una fiera. «Ten cuidado con él porque es un reventao». (Es «reventado» pero el cubano aspira la «d».) También que tiene buena suerte. «Se sacó la lotería. Es un reventao».

REVENTAR. 1. Bailar. 2. Dar. 3. Hacer. 4. Tocar. «Él reventó un guaguancó». (Es una música cubana.) *Reventar una galleta.* Dar un gaznatón. «Le reventé una galleta a Pedro». *Reventar un tortillón, una tortilla.* Ejecutar un acto lesbiano. «Esas dos reventaron una tortilla». *Reventar una mujer a un hombre.* Estar muy bella. «Esa mujer me revienta de lo bella que está».

REVERBERA. *Formarse la reverbera.* Formarse el lío. «Me enteré que se formó allí la reverbera».

REVERBERO. Bebida de baja calidad. «Los alcohólicos toman reverbero». Sinónimo: *Palmolive. Tener un reverbero entre las piernas.* Ser una mujer muy ardiente. «Ella tiene un reverbero entre las piernas». He oído también, *tener un reverbero entre las piernas con mecha.* Es el superlativo. Lo he oído también, añadiéndosele: *Tener entre las piernas un reverbero con mecha y todo encendiendo fósforos.* (Para el superlativo, el cubanismo, como se ha dicho, usa más palabras y no las terminaciones propias del mismo.)

REVÉS. Ver: *Rastro.*

REVIENTATERRONES. Ver: *Baquetetumbo.*

REVIJÍO. Raquítico. «Ese niño nació revijío». (Voz campesina.)

REVIRAO. Hombre peligroso. «Ése es un revirao». (Es «revirado» pero el cubano aspira la «d».)

REVIRARSE. Rebelarse. «El niño se me reviró y le di dos nalgadas».

REVISTA. *Pasar revista.* Equivale al castizo: «dar por culo», o «derrotar». «Yo tengo la seguridad de que le van a pasar revista a los dialogueros». (Cubanismo del exilio.)

REVOLCADERO. 1. Conjunto de cosas desorganizadas. «Tu oficina es un revolcadero». 2. Es cama. «¡Qué revolcadero más grande compraste!» Ver: *Casa.*

REVOLEO. 1. Lío. «¡Qué clase de revoleo en casa de Pedro!» 2. Protestar enérgicamente. «Qué revoleo formó cuando se denegó su moción!» («Revoleo» es de «revoleteo».) *Formarse un revoleo.* Formarse un alboroto. «En casa se formó un revoleo». Sinónimos: *Revoleteo. Revolico.*

REVOLICO. Ver: *Revoleo.*

REVOLIQUIADO. *Estar alguien revoliquiado.* Estar nervioso. «Yo estoy muy revoliquiado».

REVOLUCIÓN. *Estar vestido de Revolución Francesa.* Estar vestido con tres colores. «Juan está vestido de Revolución Francesa». (Es cubanismo culto del ayer.) Ver; *Lunes.*

REVÓLVER. *Estriarle una mujer el revólver a cualquiera.* Tener una mujer muy estrecho el clítoris. «Esa mujer, me han dicho, le estría el revólver a cualquiera». *Partirse alguien con un revólver vizcaíno.* Ser homosexual. «Ése se parte con un revólver vizcaíno». Sinónimo: *Cantar alguien en la enramada. Ser alguien un* *revólver vizcaíno.* Ser homosexual. (Porque como el revólver se parte al medio y el que «se parte» es homosexual.) «Rey es un revólver vizcaíno».

REVOLVERSE. Tener suerte. «Hoy me revolví. Me llegó carta». Sinónimo: *Reventado.*

REVOLVIDA. Suerte. «¡Qué revolvida la mía!»

REY. *Creerse alguien que es el Rey de Ayatimbo.* Creerse que tiene a Dios cogido por las barbas. «Dios te va a castigar por creerte el rey del Ayatimbo». (El Ayatimbo es el nombre de un valle de los episodios inmensamente populares en Cuba, de la autoría de Armando Couto[59], titulados: «*Los Tres Villalobos*».) *El Rey del doblete.* Un hipócrita total. «Ése es el Rey del doblete». *El Rey del levante.* El hombre que logra conquistar a muchas mujeres. «Ése es el Rey del levante».

RIBAUM. *No tener ribaum.* No volver con alguien. «Dile a mi marido que yo no tengo ribaum». (Es palabra inglesa «rebound», que el cubano pronuncia como he escrito, viene del juego de baloncesto o basket-ball.)

RICA. Estar bella. «Esa mujer está más rica que el mantecao». *Estar más rica una mujer, que el mantecao.* (Es «mantecado» pero el cubano aspira la «d».)

RICO. *¡Mal rico te pele!* ¡Qué te vaya mal!

RIFA. *Sacarse la rifa del elefante.* Tener una contrariedad. «Con su llegada me saqué la rifa del elefante». Sinónimo: *Sacarse la rifa del guanajo. Ser algo como la rifa.* Ser ilegal, pero se permite. «Aquí el aborto es como la rifa».

RIFAR. *Rifarse la vida.* Jugarse la vida. «En esta empresa me rifo la vida».

RIFIFÍ. 1. Homosexual. «Te juego lo que quieras a que es rififí». 2. Ladrón. «Lo cogieron por rififí». (Nació el cubanismo con motivo de una película de ladrones llamada: «Rififí entre los hombres».)

RIGOLA. *A la rigola yo no vuelvo más.* Yo no hago eso otra vez porque puedo tener problemas. «No me convences. A la rigola yo no vuelvo más». (Nace el cubanismo con una canción que dice: «*A la rigola yo no vuelvo más porque matan a los hombres a palo y pedrá*».) *Dar rigola.* Maltratar. «En esa escuela dan rigola». *Eso es como la Rigola.* Allí yo no vuelvo más. «Ese restaurante es como la Rigola». *La única canción que le viene bien es la Rigola.* Es un hombre muy pendenciero. «No te me venga de bueno que a ti la única canción que te viene bien es la Rigola, donde matan a los hombres a palos y pedradas». *Volver a la rigola.* Jugarse la vida. «Es tan valiente que volvió a la Rigola». Ver: *Matar.*

RIMA. *Estar fuera de rima.* No tener oportunidad. «Yo te digo la verdad: me parece que aquí estás fuera de rima». *Seguir la rima.* Seguir la corriente. «Yo a él, como es tan violento, siempre le sigo la rima». *Seguirle a alguien la rima.* Hacer lo que dice. «No te preocupes, te voy a seguir la rima». (Es decir, «no llevarle en nada la contraria».)

RINGO. *Boda de ringo rango.* Boda elegante. «La boda de mi prima fue de ringo rango». (El castizo *ringorango* toma en el cubanismo otra acepción.)

---

[59] Armando Couto se conoció como en Cuba como «el hombre rating» de la radio pues todos sus programas «Tamakún», «Los tres Villalobos», «Lo que pasa en el mundo», «Tierra adentro», «el capitán Espada» y otros siempre ocuparon los primeros lugares. En el exilio publicó varias novelas humorísticas de éxito y entre ellas *La triste historia de mi vida oscura.*

RINQUI. Contracción de Rinquincaya. Ver: *Retama.*

RINQUINCAYA. Ver: *Retama.*

RIÑÓN. *Soltar el riñón.* Trabajar mucho. «En ese oficio se suelta el riñón».

RIÑONCITO. (Un) Un poquito. «Dame un riñoncito de café».

RÍO. *Cuando el río suena, algo trae.* Esta expresión castiza ha sido completada en Cuba de la siguiente manera: «Cuando el río suena, algo trae. Si no trae piedras trae semillas de aguacate». *Cuando el río suena trae semilla de aguacate.* Es una derivación del refrán castizo: «*Cuando el río suena, algo trae*». «Te lo digo, cuando el río suena trae semilla de aguacate». También se dice: cuando el río suena trae piedra o semilla de aguacate. Quiere decir que cuando hay un rumor es por algo. «Se cae el gobierno. Cuando el río suena trae semilla de aguacate». *La sangre no llegó al río.* La cosa terminó en nada. «Discutieron pero la sangre no llegó al río». Ver: *Bulla. Caballo.*

RIOJA. *Estar alguien rioja clarete.* 1. Darse perfectamente cuenta de la situación. 2. Estar claro. «Creo que estarás rioja clarete porque si no pierdes todo tu dinero». «Eso se ve que es rioja clarete». Se usa más en preguntas: «¿Estás rioja clarete?» Sinónimo: *Estar Claribel González.* (El cubanismo utiliza una marca de vino.)

RIPIARSE. *Ripiarse el dinero.* Gastarlo sin tasa ni medida. «Es un loco. ¡Cómo se ripea el dinero!» *Ripiarse la plata.* Gastarse el dinero. «Se ripió la plata conmigo».

RIPIERA. Muchacho andrajoso. «Ese niño es un ripiera. Hay que ayudarlo». *Actuar como un ripiera.* Actuar sin decencia. «No seas ripiera. Pórtate bien».

RIPIO. *Ripio de país.* País subdesarrollado. «Haití es un ripio de país». (Cubanismo culto del exilio.)

RIPLEY. *Llevar a alguien a ripley.* Se dice principalmente a la mujeres que se quitan edad. (Ripley, periodista norteamericano que tenía en los periódicos del mundo una sección de cosas inusitadas, increíbles.) «Yo a esa mujer la voy a llevar a Ripley». (Es cubanismo del exilio.)

RIQUI. Cremallera. «Se me rompió el riqui».

RISA. *Media risa.* Moneda de a veinticinco centavos. «Con una media risa voy a bailar esta noche».

RISPADITA. *No tener una rispadita.* No parecerse a... «Ese niño no tiene una rispadita de ti».

RITA. *Tener la lengua de Rita Montaner.* Ser alguien muy chismoso. «Sofía tiene la lengua de Rita Montaner». (Rita Montaner, famosa artista cubana ya fallecida, hacía un personaje: la chismosa. De aquí el cubanismo.)

RITMO. *Coger el ritmo del cha cha chá.* Aprender algo. «Estoy cogiendo el ritmo del cha cha chá. Ya casi sé la lección». *Incorporarse al ritmo.* Aceptar ideas, opiniones. «Está bien, apúntame. Me incorporo al ritmo». *Mantener el ritmo de conga.* Mantener el ritmo del trabajo. «Para ganar dinero tenemos que mantener el ritmo de conga». *Ritmo Pilón.* Tipo de baile cubano. «Vamos a bailar el ritmo Pilón». *Tener alguien el ritmo del cha cha chá.* Hacer las cosas muy aprisa. «Cálmate. Para todo tienes ritmo de cha cha chá». *Tener todo su ritmo de chachachá.* Tener todo su razón de ser. «Eso hay que aceptarlo. Todo tiene su ritmo de chachachá». Lo he oído como todo tiene su vuelta y hay que encontrársela. «Resolveremos esta situación. Todo tiene su ritmo de chachachá». Ver: *Canción.*

RITUAL. *Tener un ritual peor que la Danza del Fuego.* Ser alguien muy complicado en sus cosas. «Para todo tiene un ritual peor que la Danza del Fuego».

RIVERSA. *Dar una riversa.* Cambiar rápidamente de opinión, de actitud. «Cuando fruncí el ceño dio una riversa». (Es decir: «dio marcha atrás». En inglés la marcha atrás es «reverse». Este cubanismo del exilio nace de traducir «reverse» por «riversa».)

ROBAR. Ganar de calle, fácilmente. «En ese concurso tocó tan bien que robó». «Ese equipo roba el campeonato».

ROBERICO. *Formarse el roberico.* Formarse el lío. «Todo el mundo estaba feliz. De pronto se formó el roberico». Sinónimo: *Retrove.* (Es corruptela de reborico.)

ROBO. *Ser un robo.* Ser una cosa fácil. «Ese problema es un robo».

ROCA. *Ponerse roca o ponerse piedra.* Mostrarse dura la persona, inflexible. «No llores, ponte piedra». «Con él ponte piedra».

ROCIADA. *Darle a alguien una buena rociada.* Cantarle las cuarentas. «A ese individuo le di una buena rociada. Me oyó bien».

ROCÍO. *Rocío de gallo.* Bebida a base de aguardiente de caña de azúcar, o ron, y azúcar de la zona de Contramaestre, en la provincia de Oriente. «Dame un rocío de gallo, mi amigo». «Se emborrachó con rocío de gallo».

RODILLO. *Educar con rodillo como a Pancho y Ramona.* Equivale a: «*La letra con sangre entra*». «A estos niños los estoy educando con rodillo como a Pancho y Ramona». («*Pancho y Ramona*» eran dos personajes de las tiras cómicas o muñequitos.)

RODOLFO. Ver: *Llano.*

ROJA. Ver: *Cruz. Mujer.*

ROJO. Ver: *Sello.* Ver: *Demonios.*

ROLE. *Coger un role.* Atisbar algún encanto de la mujer. «Cuando ella cruzó la pierna le cogí un role». (El cubanismo, asimismo, procede del campo de la pelota.) Se dice también: *Coger un roletazo.* (Esta cubanismo también viene del campo de la pelota.) He oído también roli.

ROLI. *Salir algo de roli.* Salir bien. «Ese examen me salió de roli». (Viene del término beisbolero del inglés: «Roll it». El cubano pronuncia: «roli».)

ROLLO. Ver: *Cable. Película.*

ROLLÓN. *Criar a alguien con rollón (o royón) balanceado.* Ser una mujer muy bella. «Está criada con rollón balanceado». (El «rollón» es un alimento altamente nutritivo que se les da a los pollitos. Y «pollito» es cubano es «muchacha bonita».)

ROLO. *Darle rolo a algo.* Olvidarse. «Le di rolo al incidente contigo». (En Estados Unidos para pintar se pasa en vez de una brocha un «roll» por la pared y se quitan las manchas. De ahí este cubanismo del exilio. «Rolo» viene de «roll».)

ROMA. *Arrivederchi, Roma.* Está bien. «Me dijo que lo cogía y le contesté; Arrivederchi, Roma». (Es un cubanismo formado con la letra de la famosa canción italiana del mismo nombre.)

ROMANCE. *Ser un romance con chapita.* Ser un romance que se tiene oculto. «Juan y ella tienen un romance con chapita». *Tener un romance con biuti rest.* Irse a dormir. «Estoy tan cansado que voy a tener un romance con biuti rest». (Cubanismo nacido en el exilio cubano. «Beauty Rest» es una marca de colchones.) *Tener un* *romance en seco.* Quererse dos y no haberse hablado nunca. «Mira las actitudes de esos dos. Tienen un romance en seco». (Con *en seco* se forman muchos cubanismos como: *Tener un coco en seco.*) Ver: *Coco.*

ROMANZA. *Tener la romanza del perico.* Ser homosexuales. «Esos dos tienen la romanza del perico». (Cubanismo culto.)

ROMERILLO. *Sacúdete con romerillo.* Tienes que hacerte un despojo. «Tienes que sacudirte con romerillo». (El «despojo» o «limpieza» es una ceremonia de origen africana. La persona se baña y se pasa por el cuerpo yerbas como el romerillo para quitarse lo malo de encima. Se hace de diversas formas.) Sinónimos: *Hazte un despojo. Hazte una limpieza. Limpieza.*

ROMPEGRUPO. Antipático. «Ahí viene el rompegrupo ése». «Ese muchacho es un rompegrupo».

ROMPEOLAS. Se dice del que siempre va a la contra. «No le hables. ¿No ves que es un rompeolas?»

ROMPEPECHO. Cigarro fuerte. «No te fumes ese rompepecho».

ROMPEQUIJÁ. Especie de caramelo durísimo. «Ponme cinco centavos de rompequijá». (Es la traducción del inglés de «jaw breaking», pero en Cuba se convirtió en cubanismo y· toda comida dura es un rompequijá». «Necesita más candela es un rómpequijá». Es «rompequijada» pero el cubano aspira la «d».) Ver: *Caramelos.*

ROMPER. *Estar la cosa de rompe y raja.* Estar la situación difícil. «En Guatemala la cosa está de rompe y raja».

ROMPERROCA. Zapatos que usa el campesino. «Hoy me compré un romperroca buenísimo». Por extensión: zapato duro. «No puedo con los pies. Estos romperrocas parecen de hierro».

ROMPERSE. Morirse. «Juan se rompió ayer». Sinónimo: *Partirse.*

ROMPETECHO. Se dice en broma, jocosamente, del que es muy bajito. «Ahí va rompetecho». «Él es un rompe techo».

ROMPEZARAGÜEY. ¡Atiza! «Por ahí viene la policía. —Rompezaragüey».

ROMPIENDO. *Estar rompiendo sillones.* Se dice del noviazgo largo. «Esa gente hace diez años que están rompiendo sillones».

RON. *Ron de mostrador de bodegas.* Ron de mala calidad. «No sé cómo se puede tomar ese ron de mostrador de bodegas». (El pueblo pobre se reunía en los mostradores de las bodegas — establecimientos en Cuba donde se vendían alimentos de primera necesidad— y se tomaba un ron malo, etc. De aquí el cubanismo.) *Ron pelión.* Ron de baja calidad. «Dame cualquier ron pelión».

RONCAR. *Le ronca el clarinete; o el mango; o el merequetén; o los mameyes; o la llamita; o la pandereta.* ¡Qué barbaridad! «Salió presidente de la asociación. —Le ronca el clarinete». *Ser el que más ronca.* Ser el jefe. «Aquí, ése es el que más ronca». Sinónimos: *Ser el dueño de los caballitos. Ser el dueño de la papeleta. Ser el dueño de la pelota, el bate y los guantes. Ser el que más mea.* Ver: *Trueno.*

RONCHAS. *Levantar ronchas.* Dar cheques sin fondo. «Está preso por las ronchas que ha levantado. Más de cien mil pesos». Igual: Molestar a otro: levanta ronchas.

RONCO. *Tirar un ronco.* Tirarle una guapería a alguien. «Él me tiró un ronco pero le respondí».

RONQUIDO. Ver: *Faraón.*

ROOF. *Tener alguien ocupado el roof-garden.* (El cubano pronuncia «ruf-garden», la palabra inglesa, que significa «el piso más alto de un edificio, o casa» y en cubano significa «cabeza».) Estar pensativo. «No le molestes que tiene ocupado el roof-garden».

ROPA. *La ropa que es de «salil» no vale pa' trabajal.* Cada cosa debe de ser usada para lo que es: «Te dije que no cogieras eso para lo que estás haciendo. Ya lo dicen los negros: `La ropa que es de «salil» no vale pa' trabajal». (Es un refrán negro: «Salil» es «salir», «pa'» es «para».) *No hay ropa dura sin almidón.* Lo que natura no da, Salamanca no otorga. «Te lo digo: No hay ropa dura sin almidón». Sinónimo: *No hay pelo parado sin «mus».* Este último es cubanismo del exilio. El «mouse» es un adaptador de pelo.) *Reunírsele a alguien la ropa vieja debajo de la cama.* Tener problemas. «Todo iba bien, pero de pronto se le reunió la ropa vieja debajo de la cama». *Ropa vieja.* 1. Carne deshilachada con tomate. «Dame un plato de ropa vieja». 2. Mujer vieja y llena de arrugas. «Era muy bella de joven. Ahora es ropa vieja». *Verse por encima de la ropa.* Verse a primera vista. «Eso que me dices se ve por encima de la ropa». Ver: *Chino. Muda. Solar. Tumbaíto.*

ROPERO. Mucho. «Tiene un ropero de ideas». «Tiene un ropero de maridos». *Un ropero.* Mucho. «Ha tenido un ropero de maridos».

ROQUE. *Ser Roque Smith.* Ser enérgico. «Él es Roque Smith». (El cubanismo, nacido en el exilio, es un juego de palabras entre «Roque» y «roca». *Ser roca,* en cubano, es ser enérgico.)

ROSA. *Ser una extraña rosa.* Ser raro. «Mi hijo es una extraña rosa». Ver: *Baño.*

ROSADO. Ver: *Chino.*

ROSARIO. *Llamarse una mujer Rosario.* Quejarse mucho. «Esa mujer se llama Rosario, cuándo verá algo bueno en la vida». *Ser una mujer Rosario.* Ser delgada, muy flaca. «Ella es Rosario». «Esa mujer es Rosario». («Rosario» es la mujer de Popeye, personajes de las tiras cómicas — muñequitos— ella es muy delgada. Es la mujer de Popeye, el Marino.) Ver: *Cuentas.*

ROSCA. *Pasarse de rosca.* Extralimitarse. «En ese discurso te pasaste de rosca». (En general se dice pasarse.) Ver: *Pasarse. Tener rosca en la mano.* Ser muy agarrado. «Juan tiene rosca en la mano». Ver: *Muñeca.*

ROSENDO. *Rosendo Collazo.* 1. Arroz. «Se pasa la vida comiendo Rosendo Collazo». 2. Carne con papas y arroz. «Hoy voy a comer Rosendo Collazo». (Es lenguaje del chuchero. Ver: *Chuchero.*)

ROSITA. *Rosita de maíz.* Especie de maíz tostado. «Las rositas de maíz me hicieron daño». *Tipo de material rocoso para terraplenes.* «Pon toda la rosita aquí para moverla más tarde en los camiones y hacer el terraplén».

ROTACHIÓN. *No tener una mujer rotachión.* No moverse en el acto sexual. «Esa mujer no me gusta. No tiene rotachión». De una persona que no tiene influencia se dice que «no tiene rotachión». «Él no tiene rotachión en este gobierno». (Viene la palabra de un chiste: Un ladrón entra en una casa y viola a la mujer en frente del marido. Cuando se van y ellos logran zafarse de las sogas que lo aprisionaban, la mujer grita: «Mio marito, me han violato». Y él contesta airado: «Y la rotachión». Es otro chiste en que el cubano sigue al italiano para hacer una parodia con el mismo.) También lo he oído referido al hecho de que no se puede fornicar por tener la cintura abierta o con dolor. «Hoy no tengo rotachión».

ROTO. Ver: *Timbre.*

ROYAL. *Darle a algo «Royal».* Exagerarlo, hincharlo. (La conversación da el significado.) «A ese hombre le dieron Royal». (Es decir engordó mucho pues está hinchado.) «A esa noticia le han dado Royal». (La han exagerado.) («Royal» es una marca de levadura. La levadura fermenta [hincha] la masa del pan. De ahí el cubanismo.) Ver: *Problema.*

RUBIA. *Comer una rubia con ojos verdes.* Comer harina con aguacate. «Hoy vas a comer una rubia con ojos verdes». *Rubia con ojos verdes.* Harina con aguacates. «Hoy quiero comer rubia con ojos verdes». Ver: *Pez.*

RUCHÍN. Especie de jutía conga. «En la guerra contra España, en el campo cubano abundaba el ruchín». (En Sanguily, *Nobles Memorias*, pág. 175. «Jutía» es un roedor comestible que abunda en el campo cubano. «Me encanta comer jutía».)

RUEDA. *Dar rueda.* Manejar. «Como he dado rueda hoy. Quince millas». También trabajar mucho. «Como he dado rueda hoy en ese trabajo». *Las ruedas.* Las piernas. *Llegar a la media rueda.* Cumplir cincuenta años. «Él llegó a la media rueda y celebró con un banquete». Se dice, asimismo: *Llegar a la media rueda de Partagás. Ser rueda de buen diente.* Manejar bien. «Juan es rueda de buen diente». *Si yo tuviera ruedas fuera bicicleta.* Se le contesta al que dice: «si esto pasara yo haría tal cosa». «Si yo tuviera dinero compraría el edificio más alto del mundo. —Si yo tuviera ruedas fuera bicicleta». Ver: *Cable. Cuatro. Palo. Patín.*

RUEGO. *Hacer un ruego de cabeza.* Ceremonia de las religiones africanas, en la que se lava la cabeza al neófito. «Hoy voy a hacer un ruego de cabezas». (También lo he oído «Rogar la cabeza», o «Rogar la cabeza al santo».)

RUF. *Entresácame el ruf garden pero no perfilas bien el guardafango.* Quítame un poco de cabello de la parte de arriba de la cabeza, pero en los lados no; y márcame bien el corte de los lados. (Los lados son los guardafangos. El «roof garden», que le cubano pronuncia como se ha escrito, es en inglés el último piso de un edificio donde hay un jardín. Es anglicismo de siempre en Cuba. Voz del chuchero. Ver: *Chuchero.* «Ruf» es como el cubano pronuncia la palabra inglesa «roof» o «techo».)

RUFA. (La) 1. Autobús. «Me voy, que por ahí viene la Rufa». 2. El ómnibus. «¡Cómo demora en pasar la rufa!» Sinónimo: *Guagua.* (Es voz llegada de Islas Canarias. Lenguaje del chuchero. Ver: *Chuchero.*) *La rufa.* El autobús. «¿Dónde se coge la rufa?»

RUIDO. *Hacer ruido.* Fornicar. «Hoy voy a hacer ruido». *Hay muertos que no hacen ruido porque andan en alpargatas.* Hay que andar precavido. «Me sorprendió. Te lo dije. Hay muertos que no hacen ruido porque andan en alpargatas».

RULETA. *Darle vuelta a la ruleta.* Hacerse el bobo. «Tú sabes lo que te digo. Conmigo, no le des vuelta a la ruleta». (El que le da vuelta a la ruleta, o sea, «juega a la ruleta rusa», es un bobo, pues, a la larga se mata.)

RUMBA. Lío. «¿Qué, quieres rumba?» Sinónimo: *Rumbón. Bailarle a alguien la rumba.* Alabarlo en forma bochornosa. «Me apena como le baila la rumba al jefe». Sinónimo: *Dar coba.* («Dar coba» algunos creen que es madrileñísmo.) *Ser alguien* *rumba y meneo.* Saber hacer de todo. «Él es rumba y meneo. Puedes contratarlo». Ver: *Palo.*

RUMBEAR. Divertirse. «Estuve rumbeando la noche entera».

RUMBERO. *Rumbero mayor.* El jefe. «Aquí él es el rumbero mayor». Ver: *Esqueleto. Filósofo.*

RUMBO. *Ya tú sabes, si no es así, rumbo al Cairo.* En frases como ésta, es un eufemismo para decir «nos jodimos», o sea», «perdimos» o «fracasamos». «Espero que lo haga. Y ya tú sabes, si no es así, rumbo al Cairo». («*Rumbo al Cairo*» es el título de una película cubana.)

RUMBÓN. *Gustarle a alguien el rumbón.* Formar el lío. «En cuanto llegó el secretario a la reunión se formó el rumbón». «Llegó la policía y se formó el rumbón». *Metérle o formarle a alguien un rumbón.* Darle un escándalo. «La mujer, a Juan, por llegar tarde, le formó un rumbón». Ver: *Rumba.*

RUNCHUNCHÍN. Obsesión. «Cogió un runchinchín con lo que tú sabes que tuve que llevarlo al médico».

RUÑIDERA. 1. Coito. 2. Trabajo fuerte. «Estoy sudando la gota gorda porque llevo horas en esta ruñidera. Cargando sacos».

RUÑIR. Fornicar. *Rúñame mamá.* Ámame mi vida.

RUPERTO. Moneda de a diez centavos. «¿Cuánto vale? — un ruperto».

RUSO. 1. Diez centavos. «Préstame un ruso». 2. Mulato o judío que tenía en Cuba el pelo rizado. «Ése es un ruso. Se le ve en el pelo». 3. Mulato pelirrojo. «Mira, es ruso el hijo del mulato Encarnación». Ver: *Palo.*

RUTA. Alarde. «Tú eres ruta nada más». *Coger la ruta equivocada.* 1. Cometer un error. «Tú, conmigo, has cogido la ruta equivocada». 2. Equivocarse. (Hay una canción famosa que dice: *«Tú eres alarde na'má, Pepito, tú no son negro de bofetá».* «Na'má de «nada más», «bofetá» es «bofetada». En ambos casos el cubano aspira la «d».) *Mudarse la ruta Mantilla-Ayuntamiento para el «Bilmor».* Tratar de pasarse una persona sin educación por alguien educado. «Lo que él hace es mudarse la ruta Mantilla-Ayuntamiento para el Bilmor». (Este cubanismo se debe al hecho de que en Cuba los que vivían en los barrios pobres los pusieron a vivir cuando la revolución castrista en las casas de las gentes aristocráticas en el Reparto el «Biltmore», que es una palabra inglesa y que el cubano pronuncia como se ha escrito. «Mantilla» es un barrio pobre donde iniciaba su recorrido una ruta de autobuses en Cuba, la ruta 4. Iba desde allí hasta el Ayuntamiento de La Habana.) *No bajarse alguien de la ruta veintiséis.* Ser de los que nunca triunfaron en Cuba antes de exiliarse. «Elio nunca se bajó de la ruta veintiséis. No le hagas caso». *Tener alguien que coger la ruta de Colón en esquí acuático.* Tener que huir a caja destemplada. «Cuando me le abalancé, tuvo que coger la ruta de Colón en esquí acuático». (He oído lo anterior seguido de: «porque no tuvo tiempo de montarse en el barco».) *Tirarle a alguien una ruta.* Alardearle. «Con lo del dinero me tiró una ruta». Sinónimo: *Tirarle un alarde.*

RUTINERA.O. Alardoso. «Ése es un rutinero que nada hace». *Persona rutinera.* Se dice de la persona que está en todos los sitios, que se le ve por todos lados. «Ésa es una negra rutinera». (Es decir, que se le ve en cualquier sitio, en todos los bailes, etc.

La palabra rutinera viene de «ruta», es decir, la negra coge todas las rutas para todos lados. En Cuba, al itinerario de los ómnibus además, se le llama «ruta».)

RUTOSO. Que dice hacer mucho, pero no hace nada. «Todo eso del negocio es un cuento. Si es un rutoso».

SÁBANA. Artículo en un periódico de gran dimensión. «No hay quién se lea esa sábana». *Casarse en sábana verde.* Fornicar por el trasero. «Ayer me casé en sábana verde». *Echar una sábana por arriba al muerto.* No hablar de algo, pero que está presente; que no se puede ignorar. Que no se puede eludir. «Hay que afrontarlo. No sirve echarle una sábana por arriba al muerto». (Me explican que «el muerto hiede», es decir, que está ahí. De aquí el cubanismo.) *Sábana camagüeyana.* Bistek grande. «Voy a comerme una sábana camagüeyana». Ver: *Pies.*

SABATÉS. *Convertir a alguien en Sabatés.* Despedir a alguien. «Si no haces eso te convierto en Sabatés». («Sabatés» [una marca de jabones y detergentes cubana,] tenía un producto que contenía «Pirey y fuerza blanca». «Dar Pirey y fuerza blanca» es despedir en cubano.) De aquí el cubanismo.

SABE. *Ser el que más sabe.* Latiguillo lingüístico que usa continuamente el cubano, para indicar que yo soy el más inteligente. «No te preocupes que yo soy el que más sabe». (Cuando lo dice pone énfasis en «más» y «sabe».)

SABER. *El que sabe más que yo se muere.* Latiguillo lingüístico que se usa con extraordinaria frecuencia. «¿Por qué no me van a mandar a mí a Roma? Si el que sabe más que yo se muere». *Saber de longaniza.* Saber «fragmentado». «Ése no es culto. Ése tiene saber de longaniza». (Las longanizas van en ristras, es decir, cada longaniza atada a la otra por un hilo. De aquí el cubanismo.) *Saber del pie que cojea.* Saber el defecto. «Yo sé del pie que él cojea». *Saber por donde le entra el agua al coco.* Ver: *Coco. Saber lo que son cajetas o cajitas de dulce de guayaba.* Ver: *Caja. Saber más que las bibijaguas.* Saber mucho. «Ése sabe más que las bibijaguas». *Ser el que más sabe.* Latiguillo lingüístico que el cubano utiliza para decir que alguien es el primero. «Él ganará. Es el que más sabe». «Ése salió bien del lío. Es el que más sabe». *Tener alguien saber de longaniza.* Se dice de esas personas embutidas con datos pero que no se han digerido el saber. «Impresiona, pero el que conoce sabe que tiene saber de longaniza». (Es decir: embutido. Y como la longaniza es un «embutido». De ahí el cubanismo.)

SABICHUCHA. Persona que se cree que sabe mucho. «¡Qué mal me cae es sabichucha!» He oído también: *Sabichosa.*

SABINAL. *Tener sabinal.* Tener muchos callos. «Yo tengo sabinal». (Se oye sólo en Camagüey donde existe un cayo llamado Sabinal.)

SABIOMPÓN. Que lo sabe todo. «Se cree un sabiompón». (Cubanismo de la Cuba de ayer.) Sinónimos: *Sabichucha. Sabichosa.*

SABLE. *Guindar o colgar el sable.* 1. Dejar de hacer eso. «Guindé el sable. Continúo dentro de media hora». Sinónimo: *Guindar los guantes.* 2. Retirarse. «A los cincuenta años cuelgo el sable».

SABOR. Se grita cantando a una orquesta que toca. Es signo de aprobación, de cubanismo, (criollismo) de alegría. «Arriba con los tambores, ¡sabor!» *Tener una mujer sabor.* Tener gracia. «Esa mujer tiene, sin lugar a dudas, sabor». *Tener una mujer sabor a mí.* Ser del hombre que tal cosa dice, casi siempre en el plano de amante. «Como tú sabes, ella tiene sabor a mí». (Hay una canción muy popular de Rolando Laserie que contiene este cubanismo y que fue la que lo popularizó.) Ver: *Música. Socato.*

SABORAJE. Ver: *Acción.*

SABOTEO. Sabotaje. «Hay que terminar con este saboteo».

SABROSONA. Ver: *Cachín.*

SACALECHE. Se dice de una mujer muy sexual. «Esa mujer es sacaleche». («Leche» como «semen»).

SACAR. *Sacar agua del pozo.* Forma de bailar. «Mira esos dos sacando agua del pozo». *Sacar fiestas.* Coquetear. «Me estaba sacando fiestas anoche, ¿la viste?» (El cubanismo toma aquí otro significado que el castizo.) *Sacar lascas.* Aprovecharse. «A su declaración yo le voy a sacar lascas de verdad». *Sacar los trapos sucios.* Sacar a relucir lo malo de una persona. «Si sigue aspirando al puesto le saco los trapos sucios».

SACERDOTE. *Hacer a alguien sacerdote.* Darle órdenes. «Déjate de hacerme sacerdote».

SACO. *Ser alguien un saco de ay, ay, ay.* 1. Se dice de la persona que se queja mucho. «Él no tiene nada, pero es un saco de ay, ay, ay». 2. Ser hipocondríaco. «El es un saco de ay, ay, ay. Hay que tenerlo siempre en el médico». *Ser alguien un saco de recoger bolas.* En el juego de pelota, es el que captura todas las bolas bateadas. «Ese muchacho es un saco de recoger bolas». También el que crea las **bolas**, o sea, rumores o informaciones falsas. «No le creas es un saco de recoger bolas». *Ser un saco de hueso.* Ser valiente. «Juan es un saco de hueso». (Es cubanismo de la Cuba de hoy.) Ver: *Bola.*

SACRAMENTO. *Estar llegando a Sacramento.* Estar llegando al término de algo. «No te pongas nervioso en el asunto, que estamos llegando a Sacramento». (El cubanismo está tomado del título de una película norteamericana.) Sinónimo: *Estamos llegando a Pénjamo.* (Es la letra de una canción mejicana.) *Ir camino de Sacramento.* Ir por el buen camino hacia el futuro. «Por ahí van camino de Sacramento». (Es el título de una película.)

SACRISTÍA. Ver: *Rata.*

SACUDIDA. *Darle a alguien una sacudida peor que la Sacudida Violenta.* «Juana le dio a su marido una sacudida peor que la Sacudida Violenta». (El cubanismo nació en el exilio con el motivo de la publicación de una novela titulada: «*La Sacudida Violenta*». Es cubanismo del exilio.)

SAGÚ. Fortaleza. «Ese hombre tiene sagú». («Sagú» es una fécula nutritiva.)

SAGUASÁN. *Mi saguasán.* Mi amigo. «¿Cómo estás mi saguasán?» (Es lenguaje del chuchero. Ver: *Chuchero.*)

SAGÜESERO. *Estar hecho un sagüesero.* No tener maneras. «Este hombre está hecho un sagüesero». (La palabra viene de «sagüesera» que es la forma derivada del inglés, «south west», zona donde comenzaron a establecerse los cubanos al llegar a Estados Unidos, que poco a poco se ha ido deteriorando socialmente.) Ver: *Vampiro.*

SAI. *Haber su «Sai Lan».* Haber una diversión, algo extra. «Yo llevo casado treinta años sin haber un «sai lan». (Una querida.) «Treinta años trabajando y sin haber habido un sai lan para mitigar el trabajo». (Diversión. La conversación es la que da el significado. Viene del inglés Side Line, que quiere decir actividad marginal. Se usaba ya en Cuba.)

SAINO. Homosexual. «Es un saino». (Es lenguaje del chuchero. Ver: *chuchero.*)

SAJORNADO. *Estar sajornado.* Tener quemada la piel por los testículos. «Échale vaselina que estás sajornado».

SAL. *Formarse un sal pa' fuera.* Formarse un lío, una pelea. «En la reunión se formó un sal pa' fuera tremendo». Sinónimo: *Retrove.* («Pa'» es «para».) *¡Que se lo coma con su sal y su mojito!* Que sufra. «Ahora dice que el consejo que le dieron con la mujer era cierto. —No oyó, pues que se la coma con su sal y su mojito». *Quitarse la sal de arriba.* Quitarse la mala suerte. «Tengo que quitarme la sal de arriba». Ver: *Espuma. Mujer.*

SALACIÓN. Mala suerte. «Me ha caído la salación». *Buscarse una salación.* Buscarse un lío. «Salir con él es buscarse una salación». *Tener una salación.* Tener un problema. «A este paso vamos a tener una salación». Sinónimo: *Sacar chaqueta.*

SALADITO. Especie de entremés variado que se sirve en una fiesta o una comida o que se come con la bebida. «¿No ponen aquí saladitos con la cerveza?»

SALAGENTE. *Ser un salagente.* Ser unas personas que traen mala suerte. «Pedro es un salagente. Desgracia a cualquiera». «Tú eres un salagente». Sinónimo: *Ñeuqe. Ser un ñeque.*

SALAMANDRA. *Parecer alguien una salamandra.* Ser muy blanco de piel. «No me gusta ni mirarlo. Parece una salamandra». *Ser alguien una salamandra de noche.* Ser muy blanco. «No me gusta esa mujer. Es una salamandra de noche».

SALAO. *Tipo salao.* Que no tiene suerte. «Él es un tipo salao». (Es «salado» pero el cubano aspira la «d».)

SALAR. *Matar y salar.* Hacer algo enseguida. «En cuanto llegue, matando y salando».

SALASTRAGA. Ver: *Fina.*

SALCHICHA. *Ser algo una salchicha.* Ser interminable. «Este dolor es una salchicha».

SALFUMÁN. Ver: *Periódico.*

SALIDA. Ver: *Bolerito.*

SALIDERA. Salida de aire, de agua. «Esta goma de automóvil tiene una salidera». «La tubería tiene una salidera».

SALIR. *Salir de Guatemala para entrar en Guatepeor (o Guatepeo.)* Salir de una cosa mala para entrar en otra peor. «Creí mejorar pero salí de Guatemala para entrar en Guatepeor».

SALIRSE. *Ser una mujer de las que se sale.* Parecer una bobita y no serlo. «No te cases con ella que es de las que se sale». (El cubanismo surge de un cuento. Estaba un hombre con una mujer y le decía: «¿Vamos al cine?» Contesta ella: «¿Y chiche quema?» Reitera él: «Vamos a pasear en automóvil». Contesta ella: «¿Y chiche vuelca?» Entonces, él molesto le dice: «Vamos a singar (fornicar)». A lo que ella contesta: «¿Y si se sale?» [Se refería a que el hombre tenía un pene pequeño.] Lo que demuestra que ella no era boba.)

SALISTROSO. *Ser salistroso.* Persona malhumorada. «Él es un salistroso».

SALIVA. *Estar pegado algo con saliva de cotorra.* No tener consistencia. «Eso que tú me dices está pegado con saliva de cotorra». *Más barata es la saliva de la cotorra.* Se grita cuando hay muchos oradores malos, o cuando se discute sin ton ni son. «Cállense. Más barata es la saliva de cotorra». *No dar alguien ni la saliva para el sello.* Ser muy egoísta o agarrado. «Debe de tener mucho dinero, pues no da ni la saliva para el sello». Ver: *Colmillo.*

SALIVITA. Ver: *Paciencia.*

SALOMÉ. *Ser Salomé en pantalones.* Ser homosexual. «Ése es Salomé en pantalones». Sinónimo: *Aceite.*

SALOMÓN. *Salomón ahumado.* Salmón ahumado. «Dame un salomón ahumado». «Voy a comer Salomón ahumado». (Es cubanismo de tipo gracioso, aunque tenga poca gracia.)

SALPICAR. Dejar coger a los demás dinero. «El secretario cogió dinero pero salpicó a los demás». *Tiburón se baña pero salpica.* Yo me beneficio, pero beneficio a los demás. (Frase atribuida a un presidente cubano.)

SALPICONA. Coqueta. «Tu hija es muy salpicona».

SALPIQUEO. Coquetería. «No me gusta el salpiqueo que te traes».

SALPULLIDO. *Salpullido con paticas.* Ladillas. «Por falta de higiene le cayó salpullido con paticas». *Tener salpullido inglés.* Ser homosexual. «Él tiene salpullido inglés». Sinónimos: *Aceite. Gitano.* Ver: *Botella. Espalda. Pito.*

SALSA. *Estar en la salsa.* 1. Estar disfrutando mucho de algo. «Yo en ese trabajo estoy en la salsa». 2. Estar en todo. «Esa mujer siempre está en la salsa». 3. Formar parte de algo: intriga, fiesta. «Yo lo que hacen lo sé porque estoy en la salsa». (Formar parte de una cosa.) «Yo te llevo a la fiesta porque estoy en la salsa». (Formar parte de la misión.) Sinónimo: *Estar donde se bate la salsa. Gustarle a alguien más la salsa que el pescado.* Gustarle más lo superficial que lo profundo. «A ti te gusta más la salsa que el pescado». *Poner salsa en algo.* Poner alegría. «A todo lo de ellos le pone salsa». *Ser de la misma salsa.* Tener las mismas ideas, educación, etc. «Yo con ustedes me llevo muy bien porque somos de la misma salsa». *Tener algo salsa.* Tener ritmo. «Esa música tiene salsa». *Tener alguien más salsa que pescado.* Aparentar más de lo que es. «Pedro tiene más salsa que pescado». Ver: *Espuma. Viejo.*

SALSEAR. Gozar de la vida. «¡Cómo recuerdo esos pueblos donde yo salseaba de niño!»

SALSEO. Diversión. «Allí había un gran salseo». *Estar en el salseo.* Estar viviendo una gran vida. «Él siempre ha estado en el salseo». También estar como protagonista en algo que está sucediendo. «En ese caso él está en el salseo». *Querer salseo.* Querer problema. «Parece que esa gente quiere salseo. Vamos a complacerlos».

SALSIBIQUEAR. No estar estable en un lugar. «Juan anda siempre salsibiqueando».

SALSITA. *Échale salsita.* 1. Házlo gracioso. «Chico, a eso que dices, échale salsita». 2. Se grita cuando una orquesta toca muy bien un ritmo caliente. «¡Échale salsita! ¡Arriba! ¡Échale salsita! ¡Qué ritmo!» (Es la letra de una canción que se hizo famosa cantada por el Sexteto Habanero.)

SALTAPERICO. *Andar alguien de Saltaperico.* Se dice de la persona que no se sienta. «Juan, anda, a los cuarenta años, de saltaperico». *Poner a alguien a jugar el saltaperico.* Hacerlo pasar las de Caín. «Con el artículo lo puso a jugar el saltaperico». *Ser un saltaperico.* Se dice de la persona que anda siempre de un lado para el otro. «Ése no es más que un saltaperico».

SALTAPERIQUEO. Acción de ir de un lado para el otro. «Siempre está en el saltaperiqueo».

SALTAR. *Saltarle a la mujer.* Engañarla. «Le está saltando a la mujer continuamente». (Es cubanismo nacido en el exilio.)

SALTARÍN. *Ser un saltarín.* Engaña a la mujer. «Ese hombre es un saltarín».

SALTO. *Conmigo es como el salto en paracaídas.* Si se falla no hay más oportunidad. «Trabaja mucho que conmigo es como el salto en paracaídas».

SALUD. *Salud y Belascoaín.* 1. Forma de despedirse. «Salud. Que te vaya bien». 2. Salud. «Bueno señores, brindemos. Salud y Belascoaín». («Salud» y «Belascoaín» son dos calles habaneras.) Ver: *Casa.*

SALUDABLE. *Estar una mujer o un hombre saludable.* Ser muy bella o muy buen tipo. «Esa mujer está muy saludable». (Es lenguaje de la Cuba de hoy.)

SALUTARIS. Ver: *Jinete.*

SALVADA. *Darse una salvada.* Salvarse. «Pedro con ella se dio una salvada. Lo enderezó».

SALVAJADA. Formidable. «Vi el edificio. ¡Qué salvajada!»

SALVAJE. *Ser la Salvaje Blanca.* Estar una muje buenísima, preciosa, como si fuera una amazona de la leyenda. «En la Universidad Elena era la Salvaje Blanca».

SALVAR. *Salvar a alguien el ay, ay, ay de Fleta.* Salvarlo la queja. «A mi marido lo salvó el ay, ay, ay de Fleta». (Este cubanismo viene desde el tiempo que Fleta, el tenor, era muy popular en Cuba, allá por el 1927. Se oye, sólo, entre gente de más de sesenta años.)

SALVASÁN. *No lo salva ni Salvasán.* No los salva nada. «A esa gente no la salva ni Salvasán». (El Neo-Salvasán fue un producto muy popular en Cuba que se usó a principios de siglo contra la sífilis. Era muy efectivo. De aquí el cubanismo.)

SALVAVIDAS. (El) 1. Condones. «Ponte el salvavidas si no quieres coger una enfermedad venérea». 2. El estómago. «Tienes un tumor en el salvavidas». *Tener alguien un salvavidas incorporado.* Tener mucho estómago. «Debes hacer dieta pues tienes un salvavidas incorporado». Ver: *Tabla.*

SAMBORIO. *Ser un samborio.* Se dice de donde hay un descontrol total que llega casi al desparpajo. «Esta situación de radio es un samborio». (La palabra es una mezcla de «Uncle Sam», de los Estados Unidos, y «Liborio», que es el personaje-símbolo del cubano. Cubanismo nacido en el exilio.)

SAMBUMBIA. 1. Bebida refrescante. 2. Café malo. «Échalo para allá, eso es una sambumbia». 3. Comida mal hecha. (En este último caso tenemos): «Lo que sirven ahí es pura sambumbia».

SAMPIARSE. Marcharse. «Me sampiro en cuanto pueda. No aguanto esto». (Lenguaje de la Cuba de hoy.)

SAMURAI. *Estar hecho un samurai con la mocha en la mano.* Cortar mucha caña. «Estoy hecho un samurai con la mocha en la mano». (La mocha es una especie de machete barrigón con el que se corta la caña de azúcar.)

SAN. *Decirle a un hombre viejo San Lázaro.* Andar como el santo católico, en muletas. «A ése le dicen San Lázaro. ¡Qué falta de respeto!» *Hacerle la propaganda a San Lázaro.* Se dice del que siempre está enfermo. «Está hace años haciéndole la propaganda a San Lázaro». *¡Que San Lázaro me pegue con las muletas!* ¡Que me parta un rayo! «¡Que San Lázaro me pegue con las muletas si no es verdad!» *Retirarse como San Lázaro en Estados Unidos.* No hacer algo en la relojería. «Yo me he retirado como San Lázaro en los Estados Unidos». (Este cubanismo se creó a principios del exilio cuando había poca colonia cubana en Estados Unidos y el culto a San Lázaro estaba poco extendido todavía.) *San Agapito, amárramelo al clavito.* 1. Se dice cuando alguien dice o hace algo que lo hace aparecer loco. «Te comiste esa cosa que estaba vieja. ¡San Agapito, amárramelo al clavito!» 2. Se dice de la persona inquieta. «¿Te vas de viaje otra vez? ¡San Agapito, amárramelo al clavito!» *San Lázaro.* Nombre que se la da hoy en Cuba a la ciudad de La Habana. «San Lázaro se está cayendo, ¿cuándo la reconstruirán?» (Este cubanismo se origina por el hecho de que en La Habana hay gran cantidad de edificios apuntalados para evitar que se derrumben. San Lázaro usa muletas, de ahí la imagen que da lugar al cubanismo.) *Ser San Mateo.* Se dice del que siempre tiene las manos en la cara. «Él es San Mateo. ¿No lo ves?» (Cubanismo culto.) *Terminar alguien como San Lázaro.* Terminar usando muletas. «Yo sabía que con la artritis terminarías como San Lázaro». *Tener un San Alejo colgado.* Se dice del que aleja a las gentes (por pesado.) «Oscar tiene un San Alejo colgado».

SANACO. Mentecato, estúpido. «¡Qué sanaco eres, Paco!". Ver también *Zanaco.*

SANCOCHO. *Hacer sancocho con alguien.* Aniquilarlo. Destruirlo. «Con ese amigo tuyo, como lo coja, voy a hacerlo sancocho». Sinónimo: *Hacer fufú de plátano. Hacer machuquillo.*

SANGRAR. Huir. «En cuanto nos divisó, sangró». *Sangrar por la herida.* Ver: *Herida.*

SANGRE. *Mi sangre.* 1. Mi amigo. «¿Qué vamos a hacer, mi sangre?» 2. Mi hermano. «Tú sabes que tú eres mi sangre?» (En el exilio se le ha agregado la palabra inglesa «brother» que quiere decir «hermano».) «Tú sabes que tú eres mi sangre, brother». 3. Forma de saludar. Sinónimos: *Microbio. Mi hermano. Mi tierra. ¿Qué pasa mi sangre?* ¿Cómo estás tú? «¿Qué pasa mi sangre, hace tiempo que no te veo?» *Ser sangre de chinche.* 1. El que no se apura para nada. «El avión sale a la cinco y ya lo ves. Es sangre de chinche». (También se dice: *Tener sangre de chinche.*) 2. No inmutarse ante nada. «Lo ofendieron y se quedó como si tal cosa. Es sangre de chinche». *Tener sangre de batracio.* Se dice de la persona que siempre tiene frío. «Ya te pones el abrigo. Tú tienes sangre de batracio». *Tener sangre de perro.* Gustarle a alguien estar pegado siempre a otro. «No se separa de la madre. Tiene sangre de perro». (Los perros siempre están pegados al amo. De aquí el cubanismo.) *Tener la sangre espesa.* Estar de mal humor. «Él siempre tiene la sangre espesa». *Tener la sangre hecha cuadritos.* Estar muy enojado. «Con su conducta tengo la sangre hecha cuadritos». *Tener sangre de pescado.* Tener flema. «Tú tienes sangre de pescado. No te inmutas por nada». *Tinto en sangre y envuelto en llamas.* Seguro. «¿Vas a esa reunión? —Tinto en sangre y envuelto en llamas». (El cubanismo nació con el político cubano Restituto Morillón, quien durante la dictadura de los años cincuenta del General Fulgencio Batista y Zaldívar salió representante a la Cámara. Cuando le preguntaron si iba a tomar posesión dijo: «*Tinto en sangre y envuelto en llamas*».) Ver: *Lágrimas.*

SANGRELIGERO. Simpático. «Él es sangreligero». Antónimo: Sangrón. Pesado. «¡Qué sangrón eres!»

SANGRÓN. 1. Antipático. «A ese individuo no lo puedo soportar. Me cae mal. Es un sangrón». 2. Persona que fastidia mucho. «Muchacho, no pidas más. ¡Qué sangrón eres!» Ver: *Sangreligero.*

SANGÜICH. *Ir de sangüich.* En una candidatura política, el que va entre dos candidatos para favorecer al tercero y coger votos del primero. «En la candidatura demócrata yo iba de sangüich con Pedro y Fernando». («Sangüich» es la voz fonética con que el cubano pronuncia la palabra inglesa «Sandwich», que quiere decir «emparedado», o «bocadillo»). *Sangüich de Chucho que no cabe en el cartucho.* Pene. (Cubanismo de tipo jocoso.) Sinónimo: *Barilla.*

SÁNSARA. *Dar sánsara.* Caminar mucho. «Hoy me he pasado el día dando sánsara».

SANSEACABÓ. Basta. «Sanseacabó. Vete para tu casa».

SANSÓN. *Conocer a Sansón Melena.* Conocer a todo el mundo. «Yo conozco a Sansón Melena». *No creer ni en Sansón Melena.* No creer en nadie. «Yo no creo ni en Sansón Melena. Soy muy desconfiado». *Ser Sansón Melena.* Ser muy fuerte. «Ése ganó la competencia por ser Sansón Melena».

SANTA.O. Marcas moradas del cuerpo debido a mordidas. «Está lleno de santas». Sinónimo: *Chupones. Acordarse de Santa Bárbara sólo cuando truena.* Rezar sólo cuando uno tiene una situación difícil, o acudir a una persona sólo cuando necesita un favor. «Uno no debe de ser así, pero sólo se acuerda de Santa Bárbara cuando truena». *Aplacar al Santo.* Hacerle ofrendas a los santos de las religiones africanas vigentes en Cuba. «Estás muy nervioso. Tienes que aplacar al santo». Sinónimo: *Aplacar a los espíritus. Asentar el santo.* Se dice así en las religiones africanas existentes en Cuba a una parte del culto o rito dedicado a uno de los santos. «Hoy asenté el santo». *Bajar el santo.* En las religiones africanas que subsisten en Cuba, cuando alguien cae en trance o poseído, se dice que le bajó el santo. «A Juana anoche le bajó el santo». *Bajarle a alguien el santo.* Dominarlo enfrentándosele en forma enérgica. «Me gritó, pero le bajé el santo». («*Darle a alguien el santo*» en cubano es «enojarse». «*Bajar el santo*», es caer en trance o al suelo presa de convulsiones. Poseído por el santo, cree el creyente. Es rito africano llevado a Cuba por los esclavos. De aquí el cubanismo.) *Con los santos no se juega.* Con el que sabe no se juega. «Aprende la lección, con los santos no se juega». *Dar el santo todo lo que iba a dar.* Ya no me sacrifico más. «No me pidan más que ya el santo dio todo lo que iba a dar». *Darle el santo a alguien.* Enojarse. «Cuando se lo dije, le dio el santo». «En plena reunión le dio el santo». «Ver aquello y darme el santo fue una misma cosa». (Viene de las religiones africanas vigentes en Cuba; al que le da el santo durante el rito, se cae al suelo con convulsiones donde se retuerce. De ahí el cubanismo.) *Él está haciendo el santo.* Se dice del que se está sometiendo al ritual de santería. *El santo está claro.* El santo da protección. «Yo no tengo qué temer. Mi santo está claro». (Lo he oído también cuando se le está averiguando el futuro a alguien, tirándole, por ejemplo, los caracoles. Un babalao —sacerdote de las religiones africanas vigentes en Cuba— tira los caracoles al piso y de acuerdo a la posición que caen, averigua el futuro del que se «consulta». —Trata de saber su futuro—. Cuando sale el que se consulta, éste exclama: «El santo está claro».) *Estar muy santo.* Ser muy buen tipo. «Las mujeres me quieren porque estoy muy santo». *Estar santa.* Estar una mujer buena. «Esa mujer está santa». *Estar un hombre santo.* Ser buen tipo. «Ese hombre está santo». *Estar una mujer santa.* Estar muy bella. «Esa mujer está muy santa». *Estar una mujer como Santa Bárbara.* Estar muy bella. «Esa mujer está como Santa Bárbara». Se dice, asimismo, *estar como Santa Bárbara: Santa por delante y Bárbara por detrás. Estar vestido de santo.* Estar vestido completamente de blanco. «¿Viste a tu hermano vestido de santo?» (Los que en las religiones africanas vigentes en Cuba se someten al ritual para llegar a ser **yaguó**, o sea, sacerdote, se tienen que vestir totalmente de blanco para «hacerse santos».) *Hacer santo.* En las religiones africanas vigentes en Cuba, pasar las distintas etapas de las ceremonias para convertirse en sacerdote, (el llamado yaguó, que también se escribe «iawo».) «Voy a hacerme el santo». *Le dio el santo.* Se dice cuando alguien se enoja. «Al jefe cuando le pedí aumento le dio el santo». *Los santos lo están pidiendo.* Se dice cuando alguien derrama vino. «Derramé el vino; no se preocupen, los santos lo están pidiendo». (En las religiones africanas vigentes en Cuba se les ofrece vino a los santos. De aquí el cubanismo.) *Montar alguien un santo.* Preparar una mentira. «Hay que vigilarlo pues está montando un santo para hacer daño». (Viene de la brujería cubana.) *¡Qué tu boca sea santa!* Que se cumpla lo que tú dices. «Ojalá que tu boca sea santa». *¿Qué santo se celebra hoy?* Pregunta que se hace cuando alguien se tira un flato. *Querer como a los santos.* Querer a la distancia no en presencia. (A los santos se les quiere en las «estampitas», en la distancia.) «Mi marido, quiere como a los santos». *Ser como los santos.* Saber mucho. «Ese hombre es como los santos». (Viene de las religiones africanas que subsisten en Cuba debido a la esclavitud y en cuyos panteones hay multitud de santos que son, según los creyentes, dechados de sabiduría.) *Tener el santo subido.* 1. Estar medio loco. «Hoy tienen el santo subido». (*Dar el santo*, es caer al suelo bajo el influjo del baile, etc., en los ritos de las religiones africanas vigentes en Cuba, creyente que está poseído por el Santo. El que cae parece loco. De aquí el cubanismo.) 2. También estar malhumorado. «No le hables que tiene el santo subido». Sinónimos: *Tener el bigote de santo subido. Trabajar alguien en Santos y Artigas.* Se dice de una persona que es muy fea o enana. «Cómo lo iba a aceptar mi prima, si trabaja en Santos y Artigas. No tiene más de cuatro pies de altura». (Santos y Artigas era un circo cubano.) Ver: *Cabeza. Coco. Espíritu. Fuifio. Hueso. León. Melcocha. Negrita. Pantomima. Príncipe. Yerba.*

SANTERÍA. Todo lo relacionado con las religiones africanas vigentes en Cuba. «A mí no me gusta la santería».

SANTERO. Nombre que recibe el que se dedica a las ceremonias del culto africano que subsiste en Cuba. «Voy al santero a que me tire los caracoles».

SANTIAGO. *Parecerse a un Santiago Habana.* Usar espejuelos grandes de calobar. «Tú pareces un Santiago Habana». (Los ómnibus que iban desde la ciudad de Santiago de Cuba, en la provincia de Oriente, a La Habana, tenían unos parabrisas grandes con un color igual al de los espejuelos. De ahí el cubanismo.) Ver: *Habana.*

SANTORAL. *Tener alguien el Santoral al dorso.* Se dice de la persona que se pasa el día encomendándose a los santos. «Ésa tiene el santoral al dorso».

SANTOVENIA. (Los) Los viejos. «En Miami viven los Santovenias». *El Santovenia Aéreo.* Le dicen así a los aviones que llegan de Cuba. «¿A qué hora llega el Santovenia aéreo?» (Cubanismo nacido en el exilio. Los aviones procedentes de Cuba que llegaban a Miami hubo un tiempo en que arribaban cargados totalmente de ancianos, a los que les era otorgado permiso de salida.) *Estar para Santovenia.* Estar muy viejo. «Mis tíos están ya para Santovenia». *Ser Santovenia.* Se aplica a la persona que parece en sus opiniones y en las formas en que se comporta como un viejo. «Muchacho, espabílate, que eres Santovenia». (El asilo Santovenia era una asilo de viejos de la Habana. De aquí los cubanismos anteriores.)

SAOCO. Bebida a base de agua de coco con ron. «¡Qué divino y refrescante es el saoco». *Darle a alguien saoco.* Matarlo. «Yo tengo la seguridad que a él le dieron saoco». *Darle saoco a una cosa.* Pensarla mucho. «Yo, a eso que me dices, le voy a darle saoco». *Lenguaje saoco.* Lenguaje florido. «Ese hombre tiene lenguaje saoco». (Se aplica siempre que el lenguaje se sale de lo normal y adquiere belleza e inteligencia.) «El lenguaje de este estudio es lenguaje saoco». *Ser alguien saoco.* Ser un delincuente. «Lo que llegaba a la Audiencia de La Habana era saoco». «Ese hombre es saoco. Se pasa la vida en prisión». *Tirar saoco.* Hacer algo muy bueno. «En ese libro tiraste saoco».

SAPEADO. *Estar sapeado.* Tener mala suerte. «Yo hace tiempo que estoy sapeado».

SAPEAR. 1. Se dice del que vigila a los demás jugadores en un juego de naipes o de dominó. 2. Traerle mala suerte a alguien. «Chico, no me sapees más». *Me sapeó el almuerzo.* Me echó a perder con su presencia el almuerzo. «Elio me sapeó el almuerzo». (Puede aplicarse a cualquier evento.)

SAPINGO. El que no vale para nada. «Mi hermanito es un sapingo».

SAPO. 1. Parte muy blanda de la res. «Dame bistecks de sapo». 2. Persona que vigila en el juego de dominó o de cartas a los demás jugadores. En general se aplica a la persona que vigila lo que alguien hace. «Tú no eres más que un sapo». *Estar como el sapo.* Estar escondido, recluido en la casa sin dejarse ver. «Mi hermano está como el sapo». *Haber sido sapo y salir a croar.* Se dice del que no fue nadie, y después, cuando se encumbra está siempre en las crónicas sociales. «Ése en Cuba no fue nadie y aquí salió a croar». (Cubanismo nacido en el exilio cubano.) *Meterse, como los sapos, debajo de la piedra.* Abochornarse y no hablar más. «Cuando se lo dije, se metió como los sapos, bajo las piedras». *Pasar un sapo veinte años debajo de una piedra.* 1. Consuélate. «Me condenaron a veinte años. —Veinte años lo pasa un sapo debajo de una piedra». 2. Todo el mundo sobrevive (no hay por qué acongojarse.) «No te dejes morir que veinte años lo pasa un sapo debajo de una piedra». *Ser alguien un sapo.* Vivir del aire. «Yo te digo que ese señor es un sapo». (El sapo vive comiendo insectos en el aire. De ahí el cubanismo.) *Ser sapo, o ser un sapo.* Vivir del aire. «Dame el dinero que yo no soy sapo». «No sé cómo subsiste porque es un sapo». «Yo no sé de qué vive ese hombre. Es un sapo». (Como los sapos abren la boca y cogen a los bichitos que van por el aire y viven atrapando todo lo que pasa en el aire para comerlo surge el cubanismo.) *Un año lo pasa un sapo debajo de una piedra.* Hay que tener paciencia. «Yo te lo digo. No te desesperes. Un año lo pasa un sapo debajo de una piedra». Ver: *Época.*

SAQUE. *El saque de la yuca.* Sacar la yuca de la tierra. «Vamos al saque de la yuca». (La yuca es un tubérculo comestible tropical.)

SAQUITO. *Tira con un saquito como un japonés en tiempos de guerra.* Que usa mucho una prenda de vestir. «Ése tira con un saquito como un japonés en tiempos de guerra».

SARAMAMBICHE. Hijo de puta. «Ahí viene ese saramambiche». (Es palabra que viene del inglés: «Son of a bitch», que significa: «Hijo de puta». El cubano lo adapta al pronunciarlo. Se oye en Cuba desde la intervención de los Estados Unidos.)

SARAMPIÓN. Ver: *Ladillas.*

SARASOTA. *Dejar Sarasota.* Estar el pene a media erección. «Ella en el cine me lo dejó Sarasota». *Tenerla Sarasota.* Tener el pene a media erección. «Tengo tantas ganas que está Sarasota».

SARDINA. *Corre sardina que se te va la lata.* Ver: *lata. Da la vuelta sardina.* Cambia de lugar. «Da la vuelta sardina para que él se siente aquí». *Ponerse como sardina en lata por todo el pecho.* Tener el pecho muy apretado por asma, etc. «A las cinco se puso como sardina en lata por todo el pecho». («*Estar como sardina en lata*», es el castizo para «*apretado*». De aquí el cubanismo.) *Tener alguien más escamas que las sardinas gallegas.* Ser insensible al ruego. «No te rebaja un centavo pues tiene más escamas que las sardinas gallegas».

SARDINÉ. Acera en Cárdenas. «Aquí le dicen sardiné por los franceses en ves de acera».

SARGENTERÍA. *Sargentería política.* Grupo de sargentos políticos. «Yo poseo una gran sargentería política». Ver: *Sargento.*

SARGENTO. *Sargento de barrio.* Muñidor electoral a cargo de una demarcación. «Ese sargento de barrio es muy activo». *Sargento político.* Muñidor electoral. «Ese político tiene varios sargentos políticos». *Ser alguien solamente sargento de barrio.* No tener modales. «Tú no eres más que un sargento de barrio. Ofendes a todo el mundo». (El sargento de barrio era en Cuba un muñidor político, casi siempre de clase muy baja y sin educación. De ahí el cubanismo.) *Sonar de sargento a Capitán.* Ascender de sargento a capitán. «A él lo sonaron, en la compañía, de sargento a capitán».

SARNA. *Caerle a alguien sarna, (o la sarna.)* 1. Acercársele un tipo que molesta mucho. «¿Así que te hiciste amigo de él? Te cayó la sarna». 2. Sucederle algo a uno que lo mortifica. «¿Llegó tu suegra a tu casa? Te cayó sarna».

SARRÁ. Ver: *Atracción. Pompeya.*

SARTÉN. (Un) Un medallón grande de oro que usan algunos cubanos con la imagen de la Caridad del Cobre (Patrona de Cuba) o de San Lázaro. «Te compraste un bello sartén. Se te ve muy bien en el cuello».

SASTRE. *Ser el Sastre Lampillo.* Hacer las cosas gratis. «A mí tienes que pagarme, yo no soy el sastre Lampillo». (Se basa en un dicho popular, que reza: «*Yo soy el Sastre Lampillo que cose de balde y pone el hilo*». Este último dicho es castizo.) *Ser un buen sastre.* No tener carácter. «No le hagas caso. Nada pasará. Él es un buen sastre». (Se dice del que siempre afirma que «va a tomar medidas», pero no hace nada, sólo amenaza.)

SATA.O. *Estar algo o alguien sato.* Estar pasado de límite. «Pedrito, estás algo sato». *Estar sato.* Se dice del que coquetea. «¡Qué sata está María!» *Mujer sata.* Mujer coqueta. «¡Mira que eres sata, muchacha!» *Perro sato.* 1. Abundancia. «En el parque el tiro está sato». 2. Hombre que coquetea. «Ese hombre es un sato con las mujeres». 3. Perro que no es fino. Ver: *Carga.*

SATANÁS. *Escapársele a Satanás.* 1. Ser muy habilidoso. «Ése se le escapó a Satanás». 2. Ser muy travieso. «Enriquito hizo otra de las suyas. Ese niño se le escapó a Satanás, por debajo de la saya».

SATEAR. Coquetear. «Se pasa el día sateando».

SATERÍA. Coqueterías. «Sus saterías son antológicas». «¡Qué satería tiene esa muchacha!» *Tener la satería en bandeja.* Ser muy sata. «Esa mujer tiene la satería en bandeja. ¡Qué coqueta es!» *Tener una mujer la satería en bandeja.* Ser coquetísima. «Mi hermana tiene la satería en bandeja». («Satería» es el arte de coquetear.) Ver: *Relambía.*

SATISFACCIÓN. Ver: *Hemorragia.*

SAYA. *Tener la saya al filo de la navaja.* Tener la saya tan corta que se le ven las nalgas. «Ella tiene la saya al filo de la navaja». (El cubanismo se basa en el título de una película: «*Al filo de la navaja*».)

SAYO. Ver: *Capa.*

SCOTCH. *No poder ser alguien ni «escotch teip».* Ser un vago total. «Ese hombre no puede ser ni escotch teip». (El «scotch tape», que el cubano pronuncia como se ha escrito, es una cinta adhesiva. El cubanismo viene de que el «Scotch tape», sirve para pegar y de que «pegar» es «trabajar» en cubano.)

SE. Ver: *China.*

SEA. *Lo que sea pero que sea pronto.* Latiguillo que se usa en la conversación con inusitada frecuencia. «Yo sí que no tengo miedo. En esto del gobierno, lo que sea pero que sea pronto». «Le voy a ver para definir. Lo que sea pero que sea pronto». «Ni te preocupes, a nadar. Lo que sea pero que sea pronto». «Yo no le tengo miedo a nadie. No me importa que tenga revólver. Lo voy a buscar. Lo que sea pero que sea pronto».

SEBASTOPOL. *Cagarse en Sebastopol.* (Lo he oído en Madrid. Eufemismo para no decir: «Me cago en tu madre».) Sinónimo: *Cagarse en la madre de los tomates.*

SEBO. *Ser sebo y rincón.* No valer nada una persona. «No suelo equivocarme. Ese es sebo y rincón».

SEBORUCAL. *Ser algo seborucal.* En grande. «Tu fracaso es seborucal».

SEBORUCO. Persona que no es inteligente. «Juan es un seboruco». Ver: *Cebonoco.*

SECADORA. Ver: *Tángana.*

SECANTE. *Ser alguien como el secante.* Pasarle todo lo malo. «Ese primo mío es como el secante». Ver: *Papel.*

SECAR. Matar. «Los secaron a todos cuando tomaron el poder».

SECO. *Tenerlo a uno seco.* 1. Se dice de la persona que le cae a uno y fastidia mucho. «Me tiene seco con sus preguntas». 2. Se dice de la persona que hace sufrir mucho a alguien con su conducta. «Ha hecho tantas cosas que tiene a la madre seca». Ver: *Mamar. Putería. Regla.*

SECRETO. *El secreto está en la mezcla.* En esto está el quid de la cosa. «¿Cómo es que ganaste? —El secreto está en la mezcla». (El cubanismo es el lema de unos cigarrillos cubanos.)

SED. *Darle a alguien una sed de agua.* Ayudarlo. «Él me dio una sed de agua y no lo olvido». (Se usa principalmente, en el negativo.)

SEDANITA. *Ser una sedanita.* Ser muy calmado. «Él es una sedanita». («La Sedanita» era un calmante en Cuba.) Sinónimo: *Ser una pasiflora.*

SEGUIDILLA. *Dar seguidilla.* Caerle a alguien encima. «Le di una cantidad de seguidilla que lo volví loco y me firmó el papel». *Tener alguien seguidilla.* Ser muy insistente. «Te convence porque él tiene seguidilla».

SEGUIMIENTO. 1. Arroz con frijoles. «Ahora quiero seguimiento». 2. Comida que acompaña al plato principal. «Queso con papas es el seguimiento de hoy».

SEGUIR. *Seguir siguiendo.* Continuar. «Bueno, voy a seguir siguiendo». (El cubanismo es un gracioso juego de palabras.) *Sigue durmiendo de ese lado que te va a salir ronchas.* Ver: *Lado.*

SEGUNDA.O. *Coger un segundo aire.* Recobrarse. «Cuando estaba vencido cogió un segundo aire». (Es un cubanismo que viene del boxeo.) *El segundo asalto a Palacio.* Así se le llama a todos los que fueron a visitar a Fulgencio Batista —cientos de comisiones de «clases vivas"— después del asalto a Palacio por los revolucionarios en 1957.) «El segundo asalto a Palacio fue un bochorno». *Poner una segunda.* Ayudar. «Ponme una segunda a ver si resuelvo el problema y consigo trabajo». *Ponerle a alguien una segunda.* Ayudarlo con un buen comentario. «Conseguí el trabajo porque me puso una segunda». Sinónimo: *Poner una buena.* Ver: *Acelerado. Piedra. Primera.*

SEGURETE. Bolsillo pequeño del pantalón. «Mete el dinero en el segurete». *Ir al segurete.* Ir al seguro. «En eso voy al segurete».

SEGURO. *A seguro se lo llevaron preso.* No hay nada seguro. «¿Es seguro que él venga? —A seguro se lo llevaron preso». (Es el más usado; el más popular.) *El único seguro es Godoy.* Se contesta así cuando alguien dice: «Eso está seguro. Lo de Pedro es seguro. El único seguro es Godoy».

SEIS. *Estar en el seis por ocho.* Vivir una vida regalada. «Últimamente estoy en el seis por ocho». (El cubanismo nació porque los que trabajan en Cuba en las guaguas —ver: *guagua*— o sea, los autobuses, trabajaban seis horas y cobraban ocho.)

SEISCIENTOS. Ver: *Carga.*

SELÁSTRAGA. *Ser de apellido Selástraga.* Ser homosexual. (El cubanismo viene de un juego de palabras.) Sinónimo: *Aceite.*

SELLITO. *Estarse acabando los sellitos porque Rigan le quitó la goma.* Ponerse difícil una situación económica, política. «Chica, en el Golfo Pérsico se están acabando los sellitos porque Rigan le quitó la goma». (Es un cubanismo del exilio. En los Estados Unidos se cogen unos cupones, llamados sellitos, para la comida cuando no se tienen medios económicos. Hay muchos abusos, por lo que el Presidente Reagan, que el cubano pronuncia Rigan, los ha regulado. De aquí el cubanismo.) Ver: *Comemierda.*

SELLO. *Dale Sello Lazo instantáneo.* Liquida esto, termina eso drásticamente. «A esa relación con esa mujer dale Sello Lazo instantáneo». (El Sello Lazo instantáneo era una aspirina cubana. De aquí el cubanismo.) *Mucho ojo con el sello rojo.* Ver: *Ojo. No me pongas el sello que te falta el lazo.* No trates de engañarme con cuentos de camino. «Te repito lo dicho: no me pongas el sello que te falta el lazo». (El cubanismo coge el nombre de una aspirina: «Sello Lazo», para hacer un juego de palabras.) *No pegar ni un sello roto.* Ser muy vago. «Ése no pega ni un sello roto». (Superlativo del cubanismo: *No pegar ni sellos.*) *No pegar ni sellos.* No tener, un boxeador, pegada. «Ese boxeador no pegó ni los sellos». Se dice igualmente del que no trabaja. «Genaro no pega ni los sellos». («Pegar» quiere decir «trabajar».) *Ser algo o alguien como el Sello Lazo.* Hacer las cosas rápidamente. «Es como el Sello Lazo. La vio y se le declaró». «Ese pegamento es como el Sello Lazo». («El Sello Lazo» era una aspirina cubana cuyo lema era: «Sello Lazo, Instantáneo», es decir que instantáneamente quitaba el dolor de cabeza. De aquí el cubanismo.) *Ser alguien un sello sin goma.* Ser muy poco cariñoso. «Mi marido es un sello sin goma». (El sello sin goma está despegado. Una persona despegada no es cariñosa. De aquí el cubanismo.) Ver: *No. Pegar.*

SELTZER. *Bromo Seltzer.* Nombrete que se le da a la persona furiosa por cualquier cosa. Ver: *Alka.*

SELVA. Una cerveza de la marca «Polar». «Dame una selva». (La cerveza «Polar» tenía en su etiqueta un oso. El chuchero pensaba que el oso venía de la selva. De aquí el cubanismo. Es lenguaje del chuchero. Ver: *Chuchero.*) Sinónimo: *Dame un oso bien frío.* (Ver la nota anterior.)

SEMÁFORO. *Colócate de semáforo.* Se le dice al que alardea de que tiene el pene parado [la pinga parada.] (Ello se debe a que la tiene siempre parada en la mano.) «Juan, cállate. Colócate de semáforo». *Ponerse alguien como un semáforo.* Brillarle los ojos. «En cuanto ve dinero se pone que parece un semáforo». *Ser un semáforo.* Se dice del que usa, al mismo tiempo, ropas de diferentes colores. «Chico, con esa ropa eres un semáforo». *Tener alguien siempre puesta la luz roja en el semáforo.* No dejar hablar. «Juan siempre tiene puesta la luz roja en el semáforo. El lo dice todo». *Tener cronometrado el semáforo.* Hacer las cosas con precisión. «Déjalo que trabaje el cuadro. El tiene cronometrado el semáforo». *Tener la luz roja en el semáforo una mujer.* Tener la regla. «Sé, por su mal humor, que tiene la luz roja en el semáforo». Ver: *Guagüero.*

SEMANA. *Estar siempre de Semana Santa.* Se dice de la persona que siempre está pidiendo perdón o que para todo pide perdón. (La conversación da el significado.)

«Chico, esta vez no te dejo salir. No estés más de Semana Santa». (El que pide perdón está haciendo penitencia, arrepintiéndose, como se hace en la Semana Santa. De ahí el cubanismo. Hacer penitencia.) «Repite tanto la palabra que está siempre de Semana Santa». (Repite mucho perdón al hablar.) *Ser una Semana Santa.* Estar siempre sufriendo de algo. «Ese muchacho tuyo es una Semana Santa». Sinónimo: *Ser el niño de los dolores.* (La influencia del andaluz en Cuba ha dejado este cubanismo.) *Ser alguien el especial de la semana.* Ver: *Especial. Guineo.*

SEMBRAR. *Podérsele sembrar a alguien boniatos en las orejas.* Tener las orejas sucias. «Báñate, pues se te pueden sembrar boniatos en las orejas».

SEMENTAL. Se dice del que tiene muchos hijos. «Ese hombre es un semental». Sinónimo: *Ser el dique.* Ver: *Dique.*

SEMILLA. Ver: *Chiquito. Papaya. Río.*

SEMIÑOCOS. En plural, zapatos burdos. «Mira los semiñocos que usa ése».

SEMIPRO. (Un o una.) Uno que no tiene mucho talento. «Ella puede pintar muy bien, es una semipro». («Un Semipro», en el argot del juego de pelota, es el que no juega en el mejor equipo, sino en el inferior. Abreviatura de semiprofesional.)

SEN. Ver: *Ten.*

SENADOR. Ver: *Ceniza.*

SENEGALÉS. (Un) Se dice del hombre de color con un pene grande. «A ése lo que le gusta es un senegalés». (Denota un homosexual al que le gusta el pene grande.) *Amigo Senegalés.* Bujarrón. «Ése tiene un amigo Senegalés». *Gustarle a alguien un senegalés.* Ser un homosexual. «A Oscar le gusta un senegalés». «A Pedro le gusta un senegalés».

SENEMBUCOS. Zapatos. «Los senembucos están rotos». (Lenguaje del chuchero. Ver: *chuchero.*) Sinónimo: *tacos.*

SENSERIBÓ. 1. Amigo. «¿Cómo estás Senseribó?» (Este cubanismo se contesta siempre en africano: «Hasta que ñangüe monina».) 2. Lío. «En mi casa por causa de mi hijo se formó un senseribó». *En tiempos de Senseribó.* Hace muchos años. «En tiempos de senseribó pasó eso». Sinónimo: *En tiempos de Ñañá Seré. Ser algo de Senseribó.* Ser viejo. Sinónimo: *Del tiempo de Senseribó.* Ver: *Tiempo.*

SENTAR. *Espéralo sentado.* Eso no te llega más nunca; eso no lo obtienes más nunca. «¿Tú crees que me devuelva lo que me debe? —Eso espéralo sentado». *Sentar a.* Desplazar. «Sentó a Pedro en el trabajo». (Es término que viene del juego de pelota.)

SENTIDO. *Estar sentido con alguien.* Sentir dolor por la acción de alguien. «Desde ayer, después de saber lo que hizo, estoy sentido con él». (Lo da como cubanismo Constantino Suárez, «*El Austirianito*», en su *Diccionario de Voces Cubanas* y L'Any en su *Semántica Hispanoamericana.*)

SENTIMIENTO. *Ésa es la parte del sentimiento.* Ahí es a donde me duele. «¿Por qué se habrá puesto así cuando le hablé del dinero? —Porque ésa es la parte del sentimiento». (Este cubanismo se oye siempre en respuesta a algo.) Ver: *Parte.*

SEÑA. *Coger la seña.* Entender. «Él cogió la seña y vota por nosotros». (Viene del juego de pelota.) Ver: *Tin.*

SEÑORA. *Estar alguien como la Señora Santana.* Querer lo que ya no se tiene. «No llores más, lo pasado, pasado. Estás como la Señora Santana». (Se basa en el canto infantil que dice así: «*Señora Santana, ¿por qué llora el niño? Por una manzana, que se le ha perdido*».)

SEÑORITA. (La) 1. La maestra. «Mi señorita es muy inteligente». 2. También un dulce, un tipo de panetela. «¡Qué rica está esta señorita!» *La Señorita del Pomporé.* Forma cariñosa de saludar a una muchacha. «¿Cómo está la Señorita del Pomporé?» (Viene de una canción española que fue muy famosa en Cuba.) *Ser fiel como una señorita antigua.* No engañar. «Le es fiel como una señorita antigua». *Ser la Señorita del Pomporé.* Lo he oído también de la mujer que se da pisto. «Por ahí viene Antonia. Es la Señorita del Pomporé». Sinónimos: *Darse patadas. Darse patadas en el estómago. aires en el ombligo. Darse lija. Metérsela con vaselina. Una señorita matizada.* De piel muy blanca con pezones negros. «Esa prostituta es una señorita matizada». Ver: *Chorizo.*

SEPTIEMBRE. *Septiembre, mes de las calabazas.* El número siete en el dominó.

SÉPTIMO. *Séptimo Severo.* El siete en el dominó. «Vaya, para que saques a Séptimo Severo». (Cubanismo culto.)

SER. *Lo que sea que sea pronto.* Que acabe de suceder. «Dicen que tal vez se dé la medida. —Lo que sea pero que sea pronto». *Ser alguien cagado.* Ser igual. «¡Muchacho! Eres tu tía cagada».

SERAPIO. No. «¿Me das cinco dólares? —Serapio». (Es un juego de palabras con cero.)

SERES. *Hay seres que atrasan.* Hay personas que traen mala suerte. «Hay, como él, seres que atrasan. Por eso lo esquivo». (El término viene del espiritismo). Ver: *Tiempo.*

SERGIO. Ver: *Nalgas.*

SERIE. *Ser, algo, de serie.* Ser fenomenal. «Ése chiste es de serie».

SERÓN. Muchos. «Yo creo que mi abuelito tiene un serón de años».

SEROX. *Ser algo el serox perfecto.* Ser una cosa perfecta. «Esa novela tuya sobre Cuba es el serox perfecto».

SERPENTINA. *Recoger la serpentina que se acabó el carnaval.* Se acabó lo bueno. «Pedro, recoge la serpentina que se acabó el carnaval». (Lo he oído siempre en imperativo y también en el sentido de: «Se te acabó la suerte».) Sinónimo de este último caso: *Se acabó lo que se daba. Tener preparada la serpentina.* Tener ánimo. «Yo siempre tengo preparada la serpentina». Ver: *Carnaval. Pistolas.*

SERPENTINERO. El lanzador en el juego de pelota. «Hoy yo soy el serpentinero es ese juego».

SERRUCHAR. Fornicar. Sinónimo: *Dar barilla. Dar hierro.*

SERRUCHO. *Dar serrucho.* Fornicar. Sinónimos: *Barra. Dar barra. Ir al serrucho.* Ir a la mitad. «En ese negocio vamos al serrucho». Ver: *Hierro.*

SERVICIO. *Dar servicio.* 1. Fornicar. «El marido debe darle servicio, continuamente, a la mujer». 2. Tener relaciones sexuales. «Yo sé que aun los hombres viejos dan servicio». *Dar servicio a domicilio.* Se dice del que fornica con mujeres en el domicilio de ellas. «Yo no cobro. Juana y las otras saben que doy servicio a domicilio». *Dedicarse alguien al servicio doméstico.* Dedicarse a fornicar con criadas. «Estoy dedicado, y con mucho gusto, al servicio doméstico». *Ésa no se casó ni cuando el servicio militar.* Se decía en Cuba, de una mujer muy fea, cuando la

Primera Guerra Mundial. «Esa vecina no se casó ni cuando el servicio militar». *Tener con una mujer un servicio de mantenimiento.* Estar con ella por costumbre. «Yo ya lo que tengo con mi mujer es un servicio de mantenimiento». (Es cubanismo nacido en el exilio cubano.) Ver: *Mujer.*

SESO. *Ser un seso hueco.* Ser bruto. «Eres un seso hueco. No te das cuenta de nada». Sinónimo: *Ser Daniel Seso Hueco.* (El cubanismo está tomado de las tiras cómicas. *Daniel Seso Hueco* es un personaje de ellas.)

SEVEN UP. Culo. (El cubanismo pronuncia esta voz inglesa «sevenop». «Seven» es «siete» y «siete» en cubano es «culo». De ahí el cubanismo.) Ver: *Culeco.*

SEXO. *Hacer una persona el sexo con pijama.* Ser muy timorata. «Juan, te lo juro, hace el sexo con pijama». (Cubanismo del exilio.)

SHORT. *Te quiero y me quedo en «short».* Forma de despedida. «Bueno, te veo. Acuérdate que te quiero y me quedo en «short». (Cubanismo del exilio. El short —el cubano pronuncia «chort"— son los pantalones cortos y deportivos de hombres. El cubanismo implica que se quiere tanto a la persona que uno se queda desnudo, que se lo da todo. Fue creado y popularizado por el señor Rosendo Rosell, artista cubano desde su sección en el «*Diario Las Américas*», de Miami, Florida, en los Estados Unidos.) Ver: *Querer.*

SHOW. *Dar un «show».* 1. Dar una escena. «Me dio un show en el medio de la calle». 2. Formar lío. «En plena fiesta dio un show y le dieron de golpes por ofender». *Ser alguien un show.* Tener mucho colorido. «Él es un show». («Show» es la palabra inglesa que el cubano pronuncia «chou» y que significa «espectáculo».)

SI. *Si acabó.* Se acabó. (Los chinos en Cuba dicen «**si acabó**». El cubano, imitando al chino conscientemente, dice igual: «Si acabó dinero, pasana».)

SICA. (La) El aparato sexual de la mujer. «Él siempre está detrás de la sica». (Lenguaje del chuchero. Ver: *Chuchero.*)

SIERRA. *Transmitir alguien más que la Sierra Maestra.* Hablar mucho. «Juan transmite más que la Sierra Maestra». (El cubanismo nació con las transmisiones que contra el gobierno de Batista hacía Fidel Castro desde la Sierra Maestra.)

SIETE. (El) El culo. Sinónimo: *Culeco. Estar plantado en siete y media.* No dar alguien su brazo a torcer. «Juan está plantado en siete y media. No hay nada que hacer en el asunto». *Estar vestido de solitaria con siete cabezas.* Tener mucha hambre. «Yo siempre estoy vestido de solitaria». Sinónimo: *Tener una boa constrictor en el estómago. Ser el monstruo de las siete potencias.* Ver: *Blanca. Canal. Devoto. Flauta. Monstruo. Producto.*

SIETECUEROS. Látigo. «Le dio con el sietecueros». *Necesitar alguien un sietecueros.* Necesitar disciplina. «Tu hijo necesita un sietecueros».

SIETEPOTENCIA. Ver: *Pompeya.*

SIFILIBERTO. (Un) Una sífilis. «Juan tiene un sifiliberto».

SÍFILIS. *Tener alguien una sífilis encartonada.* Ser un loco. «Pedro tiene hace años una sífilis encartonada. Deben recluirlo».

SIGILIAO. Que se siente perseguido. «Pedro es un sigiliao». (Es «sigiliado» pero el cubano aspira la «d».)

SIGILIO. *Tener mucho sigilio.* Sentirse vigilado; también, tener alguna preocupación obsesionante. «Vete al médico; tienes mucho sigilio encima».

SIGLO. *Fin de Siglo.* Ver: *Encanto. Renacimiento. Quedarle a uno fin de nada siglo.* El cubanismo lo hemos oído como contestación a los que dicen que tienen mucho encanto para las mujeres. («El Encanto» y «Fin de Siglo» eran dos tiendas muy famosas de La Habana. El cubanismo hace con ellas un juego de palabras.)

SIGUARAYA. Mujer bella. «¡Qué siguaraya ésa, qué ojos tiene!» *El país de la siguaraya.* Cuba. «Éste es el país de la siguaraya. Nadie tiene problemas y si los tiene se los resuelven». (La frase se refiere a que Cuba, a pesar de sus problemas era un sitio para vivir feliz porque todo se resolvía. También alude al hecho de la inestabilidad política cubana y a la malversación. En este caso: *País de la siguaraya* quiere decir país sin responsabilidad.) Sinónimo: *País de chicharrones y café con leche.* (Un estadista cubano, Ferrara, lo llamó: «Pueblo de chicharrones y café con leche».)

SIJÚ. *Estar alguien como el sijú.* Estar vigilando. «El policía está como el sijú». (El sijú es un pájaro cubano. Mira, continuamente, para todos los lados. De aquí el cubanismo.) *Mirar como el Sijú.* Estar siempre vigilante. «El mira como el sijú. No se le va una». *Ser un sijú.* Se dice de la persona que sale de noche. «Pedro es un sijú». Sinónimo: *Ser un cotunto. Ser un sijú platanero.* Ser muy feo. «Yo no sé cómo te puedes casar con él, si es un sijú platanero». (El cubanismo es de origen campesino. El sijú es un ave que mira fijamente para todos los lados.)

SILAR. Ver. «Lo silé cuando entraba en la casa». (Lenguaje del chuchero. Ver: *chuchero.*)

SILBATO. *Tú perdiste el silbato.* Se le dice al que lo manda a uno a callar. «¡Cállate! —Tú perdiste el silbato». (O sea, no me callo.)

SILENCIO. *Interpreta mi silencio.* Ya tú sabes lo que pienso. «¿Tú me quieres? —Interpreta mi silencio». (En una época, este cubanismo era un latiguillo lingüístico; se oía continuamente.)

SILLA. *Corrérsele a alguien la silla.* Fracasar. «Se creía muy seguro pero se le corrió la silla». Lo he oído muchas veces pero con el significado de estar a punto de fracasar; o de perder autoridad; o de no volver a tener el poder que se tenía, dando la frase el significado. Por ejemplo, en cuanto al poder: «En Polonia, al gobierno con la huelga se le corrió la silla». (Fracasó.) «Están luchado los dos, fuertemente, por la silla de Doña Leonora». (Cubanismo casi extinguido. Lo usa sólo la gente muy anciana.) *Pedirle la silla de ruedas a Perry Mason.* Hacerse el infeliz. «No le creas. Lo que pasa es que le pide la silla de ruedas a Perry Mason». (El cubano pronuncia Perri Meison. El cubanismo nació en el exilio con el programa de Perry Mason, [Iron Sides] un famoso detective.) *Tener una mujer una lengua retratada en la silla turca.* Gustarle que la lengua del hombre vuelva a su lugar de origen. Ver: *Mojón. Patas.*

SILLÓN.ES. *Darle a alguien un sillón que se acabó.* Darle silla eléctrica. «Si mata a un policía, en este país le dan un sillón que se acabó». *Romper sillones.* Llevar una pareja relaciones por mucho tiempo. «Están rompiendo muchos sillones esa gente y no se casan».

SILÓ. Juego de azar. «Vamos a jugar al siló». *Jugar al siló.* Jugar a los dados. («Siló» es «dados».) «La policía los sorprendió jugando al siló».

SILVANA. *Estar una mujer que ni Silvana Mangano.* Ser hermosísima. «Tu hermana está que ni Silvana Mangano». (Silvana Mangano era una actriz italiana de cine y televisión que era hermosísima.)

SILVANAPAMPANESCA. Bellísima. «Ella es la silvanapampanesca». (Viene del hecho de que Silvana Pampanini, una artista italiana, es muy bella.)

SILVERIO. *Mirar a alguien desde el hueco de Silverio Pérez.* Estar muerto. «Muchacho, ése mira, hace rato, desde el hueco de Silverio Pérez». (El cubanismo se basa en una canción de Agustín Lara que dice: *«Silverio que está en el cielo, se asoma a verte torear»...*) *Ser Silverio Pérez.* 1. Ser bugarrón. es decir, el que da por el trasero al homosexual. «En el barrio era Silverio Pérez». 2. Ser mujeriego. «A mi hermano, en la barriada, le dicen Silverio Pérez». (En la popular canción, *«Silverio Pérez»,* la letra lo llama *«amante del redondel»,* —aludiendo a la plaza de toros— pero el cubano usa el juego de palabras para aludir al trasero femenino.) *Ser un Silverio Pérez cualquiera.* No valer nada. «Ese Oscar es un Silverio Pérez cualquiera». (Silverio Pérez fue un torero mejicano. En Cuba se hizo muy popular un pasodoble que lo nombra. De aquí el cubanismo.)

SILVESTRE. *Darse silvestre como el marabú.* Ver: *Marabú. Estar algo silvestre como la verdolaga.* Haber mucho. «Aquí está el canalla y el envidioso literario silvestre como la verdolaga».

SIMBOMBAZO. *Meterle a alguien un simbombazo.* Atacarlo. «En el periódico le metí un simbombazo». *Tener un simbombazo.* Tener un ataque al corazón. «Él tuvo un simbombazo y se murió».

SIMEÓN. Se dice del hombre que orina mucho. «Es un Simeón». *Levantarse Simeón.* Levantarse orinando mucho. «Hoy me levanté Simeón». *Ser Simeón.* Orinar mucho. «A lo mejor tiene diabetes, porque eres Simeón».

SIMEONA. Se dice de la mujer que orina mucho. «Es una simeona».

SIMONOCO. Ver: *Cebonoco.*

SINAPISMO. Ropa caliente. «Quítate ese sinapismo que te vas a desmayar del calor».

SÍNCERO. *Ser síncero.* Ser sincero. (El cubano cambia el acento por gracia, como hacía un personaje: *«El Negrito»,* en el programa de *Chicharito y Sopeira.*) «Yo soy síncero». *Ser síncero como Chicharito.* Ser muy sincero. «Él es síncero como Chicharito». *(«Chicharito»,* era parte del binomio costumbrista compuesto por *Alberto Garrido —Chicharito— y Federico Piñeiro —Sopeira—* que tuvieron un programa radial muy exitoso en Cuba llamado *«Chicharito y Sopeira».* En él, *Garrido*, haciendo de *Chicharito*, le cambiaba el acento y pronunciaba sincero con acento en la **í**, convirtiéndolo en **síncero**.)

SINDICATO. Ver: *Pliego. Restaurante.*

SÍNDROME. *Tener síndrome de Tres Patines.* Creer alguien que el cubano no vale nada. «Los americanos tienen síndrome de Tres Patines». (Es cubanismo del exilio. Está basado el cubanismo en un programa llamado *La Tremenda Corte*, donde siempre el personaje, *Tres Patines*, le da la mala a alguien.)

SINFONÍA. *Ser una nota discordante en la sinfonía de la vida.* Ver: *Doblón. Nota.*

SINGADO. Maldito. «Este singado país va a acabar conmigo». *Singao por el culo.* Insulto grosero que se le grita a alguien con quien se riñe. (Es «singado» pero el cubano aspira la «d».)

SINGADORA. Fornicadora. «Ésa es una singadora tremenda». (Viene de **singar**, fornicar; palabra que el cubano tiene como cubanismo pero que es castiza.) *¡Qué singadora tan buena!* ¡Qué bien fornica! ¡Con qué arte! «¡Qué buena singadora es Lola, Pedro!»

SINGAPUR. Fornicación. Ver: *Barilla. Tetúan.*

SINGAR. 1. Ejecutar el coito. Sinónimos: *Dar Barilla. Dar con el cabo de hacha.* Templar. 2. Fornicar. *Lo mandé a singar.* Lo mandé para el carajo. «Cuando me pidió el dinero, lo mandé a singar». Sinónimos: *Lo mandé a singar por banderillas. Lo mandé a templar* o *a templar por banderillas.* 3. Ganarle a alguien. «Se lo singaron en el juego de damas». 4. Vencer. «El auto se singó la carretera». *Singar a alguien de Patria o Muerte.* Fornicar un hombre a una mujer de tal forma que la penetración da dolor. En general se aplica al hecho de que la fornicación produce dolor. «Los homosexuales singan de Patria o Muerte». («Singar» es «fornicar». «De Patria o Muerte» viene del lema comunista-castrista que ha causado tanto dolor. De aquí el cubanismo.) *Vete a singar por culo.* Vete para el carajo. Sinónimo: *Vete a buscar marido a otro lado.* (Todos estos cubanismos son altamente groseros.) Ver: *Resingar. Tapón.*

SINGARSE. *Singarse a alguien.* Ganarle. Es sinónimo de lo que en español se dice «dar por culo». «En la competencia —se dice en castizo— le di por culo al mejor de ellos». En cubano se dice: «En la competencia me singué al mejor de ellos». («Singar» es «fornicar» en cubano.) *Singarse a todo el mundo.* Destruir, ganarles, aniquilar a todos. «En la subasta me singué a todo el mundo». (Ganar.) «El dictador se singó a todo el mundo. No dejó a nadie vivo». (Aniquilar.)

SINGAZÓN. Lío. «En la reunión se formó la singazón». «Por tus palabras surgió la singación». (Es cubanismo grosero pues se deriva de «singar» que es «fornicar». «Singar» es castizo, pero el cubano lo da como cubanismo.)

SINGONISTA. Que le gusta fornicar. «Ése es un singonista». («Singar» en castizo es «fornicar». De aquí se creó el cubanismo.)

SINGUETA. (La) 1. Acción de ejecutar el coito. (También de carácter groserísimo.) 2. La fornicación. «¡Cómo me gusta la singueta!» «¡Mira que aquí hay singueta!» 3. Molestia. «Ese trabajo es una singueta». «¡Qué singueta tener que estudiar!» (Sólo se oye entre personas de baja extracción social.) 4. También lío. «¡Qué singueta se formó!» «¡Qué singueta la llegada de mi primo!» *Estar en la singueta.* Estar fornicando. «Hace meses que estoy en la singueta vigueta». *¡Qué singueta!* ¡Qué problema, qué lío! «¡Qué singueta ésta de tener que ir a recogerla al aeropuerto!» («Singueta» es también «fornicación».) «Entre esas hermanas la singueta es por lo alto». Ver: *Tolete.*

SINOBIA. *Conocerle a alguien la sinobia.* Conocerlo bien. «Yo a ese señor le conozco la sinobia».

SINOSITIS. Ver: *Dedo.*

SINSONTE. *Como el sinsonte no canta el gallo.* Como tú no hay nadie. «No te puede derrotar que como sinsonte no canta el gallo». *Ser alguien un sinsonte con espuela.* Hablar suave pero con mucha maldad. «¡Se creen que es bobo! Es un sinsonte con espuelas». Ver: *Pico. Pichón.*

SINTONIZA. Presta atención. «Oye, sintoniza que te estoy hablando».

SINTONIZADO. *Seguir sintonizado con alguien.* Seguir en contacto con alguien. «No te preocupes que yo sigo sintonizado contigo».

SINTONIZAR. *No sintonizar bien.* No oír bien. «Tú no sintonizas bien, Pedro».

SINVERGÜENCITA. *Ser medio sinvergüencita.* Aunque el vocablo es castizo, se aplica en esta derivación dándole distintas acepciones; desobediente, como en «esa niña es medio sinvergüencita». O para indicar que engaña en cosas sin maldad. «Ten cuidado, que es medio sinvergüencita».

SIÓN. *Ser de Sión.* Ser judío. «Esos, se ven que son de Sión». (Cubanismo nacido en el exilio.) *Ser Sión en la nariz.* Ser judío. «No lo puede negar, es Sión en la nariz».

SIPERO. Pesimista de mala intención. «No seas sipero. No debes ser así».

SIQUITRAQUE. *Darle a alguien un siquitraque.* Darle una sirimba. «En medio del gentío le dio un siquitraque». *Explotar como un siquitraque.* Fracasar. «Todo aquello que estaban preparando explotó como un siquitraque».

SIQUITRILLA. *Partirle a alguien la siquitrilla.* 1. Despojarlo de sus bienes. «Le partieron la siquitrilla. No le dejaron ni una silla». 2. Matar. «Le partieron la siquitrilla en el paredón». (Aunque popularizó la expresión el Dr. Humberto Medrano en Cuba, sub-director del periódico *«Prensa Libre»,* me dice el Dr. Mariano Díaz que es expresión que se usa en las peleas de gallos y que alude al hueso que forma la clavícula de las aves.) Sinónimos: *Llenarle la boca de hormigas. Partirle el carapacho. Partirle la ventrecha.*

SIQUITRILLAR. Ver: *Siquitrilla.*

SIRENA. *Gritar como sirena de ambulancia.* Gritar mucho. «Estás gritando como sirena de ambulancia». Ver: *Carro.*

SIRIMBA. Alferesía. Desmayo. «En pleno baile le dio una sirimba».

SIRIO. Ver: *Polaco.*

SIRIVENGA. *Gustarle la sirivenga pero no la sirivaya.* Gustar recibir, pero no dar. «A tu amigo le gusta la sirivenga, pero no la sirivaya».

SIROPE. Sí. «¿Me ves a las cinco? —Sirope». Sinónimo: *Sirope Pérez.*

SITIO. *Ser un sitio de Bohemia y Carteles.* Ser muy bohemio.

SOA. *Ser soa.* Ser un hijo de puta, ya que no se tiene apellido. (El cubano hace un juego de palabras entre **SOS**, la señal de peligro, y **Sin Otro Apellido, (S.O.A.)** «Ése es un **SOA**. No seas amigo de él». Sinónimo: *Hijo vaginal.*

SOBRAR. Ver: *Faltar.*

SOBRESALÍA. Mujer que quiere adelantarse a su edad. «Ésa es una sobresalía». Sinónimo: *Entresacada.* (Este último es un cubanismo de la Cuba actual.)

SOBRESALTO. *Estar en el sobresalto.* Así hablan los traficantes de marihuana para decir que ella «está en un sobrecito». «Todo está en el sobresalto».

SOBRIO. *Sobrio, pero no cargado.* En su justo medio. «Tráeme el artículo sobrio, pero no cargado». (Es un latiguillo lingüístico.)

SOCARIOS.[60] Ojos. «¡Qué socarios más lindos tiene su hermana!» (Lenguaje chuchero. Ver: *Chuchero.*) Sinónimos: *Piedra. Piedrafina.*

---

[60] También «socairos».

SOCATO. *Ser alguien un socato.* Ser aburrido. «Él es un socato». Sinónimo: *No tener sabor.* «Juan no tiene sabor».

SOCIAL. (Un) Un amigo. «Ése es mi social». (Lenguaje de la cárcel.) Ver: *Círculo.*

SOCIEDAD. *La sociedad del picadillo.* Se dice, en conjunto, de los que se retratan continuamente en la crónica social y no valen nada. «Míralos aquí, son de la sociedad del picadillo». *Ser alguien de la mejor sociedad de Carraguao.* Ser de muy bajo ambiente social. «Él es de la mejor sociedad de Carraguao». («Carraguao» es un barrio de La Habana habitado por gente de baja esfera social.) *Sociedad de mariquita de plátanos y frijoles negros.* Sociedad materialista que no siente por la patria. «Ésta es una sociedad de mariquita de plátanos y frijoles negros». Ver: *Cultural.*

SOCIO. Amigo. «Él es un buen socio mío». *Socio fuerte.* 1. Amigo. 2. Amigo del alma. 3. Amigo íntimo. «Es socio fuerte». «Él ha sido, desde niño, mi socio fuerte». «Tú eres un socio fuerte mío». Ver: *Abarolí. Vaca.*

SOCIOLISMO. *Ser algo cuestión de sociolismo.* Ser cuestión de influencia. «Tú no consigues carne pero yo sí. Esto es cuestión de sociolismo». (Lenguaje cubano de los llegados por el puente marítimo Mariel-Cayo Hueso en 1980. Es un juego de palabras entre socio a la que se le añade la terminación «lismo» y obtenemos «sociolismo», o sea, «comunismo cubano».) Ver: *Nivel.*

SOCORRO. Ver: *Casa.*

SOCOTROCO. Estúpido. «Tú no eres más que un socotroco. Mira lo que has hecho». Sinónimo: *Ser un socotroco Godoy.* (Socotroco Godoy era un luchador muy bruto en la lucha. De aquí el cubanismo.)

SOCOYONGO. *Ser el Socoyongo de mamá.* Ser el último hijo. «Éste es el Socoyongo de mamá». (Me dice mi corresponsal, el Dr. Mariano M. Díaz, que se usa también en Méjico. La comunicación de las zonas henequeneras de Méjico y Cuba fue constante, a principios de la República de Cuba, por eso es que algunas voces aparecen en ambos lugares. La damos como cubanismos con la reserva apuntada.)

SOCÚ. *Socú omi oyu ikoro.* Cuidado no tengas que llorar lágrimas amargas. «¡Cuidado! Socú omi oyu ikoro». (Son palabras africanas llevadas a Cuba por los esclavos.)

SODERN. *El romance de la soudern bel.* Romance telefónico; gente que habla de amor por teléfono. «Como no se ven, tienen el romance de la soudern bel». (Es cubanismo del exilio. «La Southern Bell» —que el cubano pronuncia como se ha escrito— es la compañía telefónica norteamericana.)

SODIO. Ver: *Morrongonato. Refrescar.*

SOFOCADO. *Estar sofocado.* No tener dinero. «El gobierno no paga los salarios públicos porque está sofocado».

SOFOCO. 1. Calor. «Tengo en este calor un sofoco tremendo». 2. Sofocón. «¡Qué sofoco tengo!»

SOFOQUIÑA. Sofocón. Se dice, también, *sofoquina.*

SOFRITO. *Pertenecer a la cultura del sofrito.* Que pertenece al folklore popular cubano, a su más vulgar expresión. «Hay gente, que cuando uno los oye hablar, se da cuenta que poseen una cultura del sofrito».

SOFT. *Ser alguien soft drink.* Ser muy fresco. «Ese hombre es soft drink». (El soft drink es un refresco. El cubanismo hace juego de palabras entre refresco —que se propasa— y refresco —bebida. Es cubanismo del exilio.)

SOGA. Mojón largo. «¡Qué clase soga ha defecado!». (Cubanismo grosero.) *Comerse la soga.* 1. Cometer muchos errores. «El gobierno cayó porque se comió la soga». 2. Estar en mala situación económica. «Estoy cesante, me estoy comiendo la soga». (Si la situación es malísima se dice: *Comerse una soga espesa.*) Sinónimo: *Comerse el millo.* (Lo es de comerse la soga como equivocación.) 3. Equivocarse. «Contigo me comí la soga». 4. También, en un trabajo, hacerlo todo mientras los demás no hacen nada. «En ese trabajo, me estoy comiendo la soga». 5. También, estar sin hacer nada. «Llevo meses comiéndome la soga». *Darle a alguien soga.* Darle tiempo. «Le he dado soga a ver lo que hace». Sinónimo: *Darle curricán.* (El «curricán» es lo que se pone, para pescar, detrás de los botes pesqueros para que un pez se enganche de él.) *¿Es larga la soga?* Se le pregunta al que lleva mucho tiempo defecando. «¿Es muy larga la soga, amigo?» (Este cubanismo grosero se le grita al que está mucho tiempo en el baño.) *Estar al final de la soga.* Estar algo terminado. «Ya estamos al final de la soga». *Hacer una soga.* 1. Defecar un mojón largo. (Cubanismo grosero de gente baja.) 2. Defecar por mucho tiempo. «No sale del baño, está haciendo soga». *Hacer una soga con nudos de marineros.* Defecar mucho. «Cada vez que va al baño, ¡mira para eso! ¡qué asqueroso! No hala la cadena y siempre hace una soga con nudo de marineros». (Lo he oído también añadiendo: «con nudo y todo».) *Hacer una soga para ahorcarse.* Defecar con excremento largo y abundante. «¡Mira, qué asqueroso! Hizo una soga para ahorcarse». *Llevar a la soga.* 1. Apretar a alguien de mala manera sin darle oportunidad. «Tuve que aceptar sus condiciones. Me llevó hasta la soga». 2. No dar alternativa. «Tuve que defenderme porque me llevó a la soga». (El cubanismo viene del boxeo.) *Llevar a alguien hasta la soga.* 1. Disciplinar a alguien fuertemente. «Ese hombre llevó al hijo hasta la soga». 2. Excederse en algo. «Lo llevaron hasta la soga y se les murió entre las manos». 3. Llevarlo hasta donde no tiene ya respiro. «O me paga o lo llevo a la soga». (Como se ve tiene diferentes significados que da la conversación pero siempre relacionados con llevar algo hasta donde no hay respiro o pasarse en la acción que se ejecuta sobre otro.) Sinónimo: *Llevarlo hasta la tabla. No le des mucha soga que a lo mejor no se enreda.* No le des tiempo. «A ése no le des soga que a lo mejor no se enreda». (Es forma de hablar del cubano que indica su genio lingüístico.) *No te lances que en medio del «suin» corto la soga.* No te atrevas que te reposto. «Lo enfrentó y le dijo: `No te lances que en el medio del «suin» corto la soga». («Suin» es movimiento. Es la palabra inglesa «swing» y que el cubano pronuncia como se ha escrito.) *No te vayas a tirar con la soga creyendo que eres Tarzán, que quedas.* Mide tus palabras. «Te lo digo: No te vayas a tirar con la soga creyendo que eres Tarzán, que quedas». Lo he oído también como: Tú no puedes con lo que quieres hacer. «Mira, agradezco tu oferta, pero no te vayas a tirar con la soga creyendo que eres Tarzán, que quedas». («Tarzán» es el popular personaje de las novelas de la selva). *Tener a alguien en la soga.* Estar listo para aniquilarlo. «Yo tengo a ese canalla en la soga». (Es decir, estar listo para colgarlo.) Ver: *Barco. Loco. Punta. Vaca. Tarzán.*

SOL. *Coger alguien el sol con colador.* Ser pecoso. «Esa mujer coge el sol con colador». *Deja que caliente el sol aquí en la playa.* Deja que yo mejore, que esté en posición, que tenga mejor oportunidad. «Ahora alégrate. Deja que caliente el sol aquí en la playa». (Surge de la canción de los *Hermanos Rigual*, que dice: «*Cuando calienta el sol, aquí en la playa*»...) *Ejecutar el sol.* Calentar fuerte. «El sol está ejecutando». *No ver el sol.* No haber fornicado. «Hace días que no veo el sol y tengo necesidad de una mujer». *Sol de campo.* Sol muy fuerte. «Hoy hay sol de campo». *Tener que sacar a alguien a coger el sol en canasta.* No hay nada que hacer. «Se muere. Si hay que sacarlo a coger el sol en canasta». Ver: *Lengua.*

SOLA. Ver: *Ánima.*

SOLANA. *Estar solana.* Estar solo. «Siempre él está solana». (Es lenguaje del chuchero. Ver: *chuchero.*) Sinónimo: *Estar solongo.* Ver: *Llanero.*

SOLAPA. Ver: *Grillo.*

SOLAR. *Alborotarse el solar.* Empezar a comportarse la gente sin buenas maneras. «Yo sabía que con esta gente se alborotaba el solar». *Botarse para el solar.* Perder las buenas maneras. «Cuando se enoja se bota para el solar». *De solar.* Se aplica a la persona baja o a la que no tiene modales. «Tu primo es de solar». «Es de solar, muchacha, por eso estuvo en la cárcel». *Esto no es un solar.* Se dice cuando alguien no se comporta debidamente. «Cállense, compórtense; esto no es un solar». (Se llama **solar**, en Cuba, a una casa con un gran patio comunal, central, con muchas habitaciones de pésima calidad habitadas por gente de muy baja categoría social. La palabra aparece registrada por *Ciro Bayo* y no indica que no sea castiza. Al entender del que esto escribe, el vocablo se deriva del hecho de que las antiguas residencias, deterioradas y venidas a menos con el paso del tiempo, estaban asentadas en grandes solares. El escritor *Ciro Alegría*, viajero de América, da la palabra como castiza en el sentido que aquí se da.) *Nacer para solar y chancleta de palo.* Nacer para ser de baja estofa social. «Ése nació para solar y chancleta de palo». *Ni en el solar del Muerto Parado.* 1. Expresión que se usa para criticar actos de mala educación. «Mira para esa gente. Ni en el solar del Muerto Parado». 2. ¡Qué falta de educación! «Esto no se ve ni en el solar del Muerto Parado». (El Solar del Muerto Parado era un sitio en Cuba en donde viven muchas personas de muy poco nivel social.) *Que ni el solar del muerto parado.* ¡Qué falta de respeto! «En los Estados Unidos están las cosas que ni el solar del muerto parado». *Ser de solar habanero.* Ser bajo, desde el punto de vista de buenas costumbres. «Esa actitud tuya es de solar habanero». *Ser un sitio, una reunión el solar del muerto parado.* Ser un sitio de elemento bajo. «Esa casa es peor que el solar del muerto parado». (El «solar» es un sitio donde viven gentes de las más bajas clases sociales. El solar del muerto parado era uno de los más conocidos en Cuba.) *Ser del solar del muerto parado.* Ser de baja extracción social. «Todas tus amistades son del solar del muerto parado». *Tener olor a solar.* Oler mal una persona. «Báñate, que tienes olor a solar». (El solar es una casa en donde viven muchas personas en cuartos en Cuba. De ahí el cubanismo.) *Un solar con buena ropa.* Gente decente, sin modales. «Tu primo me pareció un solar con buena ropa».

SOLARIEGA. *Ser una mujer una solariega.* No tener modales, ser vulgar. Viene de vivir en un «solar». «Juana es una solariega».

SOLAVAYA. Se dice a la muerte o a cualquiera otra cosa mala. «Por ahí viene el entierro. —Solavaya».

SOLDADO. Ver: *Comida.*

SOLEADO. *Ir soleado.* Ir solo. «En este viaje estoy soleado».

SOLEDAD. *Vivir en una soledad más grande que la de Lecuona.* Tener mucha soledad. «Esa familia, después de la muerte del padre, vive en una soledad más grande que la de Lecuona». (El cubanismo se refiere a la pieza musical *«Soledad»* del maestro Gonzalo Roig, pero como el pueblo de Cuba cree que toda la música grande de Cuba es de Lecuona, el cubanismo lleva el nombre de este gran compositor cubano.)

SÓLIDO. *Entrarle a los sólidos.* Comer. «Voy a entrarle a los sólidos». *Los sólidos.* La comida. «¿Qué sólidos hay para hoy?» Sinónimos: *La Botuva. Las grasas. Los víveres. Votar sólido.* Dar buen dinero en una colecta. «Espero que como se trata de la Liga Contra el Cáncer, la gente vote sólido».

SOLIMÁN. Sí. «¿Vas al cine? —Solimán». «¿Te veo a las cinco? —Solimán».

SOLITARIA.O. Ver: *Llanero. Pita. Tripita.*

SOLIVIÁN. *Ver a alguien Solivian de Cabumbia.* Verlo solo. «Sigue con ese carácter. Te veré, con tu edad, Solivian de Cabumbia muy pronto».

SOLIVIO. Es un ave pero también se aplica al sol, por juego de palabras. «El solivio está fuerte hoy». Sinónimo: *El indio.*

SOLLOTE. *Sacarle a uno el sollote.* Hacerlo trabajar mucho. «Esa gente me ha sacado el sollote».

SÓLO. *Un sólo de pachulí.* Se dice cuando en el dominó un jugador pasa a todos los demás. Ver: *Papalote.*

SOLONGO. *Estar solongo.* Estar solo. «Yo siempre estoy solongo».

SOLOSCURO. *Tener soloscuro.* Tener 70 años. «Yo tengo soloscuro». (Es lenguaje del chuchero. Ver: *Chuchero.*)

SOLTAR. *Suéltame.* Déjame. Ver: *Gallo. Soltar el gallo.*

SOMBRA. *Ir por la sombrita.* Ve con cuidado. (Cuando uno se despide se usa mucho.) «Hasta luego. —Ve por la sombrita». *Poner a la sombra.* Encarcelar.

SOMBRERAZO. *Comprar cosas a sombrerazos.* Baratas. «Hoy compré cosas a sombrerazos».

SOMBRERO. *En vez de sombrero, casucha.* Equivale al refrán español. «Ser el mismo perro con diferente collar». *Estar en el sombrero de pajita.* Estar atrasado. «Con eso del subrealismo, ese muchachito poeta está en el sombrero de pajita». *Ponerse un automóvil de sombrero.* Volcarse. «Ayer corrieron tanto que se pusieron el automóvil de sombrero». *Sombrero de guano.* Tipo de sombrero campesino hecho de una fibra, el guano. *Sombrero de yarey.* Tipo de sombrero campesino hecho de una fibra, el yarey. Ver: *Mambí.*

SON. *En el último cuarto hay son.* Hay algo oculto. «Parece todo tranquilo pero te digo que en el último cuarto hay son». *Ser algo, o alguien, el son de altura.* Ser bueno. «Ese libro es el son de altura». (El cubanismo se deriva de una canción del *Trío Matamoros*, el más famoso de Cuba.) *Ya tú verás cómo se baila el son.* Ya tú verás lo que te va a pasar. «Sígueme molestando y ya tú verás cómo se baila el son». Ver: *Orquestraje.*

SONADO. *Estar sonado.* Estar borracho. «El estaba completamente sonado».

SONAR. 1. Alcanzar. «Sonó doscientas millas en el automovilismo». (Se aplica a diferentes situaciones, por ejemplo: «Sonó un vals divino». [Tocar.]) 2. Cobrar. «Me sonaron diez dólares por la medicina». 3. Dar dádivas. «Yo siempre para conseguir algo sueno al secretario del ministro». Echar una carta. «Le soné a Juan una carta a las cinco». 4. Golpear. «Le sonaron un golpe en la cara». 5. Usar. «Voy a sonarme unos zapatos nuevos». *Le sonaron un cuento.* Lo engañaron. «Le sonaron un cuento y dio el dinero». *Lo que sea sonará.* No te preocupes. «No andes pensando en eso. Lo que sea sonará». *Sonar algo.* 1. Ascender. «Me sonaron de sargento a capitán». 2. Celebrarlo. «Este triunfo vamos a sonarlo». (Es lenguaje del chuchero. Ver: *Chuchero.*) *Sonar para.* Mandar. «Al soldado lo sonaron para la compañía F». *Sonar un cuento.* Contar. «Me sonó el cuento completo». (Se oye mucho en la Cuba de hoy.) *Una mujer que suena con cascabeles y todo.* Una mujer muy exigente. «A ese pobre hombre le cayó una mujer que suena con cascabeles y todo». (Es cubanismo del exilio.) «Se sonó un cigarro fuerte». Ver: *Andonada. Roncar. Zumbar.*

SONDAY. Ver: *Never.*

SONERITO. El que suena cualquier instrumento. «Él es un buen sonerito». *Sonerito, suena tu bongó.* Toca el instrumento con todo tu arte. «¡Cómo tocan! Sonerito, toca tu bongó». (Esta última oración se grita a la orquesta en una fiesta. Viene de una canción cubana.) Sinónimo: *Sonero.*

SONERO. Ver: *Sonerito.*

SONIDO. Ver: *Barrera.*

SONORA. *Le dio una sonora matancera.* Atosigar a alguien. «Me lo encontré en la calle y me dio una sonora matancera que para qué te cuento». *Tener alguien una sonora matancera arriba.* Ser de armas a tomar. «No hay mujer que se case con él cuando se entera de la sonora matancera que tiene arriba». *(«La Sonora Matancera»* es una orquesta cubana. Sonora se deriva de **sonar** —sonido— pero también denota molestar a alguien, darle golpes.) Ver: *Orquestaje.*

SONREÍR. Ver: *Permitir.*

SONRISA. *Tener sonrisa de babalao.* Tener sonrisa blanca como el coco. «Ella tiene sonrisa de babalao». (El **babalao** o sacerdote de la religión afrocubana viste de blanco.)

SOP. *Esto está que ni un sop-ópera.* ¡Qué vergüenza! «Estados Unidos está que ni un sop-ópera». *Ser un sop-ópera.* Se dice del que siempre está contando cosas trágicas. «Ni me lo presentes. Es un sop-ópera». *Te meto un sop-ópera que además te la compra el jabón Candado.* Te lloro y te meto un escándalo en grande. «No se te ocurra dejarme porque te meto un sop-ópera que además te la compra el jabón Candado». *Un sop-ópera.* El tango. «Hoy voy a bailar un sop-ópera» (Es cubanismo del exilio. «Sop-ópera» viene de la palabra inglesa «Soap Opera», o sea, un programa episódico lleno de tragedias sentimentales, adulterios, etc. que se oye por radio o se ve por televisión mucho en los Estados Unidos. El cubano lo pronuncia como se ha escrito. Como el tango es casi siempre trágico, de aquí el cubanismo.)

SOPA. *Darle a alguien la sopa en botella.* Mantenerlo. «Esa mujer le da la sopa a él en botella». *Hablar sopa.* Hablar cosas sin importancia. «Te pasas el día hablando sopa». Sinónimo: *Hablar mierda.* (Como la sopa muchas veces no tiene sustancia de ello brota el cubanismo.) *Esta sopa habla chino y todo.* Forma de hablar del cubano que quiere decir; esta sopa es muy buena. «¿Cómo está esa sopa? —Pues habla chino y todo». *No servir alguien ni para sopa.* No servir para nada. «Tú no sirves, mi viejo, ni para sopa. Por eso no te contrato». *Me tienes que traer la sopa en botella.* Mimar. «No te quiero si no me traes la sopa en botella». *Sopa de gallo.* En Camagüey, provincia de Cuba, se llama así a una bebida refrescante a base de agua, naranja, hielo y azúcar. «¡Qué rica está esta sopa de gallo!» *Sopa de pichón.* Marihuana. «Se va a fumar una sopa de pichón». Sinónimo: *Prajo. Sopa que levanta muertos.* Tipo de sopa sustanciosa. «Esa sopa levanta muertos». *Tienes que tomarte una sopa de pichón.* Contestación que se la da a alguien cuando dice que está malo. «Chico, qué mal estoy. —Pues tienes que tomarte una sopa de pichón». (El cubanismo supone que la sopa de pichón lo pondrá bien. Está basado en la canción de la misma letra que dice así: *«Tienes que tomarte una sopa de pichón».* Se aplica así mismo, si se habla de otra persona.) *Tomar la sopa en botella.* Estar muy consentido. «Tan grande y todavía toma la sopa en botella». *Vivir de la tradición de la sopita en botella o vivir de la sopita en botella.* Ser mantenido por la mujer. «Ése vive de la sopita en botella». «Ése vive de la tradición de la sopita en botella». (El cubanismo viene de un guaguancó, o sea, de un tipo de pieza musical cubana.) Ver: *Guaguancó. Viejito.*

SOPAPO. Ver: *Fonda.*

SOPIMPA. Galletazo. «Le dio una sopimpa por el medio de la cara».

SOPITA. *Me trae la sopita en botella.* Mimar. «No te quiero si no me traes la sopita en botella». *Tomar la sopita en botella.* Estar viejo. «Yo ya tengo que tomar la sopita en botella». Ver: *Viejito.*

SOPLABOTELLECES. Tonterías. «Mira que escribe y dice soplabotelleces».

SOPLABOTELLERÍA. Una tontería. «Eso que haces es una soplabotellería». «Eso que dices es una soplabotellería».

SOPLADO. *Ir soplado.* Ir rápido. «Él iba soplado y lo vio la policía».

SOPLADOR. Ver: *Guayabero.*

SOPLAPITOS. Tonto. «No eres más que un vulgar soplapitos».

SOPLAR. 1. Correr mucho un automóvil. «Sopla ese coche sin miedo». 2. Dar. «Me sopló un golpe cuando estaba distraído». *No soplar alguien.* Estar arruinado físicamente. «Ya tú no soplas, Pedro». Ver: *Chiflar.*

SOPLARLO. 1. Estar nervioso. «Está soplado porque tiene que pasar el examen». 2. Matar a alguien. «Lo soplaron anoche». Sinónimo: *Ir soplado.* Rápido. «Ese automóvil iba soplado». *Mandarlo con etiqueta de Caballero.* («Caballero» es el nombre de una funeraria que había en Cuba y que hay en el exilio.)

SOPLARSE. 1. No compartir con nadie. «Se sopló la angustia él sólo». 2. Soportar. «Tú no sabes lo que es soplarse a ese señor todo el año». *Soplarse a una mujer.* Acostarse con ella. «A esa mujer no hay quién se la sople. Es muy fea». Ver: *Pulmón.*

SOPLATUBO. Tonto. «Ése no es más que un soplatubos». «Otro soplatubo más en esta compañía». «No le prestes la menor atención a ese soplatubos». *Ser alguien un soplatubos.* Ser un tonto. «Juan es un soplatubos».

SOPLIDOS. *Quedarle a alguien tres soplidos.* Estar al morirse. «No le quedan más que tres soplidos».

SOPRANO. Ver: *Culo.*

SORDINA. *Estar sordina.* Estar sordo. «Mi padre está sordina».

SORDO. *Estar sordo como tromba.* Ser sordo de cañón, como una tapia. «Él es sordo como una tromba desde que nació».

SOSA. *Confundir la sosa con la potasa.* Confundir una cosa con otra. «Yo no te dije eso. Tú confundes la sosa con la potasa». (Es una variante del castizo «confundir las gimnasia con la magnesia».) Sinónimo: *Confundir la peste con el mal olor.*

SOSIPAYO. Hombre apocado, tímido. «Él es y siempre será sosipayo».

SOSTÉN. *Ser una mujer el gran sostén de la familia.* Tener unos senos muy grandes. «Ella es el gran sostén de la familia». Sinónimo: *Tener las Lomas de Managua.* (Las Lomas de Managua, en la provincia de La Habana, tienen dos protuberancias muy grandes en forma de senos femeninos.)

SOSTENIDOS. Ver: *Tres.*

SÓTANO. *Estar en el sótano.* Estar en mala situación. «En este momento estoy en el sótano». *Quedar en el sótano.* Ser el último. «En el concurso quedé en el sótano». (Se usa, sobretodo, en el argot de pelota.)

SPICH. *Tener el «espich» en «teip».* Se dice del que no se calla nunca. «Juan tiene el «espich» en «teip». (Es cubanismo del exilio. «Spich» es la forma en que el cubano pronuncia la voz inglesa «speech» o «discurso». «Teip» es como el cubano pronuncia la voz inglesa «tape», o «cinta». Es decir que el que tiene el «speech» en «tape» no tiene ni que coger aire. De aquí el cubanismo.)

SPOTLIGHT. *Ponerle a alguien el «spotlight».* (El cubano pronuncia «espot lai». El «spotlight» es un «foco», por lo tanto el cubanismo quiere decir tener a alguien vigilado.) «A ése la policía le tiene el spotlight encima». Sinónimo: *Tenerlo en la mirilla telescópica.*

STRIKE. *Pasar a alguien un estraik.* (Pronunciación de la palabra inglesa, «strike».) Engañar. «Me pasó un `estraik' y le di cien dólares». (El cubanismo viene del campo de la pelota.)

SU. Ver: *Jony.*

SUÁBANA. ¡Oye! Exclamación que se lanza cuando se ve algo que está muy bien, como, por ejemplo, una mujer bonita. «¡Suábana, qué mujer más bella!»

SUAVE. *Cógelo suave.* Toma las cosas con calma. «Esa noticia cógela suave». *Estar suave en el tejado.* Estar calvo. «Juan está suave en el tejado». *Estar o ser alguien suave como el calzado.* «Él es suave como el calzado». (El calzado «Suave» es una marca de calzado del exilio cubano. De aquí el cubanismo.) *Ponérsela a alguien suave.* Tratarlo con miramientos en algo. «En el examen se la pusieron suave». *Suave que me estás matando.* 1. Se le dice a alguien que exige mucho de uno, para pedirle que no sea tan exigente. «Suave, que me estás matando. Eso es demasiado». (Es un latiguillo lingüístico que se aplica a muchas situaciones.) 2. Ten más cuidado. «No me des más trabajo. Suave que me estás matando». (Es la letra de una canción, de ahí, estos cubanismos.) Ver: *Papá.*

SUAVECITA. *Estar suavecita una mujer.* Ser una jovencita. «Juanita está suavecita».

SUAVÍN. Suave. «Dale Suavín que rompes eso». (Es de influencia asturiana. En Cuba había miles de asturianos.)

SUAVITO. Suavecito. «Todo le salió bien porque lo hizo suavito».

SUBE. 1. Derrotar ampliamente. «¡Qué sube le dieron a tu equipo en el juego de ayer!» 2. Golpiza. «La policía le dio un sube al ladrón». «Me dieron un sube terrible los bandidos. Tuve que ir al hospital». 3. Igualmente hacer trabajar a alguien duro. «¡Qué sube me dieron en el trabajo! Estoy molido». *Dar un sube.* Se aplica a muchas situaciones: castigar, reprender, hacer trabajar duramente, increpar las palabras. La conversación da el significado. Véase este ejemplo: «En el trabajo me dieron un sube que me dolían los huesos de tanto trabajar». Sinónimo: *Dar una suiza. Darle un sube a alguien.* Pegarle. «Mi padre me dio tremendo sube». Siempre que alguien sufre un perjuicio se aplica el cubanismo: «En el examen le dieron un sube». Lo que equivale a lo suspendieron. También implica derrota. «En el partido de dominó nos dieron un sube». *Tener alguien un sube y baja.* Tener altos y bajos. «Tiene un sube y baja en la enfermedad, que parte el alma».

SUBIBAJA. Café con leche y tostadas. «Dame un subibaja nada más». Sinónimo: *Pancho blanco montado sobre potro negro.*

SUBIÓN. Aumento súbito. «La moneda dio un subión».

SUBIR. *Un sube y baja* o *subibaja.* Un tabaco largo. «Se está fumando un subibaja (o un sube y baja».)

SUBUSO. *Subuso taquiñangui.* «Cállate, que ahí viene alguien, muchacho. ¡Sabuso taquiñangui». (Es lengua africana hablada por los ñáñigos, asociación secreta formada por esclavos libres africanos y que aún subsiste en los tiempos modernos en Cuba). 1. Guardar el secreto. «Subuso en esto, Pedro». 2. Silencio. «Subuso que ahí viene ella». (Palabra de origen africano, llevada a Cuba por los esclavos.)

SUCESO. Ver: *Himno.*

SUCIO. Molesto. «Juan está sucio con lo que le dijiste».

SUCURSAL. *Ser alguien sucursal de Bayer.* Se aplica a esas personas que tienen todo tipo de enfermedades imaginarias. «Muchacho, ¿cómo puedes vivir? Tú eres una sucursal de Bayer». (La Bayer es una marca de aspirina.) *Ser una sucursal de Trucutú.* Ser muy fuerte. «Mi hijo levanta pesas y es una sucursal de Trucutú». («Trucutú» es un personaje muy fuerte de las tiras cómicas —muñequitos.)

SUCUSUCU. *Gustarle a alguien el sucusucu.* Gustarle la fornicación. «A Pedro lo que más le gusta es el sucusucu».

SUELA. *Tener que echar una suela gorda.* Tener que huir. «Cuando vi al policía eché una suela gorda». «El ladrón echó una suela gorda». También denota caminar mucho. «Creí que era una distancia corta pero tuve que echar una suela gorda».

SUELDO. *Tener sueldo de oficial clase primera.* Tener buen sueldo. «Yo tengo un sueldo de oficial clase primera». (En el escalafón civil de la Cuba de ayer el sueldo de oficial clase primera era el mejor.)

SUELO. *Dar en el suelo.* Engañar. «Ése me dio en el suelo». *Regar por el suelo.* Tirar por el suelo. «Le dio un golpe que lo regó por el suelo». *Tirarse en el suelo.* Enojarse. «Cuando lo vio se tiró en el suelo». Sinónimo: *Coger los nueve puntos.* Ver: *Güiro.*

SUÉLTAME. Déjame tranquilo. «Por tu madre, suéltame, déjame leer».

SUENO. Ver: *Olimpíadas.*

SUER. *Tener el suer podrido.* Defecar con peste. «¡Qué asquerosidad! Tiene el suer podrido». (Es cubanismo del exilio. «Sewer» que el cubano pronuncia como se ha escrito es la palabra inglesa que significa «alcantarillado».) Ver: *Lata.*

SUERO. Se le llama así al batido de chocolate. «Ese suero qué rico es».

SUERTE. *Qué suerte tiene el cubano. Le coge el dinero a Antonio y vota por Castellanos.* (Este lema, nacido de las elecciones para alcalde de La Habana entre Nicolás Castellanos y Antonio Prío, se aplica a cualquier situación en que uno recibe beneficios de alguien y no lo sirve sino al contrario.) *La suerte es la mata del mango.* Ver: *Mata. Tener suerte pa' la desgracia.* Tener mala suerte. «¿Llegó Juan? ¡Qué suerte tengo pa' la desgracia!» («Pa» es «para».)

SUFRIDA. *Los de la sufrida.* Los de la raza negra. «Los de la sufrida han sido discriminados».

SUFRIR. *¡Cómo sufro!* Expresión muy común en el cubano que es dicha cuando hay que trabajar mucho o cuando una persona nos molesta, o cuando no nos gusta algo, como una película. «¡Qué película, caballeros! ¡Cómo sufro!» (Se aplica en general a muchas situaciones.)

SUICIDA. *Ser una mujer suicida.* Se dice de la que se toquetea con un hombre. «Esa mujer de enfrente de mi casa es suicida». (La mujer que se deja toquetear se dice también en cubano que *se mata, que se deja matar*. «Ella se mata con el novio detrás de la puerta».)

SUING. *Querer suing.* Querer lío, sexo, etc. Se aplica a muchas situaciones. «Esa mujer quiere suing». (Sexo.) «Ese niño está pidiendo suing». (Que lo castiguen.) «Ese hombre quiere suing». (Lío.) (Proviene de la voz inglesa *«swing»,* que significa «vaivén, balanceo, etc». y que el cubano pronuncia como se ha escrito.)

SUIZA. *Dar suiza.* 1. Hacer trabajar mucho. «Qué suiza me han dado hoy». Lo hemos oído como mortificar. «¡Qué suiza das, niño!» 2. Molestar mucho. «Mira que ese muchacho da suiza». *Estar alguien bailando la suiza.* Estar envuelto en algo. «Ése ahí está bailando la suiza». *Montarle la suiza a alguien.* Darle un escándalo. «Me tenía fastidiado pero le monté una suiza». Sinónimo: *Encenderle un Carnaval.*

SULFATARSE. Volverse loco. «A los cuarenta años se sulfató». Lo ha oído también como enojarse muchísimo. «Cuando oyó lo que le dijeron se sulfató y por poco sufre un ataque al corazón». *Estar sulfatado.* Estar loco. «Juan está completamente sulfatado».

SULFURARSE. Enojarse. «Se sulfuró porque lo mandé a dar un recado».

SULFURO. *Ser alguien súlfuro.* Enojarse fácilmente. «Ése es súlfuro. Trátalo con tacto».

SULTÁN. *Ser un sultán.* Ser mujeriego. «Él es un sultán por eso se divorció». *Vivir como el sultán.* Vivir muy bien. «Ése vive como el sultán».

SUMAR. Comer. «Voy a sumar en ese restaurante».

SUPER. Muy. (Es de uso generalizado en el exilio cubano y se antepone a todo para lograr los efectos deseados por el que habla.) «Es un vestido superbueno». (Muy bueno.) «Es un vestido supermalo». (Muy malo.) «Eso es una superbasura». (Eso no sirve para nada.) Significa además: Bueno, bonito, hermoso, buen tipo. «Mi novio está super». (Refiriéndose a que está buen tipo.) Y lo hemos oído señalando una situación económica próspera. «El padre de mi novio está super». (Ver: Álvaro de Villa, *Los Super, Diario Las Américas*, jueves 2 de febrero de 1978, pág. 5.)

SUPERACIÓN. *Fue la superación social.* Se dice cuando alguien se porta muy incivil. «¡Si le ves en la fiesta! ¡Qué vergüenza! ¡Fue la superación social!» (El cubanismo se basa en un danzón.) *Ser superación social.* Superarse alguien. «Ese hombre es superación social». (El cubanismo nace con un club de gentes de color dedicado a la superación social.)

SUPERMAN. Ver: *Colores.*

SUPERPULGA. *Meterle a alguien una superpulga.* Destruirlo. Derrotarlo. «No te aguanto que me metas esa superpulga». (Una superpulga desangra a cualquiera. De ahí el cubanismo.)

SUPERSONIFICADO. Bueno. «Eso es supersonificado».

SUPERSULFATADO. *Ser un supersulfatado.* Estar completamente loco. «El es un supersulfatado».

SUPOSITORIO. *Eso es sólo el supositorio. Si te pongo el lavado, te mato.* Si voy más allá te destrozo. Se aplica a múltiples situaciones. «Me hizo trabajar diez horas sin parar y me dijo: esto es sólo el supositorio, si te pongo el lavado te mato». «Me dio tres golpes y me dijo: eso es sólo el supositorio, si te pongo el lavado, te mato». *Ser un médico un supositorio.* Estar siempre operando. «Ese médico nunca está en la casa. Siempre está en el hospital. Es un supositorio». (El supositorio «opera», o sea, hace evacuar el vientre y el médico opera. De aquí el cubanismo.) *Supositorio de carne.* El pene. Ver: *Barilla.*

SURNAR. Dormir. «Me voy a surnar». (Lenguaje del chuchero. Ver: *Chuchero.*)

SURRUPIERO. Persona que no vale nada. «Ése es un surrupiero». (Se oye, más, la voz «surrupio» que la de «surrupiero».)

SURRUPIO. Persona de baja calidad. «Es un surrupio de marca mayor».

SUSANA. *No ser como la Susana sino como el banyo.* No hacer las cosas de una forma sino de otra. «Los derroté con mi técnica de no ser como la Susana sino como el banyo». (Este cubanismo nacido del exilio se basa en la canción que dice: *«Oh Susana, oh Susana... Come from Alabama with the banjo on my knee».*)

SUTILITO. 1. Sin hacer ruido. «Mario entró sutilito en el cuarto». 2. Suavemente, con delicadeza. «¿Te fijas como lo hace todo tan sutilito?"

T.J. Te jodiste. Te fastidiaste, o sea, perdiste. «¡Compraste ese automóvil! ¡T.J.!»

TA. *Entrar en los Ta.* Entrar en la edad en que los años terminan en «ta» como los sesenta. «Ya estás entrando en los ta».

TABACO. 1. En Cuba, puro habano. «Siempre con el tabaco en la boca». 2. Pene. «Tiene un tabaco grande para su estatura». 3. Se le dice al excremento de los perros. *Caérsele a alguien el tabaco.* Además de ser impotente: «A Pedro se le cayó el tabaco», indica, asimismo perder el poder. «En esa Corporación se le cayó el tabaco». Lo he oído aplicado a muchos casos, como éste por ejemplo, indicando que no se le tiene miedo a una persona. «Conmigo se le cayó el tabaco». *Chapea o escarba bajito que es para tabaco.* Sé discreto. *Darle Ogún al tabaco.* Fumarlo al revés. «Mira ese, dándole Ogún al tabaco». (Ogún es un santo de la religión africana. Como rito se le fuma, por el creyente, el tabaco al revés.) *De ese tabaco nada más que quedan cenizas.* Invento. Sinónimo: *Darle a alguien con el último invento.* Atacarlo con todo. «Esa gente son tan mala que cuando te dan lo hacen con el último invento». *Fumar un tabaco al santo.* Orar. «Voy a fumarle un tabaco al santo». (En las religiones africanas que subsisten en Cuba se le fuma un tabaco al santo en uno de sus ritos.) *No valer algo o alguien ni un cabo de tabaco.* No valer nada. «Tú no vales ni un cabo de tabaco». «Esta novela no vale ni un cabo de tabaco». Sinónimo: *No valer ni un kilo prieto partido por la mitad. Que se meta el tabaco en el culo como el indio de Baracoa.* Que se vaya para el carajo. «Dile a ése que se meta el tabaco en el culo como el indio de Baracoa». *Ser un tabaco (puro habano) de la Vega el Tizón.* Apagarse continuamente. «Ese tabaco es de la Vega el Tizón». *Ser un tabaco virulilla.* Ser un tabaco malo. «Ese tabaco es virulilla». *Tabaco apagado.* Mujer fea. «¡Mira el tabaco apagado que viene por allí! Es Juana». *Tabaco de capa corrida.* El pene. Sinónimo: *Barilla. Tabaco de la vega del tizón.* Tabaco que se apaga mucho. «Ese tabaco es de la vega del tizón». *Tabaco empolvado.* Pene flojo. «Tú tienes el tabaco empolvado». *Tener un tabaco un* *bombero dentro.* Apagarse mucho. «Ese tabaco tiene un bombero dentro». *Tener el tabaco de media ceniza.* No ser fuerte sexualmente. «Ése, por su edad tiene le tabaco de media ceniza». Sinónimo: *Parársele de la mitad para atrás.* («Pararse» es ponerse el pene en erección.) «A ése dicen las mujeres que se le para de la mitad para atrás». *Un tabaco tahína.* Puro que quema parejo. «Esto es un tabaco tahína». Sinónimo: *Un tabaco chino. Un tabaco tanche.* Ver: *Mazo. Platación.*

TABAQUEO. Acción de fumar. «El tabaqueo era constante». (El cubano le dice al «puro», tabaco. De aquí este cubanismo.) Sinónimo: *Fumera.*

TABAQUERO. *Volverse tabaquero.* Se dice del que de un grupo de cosas, saca algunas para eliminarlas. «Mira lo que hace con los documentos. Es tabaquero». (Es decir: despalilla; escoge como, es el tabaco.) Sinónimo: *Estar en el despalillo.*

TABAQUITO. *¿Quién paga a tabaquito?* ¿Quién paga? «Querían que fuera gratis pero se lo pregunté: ¿Quién paga a tabaquito?»

TABERNERO. *Echar vino tabernero.* Sigue. «El discurso era tan bueno que cuando iba a terminar le grité: `Echa vino tabernero'». (Es cubanismo culto. Viene de una canción española. La presencia española en Cuba era grande. De ahí el cubanismo.)

TABLA. *Arriba con la tabla.* Sin miedo. «Vamos y arriba con la tabla». Es una variante del andalucismo avecinado en Cuba. «Adelante con los faroles». *Llevar hasta la tabla.* 1. Dejar sin salida a una persona. «Él me llevó hasta la tabla. Por eso le disparé». 2. Precisar. «Es inocente, pues yo lo interrogué y lo llevé hasta la tabla». (Viene el cubanismo del campo automovilístico.) Sinónimo: *Llevar hasta la soga. Perder la tabla y ponchar el salvavidas.* Enojarse en sumo grado. «Cuando le dijo que se fuera, perdió la tabla y ponchó el salvavidas». (Es aumentativo. Lo forma el cubanismo, añadiendo las palabras: *ponchar el salvavidas.* Siempre lo hace así, no con las terminaciones propias del mismo.) *Tener alguien tablas.* 1. Ser muy fresco. «Juan tiene de verdad tablas. ¡Qué cosas dice!» 2. Tener aplomo. «Él siempre ha tenido flemas; tablas». *Tener alguien la tabla variable.* Ser un individuo de humor variable. «No le hagas bromas que tiene la tabla variable y puedes tener un problema». *Tú podrás tener más tablas que Pérez y Hermanos pero no más trastos que Nicanor Carrasco.* Tú no me intimidas. (Pérez y Hermanos era una maderera, Nicanor Carrasco era un rastro de cosas viejas.) «Le dije miles de cosas y no se inmutó. Estonces le grité: Tú podrás tener más tablas que Pérez y Hermanos pero no más trastos que Nicanor Carrasco». Ver: *Bikini.*

TABLERO. *Tener a alguien en el tablero.* Hacerle propaganda. «Te tengo siempre en el tablero». Ver: *Rabia.*

TABLITAS. *Estar algo en tablitas.* Estar al caerse. «La civilización de occidente está hasta en tablitas».

TABURETE. *Aquí, disfrazado de taburete para que las nenas se me sienten en el cuero.* Se contesta en forma graciosa cuando nos preguntan cómo estamos. Quiere decir, aquí, conquistando a las mujeres. «¿Cómo estás, Pedro? —Aquí, disfrazado de taburete para que las nenas se me sienten en el cuero». (El cuero es el pene. El cubanismo es una creación de un cantante cubano: Cascarita, que la popularizó.) Sinónimo: *Estar de pito dulce.* Sobar el taburete. 1. Estar todo el día sentado en el taburete. «Levántate. Estás sobando el taburete». 2. Ser un vago. «No hace nada. Se pasa todo el día sobando el taburete». (Es cubanismo de origen campesino.)

TACHADERA. Acción de tachar. «No me gusta la tachadera que han hecho en esto».

TACO. Persona pequeña. «Ése es un taco». (Lo he oído en Asturias.) Sinónimos: *Mojón. Patato. Remache. Colgar el taco.* No trabajar más. «A los sesenta y cinco colgué el taco». (El taco es el palo del juego de billar. Es palabra castiza.) *Estar una mujer taco, taco.* Estar muy buena. «Esa mujer es taco, taco». (Taco, Taco es uno de los pueblos al Oeste de Cuba, de los últimos en situación geográfica. De aquí el cubanismo.) *Los tacos.* Los zapatos. «Voy a comprarme unos tacos». (Lenguaje del chuchero. Ver: *chuchero*.) Sinónimos: *Cueros. Senembucos.*

TACÓN. *Echar el tacón vigueta.* Huir a toda velocidad. «Lo vi y eché el tacón vigueta». (Es el superlativo.) *Ir en el tacón vigueta.* Ir corriendo rápido. «Cuando pasó por aquí iba en el tacón vigueta».

TACORONTE. (Los) Los zapatos. «Te has comprado unos tacorontes de piel de chivo». (Lenguaje del chuchero. Ver: *chuchero*.) *Ni Tacoronte.* ¡Qué hablador está! «Hoy con él, ¡ni Tacorontes!» («Tacoronte» era un personaje de la época del gobierno auténtico. Pintaba letreros en las paredes y además hablaba mucho. «Tacoronte dice»... De aquí el cubanismo.)

TACTO. *Si no se la mete, por lo menos hace tacto.* Si no se introduce el pene, la mujer se deja tocar de mala manera. «Esa mujer si no se la mete, por lo menos hace tacto». (Es cubanismo culto pues se refiere al «tacto vaginal».)

TAHÍNA. Ver: *Tabaco.*

TAILINOL. *Ser una mujer tailinol.* Estar muy bella de cuerpo y de todo. (Nació este cubanismo cuando el «tylenol», pastilla analgésica, mató a varias personas. Una mujer que mata es una mujer muy bella en cubano.)

TAIN. *A todo el que juega le dan tain.* Dame un respiro, déjame. «Oye, a todo el que juega le dan tain». (En Cuba, los niños gritaban: «Pío tain», o sea, «pido un descanso». Y en los juegos de baloncesto se hablaba de «tain» al adaptarse a la palabra inglesa «time» propia del baloncesto y que significa «tiempo». El cubano lo pronuncia como se ha escrito.)

TAIR. *Dejar a alguien con un flat tair.* Dejarlo en la estancada. «Yo confiaba en él, pero me dejó con un flat tair». (Es cubanismo del exilio. Una goma que se poncha se dice en inglés «Flat tire». El cubano lo pronuncia como se ha escrito.)

TAJA. Se dice de la persona que derriba reputaciones. «Ese hombre es un taja».

TAJALEO. 1. Chisme. «En esa casa viven en el tajaleo». 2. Conversación larga. «Paren ese tajaleo. Llevan dos horas hablando». 3. Lío. «El tajaleo fue tan grande que llegó la policía». *Estar en el tajaleo.* Estar siempre discutiendo. «Tu hermano y tú están siempre en el tajaleo».

TAJALOSEO. Discusión. «Ahí siempre tienen un tajaloseo tremendo». Sinónimo: *Tajaleo.*

TAJALÚA.O. Se dice de la persona que pelea mucho. «Él es un tajalúo». «Mi hermana es muy tajalúa».

TAJASO. Pedazos, tajada. «En el discurso tuve que poner tajasos en francés».

TAJOS. *Tres tajos y pa' la pila.* En el juego de la pelota quiere decir que ya el jugador no tiene más oportunidad de batear. (Es sinónimo de «lo poncharon», otro cubanismo que indica lo mismo. El cubanismo lo usan en Cuba hoy como propaganda pues guarda relación con el corte de caña que le dan tres tajos y se tira donde se apila. El cubanismo se oye en boca de los que narran en el juego de pelota o base-ball.) «Ahí viene la pelota. Juan le tira. Tres tajos y pa' la pila».

TALADRO. *Ser un taladro.* Ser una persona muy insistente. «Mi marido es un taladro». Sinónimo: *Ser un barbiquí.*

TALANGO. Ver: *Tingo.*

TALANQUERA. *Amarra la talanquera que el toro quiere salir.* Ten cuidado. «No te confíes de él, amarra la talanquera que el toro quiere salir». (La talanquera es un portalón en el campo cubano, hecho de tablas. El cubanismo lo popularizó una canción del Trío Matamoros. Señalo que he encontrado la palabra, «talanquera» en Azorín. En Cuba se le tiene como cubanismo.)

TALCO. *El talco «Amen» lo inventaron para él.* Se dice del que siempre está molesto o irritado. (El talco es para las irritaciones. De aquí el cubanismo.) «Míralo de nuevo. El talco «Amen» lo inventaron para él». (El talco «Amen» se usaba mucho en Cuba. Es forma de hablar del cubano, muestra su genio lingüístico.) *No ser un escritor sino un talco «Menen».* Se dice del que escribe niñerías. «Ella no es una escritora, sino un talco Menen». (El talco «Menen» era un talco para bebés. De aquí el cubanismo.) Ver: *Mota.*

TALEGO. La cárcel. «Lo mandaron para el talego». Sinónimos: *Cielito lindo. El invero. El príncipe. La loma.*

TALENTO. En frases como: «Esta mujer tiene el talento desbordado», quiere decir los senos. *Tener talento macho.* Tener mucho talento. «El profesor tiene un talento macho».

TALLADO. *Estar algo tallado.* Estar ya resuelto. «Tu viaje a Europa ya está tallado». *Estar alguien tallado.* Estar convencido. «Habla con él que ya está tallado».

TALLADOR. Persona que maniobra alrededor de otra para obtener ventajas para sí. «Es uno de los mejores talladores que he conocido».

TALLAR. 1. Convencer. «Lo tallé y me dijo que sí». 2. Tratar de hacer algún negocio o algo. «Voy a tallar el asunto que me interesaba con Pedro».

TALLE. Acción de tallar. «El talle fue perfecto».

TALLO. Ver: *Espada.*

TALQUITO. *El talquito.* Se dice cuando un hombre deja a una mujer por otra, refiriéndose al nuevo clítoris y al refrán: «en la variación está el gusto». «Dejó a su mujer por la vecina. ¡Claro, el talquito!» *Por el talquito.* Se oye en conversaciones en que las mujeres hablan de que el marido de una de ellas la dejó. Cuando una de ellas pregunta por qué habrá sido, se contesta: «Por el talquito». Alude a que a los hombres les encanta cambiar de mujer. «Mi marido me dejó. ¿Por qué habrá sido? —Por el talquito».

TALÚA. Persona feísima. «Es un talúa». (Talúa es un monstruo de los episodios radiale de *«Chan Li Po»,* que se difundían por la radio en Cuba.)

TAMAKÚN. (El) El culo. *Escapársele a Tamakún por debajo del turbante.* Ser muy inteligente una persona. «Con ése no hay problemas. Se le escapó a Tamakún por debajo del turbante». Sinónimos: *Ser el Tigre de la Malasia. Ser Sandokán.* (Estos dos cubanismos vienen de las novelas de Emilio Salgari. El de Tamakún de un programa radial cubano, de Armando Couto: *«Tamakún, El Vengador Errante».*) *Romperle el turbante a Tamakún.* Hacer una gran hazaña. «Corrió la milla en menos de tres minutos. Le rompió el turbante a Tamakún». (Para el origen del cubanismo ver arriba donde dice *Escapársele a Tamakún por debajo del turbante.*) Ver: *Bola.*

TAMAL. *Picar más que un tamal.* Picar mucho. «Eso que me pones en la herida pica más que un tamal». (En Cuba se vendían tamales picantes. De aquí el cubanismo.) *Repetirse algo como el tamal.* Repetirse. «En esta película todo se repite como el tamal». (El tamal es muy indigesto. Se repite mucho.) *Si no es tamal es tayuyo.* Si no es una cosa es la otra. «Bueno, no discutamos más. Si no es tamal es tayuyo». Sinónimo: *Si no es pato es gallareta. Ser alguien un tamal.* Ser muy gordo. «Esa mujer es un tamal». Sinónimos: *Tanque. Tonina. Ser un tamal mal envuelto.* Ser un antipático. «Pedro es un tamal mal envuelto». Ver: *Nariz.*

TAMALERO. *No poder ser alguien ni tamalero en el Juanelo.* Ser una persona que no vale nada. «Cómo va a llegar a ser algo si no puede ser ni tamalero en el Juanelo». (Algunos decían «ni en la Lisa». El Juanelo y la Lisa son dos barrios pobres de La Habana.)

TAMALES. *Estar alguien como los tamales.* Estar algunas veces de buen humor y otras de mal humor. «Nunca se sabe qué esperar con él. Está siempre como los tamales». (Los tamales pican o no pican, es decir, tienen picante o no. De ahí el cubanismo.)

TAMAÑO. *Coger tamaño de bola.* Darse cuenta exacta de las cosas, de los problemas. «Por fin has cogido tamaño de bola». (Viene del juego de pelota, o base-ball, o del billar. El bateador que no le da a la bola «no tiene tamaño de bola». El que le da, sí lo tiene. De aquí el cubanismo.) *Ser algo tamaño camero.* Ser grande. «Esa hinchazón es tamaño camero». (Una cama camera es una cama grandísima. De ahí el cubanismo.) Ver: *Cama.*

TAMARINDO. *Aquí no hay negro guapo ni tamarindo dulce.* No me vengas con bravuconerías. Aquí no hay nadie que pelee. Sinónimo: *Se acabaron los guapos en Yateras.* (El cubanismo es la letra de una canción.) *Ser tamarindo alguien.* Tener muy mal humor. «No le hables que es tamarindo». (El tamarindo es ácido como el que tiene mal humor. De aquí el cubanismo.)

TAMBALAYA. Plato a base de arroz y ostiones procedente de Andalucía. «Está riquísimo este tambalaya».

TAMBOR. *Chivo que rompe tambor con su pellejo lo paga.* El que la hace la paga. «No puedo hacer nada por ti. Chivo que rompe tambor con su pellejo lo paga». Ver: *Cuero.*

TAMBORA. (La) El estómago. «¡Qué tambora tiene ese campesino! Debe de tener gusanos». «Tengo llena la tambora». (Se dice por la forma de una tambora, que refleja a un estómago crecido.) Sinónimos: *La caja del pan. La caldera. La furnia. Partirle a alguien la tambora.* Destruirlo, matarlo. «Con un tiro le partieron la tambora». Sinónimos: *Llenarle la boca de hormigas. Partirle el carapacho. Partirle la siquitrilla. Partirle la ventrecha.*

TAMBUCHO. Latón donde se pone la basura. «Tráeme ese tambucho, muchacho».

TAMIZ. *Pasar algo por un tamiz, diecisiete veces más fino.* Pensarlo mucho. «He pasado el asunto de que me hablaste por un tamiz diecisiete veces más fino».

TANA. *Tener alguien tana.* Ser muy peligroso. «Cuidado con él que tiene tana».

TANCHE. Ver: *Tabaco.*

TÁNGANA. Lío. «En mi casa hubo hoy tángana». *Dar algo la tángana.* Romperse algo. «Ahora el aire acondicionado, la lavadora, la secadora, todos me están dando la tángana». *Formar la tángana.* Morirse. «Me dio un dolor en el corazón y dije: aquí mismo formé la tángana».

TANGANAZO. 1. Golpe. «Ella me dio un tanganazo con la silla». «Me di un tanganazo». Sinónimos: *Mameyazo. Piñazo. Tortazo.* (Lo he oído en Asturias.) 2. Tomar una copa de bebida. «Vamos a darnos un tanganazo».

TANGAZO. Golpe. «Un camión te dio un tangazo».

TANGO. *A mí los tangos no me gustan.* No me vengas con tragedias. «No me cuentes eso de la muerte del perrito. A mí los tangos no me gustan». *Aparecerse como con un tango.* Presentar una tragedia. «Mi hija se apareció con un tango». (El cubanismo se basa en que la letra del tango es una tragedia.) *Dejar el último tango.* Dejar el último buchito de algo. «No te lo tomes todo. Déjame el último tango». (Cubanismo nacido en el exilio. Es el nombre de una película de la actriz española Sarita Montiel: *«Mi último tango».*) *Cantar tango por largo tiempo.* Llorar mucho. «Cuando ella murió canté un tango por largo tiempo». *Entre tú y yo, sólo cabe el tango.* Estamos a diez iguales. «No trates de hacerte el grande. Entre tú y yo, sólo cabe el tango». Se refiere al tango *«Mano a mano»,* que reza: *«Mano a mano hemos quedado». Ese tango ya lo cantó Gardel.* Eso es una mentira. «No te creo, ya ese tango lo cantó Gardel». *Estar como el tango: cuesta abajo en la rodada.* Envejecer a pasos agigantados. «Ella está como el tango: cuesta abajo en la rodada». (El cubanismo es la letra de un tango muy popular en Cuba: *Cuesta Abajo.* Se aplica a muchas situaciones.) *Estar en el tango.* Cantar para no llorar. «A pesar de mis desgracias, estoy en el tango». *Meter un tango.* Contarle a alguien una desgracia. «Me vio y me metió un tango». (El tango es muy quejumbroso por regla general. De ahí el cubanismo.) *Olvida el tango.* 1. No. 2. No lo dudes. «Olvídate del tango, si él dijo que va a nevar, pronto caerán los primeros copos». 3. Olvídate. «¿Me pagas lo que me debes? —Olvida el tango». Se dice asimismo, *olvida el tango y canta un bolero. Ser alguien cantante de tango.* Estar siempre contando tragedias. «Tu marido es un cantante de tango». *Ser una mujer como el tango.* Ser feísima. «Esa mujer siempre fue como el tango». (El tango dice, en lunfardo: *«Flaca, cañe, descangaña, te vi una madrugada salir del cabaret».* O sea, que la mujer es feísima, destruida por la vida. De aquí el cubanismo.) *Tener a alguien tumbado con un tango.* Tenerlo engañado. «Pedro tiene a su hermano tumbado con un tango». *Vete a escribir el tango a otro lado.* No me vengas con esas tragedias. «Para. Vete a escribir un tango a otro lado». (El tango siempre narra una tragedia. De aquí el cubanismo.) Ver: *Vida.*

TANGUEARSE. 1. Dar largas a algo para no resolverlo. «Le hablé pero se me tangueó». 2. Hacerse el bobo, el sueco. «En el asunto del ascenso de mi hermano, se tangueó». «Le hablé pero se me tangueó, no me entendía». «No te me tanguees y devuélveme el dinero».

TANGUEO. Acción de tanguearse. Ver: *Tanguearse.*

TANGUISTA. *Estar alguien de tanguista.* Estar siempre contando desgracias. «Yo no me le acerco, está siempre de tanguista». *Ponerse en situación de tanguista.* Estar dispuesto a todo. «El hombre me vino con una pistola, pero no cogí miedo; me puse en situación de tanguista». (Está basado en la letra de un tango que dice: *«en un beso, la vida, y en tus labios, la muerte».*)

TANGUITO. *Ni un tanguito más.* Ni una queja más de sentido trágico. «Se lo tuve que decir, a pesar de lo que lo quiero: ni un tanguito más». (Los tangos siempre tienen un argumento en que se habla de una tragedia. De aquí el cubanismo.)

TANMAGANI. *Tener alguien más tanmagani.* Ser el primero. «Él es el que más tanmagani tiene». *Creerse alguien que es el que más tanmagani tiene.* Creerse el primero. «¿No te das cuenta que se cree que es el que más tanmagani tiene?» («Tanmagani» es el grito de Tarzán, el personaje de ficción.)

TANQUE. Mujer gorda. «Esa mujer es un tanque». Sinónimo: *Tanganazo. Llenar el tanque.* Comer. «Vengo a llenar el tanque». Ver: *Hueco.*

TAN TAN. Bla, bla, bla. «No sé para qué tanto tan tan. Aquí lo que hay es que actuar».

TANTANES. Billetes. «Pon sobre la mesa cincuenta tantanes y no hay problemas».

TANTOR. *Ser un tantor.* Ser muy gordo. «Juan es un tantor». («Tantor» es el elefante de Tarzán, el personaje de la película sobre la selva.)

TAPA. 1. Comisión que se da en la tienda al empleado para lograr vender cierto tipo de mercancía. «Hoy saqué diez dólares de tapas». 2. Moneda de veinte centavos. «Me regaló una tapa». Sinónimo: *Pecuña. La tapa al pomo.* La última. «Esta cerveza, la número siete; es la tapa al pomo». *Ponerle la tapa al güiro.* 1. Dar por terminada una situación. «Con ese último acto le puso la tapa el güiro». 2. Hacer una tontería. «Eso que acabas de hacer es ponerle la tapa al güiro». 3. Morirse. «Tardó en la agonía pero le puso la tapa al güiro». Sinónimo: *Darle la patada a la lata.* 4. Tener el último hijo. «Está muy contento porque le puso la tapa al güiro. El crío está precioso». (En la ciudad se oye este cubanismo campesino con «pomo» en vez de güiro.) Sinónimo: *Ponerle la tapa al pomo.* 1. Hacer algo definitivo y sonado. «Con ese escrito le pusiste la tapa al pomo». 2. Ser el punto final de algo. «Con su última conducta le puso la tapa al pomo. El padre lo echó de la casa». Se aplica a muchas situaciones. «Con las nuevas armas, esa nación le puso la tapa al pomo en la tecnología nuclear». (Lograr el máximo.) «Con ese discurso le puso la tapa al pomo de los festejos. Es una pieza de oratoria única. Siempre serán recordados». (Llevó los festejos al máximo de la gloria.) *Ser algo o alguien la tapa del inodoro.* Ser el que o lo que cubre las necesidades. «A ese señor le dice su familia la tapa del inodoro. Y lo quieren por eso mucho». *Servir alguien lo mismo de tapa que de escupidera.* No valer nada. «No podrá nunca aventajar a nadie. Lo mismo sirve de tapa que de escupidera». Sinónimo: *Ser lo mismo para un barrido que para un fregado. Tener alguien la tapa del delco rota.* Tener una enfermedad mortal. «El médico le dijo que tiene la tapa del delco rota». (El cubanismo viene del campo automovilístico.) En plural significa las nalgas. «Me duelen las tapas». *Tener una tapa mejor que el inodoro.* Tener una buena coartada. «Ése tiene una tapa mejor que el inodoro. Sale absuelto». Ver: *Cocinero. Güiro.*

TAPAR. *Hacer a alguien tapar el hueco.* Cargar con la culpa; con el muerto. «Se las ingenió y me hizo tapar el hueco».

TAPARSE. En el juego de pelota o de otro tipo, apostar a los dos equipos a la vez para no perder nunca el dinero apostado. «Cuando vi que iba perdiendo me tapé».

TAPE. Se le llama así a todo lo que se usa con apariencia honrada para tener algo ilícito. «Ese negocio de frutas es un tape que él tiene porque se dedica a rifas ilegales». «Ese dar limosnas es un tape para ocultar que es un hombre malo». *Hacer un tape.* Acción de taparse. «Hice un tape a tiempo y salvé mi dinero». *Tener un tape.* Tener algo que cubre otra actividad ilícita. «Él tiene ahí un tape. Eso no es un laboratorio».

TAPIÑADO. Escondido. «Ahí hay algo tapiñado».

TAPIÑAR. Esconder. «Él tapiñó el dinero».

TAPIÑARSE. No mostrar uno lo que es. «Es difícil saber su pensamiento porque está tapiñado».

TAPITA. *Estar tapita.* Estar sordo. «Mi abuelito está tapita». «Juan está tapita». *Tener otra tapita para jugar.* Tener otra coartada. «A mí no me prenden [meten en la cárcel] porque tengo una tapita para jugar». (Es lenguaje delincuencial que ha llegado al pueblo.)

TAPÓN. *Ponerle tapón al tintero.* No dejar, la mujer, fornicar al hombre. «El sabe que le puse el tapón al tintero». («Mojar la pluma», en cubano es «fornicar». Cuando se le pone el tapón a un tintero —aparato sexual de la mujer— se impide que se «moje la pluma». De aquí el cubanismo.)

TAPURRIA. Moneda de veinte centavos. «Sólo me queda una tapurria para mañana».

TARABA. *Sufrir una taraba del corazón.* Sufrir un ataque al corazón. «En plena fiesta sufrió una taraba al corazón».

TARABILLA. *Estar en la tarabilla.* Estar metido en un lío. «Estoy en la tarabilla. Y tengo que salir de ella». *Tener algo tarabilla.* Ser difícil. «No te puedo contestar. Eso tiene tarabilla». También, tener algo oculto para hacer daño. «No le aceptes la proposición que para mí tiene tarabilla». Ver: *Entarabillado.*

TARABULLADO. *Tener a alguien tarabullado.* Tener a alguien dominado. «El jefe lo tiene tarabullado». (En el terreno del amor indica el dominio que un sexo tiene sobre otro: «Esa mulata lo tiene tarabullado».)

TARAJALLUDO. Niño crecido. «Estás muy tarajalludo para que hagas esas tonterías».

TARANTÍN. Desmayo. «Hablaba con ella y le dio un tarantín».

TARÁNTULA. *Pasársele a alguien la tarántula.* Quitársele el nerviosismo. «Estoy contento porque se le quitó la tarántula».

TARDE. *Ni una tarde gris.* No. «¿Vivirías con Lolita? —Ni una tarde gris». (El cubanismo está basado en un tango muy popular en Cuba.) *Tener una tarde gris.* Tener un mal día. «Yo tengo hoy una tarde gris». *Tarde, mal y nunca.* «¿Cuándo me entregará todo? —Tarde, mal y nunca». Ver: *Guantanamera.*

TARECO. 1. Darle un ataque a alguien. «Cuando se enteró le dio un tareco». 2. Un cigarro de marihuana. «Voy a fumar un tareco». *Hacer un tareco.* Fumar un cigarro de marihuana. «La policía los sorprendió haciendo un tareco». (Lenguaje del chuchero. Ver: *chuchero.*)

TARIMA. Ver: *Ojos.*

TARJETA. *Dar a alguien una tarjeta de crédito.* Confiar en él. «Yo le di a Juan una tarjeta de crédito». (Cubanismo del exilio.) *Estar al recibir alguien la tarjeta del medikear.* Ser muy viejo. «Ella se quita la edad. Si está al recibir la tarjeta del medikear». (Cubanismo del exilio. El Medicare, que el cubano pronuncia como se ha escrito, es un programa de ayuda social para la gente mayor de 65 años o incapacitados.) *Una tarjeta líquida.* Una copa de cualquier licor. «Dame una tarjeta líquida». «Vamos por una tarjeta líquida». (Es cubanismo inventado por el locutor cubano Pimentel Molina y lo popularizó en uno de sus programas. Es cubanismo del exilio.)

TARRAYAZO. Golpe. «Le dio un tarrayazo al automóvil». «Me di un tarrayazo con la silla». «Me dio un tarrayazo por la frente». Sinónimos: *Jaquimazo. Le dio un mameyazo. Mameyazo. Piñazo. Tortazo. Darse un tarrayazo.* Tomarse una copa. «Yo creo que se dio no un tarrayazo sino varios».

TARREADA. *Tarreada y sacada a bailar.* Se dice de la persona que es ofendida y además el ofensor disfruta con lo que hizo. «¡Qué va! Tarreada y sacada a bailar. Esto no va conmigo. ¿Cómo se atreve a ofrecerme el puesto?»

TARRO. No. «¿Nos alistamos en el cuerpo de los bomberos? —Tarro». Se dice también *tarro en almíbar. Estar en el tarro afilado.* Se dice de un sitio donde las mujeres engañan a los hombres. «Aquí está el tarro afilado». («Pegar los tarros», es «engañar la mujer a los maridos o viceversa». De aquí el cubanismo.) *Los tarros no crecen; si así fuera no habrían tendido eléctrico.* El cubano en vez de decir: *pegar los cuernos*, dice: *pegar los tarros.* Este cubanismo es de tipo jocoso y es lo que se contesta a una persona que por ejemplo nos indica que a alguien lo engaña una mujer. «Juan, engañan a Pedro. —Ni te preocupes, los tarros no crecen, si así fuera no podría haber tendido eléctrico». *¿Qué quieres que me pegue los tarros y además le pase la lengua?* Equivale al: «además de burro, apaleado». «¿Qué quieres que me pegue los tarros y además le pase la lengua?» *Tarros de vaca.* Postes del alumbrado eléctrico. «Que feos se ven en esta calle los tarros de vaca». Ver: *Casco. Majama.*

TARTARIA. (Una) Una pelea. «En el cine se formó una tartaria».

TARTARIE. *La tartarie del barrio.* Los golfos del barrio. «¡Cómo sufría mi madre, cuando yo me juntaba con la tartarie del barrio!»

TÁRTARO. *Ser alguien un tártaro.* 1. Ser de armas a tomar. 2. Ser una persona de vida licenciosa. (La conversación da el significado.) «¡Qué tártaro! No respetó ni el dinero del hermano». (De armas a tomar.) «¡Qué tártaro! No se acuesta nunca antes de las cuatro de la mañana parrandeando». (Vida licenciosa.) Ver: *Pichón.*

TARZÁN. *A cualquier Tarzán se le rompe la soga.* Cualquiera fracasa. «No te creas tan seguro. A cualquier Tarzán se le rompe la soga. «En general se aplica a muchas situaciones, tales como: Arruinarse. «Se cree seguro con dinero, pero a cualquier Tarzán se le rompe la soga». Perder el puesto. «Dile que no mire por encima del hombro por tener ese puesto. A cualquier Tarzán se le rompe la soga». Se usa como amenaza para indicar que cualquiera puede ser derrotado. «Dile que no me amenace, que a cualquier Tarzán se le rompe la soga». *A Tarzán se le cayó Chita.* Se dice del guapo que, ante alguien que se le hizo fuerte, demostró que no lo era. «Me vino a gritar y ya tú sabes como terminó: que a Tarzán se le cayó Chita». *A Tarzán se le escapó Chita.* Se dice del guapo que deja de serlo porque encuentra la horma de su zapato. «Le dio dos palos y echó a correr. A Tarzán se le escapó Chita». (Chita como se sabe es el nombre de la mona de Tarzán, el héroe novelístico creado por el escritor norteamericano E. Borroughs.) *Botarse alguien de Tarzán y rompérsele la rama.* 1.

Creerse alguien que vale mucho y fallar por no ser así. «Juan compitió conmigo en el examen de español. Ya tú sabes que se cree que es muy bueno. Vaya, que se botó de Tarzán y se le rompió la rama». 2. Hacerse el guapo y fallar lamentablemente. «Se botó de Tarzán con Pedro y se le rompió la rama porque éste lo pateó». *Estar como Tarzán acabando de saltar la liana.* No tener modales. «Está como Tarzán acabando de saltar la liana». *Estilo Tarzán.* Le llaman así en el exilio cubano, al estilo de decoración con muchas matas, ya que Tarzán, el personaje de ficción, es el rey de la Selva. «Vi unos patios estilo Tarzán. ¡Qué feos!» *Llegar de Tarzán y terminar de Chita.* Llegar de guapo y terminar mansito. «El maestro terminó de Tarzán, gritando mucho y terminó de Chita». («Chita» es la mona de Tarzán. «Tarzán» es el famoso personaje de ficción de las novelas del mismo nombre sobre la selva.) *Llevar a alguien de rama en rama como Tarzán lleva a Juana.* Querer. Sinónimo: *Llevar como el chino a la canasta. Llevar de campana a campana.* (Cubanismo tomado del boxeo.) *Llevar de contén a contén. No te des de Tarzán.* No te hagas el guapo. «Conmigo no te des de Tarzán». *Quiere ser el Tarzán de la jungla.* Querer hacer lo que no puede. «Le va a dar un infarto. Quiere ser el Tarzán de la jungla». *Quiere ser el Tarzán de la película.* Querer siempre ser el primero. «Él quiere siempre ser el Tarzán de la película». (Lo he oído decir de esta manera: *Él quiere ser el Tarzán de la película y que los demás sean los monos.*) *Ser Tarzán sin trusita.* Ser muy grande de cuerpo y estatura y no tener valor. «Francisco es Tarzán sin trusita». *Ser un hombre el Tarzán de la vida de una mujer.* Ser el hombre que ella quiere. «Tú, Luis, eres el Tarzán de mi vida».

TARZANA. Acto de fuerza. «Llegó a la cumbre. Fue una tarzana». *Ser la Tarzana chilena.* Ser muy fuerte una mujer. «No te metas con ella que aunque es mujer es la Tarzana chilena». (El cubanismo viene de una luchadora que había en Cuba que se llamaba *«La Tarzana Chilena».*)

TASAJEAR. 1. Cortar en pedacitos. «A Pedro lo tasajearon; murió instantáneamente». 2. Matar de muchas puñaladas. «Lo tasajearon cuando lo asaltaron». (El cubanismo se basa en una imagen: «La de tiras de tasajo».)

TASAJO. Un plato muy cubano a base de carne cecina, la carne de caballo deshilachada. *Estar como el tasajo: mientras más palos le dan, más crece.* Triunfar en las dificultades. «Yo estoy como el tasajo: mientras más palos me dan, más crezco». *Ser alguien un pedazo de tasajo sin ojos.* Ser muy bueno. «Ése es un pedazo de tasajo sin ojos». (Lo que en criollo se llama, «una paloma sin hiel».) Ver: *Nariz. Pedazo.*

TATA. *El Tata Facundo.* El padre. «El Tata Facundo de Pedro es ingeniero». *Llegó Tata Facundo.* Llegó el jefe. «Aquello estaba de patas arriba hasta que llegó Tata Facundo». Sinónimos: *Llegó el dueño de los caballitos. Llegó el dueño del bate, el guante y la pelota. Llegó el dueño de todas las papeletas. Llegó el mayimbe.* (Cubanismo de la Cuba de hoy. A los principales jefes del gobierno de Castro los llaman «Mayimbes».) *Llegó el que más dice. Llegó el que más mea. Llegó Papá Montero. Llegó el tambor mayor. Ser alguien Tata Cuñanga.* Ser un individuo al que nada le importa y por lo tanto vive muy feliz. «Siempre, mi hermano, fue Tata Cuñanga». *Ser Tata Cuñengue.* Ser muy viejo. «Ese hombre es Tata Cuñengue». (El cubanismo viene del habla de los negros cubanos.) *Ser un Tata Cuñanga.* Ser el líder. «Aquí yo estoy Tata Cuñanga». *Tata Facundo.* Yo. «Eso lo hizo Tata Facundo».

TATO. *No creer algo ni el tato.* No creerlo nadie. «Eso no lo cree ni el Tato».

TAUTAYA. 1. Cosa repetida. «Ya te dije que eso es tautaya». 2. Tontería. «Llega un momento que uno se cansa. Es mucha tautaya».

TAYUYO. (El) 1. Especie de tamal de maíz sin grasa. «Compré un tayuyo». 2. El pene. «¡Qué ganas tengo de enseñarle a esa mujer el tayuyo!» 3. Mujer gorda, de cuerpo muy feo. «Esa dama es un tayuyo». Sinónimos: *Tamal. Tanque. Tonina.* 4. *Ser un tayuyo mal envuelto.* No valer nada. «Juan es un tayuyo mal envuelto». *Si no es tamal es tayuyo.* Ver: *Tamal.*

TE. Ver: *Flor.*

TEA. *Estar en la tea.* No tener un centavo. «Estoy en la tea, Pedrito». Ver: *Listón.*

TEATRO. *Dejar el teatro para las máscaras.* En frases como éstas: «Deja el teatro para las máscaras», que quiere decir: «no seas hipócrita». «Se lo grité después del discurso: Deja el teatro para las máscaras». (Cubanismo del exilio. *Las Máscaras* es un grupo teatral cubano.) *Llamarse alguien Martí.* Se dice del que habla con gestos teatrales. «Viejo, no me hables así que tú no te llamas Martí». («El Teatro Martí» es un teatro en Miami. De ahí este cubanismo nacido en el exilio.) Indica también, el ser hipócrita. «Como él se llama Martí, creyó que yo engañaba. Como si no conociera su hipocresía». (Es decir, actúa como se hace en el teatro: fingiendo.) Ver: *Cortina.*

TEBOTÉ. *Dar el teboté.* Despedir en cualquier forma. «La novia le dio el teboté». *Darle a alguien el Teboté.* Echarlo. «A Juan le dieron el Teboté en el trabajo». «La novia se cansó de él y le dio el Teboté». Ver: *Vetivé.*

TECATO. Que fuma marihuana o es adicto a estas drogas heroicas. «Juan es un tecato. ¡Pobrecito!»

TÉCNICA. *Ser algo técnica industrial.* Ser muy bueno. «Ese cuento es técnica industrial».

TECNICOLOR. *Comérsela en el tecnicolor.* Pintar muy bien. «Juan se las come en el tecnicolor. Es un gran artista».

TEIP. *Hay que cambiar el teip.* Hay que cambiar de opinión. «¿Oíste al jefe? Hay que cambiar el teip». *Meter alguien un teip nuevo.* Cambiar de opinión. «Ya Pedro, en el asunto que tú sabes, metió un teip nuevo». *Tener el «teip recorder» al día.* Acordarse de todo. «Creías que se me había olvidado, pero yo tengo el teip recorder al día». (Es cubanismo del exilio. «Tape recorder», que el cubano pronuncia como se ha escrito, significa «grabadora» en inglés.) Ver: *Escoch.*

TEIPE. *Darle para atrás al teipe.* Recordar el pasado. «Hoy me entristecí porque le di para atrás al teipe». (Es un cubanismo del exilio. Las cintas magnetofónicas, llamadas «tapes» en inglés y que el cubano pronuncia como se ha escrito, pueden ser manejadas hacia atrás. De aquí el cubanismo.)

TEJA. *Caérsele a alguien la teja.* Volverse calvo. «A Pedrito se le está cayendo la teja». *No llevar nada en la teja.* Ser una mediocridad. «Pedro no lleva nada en la teja». Lo he oído: «No portar nada en la teja». *Perder las tejas.* Quedarse calvo. «Perdió las tejas en dos meses».

TEJADO. 1. Cabeza. «Él tiene un tejado muy grande». «Me duele el tejado». Sinónimos: *Coco. Güiro. Pen-jaus.* (Pent-house en inglés.) *Toronja.* 2. Peluca. «Ése usa un tejado». *Tener el tejado calviño o calviñón.* Estar calvo. «Ya tú tienes el tejado calviño (o calviñón».) *Vender tejados.* Vender tumbas en los cementerios. «Yo tengo un amigo que en el exilio vende tejados». (Es cubanismo del exilio.) Ver: *Gato.*

TEJAS. Pelo. *Caérsele a alguien las tejas.* Caérsele el pelo. «A ese joven se le están cayendo las tejas». *Tener las tejas corridas.* Estar medio loco. «Ése tiene las tejas corridas».

TELA. 1. Pantalones. «Está buena esa tela». 2. Traje. «Me compré una tela buena». *Botar unas telas.* Ponerse unos trajes buenos. «El bota unas telas que me encantan». *Ser una tela de saco de azúcar.* Ser una tela mala. «Esa tela es de saco de azúcar». (En Cuba, la gente pobre, se hacía camisas con las telas de los sacos de azúcar. De ahí el cubanismo.) *Yo conozco la tela que compro, el ojal me conviene.* Yo sé lo que hago. «Ni te preocupes. Yo conozco la tela que compro. El ojal me conviene». (Es forma de hablar del cubano, que muestra su agilidad lingüística.)

TELARAÑAS. *Despejársele a alguien las telarañas.* Empezar a pensar bien. «Por fin se te han despejado las telarañas. Ahora sí sabes lo que estás haciendo».

TELEDIRIGIDO. *Estar alguien teledirigido.* Ser un títere. «Él está teledirigido».

TELEFONAZO. *Tírame un telefonazo.* Llámame por teléfono. «A las dos tírame un telefonazo».

TELÉFONO. *Estar como el teléfono.* Estar siempre colgado de otro. Viviendo de él. «Mi primo está siempre como el teléfono». (El teléfono siempre está colgado. De aquí el cubanismo.) *Teléfono de piquera.* Fácil de recordar. «El teléfono de tu casa es de piquera». (La piquera es una estación de automóviles para alquilar. Tienen por lo general un teléfono de números repetidos para que todo el mundo lo recuerde.)

TELEGRAFÍA. Ver: *Matrimonio.*

TELERO. *Estar algo telero.* Estar abundante. «El manto en esta región está telero». «La envidia está telera».

TELETIPO. *Hablar como un teletipo.* Hablar mucho. «Tú hablas, mi amigo, como un teletipo». *Tener un teletipo en la campanilla.* Se dice del que habla mucho. «Juan tiene un teletipo en la campanilla y no se para».

TELEVISIÓN. *Ser como la televisión.* Largo. «Este libro es como la televisión». (Es decir, largo como los episodios de la televisión. Cubanismo del exilio.) Ver: *Radio.*

TELÓN. *Caerle a alguien el telón encima o caerle el telón del circo encima.* Fracasar. «Estaba de lo más contento en su carrera y de pronto le cayó el telón del circo encima».

TELVA. Ver: *Piel.*

TEMA. Problema. «Este automóvil no tiene tema». (Es palabra nueva de la Cuba de hoy.) *No hay tema.* No hay problema. «No te preocupes. No hay tema». (Cubanismo de la Cuba de hoy.) *Tener algo tema.* Tener problema. «Te digo que este automóvil tiene tema». (Es lenguaje de los cubanos llegados a Estados Unidos en 1980 por el puente marítimo Mariel-Cayo Hueso.)

TEMPERATURA. *Hablar con temperatura.* De algo muy serio. «Estamos, Pedro, hablando de temperatura». (Se aplica a muchas situaciones de la vida, por ejemplo, si se habla de un hombre violento, es «hablar de temperatura». Si se habla de un hombre sabio se está hablando de temperatura.)

TEMPLADERA. Fornicación. «¡Qué templadera tiene esa familia de al lado!» Sinónimo: *Templete.*

TEMPLADO. *Un templado bravo.* Una gran borrachera. «Ahí va con un templado bravo».

TEMPLADORA. 1. Mujer fácil. «Esa es una templadora». 2. Ser una mujer muy buena en el arte sexual. «Ella es muy buena templadora». («Templar» en cubano es «fornicar».)

TEMPLAR. 1. Derrotar. «Me lo he templado en el Bachillerato. Yo soy el primer expediente». 2. Ejecutar actos carnales. 3. Fornicar. «Anoche me templé a Juana». 4. Robar. «A Juan le templaron el saco». *A templar por banderillas.* Al carajo. «Me molesté y le dije: a templar por banderillas». *Templar hasta que se le gasta a uno.* Fornicar continuamente. «Mi amigo murió joven, pero templó hasta que se le gastó». («Templar» en cubano es «fornicar».) Ver: *Hierro. Mujer. Singar.*

TEMPLARIO. *Pertenecer alguien a la orden de los templarios.* Acostarse un hombre con muchas mujeres. «Yo siempre he pertenecido a la orden de los templarios». (El cubanismo es un juego de palabras entre la famosa orden militar y «templar», o sea, en cubano «fornicar».) Ver: *Orden.*

TEMPLETE. Fornicación. «A esa mujer le gusta el templete». *Estar en el templete.* Estar de prostituta. «Se hace la señorita pero está en el templete hace muchos años». *Estar el templete al tolete.* Estar la fornicación rampante. «En esta ciudad el templete está al tolete». Sinónimo: *La singueta está al tolete.* Ver: *Coito. Templadera.*

TEMPLITOS. (Los) Los cursillistas de la Cristiandad. «Por ahí van los templitos». (Cubanismo nacido en el exilio.)

TEMPLÓN. *Estar por ahí de templón.* Estar de vago. «Juan está por ahí de templón». (El cubanismo se basa en «templar», o sea, «fornicar» y supone que el individuo está nada más que buscando mujeres sin hacer otra actividad.)

TÉMPORA. Ver: *Culo.*

TEN. *Estar alguien ten con ten.* Estar regular. «De salud y económicamente, estoy ten con ten». *Ser algo de ten cen.* Ser malo. «Ése es un escritor de ten cen». (El «ten cen» era un sitio en Cuba donde se vendía mercancía buena y barata. Era de la firma norteamericana Woolworth, de esas cadenas llamadas en Estados Unidos: Ten Cents Stores. El cubano llamaba al sitio: «ten cen».)

TENDEDERA. Cable eléctrico clandestino, que va del poste a la casa. «El barrio está lleno de tendederas». Ver: *Palitos. Resistencia.*

TENDER. Ver: *Remojar.*

TENDERA. (Una) En la Cuba de Castro una conexión que se hace de la casa al cable mayor de electricidad de la calle para robarla. «Como hay tenderas en este barrio».

TENDERAIZER. *Echarle a alguien tenderaizer.* Ablandarlo. «Él no quería darle dinero pero ella le echó tenderaizer». (El «tenderizer» se usa para ablandar los alimentos. Es un cubanismo nacido de el exilio.)

TENDIDO. *Comerse el tendido eléctrico.* Sinónimos: *Cable. Comerse un cable. Ponerle a alguien el tendido y la corona.* Matarlo. «Los rivales le pusieron a tu amigo el tendido y la corona».

TENERÍA. *Tener una tenería en el culo.* Tirarse alguien peos silenciosos y de mal olor. «Pedrito tiene una tenería en el culo. ¡Qué asqueroso!» (La tenería da muy mal olor, de ahí este cubanismo groserísimo.)

TENI. *Quemar el teni.* Ir rápido. «No puedo hablar contigo porque voy quemando el teni». («Teni» es «tennis». Zapatos de tennis. El cubano pronuncia «teni».)

TENIS. *Soltar (o perder) los «tenis» en una carrera.* Fracasar. «Me casé y en esa carrera perdí los tenis». *Tener alguien un «tenis» atravesado.* Ser homosexual. «Pedro tiene un «tenis» atravesado». (Cubanismo del exilio. Surgió porque a los Marielitos, gente que llegó a Miami, en 1980, exiliada, por el puente marítimo Mariel-Cayo Hueso-Miami, les repartieron a todos «tenis». El cubano pronuncia este tipo de zapatos «tenis». Todos llevan en Estados Unidos la misma ropa que les dieron: pantalones de mecánicos y «tenis»; por lo que de los «tenis» surgió el cubanismo al verse a un marielito homosexual con ellos.) Ver: *Cable. Niño.*

TENTACIÓN. Ver: *Plátano.*

TENZORES. *Tener los tenzores puestos.* Estar siempre alerta. «No dejo pasar un día sin tener los tensores puestos».

TEÑIR. *Ése ni tiñe ni da color.* Se dice del que es muy apático. «Juan ni tiñe ni da color». Sinónimo: *Ni canta ni come fruta.*

TEPEGUÉ. Ver: *Quemado.*

TERAPÉUTICA. *Usar con alguien la terapéutica del bagazo.* No ponerle atención a una persona. «Cuando me habla yo uso con él la terapéutica del bagazo».

TERCER. *Ser tercer mundista y no estar alineado.* Ser lesbiana. «Esa mujer es tercer mundista y no está alineada». (El cubanismo es del exilio y sus términos de política: tercermundista: Alineación.)

TERCERA. *Tocar por tercera.* Sorprender. «El hombre, simplemente, me tocó por tercera». (Es lenguaje procedente del juego de pelota [base-ball.]) Ver: *Primera.*

TEREOMACOTERO. Persona importante. «Prestarle mucha atención. El es un tereomacotero». (El tereomacotero es el secretario de una secta de ñáñigos, cofradía que existe en Cuba y que es de procedencia africana.)

TERERE. *Ser alguien terere ordala bumba nisonga obara di.* Ser muy fuerte. «¡Qué musculatura! tú eres terere ordala bumba nisonga obara di». (Es lenguaje de los africanos esclavos que aún subsiste en Cuba.)

TERMINALES. *Jugar a los terminales.* Jugar a un tipo de lotería cubana. «Hoy voy a jugar a los terminales».

TERMÓMETRO. *Estar vestido de termómetro.* Se dice del que siempre está dando la temperatura. «Hoy va a haber diez grados bajo cero. —Chico, cállate, que estás vestido de termómetro». (Cubanismo nacido en el exilio.)

TERNERO. *Estar como ternero en el chiquero.* Estar mal. «Juan está como ternero en el chiquero». (El ternero en el chiquero siempre está mojado.) *Tener a alguien como ternero «achicao».* Tener a alguien a raya. «Yo tengo a ese individuo como ternero achicao». (El cubanismo es de origen campesino. El ternero «achicao» se toma la leche de la vaca cuando ésta apenas tiene, y la vacía, por eso no lo dejan acercarse a la vaca. De ahí el cubanismo.) *Ternero resentino.* Ternero que, por estar recién nacido, es pequeño. «Ese hombre es un ternero resentino». Ver: *Ideal.*

TESTAMENTO. *Hacer el testamento de Chacumbele.* Matarse. «¡Ese hombre pobrecito! Se hizo el testamento de Chacumbele». (Hay una canción que dice que *«Chacumbele, el mismito se mató».* De aquí el cubanismo.)

TESTÍCULOS. *Tener los testículos blindados.* Ser muy valiente. «Ese hombre, yo lo vi, tiene los testículos blindados».

TESTIVITAL. Cuando se veía a un viejo con una mujer se gritaba por los golfos en Cuba: «Testivital, testivital». Indica que el hombre era muy viejo para estar con ella sexualmente. *Ella es el testivital del viejo.* Con ella sólo logra el anciano, erección en el acto sexual. «Dicen que ella es el Testivital del viejo». (El Testivital es un producto cubano para dar vigor sexual, o sea, una medicina contra la impotencia.) *No hay testivital que resuelva.* Ese hombre es muy viejo. «Se muere. Ahí no hay testivital que resuelva».

TETAS. *Dar una mujer un pase de tetas.* Insinuarse. «Esa mujer es una descarada. Me dio un pase de tetas». *Exhibir las tetas por ser Almacenes «La Mía».* Exhibirla porque le da su real gana a la mujer. «Exhibo estas tetas porque son Almacenes «La Mía». (Se refiere a los Almacenes «La Mía» que existían mucho en Cuba. Quiere decir que exhibe los senos porque son de ella.) *Más halan un par de tetas que un par de bueyes.* Refrán de origen campesino que habla del poder de las mujeres. *Pagar hasta las tetas.* Pagarlo todo. «Él, es tan tonto, que paga hasta las tetas».

TETERA. *Chupar la tetera.* Disfrutar de beneficios. «Ése está chupando la tetera. Siempre está en el presupuesto». *Lo tuyo es de tetera.* Lo que te gusta es chupar (conseguir ventajas.) «Tú no tienes ideales, lo tuyo y lo de ese político es de tetera». Ver: *Disfraz.*

TETUÁN. *¡Qué Tetuán!* Que senos más grandes. «¡Qué Tetuán tiene esa mujer!» *Ser una mujer de Tetuán.* Tener senos grandes. «Esa mujer es de Tetuán». (Tetuán es un juego de palabras entre «tetas» que es el seno de la mujer y «Tetuán» que es una ciudad africana.) «Me tocó un Tetuán». Ver: *Tetas.*

TEXTO. *Parecer alguien un libro de texto.* Se dice del que repite continuamente las cosas. «Cállate con eso. Pareces un libro de texto».

TÍA. *Tía Tata cuenta cuentos.* Se dice en Cuba cuando habla Fidel, para indicar que lo que dice es promesa y nada realidad. «¿Oíste a Fidel? —Sí, Tía Tata cuenta cuentos». (Cubanismo de la Cuba de hoy. Se refiere a un programa radial y televisivo de niños que llevaba ese mismo nombre.)

TIBIEZA. *Haber tibieza en el ambiente.* Existir en una reunión frialdad. No haber alegría. «Me voy de esta fiesta porque hay tibieza en el ambiente». Se aplica también al caso de que hay pocos deseos de hacer algo. «Con ellos no conseguirás nada. Siempre hay tibieza en el ambiente con ese grupo». *No quiero tibieza.* Latiguillo lingüístico que significa «actúa con diligencia». «En esa empresa no quiero tibieza». Cuando se refiere a uno mismo quiere decir: no me puedes tratar con frialdad. «Se lo dije. No podemos ser amigos. No quiero tibieza conmigo».

TÍBIRI. *Estar en el tibiritábara.* 1. Estar pasándola. «¿Cómo estás, Juan? —En el tibiritábara». 2. Pasarla. «¿Cómo estás, Juan? —En el tiribitábara». (Se usa, mayormente, en las preguntas de ese tipo. El cubanismo es la letra de una canción.)

TIBIRITÁBARA. Tipo de zapatos de mujer de tiritas con cordones que subían por los tobillos. «Los tibiritábaras están de moda».

TIBOR.ES. *Cagarse fuera del tibor.* Meter la pata. «Siempre te cagas fuera del tibor. No sé cómo te las arreglas». *Darle alguien la patada al tibor y volcarse la mierda.* Revelar acciones, hechos históricos, etc. deshonestos e inmorales. «Ese periódico le ha dado la patada al tibor y se ha volcado la mierda». *Para nalgas se han hecho tibores y para oler las flores.* Es una derivación del castizo: *para gustos se han hecho colores. Ser algo un tibor sin asa.* Ser una cosa de bajísima calidad. «Ese libro es un tibor sin asa». *Ser alguien nada más que un tibor en dos patas y sin asa.* Lo que en Cuba se llama, «ser una mierda», alguien que no vale nada. «Fracasó porque cree que es un tibor en dos patas y sin asa». Sinónimos: *Ser un mierda. Ser un peo. Ser alguien un tibor en un naufragio.* No servir para nada. «Ese señor es un tibor en un naufragio». *Tener el futuro del tibor de meado.* Tener un mal futuro. «Tú tienes el futuro del tibor de meado». *Tener el tibor rebosado.* Hablar de cosas que no valen nada y sin parar. «Cállate, que tienes el tibor rebosado, Paco». Ver: *Alma. Colores. Mierda.*

TIBURÓN. Malversador. *Comerse un tiburón. Creerse alguien que es tiburón y no poder navegar en aguas profundas.* Creerse que vale mucho y valer poco, sobrestimarse. «Fracasó porque es tiburón y no puede navegar en aguas profundas». *Los tiburones tienen doble fila de dientes y se les pesca.* No hay nadie invencible. «Yo no le temo a mi contrario. Los tiburones tienen doble fila de dientes y se les pesca». *Ser alguien un tiburón.* Ser un malversador. «Ése es un tiburón. Y no lo procesan». (El cubanismo viene del hecho de que un presidente de Cuba refiriéndose a sus malversaciones y de su generosidad a los que dejaba también malversar para con sus amigos decía: «Tiburón se baña, pero salpica».) *Ser un tiburón.* 1. Se dice de la persona que lo quiere todo para sí. «En ese negocio es un tiburón y en todos los demás». 2. Ser un malversador. «Ése es un tiburón de acuerdo con las últimas noticias». 3. Ser una persona que lo quiere todo para sí. «Es un tiburón. En la sociedad lo quiere todo». *Ser un tiburón de bahía.* Ser un político sin escrúpulos. «Ése que está postulado es un tiburón de bahía». (El tiburón de bahía come de todo, hasta a los seres humanos. De aquí el cubanismo.) *Tiburón se baña pero salpica.* Yo cojo beneficios pero también los reparto. (Es frase atribuida a un presidente cubano.) Ver: *Cable. Cogerla. Comerse un cable.*

TICHER. *Regalarle a alguien un ticher de rayitas.* Encarcelarlo. «Por veinte y cinco años le pusieron un ticher de rayitas». (El ticher de rayitas es el traje de presidiario. Es «T-Shirt», pero el cubano lo pronuncia como se ha escrito y significa camisa deportiva, lo que se conoce mundialmente como «pull-over».)

TIEMPO. *Coger alguien todo el tiempo del «espiker».* Hablar mucho. «Ése coge todo el tiempo del «espiker». (Es cubanismo del exilio. «Speaker» que el cubano pronuncia como se ha escrito es el orador principal de un acto público.) *Estar fuera de tiempo.* Estar fuera de lugar. «En esa reunión tú estás fuera de tiempo». También estar equivocado. «Siempre está fuera de tiempo». (El cubanismo viene del campo del automóvil.) *Formar un fuera de tiempo.* Formar un lío. «Formó un fuera de tiempo y le caí a golpes». *Nacer alguien en tiempo de las Cortes.* Copiar todo lo que oye. (El que nace en tiempo de las Cortes es un cronicón. De ahí el cubanismo.) «He leído tu cuento. Tú naciste en el tiempo de las Cortes». *Ser algo del tiempo de* *senseribó.* Ser de tiempos muy lejanos; antiquísimos. «Eso es del tiempo de senseribó». Sinónimo: *De los tiempos de Ñaña Seré.* Ver: *Central. Mujeres.*

TIENDA. *Ser una tienda de liquidación.* Se dice al que liquida a sus enemigos. «Ese hombre es una tienda de liquidación». *Yo no soy una tienda de liquidación.* Se le dice al que le dice al otro: «Liquida eso, liquida eso rápido. —Yo no soy una tienda de liquidación». *Tienda de Polaco.* Tienda de mercancía barata. «Ésta es una tienda de Polacos y podemos encontrar lo que queramos». (A los judíos les llamaban en Cuba polacos.)

TIERNO. *Está tan tierno que ahorita se desbarata.* Se dice de una persona que es muy tierna para indicar que no puede batallar por mucho tiempo. «¡Pobrecito! No sabe que está tan tierno que ahorita se desbarata. Va a sufrir».

TIERRA. *Ir a tierra.* Ir para abajo. «Ese loco va a tierra». *El que siembra en tierra baja siembra cosecha mabinga.* Es sinónimo de «el que siembra vientos, recoge tempestades». «Te lo dije. Tienes todos los problemas porque el que siembra en tierra baja siembra cosecha mabinga». (La mabinga es carne seca. Es refrán llevados por los esclavos africanos a Cuba.) *Estar comiendo tierra.* Estar pasando hambre. «Él está comiendo tierra». *Estar hecho tierra.* Estar en una mala situación económica. «Él está hecho tierra». *Estar tan hecho tierra que si le echan agua se convierte en fango.* Estar en una malísima situación económica. «¡Pobre Miguel! Está tan hecho tierra que si le echan agua se convierte en fango». (Este es uno de los casos en que el cubanismo no utiliza la terminación del aumentativo y recurre a otros medios para crearlo.) *Jugar con tierra y un palito.* Se usa en frases como «vete a jugar con tierra y un palito». Déjame tranquilo. *Llenársele a alguien la cachimba de tierra.* No poder soportar más una situación. «Ya aquello era intolerable y se me llenó la cachimba de tierra». *Mi tierra.* Mi amigo. «¿Qué dice mi tierra?» Sinónimos: *Mi ecobio. Mi hermano. Mi sangre. Mi socio. ¡Que la tierra te sea leve!* Que te vaya bien. Que tengas buena suerte. (Frase de despedida de origen campesino.) *Tener un pase de tierra.* Estar loco. «Ése tiene un pase de tierra». *Volver a pisar tierra.* 1. Recuperarse de un colapso. «Estaba quebrado, pero con tus préstamos volví a pisar tierra». 2. Salir de un atolladero. «Con tus palabras volví a pisar tierra». Ver: *Cable. Cachimba. Comerse un cable. Mar. Pase. Tener los cables cruzados.*

TIERRITA. *Buscarse una tierrita.* Ganar algún dinero. «De jardinero me gano una tierrita». *Guardar una tierrita.* Guardar un poco de dinero. «Guardé para la vejez una tierrita». *Tener una tierrita.* Tener un poco de dinero. «Tengo una tierrita en el banco». *Tocar con una tierrita.* Dar poco dinero a alguien. «Le fui a cobrar y me tocó con una tierrita». *Una tierrita.* Un poquito. «Dame una tierrita de arroz». Se usa, principalmente, con dinero. «Me tocó una tierrita en la herencia».

TIESO. *Ponerse tieso.* Morirse. «Se puso tieso». Sinónimos: *Guardar. Guardar el carro. Partirse. Ponerse el chaquetón de pino tea. Romperse. Viajar en el carro de la lechuza.*

TIFA. Carrito de fumigación en contra de los mosquitos. «A esta hora siempre pasan las tifas».

TIFITIFI. Ladrón. «Cuidado con los bolsillos que él es tifitifi».

TIFOIDEO. Se dice del que se pela muy corto. «¿Quién te cortó el pelo? Pareces un tifoideo».

TIGRE. Amigo. «¿Cómo estás tigre?» Sinónimos: *Ecobio. Mi sangre. Mi tierra. Monina. Comerse un tigre pintado.* Estar pasando las de Caín. «Me estoy comiendo un tigre pintado». (Es el aumentativo dado, no por la terminación, sino como es usual en los cubanismos: añadiendo otra palabra, en este caso, pintado. «Comerse un tigre» es estarla pasando mal.) Sinónimos: *Comerse un cable. Comerse un niño. Comerse un niño por los pies con tenis y todo.* (Éste es el aumentativo de *comerse un niño.*) *El tigre de papel.* El pantalón. «Me compré un nuevo tigre de papel». (Se le llama así, en el exilio, a unos pantalones de hombre que tienen rayas negras como los tigres.) *Estar para el tigre.* Ser una mujer muy fea. «Esa mujer está para el tigre». *Ni el tigre.* Nadie se la fornicaría. Se dice cuando se ve a una mujer que es muy fea de cuerpo y cara, indicando que nadie la fornicaría por fea. «Mira, es María, Juan y está que ni el tigre, Pedro». *Ser el tigre de la Malasia.* Ser muy inteligente. «Ese hombre es el tigre de la Malasia». Sinónimos: *Escapársele a Tamakún por debajo del turbante. Ser Sandokán. Ser Tamakún, el vengador errante. Ser tiza. Tener nitrón en el cerebro.* Ver: *Feo.*

TIJERA. Ver: *Gallego.*

TIJERETA. Posición en el acto sexual. *Ser la mejor tijereta de Jacomino.* Ser muy bueno en todo. «Con él triunfarás, porque es la mejor tijereta de Jacomino». (El cubanismo está relacionado con el sexo. Se usa como gracia entre amigos.)

TIMBA. Juego. «Voy para la timba». *¿Cómo está la timba?* ¿Cómo están las cosas? «¿Cómo está por aquí la timba?» («Timba» es «juego».) *De a timba.* De a guapo. «Lo hizo de a timba». *¡Qué la timba siga andando!* Que todo continúe. «No paren la fiesta, que la timba siga andando». *Tener algo timba.* Tener algo escondido que es peligroso. «Ese negocio tiene timba». *Terminarse la timba.* Terminar algo. «Vámonos. Ya no hay nada que hacer aquí. Se terminó la timba». También dos panes con dulce de guayaba y queso en el medio. «Esta timba me costó diez centavos».

TIMBAL. (Un) Mucho. «En la biblioteca hay un timbal de libros». «Le inyectaron un timbal de penicilina». *Un timbal.* Mucho. «Cogí un timbal de dinero». Sinónimos: *Un bolón. Un ceremillón.*

TIMBALERO. El que toca los «timbales», o sea, los tambores pequeños que van cogidos el uno al otro. «Ese timbalero es de primera. ¡Cómo toca!» Sin.: *Timbero.*

TIMBALES. Cojones. *Con timbales.* Mucho. «Eso a mí me gusta con timbales». Sinónimo: *Con cojones. Ni timbales.* No. «No te doy ni timbales». (Casi todas las expresiones castizas con «cojones» las sustituye el cubanismo con «timbales».) *Tener timbales.* 1. Ser fresco. «Me pidió una carta. Hay que tener timbales». (El tono de voz indica que es un fresco.) 2. Ser osado. «Dame cinco pesos. —Tú tienes timbales». 3. Ser valiente. «Tu marido tiene timbales. Vi cómo afrontó la situación».

TIMBALÚA. Ver: *Blumes.* (Es «timbalúa». Se aspira la «d».)

TIMBALUDO. Valiente. «El siempre ha sido un timbaludo».

TIMBEQUE. 1. Fiesta. «Me voy para el timbeque». 2. Lío. 3. Problema. «Llegar él y formarse el timbeque fue lo mismo». *Acabarse el timbeque.* No haber más nada que hacer. «Con eso se acabó el timbeque». *Estar en el timbeque.* Estar en el quid de la cosa. «Yo en todo estoy en el timbeque». *¿Qué hay (o qué pasa) en el timbeque?* 1.

¿Cómo está la cosa por aquí? 2. ¿Cuál es la última noticia? «Te llamo para saber qué hay en el timbeque».

TIMBIRICHE.[61] 1. Cosa mala. «Hace años el aeropuerto de Miami era un timbiriche». Se dice también, «timbirichi» . 2. Negocio pequeño que apenas da para vivir. «Yo tengo un timbiriche en la playa». Sinónimos: *Chinchal. Puesto de frita. Tiro al blanco. No cambiar el timbiriche.* No salir alguien de la mala situación económica. «No cambia, en mi vida, el timbiriche». (En Cuba se llama así al negocio pequeño, en general, de la más baja esfera dentro de los negocios.)

TIMBIRICHERO. El que tiene o vende en un timbirichi, o sea, una tiendecita de mala muerte. «Allí, mi hermano es el timbirichero».

TIMBOLES. (Los) Los cojones. «Lo hice por mis timboles». (Es eufemismo de cojones: timbales en cubano.)

TIMBRAZO. *Tirar un timbrazo.* Llamar por teléfono. «Voy a tirarle un timbrazo a Pedro».

TIMBRE. *Cuando me tocan el timbre, brinco.* No me molestes que voy a actuar firme, te voy a pegar, etc. «No me digas eso. Cuando me tocan el timbre, brinco». *No me toques que yo no soy un timbre.* No me toques. «El hombre me tocó y yo le dije: `No me toques que yo no soy un timbre.'» *Ser una mujer como el timbre.* 1. Que cualquiera la toca. 2. Que se acuesta con cualquiera. «Esa mujer es como el timbre». También lo he oído: *Esa mujer es como el timbre: cuando la tocan, suena. Ser una mujer un timbre roto.* Se dice de la mujer que la tocan y no se excita. «Esa mujer tiene algún problema, es un timbre roto». *Tocarle a alguien el timbre.* Tocarle la parte sensible. «Me dio el dinero porque le toqué el timbre». *Todos los timbres cuando los tocan suenan.* El hombre y la mujer cuando los tocan se excitan. «Tuvo un hijo. Claro, se besaban y se besaban y todos los timbres cuando los tocan suenan».

TIMBRECITO. *Dar (o tirar) un timbrecito.* Hacer una llamada por teléfono de corta duración. «Voy a tirar un timbrecito».

TIMÓN. *Agarrar el timón.* Manejar un coche. «Te toca a ti agarrar el timón». *Agárrate al timón.* Sorpréndete con lo que te voy a decir. «Agárrate al timón: Juan y Lucía se divorciaron después de cuarenta años de matrimonio». *Amarrarse al timón.* Manejar por muchas horas. «Estuve diez horas amarrado al timón». *Comerse un timón.* Trabajar mucho de chofer. «Toda la vida me he tenido que comer un timón». *Ser un timón.* Manejar muy bien. «Tú eres un timón». Sinónimos: *Ser Fangio. Timonazo.*

TIMONAZO. Ver: *Timón.*

TIMOTEO. Ver: *Escuelita.*

TIN. (Un) Una gotica de tiempo. «Lo hizo en un tin». (Lenguaje de la Cuba de hoy.) *Si estás en un tin tienes que coger las señas.* Tienes que estar alerta. «Él tiene razón, si estás en un tin, tienes que coger las señas». (Viene de la palabra inglesa «team», y que el cubano pronuncia como lo he escrito, que significa equipo. Las «señas» son las instrucciones que da el jefe del equipo a sus componentes con gestos que sólo el equipo sabe.)

---

[61] También **timbiriche**.

TINES. *Pasarles como a los «tines de basketbol».* Caerse al final. «En la carrera iba muy bien, pero le pasó como a los tines de basketbol». («Tines» es como se pronuncia el plural que el cubano hace de la voz inglesa «team», o sea, «equipo». El «basket» es el juego de baloncesto. Cubanismo nacido en el exilio.) (El cubano pronuncia, basketbol.)

TINGLADO. *Ligado al tinglado.* Ganar, triunfar. «En esa maniobra ligué el tinglado». *Ser el tinglado detrás del telón.* Ser la eminencia gris. «Él es el tinglado detrás del telón. El presidente no toma una decisión sin contar con él».

TINGO. *Estar alguien en el tingo talango.* Estar haciéndose el bobo, el sueco. «Vigílalo que yo sé que está en el tingo talango». Sinónimo: *Hacerse el chivo loco.*

TINGUAO. *Acabarse el tinguao.* Acabarse lo que se daba. Terminarse algo. «Ya. Se acabó el Tinguao». (Tinguao, viene de Tinguaro, el nombre de un ingenio cubano. El cubano aspira la «d».)

TINI. *Ser Tini Grifi.* Ser muy gorda una mujer. «Eres una Tini Grifi». Sinónimos: *Ballenato. Globo de Cantoya. Tanque. Tonina. Volverse Tini Grifi.* Engordar. «Era muy bella pero se deformó; se volvió Tini Grifi». (Tini Grifi, era una artista norteamericana muy gorda. De aquí estos cubanismos.)

TINIGRIFI. Ver: *Pesado.*

TINO. Ver: *Profesional.*

TINTA. *Tinta rápida.* Ver: *Periódico.*

TINTERO. Café muy negro. «¿Te gusta ese tintero?»

TINTO. *Caer algo tinto en sangre.* Ser convencido sin dudas. «Le hable tanto que cayó tinto en sangre». (Si se añade *envuelto en llamas* es más categórico. Quiere decir que hay entera seguridad de que se entregó por completo.) («Caer» es aceptar lo que se pide o se propone a alguien.) *Tinto en sangre y envuelto en llamas.* De seguro. «Voy, tinto en sangre y envuelto en llamas».

TINTORERA. *Tintorera llegó. Guajacones a la orilla.* Cuidado que ha llegado un tipo de agallas. «Cuando yo lo vi, grité: `Tintorera llegó. Guajacones a la orilla.'» (La tintorera es la hembra del tiburón. Es grande y muy feroz. Ataca siempre. «Guajacones» son las larvas de los peces. [Se los come.])

TIÑOSA. (La) Se dice del trabajo desagradable. «Esto es la tiñosa. ¡Qué ganas tengo de dejarlo!» *Darle a alguien la tiñosa.* Ponerle en un trabajo malo. «Le di la tiñosa para que se fastidie». *Estar (o andar) alguien hecho una tiñosa.* Estar desarreglado. «Tu mujer siempre anda hecha una tiñosa». *Caerle a alguien una tiñosa.* Caerle la mala suerte. «Lo que me ha caído es una tiñosa en estos días». *Parquearle a alguien una tiñosa.* 1. Buscarle a alguien un problema. 2. Darle a alguien un trabajo malo. «Si lo traen le parqueo una tiñosa». *Ser una tiñosa.* Se dice del que no hace un favor. «Ése es una tiñosa». Sinónimo: *El no da ni dice dónde hay.* (Lenguaje del chuchero. Ver: *Chuchero.*) *Ser una tiñosa paralítica.* Se dice del que hace infeliz a todo el mundo. «Ese individuo es una tiñosa paralítica». (Es el aumentativo, formado por la voz «paralítica» —y no por las terminaciones— como hace siempre el cubano.) *Tener la tiñosa colgada del hombro.* Tener mala suerte. «Tengo la tiñosa colgada del hombro». Sinónimos: *Tener por detrás un chino en puntillas. Tener un chino en el hombro. Una tiñosa nos ha hecho la gracia en medio de la cabeza.* ¡Qué mala suerte! «Te lo digo: una tiñosa nos ha hecho la gracia en el medio de la cabeza». (La tiñosa es un ave de rapiña cubana. Es el símbolo o sinónimo de la mala suerte.) *Volar bajito como las tiñosas.* Acercarse alguien a los que hablan en tono de voz bajo para ver lo que dicen. «¡Cuidado que ése vuela bajito como las tiñosas!» Ver: *Aura.*

TÍO. *Darle al tío vivo.* Trabajar y trabajar. «Yo, como siempre, dándole al tío vivo». *Sí tío, páseme el río.* Sí. «Ella me dijo: `Sí tío, páseme el río.'» Ver: *Dueña. Madre.*

TIPA. Despectivo para una mujer. «¿Vas a salir con esa tipa?»

TIPO. *Ser alguien un tipo cero.* No valer nada. «Humberto es un tipo cero». Sinónimo: *Ser un lateral a la izquierda. Ser alguien un tipo de agua con azúcar.* No tener personalidad. «Elio es un tipo de agua con azúcar». Sinónimo: *No ser guagua ni tranvía.* («Guagua» es voz canaria que significa «autobús». En Cuba se le tiene como cubanismo.) *Ser alguien un tipo de relajo.* No ser serio. «Es hombre es un tipo de relajo». *Tener tipo de coquito acaramelado.* Ser una mujer delgada y bonita. «Esa mujer tiene tipo de coquito acaramelado». (El coquito acaramelado es un dulce cubano.) *Tener tipo de guagüero de ruta dos.* Tener malos modales. «No te pelees con él, tiene tipo de guagüero de ruta dos». (Era una ruta de autobuses o guaguas en cubano. El guagüero trabajaba en las guaguas manejándolas o conduciéndolas.) *¡Tremendo tipo!* 1. Latiguillo lingüístico que se aplica a múltiples situaciones y que quiere decir: ¡Qué hombre! en sentido peyorativo. «Le pegó a la mujer. ¡Tremendo tipo!» «Hizo una malversación, ¡tremendo tipo!» 2. ¡Tremendo descarado! «Juan es tremendo tipo. ¿Viste que entró sin pagar en la fiesta?» 3. Tremendo fresco. «Trataba al presidente de tú. Tremendo tipo». 4. Tremendo genio. «¡Qué libro escribió! ¡Es tremendo genio!» (En general se le aplica el cubanismo a algo grande o algo pequeño que hace alguien. Se dice también del que hace una hazaña.) «Dejó a la mujer y a diez hijos. ¡Tremendo tipo!» «Salvó a varios en el avión, es tremendo tipo». El sinónimo de la versión despectiva es: «Ser alguien tremendo barco». Ver: *Changai.*

TIPÓN. Ver: *Transplante.*

TIQUI. *Estar en el tiqui tiqui.* Chismear. «No los aguanto. Se pasan el día en el tiqui tiqui sin respetar a nadie». *Tiqui tiqui.* 1. Chisme. «A él le gusta el tiqui tiqui». 2. Discusión. «Terminó peleando a los puños porque le gusta el tiqui tiqui. Mira que le dije que no discutiera con él». 3. Habladurías. «No prestes atención a ese tiqui tiqui». 4. Intercambio inteligente de palabras irónicas. «Me sentí muy bien en la tertulia con ese tiqui tiqui entre tú y el pintor».

TIRA. *Matar a alguien en la tira.* Matarlo en la lucha. «A mí hay que matarme en la tira». *Tira y jala.* «Se pasan el día en el tira y jala». *Tira Tira.* Gánster. «Ése es un tira tira». Sinónimo: *Muchacho del gatillo alegre.*

TIRADERA. Discusión. «Paren ya esa tiradera».

TIRADO. *Nunca me lo he tirado.* Contestación graciosa que se da cuando se le pregunta a uno si conoce a alguien. «¿Conoces a Pedro? —Nunca me lo he tirado». («Tirar» es «fornicar».)

TIRANTE. *Caérsele a alguien el tirante.* Fracasar en cualquier sentido. «En este movimiento se te cayó el tirante».

TIRAR. 1. Atacar. «¿Viste el argumento con que me tiró?» 2. Llevar. «Me recogió con su carro y me tiró en casa». *No me tires con ésa.* Latiguillo lingüístico que significa:

No me vengas con ésa. «No me tires con ésa. No me convences». «Tú no eres muy inteligente. No me tires con ésa». *Nunca me lo he tirado.* No lo conozco. (Contestación que se da cuando alguien le pregunta a uno si conoce a una persona. Es grosera, pues «tirar» es tener relaciones sexuales.) «¿Conoces al profesor de matemáticas? —Nunca me lo he tirado». *Tirarse.* 1. Alardear. «Conmigo no se puede tirar». 2. Atreverse a algo deshonesto. «¿Puedes creer que se tiró con mi mujer?» 3. Desafiar. «Se tiró con él. El duelo es mañana». *Voy a tirar la toalla.* Se dice cuando alguien va a descontinuar algo que no va bien. «En ese proyecto voy a tirar la toalla».

TIRARSE. *No te tires que eres «aut».* No te atrevas. «El hombre se lo dijo al policía: `no te tires que eres aut.'» (El cubanismo viene del campo de pelota. «Ser aut» es un cubanismo que significa estar «fracasado». «Ser un out por regla» es estar fracasado de antemano. El cubano pronuncia la voz inglesa «out», como se ha escrito, y significa «fuera».)

TIRATIRA. Pistolero. «Ese tiratira ha matado ya a varios».

TIRICIA. Ictericia. «Ese hombre tiene tiricia». (Así dicen los campesinos cubanos. Es un cubanismo nacido por pronunciarse mal la palabra «ictiricia».)

TIRITA. *Hacer a alguien tiritas.* Desprestigiarlo. «La mujer de al lado es muy chismosa y hace tiritas de todo el mundo».

TIRO. *Calcular los tiros.* Medir muy bien los pasos que se dan. «Ella calcula bien los tiros». *Cambiar el tiro.* Cambiar de idea. «Ya se ve que cambiaste de tiro». Sinónimo: *Cambiar de bola. Como un tiro.* Rápido. «Vino como un tiro». *Del tiro.* Como consecuencia. «Se lo dije y del tiro se enfermó». *El primer tiro.* La primera oferta. «El primer tiro, por la casa, fue de diez mil pesos». *El tiro estaba que jodía.* El tiroteo era grande. «No nos quedó más remedio que irnos. El tiro estaba que jodía». *Embarajar el tiro.* Dar una excusa mala. «Dime la verdad y no me embarajes el tiro». (Lenguaje de la Cuba de hoy.) *Hacer un tiro.* 1. Enamorar. «Le hice un tiro a Clara pero no me hizo caso a pesar de que sabe que lo que hago es enamorarla». 2. Insinuarse. «Le hice un tiro al hombre y me entendió». En general se aplica a múltiples situaciones. «En la subasta hice un tiro». (Hice una propuesta.) «En agricultura hice un tiro pero después cambié». (Una vez trató de dedicarse a la agricultura. Fue una cosa fugaz.) *Hacer un tiro a una mujer.* Insinuársele. «Ese mequetrefe me hizo un tiro». *No ser algo tiro rápido.* Llevar su tiempo. «Eso no es tiro rápido». Es del mismo tipo del castizo: «Soplar y hace botellas». *Poner un tiro al blanco.* Poner un negocio pequeño y malo. «Ése puso un tiro al blanco en la playa, pequeño». «Eso fracasará por malo; es un tiro al blanco». *Ser alguien un tiro al aire.* No valer nada. «Ése es un tiro al aire». (Se dice de la persona que «hace ruido» pero que no vale nada.) *Ser un tiro de bola entera.* Ser algo que necesita mucha preparación. «Ese tiro es de bola entera. Tienes que ir muy preparado». (Es cubanismo que viene del billar.) *Tiro al blanco.* 1. Negocio malo y pequeño. 2. Taza de inodoro. Ver: *Cabo. Cuajado. Timbiriche.*

TIROTEAR. 1. Beber en una barra bebidas alcohólicas. «Anoche tiroteamos hasta la madrugada». 2. Intercambiar frases ingeniosas. «Tiroteamos en el Ateneo toda la noche». 3. Vivir precariamente. «¿Cómo estás? —Tiroteando». *Empezar a tirotear.* Empezar a beber. «Empezaron a tirotear a las diez de la mañana, ya están borrachos». Sinónimo: *Empezar el tiroteo.*

TIROTEARSE. *Tirotearse con alguien.* Discutir. «Ayer me tirotié con Pedro pero no se enojó».

TIROTEO. Ver: *Tirotear.*

TÍSICO. *Ser un tísico.* Tener un oído muy fino. «¡Muchacho, eres un tísico!» (En el castizo se dice: *tener un oído de tísico.*)

TISU. Ver: *Papel.*

TITA. Ver: *Negra.*

TITI. Aparato sexual de la mujer. «Tiene el titi precioso. Se lo vi». Sinónimos: *Bollo. Boyabán. Boyabán cachuca. Mastercharch. Papaya.* (Mastercharch viene del inglés «mastercharge», y que el nombre de una tarjeta de crédito.) *Estar criado a tití.* Haber sido criado con mucho mimo. «Fíjate en lo que para la gente criada a tití: en vagos». Sinónimo: *Estar criado a royón balanceado.* (Sin acento: «titi» es el aparato sexual de la mujer. Sinónimos: *Bollo. Chocho.*) *Hacer tití.* Orinar. «Voy a hacer tití». *Tener en la mano a alguien comiendo tití.* Ver: *Mano. Pájaro.*

TITILOCO. Mujer que hoy anda con un hombre y mañana con otro en relaciones íntimas. «Esa mujer es un titiloco». Sinónimo: *Bolloloco. Ser un titiloco.* Se dice de la mujer que se acuesta con cualquiera. «Esa mujer no sirve para un señor porque es un titiloco». Sinónimo: *Ser un bollo loco.* (Se aplican ambos cubanismos sólo a mujeres.)

TITILONGO. Ver: *Desbarate.*

TITINGÓ. *Caer en el titingó.* Meterse en un lío. «Cayó en un titingó. Está grave la situación». *Formarse un titingó.* 1. Formarse el corre corre. «Sonaron los tiros y en la esquina se formó el titingó». 2. Formarse un lío. «Las palabras del presidente de la sociedad formaron un titingó». Ver: *Jondilerín.*

TITIRITERA.O. Mujer de baja escala social. «No te juntes con la titiritera esa». *Un titiritero.* Que no vale nada. «Oscar es un titiritero». (Se oye mucho en Puerto Rico.)

TITITIQUI. (El) Se aplica a diferentes situaciones. 1. Cosa. «Para ese titítiqui». 2. Es chisme. «No me gusta el tititiqui de esas dos mujeres. ¡Chismosas!» 3. También fornicación. «Anoche hice tititiqui con ella».

TIUCH. Ver: *Firs.*

TIUN. *Hacerse un «tiun op».* 1. Hacerse una investigación médica completa. «Ayer me hice un tiun op». (Cuando un motor de un automóvil se repara cambiándole las bujías, los aros, etc., se dice en inglés, que se le hizo un «tune up», y que el cubano pronuncia como se ha escrito.) 2. Estirarse la piel de la cara. «La vieja de enfrente se ha hecho un «tiun op». Sinónimo: *Chapistearse.* (En Cuba, «chapistear» es arreglar la carrocería de un automóvil. La mujer arregla, al chapistearse el cuerpo, su carrocería. De ahí el cubanismo. Es cubanismo del exilio. Es la forma de pronunciar el cubano la voz inglesa «tune up», que quiere decir «mantenimiento».)

TIZA. *Dar tiza.* Liquidar. «A ése le dieron tiza». *Esto es tiza y no blanca.* Ser peligroso. «Esta carta es tiza y no blanca». *Mandar la tiza.* Enviar lo peor de lo peor. «Lo que ese hombre mandó a los Estados Unidos es la tiza». *Ser alguien o algo tiza.* 1. Ser muy bueno algo. «Esa novela es tiza. Léetela». Lo he oído asimismo en el sentido de malo. «Los ojales son tiza. Se rompen todo». 2. Ser muy inteligente alguien. «Ese hombre es tiza». Pero el cubanismo se usa mayoritariamente en el sentido de algo bueno, extraordinario. «Ese hombre es tiza. Siempre gana». *Ser tiza sin polvo.* Ser buenísimo. «Ese matemático es tiza sin polvo». «Ese libro es tizo sin polvo». (Es el aumentativo de «ser tiza». Como siempre el cubanismo recurre a una palabra, y no a las terminaciones propias del mismo.) *Tener tiza.* Tener una calidad muy buena. «En el cerebro tiene tiza. Es uno de los grandes matemáticos del mundo». *Tiza líquida.* Buenísima. «Esas cartas son tiza líquida». (Es el superlativo.) Ver: *Tamakún.*

TIZÓN. *Empatarse con un tizón con aserrín blanco.* Ponerse a vivir con una persona de tez muy negra y dientes muy blancos. «Juan se empató con un tizón con aserrín blanco». *Empatarse un tizón con un aserrín de coco.* Estar viviendo juntos un negro y una mulata. «Ahí lo tienes: el tizón con un aserrín de coco». Ver: *Tabaco.*

TOALLA. *Tirar la toalla en algo.* 1. Desistir. No seguir más. «El negocio va tan mal, que voy a tirar la toalla». 2. Encubrir. «Él le tiró la toalla al crimen». 3. Perdonar. «Le tiró la toalla al ladrón y lo dejó ir». Ver: *Piel. Trapo.*

TOALLERO. El que tira toallas. (El cubanismo viene del boxeo.) *Botarse el toallero.* Ser muy misericordioso. «Te pagó mal. Eso te pasa por botarte de toallero». Ver: *Toalla.*

TOBILLO. *Echar tremendo tobillo.* Correr como alma que se lleva el diablo; a todo meter; rápido. «Yo, al oír el tiro, eché tremendo tobillo». Sinónimos: *Echar tremenda alpargata. Echar tremendo entomillón. Echar tremendo pie. Girar un tobillo.* Bailar. «¡Cómo me gusta girar un tobillo!» Sinónimo: *Echar un pie. Legislar por los tobillos.* Bailar. «Vamos a legislar por los tobillos». (Lenguaje del chuchero. Ver: *Chuchero.*) *Legislar por los tobillos.* Bailar bien. «El legisla por los tobillos. ¡Es un fenómeno!» (Lenguaje del chuchero. Ver: *Chuchero.*) *Partirle a alguien los tobillos.* Ponerle una multa. «El policía me partió los tobillos a la entrada del elevado». *Partírsele a alguien los tobillos.* Ponerle una multa. «En la carretera norte le partieron los tobillos». Se usa en innumerables situaciones. Implica sobretodo fracasar o recibir un daño. «En el examen le partieron los tobillos». (Fracasar.) «Los padres en la herencia le partieron los tobillos». (Lo perjudicaron, o sea, le hicieron daño.) Ver: *Barba.*

TOBITA. *Aquí eres Tobita.* No te hagas el guapetón. «Oyeme bien, tú aquí eres Tobita». («Tobita» es un gato que aparece en los muñequitos o tiras cómicas cubanas.)

TOCANDILEDILENDÓ. *Estar en el tocandiledilendó.* Estar un hombre y una mujer tocándose y besándose. «Esos dos están en el tocandiledilendó».

TOCAR. 1. Atacar. «Voy a tocar a esos tontos en el periódico». 2. Dar dinero en forma de soborno. «Lo toqué y me dio la contrata». Algunas veces no lleva ese tinte de soborno y es simplemente es 3. Pagar. «Luego te toco cuando recoja el cheque». «Tócame Juan que lo necesito para comprarme un traje». *Tócame con limón.* Págame bastante. «Tócame con limón que lo necesito para comprar un traje caro». *Tocar con limón.* 1. Dar donde le duele. «Yo sabía que le afectaría y lo toqué con limón». 2. Ir al punto. «Lo toqué con limón y se resintió». Sinónimo: *Tocar en la yema. Tocar una sinfonía de flauta y un muslo de pollo.* Comer con avidez. «El hombre era un glotón. Tocaba una sinfonía de flauta y un muslo de pollo».

TOCH. *Quedar en el toch daun.* Fracasar. «Si haces eso quedas en el toch daun». (Viene de la voz inglesa «touchdown», que quiere decir jugada en el football norteamericano, y que el cubano pronuncia como se ha escrito. Este cubanismo es nacido en el exilio.)

TOCINETA. Persona que vive a costa de otro. Equivale al castizo: *gorra.* «Esa persona es una tocineta».

TOCOLORO. Reloj despertador. «Ya me levanto. Ya sonó el tocoloro». *Tener cara de tocoloro.* Tener una cara muy fea. «Él tiene cara de tocoloro». *Tener nariz de tocoloro.* Tener una nariz fea. «Ése tiene nariz de tocoloro». (El tocoloro es un pájaro.)

TOCONES. Piedras grandes. «Cuidado no choques con esos tocones». (Es un cubanismo que se usa por la zona de la Ciénaga de Zapata y sitios aledaños. En castizo, tiene otra significación.)

TODA. *De todas todas.* Inevitablemente, seguro. «Eso lo hago de todas todas». *Estar en todas.* 1. Asistir a todo. «Quiere sobresalir. Está en todas. No falla un acto». 2. Estar al tanto de todo. «No te preocupes más. Yo estoy en todas». 3. Saberlo todo. «No me puedes engañar. Estoy en todas». *Sabérselas todas.* Ser superinteligente. (Ser latiguillo lingüístico que el cubano repite continuamente.) «Me lo dijo Pedro y él se las sabe todas».

TOILET. Ver: *Papel.*

TOJOTO. Plátano que está malo. «Ese plátano está tojoto». (Se aplica a otras situaciones de la vida. «Pedro está tojoto. Se muere pronto». Quiere decir que esta muy enfermo.)

TOLDITOS. (Los) 1. Los pantalones. «Fíjate qué tolditos me compré». 2. Pantalones de gabardina. «Se compró unos tolditos». (Lenguaje del chuchero. Ver: *chuchero.*)

TOLDO. 1. Dinero. 2. Peso. «Hoy sólo tengo cinco toldos en el bolsillo». (Lenguaje el chuchero. Ver: *Chuchero.*) *Estar una vieja vestida de toldo de la calle Muralla.* Llevar trajes de vistosos colores. «Ella siempre está vestida de toldo de la calle Muralla». *Hacer debajo del toldo.* Hacer las cosas por la izquierda. «Él no sale a la luz pública. Hace las cosas por debajo del toldo». Ver: *Baro.*

TOLE. *Estar al tole.* Ser el que manda. «Ahora es Juan el que está al tole en la asociación». (El cubanismo se dice en el juego de la Quimbumbia o Quimbumba, al que le da al palito pequeño que está en el suelo con el palo largo para que salte y pegarle y hacerle recorrer distancia.) También ser el turno de alguien. «Un momento. Ahora yo estoy al tole». Sinónimo: *Estar al bate.* (Viene de la pelota o baseball. El que está al bate es al que le toca tirarle la pelota, o batear.)

TOLETE. Pene. *Al tolete.* 1. Abundante. «El tiro estaba al tolete». 2. Estar algo rampante. «En África, la lepra está al tolete». *Tener alguien el tolete del caballo de Maceo.* Tener un pene grande. «Ese hombre tiene el tolete del caballo de Maceo». *Tener en el tolete alambre dulce.* Fornicar mucho. «Ese hombre lo que tiene en el tolete es alambre dulce». («Tolete» es «pene».) Ver: *Barilla. Rabo. Tronco.*

TOMAR. *Tomar a cun cun.* Tomar poco a poco. «Yo me tomé la medicina a cun cun».

TOMASA. 1. Gorda. «¿Qué te pasa, Tomasa?» (Es cubanismo gracioso.) 2. Gruesa. «Esa mujer es Tomasa». *Ahí llegó Tomasa.* Se dice cuando llega una persona muy gorda. «Ahí llegó Tomasa». («Tomasa» se descompone de «to' masa», que es «todo masa», pero que el cubano aspira la «d», o sea, «gorda». En un juego entre estas dos palabras.) *Gustarle a alguien Tomasa.* Gustarle una mujer envuelta en carnes, o masas. «No mira a esa flaca. A él le gusta Tomasa».

TOMASITO. *Estar como Tomasito.* Estar regalado. «Desde que consiguió ese puesto él está como Tomasito». (Es cubanismo del exilio. Tomasito Regalado es un popular periodista y político del exilio.)

TOMATE. *Cagarse en la madre de los tomates.* Eufemismo para evitar una blasfemia. *Estar como los tomates en la caja.* Estar mal. «Yo estoy últimamente como los tomates en la caja». (Los tomates están apolimados. Estar «apolimado» es un cubanismo [también barbarismo de *aporismar*] que indica: estar mal. De ahí el cubanismo que se incluye.) *Llegar y tirar el tomate.* Llegó y formó el lío. «Estábamos tranquilos, pero en cuanto llegó tiró el tomate». *Tirar con un tomate podrido.* 1. No me contestes con ese argumento que no sirve. «Le digo que todo fue porque él lo quiso. —No me tire con ese tomate podrido». 2. No me digas esas cosas que yo te quiero. «Oye, ayer me engañaste. No me tires con ese tomate podrido».

TÓMBOLA. 1. Cosa de suerte. «La vida es una tómbola». (Aunque lo usa el cubano en la conversación y por eso lo incluimos, el cubanismo parece venir de una canción no cubana.) 2. Feria. «Me voy a la tómbola».

TOMEGUINES. *Estar listo alguien (o la cosa) para la fiesta de los tomeguines.* Estar a punto de haber un lío o alguien de tener un lío. «Vámonos de aquí que estamos listos para la fiesta de los tomeguines».

TONELETE. *Darse alguien mucho tonelete.* Darse mucha lija. «La muchacha que se mudó enfrente se da mucho tonelete».

TONGA. Mucho. «Me dio una tonga de ropa». (La Real Academia lo acepta como «pila o porción de cosas aplanadas y en orden».) *Tener algo una tonga de gusto.* Ser muy sabroso. «Ese puro tiene una tonga de gusto». (Es el cubanismo el lema de un cigarro.) *Tirar a alguien pa' la tonga.* Estigmatizarlo. «Eso lo tiraron pa' la tonga». («Pa'» es «para».)

TONGO. *Hacer un tongo.* 1. Engañar. «No confíes en él, que te hace un tongo». 2. Entregar un juego. «¿Te acuerdas cuando ese equipo hizo un tongo?»

TONGÓN. *Estar alguien listo para el tongón.* Estar aniquilado en cualquier sentido. «Ése está listo y para el tongón».

TONGUERO. 1. El que recogía los paquetes de periódicos para repartirlos. «Aún no ha llegado el tonguero». 2. Se dice del que en juego del Jai a Lai entrega el juego por estar de acuerdo con los apostadores. Del juego del Jai a Lai ha pasado a otros y se aplica ya indistintamente a todo el que en la vida hace una trastada que conlleva la entrega del adversario. «Cómo yo iba a pensar que mi socio en la editorial era un tonguero».

TONINA. Mujer gorda. «Ésa es una tonina». Sinónimos: *Ballenato. Globo de Cantoya. Tanque. Vaca Suiza.*

TONO. *Tener un tono.* Estar medio borracho. «Ése ya tiene un tono». Sinónimos: *Estar de medio palo. Estar en nota.*

TONTUNECO. *Tontuneco, qué delirio tienes tú con el muñeco.* Se le canta en tono de broma a la persona que siempre habla de sexo. «Ayer enamoré a Pilar y me acosté con ella. —Tontuneco, qué delirio tienes tú con el muñeco». (Es letra de una canción.)

TONY. *Discreta y acogedora como el Tony Club.* Se dice de la mujer comparándola con un sitio que fue muy famoso en La Habana en una época: *El Tony Club.* «Ella es discreta y acogedora como el Tony Club». (El cubano dice Tony.)

TOÑO. Eufemismo por coño. «¡Toño, qué golpe me he dado!»

TOPEAR. Adiestrar a un gallo. «Mira cómo topea ese gallo». Se aplica a otras actividades de la vida. «Voy a topear con mi amigo para ese negocio».

TOPES. *Nada más que faltarle ir a Topes de Collantes.* Haber tenido todas las enfermedades. «A él nada más que le faltó ir a Topes de Collantes». (Es un cubanismo ya casi desaparecido. «Topes de Collantes» era un hospital antituberculoso en Cuba.)

TOPOS. (Los) La policía secreta. «Cuidado con los topos». (Lenguaje del chuchero. Ver: *chuchero.*)

TOQUE. Ver: *Chucho.*

TOQUETEO. Tocar a una mujer con fines libidinosos. «La toqueteaba cuando llegó la policía».

TORA. *Ser una tora.* Se dice de una mujer valiente y decidida. «La admiro porque es una tora».

TOREAR. *Ser alguien de los que torean en España.* Ser un cornudo, o sea, que lo engaña la mujer. «Ése es de los que torean en España». Sinónimo: *Ser un miura.* (Tiene en cubano, como se ve, diferente acepción que en castizo que es ser inteligente, trabajador, etc. «Es un miura. Su mujer es una canalla».) *Torear un flai.* En el juego de pelota (baseball) no ubicarse bien para coger una pelota que esta en el aire. «Perdieron porque torio un flai». (Del ingles fly.)

TORERO. En la pelota, «el jardinero», «field» que no coge bien la pelota que va por el aire. «Ese pelotero es un torero». *Estar algo o alguien como el torero.* Estar furioso, o sea, encapotado. «El cielo está como el torero». «Elio está como el torero». Ver: *Mazantín.*

TORITO. *Ganarle alguien al torito enamorado de la luna.* Ser enamoradísimo. «Ése le gana al torito enamorado de la luna». (El cubanismo, se originó con una canción española, de la que tomó su letra, muy popular en Cuba.)

TORMENTA. *Caer la tormenta de Santa Teresa.* Haber un lío muy grande. «Lo que está cayendo en esa casa es la tormenta de Santa Teresa».

TORMENTO. Problema. «¿Cuál es el tormento?» «¿Cuál es tu tormento?» (Cubanismo del exilio.) *El tormento de la papaya.* El deseo de fornicar. «No puedo aguantar el tormento de la papaya». («Papaya» es el aparato sexual de la mujer. De aquí el cubanismo.) *Estar en un tormento.* Estar en su cosa, encima de ella. «No te presta atención porque está en su tormento». *No hay tormento.* 1. No hay problema. «Conmigo, mi amigo, no hay tormento». 2. Todo está resuelto. «¿Tú me puedes prestar cinco pesos? —No hay tormento». (Cubanismo nacido en el exilio.) *Se acabó el tormento.* Se acabó el problema. «Con tu llegada, se acabó el tormento». *Ser una mujer un tormento.* Ser muy bella. «Esa mujer es un tormento». *Sin tormento.* Sí. «Dame cinco pesos. —Sin tormento». (Cubanismo del exilio.)

TORNILLO. *Hasta al tornillo se le gasta la rosca.* De todo se cansa uno. «Ya dejé de trabajar en lo que hacía porque hasta al tornillo se le gasta la rosca». *Meter el huevo* *en un tornillo.* Afrontar la situación. «Metió el huevo en el tornillo y ganó». Ver: *Pescuezo.*

TORNIQUETE. *Aplicar a alguien el torniquete.* Ser muy duro con él. «No estudiaba mi hijo y le apliqué el torniquete».

TORO. *Eso se lo mete un toro.* Eso no lo hago yo. «Me dijo que le cuidara al hijo pequeño. Eso se lo mete un toro». (También contestación que da la mujer a alguien de pene grande.) *Estar cebado que parece un toro búfalo.* Se dice del que está muy obeso. «Lo encontré tan cebado a tu hermano que parece un toro búfalo». O simplemente, *parecer alguien un toro búfalo. No soy toro.* No trates de torearme, de seguirme la corriente. «Yo no soy toro, apréndelo de memoria». *Ser un toro padre.* Se dice del hombre que tiene muchos hijos. «Él es un toro padre». Ver: *Corrida. Duque. Mayeya. Semental. Talanquera.*

TORONJA. Cabeza. «Me duele la toronja». Sinónimos: *Azotea. Coco. Güiro.* (Hay una serie de expresiones idiomáticas consideradas cubanismos como *aflojársele la toronja, aflojársele la tuerca, aflojársele la zapatilla,* que no son sino derivaciones, cambiando sólo una palabra del castizo *aflojársele el tornillo.*) *Esa toronja no filtra.* Se dice de alguien que no es inteligente. «La toronja» es la cabeza. «¿Tú crees que Juan llegue a ingeniero? —Chica, esa toronja no filtra». *Exprimir la toronja.* Pensar. «Exprímete la toronja a ver dónde está». «Tienes que exprimirte la toronja para salir de este atolladero». *Fundírsele a alguien la toronja.* Volverse loco. «A mi hijo, de tanto estudiar, se le fundió la toronja». (El cubanismo viene del campo del automóvil.) Sinónimos: *Cable. Tener los cables cruzados. Legislar con (o por) la toronja.* 1. Darse cuenta muy bien de todo. «Yo siempre legislo por la toronja». 2. Pensar afinadamente. «El siempre legisla con la toronja. Puedes seguir sus consejos». (Se usa como imperativo. «Pedro legisla por la toronja». Lo más corriente es oír: «No te dejes engañar, legisla por la toronja».) Sinónimo: *Tener la toronja bien puesta. Tener una banda blanca en la toronja.* Ser muy inteligente. «El sacó cien en todas sus asignaturas porque tiene banda blanca en la toronja».

TOROZÓN. Comida. «Me voy a comer el torozón».

TORRE. *Ser una buena torre de petróleo.* Ser una negra bonita. «Por ahí viene una buena torre de petróleo». Ver: *Crespo. Luna.*

TORSIÓN. *No hacer algo torsión.* No estorbar. «Esto no te hace torsión».

TORTA. *Tener una torta arriba.* Estar en un lío. «Tengo una torta arriba. Me dejaron fuera del trabajo».

TORTAZO. Golpe. «Le di un tortazo». (Lo he oído en Asturias.)

TORTI. Lesbiana. (El cubanismo corta aquí la palabra *tortillera.* Hay una gran tendencia en el cubano a hablar así cuando se hace en forma popular.) Sinónimos: *Gustarle a una mujer las tortillas. Ser un pan con pan.*

TORTICA. *Comerme una tortica.* Acostarse con una lesbiana. «Anoche me comí una tortica». Sinónimo: *Comerse una tortica de Morón. Ser alguien una tortica.* Ser lesbiana. «Ésa es una tortica». (El cubanismo es un juego de palabras con «tortillera» que quiere decir lesbiana.) Sinónimos: *Tortillera. Tortoni.*

TORTILLA. Acto lesbiano. *Amanecer como la tortilla.* Amanecer de mal humor. «No me provoques. Hoy amanecí como la tortilla». Sinónimo: *Amanecer virado.* (La tortilla se vira al cocinarse. De ahí el cubanismo.) *Hacer una tortilla sin ponerle* *huevos.* Hacer algo casi imposible. «¿Puedes creer que hizo la tortilla sin ponerle huevos?» *Tratar a alguien como la tortilla.* Darle la vuelta. «Al hombre hay que tratarlo como la tortilla». Ver: *Huevo.*

TORTONI. *Gustarle a una mujer el tortoni.* Ser lesbiana. «A mi vecina de enfrente le gusta el tortoni». Sinónimo: *Gustarle la tortilla. Reventar un tortonis.* Hacer un acto lesbiano. «Esa mujer y la vecina reventaron un tortonis anoche». *Reventar un tortonis de chocolate, mantecado y fresa.* Hacer actos lesbianos en grande. «Pero anoche reventaron un tortonis de chocolate, mantecado y fresa». (Es el superlativo del anterior. Como sucede con los cubanismos, los cubanos apelan a palabras y no a terminaciones.)

TORTURA. *Ser algo una tortura china.* Algo que atrae al paladar desmesuradamente. «Ese chocolate es una tortura china». *Tortura sin grilletes.* 1. Dolor persistente. «Aquí todas las mañanas, tengo esa tortura sin grilletes». 2. Situación que molesta. «El que ella se haya enamorado de él es una tortura sin grillete». En general se aplica a muchas situaciones. Por ejemplo: «Juan es un antipático. Ese muchacho es una tortura sin grillete».

TOSCA. *Aunque no Tosca mucho hace Nini.* Aunque no tiene muchas relaciones sexuales puede ser muy efectivo el día que tiene. «Ese viejito no Tosca mucho pero hace Nini». (Este cubanismo del exilio circula sólo en círculos cultos.)

TOSCANINI. *Ser el Toscanini de mi vida.* Ser el hombre (o la mujer) que yo adoro. «Él es el Toscanini de mi vida». *Ser el Toscanini de la vida.* Se dice del que está siempre dirigiendo. «Ése ha sido siempre el Toscanini de la vida, ¡qué antipático!» (Cubanismo culto.) *Ser el Toscanini de la vida de una mujer.* Ser el dueño de su vida. «Es el Toscanini de la vida de Lucía». (Es un cubanismo chistoso, nacido en el exilio, que circula en niveles altos y que se basa en que el conductor no sólo dirige —en este caso la vida— sino que toca en este caso a la mujer.) Ver: *Horas.*

TOSTADA. *No verle a algo (o alguien) la tostada.* No verle la razón de ser. «Yo a eso no le veo la tostada». *Tostadas de punta.* Se le llama así a las tostadas de pan de flauta. «Yo no quiero esas tostadas, sino tostadas de punta». Ver: *Pan.*

TOSTADERA. Locura. «Su tostadera es proverbial».

TOSTADO. Loco. «Está tostado». Sinónimos: *Cable. Tener los cables cruzados.* El cubano lo pronuncia muchas veces como «tostao».

TOSTARSE. Volverse loco. «El hombre se tostó de pronto».

TOTEM. Cualquier poste con señales en la Cuba de hoy. «¿Dónde estarán los totem para no perdernos en esta carretera?»

TOTÍ. Negro. «Mi primo es un totí. Comparado con él yo soy mulato». *Cargárselo al totí.* Echarle la culpa al destino. «No te preocupes de lo que hiciste. Cárgaselo al totí». *Como totí.* Muy negro. «Después del incendio esa casa ha quedado con un color negro como totí». (El totí es un pájaro cubano de un color muy negro. De ahí el cubanismo.) *La culpa de todo la tiene el totí.* Frase que se usa para absolver a todo el mundo de algo. «No discutan. Ya pasó. La culpa de todo la tiene el totí». *Ser alguien totí con yaguaza.* Ser mulato. «No te engañes que él es totí con yaguaza». (Cubanismo nacido con la poesía *«El yanqui de Kiguaní»* de Alfonso Camín, el poeta cubano-asturiano. Para la biografía de Camín ver la *Enciclopedia Asturiana.*

Como el totí es negro y la yaguaza blanca el cruce produce el mestizo.) *Todos los pájaros comen arroz y el totí paga la culpa.* Ver: *Pájaro.*

TOTIMUNDACHI. Con todo el mundo. «Voy a Europa totimundachi». (Al cubano le gusta mucho hacer palabras imitando al italiano. Esta: «totimundachi», viene de «todo el mundo».)

TRABA. *Lo que no se traba.* Contestación jocosa que se da al que nos pregunta para saludarnos: «¿Qué pasa? —Lo que no se traba». («¿Qué pasa?» es «¿cómo estás?")

TRABAJADOR. *Ser alguien un trabajador de banco.* 1. Se le dice al que da de cuerpo mucho, porque deposita. 2. Ser un cagón. «Muchacho, ¿vas de nuevo al baño? Eres un trabajador de banco».

TRABAJAR. *No le gusta trabajar ni fijo ni corrido.* Es un vago de siete suelas. «A ese hombre no le gusta trabajar ni fijo ni corrido». (Toma el lenguaje de un juego cubano de apuestas, La Charada. Se le puede jugar a un número fijo, o a dos corridos.) *Trabajar en marcha atrás.* Trabajar poco. «Siempre he trabajado en marcha atrás». (El cubanismo hace el símil con el campo automovilístico.) *Trabajar por pisué.* «Yo no trabajo a sueldo sino por pisué». (Cubanismo nacido en el exilio. «Pisué» viene de «piece work», o sea, «trabajo a destajo».)

TRABAJO. *Botar del trabajo.* Echar del trabajo. «A Pedro lo botaron del trabajo por vago». *Hacerle a alguien tremendo trabajo haitiano.* Tratar de controlarlo con prácticas de brujerías. «Yo creo que a ti te han hecho tremendo trabajo haitiano». *Tener dos trabajos.* (Lo he oído en Madrid.) Se dice de la persona que está enfadada con uno. Los dos trabajos son Ponerse bravo —enojarse— y quitársele la bravura —el enojo. «Está enojado contigo. Tiene dos trabajos». *Tener un trabajo a alguien como un carrusel.* Tenerlo de abajo para arriba y de arriba para abajo. «Voy a dejar este trabajo pues me tiene como un carrusel». Ver: *Bollován. Pei of. Punta.*

TRABUCACIÓN. Equivocación. «En este libro hay una trabucación histórica».

TRABUCO. Persona poco inteligente. «Él es un trabuco». Sinónimos: *Ser Daniel seso hueco. Ser un seboruco.*

TRABULEQUE. Confusión. «El trabuleque fue grande».

TRABULEQUEAR. Confundir. «Tengo un poco trabulequeada la dirección».

TRACAMANDANGA. Lío. «No me vengas con esa tracamandanga».

TRACATÁN. *Ser un tracatán.* Ser habilidoso y al mismo tiempo un luchador por la vida. «Él es un tracatán. Por eso vive tan bien».

TRACTO. *No tener tracto digestivo sino un alcantarillado.* Se dice del que come mucho. «Tú estás tan gordo porque no tienes un tracto digestivo sino un alcantarillado».

TRÁFICO. Ver: *Lea.*

TRAFUCARSE. Equivocarse. «Con ese problema de matemáticas me trafuqué».

TRAFUGEAR. Hacerle daño. «No me gusta trafugear a nadie».

TRAFUQUE. *Tener un trafuque.* Estar confundido. «En eso tienes un trafuque de padre y muy señor mío».

TRAGA. *Si no se la traga, por lo menos la muerde.* No seas tonto, es homosexual. «Te digo que si no se la traga, por lo menos la muerde». (Es forma de hablar del cubano.)

TRAGANIKEL. 1. Teléfono público. «¿Dónde habrá un traganikel?» 2. Tipo de vitrola que funciona con monedas de cinco centavos y que se encuentran en bares y cantinas. *Bucear en el traganikel.* Robarlo. «Lo cogieron buceando en el traganikel». (A los teléfonos públicos en Cuba se les echaban cinco centavos, un «niquel» en cubano. De aquí el cubanismo. La palabra «niquel» es voz inglesa.) *Ser alguien un traganikel.* No podérsele engañar. «Ese hombre nunca tiene problemas. Es un traganikel». (El cubanismo se basa en que si se le echa otra moneda que no sea de cinco centavos [nikel] no funciona.)

TRAGANTE. *El tragante.* La garganta. «Me duele el tragante». *Tener a alguien de tragante de agua.* Ofenderlo continuamente. «Me fui porque el jefe me tenía como tragante de agua». Sinónimo: *Tener a alguien como un vertedero.*

TRAGEDIOSA. Que siempre está contando una tragedia o viviendo una tragedia. «¡Qué tragediosa es!»

TRÁGICO. Ver: *Mamá.*

TRAGÓN. Hombre de presa. «Ése ha sido un tragón toda su vida».

TRAGONA. Mujer de presa. «Es una tragona. Ha hecho una fortuna».

TRAININ. *Tener un trainín político.* Estar preparado para afrontar cualquier dificultad por grande que sea. «Yo para esta soledad tengo un trainín olímpico». (Cubanismo del exilio. «Trainín» es como el cubano pronuncia la voz inglesa «training», o sea, «entrenamiento».)

TRAJE. *Estar alguien como los trajes.* Estar alterado. «Últimamente con tanto trabajo está como los trajes». *Llevar un traje de alto voltaje.* Usar un traje muy llamativo. «Es un ridículo. Lleva un traje de alto voltaje». *Ser un traje de guapita.* Se dice del traje que le da a la persona aspecto de guapetón. «Es un traje de guapita el que lleva». También saco muy corto y cerrado, porque la guapita es una camisa que no se mete por dentro del pantalón y que cierra con un botón abajo. «¡Qué traje más corto! Es un traje de guapita». *Traje de apéame uno y quítale el polvo.* Traje barato. «Tan rico y siempre con trajes de apéame uno y quítale el polvo». Casi siempre se dice solamente: «Traje de apéame uno». Sinónimo: *Traje cagón. Traje de gala.* Así se le llama al uniforme del preso anticastrista. «Yo llevé el traje de gala muchos años».

TRAK. *Ser alguien trak an fil.* Corrérsele a la mujer. «Juan es trak an fil. Lo sé de buena tinta». (Es cubanismo nacido en el exilio, se origina por los corredores de pista, o sea, de «track and field», y que el cubano pronuncia como se ha escrito.)

TRALLA. Se dice de una persona mala. «Ese hombre es un tralla». Algunas veces se aplica colectivamente. «Ahí va la tralla esa».

TRAMBÚ. (Un) Un autobús. «Estoy esperando el trambú».

TRAMOJO. *Ponerle tramojo a alguien.* Tenerlo bajo control. «En ese negocio le pusieron tramojo al dueño». (El cubanismo es de origen campesino. El tramojo es un palo con dos barrenos que se le pone al perro para que no se pueda comer la soga.)

TRAMPA. Ver: *Carro.*

TRAMPOLÍN. (El) La corbata. «Me voy a poner el trampolín rojo». (Lenguaje del chuchero. Ver: *chuchero.*) *Estar alguien en el trampolín.* Estar al tomar una decisión. «Sí, estoy en el trampolín. Pronto te digo». (En el trampolín hay que tirarse o no tirarse al agua. De aquí el cubanismo.) *Lanzarse del trampolín.* Decidirse.

«Ante sus palabras no me quedó más remedio que lanzarme del trampolín». Ver: *Corbata. Lengua. Nadador.*

TRANCA. Pene. «Siempre, desde niño, tenía una tranca grande». *Darle a alguien una tranca encendida.* Equivale al castizo: *Darle a alguien una papa caliente.* «Esa gente no tuvo gentileza conmigo y me dio una tranca encendida». *Mamarse la tranca.* No tener más remedio que aceptar algo. «Soy el número uno y sin embargo, en esto, tengo que mamarme la tranca». *Tener la tranca encendida.* Tener muchos deseos de fornicar. «Tengo la tranca encendida». *Tranquilidad viene de tranca.* La única forma de lograr que se estén quietos es castigándolos. «Muchachos, esténse tranquilos. Miren que tranquilidad viene de tranca».

TRANCAR. Evitar que alguien logre una posición. «Me trancaron y no pude llegar a secretario del club».

TRANCAZO. (Un) Una toma de bebida. «Ese trancazo es riquísimo». *Darse un trancazo.* Tomar un trago de bebida. «Se dio un trancazo y se emborrachó».

TRANQUE. 1. Acción de besarse y tocarse una mujer y un hombre. «Esos dos están en el tranque». 2. Acción de trancar. *Dar un tranque.* 1. Acción de trancar. 2. Besar a una mujer y toquetearla. «Le dio anoche un tranque a la novia en el cine. Era feísimo lo que hacían». *Darle un tranque a alguien.* Forzarlo a algo aprovechando las circunstancias. «Me dio un tranque y no tuve más remedio que firmar». *Darle un tranque a una mujer.* Declarársele en forma que no se le deja salida para negarse. «Mi marido me dio un tranque: me cogió por el brazo y me dijo: `Yo soy el hombre de tu vida' y me casé». *Darse un tranque una pareja.* Tocarse libidinosamente. «Juan y María se dieron un tranque anoche en el cine». Ver: *Trancar.*

TRANQUILIDAD. *Tranquilidad viene de tranca.* Estate quieto. «No te impacientes. Tranquilidad viene de tranca». Ver: *Tranca.*

TRANQUILINA. *¿Tú quieres tranquilina?* Así le preguntan las madres a sus hijos cuando se portan majaderos. Para indicarles que les van a castigar fuerte. «Muchacho, déjame tranquila. ¿Tú quieres tranquilina?» («Tranquilina» era un calmante en Cuba. De ahí el cubanismo.)

TRANSFORMADOR. *Coger a alguien de transformador.* Darles una lata a otros contándoles un episodio terrible que alguien está viviendo o regañarlo de mala manera. A esto se le llama en cubano: «descarga». Como en el transformador hay descarga, de aquí el cubanismo. «A Juan lo cogieron de transformador». *Ser alguien un transformador.* Ser muy activo. «Juan es un transformador». (Viene el cubanismo del campo eléctrico.)

TRANVÍA. *Coger el tranvía en el paradero del Príncipe.* Ir a la cárcel. «Ése con lo que ha hecho cogió el tranvía en el Paradero del Príncipe». (Algunos tranvías salían del Paradero del Príncipe, en la Habana. En el Castillo del Príncipe estaba la cárcel a la que se le llamaba simplemente El Príncipe. De ahí el cubanismo.) Sinónimo: *Coger el tranvía Príncipe-San Juan de Dios.* [Era una línea de los tranvías de La Habana.] *Estar alguien de retirada, como los tranvías.* 1. Estar hecho un viejo. «Él está de retirada como los tranvías». 2. Estar ya en la edad provecta de la vida. «Ya Juan está de retirada, como los tranvías». (En Cuba había tranvías que iban para el paradero de retirada y que no recogían pasajeros, llevaban un cartelito que decía: ***«De retirada».***) *Estar el tranvía de vuelta para el paradero.* Se dice de una persona que está envejeciendo rápidamente. «Ese tranvía ya está de vuelta para el paradero». *Si se te poncha el tranvía, coge otro.* No me vengas con eso. «Mira, no me convences. Si se te poncha el tranvía, coge otro». *Manejando el tranvía.* Paso bailable que consiste en imitar con las manos que se le dan vueltas a las maniguetas de un tranvía. «¡Qué bien maneja el tranvía bailando!»

TRAPALERO. Tramposo. «Ése es un trapalero».

TRAPECIO. *Bailar en el mismo trapecio.* 1. Coincidir. «En eso, tú y yo bailamos en el mismo trapecio. El mundo se termina». 2. Ser como otro. «Esos dos no son de fiar. Bailan en el mismo trapecio».

TRAPECISTA. *Vivir como el trapecista, en el circo.* Vivir peligrosamente. «Yo vivo como el trapecista en el circo». También, vivir en la cuerda floja, o sea, vivir en el aire, sin medios. «Yo vivo como el trapecista en el circo, siempre pobre».

TRAPICHAR. Trabajar. «Tú no sabes lo que he trapichado hoy». (Este cubanismo viene del campo azucarero.) *Trapichear solo.* Hacer las cosas solo. «Yo trapicheo solo. Siempre he sido discreto».

TRAPICHE. *El trapiche no para.* No paro de trabajar. «Te lo digo Juan, el trapiche no para». *Ser una mujer un trapiche.* Acostarse con un hombre tras otro. «Esa mujer que me presentaste es un trapiche».

TRAPICHEO. 1. Cantidad grande ganada en el negocio. «¡Qué trapicheo tiene esa mujer entre las piernas! Gana miles». (Refiriéndose además al acto sexual.) 2. Compra y venta. «¿Viste el trapicheo de mercancías en esa esquina?» 3. Conversación chismosa entre comadres. «¡Óyelas! ¡Qué trapicheo tienen esas dos!» 4. Las labores propias de la vida. «He estado todo el día en el trapicheo». 5. Trabajo. «¡Qué trapicheo en esta fábrica!» Se aplica a muchas situaciones, por ejemplo: «No me gusta el trapicheo que hay aquí». (Se refiere a idas y venidas sospechosas.)

TRAPICHERÍA. Habladuría. «No me vengas con esa trapichería».

TRAPITO. *Ser algo de la época del trapito.* Ser anticuado. «Ese automóvil es de la época del trapito». (Se refiere al trapito que usaban las mujeres por la regla o menstruación.) Ver: *Hermano.*

TRAPO. *A cualquier trapo le dicen toalla.* A cualquiera le dan méritos que no tienen. «¿Viste cómo le llamó a la señora Ubérrima? Intelectual. A cualquier trapo le dicen toalla». *Comer trapo.* Decir tonterías. «Se pasa la vida comiendo trapo». *Ser un trapo de cocina de alguien.* Utilizarlo a uno en las tareas más detestables. «Tú eres el trapo de cocina de tu jefe».

TRAQUEAR. Impresionar. «Aquella mujer me traqueó». En frases como: «a la obra le traqueaba o le traqueteaba el alma», quiere decir que era una cosa muy buena.

TRAQUETEARLE. *Traquetearle a alguien.* Ser un superdotado. «A Juan le traquetea en todo». Sinónimo: *Traquetearle el mango.*

TRASERO. Ver: *Ciclón.*

TRASPATIO. Ver: *Debilidad.*

TRASPIÉS. *Largar a alguien dando traspiés.* Vencerlo. «En la contienda lo lancé dando traspiés».

TRASPLANTE. *Hacer un trasplante de timón.* Dejar el timón el que está manejando y cogerlo otro. «Tú estás muy cansado. Mejor hacemos un trasplante de timón».

TRASTORNADO. Mucho. «Camina como un trastornado».

TRASTRUEQUE. *Ser Perico Trastrueque.* Se dice de la persona que se trastrueca. «Ése es Perico Trastrueque». Ver: *Perico.*

TRATO. *El trato del esqueleto.* Trato desventajoso. «Eso que me ofrecía es el trato del esqueleto». (Se basa en un juego de niños que consiste en una pega.) «Juan, vamos a hacer el trato del esqueleto. —¿Cuál es el trato del esqueleto? —Tú me la chupas y yo te la meto. Te pegué».

TRAVIATA. *Cantar la Traviata sin partitura.* Enojarse extraordinariamente. «Cuando le leyeron aquello cantó la Traviata sin partitura y agredió al lector». Lo he oído también como «morirse». «Anoche, súbitamente, cantó la Traviata sin partitura. Lo enterraron hoy». (Es cubanismo culto.) *Tener una mujer La Traviata entre las piernas.* Olerle mal el aparato sexual. «¡Qué peste ha dejado aquí donde se sentó! Esa mujer tiene *La Traviata* entre las piernas». (El que huele mal, «canta» y en la ópera *La Traviata*, se canta. De ahí el cubanismo.) Ver: *Pajarito.*

TRAYA. *La traya.* La cadena que cuelga del pantalón. «Me compré esta traya». (Lenguaje del chuchero. Ver: *chuchero.*)

TREINTA. *Ser treinta treinta.* Ser bueno. «Ese señor es treinta treinta». (Hay un rifle de gran precisión, «el treinta treinta». De ahí el cubanismo.)

TREINTA Y TRES. *Ser más cándido que Cándido el billetero del treinta y tres.* Ser muy cándido. «Él es más cándido que Cándido, el billetero del treinta y tres». (El cubanismo es un juego de palabras entre el adjetivo y el nombre: Cándido, el billetero del treinta y tres que era un personaje cubano popular.) *Ser treinta y tres, treinta y tres.* Ser un confidente de la policía. «Él es un treinta y tres, treinta y tres». (De esa cantidad era el cheque que en el último gobierno del General Batista, en Cuba, se le pagaba a los confidentes.)

TREN. 1. Actividad grande. 2. Movimiento. «¡Qué tren en el centro!» *Coger el último tren.* Agarrar la última oportunidad. «Él tuvo mucha suerte porque cogió el último tren». *Hacer un tren.* Le dicen los estudiantes al hecho de pasar el examen completo o las respuestas del examen de contrabando a los que lo estaban tomando. «En biología se hizo un tren». «Vigila al profesor, que estamos haciendo tren». *Estar como los trenes.* Trabajar mucho. «Yo no paro. Estoy como los trenes». (Los trenes están siempre «enchuchados». «Estar enchuchado», es un cubanismo que significa entre otra cosas: trabajar mucho. De ahí el cubanismo.) Sinónimo: *Tener vida de tren. Gustarle a alguien el tren de vía estrecha.* Ser homosexual. «A ése le gusta el tren de vía estrecha». Sinónimo: *Aceite. Llevar a alguien como tren de caña.* Sinónimo: *Llevarlo a buchito de agua y a pata por culo.* Tratarlo crudamente. «Me lleva como tren de caña, a buchito de agua y a patada de culo». Sinónimo: *Llevarlo a la marcheré. Que te vaya bien y que te coja un tren.* Forma de despedir de alguien. «Pedro, que te vaya bien y que te coja un tren». *Tener bien el tren de aterrizaje.* Tener muy bien las piernas. «Ese atleta tiene muy bien el tren de aterrizaje». *Tener más almidón que un tren de chino.* Se dice de la persona afectada que no mira a nadie. «Ése tiene más almidón que un tren de chino». Sinónimo: *Tragarse el palo de la hervidura. Tener una persona el tren de lavado a toda mecha.* Tener una persona muchos rasgos chinos; comer mucho arroz frito, etc. Se aplica cuando la influencia china es mucha. (Los chinos lavaban ropa en Cuba en lo que se llamaban «trenes de lavado». De ahí el cubanismo.) «Mírale la cara, tiene el tren de lavado a toda mecha». *Tren de lavado.* Negocio de lavar. «Voy a poner un tren de lavado». Sinónimo. *Tren de chino. Tren de una sola vía.* Persona de una opinión. «Él es el tren de una sola vía». *Viajar en el mismo tren.* Estar en la misma situación. «En esto tenemos que salvarnos juntos porque estamos en el mismo tren». *Yo no me monto en ese tren.* Equivale a negarse a algo. «Él se fue a la oposición pero yo no me monto en ese tren». Ver: *Calle. Camino. Ropa. Vagones.*

TRENZA. *Ver a alguien con trenzas en el bigote.* Verlo convertido en un tacaño. «En la forma que te comportas te veo con trenzas en el bigote». Ver: *China.*

TRES. *Entren que caben tres.* Hay espacio para más. (Este cubanismo es la letra de una canción muy popular.) *Estar alguien en tres y dos.* Estar en una situación muy difícil. (El cubanismo viene del campo de la pelota.) «Él está en tres y dos». *Estar en un tres para adelante y un tres para detrás.* Tener ganas de sentarse a descansar. «Señores, yo no sigo. Estoy en un tres para adelante y un tres para detrás». *Las tres claves del éxito.* Trabajo, talento y timbales. «Triunfó porque utilizó las tres claves del éxito». («Timbales» es «cojones» en cubano.) *Le roncan tres bombillos.* 1. ¡Eso tiene bemoles! 2. ¡Qué cosa más grande! «Lo que has hecho le roncan tres bombillos». (Con «ronca» hay una tremenda cantidad de cubanismos todos sinónimos como: *Le roncan los cojones. Le ronca la pandereta. Le ronca el tubo.* Etcétera.) *Los Tres Mosqueteros.* Arroz, chícharos y huevos. «Voy a comer los Tres Mosqueteros». (Cubanismo de la Cuba de hoy.) *Los Tres Villalobos.* Tres cosas. «Compre tres Villalobos nada más». (Toma el nombre de un programa radial muy popular en Cuba de Armando Couto: *«Los Tres Villalobos».*) *Poner a alguien en tres y dos.* Ponerlo en una difícil situación. «Con la pregunta el profesor me puso en tres y dos». (El cubanismo viene del juego de pelota.) *Ser algo de los Tres Villalobos.* Ser complicado. «Esto es de los Tres Villalobos. ¡Qué difícil!» (*Los Tres Villalobos* era un programa radial de Armando Couto. De él surgió este cubanismo, pues se hablaba por uno de los personajes de que todos los caminos se juntaban cuando le quería decir a alguien que ya se encontrarían y habría lío, complicación. De ahí el cubanismo.) *Ser tres y sin sacarla.* Ser muy fuerte. «Ése es, tres y sin sacarla». (Se refiere al hecho del que fornica tres veces y se mantiene en el acto con erección.) *Sí, eran las tres de la tarde cuando mataron a Lola.* Sí era verdad. «¿Engañaba al marido? —Sí, eran las tres de la tarde cuando mataron a Lola». (El cubanismo viene de una canción.) *Tener algo tres partes de bemoles y dos sostenidos.* Estar muy bello, bueno. «Esa mujer tiene tres partes de bemoles y dos sostenidos». Lo he oído también como que comporta un lío. «No compres ese automóvil, tiene tres partes de bemoles y dos sostenidos». *Tres huecos.* Camisa de poca tela en la Cuba de hoy. «Menos mal que conseguí una tres huecos». (Cubanismo de la Cuba de hoy.) Ver: *Casa. Guantanamera. Pulga.*

TRESAGIO. El número tres en el juego del dominó.

TRESPATA. Así se le dice al que tiene un pene grande. «Por ahí va trespata». (Quiere decir que tiene «tres patas», pero el cubano no pronuncia la s final.)

TRESPATINES. *Estar como Trespatines.* Decirlo todo al revés. «Ése tiene un problema, pues siempre está como Trespatines». «No te entiendo. Hoy estás como Trespatines». *(«Trespatines»* era un personaje cómico de la radio y la televisión cubana que hacía reír cuando lo pronunciaba todo al revés, en frases como: «El que pestapierde ñea», o sea, «el que pestañea pierde», de ahí el cubanismo.)

TRESTAPITAS. Juego de los niños en Cuba en que se usaban tres tapitas de botellas o tres chapitas, principalmente de refrescos. «Vamos a jugar a las trestapitas».

TRI. Ver: *Van.*

TRIANÓN. *Ser de Le Trianón.* Usar solo joyas caras. «Estás equivocado yo soy de Le Trianón. No me pongo esos pulsos baratos». (Le Trianón era una joyería fina de La Habana.)

TRIBU. (La) La familia. (Se usa el cubanismo casi siempre al firmar una carta dirigida a un amigo íntimo. «Te mando recuerdos. Se une la tribu». Es decir: «Te mando recuerdos conjuntamente con la familia». Algunas veces se firma por ejemplo: «José y tribu». O sea, «José y su familia».)

TRIGÉMINO. *Alterar a alguien el trigémino.* Ponerlo nervioso. «Juan me altera el trigémino cuando me llama por teléfono». *Darle a alguien un toque en el trigémino.* Ejecutar algo contra él. «Como me molestaba tanto le di un toque en el trigémino y se calló para siempre». (El cubanismo está basado en dos cosas: En un son del famoso trío cubano, *Matamoros*; y en el sistema curativo de un médico español que estuvo en Cuba y que afirmaba curar muchas enfermedades tocando el trigémino.) *Si te toco el trigémino.* Si te pido ayuda. «¿Si toco el trigémino, me das el dinero?» *Tocarle a alguien el trigémino.* Dolerle. «Lo que me hizo me tocó el trigémino». (Cubanismo nacido en el exilio.)

TRIGUEÑO. Ver: *Blanco.*

TRILLO. *Cerrar el Parque Trillo.* Terminar alguien la lata o la matraca que está dando. «Después de una hora se cerró el Parque Trillo». (El Parque Trillo era un sitio en La Habana donde había concentraciones públicas. Los políticos pronunciaban discursos que los cubanos llamaban «descargas», o sea, «aluvión abrumador de palabras».) Sinónimo: *Terminar la descarga. Coge el trillo, Jaragán.* Así ordenan los campesinos al buey. Se usa comúnmente con el significado «pórtate bien». Sinónimo: *Componte porrita. Coger el trillo.* Coger por el buen camino. «Ése ahora sí cogió el trillo». Ver: *Carrilera. Parque. Vereda.*

TRIM. Ver: *Bohío.*

TRIMOTOR. Ver: *Cerebro.*

TRINCADO. *Estar trincado.* Se dice de la persona muy fuerte y pequeña y ancha de tórax. «Tu hermano está trincado». Se dice, igualmente de dos personas que se están besando y tocando lascivamente. «Yo los vi en el cine y estaban trincados». *Llegar trincado.* Llegar borracho. «Mi marido, anoche, llegó trincado». (Me dicen que viene de la voz alemana «Trink» que quiere decir «borracho».)

TRINCHA. *Ser alguien pelado con trincha.* Ser un tonto. «Juan desde niño es pelado con trincha». Sinónimo: *Ser un chopo. Ser comedor de chopo. Ser un ñame.*

TRINQUETÁ. Apuro. «Ese hombre pasó su trinquetá».

TRINQUETE. Ver: *Niño.*

TRINQUITA. Apuro pequeño. «Ese hombre pasó su trinquita pequeña».

TRÍO. *Echarle a alguien un trío.* Se aplica a algo que es muy bueno. «A esa pareja de cantores hay que echarle un trío». «Al pintor hay que echarle un trío». *El trío del embullo.* Ver: *Avelino.*

TRIPA. *Con todas las tripas.* Con todo el alma. «La novela está escrita con todas las tripas». *Cortarle la tripa del ombligo.* Ganarse a alguien. «A Juan le corté la tripa del ombligo». *Decirle a alguien tripa de pato.* Se dice del que come algo y enseguida va al baño. «Al marido de Olguita le dicen tripa de pato». *No tener alguien tripa.* No importarle nada. «Ése no tiene tripa. Es capaz de cualquier cosa». (El cubanismo viene del campo del tabaco.) *No valer ni un real de tripa.* No valer alguien nada. «Tú no vales ni un real de tripa». (El cubanismo viene del campo tabacalero.) *Ser alguien tripa de vuelta abajo y palito de Mariel.* No valer alguien nada. «No me hables de tu primo que es tripa de Vuelta Abajo y palito de Mariel». (El cubanismo viene del campo del tabaco.) *Tener tripa derecha.* Se dice del que defeca mucho. «¡De nuevo al baño! ¡Tú tienes tripa derecha!» Ver: *Imperativo.*

TRIPITA. Se dice de una mujer muy delgada. «Por ahí viene tripita». Sinónimo: *Lombriz solitaria.*

TRIPLE. *Es un triple salto sin malla.* Es una cosa dificilísima. «Eso que vas a hacer es un triple salto sin malla». *Estar algo o alguien triple A.* Si se aplica a una mujer, quiere decir que está bellísima de cuerpo y de cara. «Esa mujer tuya está triple A». Si a un hombre, que es un buen tipo. «Tu hermano está triple A». Si a un libro, que está bueno: «Lee la última novela de Vintilia Horia. Está triple A». Indica, por lo tanto, también, bueno. «Sé las virtudes de tu hermano. Para mi hermana está triple A». (El es bueno y por lo tanto le conviene a mi hermana...)

TRIQUITRIQUI. *Estar triquitriqui.* Estar puntilloso. «Últimamente estoy triquitriqui». *Hacer algo en un triquitriqui.* Rápidamente. «Escribió el libro en un triquitriqui». *Tener un triquitriqui.* 1. Lío. «Ayer tuve un triquitriqui con Pedro». 2. Tener alguien un problema de salud que no se sabe cuál es. «Ella, hace meses, tiene un triquitriqui». También, un problema. «Ese triquitriqui en la fábrica no me gusta». *Hacer el triquitriqui.* Fornicar con una mujer. «Ayer hice el triquitriqui con mi prima».

TRISTE. *El triste.* Otro nombre que se le da al número tres en el juego de dominó. Sinónimo: *Tresagio.*

TRITURADOR.A. *Cogerlo a alguien la trituradora.* 1. Caerle un trabajo fuerte. «Tienes que trabajar en ese comité. Te cogió la trituradora». 2. Tener que trabajar mucho. «En ese puesto lo cogió la trituradora». Se aplica a muchas situaciones: «Le llegó a su casa la trituradora». (La madre de la mujer. Le llegó alguien que molesta mucho como la suegra.) *El triturador de bagazo.* El estómago. «Me duele el triturador de bagazo». Sinónimos: *La caldera. La caja del pan. La furnia. Pasar por la trituradora.* Liquidar en cualquier forma. «Los bandidos los pasaron por la trituradora». (Lo mataron.) «En el examen me pasaron la trituradora». (Me suspendieron.) Se aplica a diversas situaciones dando el contenido de la conversación el significado. Por ejemplo: «En el trabajo hace días me pasaron la trituradora». (Lo hacen trabajar mucho.) *Ser alguien una trituradora.* 1. Ser alguien muy persistente. «Muchacho, ya te daré lo que pidas. Eres una trituradora». Sinónimo: *Ser un barbiquí.* 2. Ser una persona que no da cuartel. «Ella es una trituradora. Hay que combatirla sin tregua».

TRITURADORES. (Los) Los dientes. «Con esos trituradores tan grandes que tú tienes, le puedes entrar a todo».

TROCADO. Persona que parece no estar muy cuerda. «Ése es un trocado». Algunas veces se aplica al loco completo. Ver: *Cable. Tener los cable cruzados.*

TROCARSE. 1. Perder los estribos. «Cuando se dio cuenta de que yo me trocaba se calló». 2. Volverse loco. «Cuando supo la suerte de la familia se trocó». Ver: *Cable. Tener los cable cruzados.*

TROCHE. *Estar de troche y moche.* Estar trabajando duro. «Este verano estoy de troche y moche».

TROLE. Los aparatos del tranvía que conectan con el tendido eléctrico. «Esos troles echan mucha chispa». *Haber un trole trole.* Haber fricción entre dos personas. «El trole trole allí fue tan grande entre los dos aspirantes».

TROLER. *Ser alguien un «troler».* Se dice del que enamora a todas las mujeres y se basa en el hecho de que el «Troler» tira una red para pescar. «Leonardo es un troler. Enamora a todas las mujeres».

TROLI. Pene. (El troli es el aparato largo que tiene el tranvía en el techo y que va unido a los alambres eléctricos. El cubanismo viene de la canción popular que dice: *«Sabías que en el culo te cabían cuatro trolis (o troles) de un tranvía Marianao-Parque Central».* Se dice, asimismo, *trole.*)

TROMPETERO. *El trompetero mayor.* El líder, el que más manda. «Mataron al trompetero mayor de la banda».

TROMPETICA. Ver: *Boca. Mano.*

TROMPETILLA. *Sonarle a alguien una trompetilla.* Ridiculizarlo con una trompetilla; es decir, con el sonido bucal que el cubano hace y que consiste en meter la lengua entre el puño cerrado, formado por el dedo índice y el dedo gordo de la mano derecha y al mismo tiempo soplar. Produce un sonido desagradabilísimo. «A Elio le soné hace mucho rato una trompetilla». «La trompetilla que le tiraron en el recital se oyó en todo el teatro». *Tirar trompetilla.* Abuchar. «Me tiró una trompetilla». (Es un ruido, la trompetilla, que se hace sacando la lengua, poniéndola entre la mano cerrada y soplando.)

TROMPETÚA. *Persona trompetúa.* Persona contestona. «Le ha ido muy mal en la vida por trompetúa».

TROMPITO. Se dice de la persona que baila muy bien y toda la noche en una fiesta. «Él es un trompito».

TROMPO. *Coger el trompo con una uña.* Hacer una cosa difícil. «Pedro, en ese proyecto de arquitectura, cogió el trompo con la uña». (En el imperativo: *Coge ese trompo con la uña*, quiere decir, mira a ver si puedes contestar ésa. «¿Lo oíste? Coge el trompo con la uña».) *Convertir a alguien en trompo sin pita.* 1. Dominarlo. «Mi marido me tiene muy fastidiada con su independencia y ya le dije que lo voy a controlar, a convertir en un trompo sin pita». 2. Formarle un lío. «Como me sigas molestando te voy a convertir en un trompo sin pita». *Disfrazarse de trompo.* 1. Hacerse el guapo. «Juan se disfrazó de trompo». 2. No tener organización en algo. «Fracasa porque está disfrazado de trompo». Se dice también del que anda de arriba para abajo sin punto fijo de referencia. «Fíjate, volvió a pasar por ahí. Está disfrazado de trompo». También se dice del que es superactivo. «Desde chiquitico está disfrazado de trompo. No tiene cura según el médico». *Disfrazarse alguien de trompo y alguien cortarle la pita.* Pararle las ínfulas a alguien. «Vino y me habló disfrazándose de trompo, pero yo le corté la pita». También, enfrentar a alguien que trata de intimidarlo a uno. «Se disfrazó de trompo conmigo hablándome en mala forma y le corté la pita». *En cuanto le de la vuelta al trompo se le parte la pita.* En todo fracasa. «Es tan desdichado que en cuanto le da la vuelta al trompo se le rompe la pita». *Encabúllame ese trompo.* Soluciónamе eso. «El dice que lo sabe todo pero yo le hice la pregunta y le dije al mismo tiempo: `encabúllame ese trompo.'» Sinónimo: *Coge ese trompo en la uña.* (Es expresión de la zona de la Esperanza, en la provincia de las Villas, según me atestigua el novelista cubano Celedonio González.) *Ni no soy trompo, ni tú eres pita.* No me mandes más. «¿Me oíste, Juan? Ni yo soy trompo, ni tú eres pita». *Ser un trompo.* Ver: *Trompito. Ser un trompo que perdió la pita.* Ser una persona descentrada. «No se puede concentrar. Es un trompo, mi hermano, que perdió la pita». *Tener a alguien disfrazado de trompo.* Llevarlo para arriba y para abajo. «No puedo más. Mi hija me tiene disfrazada de trompo. Qué cansada estoy». *Tener complejo de trompo.* Se dice de la persona que siempre anda de arriba para abajo. «Ese muchacho tiene complejo de trompo». *Tirar el trompo de corteleta.* Hacer algo difícil. «En esa casa tiraste el trompo de corteleta». (Cuando se tira el trompo, tirarlo de corteleta requiere mucha habilidad.) Ver: *Casa. Cortalazo. Galleta.*

TROMPOLOCO. *Ser alguien un trompoloco.* Ser un loco. «Lo que hizo indica que es un trompoloco».

TROMPÓN. Ver: *Matraca.*

TROMPONES. *A trompones.* 1. Hacer algo mal hecho. «Hace siempre las cosas a trompones». 2. Mucho. «Gana el dinero a trompones».

TRONAR. *Como si tronara.* Como si nada. Se dice del que se queda impávido ante algo. «Le gritaba y él como si tronara».

TRONCAR. Impedirle algo a alguien. «Llegó a la ciudad pero allí lo troncaron y no pudo salir para el extranjero». (Es término llegado a Estados Unidos por los exiliados por el puente marítimo Mariel-Hueso en 1980) Se dice continuamente: «Al marido de Laura lo troncaron en el Mariel»... «A Pérez lo troncaron en La Habana antes de llegar a su destino». Se usa también, en el sentido de perder. «Lo troncaron en La Habana antes de llegar y salir y está en la cárcel». También en el sentido de derrotar. «A ese lo troncan en cualquier momento; no tiene armas».

TRONCO. Bueno. «Juan es un tronco de médico». *Ser alguien un tronco de yuca.* 1. No ser inteligente. «Ése es un tronco de yuca». 2. Ser un tonto. «Tú eres un tronco de yuca». *Tener un tolete de tronco de yuca.* Tener un pene pequeño, pero muy gordo. «Juan tiene un tolete de tronco de yuca». («Tolete» es «pene». El cubano dice, casi siempre: «Tronco e yuca», aspirando la «d».) *Tronco del camión.* Plataforma del camión. «El iba durmiendo en el tronco del camión». *Tronco de mujer.* Mujer muy bonita. «Ella es un tronco de mujer». *Tronco de yuca.* 1. Que carece de luces. «El es un tronco de yuca». 2. Se dice de alguien que no es inteligente. «Mi hermano, pobrecito, es un tronco de yuca». *Un tronco.* Un peso. Sinónimo: *Un Baro. Un tronco de mujer.* Una mujer muy bella. «Carmencita es un tronco de mujer». Ver: *Dágame. Troncúo.*

TRONCONERA. Refugio de troncos, del árbol llamado en Cuba, Guásima. «Me refugié en una tronconera de Guásima».

TRONCÚO. *Estar alguien troncúo.* Estar fuerte. «Juan está troncúo». Sinónimos: *Estar tronco de yuca. Estar trucutú.* (Trucutú es un personaje muy fuerte de una tira cómica llamada en Cuba muñequitos.)

TRONO. Inodoro. «Lleva media hora sentado en el trono». *No respetar ni el trono.* Frase que se dice cuando alguien entra en un baño ocupado por otro. «Cierra esa puerta, chico. Tú no respetas ni el trono».

TROPICAMA. *Ir al Tropicama.* Acostarse con una mujer. «Va con ella al Tropicama». (Es un juego de palabras con *Tropicana*, que era un cabaret muy famoso en Cuba.)

TROQUE. Confusión. «¡Qué troque hay aquí!» «¡Qué troque se formó en lo que el orador dijo!»

TROVA. 1. Problema. «¿Cuál es tu trova?» 2. Se le llama así a una conversación que encierra una tragedia. «Esa trova tuya es demasiado trágica». También una conversación larguísima que aburre. «Casi me duermo con su trova». *Echar una trova.* Echarle en la conversación un verdadero discurso a alguien. «Me echó una trova que era irresistible y lo dejé». *Estar en la trova.* Estar en el quid de la cosa. «Yo siempre estoy en la trova, así que ya te avisaré de eso». *No me vengas con esa trova.* No me vengas con eso. «Yo sé que es buena mi mujer. Mira, no me vengas con esa trova». Ver: *Cuadro. No me vengas con esa trova de Gardel.* No me vengas con esa tragedia. «Se lo dije. No me vengas con esa trova de Gardel». (Gardel da el aumentativo por estar sus tangos llenos de tragedia.)

TROVADOR. *Botarse de trovador.* 1. Dar coba. «Cuando lo sorprendí se me botó de trovador». 2. Se dice del que habla como si estuvieron llorando para que le tengan lástima. «Lo sorprendí y se botó de trovador. Creí que lloraba». 3. Se dice de la persona que no se queda callada y en una reunión explica verbalmente lo que siente. «Estaba callado en la reunión, pero de pronto se botó de trovador».

TROVERO. Mentiroso. «Juan es un trovero».

TROZO. (Los) La comida. Sinónimos: *La butuva. La grasa. Los víveres. Estar la caña a tres trozos.* Estar la situación muy mala. «En todo el mundo está la caña a tres trozos». *Trozo de carbón.* El lápiz. «Agarré el trozo de carbón y le escribí». (Lenguaje del chuchero. Ver: *chuchero.*)

TRUCHA. *Ser las mujeres como las truchas.* Si le dan a uno una oportunidad hay que cogerla. «Aprovecha, que las mujeres son como las truchas». (Es lenguaje del pescador avecinado a la ciudad. Cuando la trucha pica hay que halarla porque se zafa del anzuelo.)

TRUCUTÚ. *Estar trucutú.* Estar muy fuerte. «Ése está Trucutú». *Estar de Trucutú.* Estar de perdonavidas. «Desde que le dieron ese empleo está de Trucutú». *Ser trucutú.* Ser muy bruto. «En matemáticas es trucutú». Antónimos: *Ser nitrón. Tener bandas blancas en la toronja. Tener saoco en el güiro. Ser un trucutú.* Ser un retrógrado. «Tú eres un trucutú. Así no podrás adelantar en la vida». («Trucutú» es un personaje, muy fuerte, de la época de la Edad de Piedra de las tiras cómicas o muñequitos cubanos. De ahí el cubanismo.) Ver: *Troncúo.*

TRUENO. Bello. «Ese gatico es un trueno». *Ser algo un trueno.* Ser muy bueno. «Ese libro es un trueno». *Ser una mujer un trueno.* Estar bellísima, o ser muy bella. «Esa mujer es un trueno». (Se aplica igualmente a cosas. «Esa canción es un trueno».) Sinónimo: *Ser una mujer asesina. Trueno que está para ti, no hay palma que te lo* *quite.* 1. Cada uno es juguete del destino. 2. No se puede huir del destino. Sinónimo: *El que nace para real* (moneda de diez centavos) *no llega a peseta. El que nace para tamal del cielo le caen las hojas.*

TRUEQUE. Ver: *Cuadro.*

TRUQUERA. La truco. «A esos políticos les gusta mucho la truquera».

TRUSA. *Ponerse otra trusa.* Cambiar de parecer. «Yo en eso me puse otra trusa».

TRUSCANO. Pedazo. «Dame un truscano de hielo».

TRUSITA. Ver: *Tarzán.*

TRUST. Ver: *Cama.*

TÚ. Ver: *Usted. Van.*

TUBÉRCULO. *No es lo mismo tubérculo que ver tu culo.* Eso no es lo mismo ni se escribe igual. «Me varió los términos del contrato. Yo le dije: ¡Qué va! Que no es lo mismo tubérculo que ver tu culo». (Esto surgió con motivo de «no es lo mismo» que Suaritos, el propietario y locutor de *Radio Cadena Suaritos* popularizó. El decía: «No es lo mismo una coqueta vieja que una vieja coqueta», etc. Por imitación, repito, surgió este cubanismo.)

TUBERÍA. (La) El conjunto de exiliados cubanos en Miami. «La tubería en Miami cada día crece más». Sinónimo: *Los tubos.* (El cubanismo se creó a principios del siglo basado en las frases: «yo tuve», «él tuvo», «fulano tuvo».) *Entrar por tubería.* Recibir mucho de algo. «El dinero le entra por tubería». Sinónimo: *Entrar por una cañería y siete llaves.*

TUBO. (El) El pene. «¡Qué tubo tiene ese niño!» *Conectar a alguien con el tubo de potaje.* La frase fue creada por el periodista cubano Silvio Lubián, que en el periódico le decía al presidente de Cuba, Fulgencio Batista y Zaldívar: «Presidente, conécteme con el tubo de potaje», que quiere decir: «déme un puesto público». De ahí se generalizó y hoy se usa con todo lo que da un beneficio. «Ya sé que estás de altura en esa compañía. Conéctame con el tubo de potaje». Sinónimo: *Pónme a gozar.* Antónimo: *Quitarle a alguien el tubo de potaje. Dar tubo.* Golpear. «El ladrón le dio tubo a la mujer». *Echarle a alguien el dinero por un tubo y siete llaves.* Ganar mucho dinero. «Tiene millones. Le entra el dinero por un tubo y siete llaves». *¡Le ronca el tubo!* ¡Qué cosa! «Le dieron el puesto, ¡le ronca el tubo!» Sinónimos: *Le ronca el aparato. Le ronca el mango. Le ronca el merequetén. Le ronca la malanga.* (En estos sinónimos, en vez de la palabra «ronca» se puede usar la palabra «zumba».) *No tener alguien derecho al tubo de escape.* No tener derecho a tirarse gases. «Oye, tú no tienes derecho al tubo de escape. ¡Indecente!» (El tubo de escape es el ano.) *Pantalones de tubo.* Pantalones muy estrechos en los tobillos y muy anchos en la cintura. Los usaba el chuchero. *Ser alguien un tubo de escape.* Ser muy rápido. «No lo puedes coger porque es más rápido que un tubo de escape». (El humo que sale por el tubo de escape es muy rápido. De ahí el cubanismo.) También ser muy inteligente en frases como ésta: «Tiene una inteligencia que es un tubo de escape». (Es lenguaje que viene del área del automóvil.) *Tener el tubo de escape malísimo.* Se dice de la persona que tiene flatulencia. «Oye, tienes el tubo de escape malísimo». *Tener el tubo de escape picado.* Tirarse muchos gases. «Ese muchacho tiene picado el tubo de escape». *Tener el tubo de escape premiado.* Se dice del que se tira muchos gases. «¡Qué asqueroso! Tiene el tubo de escape premiado».

Sinónimo: *Tener alguien el tubo de escape picado.* Se dice del que se tira muchos peos. «Juan tiene el tubo de escape picado». («Tubo» es también «pene». «El niño nació con un buen tubo».) *Tubo de escape.* 1. Culo. 2. El ano. «Me duele el tubo de escape». 3. Las ventanas de la nariz. «Tengo un grano en el tubo de escape derecho». *Los tubos.* Ver: *Cañandonga. Chuchero. Cojones. Culeco. Escape. Merequetén. Perfumador. Tres. Tubería.*

TUENTI. *Tuenti for auars martinaisin.* Enseguida. Entregame el cuadro tuenti for auars martinaisin. (Es cubanismo del exilio. Viene de la frase inglesa: «Twenty-four hours martinizing», que el cubano pronuncia como se ha escrito, y que es el lema de una tintorería norteamericana. De aquí el cubanismo.)

TUERCA. *Chirriarle a alguien la tuerca.* Tener mucha hambre. «Vamos a parar que me está chirriando la tuerca». «Hace rato que me está chirriando la tuerca. Para en el primer restaurante».

TUESTE. Locura. «¡Qué clase de tueste tiene!» «¡Qué tueste tiene tu padre, mi amigo!»

TUÉTANO. Ver: *Metido.*

TUIST. *Hacer el tuist.* Convertirse en homosexual. «Tenía quince años cuando se hizo el tuist». («Tuist» es la pronunciación cubana de la voz inglesa «twist» que quiere decir «torcer». Cubanismo nacido en el exilio.)

TUMBA. 1. Instrumento musical que consiste en un tambor alargado de origen africano. «Eso se toca con tumbadora». «Voy a ver si toco la tumba (o tumbadora».) 2. Tipo de tambor usado en Cuba. «¡Qué bien toca esa gente la tumba!» Sinónimo. Tumbadora. «Voy a tocar la tumba». *¿Cómo está la tumba?* ¿Cómo está la cosa? «¿Cómo está la tumba hoy?» Sinónimos: *¿Cómo está la música? ¿Cómo está la timba?* (La «tumba» es un tambor y también una fiesta. Tiene los dos significados.) *Estar mala la tumba.* Estar la cosa mala. «Ahí está mala la tumba». *Llevar una mujer a un hombre a la tumba fría.* Gustarle al hombre. «Esa vecina me lleva a la tumba fría». *Tocar una tumba caliente.* Tocar muy bien la tumba o tumbadora. «Esa música toca una tumba caliente». Ver: *Mil. Tumba.*

TUMBADERO. Sitio donde se dan citas los amantes. «La voy a llevar al tumbadero esta noche».

TUMBADO. *Tener un tumbado o tumbaíto.* Forma de vivir magníficamente; sin tener que trabajar o trabajar muy poco. «Ése tiene un buen tumbado». Sinónimo: *Vivido. Cogerle a algo el tumbado.* Saber cómo es. «Ya yo no tengo problemas con las matemáticas porque les cogí el tumbado». *Estar en el tumbado.* Estar en algo. «Ése está en el tumbado». También, cuando un hombre está enamorado de una mujer, se dice que está «en el tumbado», porque lograr a una mujer es «tumbar» en cubano.

TUMBAÍTO. *Cogerle a algo el tumbaíto.* 1. Familiarizarse con algo o alguien. «A esta máquina le cogí el tumbaíto. Ya sé cómo funciona». 2. Saber cómo manejarlo. «Yo, a esta máquina le he cogido el tumbaíto». 3. Sorprender a alguien en el juego que lleva a cabo. «Lo derroté porque le he cogido el tumbaíto». *Tener un tumbaíto para lavar la ropa.* Vivir del cuento. «Ése tiene siempre un tumbaíto para lavar la ropa». (Es el cántico de propaganda de un jabón cubano. Un «tumbao», un «tumbaíto», es algo que permite vivir sin trabajar o con poco trabajo.)

TUMBAO. 1. Engaño. «Lo del uniforme que lleva es un tumbao. Él no está en el gobierno». 2. Forma de caminar. «Mira qué tumbao tiene ese hombre». (Se dice también en Puerto Rico.) 3. Trabajo fácil. «Tiene en esa compañía un tumbao maravilloso». (Es «tumbado» pero el cubano aspira la «d».) Ver: *Cáscara.*

TUMBAR. 1. Cogerle algo a alguien casi siempre a través de un engaño, aunque se aplica siempre al hecho de convencer a la persona sin mediar al engaño, siendo la conversación la que da el significado en un caso o en el otro. «Le hablé mucho y lo tumbé. Me dejó ir al cine». (No medió engaño.) «A ése lo tumbaron unos estafadores». (Medió engaño.) 2. Convencer a una mujer que lo quiere a uno. Casi siempre el cubanismo conlleva tintes sexuales. «Tumbé a Lola». 3. Estafar. «Lo tumbó con un cheque sin fondos». *Yo no tumbo caña.* Ver: *Caña.*

TUMBARSE. *¡Que si se tumba! ¡Que si se vira!* No acabar de decidirse alguien. «Juan sigue igual: ¡Que si se tumba, que si se vira!» Sinónimo: *¡Que si se peina o se hace papelillos!*

TUMBE. Acción de tumbar. *El tumbe no es ahí.* 1. Donde está el negocio no es ahí. «No, el tumbe de la compañía de teléfono no es en las instalaciones sino en lo de los cordones». 2. Ése no es el quid de la cosa. «No vayas por ahí. El tumbe no es ahí». *Tener que estar en el último tumbe.* Tener que estar a la que se te cayó. «Siempre hay que estar en el último tumbe para avanzar en la vida».

TUMULTO. *Morir en el tumulto.* En frases como «ése muere en el tumulto» quiere decir: ese hombre no puede tener relaciones sexuales por ser muy viejo. Viene del chiste: «Un niño se crió con las tías y siempre preguntaba qué había sido del papá hasta que las tías cansadas, ya cuando llegó a la mayoría de edad le dijeron que el papá había ido al circo y que la trapecista se cayó en la lona. Al caerse se le abrió el traje y se le vieron las partes pudendas. Se oyó un grito al tirársele arriba y entonces, dicen las tías: hijo, tu papá murió en el tumulto». (El hombre estaba acostumbrado a todo tipo de juegos sexuales.)

TUN. Ver: *China.*

TUN TUN. Ver: *Diablo.*

TÚNEL. *Tener el túnel de La Habana entre las piernas.* Tener un clítoris muy grande. «Ella, lo sé de buena tinta, tiene el túnel de La Habana entre las piernas».

TUPIDO. *Estar tupido.* 1. No darse cuenta de las cosas. «Tú en todo estás tupido». (Se oye también, «tupío», porque el cubano aspira la «d», por economía lingüística.) 2. Se contesta cuando alguien le dice algo a uno y no se le quiere atender. «Mira, Pedro, estoy tupido».

TUPIGRAMA. (Un) 1. Engaño. «Eso tuyo es un tupigrama». 2. Mentira. «Ese invento es un tupigrama para confundir a la gente». (De tupir, engañar. De aquí el cubanismo.)

TUPIR. Engañar. «Lo tupieron en esa venta». *No me tupas que el tragante mío camina bien.* No me vengas con cuento de camino. «Mira, cállate. No me tupas que el tragante mío camina bien». Sinónimo: *No trates de embutirme. No me tupas que yo no soy tragante.*

TUPIRSE. 1. No entender. «No te tupas, que es muy fácil». 2. Obsecarse. «Se tupió y lo agredió».

TURBANTE. Ver: *Árabe. Tamakún.*

TURCO. Así le decían en Cuba a los sirios y libaneses. «En esta zona hay muchos turcos». *Enviciarse con el turco.* Volverse homosexual. «Parecía buena persona hasta que se envició con el turco». (El cubanismo viene de un chiste en que un señor fue sorprendido varias veces por un turco en el momento en que iba a tener contacto sexual con la mujer del turco. El turco lo obligó, por venganza, a que le sirviera de sujeto pasivo de un acto contra natura. El individuo fue a ver al psiquiatra por no saber si iba a ver a la mujer —siempre lo sorprendía el turco— por ser ella muy bella o por el turco.)

TURIÑAÑA. No. «Sí, ya sé lo que te digo. —Y turiñaña».

TURPIAL. Ser algo muy malo. «Eso es un turpial».

TURULETE. Problema. «Conmigo no hay turulete». (Cubanismo nacido en el exilio con un disco.) *Conmigo no hay turulete.* Conmigo sí que no. «Habla que conmigo no hay turulete».

TURUÑÍN. *Turuñín ñaña juju cafú.* Y no hay nada más que decir. («Este cubanismo se usa al final de las frases. Equivale a la frase: y colorín colorado este cuento se ha acabado. «Entonces se separaron aduciendo incompatibilidad de caracteres y turuñín ñaña juju cafú».)

TUS. *Tuspik.* Ver: *Bate.*

TUSA. *Ahí va la tusa detrás del culo.* Ahí va la soga detrás del caldero. «Míralo, ahí va la tusa detrás del culo». *Ser más serio que una tusa.* Ser muy serio. «Pedro es más serio que una tusa».

TUTIFRUTI. *Ser un tutifruti.* Ser homosexual. «Dicen, los que saben, que es un tutifruti».

TUVITENGOS. (Los) Los cubanos exiliados son llamados así en Cuba. «Todos estos que ves aquí son los tivitengos». (Les llaman así en Cuba porque allí tuvieron fortuna y la vuelven a tener ahora en el exilio.)

TUYO. *¿Qué es lo tuyo?* ¿Qué te has creído? «No me hables más de eso. ¿Qué es lo tuyo?» (Este cubanismo es un latiguillo lingüístico en el habla del cubano.)

UAMPAMPIRO. Amigo. «¿Cómo estás uampampiro?»

UAN. *De uan, tu, tri.* Adjetivo que indica malo. «Es una maestra de uan, tu, tri». *De uan, tu, tri, cojan puesto.* Se dice de algo que no sirve que es malo. «Aquí en los Estados Unidos, la educación es de uan, tu, tri, cojan puesto». (Es «one», «two», «three», voces inglesas que el cubano pronuncia como escribo.)

UARREN. *No levantarse algo ni con un uarren brods.* Ser muy pesado. «Esta maquinaria no se levanta ni con un uarren brods». (Este cubanismo lo he oído en gente viejísima. La «Warren Brodds» —el cubano pronuncia como escribo— es la compañía que construyó la carretera central cubana en 1930, cuando el gobierno del General Machado.) Así se llaman además a las grúas. *Ser peor que una grúa Uarren Brods.* Ser muy antipático. «El es peor que una grúa Uarren Brods». (Ver explicación anterior. Estas grúas eran muy pesadas; un «pesado», es un «antipático». De aquí el cubanismo.)

UBICAR. Conocer a alguien bien. «Yo lo tengo hace tiempo bien ubicado». *Explicar a alguien bien las cosas.* «Como no tiene mucha inteligencia hay que estar siempre ubicándolo». *Ubicar la plata.* Situar el dinero. «El gobierno ya ubicó la plata del proyecto».

UBÍCATE. *Ponte para tu número.* «Ubícate que llegó la hora. Entrégame el dinero».

UBRE. *Estar pegado a la ubre de la vaca.* Estar viviendo del presupuesto de la nación. «Los políticos muchas veces viven pegados a la ubre de la vaca. Claro que no todos». *Ser una mujer una ubre blanca.* Tener una mujer grandes senos y ser paridora. «Ya te lo dije: Te casas con Ubre Blanca». (Es cubanismo del exilio. Surgió como ironía, pues Castro, el dictador cubano, tenía una vaca llamada Ubre Blanca a la que le hizo un monumento porque decía que daba mucha leche.)

ÚLTIMA. *Creerse alguien la última pepsicola del destierro.* Creerse el fenómeno en el exilio. «Aquí hay mucha gente que se cree la última pepsicola del destierro». (Cubanismo del exilio.) *La última de los muñequitos.* La última farsa. «Ese libro es la última de los muñequitos». *La última la traigo yo.* 1. Lo mejor lo tengo yo. «Cómprame esta tela que lo último lo traigo yo». 2. Yo soy el fenómeno. «La conquisté, porque la última la traigo yo». 3. Yo soy el que más sabe. «En todo, la última la traigo yo». «Oye mi consejo, que la última la traigo yo». (Latiguillo lingüístico.) *La última noche que pasé contigo.* La última vez. «Lo supe la última noche que pasé contigo». (Es la letra de una canción.) *Traer la última o venir con la última.* Tener la última noticia. «Juan trae la última en eso». (Lo hemos oído también como estar en el quid de la cosa.)

ÚLTIMIO. Último. «Llegué últimio». (Juego de palabras entre «Últimio» [nombre propio] y «último».)

ULTIMITILLA. *Estar en la ultimitilla.* 1. Estar el día. «Yo siempre estoy en la ultimitilla en las noticias». 2. Estar en el quid de la cosa. 3. Estar muriéndose alguien. «Dice el médico que está en la ultimitilla». (Cubanismo creado por el cantante cubano Orlando Guerra, *«Cascarita».*)

ÚLTIMO. *Bailar alguien el último cuplé.* Morirse. «Ayer bailó el último cuplé». (La canción española: *«El último cuplé»,* de Sarita Montiel, fue muy famosa en Cuba. De aquí el cubanismo.) Ver: *Mac. Decir hasta el último de los juanetes.* Decir muy conmovido. «Él lo dijo hasta el último juanete dada su amistad con el muerto». *En el último cuarto hay son.* No hay que acongojarse. «Ya sé que se murió. Pero en el último cuarto hay son». *Eso es lo último y lo mejor es música.* Se dice para afirmar que se está ante la última novedad. «—¿Qué te parece este último automóvil? —Eso es lo último y lo mejor es música». *La peste el último.* Frase que dicen los niños cuando echan a correr para llegar a algún lado. «Vamos a la bodega. La peste el último». Ver: *Cuarto. Lo tuyo es lo último.* Eres insoportable. «No hay quien te aguante; lo tuyo es lo último». Ver: *Muñequitos. Ser el último mohicano.* Ser el último que queda; ser lo último que queda. «En esta lucha él es el último mohicano». «Tómate el café que es el último mohicano». (Es cubanismo muy antiguo, nació con una película del mismo título que la novela famosa de F. Cooper.)

UNA. *No poner una.* No acertar nunca. «Los Estados Unidos, en política internacional, no ponen una».

UNIFORME. *Uniforme de Gala.* Así llaman en Cuba al «Uniforme de los presos». «Me llevaron a cortar caña con el uniforme de gala». (Cuba de hoy.)

UNO. Ver: *Apéame y Dos.*

UNTADO. *Estar alguien siempre untado.* Tener siempre deseo sexual. «Él es algo increíble. Está siempre untado». (Es decir: siempre tiene vaselina puesta en el pene para penetrar el clítoris.) *Estar untado.* Se dice del que es dichoso en el juego. «Volvió a ganar. Está untado». Ver: *Gallo. Estar algo untao.* Tener algo oculto. «Ese premio está untao». (Es «untado» pero el cubano aspira la «d».)

UÑA. *Dar uña.* Sacar dinero de algo que se hace. «Él a todo le da uña». *Echar una uña.* «Cuando vio al policía, echó una uña». *Nunca es tarde si las uñas crecen.* Corresponde al castizo: *Nunca es tarde si la dicha es buena.* «No te aflijas. Nunca es tarde si las uñas crecen. *Sacar uña y yema.* Sacar de algo que se hace, muchísimo dinero. Es aumentativo. Es otro de los casos que utiliza el cubanismo otra palabra y no la terminación del aumentativo. «El al negocio le da uña y yema».

UOLS. *Ser alguien más grande que Uols Disnei.* Ser alguien muy fantasioso. «Tú eres más grande que Uols Disnei». (Es cubanismo del exilio. Walt Disney, que el cubano pronuncia en la forma escrita, es el famoso norteamericano creador del Pato Donald, y de los demás muñequitos animados. Hizo una película llamada *Fantasía.* Fue en el área de la misma un genio espectacular. De aquí el cubanismo.)

ÚRICO. Ver: *Ácido.*

USAO. *Un usao.* (usado) Un viejo. «Ése con el que se casa es un usao». («Usado». El cubano aspira la «d».)

USTED. *Tener alguien que ser tratado de usted y no de tú.* Se aplica a muchos casos. De una mujer muy bella decimos: «A esa muchacha hay que tratarla de Usted y no de tú». (Es muy bella.) De un hombre muy inteligente decimos: «A Juan hay que tratarlo de Usted y no de tú».

ÚTERO. *Tener el útero de hojalata.* No tener una mujer carácter. «¡Cómo no le va a soportar al marido esas barbaridades! Tiene el útero de hojalata».

ÚTIL. Ver: *Viejo.*

UVA. *Estar a la uva.* Estar a la que se cae. «En Cuba hay que estar siempre a la uva». (Es lenguaje de los marielitos: Los cubanos llegados en 1980 a Estados Unidos por el puente marítimo Mariel-Cayo Hueso.)

Filosofía del Cubano... y de lo Cubano.

José Sánchez-Boudy

Ediciones Universal

V8. Jugo de tomate. «Dame un V8". (El «V8" es una marca de jugos de tomate. Cubanismo del exilio.)

VACA. Mujer gorda. «María es una vaca». Sinónimos: *Tanque. Tonina. Cambiar la vaca por la chiva.* Hacer mal negocio. «En esta compra cambiaste la vaca por la chiva». *Comer más que una vaca de potrero.* Comer mucho. «Tú comes más que una vaca de potrero». Sinónimo: *Palear. Comer vaca frita.* Hablar tonterías. «Tú comes mucha vaca frita». Sinónimos: *Comer cascarita de piña. Comer cativía. Comer de lo que pica el pollo. Cualquier vaca tiene lechero.* «Nunca falta un roto para un descosido». (Lo he oído, asimismo, aplicado a la mujer, en el sentido de que no hay mujer fea.) «Ella se casa a pesar de lo horrorosa que es. Cualquier vaca tiene un lechero». También: «Cualquier mujer gordísima tiene un marido». Ya que a una mujer muy gorda se le dice en Cuba «vaca». «Es una vaca». (Ejemplo del cubanismo que se analiza: «Mírala, pesa doscientas libras y con novio. —Nada, que cualquier vaca tiene lechero».) *Cuando la vaca está ruina, se come la soga y rompe la talanquera.* Este cubanismo campesino indica que cuando no se le da la oportunidad a alguien y se le pone entre la espada y pared, reacciona violentamente. «Tuvo que matarlo, cuando la vaca está en ruina —con ganas de aparearse— se come la soga y rompe la talanquera». («Talanquera» en Cuba se tiene por cubanismo, pero lo he visto en Azorín usado como en Cuba.) *Darle la vaca una patada al cubo.* Sacar de contexto una situación difícil. «Nos vamos a pique porque la vaca le dio la patada al cubo». *Hacer una vaca.* Se dice cuando en el juego en cualquier otra actividad varias personas ponen dinero en un fondo común. «Vamos a hacer una vaca para el viaje». *Hay que desvarar la vaca.* Hay que salir de ese atolladero. «La situación es difícil. Hay que desvarar la vaca». (No se oye en la ciudad de La Habana este cubanismo de origen campesino, pero sí en los pueblos.) *No comer de la vaca el costillar.* Ser mesurado. «No, de la vaca no hay que comer el costillar». *Pasarse para el rabo de la vaca.* Hacer algo muy sonado o exitoso. «Con esa novela te has pasado para el rabo de la vaca». *Picar una vaca.* Trabajar mucho. «Estoy picando una vaca desde que nací». *El folletín hiel de vaca de Crusellas.* Ver: *Folletín. Ser alguien vaca.* Sacarle a alguien dinero continuamente. «Como da. Es una vaca». (A la vaca la ordeñan todos los días y al que es vaca le hacen lo mismo sacándole dinero a diario. De aquí el cubanismo.) *Ser una mujer una vaca bomba.* Mujer gorda que camina muy despacio. «Mi vecina Anita es una vaca bomba y sigue comiendo». *Si no se me atraviesa la vaca en el camino.* Si no tengo mala suerte. «Gano este partido si no se me atraviesa la vaca en el camino». Ver: *Favor. Tener a alguien de vaca en un potrero y hacer fortuna.* Se dice del que come mucho. «No habría con él que cortar la hierba en el potrero». (De aquí el cubanismo.) *Vaca frita.* Plato cubano típico. Bistec de papa. «Dame una vaca frita». *Vaca pijotera.* La que da leche de cuando en cuando. Se aplica a la persona que hace algo a cuenta gotas. «Me negó el dinero, pero me lo da mañana. Es una vaca pijotera». Sinónimo: *Pijotero. Vida vacalunga.* Vida regalada. «Es una vida vacalunga».

VACACIONES. Ver: *Gallego.*

VACIÁ. *Darle a alguien una vaciá.* Cantarle las cuarentas. «Le di una vaciá para que sepa a qué atenerse».

VACILADA. *Tirarle a alguien una vacilada.* Hacer broma a costa de él. «Anoche le tiré una vacilada».

VACILAR. 1. Mirar. «La vacilé cuando entraba en la casa». 2. Gozar con los ojos a una mujer. «Le estuve vacilando la cara a Margarita todo el tiempo. La gocé de verdad».

VACILÓN. Fiesta. «Aquí siempre dan tremendo vacilón».

VACÍO. *Caer en el vacío.* Quedar al descubierto. (Tiene el cubano distinta acepción que el castizo.) «Con lo que él me dijo cayó en el vacío. Se creía que yo era tonto». *Saltar en el vacío.* Fracasar. «No se dio cuenta y saltó en el vacío. Eso es todo». Sinónimo: *Tirarse en una piscina sin agua.*

VACUNAR. *Vacuna (a alguno.)* Así dicen los niños cuando le tocan el fondillo a un compañerito. «Me vacunó y le di un palo. A mí nadie me toca el fondillo».

VAGINAL. Ver: *Soa.*

VAGNER. *Encarnas a Vagner.* Ser un genio. «Ese muchacho encarnó a Vagner». («Vagner» es «Wagner» el compositor alemán. He oído el cubanismo en Cuba, en la temporada de ópera. Me dicen que el que encarnó en Wagner tiene un cerebro de tempestad, pues Wagner escribió *«La Tempestad».* De aquí éste cubanismo culto.)

VAGO. *Ser más vago que el ángel de la guarda de los Kennedy.* Ser vaguísimo. «Ése es más vago que el ángel de la guarda de los Kennedy». (Este cubanismo nació en el exilio. La familia Kennedy ha tenido muchas desgracias. De ahí el cubanismo.)

VAGÓN. *Yo no soy vagón de ferrocarril.* Se le contesta al que lo tiene a uno haciendo esto y lo otro. Es decir, como a un vagón lo enganchan donde más convenga. «Me despidió porque le dije que yo no era vagón de ferrocarril».

VAGONES. *Estar como los vagones de trenes: enganchados.* Se dice del que tiene una sífilis. «Desde que fue al barrio de Tolerancia estaba como los vagones de trenes: enganchados». (Tiene sífilis.) Se aplica a otras situaciones: «Ése con su mamá que está tan enferma está como los vagones de trenes: enganchados». (No se puede separar de ella.)

VAI. A lo mejor. «Vai que el mes que viene va por allá».

VAINA. Ver: *Flamboyán.*

VAIVÉN. *Tener vaivén en la cintura.* Menear mucho la cintura. «¡Qué vaivén tiene esa mujer en la cintura!»

VAKIUNKLINER. *Gustarle a uno un vakiunkliner.* Gustarle a uno la soledad. «Me he dado cuenta que me gusta mucho un vakiunkliner». (El «Vacuum Cleaner», palabra inglesa que el cubano pronuncia como escribo, es un limpiador al vacío. De ahí el cubanismo nacido en el exilio.) *Meter el vakiunkliner.* Comérselo todo. «Al almuerzo le metió el vakiunkliner». *Ser algo un vakiunkliner.* Ser alguien que aspira a todo siendo un mediocre. «Él es un vakiunkliner y no ha escrito nada». (Es cubanismo del exilio. Como el «Vacuum cleaner», «aspiradora de polvo», al que le aplican el cubanismo está vacío. El cubano pronuncia «Vakiunkliner».)

VALENTINO. *El Valentino.* La patilla. «Voy al barbero para que me tiña el valentino». *El Valentino de mi vida.* El hombre que yo amo. «Juan es el Valentino de mi vida». *Ser Valentino.* Ser un tipo muy retógrado. «El es Valentino. No les hagas caso a sus ideas». («Valentino» es el famoso artista, galán del inicio del cine: «Rodolfo Valentino». Es cubanismo de gente ya mayor.)

VALIENTE. Ver: *Príncipe.*

VALLA. *Abrir valla.* 1. Echar a correr precipitadamente. «Cuando oyó el tiro abrió valla». 2. Huir. «Vernos y abrir valla fue todo». «Cuando ella llega, abre valla». 3. Irse rápidamente. «Vio a su mujer y abrió valla». Sinónimo: *Levantar valla.* «Cuando llegó el marido levantó valla». Ver: *Bobo. Dejar avanzar a alguien y matarlo en la valla chica.* Dejar que coja confianza y derrotarlo entonces. «Él siempre hace lo mismo: te deja avanzar y después te mata en la valla chica». *Discutir en valla chiquita.* Discutir en privado. «Vamos a discutir en valla chiquita». *Saber pelear en la valla grande y no en la valla chica.* Saber pelear sólo en un terreno. «Como lo atacó por varias partes lo derrotó. Él sólo sabe pelear en la valla grande y no en la chica». (Es lenguaje campesino que proviene de las peleas de gallos. Las vallas de gallos tienen dos vallas: una grande y otra chica donde se remata al gallo. Hay gallos que sólo saben pelear en la valla grande y no saben pelear en la chica. De ahí el cubanismo.) *Saltar la valla.* Hacer una fechoría. «Esa mujer salta la valla». (Oí decir a varios campesinos: «A la mujer y a la yegua hay que mirarlas por la raza, que si no es legítima, salta la valla».) *Temblar la valla.* Gustar algo mucho. «Cuando habló, tembló la valla».

VALLE. Ver: *Verde.*

VALLÉS. *Ni J. Vallés.* Eso no hay quién lo supere. «¡Qué poema! Ni J. Vallés». («J. Vallés» era una sastrería muy buena en La Habana.)

VALOR. *Dale valor.* Acaba de irte. «No te detengas más. Dale valor».

VALS. *Bailar lo mismo el Vals que la Conga.* Ser independiente. «Bailar lo mismo el vals que la conga. Esa es nuestra divisa». *Vals para un millón.* Merluza. «Vamos a comer vals para un millón». (Se basa el cubanismo en la película checa o polaca que se exhibió en Cuba entre 1964-1966. Pues como lo único que se comía era merluza, pues estaba en abundancia, se le puso el nombre de la película.) Ver: *Invitación.*

VAMPIRAR. Sacarle el máximo beneficio a una persona. «Juan está vampirando a su jefe».

VAMPIRO. *Vampiro de la Sagüesera.* El que vive en el Southwest, o Suroeste de Miami, (los cubanos le llaman «sagüesera»,) que vive cogiéndoles todo a los demás. «Ya me libré de ese vampiro de la sagüesera». Se aplica, igualmente, al chulo. «Es un vampiro de la sagüesera. Vive de cinco mujeres». (Como el vampiro chupa la sangre.)

VANIDADES. Ver: *Novelitas.*

VAPOR. *Coger vapor.* Enfurecerse. «Enterado cogió vapor». *Echar vapor o tener vapor.* Estar muy enojado. «Echó (o tenía) un vapor de mil demonios. No le había llegado el pasaporte». Ver: *Barco.*

VAQUERO. *Dejarle a alguien el traje de vaquero en bikini.* Enfrentársele y derrotarlo. «A mi marido yo le dejé el traje de vaquero en bikini». *Un vaquero que no cree en película.* Ronald Reagan, Presidente de los Estados Unidos. «Está bien no tocarlo. ¿Viste lo que hizo en Granada? Ese vaquero no cree en película». (Fue cubanismo temporal ya que apenas se oye.)

VAQUETA. 1. Calavera. «Se emborrachó anoche. Es un vaqueta». 2. Persona que no vale nada. «Siempre fue un vaqueta. Nunca cumple». *No seas vaqueta.* No seas tonto. «Juan, compártate bien, no seas vaqueta». *Ser un vaqueta.* Ser muy informal. «El señor que me presentaste es un vaqueta».

VARA. *Estar en el vara en tierra.* Estar cubierto contra todas las eventualidades. «Conmigo no hay problemas yo estoy en el vara en tierra». («El vara en tierra es el sitio donde el campesino se mete cuando llega un ciclón. Así lo puede sortear. Es una especie de bohío pequeño y triangular».) *No aceptar a nadie aunque llegue con una vara de nardo.* No aceptarlo bajo ninguna condición. «No acepto a tu novio aunque venga con una vara de nardo». (Es decir: Aunque sea un santo como San José que tiene un vara de nardo en la mano.) Ver: *Camisa. Parecer alguien una vara de matar gatos.* Ser muy delgado y alto. «Juan parece una vara de matar gatos». (Es cubanismo de procedencia campesina.) *Ser una vara de tumbar gatos.* Ser delgado y alto como una vara. «Pedro es una vara de tumbar gatos».

VARÓN. Ver: *Caballero y pasito.*

VARONA. Ver: *Aspiazo. Liga.*

VASELINA. *Dar vaselina.* Alagar. «Hay que tener recato hasta cuando se da vaselina». *Déjate de vaselina.* No trates de convencerme. «Se lo dije tajantemente: 'No me muevo. Déjate de vaselina.'» *Metérsela a alguien con vaselina.* 1. Acercársele a alguien para convencerlo; 2. o para ganarle, con zalamerías; o para obtener algo, poco a poco. En general: Ser muy precavido. «No se dará cuenta de la jugada porque le estoy metiendo con vaselina». (La conversación y las circunstancias dan 1 ó 2 ó 3.) 4. Hacer algo con disimulo, suavemente. «Lo llevé a Francia. Para lograrlo se la metí con vaselina». 5. Fornicar poniéndose vaselina en el pene. «Es tan chiquitica que se la metí con vaselina». *Metérsela con vaselina con bergamota.* Ser precavidísimo. (La «vaselina con bergamota» es un vaselina perfumada que se vendía en Cuba. Con la palabra «Bergamota» el cubano, como es usual en él, forma el aumentativo. Así que la cualidad «perfume» hace el aumentativo.) *Ser una mujer como la vaselina.* Ser muy fina. «¡Esa mujer tiene unos modales! Es como la vaselina». *Singarse, a alguien, sin vaselina.* Derrotarlo, maltratarlo, etc., sin contemplaciones. La conversación da el significado. «En las competencias voy a singármelo sin vaselina». (Derrotarlo.) «Me llamó al despacho y me singó sin vaselina. Lo menos que me dijo fue cabrón». (Lo maltrató de palabras.) *Vaselina barata.* Adulación de la peor especie. «Es muy barata la vaselina tuya». Ver: *Culo. Señorita.*

VASO. *Creerse alguien que los vasos son orinales.* Se dice del que tiene los vasos regados por la casa en vez de en la cocina. «Aquí se creen que los vasos son orinales». (Antes se tenían los orinales en todos los cuartos. De aquí el cubanismo.) *Ponerle un vaso al muerto.* Quitarse la mala suerte. «Hay que ponerle urgente un vaso al muerto». Sinónimo: *Iluminar al muerto.* (Ambos cubanismos vienen de las prácticas espiritistas.)

VECES. Ver: *Cien. Pelota.*

VEDADO. *Estar como la gente del Vedado.* Estar siempre soñando con lo que no se tiene. «Tú eres como la gente del Vedado». (El Vedado es un barrio residencial de La Habana.)

VEDETE. Ver: *Alma y mentalidad.*

VEGAS. *Los demás son vegas y cafetales.* El futuro es prometedor. «Después de lo que me has dicho, los demás son vegas y cafetales». (Es lenguaje campesino avecinado a la ciudades y villas rurales de Cuba.) También: «Lo demás es espejismo». «El gobierno se cae. Lo demás son vegas y cafetales».

VEGETAL. *Huellas vegetales.* Huellas dactilares. «En la policía, me tomaron la huellas vegetales». «Voy a tomarme las huellas vegetales». (Es un cubanismo jocoso.) Ver: *Venduta.*

VEGUERO. Tipo de puro. «Estaba siempre con el veguero en la boca». Cosecheros de tabaco. «Los cosecheros de tabaco trabajan noche y día».

VEINTE. *Caer como un veinte de mayo.* 1. Caer como una sorpresa. «Caíste como un veinte de mayo». 2. Caer muy bien. «Eso que me dices me cae como un veinte de mayo». *Caerle a alguien un veinte de mayo explosivo.* 1. Caerle algo a alguien de marca mayor. «¡Qué preocupado estoy! Me cayó un veinte de mayo explosivo». 2. Caerle un lío enorme. «Hoy me cayó un veinte de mayo explosivo». (La palabra «explosivo» es el aumentativo. El cubanismo recurre, como siempre, a una palabra y no a las terminaciones propias del mismo. El positivo es: Caerle a alguien un veinte de mayo.) Ver: *maromas. Como un veinte de mayo.* Enérgicamente. «Actué contra él como un veinte de mayo». *Clavar los veinte-veinte.* Clavar los ojos. «Me clavó los veinte-veinte toda la noche». *Tener un veinte de mayo.* Tener un día malo. «Hoy tengo un veinte de mayo». (El veinte de mayo de 1902 fue cuando en Cuba se estableció la República. El «pesimismo republicano», se ve en este cubanismo que analizó el ensayista Jorge Mañach en un artículo en la *Revista Bohemia.*)

VEINTICINCO. *Echar los veinticinco.* Mirar. «Voy a echar los veinticinco a esa mujer». (El cubanismo viene de un juego de azar ilícito en Cuba llamado «Charada».)

VEINTINUEVE. *Estar a veintinueve iguales.* Estar dos personas empatadas. «Después de esto estamos a veintinueve iguales».

VEINTIÚNICO. *El veintiúnico.* Lo único que se tiene. «Este traje es el veintiúnico».

VEINTIUNO. *Estar de veintiuno.* Sentirse contento. «Hoy estoy de veintiuno».

VEJETO. Viejo. «Es un vejeto». (Parece ser una corruptela del castizo «vejete».)

VEJIGO. 1. Niño pequeño. «Tú eres todavía un vejigo y tienes que obedecerme». 2. Hijos. «Tiene cinco vejigos».

VELA. *Soltar la vela y coger los timbales.* Comenzar a divertirse. «Soltamos la vela anoche a las diez y cogimos los timbales». Se oye más en imperativo, dirigido a la gente aburrida. «Suelta la vela y coge los timbales Juanito, que me aguas la noche». Ver: *Candela. Keik.*

VELASCO. Ver: *Dulce.*

VELOCIDAD. *Coger velocidad.* Emborracharse. «Si ves la velocidad que cogió Pedro en la fiesta anoche»... *Confundir la velocidad con el tocino.* Tomar una cosa por la otra. «Le llamé la atención por su bien pero se sintió ofendido. Es que confunde la velocidad con el tocino». Sinónimos: *Confundir la gimnasia con la magnesia. Confundir la gimnasia con la manteca. Confundir la peste con el mal olor. No me pongas esa velocidad que te vas pa' (para) abajo sin freno.* No me vengas con ese cuento. «Mira, no me pongas esa velocidad que te vas pa' (para) abajo sin freno». En general, se aplica a muchos casos para decir que alguien va a sufrir las consecuencias de su acción: «—Te voy a dar una paliza. —No me pongas esa velocidad que te vas pa' (para) abajo sin freno». *Romper el «recor» de velocidad.* Ir alguien caminando rápido. «Iba Juan cuando lo vi, a pie, pero rompiendo el «recor» de velocidad». («Recor» es la palabra inglesa «Record».) *Tener alguien mucha velocidad.* Estar loco. «Juan tiene mucha velocidad. ¡Pobrecito!» «¡Qué velocidad tiene tu primo! Reclúyanlo». *¿Venirme con esa velocidad a mi?* Venirme con esas cosas. «¿Qué se ha creído? Venirme con esa velocidad a mí». Ver: *Cambio.*

VELORIO. *Cuento de velorio.* Mentira. «Ése es un cuento de velorio». *Eso es aquí y en el otro velorio.* Eso es verdad. «Lo que me dices es aquí y en el otro velorio». Sinónimo: *Ser un cuento chino. ¡Es muy temprano para velorio!* Es muy temprano para quejarse. «Vaya a trabajar que es muy temprano para velorio». *Estar aquí y en el otro velorio.* Estar en todos lados. «Ése está aquí y en el otro velorio». *Ir hasta velorio de negro.* Ir a cualquier cosa. «Yo voy a ese baile. No me importa como sea. Si yo voy hasta velorio de negro». *¡Ni qué velorio de chino de Manila!* No me vengas con cuentos. «¡Ni qué velorio de chino de Manila, págame!» *Nunca está presente para el velorio del muerto.* Nunca está cuando uno lo necesita. «Pedro nunca está presente para el velorio del muerto». *Para* (del verbo parar) *el velorio.* No sigas quejándote. «Está bueno ya. Para el velorio». *Ser alguien un velorio de Cayro Vidal con caja de pino tea.* Ser muy aburrido. «Ella es un velorio de Cayro Vidal con caja de pino tea». («Cayro Vidal» era una funeraria en La Habana.) Ser alguien un velorio de pobre. Ser muy aburrido. «Tú eres un velorio de pobre». Sinónimo: *Tener cara de velorio de pobre. Velorio Gruyere.* Velorio de un hombre al que ha engañado la mujer. «Ése es un velorio gruyere». Sinónimo: *Cumpleaños.*

VELOZ. Ver: *Lengua.*

VEN. *Ven acá.* El cubano dice: «Ven acá» por «acércate». «Pedro, ven acá que te quiero decir algo».

VENADA. Mujer que anda con un hombre hoy y mañana con otro en relaciones libidinosas. «Esa es una vanada a pesar de que su familia es decente».

VENADO. *Andar alguien como el venado.* Estar asustado. «Tú siempre andas como el venado». *Estar como el venado.* Estar alerta. «Yo no me dejo sorprender, estoy como el venado». (El venado se para con la pata levantada y vigila.) Sinónimo: *Estar como el guineo en el gajo. Ser alguien un venado.* Se dice de la persona que camina mucho. «Ese cazador es un venado». (Son cubanismo del campo de la cacería.)

VENDE. Ver: *Papeles.*

VENDEDORA. *Ser una mujer vendedora de garbanzos.* Se dice de la que enseña pezones muy pequeños. «No tienen pudor. Son vendedoras de garbanzos». (Es cubanismo del exilio.)

VENDUTA. Sitio donde venden vegetales. «Compra los vegetales en la venduta de la esquina». En general, venta de vegetales que es muy modesta, muy pobre. «No puede mantener a su familia. Sólo tiene una venduta». Por norma, en vez de decir: «Es sólo una venduta», se usa: «es una venduta de vegetales».

VENENO. Ver: *Etiqueta.*

VENERO. Pedazo limpio dentro del bosque. «Caminamos por el bosque hasta encontrar un venero».

VENGANZA. Recibe este nombre una comida hecha de tiburón. «Vamos a comer venganza. Te gustará». *Es una venganza china.* Ser algo o alguien un sufrimiento prolongado. «Vivir con esa mujer es una venganza china». «Ese libro es una venganza china». (En Cuba había muchos chistes sobre venganzas chinas. Eran muy populares.) *Hacer una venganza china.* Cobrársela a alguien de mala manera. «Tanto me atropelló que le hice venganza china». (El cubanismo nace con un cuento. El compañero de cuarto de un chino todos los días le hacía algo y el chino le contestaba: «Te voy a hacer venganza china». El hombre le seguía fastidiando y el chino le repetía lo mismo. Una noche, el hombre se despertó y vio un ladrillo sobre su estómago. Se rió. «¿Así que esta es la venganza china?» Y lo tiró por la ventana. El chino se lo había amarrado a los testículos.)

VENIDA. Ver: *Lechazo.*

VENIRSE. 1. Eyacular un hombre o tener un orgasmo una mujer. «Después de mucho rato me vine». «Me vine mucho anoche». 2. Ponerse muy contento. «Cuando recibió el regalo, se vino». *Venirse sin meterla.* Gozar mucho. «La fiesta fue tan buena que me vine sin meterla». (El cubanismo se usa con precaución, por ser grosero.)

VENTA. *Recoger la venta.* Terminar. «Espérame. Enseguida recojo la venta en estas matemáticas».

VENTANA. *La ventana.* La nariz. «Tiene unas ventanas grandes». Sinónimo: *La Ñata.* (El cubanismo y el sinónimo son lenguaje del chuchero. Ver: *chuchero.*) Ver: *Puta.*

VENTILADOR. *Tener alguien el ventilador puesto.* Mirar para un lado y para el otro. «Él siempre tiene el ventilador puesto».

VENTOLERA. 1. Borrachera. «Cogió una ventolera con anís». 2. Locura. «Tiene una ventolera terrible».

VENTRECHA. *Partirle la ventrecha.* Matar. «A ése le partieron la ventrecha». Sinónimos: *Aparecer con la boca llena de hormigas. Partirle el carapacho. Romperlo. Zafársela.*

VENTURA. *Es Ventura de la Calle Ocho.* Así se decía, a principios del exilio, del policía que pegaba muchas multas en la Calle Ocho de Miami. «Hoy me cogió el Ventura de la Calle Ocho». (Se alude a un oficial de policía que había en Cuba de apellido Ventura, muy duro, en el gobierno de Fulgencio Batista.)

VERA. *A la vera del zume.* Escondido. «Dame eso a la vera del zume». *La de vera.* De verdad. Lo cierto. «Lo que te digo es la de vera». Sinónimo: *De verdura. Por la vera del zume.* Con cuidado. «Dame eso por la vera del zume que nos están mirando». (Todos estos cubanismos incluyendo el sinónimo son lenguaje del chuchero. Ver: *Chuchero.*) Ver: *Achantarse.*

VERDE. El plátano verde picado en rodajas, aplastado y luego frito, conocido por tostones. «Quiero el bistek con verde, no con maduros». *Dame la verde.* Dame una cerveza. «Oye cantinero, dame la verde». (Es lenguaje de la Cuba de hoy. La cerveza se sirve en botellas de color verde. De aquí el cubanismo.) *El verde.* El campo. «Mañana me voy al verde». *Entrarle al verde.* Trabajar fuerte. «Vamos a entrarle al verde». (Es lenguaje del chuchero. Ver: *chuchero.*) *Mandar a alguien para qué verde era mi valle.* Mandar para la cárcel. «A ése lo mandaron para qué verde era mi valle». (El cubanismo juega con el título de la película: *«Qué verde era mi valle». Trasladar para el verde.* «Me desgraciaron. Me trasladaron para el verde».) *Poner a alguien más verde que la verdolaga.* Abochornarlo cantándole las verdades. «No me pude contener y lo puse más verde que la verdolaga». (Al castizo «poner verde» el cubano añade para el aumentativo la palabra «Verdolaga».) *Ponerle la verde a alguien.* Quitarle cualquier clase de obstáculos. «Cuando me pidieron referencias de Pedro le puse la verde». Antónimo: *Ponerle la madura. ¡Qué verde era mi valle!* ¡Qué tiempos aquellos! «¡Cómo recuerdo a Cuba! ¡Qué verde era mi valle!» (Es el título de una película norteamericana muy popular en Cuba.) *Un verde olivo.* Persona que no vale para nada. «Ése no llega a nada, es un verde olivo». Ver: *Botija, Camino y Rubia.*

VERDES. (Los) Los dólares. «Dame los verdes». (Cubanismo del exilio.)

VERDOLAGA. *Crecer algo como la verdolaga.* Crecer mucho y por donde quiera. «El mal crece como la verdolaga». *Darse silvestre como la verdolaga.* Abundar. «El canalla se da silvestre como la verdolaga». Ver: *Marabú.*

VERDULERA. *Sacar la lengua verdulera.* Decir malas palabras. «Ya empezó a sacar la lengua verdulera». (Es cubanismo culto. Viene del castizo: *Ser una verdulera.*)

VERDURA. *De verdura.* Ver: *Vera.*

VERÉ. *A la veré.* Al lado de. «Me senté a la veré de él». (Lenguaje del chuchero. Ver: *chuchero.*) Sinónimo: *A la veré del zume.* «Me senté a la veré del zume».

VEREDA. *Costar algo una vereda tropical.* Costar mucho. «Cada vez que sale conmigo Pedro me cuesta una vereda tropical». (El cubanismo viene de la canción que se titula: *«Vereda Tropical». «Vereda Tropical»* habla de un romance y todo romance entre un hombre y una mujer cuesta mucho dinero en la mayoría de los casos. De ahí el cubanismo.) *Cualquier día cojo la vereda.* Me voy. «Si me siguen molestando cualquier día cojo la vereda». Sinónimo: *Cualquier día cojo el trillo, Jaragán.* («Jaragán», es «haragán», nombre que se le da a un buey.) He oído también decir solamente: *Coger el trillo.* (Es cubanismo campesino avecinado en la ciudad.) *Entrar en* (o por) *vereda.* Aceptar lo que se le indica: corregirse. «Le hablé claro y entró en vereda». (En una palabra, hacer lo que se le dice, pero convencido.) Dejar trillo por vereda. Se aplica a todo tipo de mudanza. «En ese negocio no dejes trillo por vereda».

VERGAZO. *El pene.* Sinónimo: *Barilla.*

VERGÜENZA. *Mi vergüenza era verde y se la comió un chivo.* Contestación que se da cuando le preguntan a alguien si no tiene vergüenza. «Yo nunca me avergüenzo de nada. Mi vergüenza era verde y se la comió un chivo».

VERIJA. Ver: *Patada.*

VERLOVENIR. *Ser algo verlovenir.* Ser productivo. «Ese negocio es un verlovenir. Cómpralo».

VERRA. Tonto. «Juan es un verra». Sinónimo: *Verraco.*

VERRACO. 1. Puerco. «Vamos a matar a ese verraco». 2. Tonto. «¡Qué verraco eres!» *El verraco está en la yuca.* La situación está difícil. «Te digo que se aproximan tiempos en que el verraco está en la yuca». (Cubanismo de origen campesino. Algunas veces lo he visto escrito con «b».) Ver: *Lotería.*

VERSICOLOGÍA. Sapiciencia. «Mi versicología es extraordinaria».

VERSITO. (El) La adivinanza. (Equivaldría a un número de la «charada» que era un juego de tipo ilegal en Cuba. Cada número de «la charada» equivalía a algo. Así el «Uno» era «el caballo»; el «dos» «la mariposa»; el «cuatro», «el gato boca»; el «diez», «el presidente». Un versito decía por ejemplo: «¿A qué va el «guajiro» —campesino— a La Habana?» Equivalía al número «diez»: «Presidente» pues «iba a ver al Presidente».)

VERTEDERO. Ver: *Tragante.*

VESTIDO. *Hacerle a alguien un vestido.* Engañarlo. Hacerle la cama. «Le hicieron un vestido que para qué vamos a hablar».

VETA. *Tener alguien una veta amarilla.* Ser un cobarde. «Tienes una veta amarilla de pies a cabeza».

VETERANA. Mujer de unos cincuenta años pero aún bella. «Voy a salir con esa veterana». *Ser una veterana para que la hagan una medalla.* Ser una mujer madura pero aún atractiva. «Juana es una veterana para que le hagan una medalla». *Suelta la veterana que tú aún no estás en el ejército.* Deja a esa mujer madura. «¡Chico, si fuera joven está bien! Pero suelta la veterana que tú no estás en el ejército». Sinónimo: *Jamona. Una veterana averiada.* Una mujer mayor gastada por la vida. «No te cases con ella, es una veterana averiada».

VETIVÉ. *Darle a alguien el vetivé sin pomos.* Echarlo o despedirlo de algún lado. «En el trabajo le dieron a mi hermano el vetivé sin pomos». (El cubanismo viene de la frase que dicen los niños cuando juegan a los experimentos con sus amiguitos. Cuando pelean siempre el mayorcito se trata de quedar con todos los pomos donde tienen los experimentos hechos con yerbas, flores, etc. «A ustedes les doy el vetivé sin pomos».) *Estar entre el vetivé y el teboté.* Frase que usan las mujeres para referirse a los novios a quienes van a despedir o cuando tienen problemas con los maridos. «Mi marido está entre el vetivé y el teboté».

VETIVER. *Coger vetiver.* Vete. «Está bien. Coge vetiver». (El «vetiver» es un perfume. El cubanismo es un juego de palabras con «vete» y «vetiver».) Ver: *Pomito.*

VEZ. Ver: *Colorado y gallo.*

VÍA. Ver: *Refrescar.*

VIAJE. Golpe. «Le di un viaje en la cara». *A viaje.* De una sola vez. «Lo hizo a viaje». *De viaje.* De seguro. «De viaje este automóvil gasta mucha gasolina». *Mandarle un* *viaje a alguien.* Darle un golpe. «Juan le mandó un viaje al policía». *Nada más que un viaje.* Sí, cómo no. «—Te voy a dar un golpe. —Nada más que un viaje, ya verás mi respuesta».

VIAJERA. (La) La boleta electoral que se usaba para efectuar fraudes en las elecciones. «En estas elecciones usaron la viajera». Ver: *Nómina.*

VIANDA. *Centrarle a una mujer la vianda.* Fornicarla. «A los tres días de conocerla ya le tenía centrada la vianda». *Desde niño tiene esa vianda tan grande.* Pene. *Guardar la vianda en la caja de los mojones.* Ser homosexual. «Hay muchos que guardan la vianda en la caja de los mojones». Ver: *Ganzo. Hacerse la vianda.* Masturbarse. «Me hizo la vianda».

VIANDAJE. *Potaje con viandas.* «¡Qué viandaje más rico me comí hoy!»

VIANDAZO. *Dar el viandazo.* 1. Ganar. «En todo, siempre da el viandazo». 2. Golpe. «¡Qué viandazo le diste a la mosca!» *Darle un viandazo a una mujer.* Fornicarla. «Le dio un viandazo a la novia y tiene tremendo lío». Golpe. «Pedro con su mano derecha me dio tremendo viandazo».

VIANDERO. Ver: *Mujer.*

VICIO. *Tener alguien el vicio en el esqueleto.* Verse fácilmente que alguien es un vicioso. «Él tiene el vicio en el esqueleto».

VÍCTOR. *Estar como Víctor Hugo.* Hacer el ridículo con el dinero. «Chico, paga y no protestes. Estás como Víctor Hugo». (Este cubanismo lo usan los estudiantes de filosofía de la Cuba pre-Castrista. Hoy, ha casi desaparecido. Se debe a que estudiaban *«Los Miserables»* del autor francés.) «El que está hecho un miserable con el dinero es el que hace el ridículo en su uso». Ver: *Dinero. Perro. Poeta.*

VICTORIA. *No cantes victoria aunque en el estribillo estés.* No cantes victoria. «Cállate. Trabaja más y no cantes victoria aunque en el estribillo estés». (Es el castizo: «no cantes victoria» seguido por: «aunque en el estribillo estés», lo que añade el cubano. También he oído: «No cantes victoria aunque en el estribillo estés que muchos en el estribillo se suelen quedar a pie».)

VIDA. *Arráncame la vida con el último beso de amor.* En el lenguaje del amor: Cómeme, apriétame duro. Gózame desaforadamente. «Cuando la fui a besar le dije: Arráncame la vida con el último beso de amor». (El cubanismo es la letra de una canción.) *Más amargo que la vida.* Muy amargo. «Este café está más amargo que la vida». *Seguir la vida como viene al tango.* Seguir la vida como es. «Hay que seguir la vida como viene el tango. Nada puede cambiarla». Ver: *¡Ay. Dios! Cartucho. Lolita. Paja. Toscanini. Valentino.*

VIDRIERA. Sitio en donde se vendían en Cuba tabacos, sellos y otras mercancías. Estaban casi siempre dentro de un comercio. Por tener vidrieras que exhibían las mercancías recibieron este nombre. «Cómprame un cigarro en la vidriera de la esquina». *Vidriera de tabacos.* Expendios de tabacos de Cuba. (Por tener éstas vidrieras nació el cubanismo.) «Cómprame eso en la vidriera de tabacos».

VIDRIO. *Cortarse con vidrio inglés.* Embarrarse de mierda. «Fui al campo y me corté con vidrio inglés». *Vidrio inglés.* Mierda. «Mira, vidrio inglés».

VIEJA. Ver: *Tabaco.*

VIEJITO. *Cuela viejito.* Es tu turno. «Cuela viejito. Ya esperaste bastante». (El cubanismo se origina con el Dr. Enrique Huertas. Era el que presidía una gran concentración popular contra el Presidente Batista en un sitio llamado Muelle de Luz. Entre los oradores estaba el Dr. Cosme de la Torriente, un hombre ya casi a las puertas de la muerte, y gloria de la República cubana. Los oradores, sin respeto, no lo dejaban hablar. Huerta vio de pronto una oportunidad, y le gritó a Cosme con su gracejo tan popular que lo hizo famoso en días de estudiante: «Cuela viejito». Y Don Cosme habló.) *Poner a alguien como un viejito guaschangüear.* Liquidarlo en el acto sexual. «Esa mujer tan joven pone a ese hombre como un viejito guaschangüear». («Wash and wear» son las telas que no hay que plancharlas, pero sin embargo, eso es en teoría, pues en la práctica, se arrugan mucho al lavarlas. El cubano pronuncia como lo he escrito.) *Ser un hit pareid de viejitos.* Una reunión de viejos. «Esto es un hit pareid de viejitos». (El «hit parade» era un programa norteamericano de canciones. El cubano pronuncia «pareid».) *Tomar un viejito aún la sopa en botella.* Estar todavía mal de salud. «Ese pobre viejito aún toma la sopa en botella». *Viejito «guaschangüear».* Viejito que está arrugado. «¡Pobrecito, si es un viejito «guaschangüear!» *Viejito sopita.* Viejito veletudinario. «Ése es un viejito sopita». (Porque hay que darle lo único que pueden tomar: sopa. Cubanismo que surgió en el exilio, nunca lo oí en Cuba.)

VIEJO. *A los viejos, teteras.* «A usted, por viejo, no se le hace caso». Se dice cuando se ve a una persona mayor adoptando actitudes de viejo verde y enamorando a muchachitas jóvenes. «—¿Te enamoró ese viejo? —Sí, y le grité: 'A los viejos, teteras.'» (Este cubanismo lo he oído usado también como sustituto de: «*A la vejez viruelas*».) *Caminar como el viejo Chichí.* Caminar jorobado. «El camina como el viejo Chichí. Parece que se va a caer». (El nombre del Viejo Chichí nació en el teatro de variedades —burlesco— en Cuba; luego pasó a ser un personaje de la televisión. Fue dado a un hombre muy viejo y como signo de éste quedó.) *Estar un viejo como los «antiks».* Estar una persona mayor estirándose la piel, o haciéndose transplantes de pelo. «No le da pena a ese viejo estar como los antiks». («Antik» es la forma como el cubano pronuncia «antique», o sea, «mueble viejo». Como al «antique» hay que estarlo retocando continuamente surgió el cubanismo.) *Ser un viejo que mea fuera del inodoro.* Estar viejísimo. En edad provecta. «Ése es un viejo que mea fuera del inodoro». *Más viejo que el palmar de Acosta.* Muy viejo. «Ese hombre es más viejo que el palmar de Acosta». *Ser viejo y con patilla.* Ser muy viejo. «Juan es viejo y con patillas, aunque no lo parece». *Ser un viejo salsa.* Ser un viejo verde. «Ese viejo es salsa». «Ese viejo, de la mitad de la cuadra, es salsa». *Viejo de manigua.* Veterano de la independencia en Cuba. «¡Respétalo, que además de viejo, es un viejo de manigua!» *Viejo útil.* Que es muy mayor y mantiene a una querida. «Me han dicho que Perico es una viejo útil». Ver: *Cosita.*

VIENTO. *Lo que el viento se llevó.* Lo que confiscó Fidel Castro. «Todo eso es lo que el viento se llevó». (Es el título de una película.) *¡Llévatela viento de agua!* ¡Que desaparezca! «—Por ahí viene tu cuñada. —¡Llévatela viento de agua!» *Se la lleva un viento platanero.* Se dice de una persona que es muy delgada. «¡Tienes que alimentarla, que se la lleva un viento platanero!» («Un viento platanero» es una ráfaga de viento débil.) *Se unieron el viento y la candela.* Se unieron los dos locos. «La que se formó. Figúrate que estaban Carlos y Pedro. Se unieron el viento y la candela». *Ser un viento platanero.* Sin fuerza. «Lo que sopla es un viento platanero».

Por derivación se aplica a un «peo» suave y no sonoro. «—Cochino ¡pero si es un viento platanero!» Ver: *Luz.* Para viento ver: *Peo y Tirarse los peos más altos que el culo.*

VIETA. Ver: *Análisis.*

VIETNAM. Ver: *Funeraria.*

VIGÍA. Ver: *Carnaval.*

VIGUETA. 1. Grande. «Esto es la destrucción vigueta». «Éste es un lío de vigueta». Ver: *Jodedor.* 2. Mucho. «Aquello era una falta de educación vigueta». Ver: *Singueta.*

VILLA. *Dar villa.* 1. Despedir a alguien. «A Juan le dieron villa en el trabajo». 2. Echar a alguien de un trabajo. «En el trabajo le dieron villa». Se aplica a muchas situaciones. Por ejemplo: «La novia le dio villa». (Rompió con él.) *Lo llevaron a Villa Maristas.* Lo llevaron a prisión. «Al patriota lo llevaron a Villa Maristas». («Villa Marista», donde vivían los Hermanos Maristas en Cuba, ha sido convertido por el gobierno marxista de Cuba, el de Fidel Castro, en un centro de torturas. Hoy, en el lenguaje popular se ha generalizado y se tiene como un término para definir una prisión en general.)

VILLACLARA. Ver: *Calabaza.*

VILLALLA. *Ser alguien villalla.* 1. Persona activa. «Tu hijo es villalla». 2. Ser muy travieso. «Mi hermano pequeño es un villalla».

VILLALOBOS. Ver: *Llano y Tres.*

VILLANAZO. Astuto. «Ese hombre es un villanazo». (Se usa, también, al saludar.) «Oye, villanazo, ¿qué se cuenta?» *Ser un villanazo.* 1. Se aplica a muchas situaciones: A ser un perseguidor contumaz de mujeres; a ser un fornicador; a ser un vivo en los negocios. Siempre que se es grande en algo o se hace algo en grande «se es un villanazo». «Es la cuarta mujer; es un villanazo». 2. Ser tremendo con las mujeres. «Se fugó de nuevo de la cárcel, es un villanazo». (Se oye más «es un villanazo», ser tremendo villanazo.)

VILLANO. *Botarse de villano.* Ser un villano. Se dice del que tiene muchas mujeres. Ver: *Botarse.*

VILLEGAS. Ver: *Bernaza.*

VINAGRE. *Ser alguien un vinagre Élite.* Estar siempre de mal humor. «Tú eres un vinagre Élite». (El vinagre Élite es una clase de vinagre cubano.)

VINAGRETA. *Ser una vinagreta.* Ser un antipático. «Juan es un vinagreta».

VINO. *Ser un vino cachimir buquet.* Ser muy bueno. «Este vino es cachimir buquet». («Cashmire Bouquet» eran polvos finos.)

VIOLA. (La) Juego que consiste en que un muchacho se pone doblado y otros le pasan por encima diciendo: «a la una, mi mula; a las dos, mi reloj»... hasta las dieciséis en que el que es saltado corre detrás de los muchachos. El que sea tocado se pone doblado, o sea, de burro. «Vamos a jugar a la viola».

VIOLÍN. Batea. «Se rompió el violín, se sale el agua». *Si me cae otro moco dejo el violín y no toco.* Si siguen molestando no prosigo con lo que estoy haciendo. (El cubanismo viene de un chiste.) *Tocar el violín.* 1. Lavar la ropa. «Juana está tocando el violín». 2. Planchar. «Tengo que ir a tocar el violín que mi hijo necesita una muda de ropa». (El movimiento que se hace al planchar y al tocar el violín es el mismo. De ahí el cubanismo.) Sinónimo: *Darle al violín.* Ver asimismo: *Forro. Orquesta.*

VIRACLAVOS. Se le dice a un don nadie. «Yo tú no me ofendo. Es un viraclavos».

VIRARSE. Morirse. «Se viró Pedro a los cincuenta años». «Se viró, me dijo su viuda, a las cinco de la tarde». Sinónimos: *Cantar el manisero. Guardar. Guardar el carro. Ñampiarse, Partirse. Ponerse el chaquetón de pino tea. Romperse.*

VIRGEN. *Estar virgen y mártir.* Estar hecha, una mujer, una santa. «Mi prima está virgen y mártir». Se dice igualmente de la persona que se queja: «Hace cuatro meses que no camina y está virgen y mártir».

VIRGINAL. *La virginal.* La primera base en el juego de pelota. (Así la llamaba el periodista Víctor Muñoz.)

VIRTUDES. *Tener muchas Virtudes, pero también muchos Galianos.* Tener muchas virtudes, pero también muchos defectos. «Él tiene muchas Virtudes, pero también muchos Galiano». («Virtudes» y «Galiano» son dos calles de La Habana.)

VIRULILLA. Persona de lo más bajo moralmente hablando; que no vale nada, sin modales. «Ella es una virulilla». «Ése es un virulilla». Sinónimos: *Cambiando por globo se pierde el aire. Cambiando por mierda se pierde el envase. Elemento virulilla. Gente de baja clase social.* «Ella es un elemento virulilla». *Tabaco virulilla.* Tabaco de baja calidad. «Ese tabaco es virulilla».

VIRUTA. *Hablar viruta.* Hablar basura. «Ése lo que habla es viruta».

VISAGRA. El sobaco. «Te huele la visagra». *Engrasar las visagras.* Tener que echarse desodorante. «Oye, dile a ése que tiene que engrasar las visagras». *Tener la visagra corrompida.* Oler mal debajo de las axilas. «No te le acerques que tiene la visagra corrompida». *Tener las visagras oxidadas.* 1. Caminar lentamente. «Apúrate. Parece que tienes las visagras oxidadas». 2. Ser viejo. «Ese hombre tiene las visagras oxidadas y mira, nadie lo ayuda». *Trabársele a alguien las visagras.* Tener un problema en una vértebra. «Socio, tengo trabada una visagra». (Es lenguaje del chuchero. Ver: *Chuchero.*) Sinónimo de visagra: *Ala.*

VISITA. *La visita se va y el gallo se pelará.* Cuando se vaya la visita arreglaremos la cuenta. Se le dice a los niños este cubanismo cuando se portan mal.

VISITONGUEO. Visiteo. «No acepto el visitongueo de tu familia».

VISTA. *Darse una vista.* Lucirse enfrente de una mujer. «¡Míralo cómo se da vista con esa mujer!» (Es lenguaje del chuchero que se popularizó. Ver: *Chuchero.* El chuchero le ha añadido el artículo una. Está tomado del castizo *darse vista.*)

VISTAS. *Hay vistas que tumban cocos y funden bombillos.* Se aplica a una persona que trae mala suerte. «Huye de él. Hay vistas que tumban cocos y funden bombillos». Sinónimo: *Hay vistas que tumban cocos y matan jicoteas a la orilla del río.*

VISÚA. *Echar una visúa.* Echar un vistazo. «Voy a echarle una visúa al periódico».

VISUALIZAR. Ver Claro. «No sé pero en este asunto no visualizo».

VITAFÓN. Hablar más alto. «No se oye, Vitafón». (El cubanismo viene del cine. Cuando no sale la voz en la pantalla la gente grita: «Vitafón».) *Subir el vitafón.* Hablar más alto. «Sube el vitafón para oírte mejor».

VITAL. Ver: *Caramelo.*

VITOLA. Tipo de puro cubano. «Hoy me fumé una vitola». *Ser alguien vitola.* Ser muy flaco. «Esa mujer es vitola». (El cubanismo: ser alguien vitola, nace con una artista muy delgada del cine mejicano que se llamaba Vitola y cuyo lema era: «Vitola, la que se defiende sola».)

VITRINA. *Dar vitrina.* Exhibirse. «Es tan tonto que se pasa el día dando vitrina». Ver: *Mujer. Ser una vitrina.* Ser orgulloso, ser muy vanidoso. «Es tan tonto que es una vitrina».

VITRINOSO. El que adopta poses y se viste muy bien para que lo admiren. «¡Qué tonto el vitrinoso ése!» (Es decir: Es una vitrina o vidriera de exhibición de un negocio.) Sinónimo: *Ser una vitrina.*

VITRIOLO. *Ser alguien vitriolo.* Ser persona mala. «No quiero tratos con él pues es vitriolo».

VITROLA. Se dice del que habla mucho. «Juan es una vitrola». (Por veinte y cinco centavos una vitrola automática tocaba muchas piezas; de aquí el cubanismo.) Sinónimo: *Hablar más que un loro colgado de una jaula.* (Al castizo ha añadido: «Colgado de una jaula».) «Él habla más que un loro colgado de una jaula».

VIUDA. Ver: *Cochinilla. Meao.*

VIUDO. Ver: *Cara.*

VIVA. *Estar a la viva.* Estar en todo. «Ése está a la viva». (Es cubanismo de la Cuba de hoy.) *Estar en la viva.* 1. Estar haciendo lo que se debe hacer para lograr óptimos resultados. «En el negocio de carteras está en la viva». «Siempre está en la viva. Por eso triunfa». 2. Estar siempre en algo nuevo. «Es muy activo y por eso está en la viva». 3. Saber mucho. «Ese hombre tiene mucho éxito porque siempre está en la viva». Ver: *Paso. Estáte en la viva.* Aprovecha la situación. «Juan, estáte en la viva». Así mismo, estar alerta. «Estáte en la viva, o pobre de ti».

VIVAZO. Listo. Vivo. «Juan es un vivazo».

VIVEBIÉN. Ver: *Muñecón.*

VÍVERES. *Empatarse con los víveres.* Comer. «Por fin me empaté con los víveres».

VIVERISTAS. Pescadores con viveros. «En esta playa hay muchos viveristas».

VIVEZA. *Jugar viveza.* Actuar con suma habilidad. «Me jugó viveza y no pude probarle nada». Ver: *Jugar.*

VIVÍO. Manera de vivir sin trabajar. «¡Qué vivío tiene ese tipo!» *Buscarse un vivío.* Imaginar o planear algo para no trabajar. «Con la enfermedad se buscó un vivío». *Inventar un nuevo vivío.* Elucubrar una nueva forma de vivir sin trabajar. «Ya inventó un nuevo vivío». *Traerse un vivío.* Hacer cuentos para vivir sin trabajar. «Se trae un vivío que es insoportable». *Tener un vivío.* 1. Disfrutar de una situación en la que se reciben beneficios y se trabaja poco o nada. Por ejemplo: si un hombre mantiene a una mujer y ella no tiene que hacer nada, él le dice a ella: «Como no vas a ser feliz, tú sabes el vivío que tú tienes». 2. Si alguien tiene un puesto de trabajo en que no hace nada se le dice: «¡Qué vivío tiene Pedro en ese ministerio!» 3. Vivir bien después de inventar algo para no trabajar. «Con lo de la locura tiene tremendo vivío».

VIVIR. *Recógete al buen vivir.* Modérate. «—Préstame cinco pesos. —Recógete al buen vivir». «—¡Qué bella estás! Quisiera besarte. —Recógete al buen vivir». (Es un latiguillo lingüístico.) *Retirarse al buen vivir.* No hacer más algo que se estaba haciendo. «En lo de las mujeres, me retiré al buen vivir. No salgo con ninguna». «Ya no trabajo los sábados. Me retiré al buen vivir». *Vive la intriga y no la indagues.* No hagas preguntas tontas. «Chico, ya te lo dije, sobre eso, vive la intriga y no la indagues». *Vivir a alguien o algo.* Contemplar con deleite. «Vive mi sombrero, Aurora». «Como soy tan lindo todo el mundo me vive». *Vivir alguien del drai clinin.* Saber cómo no comprometerse. «Pedro vive del drai clinin'». (El lavado de «drai clinin», que proviene de la frase inglesa «Dry Cleaning», y que los cubanos pronuncian como se ha escrito, es lavado en seco, en él la ropa se lava pero no se moja. De ahí el cubanismo.) Corresponde al otro que dice: «Saber nadar y esconder la ropa». *Vivir montado en el «fon».* Divertirse mucho. «Ese vive montado en el «fon». (Este cubanismo nació en el exilio. «Fon» es la manera en que el cubano pronuncia «Fun», que significa «Goce» o «diversión».)

VIVO. Ver: *Color.*

VIZCAÍNO. *Cualquiera lleva un vizcaíno arriba partido al medio.* Se puede esperar cualquier cosa de cualquiera. «Yo te lo dije: ¿Qué me preguntas? Cualquiera lleva un viscaíno arriba partido al medio» (el vizcaino era un revolver). Sinónimos: *Cualquiera pica un cake.* (El cubano pronuncia correctamente la palabra inglesa: «Cake».) *Cualquiera pica un pan.* Ver: *Revólver.*

VOCALES. *Ninguna de las vocales le viene bien.* ¡Qué pesado es! «A ese individuo. Ninguna de las vocales le viene bien».

VOLÁ. Asunto. «No se puede perder tiempo en esa volá». (Algunos dicen que se escribe con «b» y otros con «v».) *Ser algo volá de trueque.* Ser necesario un cambio. «Eso se resuelve. Eso es volá de trueque. Y él ya cambió».

VOLADERA. *La voladera.* Los zapatos. «Me voy a poner la voladera amarilla». (Lenguaje del chuchero. Ver: *Chuchero.*)

VOLADO. *Coger un volado.* Enfurecerse. «Con la pregunta, cogió un volado».

VOLADOR. *Ser alguien un volador de a peso.* 1. Ser alguien un irresponsable, poco serio. «No le des nada que hacer que es un volador de a peso». 2. Ser un hombre un calavera. «Él es un volador de a peso con las mujeres». 3. Ser una mujer fácil. «No te cases con ella que es un volador de a peso». Ver: *Palenque. Tackle.*

VOLADORA. *La voladora.* Boleta electoral con la que se vota varias veces. «Aquí funciona la voladora». Sinónimo: *La viajera.*

VOLADORES. Tipo de cohetes que estallan en el aire. «¡Mira como tiran voladores!» *Gustarle a alguien jugar con los voladores.* Gustarle el peligro. «A él le encanta jugar con los voladores». (Se oye más en frase como ésta: «No sé cómo te gusta jugar con los voladores», indicando, en tono de amenaza, que la persona a quien se le dirige la frase se va a ver envuelta en un problema con el que habla. «El volador» estalla en el aire y se derraman muchas luces: «derramarse» en cubano es «enfadarse». De ahí el cubanismo.) *Quedarse para ver los voladores.* Quedarse para ver en qué para la cosa. «Había tensión en la casa y me quedé para ver los voladores». *Salir como un volador de a peso.* Rápido. «Juan, al oírte, salió como un volador de a peso». *Tirar voladores.* Estar contento. «Ella me llamó y estoy tirando voladores». (El volador es una especie de cohetes.) *Tirar los últimos voladores.* Equivale al castizo: *«Quemar el último cartucho».* «Ellos tiraron los últimos voladores y perdieron».

VOLANTAS. *Tener flojas las volantas.* Tener las piernas débiles. «No puede correr porque tiene las volantas flojas». (Este cubanismo viene del boxeo.)

VOLAR. *La voló.* Se aplica a muchas situaciones. Si alguien *mete la pata*, la voló. «La voló cuando dio aquella opinión». Si alguien *tiene un gran éxito*, la voló. «Al resolver el problema la voló». Si un hombre poco inteligente da una sugerencia buena, la voló. «Tan bruto y la voló diciendo que cambiáramos los fusibles». Sinónimo: *Llevarse la cerca.* («La voló» significa en el juego de pelota «llevarse la cerca».) *Volar alguien.* Ser homosexual. «Ese muchachito vuela». *Volar alto una pareja.* Se dicen de las parejas que ofenden la moral pública besándose y tocándose en público. «La policía les puso una multa porque volaban alto». *Volar la valla.* Tener un gran éxito. «Él, con esa poesía voló la valla». Ver: *Aceite e Instrumento.*

VOLTAJE. *Bájale el voltaje al motor.* Cálmate. «Felipe, bájale el voltaje al motor». *Caerle a alguien el voltaje.* Tener una depresión. «A Juan se le cayó el voltaje».

VOLTEAR. *Voltear a alguien.* Ganarle. «En la batalla, los ingleses voltearon a los turcos». (Es lenguaje de la Cuba de hoy.)

VOLUMEN. Culo. «¡Qué volumen tiene esa mujer!» *Ese volumen no tiene Carlota.* Se dice de una mujer que no tiene trasero; de un trasero de nalgas planchadas. «De cara muy bella, pero su volumen no tiene Carlota». (Es un juego de palabras el cubanismo. En Cuba hay una canción que dice: *«¡Qué volumen tiene Carlota!»* 0 sea, «¡qué trasero más grande tiene Carlota!» De aquí el cubanismo.) *Ser algo el volumen de Carlota.* Ser muy grande. «Este problema es el volumen de Carlota». (Viene de una canción que dice: *«¡Qué volumen tiene Carlota!"*)

VOLUNTAD. Ver: *Gusto.*

VÓMITO. *Ser alguien un vómito de aura.* Ser un antipático. «Ese individuo de quien me hablas es un vómito de aura».

VOSOTROYOS. Forma graciosa del cubano para decir vosotros. «Vosotroyos sabéis que sois buenos». «Vosotroyos la pagaréis». («Vosotroyos» decía el *«Gallego Sopeira»,* un personaje del popular programa folklórico de Garrido y Piñeiro titulado: *«Chicharito y Sopeira»,* o *«El Gallego y el Negrito»,* con el objeto de hacer reír. De aquí el cubanismo.)

VOY. *Voy contigo.* Se le llama así a la mujer que se le da a todo el mundo. «Allí va ésa voy contigo». Ver: *Dale.*

VUELO. *Yo no me voy a posar, hay que tirarme al vuelo.* Yo no me descuidaré para que no puedan hacerme algo. «Yo no me voy a posar. Hay que tirarme al vuelo». (Es lenguaje cinegético, de la caza, que se ha convertido en cubanismo.)

VUELTA. En frases como: «Yo esa vuelta no la doy», equivale a: «Yo no hago eso». *Estar de vuelta y vuelta.* 1. Estar mal en cualquier sentido. «No levanto cabeza, estoy de vuelta y vuelta». (El cubanismo se basa en lo que le sucede a un bistek cuando lo ponen a la parrilla y lo cocinan por los dos lados. Se dice que está frito. En cubano «estar frito» es «estar mal». De ahí el cubanismo «estar de vuelta y vuelta».) 2. Tener un problema. «Hoy estoy de vuelta y vuelta». (O sea, regular.) *Estar en esa vuelta.* 1. Pertenecer a:. «Yo quisiera estar en esa vuelta». 2. Se dice del que está sustentando en un momento una opinión contraria a la que tuvo. «Él ahora está en esa vuelta porque le conviene». *Estar en otra vuelta.* Estar en otra cosa. «No te puedo seguir porque estoy en otra vuelta». (Cubanismo de la Cuba de hoy.) *Hacerlo a la vuelta de un chivo.* Hacerlo enseguida. «Hizo el problema a la vuelta de un chivo». Ver: *Estar frito. Galleta. No dar alguien la vuelta en redondo.* Estar loco. «Yo te digo que él no sabe dar la vuelta en redondo». *Vuelta de tres.* Ver: *Tantaya.*

VUELTERETA. Vuelta. «Dio una vueltereta en el aire y cayó en la tierra».

VUELTO. Ver: *Kilo.*

WAY. *Ser uan uei.* No ser homosexual. «A pesar de sus gestos tú estás equivocado. Él es uan uei». («Uan uei» es la forma en que el cubano pronuncia la frase inglesa: «One Way» que significa: «Una sola vía». Es cubanismo del exilio.)

No se han encontrado cubanismos que comiencen con X. Esteban Pichardo y Fernando Ortiz no incluyen esta letra en sus diccionarios.

Portada del libro de Eladio Secades, escritor clásico del costumbrismo cubano. Las caricaturas son de Silvio Fontanilla, uno de los mejores y más conocidos de los caricaturistas cubanos.

YA. *Ya mismo.* 1. Ahora mismo. «No me fastidies. Lo hago ya mismo». 2. «Voy ya mismo». (El cubanismo parece una incorrección pero el que lo usa lo hace conscientemente. Por eso lo incluimos es este diccionario.)

YAB. *Ser algo un yab a la punta del hígado.* Se dice de algo resonante. «Esa noticia es un yab a la punta del hígado». «Ese nombramiento del Presidente es un yab a la punta del hígado». (Es cubanismo que viene del pugilismo —boxeo—) Sinónimo: *Ser directo al pulmón. Ser un palo.*

YAGUA. 1. Hoja dura de la palma real. «Las yaguas de esta palma se han caido todas». 2. Corbata ancha. «Esa yagua verde que usas hoy me encanta». 2. Pelo. «Como tienes yagua en la cabeza». *Debajo de cualquier yagua sale un alacrán.* Quién menos tú piensas es malo. «Tú vigílalo. No te olvides que debajo de cualquier yagua sale un alacrán». *Estar flojo de la yagua.* Estar medio calvo. «Tú estás flojo de yagua. Usa algún remedio». Irse a cortar yaguas. Mortificarse. «Se lo dije y se fue a cortar yaguas». *La yagua que está para uno no hay vaca que se la coma.* Nadie puede huir de su destino. «Tienes que ser valiente. La yagua que está para uno no hay vaca que se la coma». *Poner la yagua antes de que caiga la gotera.* Equivale a: *Poner el parche antes de que salga el grano. Tumbarle las yaguas del güiro.* Cortar el cabello. «Voy a llevar a mi hijo a turbarle las yaguas del güiro». (Todos estos cubanismos nacen en el campo cubano.) Ver: *Grano. León.*

YAGUARAMA. (El) El machete. «Cogí el yaguarama y le fui para arriba». (Cubanismo casi desaparecido, del campo cubano.)

YAGUAZA. *Ser una yaguaza.* Ser homosexual. «Ése es una yaguaza».

YAGUAZO. Ser maricón. «Humberto es un yaguazo desde pequeño».

YAMAGÜEY. *Ser duro como yamagüey.* 1. No lo rinde nada. «Es duro como un yamagüey». (El Yamagüey es madera muy dura.) 2. Ser muy fuerte. «Mira esos músculos. Es duro como un yamagüey».

YANQUIRULI. Norteamericano. «No se ve un yanquiruli en la Sagüesera». (Cubanismo del exilio. La «Sagüesera» es el área del South West de la ciudad de

Miami.) *El yanquiruli de los impuestos.* El Internal Revenue Service, o sea, el Departamento de Impuestos de los Estados Unidos. «Me ha caído encima el yanquiruli de los impuestos». («Yanquiruli» viene de «yanqui». Ya se usaba en Cuba. En esta forma se empezó a usar aquí en el exilio.) Ver: *Quesivere.*

YAREY. Corteza de la palma. «¿Le caen bichos al yarey?» *Acabarse el yarey.* Estar la situación muy mala. «Aquí se acabó el yarey. Dentro de poco estamos en la calle». *Eso no se amarra con yarey.* Eso es grave. «Si tu marido se fue de la casa, eso no se amarra con yarey». (Es lenguaje de las religiones africanas vigentes en Cuba. Cuando se consulta a un babalao —sacerdote de las mismas— éste resuelve casos haciendo «amarres». Por ejemplo: Coger el pañuelo del amado y enterrarlo junto a una palma, así el hombre queda «amarrado» y no se va. El yarey no sirve para hacer paquetes pues es una fibra muy débil. De aquí éste cubanismo que es un juego de palabras entre «amarrar» religioso y el amarrar cosas, como paquetes, por ejemplo.) Ver: *Muñequita.*

YARINI. *Ser algo de los tiempos de Yarini.* Ser muy viejo. «Eso no lo compro que es de los tiempos de Yarini». («Yarini» fue un chulo habanero que hizo historia.) Sinónimo: *De los tiempos de Ñaña seré.*

YATERAS. *Se acabaron los guapos en Yateras.* Aquí no hay guapos. (El cubanismo viene de una canción. Se dice cuando hay gente formando escándalo.) Sinónimo: *Aquí no hay negro guapo ni tamarindo dulce.* (Este cubanismo no se ajusta a la verdad.)

YAYA. 1. Bastón, palo. «Me dio con la yaya en el pecho». 2. Lastimadura a flor de piel. «Échale yodo a la yaya». 3. Látigo. «Le dio con la yaya y fuerte». *Hacerse una yaya.* Hacerse un rasponazo, una herida en la piel. «¿Por qué llora el niño? ¿Tiene yaya?» *No hay yaya sin guayacán.* No hay esto sin aquello. «Para conseguir el dinero tienes que trabajar, que no hay yaya sin guayacán». (El cubanismo procede del campesinado cubano.) *Ser algo yaya.* Ser algo muy bueno. «Ese artículo es yaya». *Ser alguien yaya.* Ser inteligente, peligroso, etc. (La conversación da el significado.) «Gana la competencia porque es yaya». (Inteligente.) «No lo amenaces que es yaya». (Peligroso.) *Ser pura yaya.* Se aplica en varias situaciones: 1. Ser malo. «Me engañó en el negocio. Es yaya pura». 2. Ser inteligente. «Estudió la lección en media hora. Es yaya pura». Sinónimos: *Ser guao. Ser yúa en el monte.* (De origen campesino.)

YAYABO. Apodo. «Oye Yayabo, vamos al cine». *Perder alguien el yayabo.* Ser derrotado. «A él en esta contienda fue al que se le perdió el yayabo». (Está, el cubanismo, basado en la canción que dice: *«Ya Yayabo se perdió».*) *Yayabo está en la calle.* 1. Estoy en la palestra pública. «No me quedo más en mi casa. Yayabo está en la calle y voy a ganar las elecciones». 2. Ya estoy batallando, ya estoy peleando en la vida. «Tienen que contar conmigo en la profesión. Yayabo está en la calle». (En general quiere decir: luchar. «En este negocio Yayabo está en la calle». El cubanismo viene de la letra de la canción citada arriba y que comienza así: «Yayabo esta en la calle con su ultimo detalle y su ritmo sin igual..».)

YAYAZO. Golpe en cualquier sentido: de mala suerte, físico. La conversación da el significado: «El yayazo me lo sentí en el alma. ¿Por qué ese muchacho habrá asaltado el banco?» (Golpe moral.) «El yayazo fue en la cabeza». (Golpe físico.)

YEGUA. *Esa yegua muerde el freno.* Pantalones muy apretados. «Chica, cámbiate esos pantalones. Esa yegua muerde el freno». *Estar alguien como yegua parida de potrico.* Estar flojo. «Él está como yegua parida de potrico». (Refrán de origen campesino.) *Hijo de yegua.* Hijo de puta. «No es más que un hijo de yegua». *Ser un yegua.* Ser homosexual. «Ése no es más que un yegua». (Al homosexual se le dice «yegua».) *Ser una mujer una yegua.* Ser muy grande de cuerpo. «Esa mujer es una yegua. Por nada en el mundo me caso con ella». *Soltársele la yegua.* Tener diarrea intermitente. «Algo me cayó mal y se me soltó la yegua». «Ayer, no sé por qué motivo, se soltó la yegua». *Ya verás lo que es amarrar yegua en ventana vieja.* Vas a fracasar. «Ése cree que va a hacer dinero con las papas. Ya verás lo que es amarrar yegua en ventana vieja». (Este refrán también es de origen campesino.) Ver: *Manubrio. Palmarito.*

YEGUASKI. Homosexual. «Ése es un yeguaski».

YEGÜITA. *Hijo de yegüita.* Eufemismo para no decir: *Hijo de puta.* Ver: *Mano.*

YEMA. *Dar yema.* Escribir a máquina. «Se pasa la vida dando yema». «¡Qué yema hay que dar para terminar esto!» *Dar en la yema. Acertar.* «Con esa opinión le diste en la yema». *Tocar a alguien en la yema.* 1. Darle donde le duele. «Cuando le hablaste de la familia, lo tocaste en la yema». 2. Tocarle la fibra más sensible. «Su historia triste me tocó en la yema». Sinónimos: *Darle a la bola en la misma costura, Darle al perro en el hocico.*

YÉNICA. Amigo. «¿Cómo estás, yénica?» «¿Cómo está tu yénica?» Sinónimos: *Acoy. Ecobio. Mi saguasón. Mi sangre. Monina. Mi tierra. Yere.* (Lenguaje del chuchero. Ver: *chuchero.*)

YÉNYERE. *Llegar de yényere.* Sin ser invitado. «Ella llegó de yényere».

YERBA. (La) *Crecer algo como yerba mala.* Ponerse peor. «Esos granos le crecen como yerba mala». *Darle a la yerba.* Fumar marihuana. «Vamos a darle a al yerba». («Yerba» es «marihuana».) «Cogieron un contrabando de yerba». *La yerba que está pa' (para) uno no hay vaca que se la coma.* 1. No hay forma de huir del destino. «Te lo digo, no hay nada que hacer para mejorar, pues la yerba que está pa' (para) uno no hay vaca que se la coma». 2. Uno es juguete del destino. «Nada puedo hacer. La yerba que está para uno no hay vaca que se la coma». (Hay muchos refranes campesinos de este tipo.) Sinónimos: *El que nace para tamal del cielo le caen las hojas. El que nace para real no llega a peseta.* (El «real» es una moneda cubana de diez centavos. La «peseta» es de veinte.) *¡Qué yerba!* Se dice del que es un pícaro. «¡Qué clase de yerba es tu amigo, Juan...!» *Tener yerba santa en la garganta.* Cantar muy bien. «Celia Cruz tiene yerba santa en la garganta». (El cubanismo nace de la letra de un pregón que canta Celia Cruz.) Ver: *Plátano.*

YERBABUENA. *Bañar con yerbabuena.* Bañar a alguien con la yerba llamada yerbabuena para quitarle la mala suerte, de acuerdo con el ritual de las religiones africanas vigentes en Cuba. (Lo que se llama «despojo» o «despojarse».) «A ti hay que bañarte con yerbabuena». (El imperativo, se grita en un accidente, etc., cuando es alguien que se sabe tiene mala suerte.) «—¡Pedro se cayó! —Báñate con yerbabuena».

YERBERO. Fumador de marihuana. «La policía lo prendió por yerbero».

YERBIBERI. *Yerbiberi de Acapulco.* Marihuana. «Lo cogieron fumando yerbiberi de Acapulco».

YERE. Amigo. «¿Cómo estás mi yere?» Sinónimos: *Acere. Caballo. Ecobio. Equino. Nagüe. Mi sangre. Monina. Mi tierra y Yénica.*

YERMAN. *Ni un yerman cheper le hace nada.* Estar bien dominado un hombre por su mujer. «A Pedro ni un yerman cheper le hace nada». (Las palabras son «German Shepherd» que es el perro pastor alemán; que el cubano pronuncia en la forma escrita. Es cubanismo del exilio. Lo he oído con respecto a esos hombres que hacen todo lo que las mujeres les dicen. Es decir que estas los tienen bien entrenados.)

YERRO. *El yerro está penoso.* El pene no se pone completamente erecto. «Ya tengo muchos años y el yerro está penoso».

YETI. (El) El abominable. «Por ahí viene el Yeti». (El «Yeti» es, según la leyenda, un hombre que habita en Himalaya. Es feísimo. He oído también el cubanismo así: «Ahí viene el Yeti: el abominable hombre de las nieves».)

YEYO. (Los) Los políticos malos. «Los yeyos nos llevaron al fracaso». (Son esas caricaturas de un cubano con un traje de dril cien, un sombrero de jipi y un sortijón. Al yeyo se le pinta gordo, simbolizando que engorda con el presupuesto nacional.) *Ser Yeyo Analfayuca.* Vivir regalado a pesar de ser analfabeto. (En Cuba, al analfabeto se le dice en cubano, «Analfayuca».) «Aquí lo que hay que hacer es ser Yeyo Analfayuca. Si eres inteligente no vives». Sinónimo: *Ser un Yeyo Matraca.* También el cubano sobre lo gordo que le gusta comer bien y lleva la camisa abierta mostrando una cadena de oro grande y una medalla de la Virgen de La Caridad del Cobre en el cuello. Camina a grandes zancadas, encantado de la vida. «En Miami hay muchos yeyos». (Cubanismo del exilio.)

YIGUANO. *Ser un toro yiguano.* Se dice de la persona que no sirve para padre. «Tú eres un toro yiguano, nunca debiste tener hijos». (Es lenguaje campesino avecinado a las ciudades y villas rurales de Cuba.) El campesino dice: «Ese toro no sirve pa' (para) padre, compay, eso es un yiguano, no lo piense y cápelo».

YIMI. Ver: *Peor.*

YIPI. *Gustarle a alguien que le parqueen el yipi en el fango.* Ser homosexual. «A mí no me queda duda de que a Julio le gusta que le parqueen el yipi en el fango». («Yipi» es la forma que el cubano pronuncia la palabra inglesa «Jeep», y es el tipo de vehículo, automóvil.)

YIRA. *Avíñame la yira al baje.* Paga. «Oye, mi socio, avíñame la yira al baje». («Aviñar» es «dar». Es lenguaje chuchero. Ver: *chuchero.*) Dinero. «Tengo mucha yira en el bolsillo». Sinónimos: *Maguá y maní.*

YITI. *Meter un yiti.* Golpe rápido, de rasponazo, que se da en la superficie de la cabeza con el dedo del medio de la mano. «El profesor, porque me porté mal, me dio un yiti». *Te van a meter un yiti.* Te van a castigar. «No hagas eso que te van a meter un yiti».

YO. Ver: *Canción.*

YODO. Ver: *Etiqueta.*

YON. *Ser Yon Guein.* Ser el más guapo de todo el mundo. «El siempre ha sido, como puedes ver, el Yon Guein». (John Wayne —el cubano lo pronuncia como lo escribo—

es el actor que en todas sus películas representa al héroe, el más guapo, bravo.) Sinónimo: *Ser el macho de la película.*

YONI. 1. Estadounidense. «Ese rubio es un yoni». 2. Recién llegado por el puente marítimo Mariel-Cayo Hueso en 1980. «Por ahí viene un yoni». (Cubanismo del exilio, entre gente culta, pues sólo ellos saben que es derivado del inglés.) *Llamarse alguien Yoni Su.* Ser un pleitista de siete suelas. «No choques con él en nada, que la llaman «Yoni Su». («Yoni» es «Johnny», «Juanito», en inglés. «Johnny Sue» que el cubano pronuncia «Yoni Su». En los Estados Unidos, las demandas por daños y perjuicios, «sued», están a la orden del día. De ahí este cubanismo nacido en el exilio.)

YOVA. ¡Qué bueno! «¡Yova! ¡Vamos a ir!» Se grita mucho a una orquesta que toca muy bien. «¡Yova, mis muchachos, yova!» (Se oye principalmente en Oriente.) *Dale yova.* Ponle entusiasmo. «A esa música dale yova». También se oye mucho como: «Olvida». «Olvídate de eso. A esa pena dale yova».

YOYO. *Aguanta tu yoyo. Yo también tengo pita y la subo y la bajo.* Domina tu ego que yo sé cómo controlártelo. «Se lo dije: 'Aguanta tu yoyo, que yo también tengo pita y la subo y la bajo.'» («Yoyo» es «yo y yo». Con la pita se subía y bajaba el yoyo. De aquí el cubanismo.) *Bailar el yoyo.* Fornicar. «Se pasa la vida bailando el yoyo». *Ese yoyo lumínico o pierde la pita o se apaga.* Expresión que se aplica a personas muy individualistas para indicarles que tienen que cambiar. «Ya se lo dije: 'Conmigo ese yoyo lumínico o pierde la pita o se apaga.'» *Ser alguien un yoyo.* No tener opinión. «No le preguntes porque es un yoyo». «Juan es un yoyo. Por eso fracasa». (El yoyo está unas veces arriba y otras abajo. De aquí el cubanismo.) *Ser campeón de yoyo en el circo.* Ser muy egoísta. «No te dará nada, es campeón de yoyo en el circo». (Es un juego de palabras entre «yo-yo» y «yo, sólo yo».) *Ser yoyo lumínico.* Ser un personalista. «Déjalo, es yoyo lumínico. Nada más que piensa en él». *Ser yoyo nada más.* Ser muy egoísta. «Tú eres yoyo nada más». *Ser yoyo y quedarse solo con la pita.* Fracasar alguien que ses muy individualista. «Déjalo sólo. Es yoyo y se quedará con la pita». *Tener el yoyo y la pita controlados.* No hacer alardes o alardear. «Él es muy sencillo. Tiene el yoyo y la pita controlados». *Tener alborotado el yoyo.* Creerse la gran cosa. «Aquí hay mucha gente que tiene alborotado el yoyo». *Tú no eres más que un yoyo.* Tú nada más que piensas en ti. «Ya sé que no me ibas a complacer. Tú no eres más que un yoyo». («Yo-yo» es decir: «Nada más que yo», qué ego.) Ver: *Pita.*

YÚA. *Restregarse con una yúa.* 1. Ser superior en cualquier cosa. «Luis es yúa en el monte». 2. Tener un problema grave. «Me estoy restregando con una yúa». (La yúa es un árbol espinoso y puntiagudo. Es cubanismo del campo cubano avecinado a la ciudad.) Sinónimo. *Ser yúa en el monte. Ser alguien yaya.* (También se dice solamente: *Ser yúa.*) *Vaya a rascarse con una yúa.* Vaya para el coño de su madre. «No me moleste más, vaya a rascarse con una yúa».

YUCA. (La) 1. Joven cubano que triunfa. «Él es un yuca». (Cubanismo del exilio. La palabra **Y.U.C.A.** son las siglas de Young Upper Cuban American, o sea, joven cubano-americano en ascenso.) 2. Masturbación. «¡Cómo le gusta a uno la yuca de niño!» «La yuca es un vicio nefasto». *Bobo de la yuca.* Tonto. «Ese muchacho es el bobo de la yuca». (El cubanismo viene de una canción.) *Debatirse entre la yuca y* *el arroz.* No saber qué hacer. «En este caso me debato entre la yuca y el arroz». *Estar la cosa de yuca y ñame.* Estar muy difícil cualquier situación. «En mi casa la cosa está de yuca y ñame». Sinónimos: *Estar la cosa de bala. Estar la situación de arroz con picadillo y yuca. Estar la yuca a tres trozos. En casa de yuca.* Lejos. «Ella vive en casa de yuca». *Hacerse la yuca.* Masturbarse. «Hacerse la yuca es malo». Sinónimos: *Darse un ojito a mano. Hacerse la cafiroleta. Hacerse la Manuela. Poner la yuca.* Fornicar. «En cuanto pueda le pongo la yuca a mi secretaria». *Ponérsele a alguien dura la yuca.* 1. tener erección fuerte. «Cuando la besé se me puso dura la yuca». 2. Tener una situación difícil. «Todo iba bien pero de pronto se me ha puesto dura la yuca». Sinónimo: *Ponérsele dura la malanga. Quedarse con la yuca en la mano.* Quedarse sin poder fornicar a una mujer. «Con esa mujer me quedé con la yuca en la mano». («Yuca» es también «pene». De aquí el cubanismo.) *Rayarse la yuca.* Masturbarse. «De niño se rayaba la yuca». *Ser un tronco de yuca.* Ser muy bruto. «Tú siempre has sido un tronco de yuca». Antónimo: *Ser la cátedra. Tener nitrón en el cerebro. Tener tiza. Siémbrame una yuca.* Fornícame. «Ella me dijo después que la besé: 'Siémbrame una yuca.'» *Tener mucha yuca que rayar.* Tener mucho que trabajar. «Yo aún tengo mucha yuca que rayar. Te veo luego». *Tener que rayar mucha yuca.* 1. Tener que esperar mucho tiempo. 2. Tener que trabajar. (La conversación da el significado.) «Para que le digas si tiene que rayar mucha yuca: cinco años». [Esperar mucho tiempo.] *Vivir de yuca.* Masturbarse. «Ése vive de yuca». *Yuca señorita.* Yuca blanca. «Esta yuca es señorita. La compré en el establecimiento de Fernández». (También pene que no ha fornicado.) Ver: *Barilla. Casa. Mango. Pene. Tronco. Troncúo y Verraco.*

YUCAYO. Ver: *Flor.*

YUGULAR. *Cortarle la yugular a alguien.* 1. Aniquilarlo. «A los persas le cortaron la yugular en la batalla de las Termopilas». 2. Derrotarlo. «En la batalla, los norteamericanos le cortaron la yugular al enemigo. No quedó nadie». 3. Matar. «A Elio le cortaron la yugular». (Lo he oído, asimismo, cuando a alguien le cortan una gran conexión, de cualquier cosa. «Le cortaron la yugular. Se le fue el ministro».)

YUMA. 1. Americano (Estadounidense.) En el «sentido de bueno». 2. Grito que se da cuando alguien hace algo bien. «Ya tengo un amigo yuma». «¡Yuma, lo conseguiste!» *Ser, algo, yuma.* Ser algo hecho en los Estados Unidos. «Es una película yuma». «Esto es yuma». «Dame un yuma [cigarro] que tengo ganas de fumar». (Es cubanismo de la Cuba de hoy. Nace con la película de Glenn Ford titulada: *«3.10 to Yuma».*)

YUMBO. *Irse de yumbo y resbalando.* Irse contento y sin que nadie se dé cuenta. «Bueno, muchachos, me voy de yumbo y resbalando».

YUNAI. *Pasarse para la Yunai.* Cambiar. «Yo no estoy con ellos. Me pasé para la Yunai». («Yunai» es la pronunciación de la palabra inglesa «United». El cubanismo nació con una canción: *«Que me voy pa' (para) la Yunai, Loly»...* «United» —Estados Unidos.) Sinónimos: *Cambiar para Edén. Estar en el permanente renuevo. Pasarse para la Mil Diez.*

YUNQUE. *Estar en el yunque del dolor.* Estarla pasando mal. «En estos momentos yo estoy en el yunque del dolor». (La frase surgió en el programa cómico de Chicharito y Sopeira.)

YUNTA. *Estar vestido de yunta de buey.* Trabajar mucho. «Desde que cogí este puesto estoy vestido de yunta de buey».

Portada del libro del Cucalambé, con la selección de décimas cubanas clásicas de *Rumores del Hórmigo*. El «Cucalambé» es el seudónimo de Juan Cristóbal Nápoles Fajardo, uno de los escritores más populares de Cuba.

ZACATECA. 1. Agente de pompas fúnebres. (Admitido por la Real Academia.) 2. Tonto. «¡Qué clase de zacateca ese muchacho!» Ver: *Zacamuco. Zamagullón. Zangaletón.*

ZAFANDO. *Huyendo.* «El hombre iba zafando». Sinónimos: *Chaqueteando; Echando un entomillón;*[62] *Echando una llanta; Echando un patín; Echando un pie; Zangando.*

ZAFAR. Retirarse a tiempo. «No fracasaron, porque zafaron a tiempo en el negocio». *Zafar un nudo.* Resolver un problema. «Ya zafé el nudo que tú sabes». *Zafársela.* Matar a alguien. «Discutieron y se la zafó».

ZAFARSE. *Záfate de eso.* Deja eso. «Yo le recomendé que se zafara de ese grupo».

ZAFRA. *Encontrar la zafra sin machete.* Lograr algo grande, un gran éxito sin hacer nada. «Con esa mujer encontró la zafra sin machete. ¡Cómo lo cuida!» (Es una buena mujer.) «Estaba sin un centavo pero encontró la zafra sin machete con esa mujer». (Se aplica pues, a diferentes situaciones, dando la conversación el significado.) *Haber mucha zafra.* Trabajar mucho. «Ha habido este año aquí mucha zafra. ¡Qué cansado estoy!» *Hacer la zafra.* 1. Aprovecharse. «Con esas fotografías la prensa va a hace la zafra». 2. Ganar mucho dinero. «Si logras inventar eso, haces la zafra». (En Cuba, «hacer la zafra» es además, trabajar en la «zafra azucarera», estar el ingenio moliendo. «Juan está haciendo la zafra». (trabajando.) «El ingenio está haciendo la zafra». (Moliendo el azúcar.) 3. Malversar en grande. «Lo pusieron de ministro e hizo la zafra». *Ser algo como la zafra de los diez millones.* Ser una ilusión. «Eso que me dices es como la zafra de los diez millones». (Cubanismo nacido en el exilio y basado en el fracaso de «La Zafra de los Diez Millones», en la Cuba actual.)

ZAGUACÓN. *Tremendo zaguacón.* Se dice de una mujer con caderas anchas. «Por ahí va tremendo zaguacón».

---

[62] O «entomiñón».

ZAINA. *Tener, una mujer, un zaina endiablado.* Tener un fondillo muy bello. «Esta mujer tiene un zaina endiablado». (Es lenguaje del chuchero. Ver: *Chuchero.*)

ZAINO. El culo bello de una mujer. «Me gusta el zaino ése». (El chuchero usa esta palabra cuyo origen parece ser africano, con el significado que aquí se le da. Ver: *Chuchero.*) *Deabuti Zaino.* Un trasero de mujer grande y bello. «Ella tiene un Deabuti Zaino». («Deabuti» es africano. Es palabra traída por los esclavos a Cuba. Quiere decir: grande, mucho. Se escribe también: *«De abuti».*) Ver: *Culeco.*

ZAMACUCO. *Tonto.* «¡Qué zamacuco eres!» Sinónimo: *Zacateca.*

ZAMAGULLÓN. *Ser un zamagullón.* Ser un tonto. «Ése es un zamagullón total y absoluto».

ZAMALLONES. *Zapatos toscos.* «No te compres esos que son zamallones».

ZAMAS. Variedad de plátanos. «Le dije a mamá que quiero que me haga zamas al horno».

ZAMBIA. Ver: *Bailar.*

ZAMBO. Persona que tiene las piernas arqueadas. «Juan es zambo».

ZAMBULLO. *Como un zambullo.* Muy gordo. «Lleva a ese niño al médico. Está como un zambullo». *Zambullo, Suelta lo que no es tuyo.* 1. Devuelve eso. (Se le grita a la gente que tiene algo que no le pertenece. Por ejemplo, a un ministro malversador se le dice: «Zambullo, suelta lo que no es tuyo».) 2. Es frase que por broma gritan los muchachos a un hombre que no es buen tipo y que va acompañado de una mujer bonita. (Se aplica a otras situaciones de la vida.) 3. Grito que le dan los niños al que coge algo que no es de él. (Yo he oído en una discusión por una presidencia estudiantil gritarle al presidente que se negaba a renunciar: «Zambullo, suelta lo que no es tuyo».)

ZANACO. Tonto. «Como ser zanaco, lo es». Sinónimo, ver: *zacateca.* (Debe ser escrito con «s». Pero en algunas regiones de Cuba lo escriben con «z».)

ZANCUDO. *Un zancudo con patilla.* Un mosquito grande. «En mi casa hay, te lo digo, zancudos con patilla».

ZANGALETÓN. 1. Mozo de alta estatura. «Ve y trae a ese zangaletón». 2. Muchacho adolescente, pero medio bobón. «Este muchacho tiene ya diez y siete años pero es un zangaletón». 3. Persona que debe tener fundamento. «Estás muy zangaletón para tanta tontería». 4. Tonto. «No seas zangaletón».

ZANGANDO. Ver: *Zafando.*

ZANGANDONGA. *Estar zangandonga una mujer.* Tener muchos encantos. «Esa mujer está zangandonga». Lo he oído también, y con mucha frecuencia, refiriéndose a la mujer de encantos desproporcionados; grandes senos, trasero grande. «¡Qué senos y qué culo más grande! ¡Esa mulata está zangandonga!»

ZÁNGANO. *Es un zángano.* Se aplica a muchas situaciones. 1. Niño que es muy majadero. «Ese niño lo rompe todo. Es un zángano». 2. Persona de baja categoría social. «Ése no sirve. Es un zángano. No tiene modales». 3. Ser un vago. «No hace nada. Es un zángano». 4. Bobalicón. «Tan grande y es un zángano. Parece tener cinco años de edad».

ZANGAR. *Salir zangando.* Echar a correr a todo meter. «Cuando vio al policía salió zangando».

ZANGUAZÁN. *Mi zanguazán.* Mi amo. «¿Cómo estás mi zanguazán?» (Es lenguaje ñañigo, es decir proveniente de una secta africana que tuvo sus inicios entre los esclavos. El cubanismo es palabra africana conservada por las «ñañigos».)

ZANJA. *Caminar por la zanja amarilla.* Ser valiente. «No se te ocurra retarme, que yo sí camino por la zanja amarilla». (Este cubanismo es local. Se oía algo sólo en la villa de Güines. La «Zanja Amarilla» era un sitio donde los niños dirimían a golpes sus querellas. De aquí el cubanismo.) *Recordarse alguien de Zanja.* Mentarle la madre a una persona. «Me violenta tanto que me recordé de Zanja». («Zanja» es una calle del barrio chino de La Habana. El cubanismo alude a «tu mamá calimbambó» forma en que los chinos mentaban la madre en Cuba.) Ver: *Calle.*

ZÁNZARA. *Dar zánzara.* 1. Caminar mucho. «¡Qué zánzara hemos dado hoy!» 2. Trabajar mucho. «¡Qué zánzara me di en la cocina!»

ZAPATAZO. Ataque masivo al corazón. «El tuvo un zapatazo. Lo mató instantáneamente».

ZAPATEAR. Trabajar duro por la calle. «He zapateado de mala manera». (Hemos oído también: *Zapatear la calle*, en el mismo sentido anterior.)

ZAPATEO. *Zapateo buscavídico.* Caminar por toda la ciudad buscando trabajo. «Mi zapateo buscavídico es cosa muy seria».

ZAPATERÍA. *Ponerle, a alguien, una zapatería en el culo.* Darle a alguien una entrada de patas en el trasero. «Le puso, al primo, una zapatería en el culo». «Me enojé y le puse una zapatería en el culo». *Recoge la zapatería que el mundo se quedó en La Habana.* Se dice a alguien que tiene muchos pares de zapatos regados. «Oye, recoge la zapatería que el Mundo se quedó en La Habana». (Cubanismo nacido en el exilio. Los establecimientos de ventas de calzado son llamados en Cuba, *peleterías.*) Ver: *Culo.*

ZAPATILLA. *Irsele a alguien la zapatilla.* Volverse loco. «A él se le fue, de pronto, la zapatilla, y lo recluyeron».

ZAPATOS. *Cagarse en los zapatos, alguien.* Ser muy viejo. «Sigue aspirando y se caga en los zapatos». (He oído asimismo: *Mearse en los zapatos.*) *Estar como los zapatos.* Estar viejo. «Juan no lo parece, pero está como los zapatos». (Los zapatos están usados, el hombre viejo también, de ahí el cubanismo.) *Tener más zapatos que un ciempiés.* Tener muchos zapatos. «Juan tiene más zapatos que un ciempiés». *Tener puestos los zapatos del Niño de los Peines.* Sonarle los tacones. «Tú tienes puestos los zapatos del Niño de los Peines. Deben haber cogido agua». *Zapatos de vaquetetumbo.* Zapatos rústicos. «Siempre usa zapatos de vaquetetumbo». *Zapatos matacucarachas.* Zapatos de hombres de plataforma y gran tamaño. «Yo no me pongo, aunque me paguen, zapatos matacucarachas». *Zapatos para ponerse de noche.* Zapatos feos. «Esos zapatos son para ponerse de noche». Ver: *Chicle.* Para «Zapatos» ver «Cordón».

ZAPINGO.A. 1. Como adjetivo, que molesta. «Esta lluvia zapinga me tiene molesto». 2. Persona que no vale nada. «Ese hombre es un zapingo». 3. Tonto. «Tú eres un zapingo». Sinónimos: *zacateca y zanaco.*

ZARAGÜEY. *Rompe zaragüey.* Expresión admirativa que se aplica a muchas situaciones. «¡Qué bien baila! ¡Rompe zaragüey!» Significa: ¡Coño!, ¡Fenomenal!, ¡Oye!, ¡Vaya!

ZARANDEAR. *Divertirse.* «Vayan a zarandear por la ciudad». (Siempre lleva la sensación de movimiento.)

ZARAPEAR. Limpiar. «Juan está zarapeando el rifle». (Todos los indicios llevan a creer que este cubanismo nacido en el exilio es un derivado del inglés.)

ZARAZO. *Estar el pene zarazo.* Estar medio en erección. Se dice, asimismo, *tenerla zaraza.* («Zarazo-a» indica algo a medio hacer.) «Hay que comer esos plátanos, antes de que se pudran que están zarazos».

ZARZEAR. *Andar zarzeando.* Buscando marido. «Todas las hijas de esa familia andan zarzeando». (Es cubanismo circunscrito a la provincia de Oriente.)

ZAZASPERES. *No me zazasperes.* No me pongas de mal humor o me exasperes. «Oye no me zazasperes con tu conducta». (Siempre se usa en esta forma que incluyo aquí.)

ZEPELÍN. *Cabeza de zepelín.* Se dice del niño que tiene la cabeza grande. «Eres un cabeza de zepelín». Sinónimos: *Cabeza de chirimoya, cabeza de papaya y cabeza de yuca. Meter un zepelín.* Darle un cocotazo corrido. «El cura me metió un zepelín». Sinónimo: *Meterle un yiti. Ser el zepelín de la Gud Yiar.* Ser cabezón. «Él es el zepelín de la Gud Yiar». (El zepelín de la Goodyear —el cubano pronuncia como se ha escrito— sobrevuela Miami, anunciando las gomas de automóviles.) *Tener el zepelín desinflado.* No tener ideas. «Ese individuo tiene el zepelín desinflado». Sinónimo: *Tener el zepelín sin helio.*

ZEROTE. *Ser más prieto que un zerote.* Ser negro. «Tu primo es más prieto que un zerote».

ZIGUARAYA. *El país de la ziguaraya.* Cuba. «Vivimos en el país de la ziguaraya». (El cubanismo quiere decir que en Cuba a nada se le ponía seriedad.)

ZIPIZAPI. (Un) *Un poquito.* «Dame un zipizapi».

ZOCATICO. Persona que no ha salido buena. «Ramoncito salió zocatico». (Cuando una galleta está vieja, decimos que es «galleta zocata».)

ZODIACO. *Romper el zodíaco.* Ser superactivo. «Ese hombre rompió el zodíaco».

ZONA. Ver: *Equipo.*

ZOOLÓGICO. *Se alborotó el zoológico.* Se dice cuando se ve gente vestida en forma ridícula. «¡Mira, se alborotó el zoológico!» Ver: *Mono.*

ZOROCOLLO. (Un) Un bruto, persona que no es inteligente. «Tú eres un zorocollo».

ZORRA. *Siempre la zorra deja su pestecita.* 1. No hay crimen perfecto. «Lo agarraron. El lo mató. No sabía que la zorra siempre deja su pestecita». 2. No se puede engañar. «Cree que no lo sé, pero siempre la zorra deja su pestecita».

ZORRO. *Dejar la marca del zorro.* Se dice del que pasó por algún lado y dejó una marca: suciedad, recuerdos gratos, etc. «Él dejó la marca del Zorro hace dos horas, aquí». (Es cubanismo tomado de una película muy popular en Cuba: *«La Marca del Zorro».*)

ZOYATE. *Hasta que largue el zoyate.* Hasta que largue la vida. «Vas a trabajar hasta que largues el zoyate».

ZUMBA. *Le zumba el aparato.* ¡Qué cosa más grande! «Le zumba el aparato lo que el muchacho ha hecho. Huir de la casa». Sinónimos: *Le zumba el mango. Le zumba la malanga. Le zumba el merequetén. ¡Qué le zumba!* Se dice de algo sonado. «Tiene unos senos que le zumba». (El cubanismo tiene diferente significado que el castizo.)

ZUMBAR. *¡Cómo zumba y suena!* ¡Cómo te digo! «La cosa es como zumba y suena».

ZUMBARSE. *Zumbarse con alguien.* Ponerse molesto con alguien. «Anoche me zumbé con él».

ZURDO. *El pitcher es zurdo y se vira.* Cuidado. «Cuando vayas, recuerda que el pitcher es zurdo y se vira». (Viene de la pelota: base-ball.) *Llegar, alto, zurdo.* Llegar mal. «La información me llegó zurda». *Ser zurdo a algo.* No saber algo. «Tu hermano es zurdo al baile». Ver: *Descuadrado. Pitcher.*

ZURNAR. Dormir. «Él ya se fue a zurnar». (Lenguaje del chuchero Ver: *chuchero.*)

ZURRÓN. *Nacer en zurrón.* Tener buena suerte. «¡Cuando te digo que has nacido en zurrón!»

ZURRUPA. *La zurrupa.* Lo que queda del arroz pegado a la cazuela. «Me voy a comer la zurrupa». Sinónimo: *La raspita.*

ZURRUPIA. (La) *Poco.* «Me quedó una zurrupia de dinero de la venta». «Apenas me quedó una zurrupia de la venta».

OBRAS PUBLICADAS DE JOSÉ SÁNCHEZ-BOUDY

NARRATIVA:

*	CUENTOS DEL HOMBRE (1966)
*	CUENTOS GRISES (1966)
027-5	LOS CRUZADOS DE LA AURORA (1972)
042-9	EL PICÚO, EL FISTO, EL BARRIO (y otras estampas cubanas) (1987)
043-7	LOS SARRACENOS DEL OCASO (1977)
129-8	CUENTOS A LUNA LLENA (1971)
135-2	LILAYANDO (1971)
168-9	LILAYANDO PAL TU (Mojito y picardía cubana) (1978)
218-9	ÑIQUÍN EL CESANTE (1974)
2533-6	ORBUS TERRARUM (1974)
286-3	POTAJE Y OTRO MAZOTE DE ESTAMPAS CUBANAS (1988)
321-5	CUENTOS BLANCOS Y NEGROS (1983)
331-2	CUENTOS DE LA NIÑEZ (1983)
448-3	FULASTRES Y FULASTRONES (y otras estampas cubanas) (1987)
5144-2	EL CORREDOR KRESTO (1976)
546-3	DILE A CATALINA QUE SE COMPRE UN GÜAYO (1990)
575-7	PARTIENDO EL "JON", (estampas cubanas de allá y de aquí) (1991)

DICCIONARIO DE CUBANISMOS MÁS USUALES (COMO HABLA EL CUBANO)

199-9	DICCIONARIO DE CUBANISMOS I (1979)
336-3	DICCIONARIO DE CUBANISMOS II (1984)
416-5	DICCIONARIO DE CUBANISMOS III (1986)
457-2	DICCIONARIO DE CUBANISMOS IV (1986)
500-5	DICCIONARIO DE CUBANISMOS V (1989)
549-8	DICCIONARIO DE CUBANISMOS VI (1989)
710-5	DICCIONARIO MAYOR DE CUBANISMOS (1999)

POESÍAS:

*	POEMAS DE OTOÑO E INVIERNO (1967)
*	RITMO DE SOLÁ (1967)
*	POEMAS DEL SILENCIO (1969)
*	ALEGRÍAS DE COCO (1970)
080-1	EKUÉ, ABANAKUÉ, EKUÉ (1977)
141-7	CROCANTE DE MANÍ (1973)
159-x	LEYENDAS DE AZÚCAR PRIETA (1977)
192-1	AFRO-CUBAN POETRY (Traducción de Claudio Freixas) (1978)
224-3	TIEMPO CONGELADO (POEMARIO DE UNA ISLA AUSENTE) (1979)
318-5	MI BARRIO Y MI ESQUINA (1989)
372-x	TUS OJOS CUBA: SOSIEGO, VIENTO y OLA (1988)
3722-0	PREGONES (1975)
415-7	PATRIÓTICAS (1986)
427-0	CANDELARIO SOLEDÁ—GUAYABA Y LÁTIGO (1985)
449-1	ACUARA OCHÚN DE CARACOLES VERDES (1987)
4490-x	ACHÉ, BABALÚ, AYÉ (1975)

TEATRO:

134-4 HOMO SAPIENS(Teatro del no absurdo) (1971)
3721-0 LA SOLEDAD DE LA PLAYA LARGA, MAÑANA MARIPOSA (1975)
247-2 LA REBELIÓN DE LOS NEGROS (1980)

ENSAYOS:

* LAS NOVELAS DE CÉSAR ANDREU IGLESIAS (1968)
• APUNTES PARA UNA TEORÍA DEL EXISTENCIALISMO (1978)
* AMERICANISMO Y MODERNISMO (1970)
• MADAME BOVARY (Un análisis clínico sobre neurosis y psicosis psicógena), (1969)
248-0 LA TEMÁTICA NOVELÍSTICA DE ALEJO CARPENTIER (1969)
090-9 LA NUEVA NOVELA HISPANOAMERICANA Y TRES TRISTES TIGRES (1971)
130-1 BAUDELAIRE (PSICOANÁLISIS E IMPOTENCIA) (1970)
2359-5 LEZAMA LIMA: PEREGRINO INMÓVIL Alvaro de Villa y José Sánchez-Boudy (1974)
257-x LA TEMÁTICA NARRATIVA DE SEVERO SARDUY (1985)
447-5 VIDA Y CULTURA SEFARDITA EN LOS POEMAS DE "*LA VARA*" , Bertha Savariego y José Sánchez-Boudy (1987)
4491-8 HISTORIA DE LA LITERATURA CUBANA EN EL EXILIO Vol. I (1975)
547-1 DEWEY Y LA CRISIS DE LA EDUCACIÓN EN LOS ESTADOS UNIDOS (1989)
548-x LA CRISIS DE LA CIVILIZACIÓN OCCIDENTAL (1990)
584-6 LA ILEGITIMIDAD Y AJURICIDAD DE LOS ACTOS DEL GOBIERNO CASTRISTA (1990)
577-3 ENRIQUE JOSÉ VARONA Y CUBA (ensayo biográfico) (1990)
644-3 LA ÚNICA RECONCILIACIÓN NACIONAL: LA RECONCILIACIÓN CON LA LEY (1992)
650-8 LA PERENNIDAD DE LA CONSTITUCIÓN NORTEAMERICANA Y OTROS ENSAYOS (1992)
700-8 GUANTE SIN GRASA, NO COGE BOLA (REFRANES CUBANOS) (1993)
739-3 FILOSOFÍA DEL CUBANO Y DE LO CUBANO (1996)

TEXTOS:

4158-7 LIBRO QUINTO DE LECTURA, GRAMÁTICA Y ORTOGRAFÍA, Antonio Leal y José Sánchez-Boudy (1975)
115-8 LIBRO DE LECTURAS SUPERIORES (1974)

OBRAS SOBRE JOSÉ SÁNCHEZ-BOUDY:

312-6 LA NARRATIVA DE JOSÉ SÁNCHEZ-BOUDY (TRAGEDIA Y FOLKLORE), Laurentino Suárez, Editor (1983)
153-0 LA POESÍA NEGRA DE JOSÉ SÁNCHEZ-BOUDY, René León (1987)
2532-8 CUBA AND HER POETS (THE POEMS OF JOSÉ SÁNCHEZ-BOUDY), Woodrow W. Moore (1984)

OTROS LIBROS PUBLICADOS POR EDICIONES UNIVERSAL

COLECCIÓN DICCIONARIOS

2702-9 A GUIDE TO 4,400 SPANISH VERBS (DICTIONARY OF SPANISH VERBS WITH THEIR ENGLISH EQUIVALENTS AND MODELS OF CONJUGATION/DICCIONARIO CON LOS VERBOS EN ESPAÑOL, SU TRADUCCIÓN AL INGLÉS Y CONJUGACIONES), José A. Rodríguez Delfín
113-1 A BILINGUAL DICTIONARY OF EXCLAMATIONS AND INTERJECTIONS IN SPANISH AND ENGLISH, Donald R. Kloe
114-X NUEVO DICCIONARIO DE LA RIMA, Adolfo F. León
209-X DICCIONARIO DE INGENIERÍA (inglés-español/español-inglés) (DICTIONARY OF ENVIRONMENTAL ENGINEERING AND RELATED SCIENCES. ENGLISH-SPANISH/SPANISH-ENGLISH), José T. Villate
597-8 DICCIONARIO DE SEUDÓNIMOS Y ESCRITORES IBEROAMERICANOS (diccionario de escritores de América Latina con información bibliográfica, país. fecha de nacimiento y otros datos.) Gerardo Sáenz
701-6 YO ME ACUERDO. DICCIONARIO DE NOSTALGIAS CUBANAS (presentado en orden alfabético con recuerdos de la historia, política y costumbres cubanas. Con fotografías), José Pardo Llada
846-2 LÉXICO TABACALERO CUBANO, José E. Perdomo (Con vocabulario español-inglés / Spanish-English Vocabulary)

COLECCIÓN CLÁSICOS CUBANOS:

011-9 ① ESPEJO DE PACIENCIA, Silvestre de Balboa (Edición de Ángel Aparicio Laurencio)
012-7 ② POESÍAS COMPLETAS, José María Heredia (Edición de Ángel Aparicio Laurencio)
026-7 ③ DIARIO DE UN MÁRTIR Y OTROS POEMAS, Juan Clemente Zenea (Edición de Ángel Aparicio Laurencio)
028-3 ④ LA EDAD DE ORO, José Martí (Introducción de Humberto J. Peña)
031-3 ⑤ ANTOLOGÍA DE LA POESÍA RELIGIOSA DE LA AVELLANEDA, Florinda Álzaga & Ana Rosa Núñez (Ed.)
054-2 ⑥ SELECTED POEMS OF JOSÉ MARÍA HEREDIA IN ENGLISH TRANSLATION, José María Heredia (Edición de Ángel Aparicio Laurencio)
140-9 ⑦ TRABAJOS DESCONOCIDOS Y OLVIDADOS DE JOSÉ MARÍA HEREDIA, Ángel Aparicio Laurencio (Ed.)

0550-9 ⑧ CONTRABANDO, Enrique Serpa
(Edición de Néstor Moreno)
3090-9 ⑨ ENSAYO DE DICCIONARIO DEL PENSAMIENTO VIVO DE LA AVELLANEDA, Florinda Álzaga & Ana Rosa Núñez (Ed.)
0286-5 ⑩ CECILIA VALDÉS, Cirilo Villaverde
(Introducción de Ana Velilla) /coedición Edit. Vosgos)
324-X (11) LAS MEJORES ESTAMPAS DE ELADIO SECADES
878-0 (12) CUCALAMBÉ (DÉCIMAS CUBANAS), Juan C. Nápoles Fajardo
(Introducción y estudio por Luis Mario)
482-3 (13) EL PAN DE LOS MUERTOS, Enrique Labrador Ruiz
581-1 (14) CARTAS A LA CARTE, Enrique Labrador Ruiz
(Edición de Juana Rosa Pita)
669-9 (15) HOMENAJE A DULCE MARÍA LOYNAZ.
Edición de Ana Rosa Núñez
678-8 (16) EPITAFIOS, IMITACIÓN, AFORISMOS, Severo Sarduy
(Ilustrado por Ramón Alejandro. Estudios por Concepción T. Alzola y Gladys Zaldívar)
688-5 (17) POESÍAS COMPLETAS Y PEQUEÑOS POEMAS EN PROSA EN ORDEN CRONOLÓGICO DE JULIÁN DEL CASAL.
Edición y crítica de Esperanza Figueroa
722-9 (18) VISTA DE AMANECER EN EL TRÓPICO, Guillermo Cabrera Infante
881-0 (19) FUERA DEL JUEGO, Heberto Padilla
(Edición conmemorativa 1968-1998)

COLECCIÓN ANTOLOGÍAS:

3361-4 NARRADORES CUBANOS DE HOY, Julio E. Hernández-Miyares (Ed.)
4612-0 ANTOLOGÍA DEL COSTUMBRISMO EN CUBA, H. Ruiz del Vizo (Ed.)
6424-2 ALMA Y CORAZÓN (antología de poetisas hispanoamericanas), Catherine Perricone (Ed.)
006-2 POESÍA EN EXODO, Ana Rosa Núñez (Ed.)
007-0 POESÍA NEGRA DEL CARIBE Y OTRAS ÁREAS, Hortensia Ruiz del Vizo (Ed.)
008-9 BLACK POETRY OF THE AMERICAS, Hortensia Ruiz del Vizo (Ed.)
055-0 CINCO POETISAS CUBANAS (1935-1969), Ángel Aparicio (Ed.)
164-6 VEINTE CUENTISTAS CUBANOS, Leonardo Fernández Marcané (Ed.)
166-2 CUBAN CONSCIOUSNESS IN LITERATURE (1923-1974) (antología de ensayos y literatura cubana traducidos al inglés), José R. de Armas & Charles W. Steele (Editores)
208-1 50 POETAS MODERNOS, Pedro Roig (Ed.)
369-X ANTOLOGÍA DE LA POESÍA INFANTIL (las mejores poesías para niños), Ana Rosa Núñez (Ed.)
665-6 NARRATIVA Y LIBERTAD: CUENTOS CUBANOS DE LA DIÁSPORA, Julio E. Hernández-Miyares (Ed.)

COLECCIÓN CUBA Y SUS JUECES

344-4 HISTORIA DE LA ODONTOLOGÍA EN CUBA VOL IV:(1959-1983), César A. Mena
3122-0 RELIGIÓN Y POLÍTICA EN LA CUBA DEL SIGLO XIX (EL OBISPO ESPADA), Miguel Figueroa y Miranda
313-4 EL MANIFIESTO DEMÓCRATA, Carlos M. Méndez
314-2 UNA NOTA DE DERECHO PENAL, Eduardo de Acha
319-3 MARTÍ EN LOS CAMPOS DE CUBA LIBRE, Rafael Lubián
320-7 LA HABANA, Mercedes Santa Cruz (Condesa de Merlín)
328-2 OCHO AÑOS DE LUCHA - MEMORIAS, Gerardo Machado y Morales
340-1 PESIMISMO, Eduardo de Acha
347-9 EL PADRE VARELA. BIOGRAFÍA DEL FORJADOR DE LA CONCIENCIA CUBANA, Antonio Hernández-Travieso
353-3 LA GUERRA DE MARTÍ (LA LUCHA DE LOS CUBANOS POR LA INDEPENDENCIA), Pedro Roig
354-1 EN LA REVOLUCIÓN DE MARTÍ, Rafael Lubián y Arias
358-4 EPISODIOS DE LAS GUERRAS POR LA INDEPENDENCIA DE CUBA, Rafael Lubián y Arias
361-4 EL MAGNETISMO DE JOSÉ MARTÍ, Fidel Aguirre
364-9 MARXISMO Y DERECHO, Eduardo de Acha
367-3 ¿HACIA DONDE VAMOS? (RADIOGRAFÍA DEL PRESENTE CUBANO), Tulio Díaz Rivera
368-1 LAS PALMAS YA NO SON VERDES (ANÁLISIS Y TESTIMONIOS DE LA TRAGEDIA CUBANA), Juan Efe Noya
374-6 GRAU: ESTADISTA Y POLÍTICO (Cincuenta años de la Historia de Cuba), Antonio Lancís
376-2 CINCUENTA AÑOS DE PERIODISMO, Francisco Meluzá Otero
379-7 HISTORIA DE FAMILIAS CUBANAS (VOLS.I-VI) Francisco Xavier de Santa Cruz y Mallén
380-0 HISTORIA DE FAMILIAS CUBANAS. VOL. VII, Francisco Xavier de Santa Cruz y Mallén
408-4 HISTORIA DE FAMILIAS CUBANAS. VOL. VIII, Francisco Xavier de Santa Cruz y Mallén
409-2 HISTORIA DE FAMILIAS CUBANAS. VOL. IX, Francisco Xavier de Santa Cruz y Mallén
383-5 CUBA: DESTINY AS CHOICE, Wifredo del Prado
387-8 UN AZUL DESESPERADO, Tula Martí
392-4 CALENDARIO MANUAL Y GUÍA DE FORASTEROS DE LA ISLA DE CUBA
393-2 LA GRAN MENTIRA, Ricardo Adám y Silva
403-3 APUNTES PARA LA HISTORIA. RADIO, TELEVISIÓN Y FARÁNDULA DE LA CUBA DE AYER..., Enrique C. Betancourt
407-6 VIDAS CUBANAS II/CUBAN LIVES II, José Ignacio Lasaga
411-4 LOS ABUELOS: HISTORIA ORAL CUBANA, José B. Fernández
413-0 ELEMENTOS DE HISTORIA DE CUBA, Rolando Espinosa
414-9 SÍMBOLOS - FECHAS - BIOGRAFÍAS, Rolando Espinosa
418-1 HECHOS Y LIGITIMIDADES CUBANAS. UN PLANTEAMIENTO Tulio Díaz Rivera

425-4 A LA INGERENCIA EXTRAÑA LA VIRTUD DOMÉSTICA (biografía de Manuel Márquez Sterling), Carlos Márquez Sterling
426-2 BIOGRAFÍA DE UNA EMOCIÓN POPULAR: EL DR. GRAU Miguel Hernández-Bauzá
428-9 THE EVOLUTION OF THE CUBAN MILITARY (1492-1986), Rafael Fermoselle
431-9 MIS RELACIONES CON MÁXIMO GÓMEZ, Orestes Ferrara
436-X ALGUNOS ANÁLISIS (EL TERRORISMO. DERECHO INTERNACIONAL), Eduardo de Acha
437-8 HISTORIA DE MI VIDA, Agustín Castellanos
443-2 EN POS DE LA DEMOCRACIA ECONÓMICA, Varios
450-5 VARIACIONES EN TORNO A DIOS, EL TIEMPO, LA MUERTE Y OTROS TEMAS, Octavio R. Costa
451-3 LA ULTIMA NOCHE QUE PASE CONTIGO (40 AÑOS DE FARÁNDULA CUBANA/1910-1959), Bobby Collazo
458-0 CUBA: LITERATURA CLANDESTINA, José Carreño
459-9 50 TESTIMONIOS URGENTES, José Carreño y otros
461-0 HISPANIDAD Y CUBANIDAD, José Ignacio Rasco
466-1 CUBAN LEADERSHIP AFTER CASTRO, Rafael Fermoselle
479-3 HABLA EL CORONEL ORLANDO PIEDRA, Daniel Efraín Raimundo
483-1 JOSÉ ANTONIO SACO , Anita Arroyo
490-4 HISTORIOLOGÍA CUBANA I (1492-1998), José Duarte Oropesa
2580-8 HISTORIOLOGÍA CUBANA II (1998-1944), José Duarte Oropesa
2582-4 HISTORIOLOGÍA CUBANA III (1944-1959), José Duarte Oropesa
502-1 MAS ALLÁ DE MIS FUERZAS, William Arbelo
508-0 LA REVOLUCIÓN, Eduardo de Acha
510-2 GENEALOGÍA, HERÁLDICA E HISTORIA DE NUESTRAS FAMILIAS, Fernando R. de Castro y de Cárdenas
514-5 EL LEÓN DE SANTA RITA, Florencio García Cisneros
516-1 EL PERFIL PASTORAL DE FÉLIX VARELA, Felipe J. Estévez
518-8 CUBA Y SU DESTINO HISTÓRICO. Ernesto Ardura
520-X APUNTES DESDE EL DESTIERRO, Teresa Fernández Soneira
524-2 OPERACIÓN ESTRELLA, Melvin Mañón
532-3 MANUEL SANGUILY. HISTORIA DE UN CIUDADANO, Octavio R. Costa
538-2 DESPUÉS DEL SILENCIO, Fray Miguel Angel Loredo
540-4 FUSILADOS, Eduardo de Acha
551-X ¿QUIEN MANDA EN CUBA? LAS ESTRUCTURAS DE PODER. LA ÉLITE., Manuel Sánchez Pérez
553-6 EL TRABAJADOR CUBANO EN EL ESTADO DE OBREROS Y CAMPESINOS, Efrén Córdova
558-7 JOSÉ ANTONIO SACO Y LA CUBA DE HOY, Ángel Aparicio
7886-3 MEMORIAS DE CUBA, Oscar de San Emilio
566-8 SIN TIEMPO NI DISTANCIA, Isabel Rodríguez
569-2 ELENA MEDEROS (UNA MUJER CON PERFIL PARA LA HISTORIA), María Luisa Guerrero
577-3 ENRIQUE JOSÉ VARONA Y CUBA, José Sánchez Boudy
586-2 SEIS DÍAS DE NOVIEMBRE, Byron Miguel
588-9 CONVICTO, Francisco Navarrete

589-7 DE EMBAJADORA A PRISIONERA POLÍTICA: ALBERTINA O'FARRILL, Víctor Pino Llerovi
590-0 REFLEXIONES SOBRE CUBA Y SU FUTURO, Luis Aguilar León
592-7 DOS FIGURAS CUBANAS Y UNA SOLA ACTITUD, Rosario Rexach
598-6 II ANTOLOGÍA DE INSTANTÁNEAS, Octavio R. Costa
600-1 DON PEPE MORA Y SU FAMILIA, Octavio R. Costa
603-6 DISCURSOS BREVES, Eduardo de Acha
606-0 LA CRISIS DE LA ALTA CULTURA EN CUBA - INDAGACIÓN DEL CHOTEO, Jorge Mañach (Ed. de Rosario Rexach)
608-7 VIDA Y MILAGROS DE LA FARÁNDULA DE CUBA, Rosendo Rosell
617-6 EL PODER JUDICIAL EN CUBA, Vicente Viñuela
620-6 TODOS SOMOS CULPABLES, Guillermo de Zéndegui
621-4 LUCHA OBRERA DE CUBA, Efrén Naranjo
623-0 HISTORIOLOGÍA CUBANA IV, José Duarte Oropesa
624-9 HISTORIA DE LA MEDICINA EN CUBA I: HOSPITALES Y CENTROS BENÉFICOS EN CUBA COLONIAL, César A. Mena y Armando F. Cobelo
626-5 LA MÁSCARA Y EL MARAÑÓN (LA IDENTIDAD NACIONAL CUBANA), Lucrecia Artalejo
639-7 EL HOMBRE MEDIO, Eduardo de Acha
644-3 LA ÚNICA RECONCILIACIÓN NACIONAL ES LA RECONCILIACIÓN CON LA LEY, José Sánchez-Boudy
645-1 FÉLIX VARELA: ANÁLISIS DE SUS IDEAS POLÍTICAS, Juan P. Esteve
646-X HISTORIA DE LA MEDICINA EN CUBA II, César A. Mena y Armando A. Cobelo
647-8 REFLEXIONES SOBRE CUBA Y SU FUTURO, (segunda edición corregida y aumentada), Luis Aguilar León
648-6 DEMOCRACIA INTEGRAL, Instituto de Solidaridad Cristiana
652-4 ANTIRREFLEXIONES, Juan Alborná-Salado
664-8 UN PASO AL FRENTE, Eduardo de Acha
668-0 VIDA Y MILAGROS DE LA FARÁNDULA DE CUBA II, Rosendo Rosell
623-0 HISTORIOLOGÍA CUBANA IV, José Duarte Oropesa
646-X HISTORIA DE LA MEDICINA EN CUBA II, César A. Mena
676-1 EL CAIMÁN ANTE EL ESPEJO (Un ensayo de interpretación de lo cubano), Uva de Aragón Clavijo
677-5 HISTORIOLOGÍA CUBANA V, José Duarte Oropesa
679-6 LOS SEIS GRANDES ERRORES DE MARTÍ, Daniel Román
680-X ¿POR QUÉ FRACASÓ LA DEMOCRACIA EN CUBA?, Luis Fernández-Caubí
682-6 IMAGEN Y TRAYECTORIA DEL CUBANO EN LA HISTORIA I (1492-1902), Octavio R. Costa
683-4 IMAGEN Y TRAYECTORIA DEL CUBANO EN LA HISTORIA II (1902-1959), Octavio R. Costa
684-2 LOS DIEZ LIBROS FUNDAMENTALES DE CUBA (UNA ENCUESTA), Armando Álvarez- Bravo
686-9 HISTORIA DE LA MEDICINA EN CUBA III, César A. Mena
689-3 A CUBA LE TOCÓ PERDER, Justo Carrillo
690-7 CUBA Y SU CULTURA, Raúl M. Shelton
702-4 NI CAÍDA, NI CAMBIOS, Eduardo de Acha

703-2 MÚSICA CUBANA: DEL AREYTO A LA NUEVA TROVA, Cristóbal Díaz Ayala
706-7 BLAS HERNÁNDEZ Y LA REVOLUCIÓN CUBANA DE 1933, Ángel Aparicio
713-X DISIDENCIA, Ariel Hidalgo
715-6 MEMORIAS DE UN TAQUÍGRAFO, Angel V. Fernández
716-4 EL ESTADO DE DERECHO, Eduardo de Acha
718-0 CUBA POR DENTRO (EL MININT), Juan Antonio Rodríguez Menier
719-9 DETRÁS DEL GENERALÍSIMO (Biografía de Bernarda Toro de Gómez «Manana»), Ena Curnow
721-0 CUBA CANTA Y BAILA (Discografía cubana), Cristóbal Díaz Ayala
723-7 YO,EL MEJOR DE TODOS(Biografía no autorizada del Che Guevara),Roberto Luque Escalona
727-X MEMORIAS DEL PRIMER CONGRESO PRESIDIO POLÍTICO CUBANO, Manuel Pozo
730-X CUBA: JUSTICIA Y TERROR, Luis Fernández-Caubí
737-7 CHISTES DE CUBA, Arly
738-5 PLAYA GIRÓN: LA HISTORIA VERDADERA, Enrique Ros
739-3 FILOSOFÍA DEL CUBANO Y DE LO CUBANO, José Sánchez-Boudy
740-7 CUBA: VIAJE AL PASADO, Roberto A. Solera
743-1 MARTA ABREU, UNA MUJER COMPRENDIDA, Pánfilo D. Camacho
745-8 CUBA: ENTRE LA INDEPENDENCIA Y LA LIBERTAD, Armando P. Ribas
746-8 A LA OFENSIVA, Eduardo de Acha
747-4 LA HONDA DE DAVID, Mario Llerena
752-0 24 DE FEBRERO DE 1895: LA FECHA-LAS RAÍCES-LOS HOMBRES, Jorge Castellanos
753-9 CUBA ARQUITECTURA Y URBANISMO, Felipe J. Préstamo
754-7 VIDA Y MILÁGROS DE LA FARÁNDULA DE CUBA III, Rosendo Rosell
756-3 LA SANGRE DE SANTA ÁGUEDA(ANGIOLILLO-BETANCES-CÁNOVAS), Frank Fernández
760-1 ASÍ ERA CUBA (COMO HABLÁBAMOS, SENTÍAMOS Y ACTUÁBAMOS), Daniel Román
765-2 CLASE TRABAJADORA Y MOVIMIENTO SINDICAL EN CUBA I(1819-1959), Efrén Córdova
766-0 CLASE TRABAJADORA Y MOVIMIENTO SINDICAL EN CUBA II (1959-1996), Efrén Córdova
768-7 LA INOCENCIA DE LOS BALSEROS, Eduardo de Acha
773-3 DE GIRÓN A LA CRISIS DE LOS COHETES: LA SEGUNDA DERROTA, Enrique Ros
779-2 ALPHA 66 Y SU HISTÓRICA TAREA, Miguel L. Talleda
786-5 POR LA LIBERTAD DE CUBA (RESISTENCIA, EXILIO Y REGRESO), Néstor Carbonell Cortina
792-X CRONOLOGÍA MARTIANA, Delfín Rodríguez Silva
794-6 CUBA HOY (la lenta muerte del castrismo), Carlos Alberto Montaner
795-4 LA LOCURA DE FIDEL CASTRO, Gustavo Adolfo Marín

796-2 MI INFANCIA EN CUBA: LO VISTO Y LO VIVIDO POR UNA NIÑA CUBANA DE DOCE AÑOS, Cosette Alves Carballosa
798-9 APUNTES SOBRE LA NACIONALIDAD CUBANA, Luis Fernández-Caubí
803-9 AMANECER. HISTORIAS DEL CLANDESTINAJE (LA LUCHA DE LA RESISTENCIA CONTRA CASTRO DENTRO DE CUBA, Rafael A. Aguirre Rencurrell
804-7 EL CARÁCTER CUBANO (Apuntes para un ensayo de Psicología Social), Calixto Masó y Vázquez
805-5 MODESTO M. MORA, M.D. LA GESTA DE UN MÉDICO, Octavio R. Costa
808-X RAZÓN Y PASÍON (Veinticinco años de estudios cubanos), Instituto de Estudios Cubanos
814-4 AÑOS CRÍTICOS: DEL CAMINO DE LA ACCIÓN AL CAMINO DEL ENTENDIMIENTO, Enrique Ros
820-9 VIDA Y MILAGROS DE LA FARÁNDULA CUBANA. Tomo IV, Rosendo Rosell
823-3 JOSÉ VARELA ZEQUEIRA (1854-1939); SU OBRA CIENTÍFICO-LITERARIA, Beatriz Varela
828-4 BALSEROS: HISTORIA ORAL DEL ÉXODO CUBANO DEL '94 / ORAL HISTORY OF THE CUBAN EXODUS OF '94, Felicia Guerra y Tamara Álvarez-Detrell
831-4 CONVERSANDO CON UN MÁRTIR CUBANO: CARLOS GONZÁLEZ VIDAL, Mario Pombo Matamoros
832-2 TODO TIENE SU TIEMPO, Luis Aguilar León
838-1 8-A: LA REALIDAD INVISIBLE, Orlando Jiménez-Leal
840-3 HISTORIA ÍNTIMA DE LA REVOLUCIÓN CUBANA, Ángel Pérez Vidal
841-1 VIDA Y MILAGROS DE LA FARÁNDULA CUBANA / Tomo V, Rosendo Rosell
848-9 PÁGINAS CUBANAS tomo I, Hortensia Ruiz del Vizo
849-7 PÁGINAS CUBANAS tomo II, Hortensia Ruiz del Vizo
851-2 APUNTES DOCUMENTADOS DE LA LUCHA POR LA LIBERTAD DE CUBA, Alberto Gutiérrez de la Solana
860-8 VIAJEROS EN CUBA (1800-1850), Otto Olivera
861-6 GOBIERNO DEL PUEBLO: OPCIÓN PARA UN NUEVO SIGLO, Gerardo E. Martínez-Solanas
862-4 UNA FAMILIA HABANERA, Eloísa Lezama Lima
866-7 NATUMALEZA CUBANA, Carlos Wotzkow
868-3 CUBANOS COMBATIENTES: peleando en distintos frentes, Enrique Ros
869-1 QUE LA PATRIA SE SIENTA ORGULLOSA (Memorias de una lucha sin fin), Waldo de Castroverde
870-5 EL CASO CEA: intelectuales e inquisodres en Cuba ¿Perestroika en la Isla?, Manurizio Giuliano
874-8 POR AMOR AL ARTE (Memorias de un teatrista cubano 1940-1970), Francisco Morín
875-6 HISTORIA DE CUBA, Calixto C. Masó
Nueva edición al cuidado de Leonel de la Cuesta, ampliada con índices y cronología de la historia de Cuba hasta 1992.
876-4 CUBANOS DE DOS SIGLOS: XIX y XX. ENSAYISTAS y CRÍTICOS, Elio Alba Buffill

880-2 ANTONIO MACEO GRAJALES: EL TITÁN DE BRONCE, José Mármol
882-9 EN TORNO A LA CUBANÍA (estudios sobre la idiosincrasia cubana), Ana María Alvarado
886-1 ISLA SIN FIN (Contribución a la crítica del nacionalismo cubano), Rafael Rojas

---

COLECCIÓN ÉBANO Y CANELA:

052-6 INICIACIÓN A LA POESÍA AFRO-AMERICANA, Oscar Fernández de la Vega & Alberto N. Pamies
053-4 LOS NEGROS BRUJOS, Fernando Ortiz
088-7 IDAPÓ (sincretismo en cuentos negros L.Cabrera), Hilda Perera
099-2 MÚSICA FOLKLÓRICA CUBANA, Rhyna Moldes
101-8 AYAPÁ Y OTRAS OTAN IYEBIYÉ DE LYDIA CABRERA, Josefina Inclán
191-3 HOMENAJE A LYDIA CABRERA , Reinaldo Sanchez y José A. Madrigal, (ed.)
204-0 LOS SECRETOS DE LA SANTERÍA, Agún Efundé
236-7 PATAKI, Julio García Cortez
237-5 LA POESÍA AFROANTILLANA, Leslie N. Wilson
322-3 EL SANTO (LA OCHA), Julio García Cortez
341-X PLACIDO, POETA SOCIAL Y POLÍTICO, Jorge Castellanos
389-4 LOS CUENTOS NEGROS DE LYDIA CABRERA, Mariela Gutiérrez
432-7 EN TORNO A LYDIA CABRERA, Isabel Castellanos & Josefina Inclán (ed.)
444-0 MAGIA E HISTORIA EN LOS "*CUENTOS NEGROS*","*POR QUÉ*" Y "*AYAPÁ*" DE LYDIA CABRERA, Sara Soto
468-8 IBO (Yorubas en tierras cubanas), Rosalía de la Soledad & M.J. San Juan
463-7 CULTURA AFROCUBANA I, Isabel Castellanos y Jorge Castellanos
506-4 CULTURA AFROCUBANA II, Isabel Castellanos y Jorge Castellanos
507-2 CULTURA AFROCUBANA III, Isabel Castellanos y Jorge Castellanos
618-4 CULTURA AFROCUBANA IV, Isabel Castellanos y Jorge Castellanos
528-5 LOS NIETOS DE FELICIDAD DOLORES, Cubena
535-8 EL COSMOS DE LYDIA CABRERA: Dioses, animales y hombres, Mariela Gutiérrez
582-X AFRO-HISPANIC LITERATURE:AN ANTHOLOGY OF HISPANIC WRITERS OF AFRICAN ANCESTRY, Ingrid Watson Miller
593-5 BLACK CUBENA'S THOUGHTS, Elba Birmingham-Pokorny
634-6 LA AFRICANÍA EN EL CUENTO CUBANO Y PUERTORRIQUEÑO, María Carmen Zielina
635-4 DENOUNCEMENT AND REAFFIRMATION OF THE AFRO-HISPANIC IDENTITY IN CARLOS GUILLERMO WILSON'S WORKS, Elba Birmingham-Pokorny
674-5 DECODING THE WORD: NICOLÁS GUILLÉN AS MAKER AND DEBUNKER OF MYTH, Clement A. White
691-5 LO AFRONEGROIDE EN EL CUENTO PUERTORRIQUEÑO, Rafael Falcón
736-9 ACERCAMIENTO A LA LITERATURA AFROCUBANA, Armando González-Pérez
758-X AN ENGLISH ANTHOLOGY OF AFRO-HISPANIC WRITERS OF THE TWENTIETH CENTURY, Elba D. Birmingham-Pokorny

788-1 CRITICAL PERSPECTIVES IN ENRIQUE JARAMILLO-LEVI'S WORK (A COLLECTION OF CRITICAL ESSAYS), Edited and with an Introduction by Elba D. Birmingham Pokorny

827-6 COMMON THREADS: THEMES IN AFRO-HISPANIC WOMEN'S LITERATURE, Clementina R. Adams

---

COLECCIÓN DEL CHICHEREKÚ (Obras de Lydia Cabrera)

3 LA SOCIEDAD SECRETA ABAKUÁ
4 REFRANES DE NEGROS VIEJOS
7 FRANCISCO Y FRANCISCA (chascarrillos de negros viejos)
8 POR QUÉ (cuentos negros)
9 ITINERARIOS DEL INSOMNIO (Trinidad de Cuba)
179 VOCABULARIO CONGO (EL BANTÚ QUE SE HABLA EN CUBA)
195 SIETE CARTAS DE GABRIELA MISTRAL A LYDIA CABRERA
4611-2 ANAFORUANA (Ritual y simbolos de la iniciacion en la sociedad secreta Abakuá. Con dibujos rituales de la propia autora)
009-7 EL MONTE (Igbo Finda/Ewe Orisha/Vititi Nfinda)
010-0 AYAPÁ (CUENTOS DE JICOTEA) (cuentos negros)
395-9 ANAGÓ, VOCABULARIO LUCUMÍ (El Yoruba que se habla en Cuba.)
396-7 REGLA KIMBISA DEL SANTO CRISTO DEL BUEN VIAJE
397-5 OTÁN IYEBIYÉ (Las piedras preciosas en la tradición afrocubana)
398-3 REGLAS DE CONGO. PALO MONTE-MAYOMBE
433-5 SUPERSTICIONES Y BUENOS CONSEJOS
434-3 LOS ANIMALES Y EL FOLKLORE DE CUBA
637-0 KOEKO IYAWÓ: APRENDE NOVICIA (Pequeño tratado de Regla Lucumí)
488-2 LA LENGUA SAGRADA DE LOS ÑÁÑIGOS (Vocabulario Abakuá)
654-0 CONSEJOS, PENSAMIENTOS Y NOTAS DE LYDIA E. PINBAN (Ed. de Isabel Castellanos)
671-0 CUENTOS NEGROS DE CUBA
673-7 LA LAGUNA SAGRADA DE SAN JOAQUÍN
708-3 VOCABULARIO CONGO (EL BANTÚ QUE SE HABLA EN CUBA) / CONGO-ESPAÑOL/ESPAÑOL-CONGO (Ed. de Isabel Castellanos)
733-4 PÁGINAS SUELTAS (Ed. de Isabel Castellanos
761-X YEMAYÁ Y OCHÚN (Kariocha, Iyalorichas y Olorichas)
762-8 MEDICINA POPULAR DE CUBA(médicos de antaño,curanderos,santeros y paleros de hogaño. Hierbas y recetas)
763-6 CUENTOS PARA ADULTOS NIÑOS Y RETRASADOS MENTALES